하이
패스

신용관리사
기출문제집

서울고시각

Stand by
Strategy
Satisfaction

새로운 출제경향에 맞춘 수험서의 완벽서

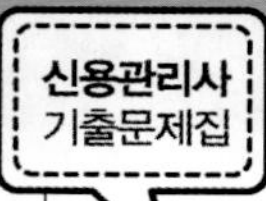

머리말

신용관리사 교재는 단순히 추심회사의 추심팀 직원들만이 필요한 것이 아니라 일반회사의 채권관리 실무자 및 개인에게도 유용한 내용으로써 채권관리의 기본이 되는 사항들을 모두 포괄하고 있습니다. 오랫동안 채권추심업에 종사하면서 경험해 왔던 사례와 노하우를 정리하고, 신용관리사 시험에 조금이라도 도움이 되고자 본 교재에 대한 작업을 진행하게 되었습니다.

먼저 기본 교재로는 신용정보협회에서 발행한 기본서가 있는 터라 이 교재를 보충하는 차원에서 기출제된 내용들을 정리하고, 부족한 부분은 보강하며, 학습한 내용을 견고히 하는 데 활용하면 좋을 것입니다. 본 기출문제집은 아래와 같은 특징으로 편집되었으니 각자 특성에 맞게 공부하시면 도움이 되리라 생각됩니다.

첫째, 단원별로 문제를 정리하여 필요에 따라 학습할 수 있습니다.

둘째, 단원별 내에서 최신 기출문제 순으로 구성하여 최신 출제 경향을 파악하기 쉽게 하였습니다.

셋째, 2017년부터 2024년까지의 8개년 기출문제 전부에 대한 자세하고 풍부한 해설로 수험생들이 쉽게 이해할 수 있도록 하였습니다. 2017년 이전 기출문제도 매우 중요한 문제는 수록하였습니다.

넷째, 실무와 동떨어진 이론은 있을 수 없으므로 실무에 도움이 되도록 해설을 정리하였습니다.

다섯째, 법령에 관한 문제는 최신 개정 내용을 반영하여 재해설하였습니다.

상기와 같은 목적으로 정리되었으므로 기본서를 중심으로, 본 기출문제집을 보충 교재로 활용하시면 도움이 될 것입니다. 모쪼록 신용정보업 종사자 또는 각 회사의 채권관리부서 실무자, 채권관리업무에 관심이 있으신 분들이 신용관리사 시험에 꼭 합격하시고 실무에 잘 활용하시길 바랍니다.

본 교재를 출판해 주신 서울고시각의 김용관 회장님과 김용성 사장님을 비롯한 편집부 직원분들께 감사드립니다.

편저자 씀

시험 정보

❶ 국가공인 신용관리사란?

- 국가공인 신용관리사는 신용정보협회가 주관하고 신용정보사 임직원 및 기타 금융기관과 기업체의 채권관리자를 대상으로 시행하는 자격제도로서 부실채권을 사전에 예방하고 부실채권의 발생 시 신속하고 효율적인 채권추심 능력을 갖춘 채권관리 전문가이다.
- 신용조회, 신용조사, 채권추심 및 신용평가업에 대한 기본 실무능력과 전문지식을 겸비한 전문가이며, 윤리성과 서비스 정신을 갖춘 신용관리의 전문가이다.

❷ 자격 성격

- 신용정보 실무능력과 전문지식을 겸비한 전문가
- 윤리성과 고객 서비스 정신을 겸비한 공익성 있는 전문가
- 2006년 02월 국가공인 인정 받음

❸ 도입 배경 및 취지

- 채권관리는 고도의 전문성을 필요로 하는 직업군으로 유럽, 미국 등 금융선진국에서는 발달하여 왔으나 우리나라는 IMF 환란 이후 부실채권을 처리하면서 중요성이 부각되었다.
- 1995년 「신용정보의 이용 및 보호에 관한 법률」에 따라 신용정보사가 설립되고 채권관리 및 신용정보관리 우수 경력자의 필요성 대두에 따라 전문가 양성이 절실한 상황이다.
- 새로운 전문금융산업으로 발전하여 신용정보업의 위상이 재정립되고 신규사업 진출 확대로 공인자격 전문가의 필요성은 시대적 요구사항이다.
- 금융기관과 기업의 시장경쟁력을 강화시키고 신용정보사회를 조기 정착시키는 주도적 역할을 수행하는 신용정보 및 채권관리 전문가인 국가공인 신용관리사는 신용정보협회에서 회원사들의 뜻을 모아 출범하였다.

❹ 학점인정

「학점인정 등에 관한 법률」에 따라 국가공인 신용관리사 자격시험이 평생교육진흥원으로부터 2008년 2월 28일에 학점인정(14학점) 대상으로 선정되었다.

- 평생교육진흥원
  - 설립근거 : 평생교육법 제19조
  - 소관부처 : 교육인적자원부

- 학점은행제(www.cb.or.kr)
  - 자격증을 취득해서 그것을 학점으로 인정을 받고 모자라는 학점은 시간제 수업으로 이수를 해서 전문대나 4년제 대학을 졸업했을 때 교육부장관 명의로 80학점 이수 시 전문학사, 140학점 이수 시 학사학위를 취득하는 것을 말한다.
  - 전문학사 전공 45학점+일반 20학점+교양 15학점, 학사학위 전공 60학점+일반 50학점+교양 30학점을 이수해야 한다.
  - 학사편입 요건 : 4년제 대학교 졸업자 / 학점은행제를 통해 학사학위 수여자(140학점 이수)

- 국가공인 민간자격 학점인정기준

대분류	중분류	직무 번호	학점	전문학사		학사	
				전공선택	전공필수	전공선택	전공필수
2. 금융. 보험	금융	01	14		경영		경영학, 법학

❺ 기타

- 신용관리사 직무

직무 내용	채권상품 이해, 채무내용 안내, 행불채무자 추적, 신용정보제도 이해, 현장실사, 고객유형 분류 및 관리, 재산 조사, 채무단계별 관리, 보전처분, 집행권원, 지급명령 획득, 강제회수 준비, 강제집행 관리 및 회수, 사후상담, 회사정리절차 개시신청 및 결정/변경/취하, 업무 협의 및 계약 체결, 내부 행정업무 등

- 자격 취득 현황

(단위 : 명, %)

연도	접수자 수	응시자 수	취득자 수	합격률
2023	미공표	2,025	1,233	60.9
2022	미공표	1,480	900	60.8
2021	2,514	1,848	1,006	54.44
2020	2,904	2,134	160	7.5
2019	2,859	2,153	1,070	49.7
2018	2,478	1,874	603	32.18
2017	2,882	2,211	976	44.14
2016	2,978	2,348	491	20.91

※ 취득 현황은 해당 기관에서 관리하고 있고 입력 시점에 따라 실제 수치와 차이가 있을 수 있으며 미입력된 데이터가 존재할 수 있음(해당 기관에 문의 요망).

※ 2024년 자격 취득 현황이 공고되지 않아 기존 자료를 제시함.

시험 안내

❶ 시험일정 및 장소

(2025년 시험일정이 공지되지 않아 2024년 일정으로 게시함)

원서 접수	시험일	합격자 발표	시험 지역
2024.06.03. ~ 2024.06.30.	2023.08.11.	2023.09.11.	서울, 대전, 대구, 부산, 광주

※ 시험 장소는 수험표를 통하여 개별 확인

❷ 시험 과목 및 시간

시험 과목	시험 내용	시험 시간 및 방법
채권일반	채권에 대한 이해	10:00 ~ 11:40(100분) 객관식 5지선다형 과목당 25문항
채권관리방법	채권회수 관련 법률에 대한 이해	
신용관리실무	채권추심 실무 및 신용정보법에 대한 이해	
고객관리 및 민원예방	고객관리 및 민원예방에 대한 이해, 금융 및 경제상식에 대한 이해	

❸ 합격 기준

매 과목 40점(100점 만점) 이상으로 전 과목 평균 60점 이상인 자

❹ 원서 접수 및 수수료 납부

- 원서 접수 : 인터넷 홈페이지(www.cica.or.kr)에 접속하여 신용관리사 메뉴에서 "응시안내" 배너를 선택
- 수수료 납부 및 환불
  - 응시료 : 50,000원
  - 자격증 발급비 : 5,000원(합격 후 희망자에 한함)
  - 수수료 환불 : 원수 접수 기간에는 전액 환불(100%), 접수 마감 다음 날부터 시험시행일 10일 전까지 부분 환불(50%). 단, 온라인 결제 수수료는 본인 부담
    ※ 8월 11일부터 환불 불가(■ 8월 10일 18:00까지 환불 가능)
- 수험표 교부 : 인터넷 홈페이지 출력

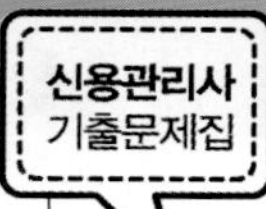

최근 8개년 출제경향 분석

과목 및 세부 내용		출제 문항수	출제 비율
제1과목 채권일반	1. 총설	68	8%
	2. 채권일반	84	9.9%
	3. 금융채권	19	2.2%
	4. 어음	40	4.7%
	5. 채권의 확보	35	4.1%
제2과목 채권관리방법	1. 채권의 보전관리	20	2.4%
	2. 임의회수	72	8.5%
	3. 채권보전	41	4.8%
	4. 소송실무	41	4.8%
	5. 민사집행	85	10%
제3과목 신용관리실무	1. 신용정보 총설	55	6.5%
	2. 신용정보의 관리	34	4%
	3. 채권상담관리	15	1.8%
	4. 행불관리	6	0.7%
	5. 채무자 신용회복지원제도	23	2.7%
	6. 신용관리 관련 법규 및 제도	16	1.9%
	7. 부실채권관리기법	0	0%
제4과목 고객관리 및 민원예방	1. 신용관리담당자의 자세와 역할	54	6.4%
	2. 고객만족(CS)	41	4.8%
	3. 채권추심업무 가이드라인	49	5.8%
	4. 민원예방	18	2.1%
	5. 신용정보업의 현황 및 전망	0	0%
	6. 금융・경제상식	34	4%
비고	1. 과목별로 배치한 것이 아니라 세부적 내용에 따라 배치하였을 때의 비율이다. 2. 과년도 문제들이라도 중요한 문제라면 남겨두었을 때의 비율이다. 3. 따라서 전체 문항 800문제를 약간 초과하나 출제 비율을 파악하는 데는, 큰 문제가 없다. 4. 출제 비율에 따라 강약을 두어 공부하는 것이 효율적인 전략이 된다.		

차 례

Part 1 채권일반

Part 2 채권관리방법

Part 3 신용관리실무

Part 4 고객관리 및 민원예방

PART 01

채권일반

〉〉〉 신용관리사 기출문제집

Chapter 01 총설

제1절 민법서설

2013년 기출

01 다음은 관습법과 관련한 설명이다. 잘못된 것은? (다툼이 있는 경우 판례에 따름)

① 관습법은 그 존부(存否)가 불분명하므로 관습법을 원용하는 당사자가 주장·증명하는 경우에 한하여 이의 법원(法源)성을 인정한다.

② 상행위와 관련된 법률관계에서는 상관습법이 민법보다 우선하여 적용된다.

③ 민사에 관하여 법률에 규정이 없으면 관습법에 의하고 관습법이 없으면 조리(條理)에 의한다.

④ 사실인 관습이 관습법이 되기 위해서는 사회의 법적 확신과 인식에 의해 법적 규범으로 승인·강행되어야 한다.

⑤ 법령 중의 선량한 풍속 기타 사회질서에 관계없는 규정과 다른 관습이 있는 경우에 당사자의 의사가 명확하지 아니한 때에는 그 관습에 의한다.

해설 법령과 같은 효력을 갖는 관습법은 당사자의 주장·입증을 기다림이 없이 법원이 직권으로 이를 확정하여야 하고, 사실인 관습은 그 존재를 당사자가 주장·입증하여야 하나, 관습은 그 존부 자체도 명확하지 않을 뿐만 아니라 그 관습이 사회의 법적 확신이나 법적 인식에 의하여 법적 규범으로까지 승인되었는지의 여부를 가리기는 더욱 어려운 일이므로 법원이 이를 알 수 없는 경우 결국은 당사자가 이를 주장·입증할 필요가 있다(대판 1983. 6.14. 80다3231).

01. ①

MEMO

제2절 권리

2024년 기출

01 다음 중 권리라고 할 수 없는 것은?

① 부당이득반환청구권
② 법인 이사의 대표권
③ 유치권
④ 항변권
⑤ 물품대금청구권

해설 ② 사람의 생활관계를 규율하는 법률관계는 복합적인 내용을 담고 있지만, 어느 한 사람을 중심으로 정리하면, 법에 의하여 옹호되는 것과 구속되는 것, 즉 권리와 의무관계로 모을 수 있다. 여기서 '권리'란 법에 의해 일정한 이익을 향수하기 위하여 부여된 힘을 말하며, '의무'란 권리에 대응하여 일정한 행위를 하여야 할 구속력을 말하는 것이다. '권리'와 구별되는 개념으로 '권한'이 있는데, 이는 타인을 위하여 그에 대하여 일정한 법률효과를 발생케 하는 행위를 할 수 있는 법률상의 자격을 말한다. 법인 이사의 대표권은 권리가 아니라 권한에 해당한다.

2023년 기출

02 다음 중 채권에 속하는 권리는?

① 점유권
② 질권
③ 지역권
④ 유치권
⑤ 확정판결로 인정된 부당이득금반환청구권

해설 ⑤ "채권"이란 특정인(채권자)이 다른 특정인(채무자)에 대해 일정한 행위(급부)를 청구하는 권리를 말한다. "부당이득금반환청구권"이란 법률상 원인 없이 타인의 재산이나 노무로 인하여 얻은 이득에 대한 반환을 청구하는 권리로서 법률의 규정에 의한 채권에 해당한다. 부당이득금반환청구권이 확정판결로 인정되었더라도 채권이라는 성질이 변하는 것은 아니다.

①②③④ "물권"이란 권리자가 물건을 직접 지배해서 이익을 얻는 독점적 내지 배타적 권리로서, 우리 민법이 인정하는 물권에는 '점유권, 소유권, 지상권, 지역권, 전세권, 유치권, 질권, 저당권'의 8가지가 있다.

01. ② 02. ⑤

MEMO

2022년 기출

03 다음 설명 중 가장 적절하지 않은 것은?

① 권리의 행사와 의무의 이행은 신의에 좇아 성실히 하여야 한다.
② 권리는 남용하지 못한다.
③ 사람은 생존한 동안 권리와 의무의 주체가 된다.
④ 「민법」상 사람은 만 20세로 성년에 이르게 된다.
⑤ 물권과 채권과의 관계에서는 일반적으로 물권이 우선한다.

해설 사람은 19세로 성년에 이르게 된다[민법 제4조(성년)].
① 민법 제2조 제1항 – 신의성실의 원칙
② 민법 제2조 제2항 – 권리남용금지의 원칙
③ 민법 제3조(권리능력의 존속기간)
⑤ 동일물에 대하여 물권과 채권이 병존하는 경우에는, 그 성립시기를 불문하고 항상 물권이 우선한다. 다만, 채권일지라도 등기된 임차권(민법 제621조)이나 주택의 인도와 주민등록을 마친 임차권(주택임대차보호법 제3조) 등은 이른바 물권화된 채권으로 그 순위에 있어서는 물권과 마찬가지로 다루어진다.

2021년 기출

04 다음 중 권리가 아닌 것은?

① 대리인의 대리권
② 소유권
③ 지상권
④ 공유물분할청구권
⑤ 채권자취소권

해설 법에 의하여 규율되는 생활관계를 '법률관계'라고 한다. 법률관계는 복합적인 내용을 담고 있지만, 어느 한 사람을 중심으로 정리하면 권리와 의무관계로 모을 수 있다. "권리"란 '일정한 생활상의 이익에 대한 법률상의 힘'으로 정의된다.(권리법력설) ② 소유권과 ③ 지상권과 같은 재산권으로서 물권이나 ④ 공유물분할청구권과 ⑤ 채권자취소권 같은 형성권이 그 예이다. 이와 구별되는 개념으로 '타인을 위하여 그에 대하여 일정한 법률효과를 발생케 하는 행위를 할 수 있는 법률상의 자격'을 의미하는 "권한"이 있는데, 대리인의 대리권은 이에 해당한다.

03. ④ 04. ①

MEMO

2017년 기출

05 다음은 권리에 대한 설명이다. 가장 적절하지 않은 것은?

① 우리 「민법」이 인정하는 물권에는 점유권 · 소유권 · 지상권 · 지역권 · 전세권 · 유치권 · 질권 · 저당권이 있다.
② 채권은 계약과 법률의 규정에 의해 발생할 수 있다.
③ 형성권에는 권리자의 일방적 의사표시만으로써 효과가 발생되는 것과 재판상으로 권리를 행사하여 그 판결에 의해 효과가 발생되는 것이 있다.
④ 채권자취소권은 재판을 통하여 행사되어야만 하는 권리가 아니다.
⑤ 동시이행의 항변권은 청구권의 행사를 일시적으로 저지할 수 있는 연기적 항변권이다.

해설 권리자의 일방적 의사표시만으로 권리의 변경(발생, 변경, 소멸)을 가져오는 권리로서 명문의 규정이 있을 때에만 인정되는 권리를 '형성권'이라 한다. 이 형성권 중에는 재판상으로 권리를 행사하여 그 판결에 의해 효과를 발생하는 것이 있는데 채권자취소권은 이에 해당한다.

2021년 기출

06 다음 중 형성권이 아닌 것은?

① 매매의 일방예약완결권
② 지료증감청구권
③ 지상물매수청구권
④ 동시이행의 항변권
⑤ 공유물분할청구권

해설 권리의 종류의 분류방법 중 작용(효력)에 의해 분류하면 지배권, 청구권, 형성권, 항변권으로 구분된다. 여기서 항변권은 청구권의 행사에 대해 일정한 사유에 의해 그 급부를 거절할 수 있는 권리이다. 항변권은 상대방에 의해 주장되는 청구권의 존재를 전제로 한다. 항변권에는 청구권의 행사를 일시적으로 저지할 수 있는 '연기적 항변권' [예 동시이행의 항변권(민법 제536조), 보증인의 최고 및 검색의 항변권(민법 제437조)]과 영구적으로 저지할 수 있는 '영구적 항변권' [예 상속인의 한정승인(민법 제1028조)]이 있다.
①, ②, ③, ⑤ 형성권은 권리자의 일방적 의사표시만으로 권리의 발생 · 변경 · 소멸을 가져오는 권리로서, 명문의 규정이 있을 때에만 인정되는 권리이다.
형성권에는 다음과 같은 두 가지 유형이 있다.
1) 권리자의 일방적 의사표시만으로써 효과를 발생하는 것: 법률행위의 동의권(민법 제5조, 제10조) · 취소권(민법 제140조) · 추인권(민법 제143조) · 계약의 해제권 및 해지권(민법 제543조) · 상계권(민법 제492조) · 매매의 일방예약완결권(민법 제564조) · 약혼해제권(민법 제805조) · 상속포기(민법 제1041조) 등이 이에 속한다. 한편 청구권이라고 표현하더라도, 지료증감청구권(민법 제286조) · 지상물매수청구권(민법 제285조) · 부속물매수청구권(민법 제316조) · 매매대금감액청구권(민법 제572조) · 공유물분할청구권(민법 제268조) 등도 이에 속한다.

05. ④ 06. ④

MEMO

2) 재판상으로 권리를 행사하여 그 판결에 의해 효과를 발생하는 것: 채권자취소권(민법 제406조) · 혼인취소권(민법 제816조) · 재판상 이혼권(민법 제840조) · 친생부인권(민법 제846조) · 입양취소권(민법 제884조) · 재판상 파양권(민법 제905조) 등이 이에 속한다.

2020년 기출

07 다음의 형성권 중 재판상으로 권리를 행사하여 그 판결에 의해 효과가 발생하는 형성권들만 모두 고르면 몇 개인가?

㉠ 매매의 일방예약완결권
㉡ 채권자취소권
㉢ 계약의 해제권
㉣ 법률행위의 취소권
㉤ 상계권
㉥ 재판상 이혼권
㉦ 지상물매수청구권
㉧ 공유물분할청구권
㉨ 혼인취소권

① 1개
② 2개
③ 3개
④ 4개
⑤ 5개

해설 형성권은 권리자의 일방적 의사표시만으로 권리의 발생 · 변경 · 소멸을 가져오는 권리로서, 명문의 규정이 있을 때에만 인정되는 권리이다. 형성권에는 다음과 같은 두 가지 유형이 있다.

(1) **권리자의 일방적 의사표시만으로써 효과를 발생하는 것** : 법률행위의 동의권(민법 제5조, 제10조) · 취소권(민법 제140조) · 추인권(민법 제143조) · 계약의 해제권 및 해지권(민법 제543조) · 상계권(민법 제492조) · 매매의 일방예약완결권(민법 제564조) · 약혼해제권(민법 제805조) · 상속포기(민법 제1041조) 등이 이에 속한다. 한편 청구권이라고 표현하더라도, 지료증감청구권(민법 제286조) · 지상물매수청구권(민법 제285조) · 부속물매수청구권(민법 제316조) · 매매대금감액청구권(민법 제572조) · 공유물분할청구권(민법 제268조) 등도 이에 속한다.

(2) **재판상으로 권리를 행사하여 그 판결에 의해 효과를 발생하는 것** : 채권자취소권(민법 제406조, ㉡) · 혼인취소권(민법 제816조, ㉨) · 재판상 이혼권(민법 제840조, ㉥) · 친생부인권(민법 제846조) · 입양취소권(민법 제884조) · 재판상 파양권(민법 제905조) 등이 이에 속한다.

정답 07. ③

MEMO

2019년 기출

08 권리자의 일방적 의사표시에 의하여 법률관계의 발생 · 변경 · 소멸을 일어나게 하는 권리를 형성권이라고 한다. 다음 중 형성권은?

① 물권적청구권
② 부양청구권
③ 공유물분할청구권
④ 상속회복청구권
⑤ 유아인도청구권

해설 '형성권'은 명문의 규정이 있을 때에만 인정되며, 권리자의 일방적 의사표시만으로써 효과를 발생하는 것과 재판상으로 권리를 행사하여 그 판결에 의해 효과를 발생하는 것이 있는데, 공유물분할청구권(민법 제268조)은 권리자의 일방적 의사표시만으로써 효과를 발생하는 것으로 협의에 의한 분할(현물분할, 대금분할, 가액분할)이 가능하고 협의에 의한 분할이 성립하지 않는 경우에 재판상 분할(민법 제269조 제1항)이 행하여진다.
①②④⑤ '청구권'은 특정인이 다른 특정인에 대하여 일정한 행위, 즉 작위 또는 부작위를 요구하는 권리이다. 청구권은 채권에서 나오는 것이 보통이지만, 다른 권리에 기초하여서도 발생한다. 즉 물권에 기초하여 물권적청구권이 발생하고 친족상속법상의 권리에 기초하여 부양청구권, 유아인도청구권, 상속회복청구권이 발생한다.

2018년 기출

09 다음 중 재판상으로 권리를 행사하여 그 판결에 의해 효과를 발생시키는 권리만 고른 것은?

㉠ 유치권
㉡ 계약의 해지권
㉢ 법률행위의 동의권
㉣ 지상물매수청구권
㉤ 채권자취소권
㉥ 재판상이혼청구권

① ㉤, ㉥
② ㉡, ㉢
③ ㉢, ㉣
④ ㉣, ㉤
⑤ ㉠, ㉡

해설 민법상 권리의 종류는 다양한 기준으로 분류할 수 있는데, 그중 작용(효력)에 따라 분류하면 지배권, 청구권, 형성권, 항변권으로 나눌 수 있다. 그중 형성권은 권리자의 일방적 의사표시만으로 권리의 발생 · 변경 · 소멸을 가져오는 권리로서, 그 행사방법은 재판상, 재판외를 불문하나 재판상으로만 권리를 행사하여 그 판결에 의해 효과를 발생하는 것이 있다. 채권자취소권(민법 제406조), 혼인취소권(민법 제816조), 재판상 이혼청구권(민법 제840조), 친생부인권(민법 제846조), 입양취소권(민법 제884조), 재판상 파양권(민법 제905조) 등이 이에 속한다.

정답 08. ③ 09. ①

MEMO

2014년 기출

10 권리에 대한 설명으로 잘못된 것은?

① 청구권은 특정인이 다른 특정인에 대하여 일정한 행위를 요구하는 권리이다. 청구권은 채권에서 나오는 것이 보통이지만, 다른 권리에 기초하여서도 발생한다.

② 지배권은 타인의 행위를 필요로 하지 않고 일정한 객체를 직접 지배할 수 있는 권리로서 재산권에만 인정되는 권리이다.

③ 형성권은 권리자의 일방적 의사표시만으로 권리의 발생·변경·소멸을 가져오는 권리로서 법에 명문의 규정이 있을 때만 인정되는 권리이다.

④ 항변권은 청구권의 행사에 대해 일정한 사유에 의해 그 급부를 거절할 수 있는 권리로서 연기적 항변권과 영구적 항변권으로 분류할 수 있다.

⑤ '귀속상의 일신전속권'은 권리가 어느 특정인에게만 귀속되어야 하고 따라서 양도성과 상속성이 없는 권리이다.

해설 지배권은 타인의 행위를 필요로 하지 않고 일정한 객체를 직접 지배할 수 있는 권리로서 지배권에 대한 침해는 불법행위를 구성하고(민법 제750조 참조), 지배 상태에 대한 방해를 제거할 수 있는 권능도 주어지는 바(민법 제213조, 제214조 참조) 무체재산권, 지적재산권 등의 재산권은 물론 물권, 준물권과 채권에도 인정되는 권리이다.

2013년 기출

11 항변권은 '연기적 항변권'과 '영구적 항변권'으로 구분할 수 있다. 다음 중 '연기적 항변권'에 속하는 것은?

① 소멸시효의 완성에 따른 항변권

② 상속인의 한정승인 항변권

③ 채무의 이행청구에 대하여 변제로 인한 항변권

④ 보증인의 최고·검색의 항변권

⑤ 실효의 법리에 따른 항변권

해설 동시이행의 항변권(민법 제536조)이나 보증인의 최고 및 검색의 항변권(민법 제437조)은 청구의 행사를 일시적으로 저지할 수 있는 연기적 항변권이며, 상속인의 한정승인(민법 제1028조)인 항변권은 영구적 항변권에 속한다.

10. ② 11. ④

MEMO

2024년 기출

12 권리 상호간의 순위에 관한 다음 설명 중 가장 적절하지 않은 것은?

① 같은 종류의 물권 상호간에는 "먼저 성립한 권리가 후에 성립한 권리에 우선한다"는 원칙이 적용된다.
② 동일물에 대하여 물권과 채권이 병존하는 경우에는 그 성립시기를 불문하고 채권이 우선한다.
③ 동일 채무자에 대한 수개의 채권은 평등하게 다루어짐이 원칙이다.
④ 제한물권이 소유권과 충돌하는 경우에는 제한물권의 성질상 소유권에 우선한다.
⑤ 담보물권 상호간에는 먼저 성립한 권리가 우선한다.

해설 ② 동일물에 대하여 물권과 채권이 병존하는 경우에는 그 성립시기를 불문하고 물권이 우선한다. 다만, 채권일지라도 등기된 임차권(민법 제621조)이나 주택의 인도와 주민등록을 마친 임차권(주택임대차보호법 제3조) 등은 이른바 물권화된 채권으로서, 그 순위에 있어서는 물권과 마찬가지로 다루어진다.

2021년 기출

13 권리 상호간의 순위에 관한 다음 설명 중 적절하지 않은 것은?

① 소유권과 제한물권(예: 지상권 · 전세권 등) 사이에서는 언제나 소유권이 우선한다.
② 채권 상호간에는 원칙적으로 우열이 없다.
③ 같은 종류의 물권 상호간에서는 '먼저 성립한 권리가 후에 성립한 권리에 우선한다'는 원칙이 적용된다.
④ 동일물에 대하여 물권과 채권이 병존하는 경우에는 그 성립시기를 불문하고 원칙적으로 물권이 우선한다.
⑤ 채권일지라도 등기된 임차권이나 주택의 인도와 주민등록을 마친 임차권 등은 이른바 물권화된 채권으로서 그 순위에 있어서는 물권과 마찬가지로 다루어진다.

해설 소유권과 제한물권(예 지상권, 전세권 등) 사이에서는 제한물권의 성질상 그것이 언제나 소유권에 우선한다(예컨대 전세기간 동안에는 소유자는 그 목적물을 사용할 수 없으며, 전세권자가 사용하게 된다).
② 채권 상호간에는 '채권자평등의 원칙'에 의해, 동일 채무자에 대한 수개의 채권은 그 발생원인 · 발생 시기 · 채권액을 불문하고 평등하게 다루어진다. 즉, 채권 상호간에는 우열이 없다. 따라서 채무자는 채권자 중 누구에게 이행하든 자유이며, 그에 따라 먼저 급부를 받는 자가 만족을 얻고 다른 채권자는 그 나머지로부터 변제를 받을 수

12. ② 13. ①

MEMO

있을 뿐이다. 이것을 '선행주의'라고 한다.

③ 같은 종류의 물권 상호간에서는, "먼저 성립한 권리가 후에 성립한 권리에 우선한다."는 원칙이 적용된다. 즉, 동일물 위에 앞의 물권과 동일한 내용을 갖는 물권은 그 후에 다시 성립할 수 없고(예 소유권), 성립하는 경우(예 저당권)에도 앞의 물권의 우선순위를 해치지 않는 범위 내에서만 그 효력이 부여될 뿐이다.

④ 동일물에 대하여 물권과 채권이 병존하는 경우에는, 그 성립시기를 불문하고 항상 물권이 우선한다.

⑤ 채권일지라도 등기된 임차권(민법 제621조)이나 주택의 인도와 주민등록을 마친 임차권(주택임대차보호법 제3조) 등은 이른바 물권화된 채권으로 그 순위에 있어서는 물권과 마찬가지로 다루어진다. 따라서 등기된 부동산임차권은 그 후에 등기된 물권보다 선순위이다.

2020년 기출

14 권리 상호간의 순위에 관한 다음 설명 중 옳은 것은?

① 물권과 채권 간에는 먼저 성립한 권리가 우선한다.
② 채권 상호간에는 먼저 성립한 채권이 우선한다.
③ 소유권과 제한물권 사이에서는 제한물권이 우선한다.
④ 등기된 부동산임차권은 그 후에 성립하는 물권과 동일한 순위이다.
⑤ 담보물권 상호간에는 뒤에 성립한 권리가 우선한다.

해설 ③ 소유권과 제한물권(예 지상권, 전세권 등) 사이에서는 제한물권의 성질상 그것이 언제나 소유권에 우선한다(즉, 전세기간 동안에는 소유자는 그 목적물을 사용할 수 없으며, 전세권자가 사용하게 된다).

① 동일물에 대하여 물권과 채권이 병존하는 경우에는, 그 성립시기를 불문하고 항상 물권이 우선한다.

④ 다만, 채권일지라도 등기된 임차권(민법 제621조)이나 주택의 인도와 주민등록을 마친 임차권(주택임대차보호법 제3조) 등은 이른바 물권화된 채권으로 그 순위에 있어서는 물권과 마찬가지로 다루어진다. 따라서 등기된 부동산임차권은 그 후에 등기된 물권보다 선순위이다.

⑤ 같은 종류의 물권 상호간에서는, "먼저 성립한 권리가 후에 성립한 권리에 우선한다."는 원칙이 적용된다. 즉, 동일물 위에 앞의 물권과 동일한 내용을 갖는 물권은 그 후에 다시 성립할 수 없고(예 소유권), 성립하는 경우(예 저당권)에도 앞의 물권의 우선순위를 해치지 않는 범위 내에서만 그 효력이 부여될 뿐이다.

② 채권 상호간에는 '채권자평등의 원칙'에 의해, 동일 채무자에 대한 수개의 채권은 그 발생원인・발생시기・채권액을 불문하고 평등하게 다루어진다. 즉, 채권 상호간에는 우열이 없다. 따라서 채무자는 채권자 중 누구에게 이행하든 자유이며, 그에 따라 먼저 급부를 받는 자가 만족을 얻고 다른 채권자는 그 나머지로부터 변제를 받을 수 있을 뿐이다. 이것을 '선행주의'라고 한다.

14. ③

MEMO

2019년 기출

15 권리의 충돌과 권리의 보호 등에 대한 다음 설명 중 가장 옳지 않은 것은?

① 동일한 목적물 위에 성질・범위・순위가 같은 물권은 병존하지 못함이 원칙이다.

② 동일 채무자에 대한 수 개의 채권은 그 발생원인・발생시기・채권액을 불문하고 평등하게 다루어짐이 원칙이다.

③ 같은 종류의 물권 상호간에는 '먼저 성립한 권리가 후에 성립한 권리에 우선한다'는 원칙이 적용된다.

④ 동일물에 대하여 물권과 채권이 병존하는 경우에는 원칙적으로 그 성립시기를 불문하고 물권이 우선한다.

⑤ 소유권과 제한물권 사이에서는 소유권이 우선한다.

해설 동일한 객체에 대하여 수개의 권리가 존재하는 경우에, 그 객체가 그 권리를 모두 만족시킬 수 없는 때가 있다. 이것을 '권리의 충돌'이라고 한다. 소유권과 제한물권 사이에서는 제한물권의 성질상 그것이 언제나 소유권에 우선한다(예컨대, 전세기간 동안에는 소유자는 그 목적물을 사용할 수 없으며, 전세권자가 사용하게 된다).

③ 같은 종류의 물권 상호간에는 '먼저 성립한 권리가 후에 성립한 권리에 우선한다'는 원칙이 적용된다.

① 즉 동일한 목적물 위에 성질・범위・순위가 같은 물권은 병존하지 못함이 원칙(예 소유권)이고, 성립하는 경우(예 저당권)에도 앞의 물권의 우선순위를 해치지 않는 범위 내에서만 그 효력이 부여될 뿐이다.

② 그러나, 동일 채무자에 대한 수 개의 채권은 그 발생원인・발생시기・채권액을 불문하고 평등하게 다루어짐이 원칙이다. 즉, 채권 상호간에는 우열이 없다. 따라서, 채무자는 채권자 중 누구에게 이행하든 자유이며, 그에 따라 먼저 급부를 받는 자가 만족을 얻고 다른 채권자는 그 나머지로부터 변제를 받을 수 있을 뿐이다. 이것을 '선행주의'라고 한다.

④ 한편, 동일물에 대하여 물권과 채권이 병존하는 경우에는 원칙적으로 그 성립시기를 불문하고 물권이 우선한다. 다만, 채권일지라도 등기된 임차권(민법 제621조)이나 주택의 인도와 주민등록을 마친 임차권(주택임대차보호법 제3조) 등은 이른바 물권화된 채권으로서, 그 순위에 있어서는 물권과 마찬가지로 다루어진다.

15. ⑤

MEMO

2017년 기출

16 다음은 권리의 충돌과 권리의 보호 등에 관한 설명이다. 가장 옳지 않은 것은?

① 같은 종류의 물권 상호간에는 "먼저 성립한 권리가 후에 성립한 권리에 우선한다"는 원칙이 적용된다.
② 동일 채무자에 대한 수 개의 채권은 평등하게 다루어짐이 원칙이다.
③ 동일한 목적물 위에 성질, 범위, 순위가 같은 물권은 병존하지 못함이 원칙이다.
④ 근대법치국가에서는 사력구제는 예외적인 경우를 제외하고는 허용되지 않는다.
⑤ 동일물에 대하여 물권과 채권이 병존하는 경우에는 그 성립시기를 불문하고 채권이 우선한다.

해설 동일물에 대하여 물권과 채권이 병존하는 경우에는 그 성립시기를 불문하고 항상 물권이 우선한다.
③ 하나의 물건 위에 내용이 상충되는 수 개의 물권이 존재할 수 없는 바, 이를 '물권의 배타성(排他性)'이라 한다. 이는 동일한 내용을 가지기 때문에 서로 양립할 수 없는 물권들 사이에서만 인정되며, 서로 내용을 달리하여 양립할 수 있는 수 개의 물권(가령 소유권과 제한물권)은 동시에 하나의 물건 위에 성립할 수 있다.
④ 민법 제209조(자력구제) 참조

2016년 기출

17 다음에 열거된 원칙들과 가장 관련이 깊은 것은?

• 사정변경의 원칙 • 권리남용금지의 원칙 • 실효의 원칙
• 신의성실의 원칙 • 모순행위금지의 원칙

① 권리행사의 자유
② 권리행사의 한계
③ 권리의 보호
④ 권리의 충돌
⑤ 법규의 경합

해설 권리행사의 한계 : 개인의 권리는 존중되어야 하지만 개인도 사회의 일원인 이상 권리의 행사가 타인 나아가 공공질서 내지 사회공공의 이익에 반하여서는 안 된다는 제약을 받게 된다. 이에 민법 제2조에서는 "권리의 행사와 의무의 이행은 신의에 좇아 성실히 하여야 한다"는 신의성실의 원칙(제1항)과 "권리는 남용하지 못한다"는 권리남용금지의 원칙(제2항)을 정하고 있다. 신의칙의 파생원리로 모순행위 금지의 원칙, 실효의 원칙, 사정변경의 원칙이 있다.

16. ⑤ 17. ②

MEMO

2015년 기출

18 권리남용에 대한 설명으로 가장 거리가 먼 것은?

① 권리는 남용하지 못한다.
② 권리의 남용이라 함은 외형상으로는 권리의 행사인 것과 같이 보이나 구체적인 경우에 실질적으로 검토할 때에는 권리의 공공성 · 사회성에 반하는 정당한 권리의 행사로서 시인할 수 없는 행위를 말한다.
③ 권리의 행사에 의하여 권리행사자가 얻는 이익보다 상대방이 입은 손해가 크면 권리남용이 된다.
④ 권리남용으로 인정되면 그 권리행사는 위법한 것으로 되어 정상적인 권리행사에 따르는 법률효과가 발생하지 않는다.
⑤ 권리남용으로 권리자체가 박탈되는 것은 아니나 예외적으로 친권의 남용과 같이 법률에 특별규정이 있는 때에는 그 권리(친권) 자체가 박탈되는 수가 있다.

해설 이러한 사정만으로 권리의 공공성 · 사회성에 반하는 정당한 권리의 행사로서 시인할 수 없는 행위라 볼 수 없다.
① 민법 제2조 제2항, ② 권리남용의 정의, ④, ⑤ 권리남용의 효과

2014년 기출

19 '사력구제(私力救濟 : 권리의 침해가 있는 경우에 사인이 그의 힘으로써 구제하는 것)'에 관한 설명으로 가장 적절하지 않은 것은?

① 타인의 불법행위에 대하여 자기 또는 제3자의 이익을 방위하기 위하여 부득이 타인에게 손해를 가한 자는 배상할 책임이 없다.
② 급박한 위난을 피하기 위하여 부득이 타인에게 손해를 가한 자는 배상할 책임이 없다.
③ 점유자는 그 점유를 부정히 침탈 또는 방해하는 행위에 대하여 자력으로써 이를 방위할 수 있다.
④ 부동산 점유물이 침탈되었을 경우에 그 소유자는 침탈 후 상당기간이 경과한 후에도 가해자를 배제하여 이를 탈환할 수 있다.
⑤ 동산 점유물이 침탈되었을 경우에 점유자는 현장에서 또는 추적하여 가해자로부터 이를 탈환할 수 있다.

18. ③ 19. ④

MEMO

해설 민법은 사력구제로서 정당방위, 긴급피난, 점유자의 자력구제를 두고 있다. 특히 점유자의 자력구제로서 점유자는 그 점유를 부정히 침탈 또는 방해하는 행위에 대하여 자력으로써 이를 방위할 수 있으며, 점유물이 침탈되었을 경우 부동산일 때에는 침탈 후 즉시 가해자를 배제하여 이를 탈환할 수 있고, 동산일 때에는 현장에서 또는 추적하여 가해자로부터 이를 탈환할 수 있다. 이에 점유자의 자력구제는 점유의 방해 또는 침탈이 현재 진행 중인 경우를 전제로 하는 것이므로 부동산 점유물이 침탈되었을 경우 침탈 후 상당기간이 경과한 후라면 가해자를 배제하여 이를 탈환할 수는 없는 것이 원칙이다.

제3절 권리의 주체

2023년 기출

01 다음 설명 중 ( ) 안에 들어갈 용어로 가장 적절한 것은?

> ( )은/는 질병・장애・노령, 그 밖의 사유로 인한 정신적 제약으로 사무를 처리할 능력이 부족한 사람으로서 일정한 자의 청구에 의하여 가정법원으로부터 후견개시의 심판을 받은 자이다(민법 제12조).

① 미성년자후견인
② 피성년후견인
③ 특정후견인
④ 피한정후견인
⑤ 무능력자

해설 ④ 민법 제12조(한정후견개시의 심판) 참조, 제한능력자제도에 관한 다음 내용참조

1. 우리 민법은 행위능력을 적극적으로 규정하지 않고, 무능력자제도를 규정하여 무능력자가 아닌 자는 행위능력이 있는 것으로 보았다. 그러나 2011.3.7. 민법의 개정으로 '무능력자제도'가 아닌 '제한능력자제도'로 바뀌어졌다(2013.7.1.부터 시행). 다만, 그 행위능력에 있어서는 종전의 '무능력자제도'와 크게 다름이 없다.
2. 민법 개정으로 달라진 제2장 '인'의 제1절 '능력' 부분의 규정은 '한정치산의 선고'를 '성년후견개시의 심판'으로, '한정치산자의 능력'인 '미성년자가 법정대리인으로부터 허락을 얻은 특정한 영업에 관하여는 성년자와 동일한 행위능력이 있다'를 준용한 것을 '피성년후견인의 행위와 취소'로, '한정치산선고의 취소'를 '성년후견종료의 심판'으로, '금치산의 선고'를 '한정후견개시의 심판'으로, '금치산자의 능력'을 '피한정후견인의 행위와 동의'로, '금치산선고의 취소'를 '한정후견종료의 심판'으로, '무능력자의 상대방의 최고권'을 '제한능력자의 상대방의 확답을 촉구할 권리'로, '무능력자의 상대방의 철회권과 거절권'을 '제한능력자의 상대방의 철회권과 거절권'으로, '무능력자의 사술'을 '제한능력자의 속임수'로 그 조문 명칭이 바뀐 것과 아울러 '특정후견의 심판' '심판 사이의 관계'의 규정을 신설했고, 그 밖에

01. ④

MEMO

심판청구자의 범위를 넓히고 명확하게 했으며, 특히 법원에 제한능력자의 취소할 수 없는 법률행위 범위를 정할 수 있도록 했다.

3. ⅰ) '피성년후견인'이란 질병, 장애, 노령, 그 밖의 사유로 인한 정신적 제약으로 사무를 처리할 능력이 지속적으로 결여된 사람으로서 가정법원으로부터 성년후견개시의 심판을 받은 자를 말한다[민법 제9조(성년후견개시의 심판)]. ⅱ) 후견계약은 질병, 장애, 노령, 그 밖의 사유로 인한 정신적 제약으로 사무를 처리할 능력이 부족한 상황에 있거나 부족하게 될 상황에 대비하여 자신의 재산관리 및 신상보호에 관한 사무의 전부 또는 일부를 다른 자에게 위탁하고 그 위탁사무에 관하여 대리권을 수여하는 것을 내용으로 한다[민법 제959조의14(후견계약의 의의와 체결방법 등) 제1항]. '임의후견인'이란 이러한 후견계약에 의해 후견인이 된 자를 말한다. ⅲ) '피한정후견인'이란 질병, 장애, 노령, 그 밖의 사유로 인한 정신적 제약으로 사무를 처리할 능력이 부족한 사람으로서 가정법원으로부터 한정후견개시의 심판을 받은 자를 말한다[민법 제12조(한정후견개시의 심판)]. ⅳ) '피특정후견인'이란 질병, 장애, 노령, 그 밖의 사유로 인한 정신적 제약으로 일시적 후원 또는 특정한 사무에 관한 후원이 필요한 사람으로서 가정법원으로부터 특정후견개시의 심판을 받은 자를 말한다[민법 제14조의2(특정후견의 심판)]. 가정법원은 피특정후견인의 후원을 위하여 필요한 처분을 명할 때 그 처분의 하나로 피특정후견인을 후원하거나 대리하기 위한 '특정후견인'을 선임할 수 있다.

2021년 기출

02 다음 설명 중 (　) 안에 들어갈 용어로 가장 적절한 것은?

> 질병 · 장애 · 노령 그 밖의 사유로 인한 정신적 제약으로 사무를 처리할 능력이 부족한 사람으로서 일정한 자의 청구에 의하여 가정법원으로부터 심판을 받은 자를 (　　　)이라(라) 한다.

① 피한정후견인　② 피성년후견인
③ 미성년자　④ 금치산자
⑤ 특정후견인

해설 '피한정후견인'에 대한 설명이다(민법 제12조 제1항, 가사소송규칙 제32조~제38조의6 참조).

② '피성년후견인'은 질병, 장애, 노령 그 밖의 사유로 인한 정신적 제약으로 사무를 처리할 능력이 지속적으로 결여된 자로서 일정한 자의 청구에 의하여 법원으로부터 성년후견개시의 심판을 받은 자이다(민법 제9조 제1항, 가사소송규칙 제32조~제38조의6 참조).

02. ①

MEMO

2020년 기출

03 다음 설명 중 ( ) 안에 들어갈 가장 적절한 용어는?

질병, 장애, 노령, 그 밖의 사유로 인한 정신적 제약으로 사무를 처리할 능력이 지속적으로 결여된 제한능력자를 ( )(이)라 한다.

① 임의후견인
② 미성년자
③ 피성년후견인
④ 피한정후견인
⑤ 특정후견인

해설 ③ 2013.7.1. 시행된 개정민법에서는 성년후견・한정후견・특정후견제도가 도입되었다. '피성년후견인'이란 질병, 장애, 노령, 그 밖의 사유로 인한 정신적 제약으로 사무를 처리할 능력이 지속적으로 결여된 사람으로서 가정법원으로부터 성년후견개시의 심판을 받은 자를 말한다[민법 제9조(성년후견개시의 심판)].

① 후견계약은 질병, 장애, 노령, 그 밖의 사유로 인한 정신적 제약으로 사무를 처리할 능력이 부족한 상황에 있거나 부족하게 될 상황에 대비하여 자신의 재산관리 및 신상보호에 관한 사무의 전부 또는 일부를 다른 자에게 위탁하고 그 위탁사무에 관하여 대리권을 수여하는 것을 내용으로 한다[민법 제959조의14(후견계약의 의의와 체결방법 등) 제1항]. '임의후견인'이란 이러한 후견계약에 의해 후견인이 된 자를 말한다.

② '미성년자'는 성년에 이르지 않은 자를 말하는 바, 사람은 19세로 성년에 이르게 된다[민법 제4조(성년)].

④ '피한정후견인'이란 질병, 장애, 노령, 그 밖의 사유로 인한 정신적 제약으로 사무를 처리할 능력이 부족한 사람으로서 가정법원으로부터 한정후견개시의 심판을 받은 자를 말한다[민법 제12조(한정후견개시의 심판)].

⑤ '피특정후견인'이란 질병, 장애, 노령, 그 밖의 사유로 인한 정신적 제약으로 일시적 후원 또는 특정한 사무에 관한 후원이 필요한 사람으로서 가정법원으로부터 특정후견개시의 심판을 받은 자를 말한다[민법 제14조의2(특정후견의 심판)]. 가정법원은 피특정후견인의 후원을 위하여 필요한 처분을 명할 때 그 처분의 하나로 피특정후견인을 후원하거나 대리하기 위한 '특정후견인'을 선임할 수 있다.

03. ③

MEMO

제4절 권리의 객체

2022년 기출

01 **「민법」상 물건에 관한 다음 설명 중 가장 적절하지 않은 것을 모두 고르면 몇 개인가?**

ㄱ. 민법에서 물건이라 함은 유체물 및 전기 기타 관리할 수 있는 자연력을 말한다.
ㄴ. 토지 및 그 정착물은 부동산이다.
ㄷ. 물건의 소유자가 그 물건의 상용에 공하기 위하여 타인 소유인 다른 물건을 이에 부속하게 한 때에는 그 부속물은 종물이다.
ㄹ. 주물은 종물의 처분에 따른다.

① 1개 ② 2개
③ 3개 ④ 4개
⑤ 없음

해설 ㄷ. 물건의 소유자가 그 물건의 상용에 공하기 위하여 자기 소유인 다른 물건을 이에 부속하게 한 때에는 그 부속물은 종물이다(민법 제100조 제1항).
ㄹ. 종물은 주물의 처분에 따른다(민법 제100조 제2항).
ㄱ. 민법에서 물건이라 함은 유체물 및 전기 기타 관리할 수 있는 자연력을 말한다(민법 제98조).
ㄴ. 토지 및 그 정착물은 부동산이다(민법 제99조 제1항).

2016년 기출

02 **다음 중 옳지 않은 것은?**

① 공공용물은 공용물과 달라서 반드시 국가·공공단체의 소유에 속하여야 한다.
② 국립학교 건물 등도 공용폐지 후에는 거래의 객체가 될 수 있다.
③ 도로부지도 개인소유가 될 수 있다.
④ 아편, 위조화폐는 금제물로서 소유 또는 소지할 수 없다.
⑤ 법정문화재는 금제물로서 거래를 할 수 없을 뿐이다.

01. ② 02. ①

MEMO

해설 물건의 거래객체로서의 적격성과 관련하여 강학상 융통물과 불융통물로 분류된다. 사법상 거래의 객체가 될 수 있는 물건을 융통물, 사법상 거래의 객체가 될 수 없는 물건을 불융통물이라 한다. 불융통물에는 국가·공공단체의 소유로서 공적 목적에 사용되는 공용물(예 관공서, 국공립학교의 건물 등), 일반 공중의 사용에 제공되는 공공용물(예 도로, 하천, 항만 등), 법령에 의하여 거래가 금지되는 금제품(예 마약, 위조통화, 국보, 지정문화재 등)이 있다. 공용물과 공공용물도 공용폐지가 있은 후에는 융통물이 될 수 있다.

2023년 기출

03 **다음은 동산에 관한 설명이다. 가장 적절하지 않은 것은?**

① 동산은 점유를 공시방법으로 한다.
② 동산에 대하여는 점유의 공신력이 인정되지 않아 원칙적으로 선의취득이 인정되지 않는다.
③ 지상권은 부동산 위에만 성립한다.
④ 무주물이 동산인 경우에는 선점의 대상이 되지만, 부동산인 경우에는 국유가 된다.
⑤ 지역권은 부동산 위에만 성립한다.

해설 ② 동산에 대하여는 점유의 공신력이 인정되어 원칙적으로 선의취득이 인정된다. 평온, 공연하게 동산을 양수한 자가 선의이며 과실없이 그 동산을 점유한 경우에는 양도인이 정당한 소유자가 아닌 때에도 즉시 그 동산의 소유권을 취득한다[민법 제249조(선의취득)].

①②③⑤ 아래표 참조

구 분	부동산	동 산
공시방법(①)	등기	점유
공신력	등기에 공신력이 인정 × (진정한 권리자가 우선)	점유에 공신력 인정 [선의취득(제249조)]
상린관계규정 적용 여부(제215~244조)	적용됨.	적용되지 않음.
취득시효기간	20년(점유), 10년(등기부)(제245조)	10년(자주, 평온, 공연), 5년(+선의, 무과실)(제246조)
무주물선점(④)	인정 ×, → 국유(제252조 제2항)	인정 ○(제252조 제1항)
첨 부 (부합, 혼화, 가공)	• 부동산에의 부합은 부동산 소유자가 부합한 물건의 소유권 취득(제256조) • 혼화, 가공은 인정되지 않음.	• 동산간의 부합은 주된 동산의 소유자가 소유권취득(제257조) • 혼화, 가공은 동산에서만 인정(제258조, 제259조)

03. ②

MEMO

지상권, 지역권, 전세권, 저당권설정(③,⑤)	가능(제279조, 제291조, 제301조)	불가능(자동차, 선박, 항공기 등은 저당권설정은 가능)
재판관할에 관한 특별규정	존재(민사소송법 제20조)	부존재
강제집행방법	부동산 소재지의 법원이 한다(민사집행법 제78조, 제79조).	집행관이 그 물건을 점유함으로써 하는 압류에 의해 한다(민사집행법 제188조 이하).

2021년 기출

04 부동산 및 동산에 관한 다음 설명 중 적절하지 않은 것은?

① 동산에 대하여는 원칙적으로 점유에 공신력이 인정되지만 부동산에서는 진정한 권리자가 우선되며 등기에 공신력이 인정되지 않는다.

② 무주물이 동산인 경우에는 선점의 대상이 되지만 부동산인 경우에는 국유가 된다.

③ 지상권・지역권・전세권・저당권은 부동산 위에만 성립한다.

④ 판례는 적어도 건물이기 위해서는 '기둥・지붕・주벽' 시설은 되어 있어야 하는 것으로 본다.

⑤ 우리 민법은 종물을 동산에 한정하고 있으므로 부동산은 종물이 될 수 없다.

해설 우리 현행민법은 독일민법과 달리 종물을 동산에 한정하고 있지 아니하므로 독립한 물건이면 동산이든 부동산이든 불문한다.

④ 어느 단계에 이르면 건물로 볼 것이냐는 특히 양도와 관련하여 중요하다. 아직 건물에 이르지 않은 경우라면 부동산으로 볼 수 없어 인도로써 그 효력이 발생하지만, 건물로 인정되는 경우에는 부동산으로서 그 등기를 하여야 그 효력이 발생하기 때문이다(민법 제 186조). 이것은 건물의 기능과 효용에 비추어 사회통념에 따라 판단하여야 하지만, 판례는 적어도 건물이기 위해서는 '기둥・지붕・주벽' 시설은 되어 있어야 하는 것으로 본다.

①②③ 아래 표 참조

구 분	부동산	동 산
공시방법	등기	점유
공신력(①)	등기에 공신력이 인정 × (진정한 권리자가 우선)	점유에 공신력 인정 [선의취득(제249조)]
상린관계규정 적용 여부(제215~244조)	적용됨.	적용되지 않음.

정답

04. ⑤

취득시효기간	20년(점유), 10년(등기부)(제245조)	10년(자주, 평온, 공연), 5년(+선의, 무과실)(제246조)
무주물선점(②)	인정 ×, → 국유(제252조 제2항)	인정 ○(제252조 제1항)
첨부 (부합, 혼화, 가공)	• 부동산에의 부합은 부동산 소유자가 부합한 물건의 소유권 취득(제256조) • 혼화, 가공은 인정되지 않음.	• 동산간의 부합은 주된 동산의 소유자가 소유권취득(제257조) • 혼화, 가공은 동산에서만 인정(제258조, 제259조)
지상권, 지역권, 전세권, 저당권설정(③)	가능(제279조, 제291조, 제301조)	불가능(자동차, 선박, 항공기 등은 저당권설정은 가능)
재판관할에 관한 특별규정	존재(민사소송법 제20조)	부존재
강제집행방법	부동산 소재지의 법원이 한다(민사집행법 제78조, 제79조).	집행관이 그 물건을 점유함으로써 하는 압류에 의해 한다(민사집행법 제188조 이하).

2020년 기출

05 다음의 부동산 및 동산에 관한 설명 중 옳지 않은 것은?

① 부동산 이외의 물건은 모두 동산이다.
② 건물은 토지로부터 독립한 부동산이다.
③ 선박과 항공기는 동산이다.
④ 전기 기타 관리할 수 있는 자연력은 부동산이다.
⑤ 토지 및 그 정착물은 부동산이다.

해설 ④ 민법에서 물건이라 함은 유체물 및 전기 기타 관리할 수 있는 자연력을 말한다(민법 제98조).
⑤① 토지 및 그 정착물은 부동산이고, 부동산 이외의 물건은 동산이다(민법 제99조).
② 우리나라는 건물 기타 토지의 일정한 정착물을 토지와 독립된 부동산으로 다룬다.
③ 선박·자동차·항공기·건설기계 등도 동산이지만, 특별법(상법·자동차 등 특정동산 저당법)에 의해 부동산에 준하는 취급을 받을 뿐이다(등기·등록의 공시방법이 마련되어 있다).

05. ④

MEMO

2019년 기출

06 다음 표는 「민법」상 동산과 부동산을 비교한 것이다. 가장 적절하지 않은 것은?

구 분	내 용	동 산	부동산
①	공시방법	점유(인도)	등기
②	선의취득	인정	불인정
③	시효취득	불인정	인정
④	용익물권 인정 여부	불인정	인정
⑤	담보물권 종류	유치권, 질권	유치권, 저당권

해설 민법 제99조는 부동산과 동산을 구별하는 기준을 정한다. 즉 토지 및 그 정착물을 부동산으로 하고(제1항), 부동산 이외의 물건을 동산으로 규정한다(제2항). 부동산뿐만 아니라 동산도 시효취득을 인정하되, 취득시효기간과 요건상 차이가 있을 뿐이다.

2018년 기출

07 부동산에 관한 다음 설명 중 옳은 것은?

① 토지와 그 지상의 건물은 별개의 부동산이 아니다.
② 토지의 정착물은 모두 독립한 부동산이다.
③ 건물의 일부를 구분하는 경우 소유권의 객체가 될 수 있다.
④ 수목은 입목에 관한 법률에 의하여 등기하더라도 독립한 부동산이 아니다.
⑤ 지하의 모든 광물을 채굴할 권리는 토지 소유권에 속한다.

해설 '구분소유'란 1동의 건물을 구분하여 그 부분을 각각 별개로 소유하는 것을 말하는데, 건물의 구분된 부분은 독립한 소유권의 객체로 된다. 일물일권주의의 예외로서 민법 제215조는 건물과 그 부속물 중 공용하는 부분을 구분소유자의 공유로 추정하고(제1항), 공용부분의 보존에 관한 비용 기타 부담을 각자의 소유부분의 가액에 비례하여 분담하도록(제2항) 규정하고 있다. 구분소유가 성립하기 위해서는 첫째, 구조상, 이용상의 독립성을 갖추어야 하고, 둘째, 구분소유를 설정하려는 소유자의 의사(구분행위)가 있어야 하며, 그에 덧붙여 구분소유의 등기가 있어야 한다(대판 1999.9.17. 99다35020 참조).

① 1개의 물권의 목적물은 1개의 독립한 물건이어야 한다는 원칙을 일물일권주의라고 하는데, 물건의 독립성은 그 물리적 형태와 거래관념에 의하여 결정된다. 민법은 토지와 그 정착물을 부동산이라 하고, 그 밖의 물건을 동산이라고 한다(제99조). '토지의 정착물'이란 토지에 고정되어 쉽게 이동할 수 없는 물건으로 그 상태대로 사용하는 것이 그 물건의 거래상의 속성으로 인정되는 것을 말한다. 토지의 정착물 중 가장 중요한 건물은 토지로부터 독립한 별개의 부동산으로, 건물등기부에 의하여 공시된다.
② 토지의 정착물이 모두 독립한 부동산인 것은 아니고, 토지와 별개의 공시방법을 갖추고 있는가에 따라 토지와 별개의 독립한 물건인 것과 토지의 구성부분으로 그 일부에 지나지 않는 것(가령 돌담이나 교량)으로 나뉜다.

정답 06. ③ 07. ③

MEMO

④ 수목은 입목에 관한 법률에 의하여 등기한 경우 독립한 부동산으로 취급한다[입목에 관한 법률 제2조 제1항 제1호(입목의 정의), 제3조(입목의 독립성) 참조].
⑤ 지하의 토사·암석 등은 모두 토지 소유권의 범위에 속한다. 그런데 지하에 매장된 것 중에는 광업권의 객체가 되는 광물이 있다. 이 광물을 채굴하고 취득할 권리는 광업법상 국가가 광업권자에게 이를 부여할 권능을 가진다.

2017년 기출

08 다음은 부동산 및 동산에 관한 설명이다. 옳지 않은 것은?

① 부동산은 등기를, 동산은 점유를 각각 공시방법으로 한다.
② 동산에 대하여는 점유의 공신력이 인정되지 않아 선의취득이 인정되지 않지만 부동산에서는 진정한 권리자보다 등기의 공신력이 우선하여 선의취득이 인정된다.
③ 1필의 토지를 수필로 분할하거나 또는 수필의 토지를 1필로 합병하려면 분필 또는 합필의 절차를 밟아야 한다.
④ 판례는 적어도 건물이기 위해서는 '기둥·지붕·주벽' 시설은 되어 있어야 하는 것으로 본다.
⑤ 금전을 도난당한 경우에는 피해자에게 여전히 소유권이 있음을 전제로 한 물권적 반환청구를 할 수 있는 것이 아니라 부당이득반환청구 또는 불법행위로 인한 손해배상청구를 하여야 하는 것으로 해석된다.

해설 부동산에 대하여는 등기의 공신력이 인정되지 않아 선의취득이 인정되지 않지만 동산에서는 진정한 권리자보다 점유의 공신력이 우선하여 선의취득이 인정된다.
① '공시의 원칙'이란 물권의 존재 및 변동은 언제나 외부에서 인식할 수 있는 표상, 즉 공시방법을 수반하여야 한다는 원칙인데, 현행법상 공시방법으로 부동산에 관한 등기, 동산에 관한 점유 또는 인도, 입목에 관한 법률의 적용을 받는 수목의 집단에 관한 등기, 수목의 집단이나 미분리과실에 관한 관습법상의 명인방법, 자동차, 선박, 항공기 등 특별법의 적용을 받는 동산에 관한 등기 또는 등록 등이 있다.
④ 대판 2001.01.16. 2000다51872
⑤ 일반적으로 금전은 동산의 일종이지만 물성 자체는 중요하지 않고 수량으로 표시된 일정한 화폐가치가 중시된다. 따라서 금전이 가치의 표상으로서 유통죄인 경우에 부당이득이 문제될 뿐이고 선의취득은 문제되지 않는다. 예외적으로 금전이 진정한 권리자에게 개성을 가지는 단순한 물건이라면 일응 선의취득의 대상이 되어 민법 제250조 단서(그러나 도품이나 유실물이 금전인 때에는 그러하지 아니하다)가 적용된다. 다만, 체계적으로 수집된 화폐처럼 액면의 가치를 표상하는 것이 아님이 외견상 명백하다면 제250조 본문(전조의 경우에 그 동산이 도품이나 유실물인 때에는 피해자 또는 유실자는 도난 또는 유실한 날로부터 2년내에 그 물건의 반환을 청구할 수 있다)이 적용된다고 할 것이다.

08. ②

MEMO

2024년 기출

09 종물에 관한 다음 설명 중 가장 적절하지 않은 것은?

① 당사자의 특약으로 종물만을 따로 처분할 수 없다.
② 종물은 주물의 상용(常用)에 이바지하는 것이어야 한다.
③ 부동산 상호간에도 주물과 종물의 관계가 인정될 수 있다.
④ 주물과 종물은 모두 '동일한 소유자'에 속하는 것이어야 한다.
⑤ 종물은 주물의 일부이거나 구성부분이 아니라 주물과 독립된 물건이어야 한다.

해설 ① 민법 제100조 제2항은 '종물은 주물의 처분에 따른다'고 규정한다. 그런데, 민법 제100조는 강행규정이 아니다. 따라서 당사자는 특약으로 주물을 처분할 때에 종물을 제외할 수 있고, 종물만을 따로 처분할 수 있는 것으로 할 수 있다. 다만, 저당권의 경우에는 이러한 취지를 등기하여야 제3자에게 대항할 수 있다(민법 제358조 단서, 부동산등기법 제75조 제1항).

2021년 기출

10 주물과 종물에 관한 다음 설명 중 적절하지 않은 것은?

① 일시적 용도에 쓰이는 물건이나 주물의 효용과는 직접 관계가 없는 물건도 종물이 될 수 있다.
② 종물은 주물에 '부속'된 것이어야 한다.
③ 종물은 주물로부터 '독립된 물건'이어야 한다.
④ 주물과 종물은 모두 '동일한 소유자'에 속하는 것이어야 한다.
⑤ 당사자는 특약으로 주물을 처분할 때에 종물을 제외할 수 있고 종물만을 따로 처분할 수 있다.

해설 각각 독립된 두 개의 물건 사이에 한편이 다른 편의 효용을 돕는 관계가 있다. 여기서 전자를 주물이라고 하고, 후자를 종물이라고 한다. 종물의 요건은 다음과 같다. 첫째, 종물은 주물의 '상용(常用)'에 이바지하는 것이어야 한다. 일시적 용도에 쓰이는 물건은 종물이 아니며, 주물의 효용과는 직접 관계가 없는 물건은 종물이 아니다.

② 둘째, 종물은 주물에 '부속'된 것이어야 한다. 부속된 것으로 보기 위해서는 주물과 종물 사이에 어느 정도 밀접한 장소적 관계에 있는 것을 말한다. 다만, 주물의 소유자가 부속시켰음을 요하지 않는다.

③ 셋째, 종물은 주물로부터 '독립된 물건'이어야 한다. 주물의 일부이거나 구성부분을 이루는 것은 종물이 아니다(이를 부합물이라 한다).

④ 넷째, 물과 종물은 모두 '동일한 소유자'에 속하는 것이어야 한다. 종물은 주물의 처분에 따르게 되는데, 양자의 소유자가 다른 경우에는 종물에 대해 이유 없이 소유권을 잃기 때문이다. 다만, 제3자의 권리를 해할 우려가 없는 경우에는 무방하다.

정답 09. ① 10. ①

MEMO

⑤ 「민법」 제100조는 강행규정은 아니다. 따라서 당사자는 특약으로 주물을 처분할 때에 종물을 제외할 수 있고, 종물만을 따로 처분할 수 있다.

2020년 기출

11 주물과 종물 관련 다음 설명 중 옳은 것들만 모두 고르면 몇 개인가?

㉠ 일시적 용도에 쓰이는 물건이나 주물의 효용과는 직접 관계가 없는 물건도 종물이 될 수 있다.
㉡ 주물과 종물 사이에 어느 정도 밀접한 장소적 관계에 있을 필요는 없으나 주물의 소유자가 부속시켰음을 요한다.
㉢ 주물로부터 '독립된 물건'이 아니라 주물의 일부이거나 구성부분을 이루는 것도 종물이다.
㉣ 주물과 종물은 모두 '동일한 소유자'에 속하는 것일 필요는 없다.
㉤ 「민법」 제100조는 강행규정은 아니다. 따라서 당사자는 특약으로 주물을 처분할 때에 종물을 제외할 수 있고, 종물만을 따로 처분할 수 있다.

① 1개 ② 2개
③ 3개 ④ 4개
⑤ 5개

해설 ㉤만 옳다. 각각 독립된 두 개의 물건 사이에 한편이 다른 편의 효용을 돕는 관계가 있다. 여기서 전자를 주물이라고 하고, 후자를 종물이라고 한다.
종물의 요건은 다음과 같다.
㉠ 종물은 주물의 '상용(常用)에 이바지하는 것'이어야 한다. 일시적 용도에 쓰이는 물건은 종물이 아니며, 주물의 효용과는 직접 관계가 없는 물건은 종물이 아니다.
㉡ 종물은 주물에 '부속'된 것이어야 한다. 부속된 것으로 보기 위해서는 주물과 종물 사이에 어느 정도 밀접한 장소적 관계에 있는 것을 말한다. 다만, 주물의 소유자가 부속시켰음을 요하지 않는다.
㉢ 종물은 주물로부터 '독립된 물건'이어야 한다. 주물의 일부이거나 구성부분을 이루는 것은 종물이 아니다(이를 부합물이라 한다).
㉣ 주물과 종물은 모두 '동일한 소유자'에 속하는 것이어야 한다. 종물은 주물의 처분에 따르게 되는데, 양자의 소유자가 다른 경우에는 종물에 대해 이유 없이 소유권을 잃기 때문이다. 다만, 제3자의 권리를 해할 우려가 없는 경우에는 무방하다.
㉤ 「민법」 제100조는 강행규정은 아니다. 따라서 당사자는 특약으로 주물을 처분할 때에 종물을 제외할 수 있고, 종물만을 따로 처분할 수 있다.

11. ①

MEMO

2017년 기출

12 **다음은 주물과 종물에 관한 설명이다. 옳지 않은 것은?**

① 원칙적으로 주물과 종물의 소유자가 모두 '동일'해야 하는 것은 아니다.
② 당사자는 특약으로 주물을 처분할 때에 종물을 제외할 수 있고, 종물만을 따로 처분할 수 있는 것으로 할 수 있다.
③ 종물은 부동산·동산을 가리지 않는다.
④ 원본채권이 양도되면 이자채권도 함께 양도되는 것이 원칙이다.
⑤ 건물이 양도되면 원칙적으로 그 건물을 위한 대지의 임차권 내지 지상권도 함께 양도되는 것으로 해석된다.

해설 원칙적으로 주물과 종물의 소유자가 모두 '동일'해야 한다.
② 종물은 주물의 처분에 따른다(민법 제100조 제2항). 다만, 이는 임의규정으로 주물과 종물의 법률적 운명을 달리하는 약정은 유효하다.
③ 종물은 독립한 물건이어야 하고, 주물의 구성부분이어서는 안 된다. 그리고 독립한 물건이면 부동산·동산을 가리지 않는다.
④ 민법 제100조는 물건 상호간의 관계에 관한 것이지만 권리 상호간의 관계에도 유추적용된다. 따라서 원본채권(주된 권리)이 양도되면 이자채권(종된 권리)도 함께 양도되는 것이 원칙이다.
⑤ 대판 1993.04.13. 92다24950 참조

정답

12. ①

MEMO

제5절 권리의 변동

2023년 기출

01 다음 중 권리의 원시취득인 것은?

① 건물의 신축 ② 채권의 양도
③ 재산의 상속 ④ 토지의 매수
⑤ 강제경매로 인한 취득

해설 ① 권리의 발생·변경·소멸을 약칭하여 권리의 변동이라고 한다. 권리의 발생은 원시취득과 승계취득으로 나뉘는데, 원시취득(절대적 발생)은 종전에 없던 권리가 새로 생기는 것이다. 건물의 신축·취득시효(민법 제245조 이하)·선의취득(민법 제249조)·선점(민법 제252조)·유실물습득(민법 제253조)·매장물발견(민법 제254조)·첨부(민법 제256조 이하) 등이 이에 속한다.

②③④ 승계취득(상대적 발생)은 타인의 권리에 기초하여 취득하는 것으로서, 취득자는 그 타인이 가지고 있었던 권리 이상의 것을 취득하지 못한다. 즉, 타인이 무권리자이면 권리를 취득할 수 없고, 그 권리에 제한이나 하자가 있으면 이를 그대로 승계한다. 승계취득은 다시 다음과 같이 나뉜다. 첫째, 이전적 승계·설정적 승계로 구분할 수 있는데, '이전적 승계'란 구 권리자에게 속하고 있었던 권리가 그 동일성을 유지하면서 그대로 신 권리자에게 이전되는 것으로서, 매매·상속에 의한 취득이 이에 속한다. 이에 대해 '설정적 승계'란 어느 누구의 소유권에 기초해 지상권·전세권·저당권을 설정하는 경우처럼, 구 권리자는 그대로 그의 권리를 보유하면서 신 권리자는 구 권리자가 가지는 권능(사용·수익·처분) 중 일부를 취득하는 것을 말한다(지상권과 전세권은 사용·수익을, 저당권은 처분의 권능을 가진다). 따라서 설정적 승계가 있으면 구 권리자의 권리는 신 권리자가 취득한 권리에 의해 제한을 받게 된다. 둘째, 특정승계·포괄승계로 구분할 수 있는데, '특정승계'란 매매의 경우처럼 개개의 권리가 각각의 취득원인에 의해 취득되는 것을 말한다. 이에 대해 '포괄승계'란 하나의 취득원인에 의하여 다수의 권리가 일괄해서 취득되는 것으로서, 상속(민법 제1005조)·회사의 합병(상법 제235조) 등에 의한 취득이 이에 속한다.

⑤ "경매"란 채권자의 신청에 따라 법원이 하는 강제집행의 한 방법으로 부동산 매각절차에 따라 최고 가격을 제시한 자에게 파는 방법을 말한다. 즉, 경매의 경우 강제경매든 임의경매든 원인무효의 소유권이전등기에 의해 경매절차가 진행되면 경락인은 매각대금을 완납하더라도 그 부동산의 소유권을 취득하지 못하므로 승계취득에 해당한다.

01. ①

MEMO

2022년 기출

02 다음 중 권리의 원시취득에 해당하는 것은?

① 상속에 의한 취득
② 회사의 합병에 의한 취득
③ 매매로 인한 취득
④ 건물의 신축에 의한 취득
⑤ 경매로 인한 소유권 취득

해설 권리의 발생·변경·소멸을 약칭하여 권리의 변동이라고 한다. 권리의 발생은 원시취득과 승계취득으로 나뉘는데, 원시취득(절대적 발생)은 종전에 없던 권리가 새로 생기는 것이다. 건물의 신축·취득시효(민법 제245조 이하)·선의취득(민법 제249조)·선점(민법 제252조)·유실물습득(민법 제253조)·매장물발견(민법 제254조)·첨부(민법 제256조 이하) 등이 이에 속한다.

①②③ 승계취득(상대적 발생)은 타인의 권리에 기초하여 취득하는 것으로서, 취득자는 그 타인이 가지고 있었던 권리 이상의 것을 취득하지 못한다. 즉, 타인이 무권리자이면 권리를 취득할 수 없고, 그 권리에 제한이나 하자가 있으면 이를 그대로 승계한다. 승계취득은 다시 다음과 같이 나뉜다. 첫째, 이전적 승계·설정적 승계로 구분할 수 있는데, '이전적 승계'란 구 권리자에게 속하고 있었던 권리가 그 동일성을 유지하면서 그대로 신 권리자에게 이전되는 것으로서, 매매·상속에 의한 취득이 이에 속한다. 이에 대해 '설정적 승계'란 어느 누구의 소유권에 기초해 지상권·전세권·저당권을 설정하는 경우처럼, 구 권리자는 그대로 그의 권리를 보유하면서 신 권리자는 구 권리자가 가지는 권능(사용·수익·처분) 중 일부를 취득하는 것을 말한다(지상권과 전세권은 사용·수익을, 저당권은 처분의 권능을 가진다). 따라서 설정적 승계가 있으면 구 권리자의 권리는 신 권리자가 취득한 권리에 의해 제한을 받게 된다. 둘째, 특정승계·포괄승계로 구분할 수 있는데, '특정승계'란 매매의 경우처럼 개개의 권리가 각각의 취득원인에 의해 취득되는 것을 말한다. 이에 대해 '포괄승계'란 하나의 취득원인에 의하여 다수의 권리가 일괄해서 취득되는 것으로서, 상속(민법 제1005조)·회사의 합병(상법 제235조) 등에 의한 취득이 이에 속한다.

⑤ "경매"란 채권자의 신청에 따라 법원이 하는 강제집행의 한 방법으로 부동산 매각절차에 따라 최고 가격을 제시한 자에게 파는 방법을 말한다. 즉, 경매의 경우 강제경매든 임의경매든 원인무효의 소유권이전등기에 의해 경매절차가 진행되면 경락인은 매각대금을 완납하더라도 그 부동산의 소유권을 취득하지 못하므로 승계취득에 해당한다.

2021년 기출

03 다음 중 권리의 원시취득의 원인에 해당하는 것은?

① 상속
② 회사의 합병
③ 증여
④ 건물의 신축
⑤ 경매

02. ④ 03. ④

MEMO

해설 권리의 발생·변경·소멸을 약칭하여 권리의 변동이라고 한다. 권리의 발생은 원시취득과 승계취득으로 나뉘는데, 원시취득(절대적 발생)은 종전에 없던 권리가 새로 생기는 것이다. 건물의 신축·취득시효(민법 제245조 이하)·선의취득(민법 제249조)·선점(민법 제252조)·유실물습득(민법 제253조)·매장물발견(민법 제254조)·첨부(민법 제256조 이하) 등이 이에 속한다. 승계취득(상대적 발생)은 타인의 권리에 기초하여 취득하는 것으로서, 취득자는 그 타인이 가지고 있었던 권리 이상의 것을 취득하지 못한다. 즉 타인이 무권리자이면 권리를 취득할 수 없고 그 권리에 제한이나 하자가 있으면 이를 그대로 승계한다. 승계취득은 다시 다음과 같이 나뉜다. 첫째, 이전적 승계·설정적 승계로 구분할 수 있는데, '이전적 승계'란 구 권리자에게 속하고 있었던 권리가 그 동일성을 유지하면서 그대로 신 권리자에게 이전되는 것으로서 매매·상속에 의한 취득이 이에 속한다. 이에 대해 '설정적 승계'란 어느 누구의 소유권에 기초해 지상권·전세권·저당권을 설정하는 경우처럼, 구 권리자는 그대로 그의 권리를 보유하면서 신 권리자는 구 권리자가 가지는 권능(사용·수익·처분) 중 일부를 취득하는 것을 말한다(지상권과 전세권은 사용·수익을, 저당권은 처분의 권능을 가진다). 따라서 설정적 승계가 있으면 구 권리자의 권리는 신 권리자가 취득한 권리에 의해 제한을 받게 된다. 둘째, 특정승계·포괄승계로 구분할 수 있는데, '특정승계'란 매매의 경우처럼 개개의 권리가 각각의 취득원인에 의해 취득되는 것을 말한다. 이에 대해 '포괄승계'란 하나의 취득원인에 의하여 다수의 권리가 일괄해서 취득되는 것으로서 상속(민법 제1005조)·회사의 합병(상법 제235조) 등에 의한 취득이 이에 속한다.

2020년 기출

04 다음 중 권리의 원시취득에 해당하는 것들만 모두 고르면 몇 개인가?

㉠ 상속에 의한 취득
㉡ 회사의 합병에 의한 취득
㉢ 유실물습득
㉣ 건물의 신축
㉤ 경매로 인한 소유권 취득
㉥ 선점
㉦ 매매로 인한 취득
㉧ 첨부
㉨ 매장물발견

① 4개
② 5개
③ 6개
④ 7개
⑤ 8개

해설 권리의 발생·변경·소멸을 약칭하여 권리의 변동이라 하는데, 이 중 권리의 발생은 원시취득과 승계취득으로 분류된다. 구체적인 내용은 앞 문제 해설 참조

04. ②

MEMO

2017년 기출

05 다음 중 포괄승계에 의한 권리 취득인 경우만을 모두 고른 것은?

㉮ 전세권설정	㉯ 증여	㉰ 매매
㉱ 상속	㉲ 회사합병	㉳ 저당권설정

① ㉮, ㉯, ㉰, ㉱
② ㉮, ㉰, ㉲, ㉳
③ ㉯, ㉰, ㉲
④ ㉯, ㉱, ㉳
⑤ ㉱, ㉲

해설 승계취득 중 이전적 승계로서 포괄승계란 하나의 취득원인으로 다수의 권리를 일괄해서 취득하는 것을 말하는 바, 상속, 포괄유증, 회사합병 등이 그 예이다. 증여나 매매 등은 특정승계이다. 반면 전세권설정, 저당권설정 등은 설정적 승계이다.

2023년 기출

06 채무자의 단독행위로서 채권소멸의 원인이 되는 것은?

① 포기
② 대물변제
③ 면제
④ 상계
⑤ 혼동

해설 ④ '상계'란 채권자와 채무자가 서로 동종의 채권·채무를 가지고 있는 경우에, 그 채권·채무를 대등액에서 소멸시키는 당사자 일방의 일방적 의사표시(단독행위)를 말한다.
② '대물변제'란 채무자가 부담하고 있는 본래의 급부에 갈음하여 다른 급부를 현실적으로 함으로서 채권을 소멸시키는 채권자, 변제자 사이의 계약을 말하며, 변제와 같은 효력을 가진다(민법 제466조 참조).
③ '면제'란 채권을 무상으로 소멸시키는 채권자의 처분행위(민법 제506조), 즉 채권자의 일방적인 채권의 포기행위를 말한다.
⑤ '혼동'은 채권과 채무가 동일한 주체에게 귀속하는 것(민법 제507조), 다시 말하면 한 사람이 동일한 채권의 채권자이자 채무자로 되는 것을 말한다.

2023년 기출

07 다음 법률행위 중 단독행위인 것은?

① 현상광고
② 종신정기금
③ 임치
④ 증여
⑤ 해제

정답 05. ⑤ 06. ④ 07. ⑤

MEMO

해설 ⑤ 해제가 단독행위에 해당한다. ①현상광고, ②종신정기금, ③임치, ④증여는 모두 계약에 해당한다. 법률행위의 요소인 의사표시의 개수에 의한 분류로 단독행위, 계약, 합동행위가 있는데, 구체적인 내용은 다음과 같다.

❑ 의사표시의 개수에 따른 법률행위의 분류

(1) 단독행위
하나의 의사표시만으로 성립하는 법률행위로서, 여기에는 「상대방 있는 단독행위」(예 동의・채무면제・상계・추인・취소・해제・해지 등)와 「상대방 없는 단독행위」(예 유언・재단법인의 설립행위・권리의 포기 등)의 둘이 있다.

(2) 계약
두 개의 대립되는 의사표시의 합치에 의하여 성립하는 법률행위로서, 의사표시가 둘이라는 점에서 단독행위와 다르고, 그 복수의 의사표시가 상호 대립하는 점에서 합동행위와 구별한다. 계약에는 채권계약・물권계약・가족법상의 계약이 있으나, 좁은 의미의 계약은 채권계약만을 말한다.

(3) 합동행위
평행적・구심적으로 방향을 같이하는 두 개 이상의 의사표시가 합치하여 성립하는 법률행위이다. 사단법인 설립행위는 그 대표적인 예이다. 다수당사자의 의사표시를 요하는 점에서 단독행위와 다르고, 그 다수의 당사자의 의사표시가 방향을 같이하며, 각 당사자에게 동일한 의의를 가지고, 또한 같은 법률효과를 가져오는 점에서 계약과 구별된다.

08 다음 법률행위 중 단독행위인 것은?

2021년 기출

① 매매　　② 증여
③ 소비대차　　④ 교환
⑤ 해제

해설 해제가 단독행위에 해당한다. 법률행위의 요소인 의사표시의 개수에 의한 분류로 단독행위, 계약, 합동행위가 있는데, 구체적인 내용은 다음과 같다.

가. 단독행위: 하나의 의사표시만으로 성립하는 법률행위로서, 여기에는 「상대방 있는 단독행위」(예 동의・채무면제・상계・추인・취소・해제・해지 등)와 「상대방 없는 단독행위」(예 유언・재단법인의 설립행위・권리의 포기 등)의 둘이 있다.

나. 계약: 두 개의 대립되는 의사표시의 합치에 의하여 성립하는 법률행위로서, 의사표시가 둘이라는 점에서 단독행위와 다르고, 그 복수의 의사표시가 상호 대립하는 점에서 합동행위와 구별한다. 계약에는 채권계약・물권계약・가족법상의 계약이 있으나, 좁은 의미의 계약은 채권계약만을 말한다.

다. 합동행위: 평행적・구심적으로 방향을 같이하는 두 개 이상의 의사표시가 합치하여 성립하는 법률행위이다. 사단법인 설립행위는 그 대표적인 예이다. 다수당사자의 의사표시를 요하는 점에서 단독행위와 다르고, 그 다수의 당사자의 의사표시가 방향을 같이하며, 각 당사자에게 동일한 의의를 가지고, 또한 같은 법률효과를 가져오는 점에서 계약과 구별된다.

정답

08. ⑤

MEMO

2020년 기출

09 다음 중 단독행위가 아닌 것들만 모두 고르면 몇 개인가?

㉠ 동의	㉡ 재단법인의 설립행위
㉢ 추인	㉣ 채무면제
㉤ 상계	㉥ 해제
㉦ 사단법인 설립행위	㉧ 해지
㉨ 취소	

① 1개
② 2개
③ 3개
④ 4개
⑤ 5개

해설 ① 사단법인 설립행위는 합동행위에 해당한다. 법률행위의 요소인 의사표시의 개수에 의한 분류로 단독행위, 계약, 합동행위가 있다. 구체적인 내용은 앞 문제 해설 참조

2022년 기출

10 다음 중 '상대방 없는 단독행위'인 것은?

① 증여
② 상계
③ 채무면제
④ 해제
⑤ 재단법인의 설립행위

해설 재단법인의 설립행위가 상대방 없는 단독행위에 해당한다. 법률행위의 요소인 의사표시의 개수에 의한 분류로 단독행위, 계약, 합동행위가 있는데, 구체적인 내용은 다음과 같다.

가. **단독행위** : 하나의 의사표시만으로 성립하는 법률행위로서, 여기에는 「상대방 있는 단독행위」(예 동의·채무면제·상계·추인·취소·해제·해지 등)와 「상대방 없는 단독행위」(예 유언·재단법인의 설립행위·권리의 포기 등)의 둘이 있다.

나. **계약** : 두 개의 대립되는 의사표시의 합치에 의하여 성립하는 법률행위로서, 의사표시가 둘이라는 점에서 단독행위와 다르고, 그 복수의 의사표시가 상호 대립하는 점에서 합동행위와 구별한다. 계약에는 채권계약·물권계약·가족법상의 계약이 있으나, 좁은 의미의 계약은 채권계약만을 말한다.

다. **합동행위** : 평행적·구심적으로 방향을 같이하는 두 개 이상의 의사표시가 합치하여 성립하는 법률행위이다. 사단법인 설립행위는 그 대표적인 예이다. 다수당사자의 의사표시를 요하는 점에서 단독행위와 다르고, 그 다수의 당사자의 의사표시가 방향을 같이하며, 각 당사자에게 동일한 의의를 가지고, 또한 같은 법률효과를 가져오는 점에서 계약과 구별된다.

정답 09. ① 10. ⑤

2021년 기출

11 **법률행위 중 단독행위는 '상대방 있는 단독행위'와 '상대방 없는 단독행위'로 구분할 수 있다. 다음 중 '상대방 없는 단독행위'인 것은?**

① 채무면제 ② 취소
③ 해지 ④ 권리의 포기
⑤ 상계

해설 단독행위란 하나의 의사표시만으로 성립하는 법률행위로서, 여기에는 「상대방 있는 단독행위」(예 동의・채무면제・상계・추인・취소・해제・해지 등)와 「상대방 없는 단독행위」(예 유언・재단법인의 설립행위・권리의 포기 등)의 둘이 있다.

2013년 기출

12 **다음 거래와 관련한 설명으로서 틀린 것은? (다툼이 있는 경우에는 판례에 따름)**

> A는 자기소유의 부동산(Y건물)을 B에게 매도하고 매매대금을 수령하였으나 소유권이전등기를 하지 않은 상태에 있었다. 이러한 사실을 잘 알고 있는 C의 적극적인 권유에 따라 A는 이 건물을 다시 C에게 매도하고 그에게 소유권이전등기를 경료해 주었다.

① A와 C 사이에 부동산매매계약은 반사회적 법률행위로서 무효이다.
② A는 C에게 Y건물에 대하여 소유권에 기한 반환청구를 할 수 없다.
③ A는 C에게 부당이득을 원인으로 하여 Y건물의 반환을 청구할 수 없다.
④ B는 A를 대위하여 C에 대하여 Y건물의 등기의 말소를 청구할 수 있다.
⑤ C로부터 Y건물을 다시 매수한 D가 선의인 경우에는 소유권을 취득할 수 있다.

해설 부동산의 제2매수인이 매도인의 배임행위에 적극 가담하여 부동산의 제2매매계약이 반사회적 법률행위에 해당하는 경우 당해 부동산을 제2매수인으로부터 다시 취득한 제3자는 선의이더라도 보호받지 못한다. 즉, 이중매매가 반사회질서에 해당하여 무효가 되면 이는 절대적 무효이므로 제3자는 선의와 악의를 불문하고 보호받지 못한다(대판 1996. 10.25. 96다29151). 따라서 C로부터 Y건물을 다시 매수한 D가 선의인 경우라도 보호받지 못하며 소유권을 취득할 수 없다.

11. ④ 12. ⑤

MEMO

2024년 기출

13 다음 중 원칙적으로 법률행위가 무효가 되는 경우를 모두 고른 것은?

ㄱ. 법률행위의 내용의 중요부분에 착오가 있는 경우
ㄴ. 상대방과 통정한 허위의 의사표시를 한 경우
ㄷ. 타인의 사기나 강박에 의하여 의사표시를 한 경우
ㄹ. 진의 아닌 의사표시(非眞意表示)로서 상대방이 알았거나 알 수 있었던 경우

① ㄱ, ㄴ
② ㄴ, ㄹ
③ ㄷ, ㄹ
④ ㄱ, ㄷ
⑤ ㄴ, ㄷ

해설 ② ㄴ.은 통정허위표시(민법 제108조), ㄹ.은 비진의표시(민법 제107조 제1항 단서)로서 무효가 되는 경우이다. 반면에 ㄱ.은 착오에 의한 의사표시(민법 제109조), ㄷ.은 사기, 강박에 의한 의사표시(민법 제110조)로서 취소할 수 있다. 아래 조문 참조

> **민법 제107조(진의 아닌 의사표시)** ① 의사표시는 표의자가 진의아님을 알고 한 것이라도 그 효력이 있다. 그러나 상대방이 표의자의 진의아님을 알았거나 이를 알 수 있었을 경우에는 무효로 한다.
> ② 전항의 의사표시의 무효는 선의의 제삼자에게 대항하지 못한다.
>
> **민법 제108조(통정한 허위의 의사표시)** ① 상대방과 통정한 허위의 의사표시는 무효로 한다.
> ② 전항의 의사표시의 무효는 선의의 제삼자에게 대항하지 못한다.
>
> **민법 제109조(착오로 인한 의사표시)** ① 의사표시는 법률행위의 내용의 중요부분에 착오가 있는 때에는 취소할 수 있다. 그러나 그 착오가 표의자의 중대한 과실로 인한 때에는 취소하지 못한다.
> ② 전항의 의사표시의 취소는 선의의 제삼자에게 대항하지 못한다.
>
> **민법 제110조(사기, 강박에 의한 의사표시)** ① 사기나 강박에 의한 의사표시는 취소할 수 있다.
> ② 상대방있는 의사표시에 관하여 제삼자가 사기나 강박을 행한 경우에는 상대방이 그 사실을 알았거나 알 수 있었을 경우에 한하여 그 의사표시를 취소할 수 있다.
> ③ 전2항의 의사표시의 취소는 선의의 제삼자에게 대항하지 못한다.

정답 13. ②

MEMO

2018년 기출

14 **다음 중 비정상적인 의사표시로서 원칙적으로 법률행위가 무효가 되는 경우를 모두 고른 것은?**

> ㉠ 진의 아닌 의사표시로서 상대방이 알았거나 알 수 있었던 경우
> ㉡ 상대방과 통정한 허위의 의사표시를 한 경우
> ㉢ 타인의 사기나 강박에 의하여 의사표시를 한 경우
> ㉣ 법률행위 내용의 중요부분에 착오가 있는 경우

① ㉢, ㉣
② ㉡, ㉢
③ ㉠, ㉡
④ ㉡, ㉣
⑤ ㉠, ㉢

해설 법률행위의 '무효'란 법률행위가 성립한 때부터 법률상 당연히 그 효력이 없는 것으로 확정된 것을 말하는데, 이는 일단 유효하게 성립한 법률행위의 효력을 제한행위능력 또는 의사표시의 흠을 이유로 특정인의 의사표시에 의하여 행위시에 소급하여 무효로 하는 법률행위의 '취소'와 구별된다. 민법상 ㉠ 진의 아닌 의사표시로서 상대방이 알았거나 알 수 있었던 경우[민법 제107조(진의 아닌 의사표시) 제1항 단서]와 ㉡ 상대방과 통정한 허위의 의사표시를 한 경우[민법 제108조(통정한 허위의 의사표시) 제1항]는 무효, ㉢ 타인의 사기나 강박에 의하여 의사표시를 한 경우[민법 제110조(사기, 강박에 의한 의사표시) 제1항]와 ㉣ 법률행위 내용의 중요부분에 착오가 있는 경우[민법 제109조(착오로 인한 의사표시) 제1항 본문]는 취소사유에 해당한다.

2024년 기출

15 **조건부 법률행위에 관한 다음 설명 중 가장 적절하지 않은 것은?**

① 정지조건있는 법률행위는 조건이 성취한 때로부터 그 효력이 생긴다.
② 해제조건있는 법률행위는 조건이 성취한 때로부터 그 효력을 잃는다.
③ 상계의 의사표시에는 조건을 붙이지 못한다.
④ 유증의 의사표시에는 조건을 붙이지 못한다.
⑤ 당사자가 조건성취의 효력을 그 성취전에 소급하게 할 의사를 표시한 때에는 그 의사에 의한다.

14. ③ 15. ④

MEMO

해설 ④ 단독행위(예:상계)에는 원칙적으로 조건을 붙일 수 없다. 조건을 붙이면 상대방의 지위를 현저하게 불리하게 하기 때문이다. 따라서, 단독행위라도 상대방의 동의가 있는 경우 또는 상대방에게 이익만 주거나(예 채무면제, 유증) 상대방에게 불이익으로 되지 않는 경우(예 정지조건부 해제)에는 조건을 붙일 수 있다.

① 민법 제147조 제1항
② 민법 제147조 제2항
⑤ 민법 제147조 제3항

2022년 기출

16 "甲이 신용관리사 시험에 합격하면 500만원을 지급하겠다"는 乙과 丙 사이의 계약은 다음 어느 것에 해당하는가?

① 수의조건부계약
② 확정기한
③ 정지조건부계약
④ 불확정시기부계약
⑤ 확정시기부계약

해설 "甲이 신용관리사 시험에 합격하면 500만원을 지급하겠다"는 의미는 500만원을 지급하겠다고 계약을 하였으나 실제로 효력이 발생된 것이 아니고 甲이 신용관리사 시험에 합격해야만 그 효력이 발생하는 정지조건부 법률행위(민법 제147조)이다. 합격이라는 장래에 일어날지도 모르는 불확실한 사실의 성립에 따라 500만원을 준다는 법률행위의 효력이 발생한다. 여기서 '합격하면'이 바로 정지조건이다.

① '수의조건'이란 조건의 성부가 당사자의 일방적 의사에 의존하는 조건으로, 다시 전적으로 당사자의 일방적 의사에 의존하는 순수수의조건(예 내 마음이 내키면)과 당사자의 일방적 의사에 의존하지만 그 밖에 다른 사실상태의 성립도 요구하는 단순수의조건(예 내가 독일로 가면)의 두 가지로 나뉜다.

② 기한의 내용인 사실이 발생하는 시기가 확정되어 있는 것이 '확정기한'(예 내년 1월 1일)이고, 그렇지 않은 것이 '불확정기한'(예 갑이 사망한 때)이다.

④⑤ '시기'란 법률행위 효력의 발생에 관한 기한을 말하고, '종기'란 효력의 소멸이 걸려 있는 기한이다. 시기가 확정되어 있는 약정이 '확정시기부계약'이고 시기가 확정되어 있지 않은 약정이 '불확정시기부계약'이다.

16. ③

MEMO

제6절 소멸시효 관리

2024년 기출

01 다음 중 제척기간에 해당하는 것은?

① 채권자취소권의 행사기간
② 도급받은 자의 공사에 관한 채권의 행사기간
③ 물품대금채권의 행사기간
④ 대부업자의 대여금채권의 행사기간
⑤ 구상금청구권의 행사기간

해설 ① '제척기간'이란 일정한 권리에 관하여 법률이 미리 정하고 있는 그 권리의 존속기간을 말하며, 그 기간 내에 권리를 행사하지 않으면 그 권리는 당연히 소멸한다. 제척기간을 두는 이유는 권리자로 하여금 당해 권리를 신속하게 행사하도록 함으로써 그 권리를 중심으로 하는 법률관계를 조속히 확정하려는 데 있고, 이는 형성권(예: 채권자취소권)의 행사에서 특히 강하게 요청된다. 일반적으로 조문상 '시효로 인하여 소멸한다'라는 표현이 있으면 소멸시효이고, 이 문구가 없으면 제척기간으로 해석한다.
②③④⑤는 모두 소멸시효기간이다.

2023년 기출

02 제척기간에 관한 다음 설명 중 가장 적절하지 않은 것은?

① 제척기간에 의한 권리의 소멸은 소급하여 효력이 생긴다.
② 소멸시효는 시효의 이익을 받은 자가 소송에서 주장하여야 하지만 제척기간은 법원이 직권으로 판단하여 재판한다.
③ 시효이익은 포기할 수 있으나 제척기간은 그렇지 않다.
④ 제척기간은 소멸시효기간과는 달리 중단이라는 제도는 인정되지 아니한다.
⑤ 소멸시효에는 시효정지에 관한 규정이 있으나 제척기간에는 정지에 관한 규정이 없다.

해설 ① 소멸시효가 완성되면 권리가 소급적으로 소멸하나, 제척기간이 경과하면 그 기간이 경과한 때로부터 장래를 향해 소멸한다.
② 소멸시효기간은 변론주의의 원칙상 소멸시효를 주장하여야 참작하지만, 제척기간은 그 이익을 받는 자가 주장(또는 항변)하지 않아도 법원이 직권으로 참작하여야 한다.
③ 소멸시효는 미리 포기할 수 없고 시효완성 후에 포기가 가능하나, 제척기간은 그 기간의 만료로 당연히 소멸하므로 성질상 포기 제도가 없다.

01. ① 02. ①

MEMO

④ '소멸시효의 중단'이란 소멸시효가 진행하는 도중에 권리의 불행사라는 지속적인 사실상태와 조화될 수 없는 사정이 발생한 경우에, 그 사실상태를 존중할 이유가 없어져 이미 진행한 시효기간은 무의미하게 되므로 그 효력을 상실하게 하는 제도를 말한다. 소멸시효의 진행 도중에 중단사유가 있으면 시효기간의 진행이 중단되나, 제척기간은 권리관계를 조속히 확정하기 위하여 중단제도가 인정되지 아니한다.

⑤ '소멸시효의 정지'는 지금까지 경과된 시효가 유지되면서 법률이 정한 사유로 인해 일정한 정지기간이 종료되면 나머지 시효가 재진행하는 점에서 소멸시효의 중단과 차이가 있다. 제척기간에 소멸시효의 정지규정을 유추적용할지에 대한 학설의 대립이 있으나, 제척기간의 정지에 관한 명문상 규정은 없다.

2022년 기출

03 제척기간에 관한 다음 설명 중 가장 적절하지 않은 것은?

① 채권자취소권에 의한 소는 제척기간에 걸린다.

② 제척기간의 경과에 의한 권리의 소멸은 그 기간이 경과한 때로부터 장래를 향해 소멸한다.

③ 제척기간은 포기 제도가 있다.

④ 소멸시효처럼 이를 중단시키는 제도가 없다.

⑤ 재판상 소멸시효의 주장은 당사자가 하여야 하나, 제척기간은 법원의 직권조사 사항이다.

해설 소멸시효는 미리 포기할 수 없고 시효완성 후에 포기가 가능하나, 제척기간은 그 기간의 만료로 당연히 소멸하므로 성질상 포기 제도가 없다.

① 채권자취소권에 의한 소는 채권자가 취소원인을 안 날로부터 1년, 법률행위가 있은 날로부터 5년 내에 행사하여야 한다(민법 제406조 제2항). 이 기간은 소멸시효가 아니라 제척기간이다. 따라서, 법원은 직권으로 그 기간 준수 여부를 심리하여야 한다. 소멸시효의 중단이란 소멸시효가 진행하는 도중에 권리의 불행사라는 지속적인 사실상태와 조화될 수 없는 사정이 발생한 경우에, 그 사실상태를 존중할 이유가 없어져 이미 진행한 시효기간은 무의미하게 되므로 그 효력을 상실하게 하는 제도를 말한다. 지급명령이 확정되면 시효중단의 효력이 인정되는데, 시효중단 시점은 지급명령신청서가 법원에 제출된 때이다.

② 소멸시효가 완성되면 권리가 소급적으로 소멸하나, 제척기간이 경과하면 그 기간이 경과한 때로부터 장래를 향해 소멸한다.

④ 소멸시효의 진행 도중에 중단사유가 있으면 시효기간의 진행이 중단되나, 제척기간은 권리관계를 조속히 확정하기 위하여 중단제도가 인정되지 아니한다.

⑤ 제척기간은 그 이익을 받는 자가 주장(또는 항변)하지 않아도 법원이 직권으로 참작하여야 하나, 소멸시효기간은 변론주의의 원칙상 소멸시효를 주장하여야 참작한다.

03. ③

MEMO

2020년 기출

04 소멸시효에 대한 다음 설명 중 옳은 것은?

① 형성권의 경우에는 소멸시효의 대상으로 보는 것이 통설·판례이다.
② 소멸시효 이익은 미리 포기할 수 있다.
③ 보증인에 대한 시효중단의 효력은 주채무자에 대하여 미치나 반대로 주채무자에 대한 시효중단 조치는 보증인에게 효력이 미치지 아니한다.
④ 기한을 정하지 아니한 채권은 이행청구 즉 채권자의 최고를 받은 때로부터 시효가 기산된다.
⑤ 소멸시효는 당사자 합의로 단축 또는 경감할 수는 있으나 배제, 연장, 가중할 수는 없다.

해설 ⑤ 민법 제184조 제2항
① 소멸시효의 목적이 되는 권리는 재산권에 한정된다. 그러나 형성권에서 그 존속기간은 제척기간이므로 형성권은 소멸시효에 걸리는 권리가 아니다(통설, 판례).
② 소멸시효의 이익은 미리 포기하지 못한다(민법 제184조 제1항).
③ 민법의 시효중단의 효력은 당사자 및 그 승계인에게만 효력이 있다(민법 제169조). 따라서 보증인에 대한 시효중단의 효력은 주채무자에 대하여 미치지 아니하나 반대로 주채무자에 대한 시효중단 조치는 보증인에게 효력이 미친다(민법 제440조 참조).
④ 소멸시효는 권리를 행사할 수 있을 때부터 진행한다(민법 제166조 제1항). 기한을 정하지 아니한 채권은 언제라도 권리행사가 가능한 것이므로 채권성립시(채권이 발생한 때)부터 소멸시효가 진행한다.

2020년 기출

05 소멸시효와 제척기간에 대한 다음 설명 중 옳지 않은 것들만 모두 고르면 몇 개인가?

㉠ 소멸시효 기간이나 제척기간 모두 이를 중단시키는 제도가 있다.
㉡ 제척기간은 그 이익을 받는 자가 주장(또는 항변)하지 않으면 법원이 재판하지 않으나, 소멸시효기간은 법원이 이를 기초로 당연히 재판하여야 한다(직권조사사항).
㉢ 소멸시효나 제척기간은 모두 포기 제도가 있다.
㉣ 소멸시효나 제척기간의 경과에 의한 권리의 소멸은 모두 소급적인 권리의 소멸이 아니라 그 기간이 경과한 때로부터 장래를 향해 소멸한다.
㉤ 채권자취소권에 의한 소의 제기권은 소멸시효에 걸린다.

04. ⑤ 05. ⑤

MEMO

① 1개
② 2개
③ 3개
④ 4개
⑤ 5개

해설 ⑤ '소멸시효'는 권리불행사라는 사실상태가 일정기간 계속된 경우에 권리소멸의 효과가 발생하는 것이고, '제척기간'은 일정한 권리에 관하여 법률이 미리 정하고 있는 그 권리의 존속기간을 말한다.

㉠ 소멸시효의 진행 도중에 중단사유가 있으면 시효기간의 진행이 중단되나, 제척기간은 권리관계를 조속히 확정하기 위하여 중단제도가 인정되지 아니한다.
㉡ 제척기간은 그 이익을 받는 자가 주장(또는 항변)하지 않아도 법원이 직권으로 참작하여야 하나, 소멸시효기간은 변론주의의 원칙상 소멸시효를 주장하여야 참작한다.
㉢ 소멸시효는 미리 포기할 수 없고 시효완성 후에 포기가 가능하나, 제척기간은 그 기간의 만료로 당연히 소멸하므로 성질상 포기 제도가 없다.
㉣ 소멸시효가 완성되면 권리가 소급적으로 소멸하나, 제척기간이 경과하면 그 기간이 경과한 때로부터 장래를 향해 소멸한다.
㉤ 사해행위취소소송은 채권자가 취소원인을 안 날로부터 1년, 법률행위가 있은 날로부터 5년 내에 행사하여야 한다(민법 제406조 제2항). 이 기간은 소멸시효가 아니라 제척기간이다. 따라서 법원은 직권으로 그 기간 준수 여부를 심리하여야 한다.

2019년 기출

06 시효와 제척기간에 대한 다음 설명 중 옳지 않은 것은?

① 시효는 그 기초인 사실상태를 깨뜨리는 사정이 있을 때에 이를 중단시키는 제도가 있으나, 제척기간은 중단이라는 것이 없다.
② 소멸시효와 제척기간은 권리의 소멸이 소급 적용된다는 점에서 동일하다.
③ 시효는 시효의 이익을 받은 자가 주장(또는 항변)하지 않으면 법원이 재판하지 않으나, 제척기간은 법원이 이를 기초로 당연히 재판하여야 한다.
④ 시효란 일정한 사실상태가 오랫동안 계속된 경우에, 그 상태가 진실한 권리관계에 합치하느냐를 묻지 않고, 그 사실상태를 그대로 권리관계로 인정하려는 제도를 말한다.
⑤ 시효제도는 '일정기간 자기 권리를 행사하지 않고 소위 권리 위에 잠자는 자는 법적 보호에서 이를 제외하기 위하여 규정된 제도'이다.

해설 소멸시효는 권리가 소급적으로 소멸하나, 제척기간은 장래를 향해 소멸한다. 다음은 소멸시효와 제척기간을 비교정리한 표이다.

06. ②

MEMO

구 분	소멸시효	제척기간
구별기준	조문상 "시효로 인하여 소멸한다." 라는 표현이 있으면 소멸시효이고, 법문에 이 문구가 없으면 제척기간으로 해석한다. 다만, 제1024조(상속의 승인, 포기의 취소 금지)는 예외이다(다수설).	
존재사유	사회질서의 안정 입증곤란의 구제 권리행사 태만에 대한 제재	권리관계의 조속한 확정
중단제도(①)	소멸시효의 진행 도중에 중단사유가 있으면 시효기간의 진행이 중단된다.	권리관계를 조속히 확정하기 위하여 중단제도가 인정되지 아니한다(대판 2003.1.10. 2000다26425).
정지제도	소멸시효의 완성에 대하여 장애사유가 있으면 일시적으로 시효기간의 진행이 정지된다.	• 유추적용설 : 천재 기타 사변에 의한 시효정지(제182조)만은 제척기간에 준용을 인정한다. • 반대설 : 준용규정이 없는 한 준용을 인정하지 않는다.
인정범위	원칙적으로 채권, 예외적으로 물권에도 인정된다.	대부분 형성권에 적용된다.
입증책임	소멸시효의 완성을 주장하는 자(채무자)가 부담한다.	권리자가 아직 제척기간이 미경과한 사실을 입증하여야 한다.
포기제도	미리 포기할 수 없고 시효완성 후에 포기가 가능하다.	제척기간의 만료로 당연히 소멸하므로 성질상 포기제도가 없다.
원용의 요부	• 절대적 소멸설 : 소멸시효의 완성으로 당연히 권리가 소멸한다(통설, 판례).	원용의 필요 없이 권리가 당연히 소멸한다.
소송상 주장(③)	• 절대적 소멸설 : 변론주의의 원칙상 소멸시효를 주장하여야 참작한다(대판 1979.2.13. 78다2157).	법원이 직권으로 참작하여야 한다(대판 1996.9.20. 96다25371).
효 과(②)	권리가 소급적으로 소멸한다.	장래를 향해 소멸한다.

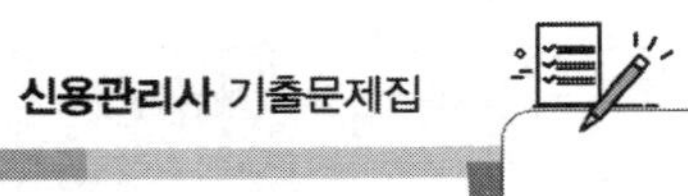

MEMO

2017년 기출

07 다음은 소멸시효와 제척기간을 비교 설명한 것이다. 옳지 않은 것은?

① 소멸시효는 중단되나 제척기간은 중단되지 않는다.
② 재판상 소멸시효의 주장은 당사자가 하여야 하나 제척기간은 법원의 직권조사 사항이다.
③ 소멸시효는 소멸시효이익을 포기할 수 있으나 제척기간은 제척기간이익을 포기할 여지가 없다.
④ 소멸시효와 제척기간은 권리의 소멸이 소급 적용된다는 점에서 공통된다.
⑤ 소멸시효와 제척기간은 일정기간 권리를 행사하지 않으면 그 권리가 소멸된다는 점에서 공통된다.

해설 소멸시효는 권리가 소급적으로 소멸하나 제척기간은 권리가 장래를 향하여 소멸한다. 앞 문제 해설 참조

2023년 기출

08 다음의 권리 중 소멸시효에 걸리지 않는 것은?

① 소유권
② 공증 받은 어음
③ 주택임차보증금
④ 판결로 확정된 대여금
⑤ 근로자의 임금

해설 ① 소유권은 항구성을 가지므로 소멸시효에 걸리지 않는다. 다만, 타인이 취득시효로 인해 소유권을 취득함으로써 그에 대응하여 소유권을 잃을 수는 있지만, 이는 소멸시효가 아니라 취득시효의 효과 때문이다. 민법 제162조 제2항에서도 "채권 및 소유권 이외의 재산권은 20년간 행사하지 아니하면 소멸시효가 완성한다"고 규정하여 간접적으로 소유권이 소멸시효에 걸리지 않는 권리임을 명시하고 있다.
②③④⑤ 공증 받은 어음, 주택임차보증금, 판결로 확정된 대여금, 근로자의 임금은 모두 채권으로 10년간 행사하지 아니하면 소멸시효가 완성한다(민법 제162조 제1항 참조).

2024년 기출

09 다음 중 3년간 행사하지 아니하면 소멸시효가 완성되는 권리는?

① 여관의 숙박료 채권
② 의복 기타 동산의 사용료의 채권
③ 판결에 의하여 확정된 채권
④ 소유권
⑤ 수공업자의 업무에 관한 채권

정답 07. ④ 08. ① 09. ⑤

MEMO

해설 ① 여관의 숙박료 채권과 ② 의복 기타 동산의 사용료의 채권은 1년간 행사하지 아니하면 소멸시효가 완성한다(민법 제164조(1년의 단기소멸시효)).

③ 판결에 의하여 확정된 채권은 단기의 소멸시효에 해당한 것이라도 그 소멸시효는 10년으로 한다(민법 제165조(판결 등에 의하여 확정된 채권의 소멸시효)).

④ 소유권은 항구성을 가지므로 소멸시효에 걸리지 않는다. 다만, 타인이 취득시효로 인해 소유권을 취득함으로써 그 대응하여 소유권을 잃을 수는 있지만, 이는 소멸시효가 아니라 취득시효의 효과 때문이다. 민법 제162조(채권, 재산권의 소멸시효) 제2항은 '채권 및 소유권 이외의 재산권은 20년간 행사하지 아니하면 소멸시효가 완성한다'라고 규정하고 있다.

2021년 기출

10 다음 중 3년의 단기소멸시효에 해당하지 않는 것은?

① 이자, 부양료, 급료, 사용료 기타 1년 이내의 기간으로 정한 금전 또는 물건의 지급을 목적으로 한 채권

② 의사, 조산사, 간호사 및 약사의 치료, 근로 및 조제에 관한 채권

③ 도급받은 자, 기사 기타 공사의 설계 또는 감독에 종사하는 자의 공사에 관한 채권

④ 여관, 음식점, 대석, 오락장의 숙박료, 음식료, 대석료, 입장료, 소비물의 대가 및 체당금의 채권

⑤ 생산자 및 상인이 판매한 생산물 및 상품의 대가

해설 일반채권의 소멸시효기간은 10년이다(민법 제162조 제1항 참조). 다만, 민법은 일정한 경우는 단기의 소멸시효에 해당하는 채권을 규정하고 있는데, 구체적인 내용은 다음과 같다.

민법 제163조【3년의 단기소멸시효】
다음 각호의 채권은 3년간 행사하지 아니하면 소멸시효가 완성한다.
1. 이자, 부양료, 급료, 사용료 기타 1년 이내의 기간으로 정한 금전 또는 물건의 지급을 목적으로 한 채권(①)
2. 의사, 조산사, 간호사 및 약사의 치료, 근로 및 조제에 관한 채권(②)
3. 도급받은 자, 기사 기타 공사의 설계 또는 감독에 종사하는 자의 공사에 관한 채권(③)
4. 변호사, 변리사, 공증인, 공인회계사 및 법무사에 대한 직무상 보관한 서류의 반환을 청구하는 채권
5. 변호사, 변리사, 공증인, 공인회계사 및 법무사의 직무에 관한 채권
6. 생산자 및 상인이 판매한 생산물 및 상품의 대가(⑤)
7. 수공업자 및 제조자의 업무에 관한 채권

10. ④

MEMO

민법 제164조【1년의 단기소멸시효】
다음 각호의 채권은 1년간 행사하지 아니하면 소멸시효가 완성한다.
1. 여관, 음식점, 대석, 오락장의 숙박료, 음식료, 대석료, 입장료, 소비물의 대가 및 체당금의 채권(④)
2. 의복, 침구, 장구 기타 동산의 사용료의 채권
3. 노역인, 연예인의 임금 및 그에 공급한 물건의 대금채권
4. 학생 및 수업자의 교육, 의식 및 유숙에 관한 교주, 숙주, 교사의 채권

2020년 기출

11 다음 중 3년의 단기소멸시효에 해당하는 것들만 모두 고르면 몇 개인가?

㉠ 여관, 음식점, 대석, 오락장의 숙박료, 음식료, 대석료, 입장료, 소비물의 대가 및 체당금의 채권
㉡ 이자, 부양료, 급료, 사용료 기타 1년 이내의 기간으로 정한 금전 또는 물건의 지급을 목적으로 한 채권
㉢ 의복, 침구, 장구 기타 동산의 사용료의 채권
㉣ 도급 받은 자, 기사 기타 공사의 설계 또는 감독에 종사하는 자의 공사에 관한 채권
㉤ 노역인, 연예인의 임금 및 그에 공급한 물건의 대금채권
㉥ 생산자 및 상인이 판매한 생산물 및 상품의 대가
㉦ 학생 및 수업자의 교육, 의식 및 유숙에 관한 교주, 숙주, 교사의 채권
㉧ 수공업자 및 제조자의 업무에 관한 채권

① 1개
② 2개
③ 3개
④ 4개
⑤ 5개

해설 ④ 일반채권의 소멸시효기간은 10년이다(민법 제162조 제1항 참조). 다만, 민법은 일정한 경우는 단기의 소멸시효에 해당하는 채권을 규정하고 있다. 구체적인 내용은 앞 문제 해설 참조

정답 11. ④

MEMO

2017년 기출

12 **다음 중 3년간 행사하지 아니하면 소멸시효가 완성되는 권리로 옳지 않은 것은? (「민법」 제163조에 따름)**

① 도급받은 자의 공사에 관한 채권
② 생산자 및 상인이 판매한 생산물 및 상품의 대가
③ 금융기관의 대출금 채권
④ 수공업자의 업무에 관한 채권
⑤ 제조자의 업무에 관한 채권

해설 금융기관의 대출금 채권은 상사채권으로 5년의 소멸시효가 적용된다(상법 제64조).
① 도급받은 자의 공사에 관한 채권(제3호)
② 생산자 및 상인이 판매한 생산물 및 상품의 대가(제6호)
④ 수공업자의 업무에 관한 채권(제7호)
⑤ 제조자의 업무에 관한 채권(제7호)

2022년 기출

13 **다음 중 「민법」 제164조의 1년의 단기소멸시효에 걸리는 채권으로 적절하지 않은 것은?**

① 여관, 음식점의 숙박료 및 음식료 채권
② 의복, 침구, 장구 기타 동산의 사용료의 채권
③ 연예인의 임금 채권
④ 학생 및 수업자의 교육비 채권
⑤ 의사, 간호사의 치료 및 조제에 관한 채권

해설 일반채권의 소멸시효기간은 10년이다(민법 제162조 제1항 참조). 다만, 민법은 일정한 경우는 단기의 소멸시효에 해당하는 채권을 규정하고 있는데, 구체적인 내용은 다음과 같다.

> 민법 제163조【3년의 단기소멸시효】
> 다음 각호의 채권은 3년간 행사하지 아니하면 소멸시효가 완성한다.
> 1. 이자, 부양료, 급료, 사용료 기타 1년 이내의 기간으로 정한 금전 또는 물건의 지급을 목적으로 한 채권
> 2. 의사, 조산사, 간호사 및 약사의 치료, 근로 및 조제에 관한 채권(⑤)
> 3. 도급받은 자, 기사 기타 공사의 설계 또는 감독에 종사하는 자의 공사에 관한 채권
> 4. 변호사, 변리사, 공증인, 공인회계사 및 법무사에 대한 직무상 보관한 서류의 반환을 청구하는 채권

12. ③ 13. ⑤

MEMO

5. 변호사, 변리사, 공증인, 공인회계사 및 법무사의 직무에 관한 채권
6. 생산자 및 상인이 판매한 생산물 및 상품의 대가
7. 수공업자 및 제조자의 업무에 관한 채권

민법 제164조 【1년의 단기소멸시효】
다음 각호의 채권은 1년간 행사하지 아니하면 소멸시효가 완성한다.
1. 여관, 음식점, 대석, 오락장의 숙박료, 음식료, 대석료, 입장료, 소비물의 대가 및 체당금의 채권(①)
2. 의복, 침구, 장구 기타 동산의 사용료의 채권(②)
3. 노역인, 연예인의 임금 및 그에 공급한 물건의 대금채권(③)
4. 학생 및 수업자의 교육, 의식 및 유숙에 관한 교주, 숙주, 교사의 채권(④)

2023년 기출

14 다음은 소멸시효의 중단사유와 관련한 내용이다. 가장 적절하지 않은 것은?

① 시효가 중단된 때에는 원칙적으로 중단까지 경과한 기간은 이를 산입하지 아니하고 중단사유가 종료한 때로부터 새로이 진행한다.
② 단순한 채무이행의 독촉 즉 최고(催告)는 최고 후 6개월 내에 재판상의 청구, 압류, 가압류 등의 후속조치가 없으면 시효중단의 효력이 없다.
③ 채권자가 파산절차에 참가하여 채권을 신고한 때에는 시효중단의 효력이 있다.
④ 강제집행절차에서 채권자가 배당요구를 하는 것만으로는 시효가 중단되지 않는다.
⑤ 만기연장 합의는 채무승인으로서 소멸시효 중단의 효력이 있다.

해설 ④ '소멸시효의 중단'이란 소멸시효가 진행하는 도중에 권리의 불행사라는 지속적인 사실상태와 조화될 수 없는 사정이 발생한 경우에, 그 사실상태를 존중할 이유가 없어져 이미 진행한 시효기간은 무의미하게 되므로 그 효력을 상실하게 하는 제도를 말한다. 경매신청은 채권자의 채무이행청구로 보아 시효중단의 효력을 인정한다. 아울러 판례는 배당요구를 압류에 준하는 것으로 보아 시효중단의 효력을 인정한다(대판 2002. 02. 26. 2000다25484).
① 시효가 중단된 때에는 중단까지 경과한 시효기간은 이에 산입하지 아니하고 중단사유가 종료한 때로부터 새로이 진행한다(민법 제178조 제1항).
② 채권자의 채무이행독촉을 최고라고 한다. 최고는 채권자가 채무자에게 채무의 이행을 청구하는 재판외의 행위를 말한다. 그러나 최고에 의하여 시효가 중단되는 것은 잠정적이며, 최고 후 6개월 이내에 재판상의 청구, 압류, 가압류 등의 법률이 정한 후속조치가 없으면 시효중단의 효력이 생기지 아니한다.
③ 민법은 파산절차참가가 시효중단의 효력이 있음을 전제로, 파산절차참가는 채권자가 이를 취소하거나 그 청구가 각하된 때에는 시효중단의 효력이 없다(민법 제171조)고 규정하고 있다.

14. ④

MEMO

⑤ 소멸시효의 중단사유는 법률로 정해져 있다. 민법은 소멸시효의 중단사유로서 ⅰ) 청구, ⅱ) 압류 또는 가압류, 가처분, ⅲ) 승인의 3가지를 들고 있다(민법 제168조). 이중 청구는 권리자가 시효에 의하여 이익을 받을 자에 대하여 권리 내용을 주장하는 재판상 및 재판외의 일체의 행위를 말한다. 따라서, 재판상의 청구가 있으면 시효중단의 효력이 있고, 가압류·가처분 결정이 있으면 소멸시효가 중단되는 효력을 가진다. 시효중단사유로서의 승인은 시효이익을 받을 자가 시효의 완성으로 말미암아 권리를 상실하게 될 상대방 또는 그 대리인에 대하여 그 권리가 존재함을 인식하고 있다는 뜻을 표시하는 행위로, 묵시적인 승인도 인정된다. 만기연장 합의는 채무승인으로서 소멸시효 중단의 효력이 있다.

2021년 기출

15 소멸시효 중단에 관한 다음 설명 중 적절하지 않은 것은?

① 지급명령이 확정되면 시효중단의 효력이 인정되며 시효중단 시점은 지급명령이 확정된 때이다.
② 재판상의 청구가 있으면 시효중단의 효력이 있다.
③ 채권자가 파산절차에 참가하여 채권을 신고한 때에는 시효중단의 효력이 있다.
④ 가압류·가처분 결정이 있으면 소멸시효가 중단되는 효력을 가진다.
⑤ 시효완성 전에 채무자로부터 채무의 일부 상환이 있으면 채무의 승인으로서 시효중단의 효과가 발생한다.

해설 소멸시효의 중단이란 소멸시효가 진행하는 도중에 권리의 불행사라는 지속적인 사실 상태와 조화될 수 없는 사정이 발생한 경우에 그 사실 상태를 존중할 이유가 없어져 이미 진행한 시효기간은 무의미하게 되므로 그 효력을 상실하게 하는 제도를 말한다. 지급명령이 확정되면 시효중단의 효력이 인정되는데, 시효중단 시점은 지급명령신청서가 법원에 제출된 때이다.

②, ④ 소멸시효의 중단사유는 법률로 정해져 있다. 민법은 소멸시효의 중단사유로서 ⅰ) 청구, ⅱ) 압류 또는 가압류, 가처분, ⅲ) 승인의 3가지를 들고 있다(민법 제168조). 이중 청구는 권리자가 시효에 의하여 이익을 받을 자에 대하여 권리 내용을 주장하는 재판상 및 재판외의 일체의 행위를 말한다. 따라서 재판상의 청구가 있으면 시효중단의 효력이 있고, 가압류·가처분 결정이 있으면 소멸시효가 중단되는 효력을 가진다.

③ 민법은 파산절차참가가 시효중단의 효력이 있음을 전제로, 파산절차참가는 채권자가 이를 취소하거나 그 청구가 각하된 때에는 시효중단의 효력이 없다(민법 제171조)고 규정하고 있다.

⑤ 시효중단사유로서의 승인은 시효이익을 받을 자가 시효의 완성으로 말미암아 권리를 상실하게 될 상대방 또는 그 대리인에 대하여 그 권리가 존재함을 인식하고 있다는 뜻을 표시하는 행위로, 묵시적인 승인도 인정된다. 시효완성 전에 이자든 원금이든 채무자로부터 채무의 상환이 일부라도 있으면 채무자의 승인으로서 시효중단의 효과가 발생한다.

15. ①

MEMO

2019년 기출

16 다음 중 소멸시효의 중단사유인 것은?

① 재판상 청구의 취하

② 재판상 청구소송이 기각 또는 각하된 경우

③ 배당요구

④ 유치권의 행사

⑤ 압류 또는 가압류가 권리자의 청구에 의하여 취소된 경우

해설 민법은 파산절차참가, 지급명령, 화해를 위한 소환 및 임의출석, 최고가 있으면 일정한 경우에 시효가 중단된다고 규정하고 있다(제171조~제174조). 한편 판례는 배당요구를 압류에 준하는 것으로 보았다(대판 2002.2.26. 2000다25484).

①② 재판상의 청구는 소송의 각하, 기각 또는 취하의 경우에는 시효중단의 효력이 없다(민법 제170조 제1항).

⑤ 아울러 압류, 가압류 및 가처분은 권리자의 청구에 의하여 또는 법률의 규정에 따르지 아니함으로 인하여 취소된 때에는 시효중단의 효력이 없다(민법 제175조).

④ 물건을 사실상 지배함으로써 취득하고 지배를 상실함으로써 바로 소멸하는 점유권과 유치권에서는 성질상 소멸시효가 문제되지 않는다. 그리고 담보물권은 피담보채권이 존속하는 한 독립하여 소멸시효에 걸리지 않는다(부종성). 따라서, 유치권은 소멸시효의 대상적격이 없어 소멸시효의 중단의 문제가 발생할 수 없다.

2018년 기출

17 다음 중 소멸시효에 관한 설명으로 옳지 않은 것은?

① 대출금 만기에 채무자의 행방을 몰라 대출금 상환청구가 사실상 불가능한 경우에는 시효진행은 중단된다.

② 소멸시효는 객관적으로 권리가 발생하고 그 권리를 행사할 수 있는 때로부터 진행한다.

③ 거절증서 작성이 면제되어 있는 유통어음의 경우, 어음소지인의 배서인에 대한 소구권의 소멸시효는 지급기일 다음 날부터 진행한다.

④ 대출금채무의 기한의 이익을 상실하였지만 계속적 거래가 승낙되면 소멸시효는 중단되고 원래의 대출금 만기일에 소멸시효가 새로이 진행된다.

⑤ 보증인 등 제3자에 대한 가압류・가처분에 의한 시효중단은 주채무자에게 효력이 미치지 아니한다.

16. ③ 17. ①

MEMO

해설 어음법, 채무자 회생 및 파산에 관한 법률 등에도 소멸시효 중단에 관하여 규정되어 있다. 대출금 만기에 채무자의 행방을 몰라 대출금 상환청구가 사실상 불가능한 경우는 법률상 소멸시효의 중단사유에 해당하지 않는다.

② 소멸시효는 권리를 행사할 수 있는 때로부터 진행한다(민법 제166조 제1항). 여기서 '권리를 행사할 수 있을 때'란 권리를 행사함에 법률상의 장애사유가 없는 때를 말하고, 단지 사실상의 권리를 행사할 수 없는 경우는 포함되지 아니하여 소멸시효는 그대로 진행하게 된다.

③ 거절증서 작성이 면제되어 있는 유통어음이라면 발행인(지급인)에게 지급제시를 하지 않고 바로 배서인에게 소구권(참고로 2010.03.31.자 어음법 개정으로 '소구'를 '상환청구'로 용어를 순화함)을 행사할 수 있고, 기간의 초일은 불산입(어음법 제73조)하므로 권리를 행사할 수 있는 지급기일 다음 날부터 소구권의 소멸시효가 진행한다.

④ 계속적 거래의 승낙은 민법상 소멸시효 중단사유인 '승낙'(민법 제168조 제3호)에 해당하고, 시효중단의 효력은 중단까지 경과한 시효기간은 이에 산입되지 아니하고 중단사유가 종료한 때로부터 새로이 진행하므로(민법 제178조 제1항), 원래의 대출금 만기일에 소멸시효가 새로이 진행된다.

⑤ 시효중단의 효력은 당사자 및 그 승계인 간에만 미치고(민법 제169조), 주채무자에 대한 시효의 중단은 보증인에 대하여 그 효력이 있으나(민법 제440조), 역으로 보증인에 대한 시효중단은 주채무자에게 미치지 아니한다. 다만, 민법 제440조는 보증채무의 부종성에 따른 당연한 규정이라기보다는 주채무자에 대한 권리행사만으로도 보증인에 대한 시효중단의 효력이 미치게 하여 주채무와 별도로 보증채무가 시효소멸하는 일이 없도록 함으로써 채권담보의 목적을 달성하고 채권자를 보호하는 데 그 취지가 있다는 것이 판례의 입장이다(대판 1986.11.25. 86다카1569).

2015년 기출

18 소멸시효의 중단사유가 되는 채무자의 '채무승인'에 관한 설명으로 옳은 것은?

① 채권자의 최고(催告)에 대하여 채무자가 채무승인을 하게 되면 최고로 일시 정지되었던 소멸시효가 이미 경과한 소멸시효기간에 이어서 진행된다.

② 채무자의 추가담보제공행위는 채무에 대한 승인을 전제로 하는 것이 아니므로 시효중단의 효력이 없다.

③ 시효완성 전에 채무자로부터 채무상환의 일부라도 있으면 채무의 승인으로서 시효중단의 효과가 발생한다.

④ 정당한 채무인수계약이 있더라도 이를 승인으로 보지 않는다.

⑤ 채무자의 승인은 묵시적인 방식에 의한 승인은 인정되지 않는다. 따라서 후일 다툼에 대비하여 반드시 서면으로 승인의 의사를 받아두어야 한다.

18. ③

MEMO

해설 ① 채권자의 최고(催告)에 의하여 시효가 중단되는 것은 잠정적이며, 최고 후 6월 이내에 재판상의 청구, 파산절차참가, 화해를 위한 소환, 임의출석, 압류 또는 가압류, 가처분을 하지 아니하면 시효중단의 효과가 없다(민법 제174조). 채무자의 승인은 별도의 시효중단사유로서 중단까지에 경과한 시효기간은 이를 산입하지 아니하고 중단사유가 종료한 때로부터 새로이 진행한다(동법 제168조 제3호, 제178조 제1항).

②, ⑤ 승인은 특별한 방식을 요하지 않으며, 명시적이든 묵시적이든 상관없다. 예컨대, 일부변제나 담보제공은 묵시적 승인이 있는 것으로 된다.

④ 채무인수계약은 현존하는 채무의 존재를 전제로 하기 때문에 정당한 채무인수계약이 있으면 이를 승인으로 본다.

2012년 기출

19 다음은 소멸시효이익의 포기 등에 관한 설명이다. 틀린 것은?

① 소멸시효이익의 포기는 시효소멸에 따라 생기는 이익을 받지 않겠다는 일방적 의사표시이다.
② 소멸시효이익의 포기는 시효소멸 전에 미리 할 수 있다.
③ 소멸시효이익의 포기는 상대방의 동의를 요하지 않는다.
④ 소멸시효는 법률행위에 의하여 이를 배제, 연장 또는 가중할 수 없다.
⑤ 소멸시효는 법률행위에 의하여 이를 단축 또는 경감할 수 있다.

해설 시효이익의 포기는 시효소멸 전에는 미리 할 수 없으며(민법 제184조 제1항), 소멸시효 완성 후에는 포기할 수 있다.

정답 19. ②

Chapter 02 채권일반

제1절 총설

2024년 기출

01 채권에 관한 다음 설명 중 가장 적절한 것은?

① 물권은 절대권이고 채권은 상대권이다.
② 채권에는 배타성이 있으나 물권에는 배타성이 없다.
③ 물권은 임의법규성이 강하나 채권은 강행법규성이 강하다.
④ 채권은 당사자 사이의 계약에 의해서만 성립한다.
⑤ 금전으로 가액을 산정할 수 없는 것은 채권의 목적으로 할 수 없다.

해설 ③ 물권은 강행법규성이 강하나 채권은 임의법규성이 강하다.
⑤ 금전으로 가액을 산정할 수 없는 것이라도 채권의 목적으로 할 수 있다(민법 제373조 (채권의 목적)). 기타 아래 표 참조

구 분	물 권	채 권
성 질	• 지배권 : 특정의 물건을 직접 지배하여 그로부터 배타적 이익을 얻는 것을 내용으로 하는 권리	• 청구권 : 특정인(채권자)이 다른 특정인(채무자)에 대하여 일정한 행위(급부)를 청구하는 것을 내용으로 하는 권리
발생원인 (④)	• 법률의 규정 • 물권법정주의 : 민법 기타 법률이나 관습법으로 정하는 것에 한함.	주로 계약이나 불법행위
배타성 (②)	• 목적물(물건)을 직접 지배하는 권리로 배타성을 가진다(동일한 물건에 동일 내용의 2개 이상의 물권이 존재할 수 없다 : 일물일권주의). • 원칙적으로 독립한 특정의 물건 • 공시의 원칙이 적용된다(동산 : 인도, 부동산 : 등기).	• 사람에 대한 청구권으로 배타성이 없다. • 장래에 발생하는 것, 특정하지 않는 것, 독립한 존재를 가지지 못하는 것에도 성립 • 배타성이 없는 채권자 평등의 원칙
절대성 (①)	물권은 절대권으로 일반인을 상대로 그 효력을 주장할 수 있는 대세권이다.	• 상대성 : 특정의 상대방에 대해서만 주장할 수 있고 또 그 상대방에 의해서만 침해될 수 있는 대인권이다.

01. ①

MEMO

양도성	양도성을 당연히 가지며 당사자간의 약정으로 그 양도를 제한할 수 없는 것이 원칙이다(예외 : 민법 제292조 제2항, 제306조 단서).	원칙적으로 양도성을 가지나, 당사자간의 약정으로 양도를 제한할 수 있다(민법 제449조).

2022년 기출

02 다음 중 물권에 속하는 권리는?

① 구상권
② 손해배상청구권
③ 소유권
④ 대여금청구권
⑤ 물품대금청구권

해설 "물권"이란 권리자가 물건을 직접 지배해서 이익을 얻는 독점적 내지 배타적 권리로서, 우리 민법이 인정하는 물권에는 '점유권, 소유권, 지상권, 지역권, 전세권, 유치권, 질권, 저당권'의 8가지가 있다.

①②④⑤ 구상권, 손해배상청구권, 대여금청구권, 물품대금청구권은 모두 채권에 해당하는데, "채권"이란 특정인(채권자)이 다른 특정인(채무자)에 대해 일정한 행위(급부)를 청구하는 권리를 말한다.

2021년 기출

03 채권에 관한 다음 설명 중 적절하지 않은 것은?

① 「민법」의 제3편 채권에 관한 규정은 원칙적으로 '강행법규'로서의 성질을 가진다.
② 채권은 급부 즉 '채무자의 행위'를 그의 목적(내용)으로 하는 권리이다.
③ 채권이 성립하면 그로부터 청구권이 생기지만, 그것은 어디까지나 채권의 주된 내용이나 효력일 뿐이고 채권과 청구권이 동일한 것은 아니다.
④ 물권은 절대권이고, 채권은 상대권이다.
⑤ 채권은 배타성이 없으므로 사실상 양립할 수 없는 같은 내용을 가진 채권이 동시에 둘 이상 병존하는 것도 상관없다.

해설 강행규정은 법령 중의 선량한 풍속 기타 사회질서에 관계있는 규정을 말하며(민법 제105조 참조), 당사자의 의사에 의하여 그 적용을 배제할 수 없다. 반면 법령 중의 선량한 풍속 기타 사회질서에 관계없는 규정을 임의규정이라고 하는데, 당사자의 의사에 의하여 그 적용이 배제될 수 있다. 어떤 규정이 강행규정인지 아니면 임의규정인지는 그에 관한 명문규정이 없으면 당해 규정의 취지와 성질, 사회경제적인 영향 등을 고려하여 판단하여야 한다. 민법 중 물권법과 가족법의 규정들은 대부분 강행규정인 반면, 채권법의 규정은 대체로 임의규정이다.

정답 02. ③ 03. ①

MEMO

② 채권의 목적이라 함은 채권자가 채무자에 대하여 청구할 수 있는 일정한 행위, 즉 채무자의 행위를 말한다. 이 채무자의 행위를 '급부'라고 하므로, 결국 채권의 목적은 급부를 가리키는 것이다.

③ 우리나라 학설은 채권과 청구권이 동일하지 않다는 데에 일치하고 있다. 청구권은 채권의 핵심 내지 본질적인 요소를 이루는 것이며, 그것은 채권의 작용 또는 효력에 지나지 않는다.

④ 물권은 절대권으로 일반을 상대로 효력을 주장할 수 있는 대세권이다. 이에 반하여 채권은 특정의 상대방에 대해서만 주장할 수 있고 또 그 상대방에 의해서만 침해될 수 있는 상대권(대인권)이다.

⑤ 물권은 물건에 대한 배타적인 지배권이므로 하나의 물건 위에 양립할 수 없는 물권이 동시에 두 개 이상 성립할 수 없다(1물1권주의 원칙). 예컨대, 1필의 토지에 2 이상의 소유권은 존재할 수 없고, 만일 2 이상의 소유권을 존재하게 하려면 분필절차를 거쳐 1필의 토지를 나누어 각각의 토지에 별도로 등기를 하여야 한다. 반면에 채권은 배타성이 없으므로 동일한 내용의 채권이 동시에 두 개 이상 병존할 수 있다. 예컨대, 이중매매 사안, 즉 갑이 을에게 자기 소유 X부동산을 매매하고, 다시 병에게 매매한 경우, 을이 갑에게 가지는 소유권이전등기청구권과 병이 갑에게 가지는 소유권이전등기청구권이 병존한다.

2020년 기출

04 채권에 관한 다음 설명 중 옳은 것은?

① 금전으로 가액을 산정할 수 없는 것은 채권의 목적으로 할 수 없다.

② 채권의 목적을 종류로만 지정한 경우에 법률행위의 성질이나 당사자의 의사에 의하여 품질을 정할 수 없는 때에는 채무자는 상등품질의 물건으로 이행하여야 한다.

③ 채권의 목적이 수개의 행위 중에서 선택에 좇아 확정될 경우에 다른 법률의 규정이나 당사자의 약정이 없으면 선택권은 채권자에게 있다.

④ 「민법」 제374조의 "특정물의 인도가 채권의 목적인 때에는 채무자는 그 물건을 인도하기까지 선량한 관리자의 주의로 보존하여야 한다"는 규정은 강행규정이 아니고 임의규정이다.

⑤ 선택채권의 효력은 소급하지 않는다.

해설 ④ 강행규정은 법령 중의 선량한 풍속 기타 사회질서에 관계있는 규정을 말하며(민법 제105조 참조), 당사자의 의사에 의하여 그 적용을 배제할 수 없다. 반면 법령 중의 선량한 풍속 기타 사회질서에 관계없는 규정을 임의규정이라고 하는데, 당사자의 의사에 의하여 그 적용이 배제될 수 있다. 어떤 규정이 강행규정인지 아니면 임의규정인지는 그에 관한 명문규정이 없으면 당해 규정의 취지와 성질, 사회경제적인 영향 등을 고려하여 판단하여야 한다. 민법 중 물권법과 가족법의 규정들은 대부분 강행규정인 반면, 채권법의 규정은 대체로 임의규정이다.

04. ④

MEMO

① 금전으로 가액을 산정할 수 없는 것이라도 채권의 목적으로 할 수 있다(민법 제373조).
② 채권의 목적을 종류로만 지정한 경우에 법률행위의 성질이나 당사자의 의사에 의하여 품질을 정할 수 없는 때에는 채무자는 중등품질의 물건으로 이행하여야 한다(민법 제375조 제1항).
③ 채권의 목적이 수개의 행위 중에서 선택에 좇아 확정될 경우에 다른 법률의 규정이나 당사자의 약정이 없으면 선택권은 채무자에게 있다(민법 제380조).
⑤ 선택채권에서 선택의 효력은 그 채권이 발생한 때에 소급한다. 그러나 제3자의 권리를 해하지 못한다(민법 제386조).

2017년 기출

05 채권의 성질에 관한 다음 설명 중 옳은 것은?

① 금전으로 가액을 산정할 수 없는 것은 채권의 목적으로 할 수 없다.
② 채권에는 배타성이 있으나 물권에는 배타성이 없다.
③ 물권은 절대권이고, 채권은 상대권이다.
④ 물권은 임의법규성이 강하나 채권은 강행법규성이 강하다.
⑤ 채권의 주된 효력 또는 본질적 내용은 형성권이다.

해설 절대권은 특정의 상대방이라는 것이 없고 '대세권'이라고도 한다. 상대권은 특정인을 의무자로 하여 그 자에 대하여서만 주장할 수 있는 권리이며 '대인권'이라고도 한다.
① 금전으로 가액을 산정할 수 없는 것이라도 채권의 목적으로 할 수 있다(민법 제373조).
② 배타성이란 하나의 물건 위에 서로 양립할 수 없는 내용의 권리가 두 개 이상 동시에 성립할 수 없다는 것을 의미한다. 채권은 상대권으로 배타성이 없으나 물권은 절대권으로 배타성이 있다.
④ 채권관계는 두 당사자 사이의 관계이므로 당사자의 의사에 맡기더라도 제3자의 이익을 해할 위험이 적기 때문에 채권법의 규정은 원칙적으로 임의법규로서의 성질을 가지고, 이 점은 그 규정의 대부분이 강행법규인 물권법과 대조된다.
⑤ 채권의 주된 효력 또는 본질적 내용은 청구권이다. 즉, 특정의 물건을 직접 지배하여 만족을 얻는 물권과는 달리 채권은 채무자에게 그 채무를 이행할 것을 청구하는 모습으로 나타난다.

05. ③

MEMO

제2절 채권의 목적

2022년 기출

01 채권에 관한 다음 설명 중 가장 적절하지 않은 것은?

① 금전으로 가액을 산정할 수 없는 것은 채권의 목적으로 할 수 없다.
② 특정물의 인도가 채권의 목적인 때에는 채무자는 그 물건을 인도하기까지 선량한 관리자의 주의로 보존하여야 한다.
③ 채권액이 다른 나라 통화로 지정된 때에는 채무자는 지급할 때에 있어서의 이행지의 환금 시가에 의하여 우리나라 통화로 변제할 수 있다.
④ 채권의 목적이 다른 나라 통화로 지급할 것인 경우에는 채무자는 자기가 선택한 그 나라의 각 종류의 통화로 변제할 수 있다.
⑤ 채권의 목적이 어느 종류의 통화로 지급할 것인 경우에 그 통화가 변제기에 강제통용력을 잃은 때에는 채무자는 다른 통화로 변제하여야 한다.

해설 금전으로 가액을 산정할 수 없는 것이라도 채권의 목적으로 할 수 있다[민법 제373조(채권의 목적)].
② 민법 제374조(특정물인도채무자의 선관의무)
③ 민법 제378조(동전), 이를 대용급부권이라 한다.
④ 민법 제377조(외화채권) 제1항
⑤ 민법 제376조(금전채권)

2024년 기출

02 금전채권에 관한 다음 설명 중 가장 적절하지 않은 것은?

① 채권액이 외국통화로 지정된 금전채권인 외화채권을 채권자가 우리나라 통화로 환산하여 청구하는 경우의 환산기준시기는 현실적으로 이행할 때가 아니고 원래의 계약에서 정하여진 이행기라는 것이 판례이다.
② 일반적으로 금전채권은 이행불능이 생기지 않는다.
③ 채무이행의 확정한 기한이 있는 경우에는 채무자는 기한이 도래한 때부터 지체책임이 있다.
④ 채무이행의 불확정 기한이 있는 경우에는 채무자는 기한이 도래함을 안 때로부터 지체책임이 있다.
⑤ 채무불이행이나 불법행위를 이유로 하는 손해배상청구권은 원칙적으로 금전채권이다.

01. ① 02. ①

MEMO

해설 ① 채권액이 다른 나라 통화로 지정된 때에는 채무자는 지급할 때에 있어서의 이행지의 환금시가에 의하여 우리나라 통화로 변제할 수 있다(민법 제378조). 이를 대용급부권이라 한다. 환산시기에 관하여 민법 제378조는 위와 같이 '지급할 때'라고 규정함으로써 '지급하여야 할 때', 즉 이행기가 아니라 현실적으로 이행할 때 즉 이행시가 환산시기임을 분명히 하고 있다(대판 1991.3.12. 90다2147).
② 금전채무에 있어서는 이행불능상태가 발생할 수 없기 때문에 금전채무가 불이행되면 모두 이행지체상태가 된다.
③④ 민법 제387조(이행기와 이행지체) 제1항
⑤ 민법 제394조(손해배상의 방법), 제763조(준용규정)

2019년 기출

03 금전채권에 대한 다음 설명 중 옳지 않은 것은?

① 금전채무를 이행하지 않는 경우 채권자에게 당연히 손해가 발생하는 것은 아니며 채권자가 채무자의 금전채무불이행을 이유로 손해배상을 청구하려면 자기에게 손해가 발생했음을 입증하여야만 한다.
② 금전채무의 이행지체에 의한 손해를 흔히 '지연이자'라고 하는데, 당사자간에 법령의 제한에 위반하지 아니한 약정이율이 있으면 그에 의하고 약정이율이 없으면 법정이율을 적용한다.
③ 금전채무의 불이행은 언제나 '이행지체'가 되며 '이행불능'이 되지 않는다.
④ 채권의 목적이 다른 나라 통화로 지급할 것인 경우에는 채무자는 자기가 선택한 그 나라의 각 종류의 통화로 변제할 수 있다.
⑤ 금전채권에서는 금전 자체가 가지는 개성보다는 그것이 가지는 일정한 가치에 중점을 두는 점에 그 특색이 있다.

해설 ① 금전채무불이행의 경우 손해배상에 관하여는 채권자는 손해의 증명을 요하지 아니하고 채무자는 과실없음을 항변하지 못한다(민법 제397조 제2항).
② 금전채무불이행의 손해배상액은 법정이율에 의한다. 그러나 법령의 제한에 위반하지 아니한 약정이율이 있으면 그 이율에 의한다(민법 제397조 제1항).
③⑤ 금전채권은 채무자에 대하여 '돈'이라는 물건을 이전할 것을 청구하는 권리가 아니라 '돈'을 표상하는 '가치'의 이전을 청구하는 권리이다. 따라서, 금전채무에 있어서는 이행불능상태가 발생할 수 없기 때문에 금전채무가 불이행되면 모두 이행지체상태가 된다.
④ 민법 제377조 제1항

03. ①

MEMO

2017년 기출

04 금전채권의 특성에 관한 설명으로 가장 적절하지 않은 것은?

① 금전채무의 불이행은 이행지체가 되며 이행불능이 생기지 않는다.
② 채무자에게 금전채무불이행으로 인한 손해배상책임을 묻기 위해서는 채권자가 손해를 입증하여야 한다.
③ 채권액이 다른 나라 통화로 지정된 때에는 채무자는 지급할 때에 있어서의 이행지의 환금시가에 의하여 우리나라 통화로 변제할 수 있다.
④ 금전채무불이행의 손해배상은 법정이율에 의한다. 그러나 법령의 제한에 위반하지 아니한 약정이율이 있으면 그 이율에 의한다.
⑤ 금전채무불이행에 있어서 채무자는 과실 없음을 항변하지 못한다.

해설 금전채무불이행으로 인한 손해배상에 관하여는 채권자는 손해의 증명을 요하지 아니한다(민법 제397조 제2항 전단).
① 금전채무에 있어서는 이행불능상태가 발생할 수 없기 때문에 금전채무가 불이행되면 모두 이행지체가 된다.
③ 민법 제378조, ④ 민법 제 397조 제1항, ⑤ 민법 제397조 제2항 후단

2023년 기출

05 이자채권에 관한 다음 설명 중 가장 적절하지 않은 것은?

① 기본적 이자채권은 그 발생・소멸・처분에서 원본채권과 운명을 같이 한다.
② 원본채권이 양도되면 이미 변제기에 도달한 지분적 이자채권은 당연히 함께 양도된다.
③ 이자는 금전 기타 대체물의 사용대가라는 점에서 부대체물인 토지・기계・건물 등의 사용대가인 지료・차임 등은 이자가 아니다.
④ 1년 이내의 정기로 지급하기로 한 지분적 이자채권은 3년간 행사하지 아니하면 소멸시효가 완성한다.
⑤ 이자는 이율에 의해 산정되고 여기에는 법률의 규정에 의해 정해지는 법정이율과 당사자의 약정에 의해 정해지는 약정이율이 있다.

해설 ② ④ 이자의 급부를 목적으로 하는 채권을 이자채권이라 한다. 이는 추상적으로 일정기마다 일정률의 이자를 취득할 수 있는 채권(아직 변제기에 도달하지 않은 이자채권)인 '기본적 이자채권'과 기본적인 이자채권에 기하여 매기마다 발생된 일정액의 이자를 청구할 수 있는 권리(변제기에 도달한 이자채권)인 '지분적 이자채권'으로 구분된다. 지분적 이자채권은 원본채권과 분리하여 양도할 수 있고 원본채권과 별도로 변제할 수 있으며 또 1년 이내의 기간으로 정한 이자채권은 3년의 소멸시효(민법 제 163조 제1호)에 걸리는 등 강한 독립성을 가진다.

04. ② 05. ②

MEMO

① 기본적 이자채권은 그 발생, 소멸, 처분에 원본채권과 운명을 같이 한다(부종성).
③ 이자란 금전 기타 대체물의 사용대가로 그 원본액과 사용기간에 따라 일정기간마다 일정한 비율에 따라 지급되는 금전 기타 대체물을 말한다. 이자는 원본채권의 이행기까지의 사용대가로서 법정과실의 일종이다. 이자는 금전 기타 대체물의 사용대가라는 점에서, 부대체물인 토지・기계・건물 등의 사용대가인 지료・차임 등은 이자가 아니다.
⑤ 이율이란 원본과 이자의 비율을 말하는데, 이율에 따라 이자가 산정된다. 여기에는 법률의 규정에 의해 정해지는 법정이율과 당사자의 약정에 의해 정해지는 약정이율이 있다.

2021년 기출

06 이자와 이자채권에 관한 다음 설명 중 적절하지 않은 것은?

① 부대체물인 토지, 건물, 기계 등의 사용대가인 차임 등은 이자가 아니다.
② 기본적 이자채권은 그 발생, 소멸, 처분에서 원본채권과 운명을 같이 한다.
③ 1년 이내의 기간으로 정한 이자채권은 3년간 행사하지 아니하면 소멸시효가 완성한다.
④ 이미 변제기에 도달한 지분적 이자채권은 원본채권과 분리하여 양도할 수 있다.
⑤ 이자는 원본채권의 이행기까지의 사용대가로서 천연과실의 일종이다.

해설 이자란 금전 기타 대체물의 사용대가로 그 원본액과 사용기간에 따라 일정기간마다 일정한 비율에 따라 지급되는 금전 기타 대체물을 말한다. 이자는 원본채권의 이행기까지의 사용대가로서 법정과실의 일종이다.
① 이자는 금전 기타 대체물의 사용대가라는 점에서, 부대체물인 토지, 건물, 기계 등의 사용대가인 차임 등은 이자가 아니다.
② 이자의 급부를 목적으로 하는 채권을 이자채권이라 한다. 이는 추상적으로 일정기마다 일정률의 이자를 취득할 수 있는 채권(아직 변제기에 도달하지 않은 이자채권)인 '기본적 이자채권'과 기본적인 이자채권에 기하여 매기마다 발생된, 일정액의 이자를 청구할 수 있는 권리(변제기에 도달한 이자채권)인 '지분적 이자채권'으로 구분된다. 기본적 이자채권은 그 발생, 소멸, 처분에 원본채권과 운명을 같이 한다(부종성).
③, ④ 지분적 이자채권은 원본채권과 분리하여 양도할 수 있고 원본채권과 별도로 변제할 수 있으며 또 1년 이내의 기간으로 정한 이자채권은 따라 3년의 소멸시효(민법 제 163조 제1호)에 걸리는 등 강한 독립성을 가진다.

06. ⑤

MEMO

2019년 기출

07 이자채권에 대한 다음 설명 중 옳지 않은 것은?

① 이자는 원본채권 이행기까지의 사용대가로서 법정과실의 일종이다.
② 이자는 금전 기타 대체물의 사용대가라는 점에서 부대체물인 토지・기계・건물 등의 사용대가인 지료・차임 등은 이자가 아니다.
③ 이자는 금전인 것이 보통이지만 금전 이외의 대체물도 이자가 될 수 있다.
④ 원본채권이 무효이어도 이자는 발생한다.
⑤ 이자는 이율에 의해 산정되고 여기에는 법률의 규정에 의해 정해지는 법정이율과 당사자의 약정에 의해 정해지는 약정이율이 있다.

해설 기본적 이자채권은 추상적으로 일정기마다 일정률의 이자를 취득할 수 있는 채권, 즉 아직 변제기에 도달하지 않은 이자채권으로, 일반적으로 이자채권이라고 하면 이를 가리킨다. 기본적 이자채권은 그 발생, 소멸, 처분에 원본채권과 운명을 같이한다(부종성). 즉, 기본적 이자채권은 원본채권 없이는 발생할 수 없고 원본채권이 소멸하면 기본적 이자채권도 소멸하며, 원본채권의 양도 등 처분은 이자채권의 처분을 수반하는 것을 원칙으로 한다.

① 이자는 원본채권 이행기까지의 사용대가로서 법정과실의 일종이다. 그러나 원본의 소각금, 월부상환금, 주식의 배당금 등은 원본의 사용대가가 아니므로 이자가 아니다. 또한 금전채무불이행의 경우에 지급되는 지연배상은 '지연이자'라고 부르지만, 그 법률상의 성질은 손해배상이지 이자가 아니다.
② 이자는 금전 기타 대체물의 사용대가라는 점에서 부대체물인 토지・기계・건물 등의 사용대가인 지료・차임 등은 이자가 아니다.
③ 이자는 금전인 것이 보통이지만 금전 이외의 대체물도 이자가 될 수 있다. 또 원본과 이자는 동종의 대체물이어야만 하는 것은 아니다.
⑤ 이자는 이율에 의해 산정되고 여기에는 법률의 규정[민법 제379조(연5푼), 상법 제54조(연6푼) 등]에 의해 정해지는 법정이율과 당사자의 약정에 의해 정해지는 약정이율이 있다. 약정이율은 이자제한법상 최고이자율(연20%, 2021.7.7. 시행기준)의 범위내에서 자유롭게 약정할 수 있다.

07. ④

MEMO

2014년 기출

08 선택채권(채권의 목적이 수 개의 행위 중에서 선택에 좇아 확정되는 채권)에 대한 설명으로 잘못된 것은?

① 다른 법률의 규정이나 당사자의 약정이 없으면 선택권은 채무자에게 있다.
② 채권자나 채무자가 선택하는 경우에는 그 선택은 상대방에 대한 의사표시로 한다.
③ 선택의 효력은 선택권자가 상대방에 대하여 선택의 의사표시를 한 때로부터 발생하며 그 채권이 발생한 때에 소급하지 아니한다.
④ 선택권행사의 기간이 있는 경우에 선택권자가 그 기간 내에 선택권을 행사하지 아니하는 때에는 상대방은 상당한 기간을 정하여 그 선택을 최고할 수 있고 선택권자가 그 기간 내에 선택하지 아니하면 선택권은 상대방에 있다.
⑤ 선택권행사의 기간이 없는 경우에 채권의 기한이 도래한 후 상대방이 상당한 기간을 정하여 그 선택을 최고하여도 선택권자가 그 기간 내에 선택하지 아니할 때에는 선택권은 상대방에 있다.

해설 선택은 채권이 발생한 때에 소급하여 그 효력이 생긴다(민법 제386조 본문 참조). 따라서 선택권자가 여러 개의 급부 중에서 특정물급부를 선택한 때에는 처음부터 특정물채권이 성립하고 있었던 것으로 다루어진다.

08. ③

MEMO

제3절 채무불이행과 그 구제

2019년 기출

01 채무불이행에 대한 다음 설명 중 옳지 않은 것은?

① 채무불이행은 이행지체, 이행불능, 불완전이행의 3가지 유형으로 나눌 수 있다.

② 계약에서 생긴 채무의 이행지체의 경우에는 채권자는 상당한 기간을 정하여 이행을 최고하고 채무자가 그 기간 내에 이행을 하지 않으면 계약을 해제할 수 있다.

③ 건물 매매계약을 체결하였는데 그 건물이 계약 체결 후에 소실된 경우에는 이를 '후발적 불능'이라 하고 그 불능에 대한 채무자의 귀책사유 여부에 따라 채무불이행책임 등의 문제가 발생한다.

④ 부동산이중양도에서 매도인이 제2매수인에게 소유권이전등기를 경료한 경우에 제1매수인에 대한 매도인의 소유권이전채무는 이행지체가 된 것으로 본다.

⑤ 채무불이행에 대한 구제로서 민법이 정하는 것은 강제이행과 손해배상이다.

해설 부동산이중매매는 원칙적으로 허용되지만, 매도인이 이미 매수인에게 부동산을 매도하였음을 제2매수인이 잘 알면서도, 소유권명의가 매도인에게 남아 있음을 기화로 매도인에게 이중매도를 적극 권유하여 그 소유권이전등기를 한 경우 이중매매는 무효이다(대판 1970.10.23. 70다2038).

① 민법은 제390조에서 채무불이행의 모습을 "채무의 내용에 좇은 이행을 하지 아니한 때"라고 포괄적으로 규정(동조 본문)하고, 이행불능(동조 단서, 제546조 등)과 이행지체(제387조, 392조, 제395조, 제544조 등)에 관한 규정을 따로 두고 있다. 따라서 채무불이행을 포괄적으로 규정하고 있다고 하지만, 민법은 이행지체와 이행불능을 기본유형으로 하고 있다고 말할 수 있다. 또한 20세기에 들어와서 적극적 채권침해 내지 불완전이행도 이를 채무불이행의 유형의 하나로 인정하게 되어 채무불이행을 이행지체, 이행불능, 불완전이행 내지 적극적 채권침해의 세 유형으로 나누는 것이 우리의 통설과 판례이다.

② 당사자 일방이 그 채무를 이행하지 아니하는 때에는 상대방은 상당한 기간을 정하여 그 이행을 최고하고 그 기간 내에 이행하지 아니한 때에는 계약을 해제할 수 있다(민법 제544조 본문).

③ 원시적 불능과 후발적 불능은 불능의 분류 중에서 가장 중요한 것으로서, 만일 건물에 대해 매매계약을 체결하였는데 계약체결 전에 건물이 소실되면 '원시적 불능'이고 계약 체결 후에 건물이 소실되면 '후발적 불능'이다. 이 중에서 법률행위가 무효화되는 것은 원시적 불능에 한하고, 후발적 불능은 그 불능에 대한 채무자의 귀책사유 여부에 따라 채무불이행책임 등의 문제가 발생한다.

01. ④

MEMO

⑤ 채무불이행에 대한 구제로서 민법이 정하는 것은 강제이행(제389조)과 손해배상(제390조)이다.

2024년 기출

02 이행지체에 관한 다음 설명 중 가장 적절하지 않은 것은?

① 반환시기의 약정이 없는 소비대차는 대주가 반환을 최고한 때로부터 상당한 기간이 경과한 때부터 지체책임이 있다.

② 이행지체의 손해배상은 지연배상이 원칙이나 예외적으로 전보배상을 청구할 수 있는 경우도 있다.

③ 채무자는 자기에게 과실이 없는 경우에도 그 이행지체 중에 생긴 손해를 배상하여야 한다. 그러나 채무자가 이행기에 이행하여도 손해를 면할 수 없는 경우에는 그러하지 아니하다.

④ 쌍무계약의 동시이행관계에 있는 채무는 상대방의 이행의 제공과 관계없이 기한이 도래하면 이행지체가 된다.

⑤ 이행지체가 발생하면 채권자는 계약을 해제할 수 있다.

해설 ④ 쌍무계약의 당사자 일방은 상대방이 그 채무이행을 제공할 때까지 자신의 채무이행을 거절할 수 있다(민법 제536조(동시이행의 항변권) 본문). 즉, 쌍무계약의 당사자 일방은 동시이행의 항변권이 존재하는 한, 자기채무의 이행기가 도래하였더라도 상대방이 급부를 제공할 때까지 이행지체에 빠지지 않는다.

① 반환시기의 약정이 없는 때에는 대주는 상당한 기간을 정하여 반환을 최고하여야 한다. 그러나 차주는 언제든지 반환할 수 있다(민법 제603조(반환시기) 제2항).

② 이행지체의 손해배상은 지연배상이 원칙이지만, 채권자가 상당기간을 정하여 이행청구를 하였는데도 불구하고 채무자가 이행하지 않거나, 또는 지체 후의 이행이 채권자에게 이익이 없을 때에는 채무자가 그 후에 이행을 하더라도 채권자가 수령을 거절하고 그 이행에 갈음한 손해배상, 즉 전보배상을 청구할 수 있다.

③ 채무자는 그의 귀책사유에 의한 손해에 대하여 책임을 지는 것이 원칙이지만, 지체 후에는 그에게 책임이 없는 사유에 의한 손해에 대하여도 책임을 진다(민법 제392조(이행지체 중의 손해배상) 본문). 다만 이행기에 이행을 하였더라도 생겼을 손해에 대하여는 그 손해와 지체 사이에 인과관계가 없으므로 채무자는 책임을 면하며, 이 경우 입증책임은 채무자에게 있다.

⑤ 채무자가 이행지체에 빠진 때에는 채권자는 상당한 기간을 정하여 이행을 최고하고, 채무자가 그 기간 내에 이행을 하지 않으면 계약을 해제할 수 있다(민법 제544조(이행지체와 해제) 본문). 또한 채무자가 미리 불이행의 의사를 표시하였거나, 또는 정기행위인 경우에는 위의 최고는 필요 없으며 곧 계약을 해제할 수 있다(민법 제544조 단서, 제545조(정기행위와 해제) 참조).

02. ④

2023년 기출

03 **이행지체에 관한 다음 설명 중 가장 적절하지 않은 것은?**

① 채무이행의 기한이 없는 경우에는 그 기한이 객관적으로 도래한 때로부터 이행지체책임이 있다.

② 금전소비대차에 있어서 반환시기의 약정이 없는 때에는 대주는 상당한 기간을 정하여 반환을 최고하여야 한다. 따라서 그 상당기간이 경과한 때부터 이행지체가 된다.

③ 쌍무계약의 동시이행관계에 있는 상환채무의 경우에는 기한의 도래 외에도 상대방으로부터 이행의 제공을 받으면서 자기의 채무를 이행하지 않는 경우에 비로소 이행지체책임이 있다.

④ 지시채권과 무기명채권과 같은 증권적 채권은 그 확정기한이 도래한 후 소지인이 그 증서를 제시하여 이행을 청구한 때로부터 이행지체책임이 있다.

⑤ 채무이행의 불확정 기한이 있는 경우에는 채무자는 기한이 도래함을 안 때로부터 이행지체책임이 있다.

해설 ① 채무불이행의 유형 중 '이행지체'란 채무가 이행기에 있고 또한 그 이행이 가능함에도 불구하고 채무자가 그에게 책임 있는 사유로 위법하게 채무의 내용에 좇은 이행을 하지 않는 것을 말한다. 이행지체에 관하여도 채무불이행의 공통요건이 요구되지만, 이행지체에서는 이행기에 이행을 하지 않는 것이 그 성립요건이 되기 때문에, 이행지체를 발생하게 하는 이행기의 확정이 중요하다. 채무이행의 기한이 없는 경우에는 이행청구, 즉 채권자의 최고를 받은 때로부터 지체책임이 있다(민법 제387조 제2항).

② 민법 제603조(반환시기) 제2항

③ 채무이행의 확정한 기한이 있는 경우에는 채무자는 그 기한이 도래한 때로부터 지체책임이 있다(민법 제387조 제1항 1문). 그러나 쌍무계약에 의한 채무의 이행에서는 당사자 간에 동시이행의 항변권이 인정되므로 상대방으로부터 이행의 제공을 받으면서 자기의 채무를 이행하지 않는 경우에 비로소 이행지체가 된다.

④ 지시채권과 무기명채권과 같은 증권적 채권과 면책증서는 그 확정기한이 도래한 후 소지인이 그 증서를 제시하여 이행을 청구한 때로부터 이행지체가 된다.

⑤ 민법 제387조 제1항 2문

03. ①

MEMO

2022년 기출

04 이행지체에 관한 다음 설명 중 가장 적절하지 않은 것은?

① 채무이행의 확정한 기한이 있는 경우에는 채무자는 기한이 도래한 때로부터 지체책임이 있다.
② 채무이행의 불확정한 기한이 있는 경우에는 채무자는 기한이 도래함을 안 때로부터 지체책임이 있다.
③ 채무이행의 기한이 없는 경우에는 채무자는 이행청구를 받은 때로부터 지체책임이 있다.
④ 반환시기의 약정이 없는 소비대차에서는 대주는 상당한 기간을 정하여 반환을 최고하여야 한다. 그러나 차주는 언제든지 반환할 수 있다.
⑤ 불법행위로 인한 손해배상 채무는 이행청구를 받은 때로부터 지체책임이 있다.

해설 채무불이행의 유형 중 '이행지체'란 채무가 이행기에 있고 또한 그 이행이 가능함에도 불구하고 채무자가 그에게 책임있는 사유로 위법하게 채무의 내용에 좇은 이행을 하지 않는 것을 말한다. 이행지체에 관하여도 채무불이행의 공통요건이 요구되지만, 이행지체에서는 이행기에 이행을 하지 않는 것이 그 성립요건이 되기 때문에, 이행지체를 발생하게 하는 이행기의 확정이 중요하다. 불법행위로 인한 손해배상채무는 그 성립과 동시에 또 채권자의 청구 없이도 당연히 이행지체가 된다.
① 민법 제387조(이행기와 이행지체) 제1항 1문
② 민법 제387조 제1항 2문
③ 민법 제387조 제2항
④ 민법 제603조(반환시기) 제2항

2021년 기출

05 채무불이행의 유형 중 이행지체의 요건에 관한 다음 설명 중 가장 적절하지 않은 것은?

① 이행기가 도래하였을 것
② 채무의 이행이 가능할 것
③ 이행이 늦은데 대하여 채무자에게 책임 있는 사유가 있을 것
④ 이행하지 않은 것이 위법할 것
⑤ 채무의 성립 후에 이행이 불능으로 되었을 것

해설 채무불이행의 유형 중 '이행지체'란 채무가 이행기에 있고 또한 그 이행이 가능함에도 불구하고 채무자가 그에게 책임 있는 사유로 위법하게 채무의 내용에 좇은 이행을 하지 않는 것을 말한다. '이행불능'이란 채권이 성립한 후에 채무자의 귀책사유로 그 이행이 불가능하게 된 경우를 말한다.

04. ⑤ 05. ⑤

MEMO

2020년 기출

06 이행지체에 관한 다음 설명 중 옳지 않은 것은?

① 지시채권에 변제기한이 있는 경우 그 기한이 도래한 때로부터 채무자는 당연히 지체책임이 있다.

② 채무이행의 확정한 기한이 있는 경우에는 채무자는 기한이 도래한 때로부터 지체책임이 있다.

③ 채무이행의 불확정한 기한이 있는 경우에는 채무자는 기한이 도래함을 안 때로부터 지체책임이 있다.

④ 반환시기의 약정이 없는 소비대차에서는 대주는 상당한 기간을 정하여 반환을 최고하여야 한다. 그러나 차주는 언제든지 반환할 수 있다.

⑤ 불법행위로 인한 손해배상 채무는 그 성립과 동시에 이행지체가 되고(그 당일부터), 채권자의 청구가 없어도 당연히 이행지체가 된다는 것이 판례이다.

해설 ①이 원래 정답이었으나 이의제기가 일부 수용되어 ①⑤ 복수정답 처리됨.

①② 채무이행의 확정한 기한이 있는 경우에는 채무자는 기한이 도래한 때로부터 지체책임이 있다(민법 제387조 제1항 제1문). 그러나 지시채권, 무기명채권과 같은 증권적 채권과 면책증서는 그 확정기한이 도래한 후 그 증서를 제시하여 이행을 청구한 때로부터 이행지체가 된다.

③ 민법 제387조 제1항 제2문

④ 채무이행의 기한이 없는 경우에는 이행청구, 즉 채권자의 최고를 받은 때로부터 지체책임이 있다(민법 제387조 제2항). 그러나 반환시기의 약정이 없는 소비대차에서는 차주는 언제든지 반환할 수 있으나 대주는 상당한 기간을 정하여 반환을 최고하여야 한다(민법 제603조 제2항 참조).

⑤ 불법행위로 인한 손해배상 채무의 지연손해금의 기산일은 불법행위 성립일이 원칙이지만(대판 1975.5.27. 74다1393 참조), 불법행위에 있어 위법행위 시점과 손해발생 시점 사이에 시간적 간격이 있는 경우에는 손해발생 시점이 기산일이 된다(대판 2011.7.28. 2010다76368 참조).

06. ①, ⑤

MEMO

2018년 기출

07 다음 채무불이행의 유형 중 이행지체에 관한 설명으로 가장 적절하지 않은 것은?

① 채무이행의 불확정한 기한이 있는 경우에는 채무자는 기한이 객관적으로 도래한 때로부터 지체책임이 있다.

② 지시채권과 같은 증권적 채권은 그 확정기한이 도래한 후에 소지인이 증서를 제시하여 이행을 청구한 때로부터 채무자는 지체책임이 있다.

③ 채무이행의 기한이 없는 경우에는 채무자는 이행청구를 받은 때로부터 지체책임이 있다.

④ 쌍무계약의 동시이행관계에 있는 상환 채무는 기한의 도래 외에도 상대방으로부터 이행의 제공을 받으면서 자기의 채무를 이행하지 않는 경우에 비로소 이행지체가 된다.

⑤ 채무자가 담보를 손상, 감소 또는 멸실하게 하거나 담보제공의 의무를 이행하지 아니한 때에는 채무자는 기한의 이익을 주장하지 못한다.

해설 채무이행의 불확정한 기한이 있는 경우에는 채무자는 기한이 도래함을 안 때로부터 지체책임이 있다(민법 제387조 제1항 제2문).

② 지시채권, 무기명채권과 같은 증권적 채권과 면책증서는 그 확정기한이 도래한 후에 소지인이 증서를 제시하여 이행을 청구한 때로부터 이행지체가 된다.

③ 채무이행의 기한이 없는 경우에는 채무자는 이행청구를 받은 때로부터 지체책임이 있다(민법 제387조 제2항).

④ 쌍무계약에 의한 채무의 이행에서는 당사자간에 동시이행의 항변권이 인정되므로 상대방으로부터 이행의 제공을 받으면서 자기의 채무를 이행하지 않는 경우에 비로소 이행지체가 된다.

⑤ 채무자가 담보를 손상, 감소 또는 멸실하게 하거나 담보제공의 의무를 이행하지 아니한 때에는 채무자는 기한의 이익을 주장하지 못한다(민법 제388조).

07. ①

MEMO

2017년 기출

08 기한의 이익에 관한 다음 설명 중 옳지 않은 것은?

① 기한의 이익의 상실사유가 발생하면 채권자는 본래의 이행기에 청구할 수도 있고 또는 그 사유가 발생한 날 이후에 즉시 청구할 수도 있다.

② 채무자가 소유 부동산을 매각하여 책임재산을 감소시킨 때에 기한의 이익을 상실시킬 수 있다.

③ 채무자가 담보를 손상, 감소 또는 멸실하게 한 때, 담보제공의 의무를 이행하지 아니한 때에 기한의 이익을 상실시킬 수 있다.

④ 채무자의 기한의 이익이란 약정만기까지 자금을 계속적으로 사용할 수 있고, 변제기가 도래하기 전까지는 변제의무가 없는 것을 말한다.

⑤ 대출금채권에 있어 기한의 이익은 채무자에게 있는 것으로 추정된다.

해설 계약 또는 법률이 채무자에게 기한의 이익을 부여하지 않는 한 채무자는 기한의 이익을 주장할 수 없다. 즉, 당사자 사이에 채무자가 소유 부동산을 매각하여 책임재산을 감소시킨 때에 기한의 이익을 상실하기로 하는 특약이 없는 한 기한의 이익을 상실시킬 수 없다.

① 기한의 이익의 상실사유가 발생하면 채권자는 본래의 이행기에 청구할 수도 있고 또는 그 사유가 발생한 날 이후에 즉시 청구할 수도 있다.

③ 민법 제388조

④ 채무자의 기한의 이익이란 약정만기까지 자금을 계속적으로 사용할 수 있고, 변제기가 도래하기 전까지는 변제의무가 없는 것을 말한다.

⑤ 기한은 채무자의 이익을 위한 것으로 추정한다(민법 제153조 제1항).

08. ②

MEMO

2014년 기출

09 이행불능에 관한 설명으로 틀린 것은? (다툼이 있는 경우 판례에 따름)

① 쌍무계약의 당사자 일방의 채무가 채권자의 책임 있는 사유로 이행할 수 없게 된 때에는 채무자는 상대방의 이행을 청구할 수 있다.

② 쌍무계약의 당사자 일방의 채무가 당사자 쌍방의 책임 없는 사유로 이행할 수 없게 된 때에는 채무자는 상대방의 이행을 청구하지 못한다.

③ 쌍무계약의 당사자 일방의 채무가 채권자의 수령지체 중에 당사자 쌍방의 책임 없는 사유로 이행할 수 없게 된 때에는 채무자는 상대방의 이행을 청구할 수 없다.

④ 채권자 귀책사유로 인한 이행불능의 경우에 채무자는 자기의 채무를 면함으로써 이익을 얻은 때에는 이를 채권자에게 상환하여야 한다.

⑤ 부동산 이중양도에서 매도인이 제2매수인에게 소유권이전등기를 경료한 경우에 제1매수인(최초 매수인)에 대한 매도인의 소유권이전채무는 이행불능이 된 것으로 본다.

해설 쌍무계약은 그 특질로서 성립상, 이행상, 존속상의 견련성이 있으며, 이에 민법은 이행상의 견련성에 대해 동시이행의 항변권 규정을 두고 있고, 존속상의 견련성에 대해 위험부담 규정을 두고 있다. 특히 민법 제538조는 쌍무계약의 당사자 일방의 채무가 채권자의 책임 있는 사유로 이행할 수 없게 된 때에는 채무자는 상대방의 이행을 청구할 수 있다고 규정하고 있고, 채권자의 수령지체 중에 당사자 쌍방의 책임 없는 사유로 이행할 수 없게 된 때에도 같다고 규정하므로 역시 채무자는 상대방의 이행을 청구할 수 있다.

2012년 기출

10 채권자지체 등과 관련한 다음 설명 중 가장 적절하지 않은 것은?

① 채권자가 이행을 받을 수 없거나 받지 아니한 때에는 이행의 제공이 있는 때부터 지체책임이 있다.

② 채권자지체 중에는 채무자는 불이행으로 인한 모든 책임이 없다.

③ 채무불이행에 관하여 채권자에게 과실이 있는 때에는 법원은 손해배상의 책임 및 그 금액을 정함에 이를 참작한다.

④ 채권자지체 중에는 이자 있는 채권이라도 채무자는 이자를 지급할 의무가 없다.

⑤ 채권자지체로 인하여 그 목적물의 보관 또는 변제의 비용이 증가된 때에는 그 증가액은 채권자의 부담으로 한다.

해설 채권자지체 중에는 채무자는 고의 또는 중대한 과실이 없으면 불이행으로 인한 모든 책임이 없다(민법 제401조). 따라서 고의 또는 중대한 과실이 없는 경우에 한하여 모든 책임이 없는 것이다.

정답

09. ③ 10. ②

MEMO

2024년 기출

11 채무불이행에 의한 손해배상청구권에 관한 다음 설명 중 가장 적절하지 않은 것은?

① 통상의 손해는 채무자가 그 사정을 알았는지 여부를 불문한다.
② 채무불이행에 의한 손해배상청구권은 본래의 채권의 확장 또는 내용의 변경이므로 본래의 채권과 동일성을 가진다.
③ 손해의 발생이나 확대에 관하여 채권자에게 과실이 있었더라도 그러한 사정은 원칙적으로 손해배상범위의 산정에 고려되지 않는다.
④ 손해배상청구권의 시효기간은 본래의 채권의 성질에 따라 정하여 진다.
⑤ 손해배상액을 예정한 때에는 실제의 손해가 이보다 크더라도 채권자는 예정된 손해배상액만을 청구할 수 있다.

해설 ③ 채무불이행에 있어서 채권자에게도 과실이 있었던 때에는 법원은 손해배상의 책임 및 그 금액을 정할 때에 그 채권자의 과실도 이를 참작하여야 한다(민법 제396조(과실상계)). 이것은 손해의 공평한 부담이라는 취지에서 신의칙상 인정되는 제도로 이해되고 있다.
① 통상손해에 관하여는 채무자의 예견가능성의 유무를 묻지 않고 그 전부에 대해 배상을 청구할 수 있다.
② 채무불이행에 의한 손해배상청구권은 본래의 채권의 확장(지연배상의 경우) 또는 내용의 변경(전보배상의 경우)이므로 본래의 채권과 동일성을 가진다.
④ 따라서, 손해배상청구권의 시효기간은 본래의 채권의 성질에 의하여 정하여지고, 채무불이행시부터 소멸시효의 진행이 개시된다(대판 2005.1.14. 2002다57119).
⑤ 반대의 특약이 없는 한 실제의 손해액이 예정배상액보다 많더라도 채권자는 예정된 배상액을 청구할 수 있을 뿐이다(대판 1988.9.27. 86다카2375,2376).

2023년 기출

12 손해배상의 범위에 관한 다음 설명 중 가장 적절하지 않은 것은?

① 손해의 발생이나 확대에 관하여 채권자에게 과실이 있었더라도 손해배상 범위의 산정에 원칙적으로 고려되지 않는다.
② 통상의 손해는 채무자가 그 사정을 알았는지 여부를 불문한다.
③ 특별한 사정으로 생긴 손해는 채무자가 알았거나 알 수 있었을 때에 한하여 배상책임이 있다.
④ 원칙적으로 통상의 손해를 그 범위로 한다.
⑤ 당사자는 채무불이행에 관한 손해배상액을 예정할 수 있다.

정답 11. ③ 12. ①

MEMO

해설 ① 채무불이행에 관하여 채권자에게 과실이 있는 때에는 법원은 손해배상의 책임 및 그 금액을 정함에 이를 참작하여야 한다[민법 제396조(과실상계)]. 이것은 손해의 공평한 부담이라는 취지에서 신의칙상 인정되는 제도로 이해되고 있다. 법원은 채권자의 과실의 정도를 참작하여 채무자의 책임을 면하게 할 수도 있고 또는 손해배상액을 감액할 수도 있다. 어느 쪽을 선택할 지는 법원의 판단에 속하는 것이지만, 채무자가 채권자의 과실의 존재 및 과실상계의 주장을 하지 않더라도 법원이 심리결과 채권자의 과실을 인정한 때에는 직권으로 이를 반드시 참작하여야 한다.

②④ 채무불이행으로 인한 손해배상은 통상의 손해를 그 한도로 한다[민법 제393조(손해배상의 범위) 제1항]. 통상의 손해라 함은 특별한 사정이 없는 한 그 종류의 채무불이행이 있으면 사회일반의 관념에 따라 보통 발생하는 것으로 생각되는 범위의 손해이다. 통상손해에 관하여는 채무자의 예견가능성의 유무를 묻지 않고 그 전부에 대하여 배상을 청구할 수 있다.

③ 민법 제393조 제2항

⑤ 민법 제398조(배상액의 예정) 제1항

2022년 기출

13 채무불이행에 의한 손해배상에 관한 다음 설명 중 가장 적절하지 않은 것은?

① 채무자가 채무의 내용에 좇은 이행을 하지 아니한 때에는 채권자는 손해배상을 청구할 수 있으나 채무자의 고의나 과실없이 이행할 수 없게 된 때에는 채권자는 손해배상을 청구할 수 없다.

② 다른 의사표시가 없으면 손해는 금전으로 배상한다.

③ 채무자의 법정대리인이 채무자를 위하여 이행하거나 채무자가 타인을 사용하여 이행하는 경우에 법정대리인 또는 피용자의 고의나 과실은 채무자의 고의나 과실로 보지 않는다.

④ 채무불이행으로 인한 손해배상은 통상의 손해를 그 한도로 한다.

⑤ 특별한 사정으로 인한 손해는 채무자가 그 사정을 알았거나 알 수 있었을 때에 한하여 배상의 책임이 있다.

해설 채무자의 법정대리인이 채무자를 위하여 이행하거나 채무자가 타인을 사용하여 이행하는 경우에는 법정대리인 또는 피용자의 고의나 과실은 채무자의 고의나 과실로 본다[민법 제391조(이행보조자의 고의, 과실)].

① 민법 제390조(채무불이행과 손해배상) 참조

② 민법 제394조(손해배상의 방법)

④ 민법 제393조(손해배상의 범위) 제1항

⑤ 민법 제393조 제2항

13. ③

MEMO

2022년 기출

14 손해배상에 관한 다음 설명 중 가장 적절하지 않은 것은?

① 당사자는 채무불이행에 관한 손해배상액을 예정할 수 있다.
② 손해배상의 예정액이 부당히 과다한 경우에는 법원은 적당히 감액할 수 있다.
③ 손해배상액의 예정은 이행의 청구에 영향을 미치지 않는다.
④ 손해배상액의 예정은 계약의 해제에 영향을 미친다.
⑤ 금전채무불이행의 손해배상액은 법정이율에 의한다. 그러나 법령의 제한에 위반하지 아니한 약정이율이 있으면 그 이율에 의한다.

해설 손해배상액의 예정은 이행의 청구나 계약의 해제에 영향을 미치지 아니한다[민법 제398조(배상액의 예정) 제3항].
① 민법 제398조 제1항
② 민법 제398조 제2항
⑤ 민법 제397조(금전채무불이행에 대한 특칙) 제1항

2020년 기출

15 채무불이행에 의한 손해배상과 관련한 다음 설명 중 옳지 않은 것은?

① 본래의 채권에 대한 담보는 그 손해배상청구권에도 미친다.
② 손해배상액의 예정은 이행의 청구나 계약의 해제에 영향을 미치지 아니한다.
③ 채무불이행에 관하여 채권자에게 과실이 있는 때에는 법원은 손해배상의 책임 및 그 금액을 정함에 이를 참작하여야 한다.
④ 위약금의 약정은 손해배상액의 예정으로 추정한다.
⑤ 채권자가 그 채권의 목적인 물건 또는 권리의 가액전부를 손해배상으로 받은 때에는 채무자는 그 물건 또는 권리에 관하여 채권자의 동의를 얻어야 채권자를 대위할 수 있다.

해설 ⑤ 채권자가 그 채권의 목적인 물건 또는 권리의 가액전부를 손해배상으로 받은 때에는 채무자는 그 물건 또는 권리에 관하여 당연히 채권자를 대위한다[민법 제399조(손해배상자의 대위)].
① 채무불이행에 의한 손해배상청구권은 본래의 채권의 확장(지연배상의 경우) 또는 내용의 변경(전보배상의 경우)이므로 본래의 채권과 동일성을 가진다. 그 결과 본래의 채권에 대한 담보는 그 손해배상청구권에도 미친다.
②④ 당사자는 장차 채무불이행이 있게 되면 일정한 금액을 손해배상액으로 하기로 미리 약정하는 수가 있는데, 이를 "손해배상액의 예정"이라고 한다(민법 제398조 제1항 참조). 배상액의 예정은 일정액의 금전으로써 하는 것이 보통이지만 금전 이외의 것

14. ④ 15. ⑤

MEMO

으로써 하는 것도 무방하다(동조 제5항 참조). 손해배상의 예정액이 부당히 과다한 경우에는 법원은 적당히 감액할 수 있다(동조 제2항). 손해배상액의 예정은 이행의 청구나 계약의 해제에 영향을 미치지 아니한다(동조 제3항). 위약금의 약정은 손해배상액의 예정으로 추정한다(동조 제4항).

③ 민법 제396조(과실상계)

2019년 기출

16 채무불이행으로 인한 손해배상에 대한 다음 설명 중 옳지 않은 것은?

① 채무불이행으로 인한 손해배상은 통상의 손해를 그 한도로 한다.
② 손해배상의 방법에는 '원상회복주의'와 '금전배상주의'가 있으나 우리 민법은 원상회복주의를 원칙으로 한다.
③ 특별한 사정으로 인한 손해는 채무자가 그 사정을 알았거나 알 수 있었을 때에 한하여 배상의 책임이 있다.
④ 당사자는 장차 채무불이행이 있게 되면 일정한 금액을 손해배상액으로 미리 약정하는 경우가 있는데, 이를 '손해배상액의 예정'이라고 한다.
⑤ 손해배상의 예정액이 부당하게 과다한 경우에는 법원은 적당히 감액할 수 있다.

해설 다른 의사표시가 없으면 손해는 금전으로 배상한다(민법 제394조, 금전배상주의 원칙).
① 민법 제393조 제1항
③ 민법 제393조 제2항
④ 당사자는 채무불이행에 관한 손해배상액을 예정할 수 있다(민법 제398조 제1항).
⑤ 민법 제398조 제2항

2017년 기출

17 채무불이행으로 인한 손해배상에 관한 다음 설명 중 옳은 것은?

① 채무불이행에 관하여 채권자에게 과실이 있는 때에는 법원은 손해배상의 책임 및 그 금액을 정함에 이를 참작하여야 한다.
② 위약금의 약정은 손해배상액의 예정으로 간주한다.
③ 특별한 사정으로 생긴 손해는 채무자가 알았을 때에 한하여 배상책임이 있다.
④ 손해배상청구권은 채무자에게 이를 주장한 때로부터 소멸시효의 진행이 개시된다.
⑤ 손해배상방법에 관하여 원칙적으로 원상회복주의를 취하고 예외적으로 금전배상주의를 취한다.

16. ② 17. ①

MEMO

해설 ①은 민법 제396조(과실상계)에 해당한다.
② 위약금의 약정은 손해배상액의 예정으로 추정한다(민법 제398조 제4항).
③ 특별한 사정으로 생긴 손해는 채무자가 알았거나 알 수 있었을 때에 한하여 배상의 책임이 있다(민법 제393조 제2항).
④ 채무불이행으로 인한 손해배상청구권은 본래의 채권을 행사할 수 있는 때(학설) / 채무불이행 시(대판 1995.06.30. 94다54296)로부터 소멸시효의 진행이 개시된다.
⑤ 다른 의사표시가 없으면 손해는 금전으로 배상한다(민법 제394조).

2020년 기출

18 다음 설명 중 (　　) 안에 들어갈 가장 적절한 용어는?

손해를 끼친 피해에 상응하는 액수만을 보상하는 일반 손해배상제도와는 달리 '있을 수 없는 반사회적인 행위'를 금지하고 그와 유사한 행위가 다시 발생하는 것을 막기 위하여 국가가 처벌의 성격을 띤 손해배상을 부과하는 제도로 불법행위로 인한 손해 배상에 있어 가해자의 악의적 또는 반사회적 행위에 대한 비난에 기초하여 처벌적인 성격의 제재를 가하고 나아가 장래에 있어 유사한 행위를 하지 못하도록 억제하기 위한 제도를 (　　)이라 한다.

① 전보적 손해배상
② 채무불이행으로 인한 손해배상
③ 국가배상
④ 사용자책임
⑤ 징벌적 손해배상

해설 '징벌적 손해배상'(Punitive damages)이란 민사재판에서 가해자의 행위가 악의적이고 반사회적일 경우 실제 손해액보다 훨씬 더 많은 손해배상을 부과하는 형벌적 성격을 띤 제도이다. 손해를 끼친 피해에 상응하는 액수만 보상하게 하는 '전보적 손해배상'(Compensatory damages)만으로는 예방적 효과가 충분하지 않기 때문에 고액의 배상을 치르게 함으로써 장래에 가해자가 똑같은 불법행위를 반복하지 못하도록 막는 동시에 다른 사람 또는 기업 및 단체가 유사한 부당행위를 저지르지 않도록 예방하는데 주된 목적이 있다.

18. ⑤

MEMO

제4절 채권의 발생

2023년 기출

01 법률규정에 의한 채권의 발생과 성립에 관한 다음 설명 중 가장 적절한 것은?

① 경매절차에서 배당을 받아야 할 자가 배당을 받지 못하고 배당을 받지 못할 자가 배당을 받은 경우에는 배당을 받지 못한 우선채권자는 배당을 받은 자에 대하여 불법행위로 인한 손해배상청구권을 행사할 수 있다.

② 불법행위로 인한 손해배상청구권은 피해자나 그 법정대리인이 그 손해 및 가해자를 안 날로부터 2년간 행사하지 않으면 시효로 소멸한다.

③ 「민법」은 법률의 규정에 의한 채권성립의 원인으로 사무관리, 부당이득, 불법행위를 규정하고 있다.

④ 행인이 지나가던 중 길가에서 갑자기 쓰러진 사람을 위하여 병원까지 택시를 타고 응급실로 후송하고 택시비와 응급실 접수비를 지급하였다면, 이 경우 부당이득에 의한 채권이 발생한다.

⑤ 불법행위에 의한 손해배상을 청구하기 위해서는 가해자가 자신의 고의나 과실이 없음을 입증하여야 한다.

해설 ③ 채권의 발생원인은 그 기준을 어디에 두느냐에 따라서 여러 가지로 나누어 볼 수 있으나 채권 발행원인이 되는 법률요건을 기준으로 구분하면 '법률행위'에 의한 발생과 '법률의 규정'에 의한 발생으로 나누어 볼 수 있다. 전자의 원인에 의하여 발생하는 채권관계를 '약정채권관계'라 부르고 후자에 의하여 발생하는 것은 '법정채권관계'라고 한다. 우리 민법은 채권관계의 발생원인이 되는 법률요건으로서 법률행위에 의한 채권의 발생인 계약을 비롯하여 법률의 규정에 의한 채권의 발생인 사무관리 · 부당이득 · 불법행위 등의 네 가지만 규정하고 있다.

① 신용관리업무수행시 부당이득반환채권의 문제는 경매절차에서 배당업무와 관련하여 많이 접하게 되는데, 경매절차에서 배당을 받아야 할 자가 배당을 받지 못하고 배당을 받지 못할 자가 배당을 받은 경우에는 배당을 받지 못한 우선채권자는 배당을 받은 자에 대하여 불법행위로 인한 손해배상청구권이 아니라 부당이득반환청구권을 행사할 수 있다. 아울러 실체법상 우선변제권자라도 이른바 배당요구채권자(예컨대, 근로기준법에 의하여 우선변제청구권을 갖는 임금채권자)라면 배당요구를 하지 않은 경우 배당을 받은 자에 대하여 부당이득반환청구권을 행사할 수 없다.

② 불법행위로 인한 손해배상청구권은 피해자나 그 법정대리인이 그 손해 및 가해자를 안 날로부터 3년간 이를 행사하지 아니하면 시효로 인하여 소멸한다[민법 제766조(손해배상청구권의 소멸시효) 제1항].

④ 행인이 지나가던 중 길가에서 갑자기 쓰러진 사람을 위하여 병원까지 택시를 타고 응급실로 후송하고 택시비와 응급실 접수비를 지급하였다면, 법률상의 의무 없이 타인을 위하여 그의 사무를 처리하는 행위를 한 것으로 사무관리에 해당한다. 타인을

01. ③

MEMO

위하여 그의 사무를 처리함으로써 지급한 돈은 적법행위로서 관리자에게 비용상환청구권이 생기게 된다. 이때 사무관리로 인하여 발생한 비용상환청구권은 법률의 규정에 의해 발생한 채권이다.

⑤ 불법행위에 의한 손해배상을 청구하기 위해서는 피해자가 가해자에게 고의나 과실이 있었음을 입증하여야 한다.

2020년 기출

02 불법행위, 부당이득, 사무관리에 대한 다음 설명 중 옳지 않은 것은?

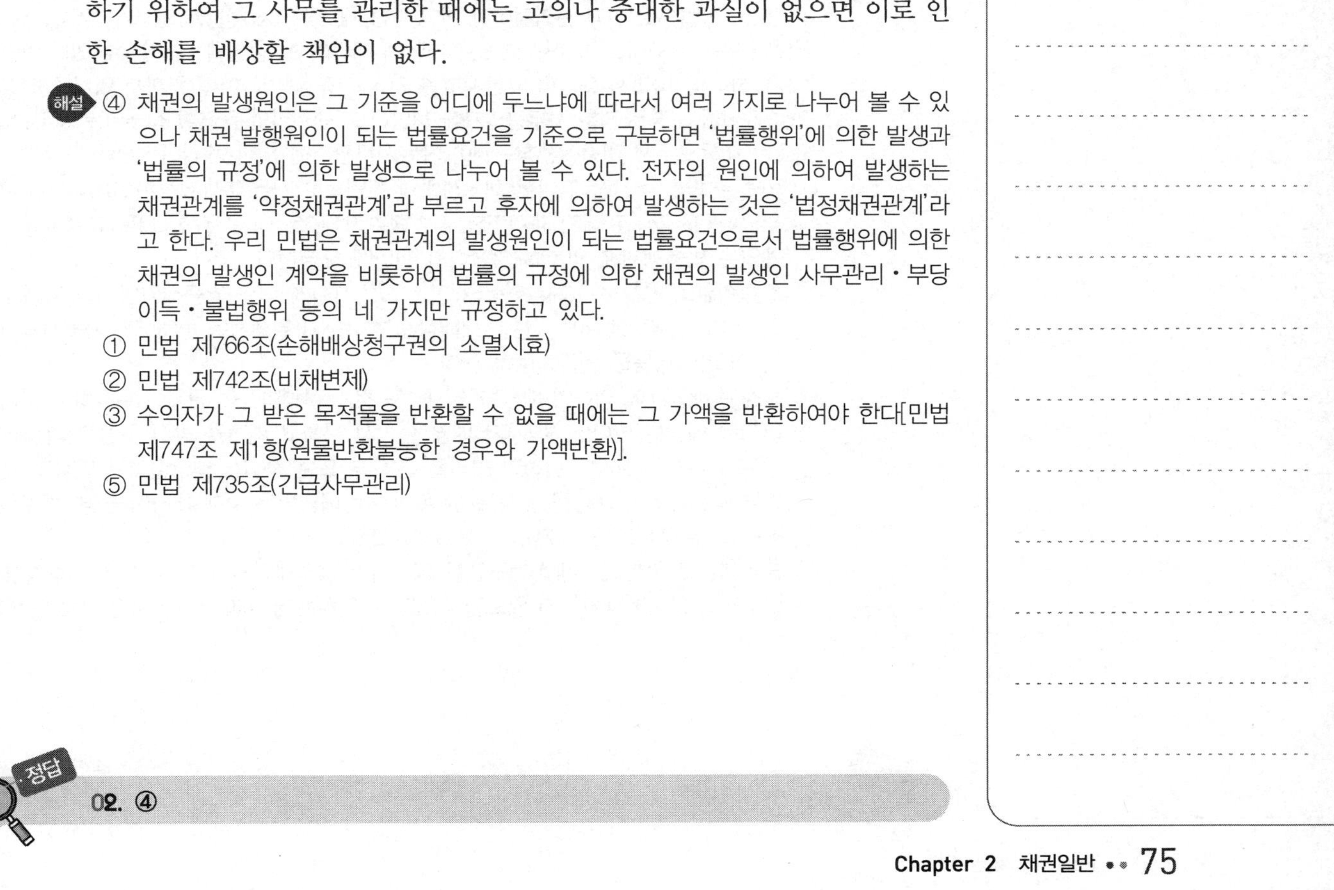

① 불법행위로 인한 손해배상의 청구권은 피해자나 그 법정대리인이 그 손해 및 가해자를 안 날로부터 3년간 이를 행사하지 아니하면 시효로 인하여 소멸한다. 불법행위를 한 날로부터 10년을 경과한 때에도 같다.

② 채무 없음을 알고 이를 변제한 때에는 그 반환을 청구하지 못한다.

③ 부당이득은 가액의 반환이 아니라 원물의 반환을 원칙으로 한다.

④ 사무관리로 인하여 발생한 비용상환청구권은 법률행위를 원인으로 발생하는 채권의 하나이다.

⑤ 관리자가 타인의 생명, 신체, 명예 또는 재산에 대한 급박한 위해를 면하게 하기 위하여 그 사무를 관리한 때에는 고의나 중대한 과실이 없으면 이로 인한 손해를 배상할 책임이 없다.

해설 ④ 채권의 발생원인은 그 기준을 어디에 두느냐에 따라서 여러 가지로 나누어 볼 수 있으나 채권 발행원인이 되는 법률요건을 기준으로 구분하면 '법률행위'에 의한 발생과 '법률의 규정'에 의한 발생으로 나누어 볼 수 있다. 전자의 원인에 의하여 발생하는 채권관계를 '약정채권관계'라 부르고 후자에 의하여 발생하는 것은 '법정채권관계'라고 한다. 우리 민법은 채권관계의 발생원인이 되는 법률요건으로서 법률행위에 의한 채권의 발생인 계약을 비롯하여 법률의 규정에 의한 채권의 발생인 사무관리·부당이득·불법행위 등의 네 가지만 규정하고 있다.

① 민법 제766조(손해배상청구권의 소멸시효)

② 민법 제742조(비채변제)

③ 수익자가 그 받은 목적물을 반환할 수 없을 때에는 그 가액을 반환하여야 한다[민법 제747조 제1항(원물반환불능한 경우와 가액반환)].

⑤ 민법 제735조(긴급사무관리)

02. ④

MEMO

2018년 기출

03 법률규정에 의한 채권의 발생과 성립에 대한 설명으로 옳은 것은?

① 민법은 법률의 규정에 의한 채권성립의 원인으로 계약, 사무관리, 부당이득, 불법행위를 규정하고 있다.

② 불법행위에 의한 손해배상을 청구하기 위해서는 가해자가 자신의 고의나 과실이 없음을 입증하여야 한다.

③ 경매절차에서 배당을 받아야 할 자가 배당을 받지 못하고 배당을 받지 못할 자가 배당을 받는 경우에는 배당을 받지 못한 우선채권자는 배당을 받은 자에 대하여 불법행위로 인한 손해배상청구권을 행사할 수 있다.

④ 길가다 교통사고를 당한 사람을 위하여 병원까지 택시를 타고 응급실에 실어다 놓은 경우 택시비와 응급실 접수비를 지불하였다면 이는 사무관리에 의한 채권이 발생한다.

⑤ 불법행위로 인한 손해배상청구권은 피해자나 법정대리인이 그 손해 및 가해자를 안 날로부터 3년간 행사하지 않으면 시효로 소멸하는데 이때 3년은 제척기간이다.

해설 의무 없이 타인을 위하여 사무를 관리하는 자는 그 사무의 성질에 좇아 가장 본인에게 이익되는 방법으로 이를 관리하여야 한다(민법 제734조 제1항). 관리자가 본인을 위하여 필요비 또는 유익비를 지출한 때에는 본인에 대하여 그 상환을 청구할 수 있다(민법 제739조 제1항). 따라서 길가다 교통사고를 당한 사람을 위하여 병원까지 택시를 타고 응급실에 실어다 놓은 자는 사무관리자에 해당하고, 택시비와 응급실 접수비는 사무관리에 필요한 비용으로서 비용상환청구권이라는 사무관리에 의한 채권이 발생한다.

① 민법은 법률의 규정에 의한 채권성립의 원인으로 사무관리(제734조 내지 제740조), 부당이득(제741조 내지 제749조), 불법행위(제750조 내지 제766조)를 규정하고 있다. 계약은 법률행위에 의한 채권성립의 원인에 해당한다.

② 불법행위로 인한 손해배상청구의 모든 요건사실에 대한 입증책임은 피해자에게 있다. 따라서, 불법행위에 의한 손해배상을 청구하기 위해서는 피해자가 가해자의 고의나 과실이 있음을 입증하여야 한다.

③ 확정된 배당표에 의하여 배당을 실시하는 것은 실체법상의 권리를 확정하는 것이 아니므로 배당을 받아야 할 자가 배당을 받지 못하고 배당을 받지 못할 자가 배당을 받은 경우에는 배당에 관하여 이의를 한 여부 또는 형식상 배당절차가 확정되었는지 여부에 관계없이 배당을 받지 못한 채권자는 배당받은 자에 대하여 부당이득반환을 청구할 수 있다(대판 2004.4.9. 2003다32681).

⑤ 불법행위로 인한 손해배상청구권은 피해자나 법정대리인이 그 손해 및 가해자를 안 날로부터 3년간 행사하지 않으면 시효로 소멸하는데 이때 3년은 소멸시효기간이다.

정답 03. ④

MEMO

2015년 기출

04 '부당이득'에 관한 설명으로 옳지 않은 것은?

① 법률상 원인 없이 타인의 재산 또는 노무로 인하여 부당하게 재산적 이득을 얻고 이로 말미암아 타인에게 손해를 준 자에 대하여 그 이득을 반환하도록 하는 제도이다.

② 이득자가 타인에게 손해를 주기는 하였지만 어떤 불법행위가 있을 것을 전제로 하지 않는다.

③ 부당이득의 효과로 손실자는 이득자에 대하여 부당이득반환청구권을 취득하게 된다.

④ 이득자에게 생긴 부당이득의 반환은 그 받은 원물의 반환을 원칙으로 한다. 그러나 그 받은 목적물을 반환할 수 없을 때에는 그 가액을 반환하여야 한다.

⑤ 경매절차에서 적법한 배당요구를 하지 아니하여 배당을 받지 못한 우선채권자는 배당을 받은 자에 대하여 부당이득반환청구권을 행사할 수 있다.

해설 실체법상의 우선변제권자라도 이른바 배당요구채권자(예 근로기준법에 의하여 우선변제청구권을 갖는 임금채권자)라면 배당요구를 하지 않은 경우에 부당이득반환을 청구하지 못한다.

① 민법 제741조

② 학설과 판례는 부당이득반환청구권과 불법행위에 기한 손해배상청구권이 목적, 요건, 효과를 달리하는 별개의 제도임을 근거로 양자의 병존 내지 경합을 인정한다.

④ 수익자가 그 받은 목적물을 반환할 수 없을 때에는 그 가액을 반환하여야 한다(동법 제747조 제1항).

2017년 기출

05 다음에서 설명하는 청구권의 근거로 가장 적절한 것은?

> A는 B의 계좌로 송금(이체)하려고 ATM기(현금자동입출금기)에 계좌번호를 입력하던 중 착오로 C의 계좌로 입금하였다면 A는 C에 대하여 착오로 이체된 금액 상당의 청구권을 가진다.

① 사무관리 ② 부당이득
③ 불법행위 ④ 손해배상
⑤ 불법원인급여

04. ⑤ 05. ②

MEMO

해설 A는 C에 대하여 착오로 이체된 금액 상당의 청구권을 가지는데, A의 청구권의 근거는 부당이득(민법 제741조)이다. 착오에 의한 송금, 즉 잘못 송금한 돈이라도 원칙적으로는 수취인의 예금이 된다. 금융회사는 계좌이체 시 중개 기능을 수행할 뿐이므로 은행은 수취인의 동의 없이 임의로 돈을 돌려 줄 수 없다. 그러나 수취인은 금전을 돌려줄 민사상 반환 의무가 있다. 수취인의 계좌에 돈이 입금되었더라도 법적으로는 자금 이체의 원인인 법률관계가 존재하지 않으므로 송금한 자는 수취인에게 착오 이체 금액의 부당이득 반환청구권을 가지게 된다.

2014년 기출

06 다음 사례가 발생한 경우의 법률관계 등에 관한 설명으로 가장 잘못된 것은? (다툼이 있는 경우 판례에 따름)

> A는 B의 계좌로 송금(이체)하려고 ATM기(현금자동입출금기)에 계좌번호를 입력하던 중 착오로 C의 계좌로 입금하였다.

① C는 계좌에 입금된 금원 상당의 예금채권을 취득한다.
② C는 A에게 돈을 돌려줄 민사상 반환의무가 있다.
③ A는 C에 대하여 착오로 이체된 금액 상당의 부당이득반환청구권을 가진다.
④ C가 입금된 금액의 반환을 거부할 경우 A는 C를 상대로 부당이득반환청구의 소를 제기할 수 있다.
⑤ A의 거래은행은 A의 요청에 따라 잘못 이체된 금액을 직권으로 A에게 돌려줄 수 있다.

해설 착오에 의한 송금, 즉 잘못 송금한 돈이라도 원칙적으로는 수취인의 예금이 된다. 금융회사는 계좌이체 시 중개 기능을 수행할 뿐이므로 은행은 수취인의 동의 없이 임의로 돈을 돌려 줄 수 없다. 그러나 수취인은 금전을 돌려줄 민사상 반환 의무가 있다. 수취인의 계좌에 돈이 입금되었더라도 법적으로는 자금 이체의 원인인 법률관계가 존재하지 않으므로, 송금한 자는 수취인에게 착오 이체 금액의 부당이득반환청구권을 가지게 된다. 아울러 수취인이 착오 입금된 돈을 함부로 인출해 썼다면 형사상 횡령죄에 해당할 수도 있다. 이에 최근 대법원은 "송금의뢰인이 착오송금임을 이유로 거래은행을 통해 혹은 수취은행에 직접 송금액의 반환을 요청하고 수취인도 송금의뢰인의 착오송금에 의해 수취인의 계좌에 금원이 입금된 사실을 인정하고 수취은행에 그 반환을 승낙하고 있는 경우라면 수취은행은 송금의뢰인에게 그 돈을 돌려줘야 한다"고 판결한 바 있으며, 결국 사안과 같이 A의 거래은행은 A의 요청에 따라 잘못 이체된 금액을 직권으로 A에게 돌려줄 수 있는 것은 아니고 수취인인 C의 동의를 받아 반환해 주게 된다. 따라서 착오로 잘못 이체된 경우 즉시 거래은행에 그 사실을 알리고, 은행을 통해 수취인의 동의를 받은 뒤에 임의 반환받는 것이 가장 좋은 방법일 것이며, 만약 수취인과 연락이 되지 않거나 수취인이 반환을 거부할 경우에는 수취인을 상대로 부당이득반환소송 등 법적인 절차를 강구해야만 한다.

06. ⑤

MEMO

제5절 계약 총칙

2018년 기출

01 다음은 계약자유의 원칙에 관한 것이다. 옳지 않은 것은?

① 체결의 자유
② 내용결정의 자유
③ 방식의 자유
④ 상대방 선택의 자유
⑤ 계약이행의 자유

해설 우리 민법의 근간을 이루는 사적 자치의 원칙은 사법상의 법률관계를 개인의 의사에 의해 자유로이 형성할 수 있다는 것으로, 가장 전형적인 것이 '계약'이다. 계약의 자유에는 다음의 4가지가 있다.

계약체결의 자유	계약은 청약과 승낙에 의해 성립하는 것이므로, 이것은 '청약의 자유' 와 '승낙의 자유' 를 포함한다. 즉 당사자는 청약의 의사표시를 할 자유를 가질 뿐만 아니라 상대방도 그 승낙여부에 대해 자유를 가진다.
상대방 선택의 자유	당사자는 자신이 원하는 상대방과 계약을 체결할 수 있고 특정인을 계약의 상대방으로 할 것을 강요받지 않는다.
내용결정의 자유	성립한 계약의 내용을 후에 변경하거나 보충하는 것도 포함하며, 당사자는 일단 성립한 계약을 후에 맺는 다른 계약으로 해제하거나, 또는 일부를 이미 이행한 계약관계를 종료시킬 수도 있다.
방식의 자유	계약을 성립시키는 본체는 바로 당사자의 합의이며, 일정한 방식을 필요로 하지 않는다는 원칙이다. 그러므로 계약은 구두로 체결할 수 있을 뿐 아니라, 서면에 의하거나 공정증서를 작성하여 체결할 수도 있다.

2024년 기출

02 다음은 법률행위 중 '계약'과 관련된 설명이다. 가장 적절한 것은?

① 두 개의 대립되는 의사표시의 합치에 의하여 성립하는 법률행위이다.
② 사단법인 설립행위는 계약이다.
③ 매매와 같은 계약에서는 청약의 의사표시만으로 법률행위가 성립한다.
④ 계약의 방식은 요식행위를 원칙으로 한다.
⑤ 채무면제는 계약이다.

해설 ① 계약이 성립하려면 당사자의 서로 대립하는 수개의 의사표시의 합치, 즉 '합의'가 반드시 있어야 한다. 이는 모든 계약의 성립에 공통해서 요구되는 최소한도의 요건이며, 이 합의가 성립하기 위해서는 객관적 합치(당사자의 의사표시가 내용적으로 일치하는 것)와 주관적 합치(당사자의 의사표시가 서로 상대방에 대한 것으로 상대방이 누구냐에 관해 잘못이 없는 것)가 있어야 한다.

01. ⑤ 02. ①

MEMO

② 사단법인 설립행위는 평행적, 구심적으로 방향을 같이 하는 두 개 이상의 의사표시가 합치하여 성립하는 법률행위로서, 계약이 아닌 합동행위이다.
③ 매매계약은 당사자 일방(매도인)이 어떤 재산권을 상대방(매수인)에게 이전할 것을 약정하고, 상대방(매수인)은 이에 대하여 그 대금을 지급할 것을 약정함으로써 성립하는 계약으로, 그 법률적 성질은 유상, 쌍무, 낙성, 불요식계약이다. 따라서, 매매와 같은 계약에서는 청약의 의사표시만으로 법률행위가 성립하지 않는다.
④ 계약의 방식은 불요식행위를 원칙으로 한다.
⑤ 채무면제란 채권을 무상으로 소멸시키는 채권자의 처분행위(민법 제506조), 즉 채권자의 일방적인 채권의 포기행위를 말한다. 채권자의 채무자에 대한 의사표시만에 의하여 이루어지므로, 면제는 채무자에 대한 단독행위이다.

2020년 기출

03 계약에 대한 다음 설명 중 옳지 않은 것은?

① 증여계약의 법률적 성질은 무상, 낙성, 편무, 불요식의 계약이다.
② 매매의 당사자 일방이 계약당시에 금전 기타 물건을 계약금, 보증금등의 명목으로 상대방에게 교부한 때에는 당사자 간에 다른 약정이 없는 한 당사자의 일방이 이행에 착수할 때까지 교부자는 이를 포기하고 수령자는 그 배액을 상환하여 매매계약을 해제할 수 있다.
③ 매수인은 목적물의 인도를 받은 다음날로부터 대금의 이자를 지급하여야 한다. 그러나 대금의 지급에 대하여 기한이 있는 때에는 그러하지 아니하다.
④ 환매기간은 부동산은 5년, 동산은 3년을 넘지 못한다.
⑤ 매매계약의 법률적 성질은 낙성, 불요식, 유상, 쌍무계약이다.

해설 ③ 매매계약이 있은 후에도 인도하지 아니한 목적물로부터 생긴 과실은 매도인에게 속한다. 매수인은 목적물을 인도받은 날부터 대금의 이자를 지급하여야 한다. 그러나 대금의 지급에 대하여 기한이 있는 때에는 그러하지 아니하다(민법 제587조).
① 증여계약의 법률적 성질은 무상, 낙성, 편무, 불요식의 계약이다. 증여계약은 당사자의 합의만으로 계약이 성립할 뿐, 불요식계약으로서 서면의 작성 또는 목적물의 교부 등이 계약의 성립요건은 아니지만, 증여의 의사를 서면으로 하지 아니한 때에는 당사자가 이를 해제할 수 있다(민법 제555조)고 하여 서면 작성시 그 구속력을 강하게 인정한다.
② 민법 제565조(해약금) 제1항
④ 환매기간은 부동산은 5년, 동산은 3년을 넘지 못한다. 약정기간이 이를 넘는 때에는 부동산은 5년, 동산은 3년으로 단축한다(민법 제591조 제1항).
⑤ 매매계약의 법률적 성질은 낙성, 불요식, 유상, 쌍무계약이다. 즉, 매매계약은 경제적 출연이 서로 원인인 동시에 대가적 이익이라는 점에서 유상계약이며, 당사자가 서로 의무를 부담한다는 점에서 쌍무계약이다. 또한 매매계약에 관한 비용은 당사자 쌍방이 균분하여 부담한다.

03. ③

MEMO

2019년 기출

04 다음 중 「민법」에 규정된 전형계약에 속하지 않는 것은?

① 여행
② 사무관리
③ 사용대차
④ 위임
⑤ 임대차

해설 수험생의 이의제기가 가장 많았던 문제인데 결국 복수정답이 인정되지 않았다. 2015/02/03 민법 제674조의2 내지 제674조의9를 신설하여 기존에 학설상 논의되던 무명계약을 민법전에 규정하여 민법 제3편 채권 제2장 계약의 내용으로, 즉 전형계약에 포함시켰으므로 '여행계약'도 이에 해당되고, 다른 지문(사용대차계약, 위임계약, 임대차계약)도 '계약'이란 용어가 없는 것으로 보아 '여행'이라고만 써도 충분히 이해할 수 있는 부분이다. 더구나 '사무관리'는 민법 제3장에 별도로 규정하고 있어 입법자도 민법상 전형계약이 아닌 별개의 법률관계로 규정하고 있다.

2015년 기출

05 '증여'와 관련한 설명으로 틀린 것은?

① 증여계약의 법률적 성질은 무상, 낙성, 편무, 불요식의 계약이다.
② 증여계약으로 발생한 채무는 증여자의 채무불이행 시 그 이행을 강제하거나 손해배상을 청구할 수 없다.
③ 증여의 의사가 서면으로 표시되지 아니한 경우에는 각 당사자는 이를 해제할 수 있다.
④ 증여계약 후에 증여자의 재산상태가 현저히 변경되고 그 이행으로 인하여 생계에 중대한 영향을 미칠 경우에는 증여자는 증여를 해제할 수 있다.
⑤ 수증자가 증여자에 대하여 부양의무가 있는 경우에 이를 이행하지 아니한 때에는 증여자는 그 증여를 해제할 수 있다.

해설 채무자가 임의로 채무를 이행하지 아니한 때에는 채권자는 그 강제이행을 법원에 청구할 수 있다(민법 제389조 제1항 본문). 채무자가 채무의 내용에 좇은 이행을 하지 아니한 때에는 채권자는 손해배상을 청구할 수 있다(동법 제390조 본문). 이러한 채무에는 증여계약으로 발생한 채무도 포함된다.
③ 동법 제555조
④ 동법 제557조
⑤ 동법 제556조 제1항 제2호

04. ② 05. ②

MEMO

2022년 기출

06 매매계약과 관련한 다음 설명 중 가장 적절하지 않은 것은?

① 매매는 당사자 일방이 재산권을 상대방에게 이전할 것을 약정하고 상대방이 그 대금을 지급할 것을 약정함으로써 그 효력이 생긴다.
② 매매계약의 법률적 성질은 낙성, 요식, 유상, 편무계약이다.
③ 매도인이 매매계약과 동시에 환매할 권리를 보류한 때에는 그 영수한 대금 및 매수인이 부담한 매매비용을 반환하고 그 목적물을 환매할 수 있다.
④ 매매의 당사자 일방이 계약 당시에 금전 기타 물건을 계약금, 보증금등의 명목으로 상대방에게 교부한 때에는 당사자 간에 다른 약정이 없는 한 당사자의 일방이 이행에 착수할 때까지 교부자는 이를 포기하고 수령자는 그 배액을 상환하여 매매계약을 해제할 수 있다.
⑤ 매도인은 매수인에 대하여 매매의 목적이 된 권리를 이전하여야 하며 매수인은 매도인에게 그 대금을 지급하여야 한다.

해설 매매계약의 법률적 성질은 낙성, 불요식, 유상, 쌍무계약이다. 즉, 매매는 낙성계약이므로 재산권이전과 대금지급에 관한 합의만 있으면 유효하게 성립한다. 매매는 특별한 형식을 요하지 않는 불요식계약이고, 경제적 출연이 서로 원인인 동시에 대가적 이익이라는 점에서 유상계약이며, 당사자가 서로 의무를 부담한다는 점에서 쌍무계약이다.
① 민법 제563조(매매의 의의)
③ 민법 제590조(환매의 의의) 제1항
④ 민법 제565조(해약금)
⑤ 민법 제568조(매매의 효력) 제1항

2019년 기출

07 매매계약에 대한 다음 설명 중 옳지 않은 것은?

① 계약금 지급에 관하여 명시하지 아니한 매매계약은 성립하지 않는다.
② 계약금계약은 계약금이 현실적으로 교부되어야 성립하는 요물계약이다.
③ 매매계약에 관한 비용은 당사자 쌍방이 균분하여 부담한다.
④ 부동산 매매계약에서 계약금을 지급하고 중도금을 지급하였다면 매수인은 계약금을 포기하는 것만으로 계약을 해제할 수 없다.
⑤ 특별한 약정이나 관습이 없으면 매도인의 재산권이전의무와 매수인의 대금지급의무는 동시에 이행하여야 한다.

해설 보통은 매매계약의 내용 중 하나로 계약금을 지급하기로 하는 경우가 많지만 계약금 없는 매매계약도 있을 수 있으며, 계약금 없는 계약이라고 하여 계약이 성립하지 않는 것도 아니다.

06. ② 07. ①

MEMO

② 따라서, 계약금 지급약정은 매매계약의 성립과는 별개의 하나의 독립된 계약이며, 계약금이 현실적으로 교부되어야 성립하는 요물계약이고, 매매계약에 수반된 종된 계약이라고 할 수 있다.
③ 민법 제566조
④ 계약금약정에 따라 계약금이 지급된 후에는 당사자 일방이 이행에 착수할 때까지 교부자는 이를 포기하고 수령자는 그 배액을 배상하여 매매계약을 해제할 수 있게 된다(민법 제565조 제1항). 그러나 부동산 매매계약에서 계약금을 지불한 경우에도 중도금을 지급하였다면 매수인은 계약금을 포기하는 것만으로 계약을 해제할 수 없다. 또한 위 조항에 의해 계약이 해제되면 손해배상의무가 별도로 발생하지 아니한다(민법 제565조 제2항 참조).
⑤ 민법 제568조 제2항 참조

2018년 기출

08 갑이 자신의 소유 주택을 을에게 매도하는 계약을 체결한 경우에 관한 다음 설명 중 옳지 않은 것은? (당사자 사이에 다른 특별한 약정은 없다)

① 갑과 을의 주택매매계약은 쌍무계약이다.
② 갑이 주택의 소유권을 이전하지 않는 경우, 을은 매매대금의 지급을 거절할 수 있다.
③ 갑의 책임 없는 사유로 주택이 소실된 경우, 갑은 주택의 소유권 이전등기 의무를 면한다.
④ 을의 과실로 주택이 소실된 경우, 갑은 을에게 매매대금의 지급을 요구할 수 있다.
⑤ 쌍방의 책임 없는 사유로 주택이 소실된 경우, 갑은 을로부터 수령한 계약금을 반환하지 않아도 된다.

해설 ① 매매는 당사자 일방이 재산권을 상대방에게 이전할 것을 약정하고 상대방이 그 대금을 지급할 것을 약정함으로써 효력이 생긴다(민법 제563조). 매매계약은 유상, 쌍무, 낙성, 불요식계약의 성질을 갖는다. 따라서, 갑과 을의 주택매매계약은 쌍무계약이다.
② 쌍무계약의 당사자 일방은 상대방이 그 채무이행을 제공할 때까지 자기의 채무이행을 거절할 수 있다(민법 제536조 제1항 전단). 따라서 갑이 주택의 소유권을 이전하지 않는 경우, 을은 매매대금의 지급을 거절할 수 있다.
③ 당사자 쌍방의 책임 없는 사유로 급부가 불능이 된 경우에 발생된 불이익을 이른바 '위험'이라고 한다. 민법은 쌍무계약의 당사자 일방의 채무가 당사자 쌍방의 책임 없는 사유로 이행할 수 없게 된 때에는 채무자는 상대방의 이행을 청구하지 못한다(민법 제537조)고 규정하여 '채무자위험부담주의'를 채택하고 있다. 급부에 대한 위험은 채권자가 지게 된다. 따라서 갑의 책임 없는 사유로 주택이 소실된 경우, 갑은 주택의 소유권 이전등기 의무를 면한다.

08. ⑤

MEMO

④ 예외적으로 채무자의 급부불능이 채권자의 책임 있는 사유로 발생하거나 또는 채권자의 수령지체 중에 발생한 때에는 채무자가 채권자에게 반대급부를 청구할 수 있다(민법 제538조). 따라서 을의 과실로 주택이 소실된 경우, 갑은 을에게 매매대금의 지급을 요구할 수 있다.

⑤ 채무자의 급부불능이 채권자의 책임 있는 사유로 발생하거나 또는 채권자의 수령지체 중에 발생한 때에는 채무자는 자기의 채무를 면함으로써 이익을 얻은 때에는 이를 채무자에게 상환하여야 한다(민법 제538조 제2항). 채무자의 급부불능이 쌍방의 책임 없는 사유로 인한 경우에도 채무자가 이미 반대급부를 수령하였다면 부당이득의 법리에 따라 그것을 반환하여야 한다(민법 제741조 참조). 따라서, 쌍방의 책임 없는 사유로 주택이 소실된 경우, 갑은 을로부터 수령한 계약금을 반환하여야 한다.

2024년 기출

09 소비대차에 관한 다음 설명 중 가장 적절하지 않은 것은?

① 소비대차는 당사자의 일방이 상대방에게 사용・수익하게 하기 위하여 목적물을 인도할 것을 약정하고 상대방은 이를 사용・수익한 후 그 물건을 반환할 것을 약정함으로써 성립하는 계약이다.

② 이자 있는 소비대차에서 차주의 이자 지급은 차용물의 사용에 대한 대가적 관계에 서게 된다.

③ 금전소비대차계약이 성립되면 금융기관은 약정일에 목적물인 금전의 지급의무를 부담하게 되고, 차주는 이자지급의무와 만기상환의무를 부담하게 된다.

④ 이자 있는 소비대차는 차주가 목적물의 인도를 받은 때부터 이자를 계산하여야 한다.

⑤ 이자 없는 소비대차의 당사자는 목적물의 인도 전에는 언제든지 계약을 해제할 수 있다.

해설 ① 소비대차는 당사자 일방이 금전 기타 대체물의 소유권을 상대방에게 이전할 것을 약정하고 상대방은 **그와 같은 종류, 품질 및 수량**으로 반환할 것을 약정함으로써 그 효력이 생긴다(민법 제598조(소비대차의 의의)).

② 유상계약

④ 이자있는 소비대차는 차주가 목적물의 인도를 받은 때로부터 이자를 계산하여야 하며 차주가 그 책임있는 사유로 수령을 지체할 때에는 대주가 이행을 제공한 때로부터 이자를 계산하여야 한다(민법 제600조(이자계산의 시기)).

⑤ 이자없는 소비대차의 당사자는 목적물의 인도전에는 언제든지 계약을 해제할 수 있다. 그러나 상대방에게 생긴 손해가 있는 때에는 이를 배상하여야 한다(민법 제601조(무이자소비대차와 해제권)).

09. ①

MEMO

2024년 기출

10 임대차계약에 관한 다음 설명 중 가장 적절하지 않은 것은?

① 임대차계약은 낙성계약으로 차임을 지급하여야 하는 유상·쌍무계약이다.
② 주택임차인은 주택임대차보호법에 따라 임차권 등기를 하지 않아도 임차인이 주택의 인도와 주민등록을 마친 때에는 그 당일부터 즉시 제3자에 대하여 대항력을 취득한다.
③ 주택임대차기간에 대하여 기간의 정함이 없거나 2년 미만으로 정한 경우에는 그 기간을 2년으로 본다. 주택임대차기간을 2년 미만으로 정한 경우 임차인은 그 기간이 유효함을 주장할 수 있다.
④ 상가건물의 임대차에 있어서 기간의 정함이 없거나 기간을 1년 미만으로 정한 때에는 그 임대차 기간을 1년으로 본다. 상가건물의 임대차기간을 1년 미만으로 정한 경우 임차인은 그 기간이 유효함을 주장할 수 있다.
⑤ 임차인이 임차물의 보존에 관한 필요비를 지출한 때에는 임대인에 대하여 그 상환을 청구할 수 있다.

해설 ② 임대차는 그 등기(登記)가 없는 경우에도 임차인(賃借人)이 주택의 인도(引渡)와 주민등록을 마친 때에는 **그 다음 날부터** 제삼자에 대하여 효력이 생긴다. 이 경우 전입신고를 한 때에 주민등록이 된 것으로 본다(주택임대차보호법 제3조(대항력 등) 제1항).
③ 주택임대차보호법 제4조(임대차기간 등) 제1항
④ 상가건물임대차보호법 제9조(임대차기간 등) 제1항
⑤ 민법 제626조(임차인의 상환청구권) 제1항

2024년 기출

11 다음 설명 중 (　　)에 공통적으로 들어갈 용어로 가장 적절한 것은?

(　　)이란 임차인이 제3자, 즉 임차건물의 양수인(그 밖에 임대할 권리를 승계한 자 포함)에게 임대차의 내용을 주장할 수 있는 법률상의 힘을 말한다. 상가건물임대차는 그 등기가 없는 경우에도 상가건물임차인이 ㉠ 상가건물을 인도받고 ㉡ 사업자등록을 신청하면 그 다음날부터 (　　)이 생긴다.

① 우선변제권　② 최우선변제권
③ 유치권　④ 대항력
⑤ 배당요구권

10. ②　11. ④

MEMO

해설 ④ 대항력이란 이미 유효하게 성립한 권리관계를 제3자가 부인하는 경우에 그 부인을 물리칠 수 있는 법률상의 권능을 말한다. 즉 일단 성립한 권리관계를 타인에게 주장할 수 있는 힘이다. 주택임대차에서 대항력이란 임대주택의 입주자가 임대사업자나 임대사업자로부터 임대주택의 소유권을 양수한 제3자에게 임대차계약기간 동안 그 임대주택에서 퇴거당하지 않고 생활할 수 있는 것을 말하고, 입주자가 임대보증금의 전액을 다 받을 때까지는 그 임대주택에 거주하며 대항할 수 있다는 것을 말한다. 임대차계약기간 종료 전에 대항력을 취득하기 위해선 임대주택의 입주자는 임차권의 등기, 주택의 인도와 주민등록의 완료를 해야 한다. 상가건물임대차는 그 등기가 없는 경우에도 상가건물임차인이 상가건물을 인도받고 사업자등록을 신청하면 그 다음 날부터 대항력이 생긴다.

2019년 기출

12 임대차에 대한 다음 설명 중 옳지 않은 것은?

① 주택임차인은 주택임대차보호법에 따라 임차권 등기를 하지 않아도 임차인이 주택의 인도와 주민등록을 마친 때에는 그 당일부터 즉시 제3자에 대하여 대항력을 취득한다.
② 임대인의 승낙 없이 임차물을 타인에게 양도・전대할 수 없으며 이에 위반하면 임대인은 계약을 해지할 수 있다.
③ 임대차 계약이 성립하면 기본적으로 임대인은 임대차의 목적물을 사용・수익하게 할 의무가 발생하고 동시에 차임지급청구권이 생긴다.
④ 임대차계약의 법률적 성질은 합의만으로 계약이 성립하는 낙성계약이며 차임을 지급해야 하는 유상・쌍무계약이다.
⑤ 임대차는 당사자 일방(임대인)이 상대방에게 목적물을 사용・수익하게 할 것을 약정하고, 상대방(임차인)이 이에 대하여 임차료(차임)를 지급할 것을 약정함으로써 성립하는 계약이다.

해설 주택임대차는 그 등기가 없는 경우에도 임차인이 주택의 인도와 주민등록을 마친 때에는 그 다음 날부터 제3자에 대하여 효력이 생긴다. 이 경우 전입신고를 한 때에 주민등록이 된 것으로 본다(주택임대차보호법 제3조 제1항).
② 민법 제629조
③④⑤ 임대차는 당사자 일방이 상대방에게 목적물을 사용, 수익하게 할 것을 약정하고 상대방이 이에 대하여 차임을 지급할 것을 약정함으로써 그 효력이 생긴다(민법 제618조, 유상, 쌍무, 낙성, 불요식계약). 임대인은 목적물을 임차인에게 인도하고 계약존속중 그 사용, 수익에 필요한 상태를 유지하게 할 의무를 부담한다(민법 제623조).

12. ①

MEMO

2014년 기출

13 다음 사례와 관련한 월임차료 분담 등에 관한 설명이다. 틀린 것은?

- 임대인 甲은 A, B, C 3인을 공동임차인으로 하여 한 점포를 임대하였다.
- 월 임차료는 300만 원이며 A, B, C 간에 다른 특약은 없었다.

① 甲은 월 임차료 300만 원을 A, B, C 누구에게나 청구할 수 있다.
② 甲이 A에게만 이행청구한 경우에 그 이행청구의 효과로 생기는 시효중단의 효과는 A, B, C 모두에게 미친다.
③ A가 甲에게 300만 원을 변제하면 이는 A의 채무를 소멸시키는 동시에 B와 C도 甲과의 채무관계에서 공동으로 면책된다.
④ 위 ③항의 경우 A는 B와 C에 대하여 각각 100만 원씩을 구상청구할 수 있다.
⑤ 甲이 C에게 그의 채무를 면제한 경우에 A와 B는 각각 150만 원씩을 부담하게 된다.

해설 사용대차의 경우 공동차주(共同借主)의 연대의무에 관하여 민법 제616조에 의하면 "수인이 공동하여 물건을 차용한 때에는 연대하여 그 의무를 부담한다"라고 규정하고 있고, 같은 법 제654조에 의하면 위 민법 제616조를 임대차에도 준용한다고 규정하고 있다. 그러므로 공동임차인 간에는 연대하여 그 의무를 부담한다 할 것이며, 따라서 甲이 C에게 그의 채무를 면제한 경우라도 공동임차인인 A와 B는 여전히 연대하여 월 임차료 300만 원을 부담할 의무를 지니게 된다.

2015년 기출

14 위임계약 관계에서 '수임인의 의무'에 관한 설명으로 옳지 않은 것은?

① 수임인은 유상위임의 경우에는 위임의 본지에 따라 선량한 관리자의 주의로써 위임사무를 처리하여야 하나 무상위임의 경우에는 자기 재산에 대한 것과 같은 주의의무로써 위임사무를 처리하면 된다.
② 수임인은 위임인의 승낙이나 부득이한 사유 없이 제3자로 하여금 자기에 갈음하여 위임사무를 처리하게 하지 못한다.
③ 수임인은 위임사무의 처리로 인하여 받은 금전 기타의 물건 및 그 수취한 과실을 위임인에게 인도하여야 한다.
④ 수임인이 위임인을 위하여 자기의 명의로 취득한 권리는 위임인에게 이전하여야 한다.
⑤ 수임인이 위임인에게 인도할 금전 또는 위임인의 이익을 위하여 사용할 금전을 자기를 위하여 소비한 때에는 소비한 날 이후의 이자를 지급하여야 하며 그 외의 손해가 있으면 배상하여야 한다.

13. ⑤ 14. ①

MEMO

해설 수임인은 위임의 본지에 따라 선량한 관리자의 주의로써 위임사무를 처리하여야 한다(민법 제681조). 이는 유상, 무상을 불문한다.
② 동법 제682조 제1항, ③ 동법 제684조 제1항, ④ 동법 제684조 제2항, ⑤ 동법 제685조

2022년 기출

15 의사표시에 관한 다음 설명 중 가장 적절하지 않은 것은?

① 의사표시는 표의자가 진의 아님을 알고 한 것이라도 그 효력이 있다. 그러나 상대방이 표의자의 진의 아님을 알았거나 이를 알 수 있었을 경우에는 무효로 한다.
② 상대방과 통정한 허위의 의사표시는 무효로 한다.
③ 의사표시는 법률행위의 내용의 중요부분에 착오가 있는 때에는 취소할 수 있다. 그러나 그 착오가 표의자의 중대한 과실로 인한 때에는 취소하지 못한다.
④ 사기나 강박에 의한 의사표시는 취소할 수 있다.
⑤ 상대방이 있는 의사표시는 원칙적으로 상대방에게 발송한 때에 그 효력이 생긴다.

해설 상대방이 있는 의사표시는 상대방에게 도달한 때에 그 효력이 생긴다[민법 제111조(의사표시의 효력발생시기) 제1항].
① 민법 제107조(진의 아닌 의사표시) 제1항
② 민법 제108조(통정한 허위의 의사표시) 제1항
③ 민법 제109조(착오로 인한 의사표시) 제1항
④ 민법 제110조(사기, 강박에 의한 의사표시) 제1항

2022년 기출

16 계약의 성립과 관련한 다음 설명 중 가장 적절하지 않은 것은?

① 계약의 청약은 이를 철회할 수 있다.
② 승낙의 기간을 정한 계약의 청약은 청약자가 그 기간 내에 승낙의 통지를 받지 못한 때에는 그 효력을 잃는다.
③ 승낙의 기간을 정하지 아니한 계약의 청약은 청약자가 상당한 기간 내에 승낙의 통지를 받지 못한 때에는 그 효력을 잃는다.
④ 격지자간의 계약은 승낙의 통지를 발송한 때에 성립한다.
⑤ 승낙자가 청약에 대하여 조건을 붙이거나 변경을 가하여 승낙한 때에는 그 청약의 거절과 동시에 새로 청약한 것으로 본다.

15. ⑤ 16. ①

해설 계약의 청약은 이를 철회하지 못한다[민법 제527조(계약의 청약의 구속력)].
② 민법 제528조(승낙기간을 정한 계약의 청약) 제1항
③ 민법 제529조(승낙기간을 정하지 아니한 계약의 청약)
④ 민법은 의사표시의 효력발생시기에 관하여 이른바 도달주의를 취하고 있으나, 격지자 사이의 계약의 성립에 관하여는 도달주의에 대한 예외로서 발신주의를 취하고 있다. 즉 민법 제531조(격지자간의 계약성립시기)는 '격지자간의 계약은 승낙의 통지를 발송한 때에 성립한다'고 규정하고 있다.
⑤ 민법 제534조(변경을 가한 승낙)

2021년 기출

17 계약의 성립에 관한 다음 설명 중 적절하지 않은 것은?

① 청약도 하나의 의사표시이므로 원칙적으로 도달에 의하여 효력이 발생한다.
② 청약의 의사표시가 상대방에게 도달된 때에는 청약자는 임의로 청약을 철회하지 못한다.
③ 격지자 간의 계약은 승낙의 통지가 도달한 때에 성립한다.
④ 청약에 대하여 상대방이 조건을 붙여서 승낙한 경우에는 청약을 거절하고 새로 청약한 것으로 본다.
⑤ 계약이 성립하려면 당사자의 서로 대립하는 의사표시의 합치 즉 '합의'가 반드시 있어야만 한다.

해설 민법은 의사표시의 효력발생시기에 관하여 이른바 도달주의를 취하고 있으나, 격지자 사이의 계약의 성립에 관하여는 도달주의에 대한 예외로서 발신주의를 취하고 있다. 즉 민법 제531조는 '격지자간의 계약은 승낙의 통지를 발송한 때에 성립한다'고 규정하고 있다.
① 상대방 있는 의사표시는 그 통지가 상대방에 도달한 때로부터 그 효력이 생긴다(민법 제111조 제1항, 도달주의). 따라서 청약도 하나의 의사표시이므로 원칙적으로 도달에 의하여 효력이 발생한다.
② 청약의 의사표시가 상대방에게 도달된 때에는 청약자는 임의로 청약을 철회하지 못하는데, 이를 '청약의 구속력'이라 한다.
④ 승낙자가 청약에 대하여 조건을 붙이거나 변경을 가하여 승낙한 때에는 그 청약의 거절과 동시에 새로 청약한 것으로 본다(민법 제534조, 변경을 가한 승낙).
⑤ 계약이 성립하려면 당사자의 서로 대립하는 의사표시의 합치 즉 '합의'가 반드시 있어야만 한다. 이는 모든 계약의 성립에 공통해서 요구되는 최소한도의 요건이며, 이 합의가 성립하기 위해서는 객관적 합치와 주관적 합치가 있어야만 한다.

17. ③

MEMO

2024년 기출

18 약관에 관한 다음 설명 중 가장 적절하지 않은 것은?

① 사업자는 계약체결에 있어서 고객에게 약관의 내용을 계약의 종류에 따라 일반적으로 예상되는 방법으로 명시하고 고객이 요구할 때에는 당해 약관의 사본을 고객에게 교부하여 이를 알 수 있도록 하여야 한다.

② 약관의 내용이 애매한 경우 작성자인 사업자에게 불리하게 해석해야 하고 약관의 해석은 사회평균인을 기준으로 객관적으로 하여야 한다.

③ 약관에서 정하고 있는 사항을 사업자와 고객이 약관의 내용과 다르게 합의한 경우에는 약관에서 정한 사항이 우선한다.

④ 판례와 통설에 따르면 약관의 법적 구속력의 근거는 약관을 계약에 편입하기로 한 당사자의 합의에 있다고 본다.

⑤ 고객에 대하여 부당하게 과중한 지연손해금 등의 손해배상의무를 부담시키는 조항은 무효이다.

해설 ③ 약관에서 정하고 있는 사항에 관하여 사업자와 고객이 약관의 내용과 다르게 합의한 사항이 있을 때에는 그 합의사항은 약관보다 우선한다(약관규제법 제4조(개별 약정의 우선)).

① 명시 및 사본 교부의무(약관규제법 제3조(약관의 작성 및 설명의무 등) 제2항 본문)

② 약관의 뜻이 명백하지 아니한 경우에는 고객에게 유리하게 해석되어야 한다(약관규제법 제5조(약관의 해석) 제2항).

④ 계약설

⑤ 약관규제법 제8조(손해배상액의 예정)

2020년 기출

19 「약관의 규제에 관한 법률」에 대한 다음 설명 중 옳은 것은?

① 약관에서 정하고 있는 사항에 관하여 사업자와 고객이 약관의 내용과 다르게 합의한 사항이 있을 때에는 그 합의 사항보다 약관이 우선한다.

② 고객의 대리인에 의하여 계약이 체결된 경우 고객이 그 의무를 이행하지 아니하는 경우에는 대리인에게 그 의무의 전부 또는 일부를 이행할 책임을 지우는 내용의 약관 조항은 유효하다.

③ 고객이 제3자와 계약을 체결하는 것을 부당하게 제한하는 조항은 무효로 한다.

④ 사업자, 이행 보조자 또는 피고용자의 고의 또는 중대한 과실로 인한 법률상의 책임을 배제하는 조항은 유효하다.

18. ③ 19. ③

MEMO

⑤ 상당한 이유 없이 계약목적물에 관하여 견본이 제시되거나 품질·성능 등에 관한 표시가 있는 경우 그 보장된 내용에 대한 책임을 배제 또는 제한하는 조항은 유효하다.

해설 ③ 동법 제11조(고객의 권익 보호) 제3호
① 약관에서 정하고 있는 사항에 관하여 사업자와 고객이 약관의 내용과 다르게 합의한 사항이 있을 때에는 그 합의 사항은 약관보다 우선한다[동법 제4조(개별 약정의 우선)].
② 고객의 대리인에 의하여 계약이 체결된 경우 고객이 그 의무를 이행하지 아니하는 경우에는 대리인에게 그 의무의 전부 또는 일부를 이행할 책임을 지우는 내용의 약관 조항은 무효로 한다[동법 제13조(대리인의 책임 가중)].
④ 사업자, 이행 보조자 또는 피고용자의 고의 또는 중대한 과실로 인한 법률상의 책임을 배제하는 조항은 무효로 한다[동법 제7조(면책조항의 금지) 제1호].
⑤ 상당한 이유 없이 계약목적물에 관하여 견본이 제시되거나 품질·성능 등에 관한 표시가 있는 경우 그 보장된 내용에 대한 책임을 배제 또는 제한하는 조항은 무효로 한다[동법 제7조(면책조항의 금지) 제4호].

2019년 기출

20 약관에 대한 다음 설명 중 옳지 않은 것은?

① 사업자는 계약체결에 있어서 고객에게 약관의 내용을 계약의 종류에 따라 일반적으로 예상되는 방법으로 명시하고 고객이 요구할 때에는 당해 약관의 사본을 고객에게 교부하여 이를 알 수 있도록 하여야 한다.
② 약관은 고객에 따라 다르게 해석되어야 한다.
③ 약관의 뜻이 명백하지 아니한 경우에는 고객에게 유리하게 해석되어야 한다.
④ 고객에 대하여 부당하게 과중한 지연손해금 등의 손해배상의무를 부담시키는 조항은 무효이다.
⑤ '소 제기의 금지조항' 또는 '상당한 이유 없이 고객에게 입증책임을 부담시키는 부당한 조항'은 무효이다.

해설 약관은 신의성실의 원칙에 따라 공정하게 해석되어야 하며 고객에 따라 다르게 해석되어서는 아니 된다(약관의 규제에 관한 법률 제5조 제1항).
① 동법 제3조 제2항(명시 및 사본 교부의무)
③ 동법 제5조 제2항(불명확조항의 해석)
④ 동법 제8조(손해배상액의 예정)
⑤ 동법 제14조(소송 제기의 금지 등)

20. ②

MEMO

2017년 기출

21 **A는 C의 사기에 의하여 자기 소유의 건물을 B에게 매도하고 소유권이전등기를 경료하였다. 그 후 이러한 사실을 모르는 D는 B로부터 그 건물을 매수하고 소유권이전등기를 마쳤다. 다음의 설명 중 옳은 것은?**

① A와 B 간의 매매계약의 취소가 B와 D 간의 매매계약 이전에 이미 이루어진 경우에는 D는 그 건물에 대한 소유권을 취득하지 못한다.

② A의 의사표시가 취소되더라도 D는 선의이므로 유효하게 그 건물에 대한 소유권을 취득한다.

③ A는 B가 C의 사기사실을 몰랐던 경우(선의인 경우)에는 사기에 의한 의사표시를 이유로 A와 B 간의 위 매매계약을 취소할 수 있다.

④ A는 B가 C의 사기사실을 알 수 있었을 경우에는 사기에 의한 의사표시를 이유로 A와 B 간의 위 매매계약을 취소할 수 없다.

⑤ A는 B가 C의 사기사실을 알고 있었던 경우에는 사기에 의한 의사표시를 이유로 A와 B 간의 위 매매계약을 취소할 수 없다.

해설 ①, ② 의사표시는 법률행위의 내용의 중요부분에 착오가 있는 때에는 취소할 수 있다. 그러나 그 착오가 표의자의 중대한 과실로 인한 때에는 취소하지 못한다. 착오에 의한 의사표시의 취소는 선의의 제3자에게 대항하지 못한다(민법 제109조). 따라서 A의 의사표시가 취소되더라도 D는 선의이므로 유효하게 그 건물에 대한 소유권을 취득한다. 또한 A와 B 간의 매매계약의 취소가 B와 D 간의 매매계약 이전에 이미 이루어진 경우라도 선의의 D는 그 건물에 대한 소유권을 취득한다.

③, ④, ⑤ 상대방 있는 의사표시에 관하여 제3자가 사기나 강박을 행한 경우에는 상대방이 그 사실을 알았거나 알 수 있었을 경우에 한하여 그 의사표시를 취소할 수 있다(민법 제110조 제2항). 따라서 A는 B가 C의 사기사실을 몰랐던 경우(선의인 경우)에는 사기에 의한 의사표시를 이유로 A와 B 간의 위 매매계약을 취소할 수 없으나 A는 B가 C의 사기사실을 알고 있었던 경우 혹은 알 수 있었을 경우에는 사기에 의한 의사표시를 이유로 A와 B 간의 위 매매계약을 취소할 수 있다.

21. ②

MEMO

2015년 기출

22 다음 거래와 관련한 설명으로 적절한 것은?

- A는 C의 사기에 의하여 자기 소유의 건물을 B에게 매도하고 소유권이전등기를 경료하였다.
- 그 후 이러한 사실을 모르는 D는 B로부터 그 건물을 매수하고 소유권이전등기를 마쳤다.

① A는 B가 C의 사기사실을 알 수 있었을 경우에는 사기에 의한 의사표시를 이유로 A와 B 간의 위 매매계약을 취소할 수 없다.
② A는 B가 C의 사기사실을 알고 있었던 경우에는 사기에 의한 의사표시를 이유로 A와 B 간의 위 매매계약을 취소할 수 없다.
③ A는 B가 C의 사기사실을 몰랐던 경우(선의인 경우)에는 사기에 의한 의사표시를 이유로 A와 B 간의 위 매매계약을 취소할 수 있다.
④ A의 의사표시가 취소되더라도 D는 선의이므로 유효하게 그 건물에 대한 소유권을 취득한다.
⑤ A와 B 간의 매매계약의 취소가 B와 D 간의 매매계약 이전에 이미 이루어진 경우에는 D는 그 건물에 대한 소유권을 취득하지 못한다.

해설 사기에 의한 의사표시의 취소는 선의의 제3자에게 대항하지 못한다(민법 제110조 제3항). 따라서 A의 의사표시가 취소되더라도 D는 선의이므로 유효하게 그 건물에 대한 소유권을 취득한다.

①, ②, ③ 상대방이 있는 의사표시에 관하여 제3자가 사기나 강박을 행한 경우에는 상대방이 그 사실을 알았거나 알 수 있었을 경우에 한하여 그 의사표시를 취소할 수 있다(동법 제110조 제2항). 따라서 A는 B가 C의 사기사실을 알았거나 알 수 있었던 경우에는 사기에 의한 의사표시를 이유로 A와 B 간의 위 매매계약을 취소할 수 있다. A는 B가 C의 사기사실을 몰랐던 경우(선의인 경우)에는 사기에 의한 의사표시를 이유로 A와 B 간의 위 매매계약을 취소할 수 없다.

⑤ 취소한 법률행위는 처음부터 무효인 것으로 본다(동법 제141조 본문). 그러나 사기에 의한 의사표시의 취소는 선의의 제3자에게 대항하지 못하므로 A와 B 간의 매매계약의 취소가 B와 D 간의 매매계약 이전에 이미 이루어진 경우라도 선의의 D는 그 건물에 대한 소유권을 취득한다.

22. ④

MEMO

2014년 기출

23 **다음 사례와 관련한 설명으로 틀린 것은? (다툼이 있는 경우 판례에 따름)**

> A는 강제집행을 면할 목적으로 B와 통정하여 자신의 부동산에 대한 가장매매계약을 체결하고 소유권이전등기를 해 주었다. 그 후 B는 C금융회사에서 대출을 받으면서 그 부동산에 저당권을 설정해 주었다.

① C가 A · B 간의 통정사실을 알지 못한 경우에는 유효하게 저당권을 취득한다.
② A뿐만 아니라 B도 매매계약의 무효를 주장할 수 있다.
③ A · B 간의 매매계약은 당사자 사이에서는 무효이다.
④ C가 A · B 간의 통정사실을 알지 못한 경우에는 A는 C에게 저당권등기의 말소를 청구할 수 있다.
⑤ A는 B와의 매매계약을 추인할 수 있으나 그 추인은 새로운 법률행위로 본다.

해설 민법 제108조 제1항에 의하면 상대방과 통정한 허위의 의사표시는 무효로 하고 있으며, 제2항에서 위 무효는 선의의 제3자에게는 대항하지 못한다고 규정하고 있다. 이에 A가 강제집행을 면할 목적으로 B와 통정하여 자신의 부동산에 대한 가장매매계약을 체결한 행위는 통정허위표시로서의 가장행위인 바, 허위표시는 당사자 사이에서는 언제나 무효이고 허위표시에 기한 가장행위도 무효이며, 이에 C가 A · B 간의 통정사실을 알지 못한 경우라면 선의의 제3자에 해당된다고 할 것이므로 C는 유효하게 저당권을 취득하고, A · B 간의 통정행위는 무효이므로 A는 C에게 저당권등기의 말소를 청구할 수 없는 것이다.

2014년 기출

24 **'강박에 의한 의사표시'에 관한 설명으로 틀린 것은? (다툼이 있는 경우 판례에 따름)**

① 강박자는 표의자에게 공포심을 일으키려는 고의와 그 공포심에 의하여 의사표시를 하게 하려는 고의가 있어야 한다.
② 상대방 있는 의사표시에 관하여 제3자가 강박을 행한 경우로서 상대방이 그 사실을 알았을 경우에는 그 의사표시를 무효로 한다.
③ 강박행위와 공포심 유발 사이에는 인과관계가 있어야 한다.
④ 상대방 또는 제3자의 강박에 의하여 표의자의 의사결정의 자유가 완전히 박탈된 상태에서 이루어진 경우에는 그 의사표시는 무효이다.
⑤ 부정행위에 대한 고소 · 고발은 그것이 표의자에게 공포심이 생기게 하더라도 부정한 이익을 목적으로 하는 것이 아니라면 정당한 권리행사가 되어 위법하다고 할 수 없다.

23. ④ 24. ②

MEMO

해설 상대방 있는 의사표시에 관하여 제3자가 사기나 강박을 행한 경우에 상대방이 그 사실을 알았거나 알 수 있었을 경우에 한하여 그 의사표시를 취소할 수 있다(민법 제110조 참조).

2013년 기출

25 **다음은 착오로 인한 의사표시에 관한 설명이다. 틀린 것은? (다툼이 있는 경우 판례에 따름)**

① 법률행위의 내용의 중요부분에 착오가 있는 때에는 취소할 수 있으나 그 착오가 표의자의 중대한 과실로 인한 때에는 취소하지 못한다.

② 제1항에서 '법률행위 내용의 중요부분의 착오'란 표의자가 그러한 착오가 없었더라면 그 의사표시를 하지 않았으리라고 생각될 정도로 중요한 것이어야 하고, 보통 사람도 표의자 입장에 섰더라면 그러한 의사표시를 하지 않았으리라고 생각될 정도로 중요한 것이어야 한다.

③ 제1항에서 '표의자의 중대한 과실'이란 표의자가 그 직무, 행위의 종류, 목적 등에 대응하여 보통 기울여야 할 주의를 현저하게 가지고 있지 않은 것을 말한다.

④ 착오를 이유로 의사표시를 취소한 경우에 상대방에게 손해가 발생하면 불법행위에 따른 손해로서 배상하여야 한다.

⑤ 착오로 인한 의사표시의 취소는 선의의 제3자에게 대항하지 못한다.

해설 착오를 사유로 의사표시를 취소하더라도 제3자와의 관계가 남는다. 즉, 당사자 사이의 계약을 신뢰하고 그로부터 그 일방이 제3자와 새로운 계약을 체결하였는데 당사자 사이의 계약이 착오로 취소되면 제3자는 자기의 아무런 책임 없는 사유로 불측의 손해를 볼 수도 있다. 또한 제3자가 악의일 때에는 제3자는 보호되지 못하는 것이므로 착오를 이유로 의사표시를 취소한 경우에 상대방에게 손해가 발생하면 불법행위에 따른 손해로서 배상하여야 하는 것은 아니다.

2020년 기출

26 **동시이행의 항변권 및 위험부담에 관한 다음 설명 중 옳지 않은 것은?**

① 동시이행의 판결에 따라 강제집행을 하는 경우에, 원고가 하여야 하는 급부(채무이행의 제공)는 집행문 부여의 요건이라는 것이 판례이다.

② 동시이행의 항변권은 상대방의 청구권을 영구적으로 소멸시키는 영구적 항변권이 아니라, 채권자가 자신의 채무를 이행할 때까지 채무자가 채무이행을 거절할 수 있는 것, 즉 그 동안에 한하여 채권자의 청구의 효력을 저지하

25. ④ **26.** 모두 정답

MEMO

는데 그치는 '연기적 항변권'의 성질을 가진다.

③ 당사자의 약정으로 동시이행의 항변권을 배제하는 것은 유효하다.

④ 동시이행의 항변권을 가지는 채무자는 자신의 채무를 이행하지 않는 것이 정당한 것으로 인정되기 때문에, 비록 이행기에 이행을 하지 않더라도 이행지체가 되지 않는다.

⑤ 쌍무계약의 당사자일방의 채무가 당사자쌍방의 책임없는 사유로 이행할 수 없게 된 때에는 채무자는 상대방의 이행을 청구하지 못한다.

해설 ①이 원래 정답이었으나 판례원칙만 서술하고 예외적인 것이 누락되었다는 이유로 이의제기 수용되어 모두 정답처리함.

① 원고가 제기한 이행청구소송에서 피고가 동시이행의 항변권을 주장하는 경우에 법원은 원고패소의 판결이 아니라 피고는 원고의 이행과 상환으로 이행하여야 한다는 판결(상환이행판결)을 내려야 한다는 것이 통설이다. 그리고 동시이행관계에 있는 반대급부의 이행은 집행개시의 요건일 뿐 집행문 부여의 요건이 아니므로, 반대의무의 이행과 동시에 집행할 수 있다는 것을 내용으로 하는 집행권원의 집행은 채권자가 반대의무의 이행 또는 이행의 제공을 하였다는 것을 증명하여야만 개시할 수 있다(민사집행법 제41조 제1항, 대판 1996.2.14. 95마950,951). 예외적으로 ⅰ) 반대의무의 이행과 동시에 권리관계의 성립을 인락하거나 의사의 진술을 할 의무에 대하여는 그 판결확정 후에 채권자가 그 반대의무를 이행한 사실을 증명하고 재판장의 명령에 의하여 집행문을 부여받았을 때 의사표시의 효력이 생기므로(민사집행법 제263조), 이 경우에는 반대의무의 이행 또는 이행의 제공은 집행문 부여의 조건이 된다. 또한 ⅱ) 집행권원이 되는 화해조항에 일정한 반대의무의 불이행(예컨대, 금전지급의무의 불이행)을 조건으로 하여 일정한 의무의 이행(예컨대, 토지인도의무의 이행)을 약속한 경우에는 민사집행법 제30조 제2항의 이른바 집행에 조건이 붙어 있는 경우에 해당하므로, 그 의무(토지인도의무)에 대한 집행문을 부여하기 위해서는 채권자가 증명서로써 그 조건의 성취를 증명해야 한다(대판 1971.6.29. 71다1035, 대판 1977.11.30. 77마371결정).

② 동시이행의 항변권은 상대방이 채무를 이행하거나 이행의 제공을 할 때까지 자기채무의 이행을 거절할 수 있는 것을 내용으로 하는 '연기적 항변권'이다. 즉 이 항변권은 단순한 거절권능을 생기게 할 뿐이고, 채무 자체를 소멸시키지 않는다.

③ 동시이행의 항변권에 관한 민법 제536조는 강행규정이 아니다. 따라서 쌍방의 채무가 쌍무계약이 아니라 별개의 계약에 기한 것이더라도 동시이행의 특약이 있으면 동시이행의 항변권이 인정되는 반면(대판 1990.04.13. 89다카23794 참조), 쌍무계약에 기한 것이라도 당사자의 약정으로 동시이행의 항변권을 배제하는 것은 유효하다.

④⑤ 동시이행의 항변권을 가지는 채무자는 자신의 채무를 이행하지 않는 것이 정당한 것으로 인정되기 때문에, 비록 이행기에 이행을 하지 않더라도 이행지체가 되지 않고, 쌍무계약의 당사자일방의 채무가 당사자쌍방의 책임없는 사유로 이행할 수 없게 된 때에는 채무자는 상대방의 이행을 청구하지 못한다.

MEMO

2018년 기출

27 동시이행항변권과 유치권의 차이에 관한 설명으로 옳지 않은 것은?

① 양자는 제3자에게 대항할 수 있다는 점에서 동일하다.
② 유치권은 물권이지만, 동시이행항변권은 채무에 따르는 권능이다.
③ 양자는 공평의 원리에 입각하여 채무의 이행을 확보하려는 점에서 동일하다.
④ 유치권은 상당한 담보를 제공하고 소멸시킬 수 있으나, 동시이행항변권은 그러하지 아니하다.
⑤ 유치권에 의하여 거절되는 것은 물건의 인도이나, 동시이행항변권에 의하여 거절할 수 있는 급부에는 제한이 없다.

해설 동시이행항변권은 채권의 효력으로서 제3자에게 대항할 수 있는 대세적 효력은 없으나, 유치권은 법정담보물권으로 대세적 효력이 있다는 점에서 차이가 있다.
②③④⑤ 동시이행항변권과 유치권은 공평의 원리에 입각하여 채무의 이행을 확보하려는 점에서 동일하고, 그 성립요건으로 견련관계와 변제기의 도과를 요하는 점, 소송상의 효력으로 상환급부판결이 내려진다는 점에서 공통점이 있다.

구분	유치권	동시이행의 항변권
의의	타인의 물건 또는 유가증권을 점유한 자가 그 물건이나 유가증권에 관하여 생긴 채권을 가지는 경우에 그 채권의 변제를 받을 때까지 그 물건이나 유가증권을 점유하는 권리(민법 제320조)	쌍무계약의 당사자 일방이 상대방이 그 채무의 이행을 제공할 때까지 자기의 채무이행을 거절할 수 있는 권능(민법 제536조)
제도의 목적	채권의 담보	당사자 일방의 선이행요구 거절
법적 성질	물권 : 대세권, 절대권	채권의 권능 : 대인권, 상대권
채권의 발생원인	채권이든 사무관리이든 상관없음	쌍무계약만으로 발생
효력	– 본질적인 내용은 목적물을 직접 지배하여 유치하는데 있음. – 거절할 수 있는 급부는 목적물의 인도거절에 한함. – 경매권을 가짐. – 물권이므로 대세적 효력을 가짐.	– 본질적인 내용은 청구에 대한 항변으로 채무 이행을 거절하는데 있음. – 거절할 수 있는 급부에는 제한이 없음. – 주장하는 자에게 경매권이 없음. – 채권의 한 권능에 불과하여 계약의 상대방에 대해서만 대항할 수 있는 채권적 효력만 가짐.
소멸 원인	– 상당한 담보를 제공 – 유치권자의 의무위반 – 점유의 상실	특별한 소멸원인은 없다.

27. ①

MEMO

2024년 기출

28 제3자를 위한 계약에 관한 다음 설명 중 가장 적절하지 않은 것은?

① 수익자는 계약의 당사자가 아니므로 수익의 의사표시를 한 경우라도 계약당사자는 이를 변경하거나 소멸시킬 수 있다.
② 낙약자의 귀책사유에 의하여 채무가 불이행 된 경우에 제3자는 낙약자에 대하여 손해배상을 청구할 수 있다.
③ 제3자는 낙약자에 대하여 계약의 이익을 받을 의사를 표시함으로써 낙약자에 대하여 직접 권리를 취득한다.
④ 낙약자는 요약자와의 계약에 기한 항변으로 제3자에게 대항할 수 있다.
⑤ 이 계약의 당사자는 낙약자와 요약자이다.

해설 ① 계약에 의하여 당사자 일방이 제3자에게 이행할 것을 약정한 때에는 그 제3자는 직접 그 이행을 청구할 수 있다. 전항의 경우에 제3자의 권리는 그 제3자가 채무자에 대하여 계약의 이익을 받을 의사를 표시한 때에 생긴다(민법 제539조(제3자를 위한 계약)). 제539조의 규정에 의하여 제3자(수익자)의 권리가 생긴 후에는 당사자는 이를 변경 또는 소멸시키지 못한다(민법 제541조(제3자의 권리의 확정)).
② 낙약자의 귀책사유에 의하여 채무가 불이행 된 경우에 제3자는 낙약자에 대하여 손해배상을 청구할 수 있다. 그러나 제3자(수익자)는 계약의 당사자가 아니므로 낙약자가 채무를 이행하지 아니한 경우에도 수익자는 계약을 해제할 수 없다.

2019년 기출

29 제3자를 위한 계약에 대한 다음 설명 중 옳은 것은? (다툼이 있는 경우에는 판례에 따름)

① 계약의 당사자는 요약자와 수익자이다.
② 낙약자(채무자)가 채무를 이행하지 아니한 경우 수익자는 계약을 해제할 수 있다.
③ 제3자가 수익의 의사표시 전에는 계약당사자는 이를 변경 또는 소멸시키지 못한다.
④ 낙약자는 요약자와의 계약에 기한 항변으로 제3자에게 대항할 수 있다.
⑤ 낙약자의 귀책사유에 의하여 채무가 불이행된 경우에 제3자는 낙약자에 대하여 손해배상을 청구할 수 없다.

해설 계약당사자가 자기 명의로 체결한 계약에 의하여 제3자로 하여금 직접 계약당사자의 일방에 대하여 권리(급부청구권)을 취득하게 하는 것도 가능한데, 이를 제3자를 위한 계약이라고 하며, 법이 명문으로 그 유효성을 인정하고 있다(민법 제539조 제1항).

28. ① 29. ④

MEMO

① 제3자를 위한 계약의 당사자는 요약자와 낙약자이고, 제3자(수익자)의 권리는 그 제3자가 채무자(낙약자)에 대하여 계약의 이익을 받을 의사를 표시한 때 생긴다(민법 제539조 제2항).
② 낙약자(채무자)가 채무를 이행하지 아니한 경우 계약당사자인 요약자는 계약을 해제할 수 있다.
③ 제3자가 수익의 의사표시를 하여 제3자의 권리가 생긴 후에는 당사자는 이를 변경 또는 소멸시키지 못한다(민법 제541조). 따라서, 제3자가 수익의 의사표시 전에는 계약당사자는 이를 변경 또는 소멸시킬 수 있다.
④ 낙약자는 요약자와의 계약에 기한 항변으로 그 계약의 이익을 받을 제3자에게 대항할 수 있다(민법 제542조).
⑤ 판례는 "제3자를 위한 계약에 있어서 수익의 의사표시를 한 수익자는 낙약자에게 직접 그 이행을 청구할 수 있을 뿐만 아니라 요약자가 계약을 해제한 경우에는 낙약자에게 자기가 입은 손해의 배상을 청구할 수 있는 것이므로, 수익자가 완성된 목적물의 하자로 인하여 손해를 입었다면 수급인은 그 손해를 배상할 의무가 있다"고 판시(대판 1994.8.12. 92다41559)했다.

2017년 기출

30 **'제3자를 위한 계약'은 요약자(채권자 : 채무부담 약속을 요청하는 자), 낙약자(채무자 : 채무부담 약속을 수락하는 자) 그리고 수익자(제3자) 관계로 구성된다. 다음 중 제3자를 위한 계약에 관한 설명으로 옳은 것은? (다툼이 있는 경우에는 판례에 따름)**

① 낙약자의 귀책사유에 의하여 채무가 불이행된 경우에 제3자는 낙약자에 대하여 손해배상을 청구할 수 없다.
② 수익자는 계약의 당사자가 아니므로 수익의 의사표시를 한 경우라도 낙약자 · 요약자는 이를 변경하거나 소멸시킬 수 있다.
③ 병존적(중첩적) 채무인수, 면책적 채무인수 계약은 제3자를 위한 계약의 일종이다.
④ 계약에 의하여 당사자 일방이 제3자에게 이행할 것을 약정할 때에는 그 제3자는 채무자에게 직접 그 이행을 청구할 수 있다.
⑤ 낙약자(채무자)가 채무를 이행하지 아니한 경우 수익자는 계약을 해제할 수 있다.

해설 계약에 의하여 당사자 일방이 제3자에게 이행할 것을 약정할 때에는 그 제3자는 채무자에게 직접 그 이행을 청구할 수 있다(민법 제539조 제1항).
①, ② 수익의 의사표시에 의하여 수익자는 계약상의 권리를 확정적으로 취득한다. 따라서 낙약자의 귀책사유에 의하여 채무가 불이행된 경우에 수익의 의사표시를 한 수익자는 낙약자에 대하여 손해배상을 청구할 수 있고, 수익자가 수익의 의사표시를 한

정답 30. ④

MEMO

경우에는 당사자(낙약자와 요약자)는 수익자의 권리를 변경 또는 소멸시키지 못한다(민법 제541조 참조).

③ 병존적(중첩적) 채무인수는 그에 의하여 채권자가 인수인에 대하여 새로운 권리를 취득하게 되므로 제3자를 위한 계약에 속하나 면책적 채무인수에 의해서는 채무가 동일성을 유지한 채 채무자로부터 인수인에게 이전될 뿐 채권자가 새로운 채권을 취득하는 것이 아니므로 제3자를 위한 계약과는 구별된다.

⑤ 수익자는 계약당사자가 아니므로 계약당사자에게 주어지는 해제권이나 취소권을 행사할 수 없다.

2023년 기출

31 다음 중 소급효(遡及效)가 없는 것은? (다툼이 있는 경우는 판례에 의함)

① 소멸시효의 완성
② 취득시효의 완성
③ 무권대리 행위에 대한 추인
④ 당사자가 그 무효임을 알고 한 무효행위의 추인
⑤ 계약의 해제

해설 ④ 무효인 법률행위는 추인하여도 그 효력이 생기지 아니한다. 그러나 당사자가 그 무효임을 알고 추인한 때에는 새로운 법률행위로 본다(민법 제139조). 즉 무효행위의 추인은 원칙적으로 허용되지 않으며, 다만 당사자가 그 무효임을 알고 추인한 때에는 새로운 법률행위로 보며, 제3자의 권리를 해치지 않는 범위 내에서 소급적인 추인을 할 수 있다(통설).

① 소멸시효는 그 기산일에 소급하여 효력이 생긴다(민법 제167조).

② 전2조의 규정[제245조(점유로 인한 부동산소유권의 취득기간), 제246조(점유로 인한 동산소유권의 취득기간)]에 의한 소유권취득의 효력은 점유를 개시한 때에 소급한다(민법 제247조 제1항).

③ 추인은 다른 의사표시가 없는 때에는 계약시에 소급하여 그 효력이 생긴다. 그러나 제3자의 권리를 해하지 못한다(민법 제133조).

⑤ 계약이 해제되면 그 효과로서 처음부터 계약이 없는 상태로 되돌아간다. 해제된 계약 자체로부터 생겼던 법률효과는 해제에 의하여 모두 소급적으로 소멸한다. 그 결과 미이행 채무는 이행할 필요가 없게 되며, 이미 이행한 것이 있는 때에는 서로 반환하게 된다(민법 제548조 제1항 본문 참조).

31. ④

MEMO

2022년 기출

32 다음 중 소급효(遡及效)가 없는 것은?

① 소멸시효의 완성
② 계약의 해지
③ 계약의 해제
④ 무권대리인 행위에 대한 추인
⑤ 계약의 취소

해설 당사자 일방이 계약을 해지한 때에는 계약은 장래에 대하여 그 효력을 잃는다[민법 제550조(해지의 효과)].

① 소멸시효는 그 기산일에 소급하여 효력이 생긴다[민법 제167조(소멸시효의 소급효)].
③ 계약이 해제되면 그 효과로서 처음부터 계약이 없는 상태로 되돌아간다. 해제된 계약 자체로부터 생겼던 법률효과는 해제의 의하여 모두 소급적으로 소멸한다. 그 결과 미이행 채무는 이행할 필요가 없게 되며, 이미 이행한 것이 있는 때에는 서로 반환하게 된다[민법 제548조(해제의 효과, 원상회복의무) 제1항 본문 참조].
④ 추인은 다른 의사표시가 없는 때에는 계약시에 소급하여 그 효력이 생긴다. 그러나 제3자의 권리를 해하지 못한다[민법 제133조(추인의 효력)].
⑤ 취소된 법률행위는 처음부터 무효인 것으로 본다. 다만, 제한능력자는 그 행위로 인하여 받은 이익이 현존하는 한도에서 상환할 책임이 있다[민법 제141조(취소의 효과)].

2023년 기출

33 계약의 해제와 해지에 관한 다음 설명 중 가장 적절한 것은?

① 해제의 의사표시에는 원칙적으로 조건 또는 기한을 붙일 수 있다.
② 당사자의 일방 또는 쌍방이 수인인 경우에는 계약의 해제나 해지는 그 전원으로부터 또는 전원에 대하여 하여야 한다.
③ 당사자 일방이 계약을 해지한 때에는 계약은 소급하여 그 효력을 잃는다.
④ 해제권은 법률의 규정에 의하여 발생하는 것으로서 계약으로 일정한 사유가 발생하면 해제권이 발생하도록 정할 수는 없다.
⑤ 계약이 적법하게 해제되어 금전을 반환하여야 하는 경우에는 그 해제 시부터 이자를 가산하여야 한다.

해설 ② 해제권의 불가분성(민법 제547조 제1항 참조)

① 해제의 의사표시는 조건 또는 기한을 붙이지 못한다. 해제는 단독행위인 점에서 조건을 붙이면 상대방을 일방적으로 불리한 지위에 놓이게 할 염려가 있고 또 해제에는 소급효가 있기 때문에 기한을 붙이는 것이 무의미하기 때문이다.
③ 계약의 해지는 계약의 효력을 장래에 향하여 소멸하게 하는 일방적 행위를 말한다. 계속적 거래계약에서 계약을 해지한 때에 그 계약은 장래에 대하여만 효력을 잃게 된다(민법 제550조).

32. ② 33. ②

MEMO

④ 계약의 해제는 당사자의 계약에 의하여 발생되는 약정해제권과 법률의 규정에 의하여 발생되는 법정해제권이 있다.
⑤ 당사자 일방이 계약을 해제한 때에는 각 당사자는 그 상대방에 대하여 원상회복의 의무가 있다. 그러나 제3자의 권리를 해하지 못한다(제547조 제1항). 전항의 경우에 반환할 금전에는 그 받은 날로부터 이자를 가하여야 한다(동조 제2항).

2021년 기출

34 계약의 해제와 해지에 관한 다음 설명 중 가장 적절하지 않은 것은?

① 계약의 해제란 유효하게 성립하고 있는 계약의 효력을 당사자 일방의 의사표시에 의하여 그 계약이 처음부터 있지 않았던 상태로 되돌리는 것을 말한다.
② 계약의 해지란 계약의 효력을 장래에 향하여 소멸하게 하는 일방적 행위를 말한다.
③ 계약의 해제는 계속적 계약에 대해 인정되는 것이고 해지는 일시적 계약에 대해 인정되는 점에서 구별된다.
④ 계약을 해제한 경우에는 계약은 소급하여 실효되며 따라서 이미 이행한 급부에 대해서도 원상으로 회복할 의무가 주어진다.
⑤ 당사자의 일방 또는 쌍방이 수인인 경우에는 계약의 해제나 해지는 그 전원으로부터 또는 전원에 대하여 하여야 한다.

해설 계약의 해제는 일시적 계약에 대해서 인정되는 것이고 해지는 계속적 계약에 대해서 인정되는 점에서 구별된다. ① 계약의 해제의 의의 ② 계약의 해지의 의의 ④ 계약이 해제되면 그 효과로서 처음부터 계약이 없는 상태로 되돌아간다. 해제된 계약 자체로부터 생겼던 법률효과는 해제에 의하여 모두 소급적으로 소멸한다. 그 결과 미이행 채무는 이행할 필요가 없게 되며, 이미 이행한 것이 있는 때에는 서로 반환하게 된다. 즉, 원상회복의무가 있다(민법 제548조). ⑤ 해제권의 불가분성(민법 제547조 제1항 참조)

2020년 기출

35 계약의 해제, 해지에 관한 다음 설명 중 옳지 않은 것은?

① 계약의 해제란 유효하게 성립하고 있는 계약의 효력을 당사자 일방의 의사표시에 의하여 그 계약이 처음부터 있지 않았던 상태로 되돌리는 것을 말한다.
② 계약의 해지란 계약의 효력을 장래에 향하여 소멸하게 하는 일방적 행위를 말한다.
③ 채무자의 책임있는 사유로 이행이 불능하게 된 때에는 채권자는 계약을 해제할 수 있다.

34. ③ 35. ④

MEMO

④ 해제의 의사표시에는 언제든지 조건 또는 기한을 붙일 수 있다.
⑤ 당사자의 일방 또는 쌍방이 수인인 경우에는, 계약의 해제는 그 전원으로부터 또는 전원에 대하여 하여야 한다.

해설 ④ 해제의 의사표시에는 조건 또는 기한을 붙이지 못한다. 해제는 단독행위인 점에서 조건을 붙이면 상대방을 일방적으로 불리한 지위에 놓이게 할 염려가 있고 또 해제에는 소급효가 있기 때문에 기한을 붙이는 것은 무의미하기 때문이다.
① 계약의 해제의 의의 ② 계약의 해지의 의의 ③ 이행불능과 해제(민법 제546조)
⑤ 해제권의 불가분성(민법 제547조 제1항 참조)

2019년 기출

36 계약에 대한 다음 설명 중 옳지 않은 것은?

① 당사자 일방이 계약을 해제한 때에는 각 당사자는 그 상대방에 대하여 원상회복의 의무가 있다. 그러나 제3자의 권리를 해하지 못한다.
② 계약의 해지 또는 해제는 손해배상의 청구에 영향을 미치지 아니한다.
③ 계약 또는 법률의 규정에 의하여 당사자의 일방이나 쌍방이 해지 또는 해제의 권리가 있는 때에는 그 해지 또는 해제는 상대방에 대한 의사표시로 한다.
④ 당사자 일방이 계약을 해지한 때에는 계약은 소급하여 그 효력을 잃는다.
⑤ 당사자의 일방 또는 쌍방이 수인인 경우에는 계약의 해제는 그 전원으로부터 또는 전원에 대하여 하여야 한다.

해설 당사자 일방이 계약을 해지한 때에는 계약은 장래에 대하여 그 효력을 잃는다[민법 제550조(해지의 효과)].
① 민법 제547조(해제의 효과, 원상회복의무) 제1항
② 민법 제551조(해지, 해제와 손해배상)
③ 민법 제543조(해지, 해제권) 제1항
⑤ 민법 제547조(해지, 해제권의 불가분성) 제1항

❑ 계약의 해제와 해지의 구별

구 분	해 제	해 지
의 의	당사자 일방의 의사표시에 의하여 유효하게 성립한 계약을 소급적으로 소멸시켜 계약이 체결되지 않았던 것과 같은 상태로 회복시키는 것(일시적 계약)	이른바 계속적 계약에 있어서 그 효력을 장래에 향하여 소멸시키는 계약당사자의 일방적 의사표시(계속적 계약)

36. ④

MEMO

발생원인	채무불이행에 의한 법정해제권 및 계약에 의한 약정해제권에 의해 발생한다(법률행위의 성립에 하자 없는 경우에도 발생).	• 일반적 규정 × • 각 계약에 따라 개별적 규정을 두고 있다(임대차의 경우 민법 제625조, 제627조, 제640조, 고용의 경우 민법 제657조).
적용분야	계약에 적용되는 계약상 특유한 제도이므로 채권편에 규정이 있다.	
효 과	• 계약은 소급하여 실효 • 원상회복의무와 손해배상의무(민법 제548조, 제551조).	장래에 향해서만 계약이 그 효력을 잃는 것으로 됨.
행사기간	형성권이므로 일반형성권과 같이 10년의 제척기간	

2024년 기출

37 법률행위의 대리에 관한 다음 설명 중 가장 적절하지 않은 것은?

① 대리인이 그 권한내에서 본인을 위한 것임을 표시한 의사표시는 직접 대리인에게 대하여 효력이 생긴다.

② 의사표시의 효력이 의사의 흠결, 사기, 강박 또는 어느 사정을 알았거나 과실로 알지 못한 것으로 인하여 영향을 받을 경우에 그 사실의 유무는 대리인을 표준하여 결정한다.

③ 대리인은 행위능력자임을 요하지 아니한다.

④ 대리인이 수인인 때에는 각자가 본인을 대리한다. 그러나 법률 또는 수권행위에 다른 정한 바가 있는 때에는 그러하지 아니하다.

⑤ 대리권의 소멸은 선의의 제삼자에게 대항하지 못한다. 그러나 제삼자가 과실로 인하여 그 사실을 알지 못한 때에는 그러하지 아니하다.

해설 ① 대리인이 그 권한내에서 본인을 위한 것임을 표시한 의사표시는 직접 **본인**에게 대하여 효력이 생긴다(민법 제114조(대리행위의 효력) 제1항–현명주의 원칙). 대리인이 본인을 위한 것임을 표시하지 아니한 때에는 그 의사표시는 자기를 위한 것으로 본다. 그러나 상대방이 대리인으로 한 것임을 알았거나 알 수 있었을 때에는 전조 제1항의 규정을 준용한다(민법 제115조(본인을 위한 것임을 표시하지 아니한 행위)).

② 민법 제116조(대리행위의 하자) 제1항

③ 민법 제117조(대리인의 행위능력)

④ 민법 제119조(각자대리)

⑤ 민법 제129조(대리권 소멸후의 표현대리)

정답 37. ①

MEMO

2022년 기출

38 법률행위의 대리에 관한 다음 설명 중 가장 적절한 것은?

① 대리인이 수인인 때에는 각자가 본인을 대리한다. 그러나 법률 또는 수권행위에 다른 정한 바가 있는 때에는 그러하지 아니하다.

② 대리인이 본인을 위한 것임을 표시하지 아니한 때에는 그 의사표시는 본인을 위한 것으로 본다.

③ 의사표시의 효력이 의사의 흠결, 사기, 강박 또는 어느 사정을 알았거나 과실로 알지 못한 것으로 인하여 영향을 받을 경우에 그 사실의 유무는 본인을 표준하여 결정한다.

④ 대리인이 그 권한내에서 본인을 위한 것임을 표시한 의사표시는 대리인에게 대하여 효력이 생긴다.

⑤ 대리인은 행위능력자임을 요한다.

해설 ① 민법 제119조(각자대리)

② 대리인이 본인을 위한 것임을 표시하지 아니한 때에는 그 의사표시는 자기를 위한 것으로 본다. 그러나 상대방이 대리인으로서 한 것임을 알았거나 알 수 있었을 때에는 전조 제1항의 규정을 준용한다[민법 제115조(본인을 위한 것임을 표시하지 아니한 행위)].

③ 의사표시의 효력이 의사의 흠결, 사기, 강박 또는 어느 사정을 알았거나 과실로 알지 못한 것으로 인하여 영향을 받을 경우에 그 사실의 유무는 대리인을 표준하여 결정한다[민법 제116조(대리행위의 하자) 제1항].

④ 대리인이 그 권한내에서 본인을 위한 것임을 표시한 의사표시는 직접 본인에게 대하여 효력이 생긴다[민법 제114조(대리행위의 효력) 제1항].

⑤ 대리인은 행위능력자임을 요하지 아니한다[민법 제117조(대리인의 행위능력)].

정답 38. ①

MEMO

2019년 기출

39 대리행위에 대한 다음 설명 중 옳지 않은 것은?

① 대리란 대리인이 그 권한 내에서 본인을 위한 것임을 표시한 의사표시가 직접 본인에게 효력이 생기게 하는 제도이다.
② 법정대리인은 그 권한이 법률규정 등에 의하여 정해진다.
③ 대리권 없는 자가 타인의 대리인으로 한 계약은 본인이 이를 추인하지 아니하면 본인에 대하여 효력이 없다.
④ 본인이 대리인에게 대리권을 수여하였으나, 대리인이 권한 밖의 법률행위를 한 때에는 제3자(대리인과 거래한 상대방)가 그 권한이 있다고 믿을 만한 정당한 사유가 있는 경우에 한하여 본인이 그 법률행위에 대하여 책임을 진다.
⑤ 「상법」도 「민법」처럼 현명주의를 원칙으로 채택하고 있으므로 상행위의 대리인이 대리행위를 함에 있어 본인을 위한 것임을 표시하지 아니하면 원칙적으로 본인에게 효력이 없다.

해설 상법은 민법의 현명주의의 특칙으로 상행위에 있어서는 원칙적으로 "상행위의 대리인이 본인을 위한 것임을 표시하지 아니하여도 그 행위는 본인에 대하여 효력이 있다. 그러나 상대방이 본인을 위한 것임을 알지 못한 때에는 대리인에 대하여도 이행의 청구를 할 수 있다."(상법 제48조).
① 민법 제114조(대리행위의 효력) 참조
② 대리인은 법정대리인과 임의대리인으로 나눌 수 있다. 법정대리인은 그 권한이 법률규정 등에 의하여 정해진다. 임의대리인의 대리권의 범위는 당사자(본인과 대리인)사이에 수권행위에 의하여 정해진다.
③ 민법 제130조(무권대리)
④ 대리인이 그 권한 외의 법률행위를 한 경우에 제3자가 그 권한이 있다고 믿을 만한 정당한 이유가 있는 때에는 본인은 그 행위에 대하여 책임이 있다[민법 제126조(권한을 넘은 표현대리)].

39. ⑤

MEMO

2017년 기출

40 **법률행위의 대리에 관한 다음 설명 중 옳지 않은 것은?**

① 무권대리(협의)라 함은 대리인이 대리권 없이 대리행위를 한 경우 표현대리라고 볼 만한 특별한 사정이 존재하지 않는 경우의 대리를 말한다.

② 표현대리로서 민법이 정하는 것으로는 '대리권 수여 표시에 의한 표현대리', '권한을 넘은 표현대리', '대리권 소멸 후의 표현대리'가 있다.

③ 대리권이 없는 자가 타인의 대리인으로 한 계약은 본인이 이를 추인하지 아니하면 본인에 대하여 효력이 없다.

④ 「민법」상 대리행위 방식은 현명주의를 원칙으로 한다.

⑤ 대리권 없는 자가 타인의 대리인으로 계약을 한 경우에 상대방은 상당한 기간을 정하여 본인에게 그 추인 여부의 확답을 최고할 수 있다. 본인이 그 기간 내에 확답을 발하지 아니한 때에는 추인을 승낙한 것으로 본다.

해설 대리권 없는 자가 타인의 대리인으로 계약을 한 경우에 상대방은 상당한 기간을 정하여 본인에게 그 추인 여부의 확답을 최고할 수 있다. 본인이 그 기간 내에 확답을 발하지 아니한 때에는 추인을 거절한 것으로 본다(민법 제131조).

① 대리인이 한 법률행위의 효과가 본인에게 귀속되려면 '대리인'이 '대리권의 범위 내에서' 대리행위를 하여야 한다(민법 제114조 참조). 대리권 없이 대리행위가 행하여 진 경우를 '무권대리'라고 한다.

③ 대리권이 없는 자가 타인의 대리인으로 한 계약은 본인이 이를 추인하지 아니하면 본인에 대하여 효력이 없다(민법 제130조).

② 무권대리인의 행위이지만 대리권이 존재하는 듯한 외관이 존재하고 그러한 외관에 대하여 본인이 책임을 져야 하는 경우에, 상대방의 신뢰를 보호하기 위하여 대리권이 존재하는 경우에서와 마찬가지의 효과를 본인에게 귀속시키는 제도가 '표현대리'이다. 표현대리로서 민법이 정하는 것으로는 '대리권 수여 표시에 의한 표현대리'(민법 제125조), '권한을 넘은 표현대리'(민법 제126조), '대리권 소멸 후의 표현대리'(민법 제129조)가 있다.

④ 대리인이 그 권한 내에서 본인을 위한 것임을 표시한 의사표시는 직접 본인에게 대하여 효력이 생긴다(현명주의원칙, 민법 제114조 제1항). 따라서 대리인이 본인을 위한 것임을 표시하지 아니한 때에는 그 의사표시는 자기를 위한 것으로 본다. 그러나 상대방이 대리인으로서 한 것임을 알았거나 알 수 있었을 때에는 직접 본인에게 대하여 효력이 생긴다(민법 제115조 참조).

40. ⑤

MEMO

2018년 기출

41 다음은 표현대리와 관련한 내용이다. 옳지 않은 것은?

① 표현대리의 경우에도 실제적으로는 대리권이 없다.

② 표현대리가 인정되면 본인은 그 법률행위에 대하여 책임이 있다.

③ 대리권 없는 자가 인감과 위임장을 위조한 때에는 권한을 넘은 표현대리가 인정되지 않는다.

④ 법인의 이사직을 사임한 자가 법인의 이사로서 제3자와 법률행위를 한 때에는 대리권 소멸후의 표현대리가 된다.

⑤ 표현대리인과 거래한 제3자는 표현대리인에게 대리권 없음에 대하여 반드시 선의・무과실일 필요는 없다.

해설 '표현대리'란 대리인에게 대리권이 없음에도 불구하고 마치 그것이 있는 것과 같은 외관이 존재하고, 본인이 그러한 외관의 형성에 관여하였다든가 그 밖에 본인이 책임져야 할 사정이 있는 경우에, 그 무권대리행위에 대하여 본인에게 책임을 지우는 제도이다. 민법상 표현대리에 관한 규정은 제125조(대리권수여의 표시에 의한 표현대리), 제126조(권한을 넘은 표현대리), 제129조(대리권 소멸후의 표현대리)가 있는데, 다른 조문과 달리 제126조는 '정당한 이유'로 규정되어 있으나 선의・무과실을 의미한다고 보는 것이 통설이므로, 모두 제3자가 보호받기 위해서는 대리권 없음에 대하여 선의・무과실일 것을 요한다.

① 표현대리는 무권대리의 일종으로 보는 것이 통설과 판례의 태도인바, 실제적으로는 대리권이 없다.

② 표현대리가 인정되면 무권대리라도 본인이 외관책임을 지는 것이므로 본인은 그 법률행위에 대하여 책임이 있다.

③ 권한을 넘은 표현대리는 기본대리권의 존재를 요건으로 하므로 대리권 없는 자가 인감과 위임장을 위조한 때와 같이 기본대리권도 없는 자의 행위에는 권한을 넘은 표현대리가 인정되지 않는다.

④ 대리권 소멸후의 표현대리는 이전에 존재하였던 대리권이 소멸한 후에 대리권이 있는 것처럼 행위하였을 것을 요건으로 하므로 법인의 이사직에 있던 자가 그 직을 사임한 후 법인의 이사로서 제3자와 법률행위를 한 때에는 대리권 소멸후의 표현대리가 된다.

41. ⑤

MEMO

2016년 기출

42 '공증'에 대한 다음 설명 중 옳지 않은 것은?

① 공증은 다른 법률행위에 비해 비용과 시간의 절약이라는 면에서 효과적이다.
② 어음·수표 및 금전소비대차 등의 채권·채무를 공정증서로 작성해두면 지급기일 경과 후 강제집행을 할 수 있다.
③ 동산·무체재산권 등을 담보로 하는 양도담보공증은 담보로서의 기능이 있다.
④ 공정증서를 작성하면서 강제집행을 당해도 이의 없다는 뜻을 기재하고 이를 공증하는 수가 있는데, 이와 같은 문언이 기재된 공정증서는 집행권원으로 인정된다.
⑤ 공증사무소에 원본 등의 증거가 보존되지 않아 증서를 분실하게 되면 권리주장이 힘들다.

해설 공증사무소에 원본 등의 증서가 보존되므로 당사자가 증서를 분실하여도 권리주장을 할 수 있다.
① 공증은 재판절차에 비해 비용과 시간을 절약할 수 있다.
② 어음·수표 및 금전소비대차 등의 채권·채무를 공정증서로 작성하여 두면 지급기일 경과 후 즉시 강제집행을 할 수 있어 권리행사가 신속하고 간편하다.
③ 양도담보란 채무자가 채무보증의 한 방법으로 채권자에게 담보물의 소유권을 이전해 주는 것을 말한다. 민법에 규정되지 않은 비전형담보로서 양도담보공증은 당사자의 책임이 무겁게 되는 담보로서의 기능이 있다.
④ 강제집행을 당해도 이의가 없다는 뜻의 기재(강제집행인락문구)가 있는 공정증서는 집행권원으로 인정되어 지급기일이 경과하도록 채무이행이 없는 경우 집행문을 발부받아 채무자의 재산에 바로 강제집행이 가능하다.

42. ⑤

MEMO

2015년 기출

43 '공정증서'에 대한 설명으로 옳지 않은 것은?

① 공증인은 당사자나 그 밖의 관계인의 촉탁에 따라 법률행위나 그 밖의 사권(私權)에 관한 사실에 대한 공정증서를 작성할 수 있다.

② 공증인이 작성하는 문서는 「공증인법」 등 관련 법률에서 정하는 요건을 갖추지 아니하면 공증의 효력을 가지지 아니한다.

③ 공증인이 일정한 금액의 지급을 목적으로 하는 청구에 관하여 작성한 공정증서로서 채무자가 강제집행을 승낙한 취지가 적혀있는 것은 집행권원으로 인정된다.

④ 공증인은 어음·수표의 발행인과 수취인, 양도인과 양수인의 촉탁이 있을 때에는 어음·수표에 첨부하여 강제집행을 인낙(認諾)한다는 취지를 적은 공정증서를 작성할 수 있다.

⑤ 공증인이 작성한 증서의 집행문은 그 공증인 사무소가 있는 곳의 지방법원에서 내어 준다.

해설 채무자가 채무를 이행하지 않으면 채권자는 공정증서에 기해 강제집행을 실시하게 되는데 채권자는 공증사무소에서 공정증서 집행문을 부여받아야 한다. 공증인은 공정증서 작성일로부터 7일이 지난 후에는 집행문을 부여할 수 있다. 대리인에 의해 촉탁된 경우에는 공증인이 채무자에게 집행문 부여 사실을 통지한다.

정답 43. ⑤

MEMO

제6절 상행위로 인한 금전채권

2024년 기출

01 상인 및 상행위에 관한 다음 설명 중 가장 적절하지 않은 것은?

① 수인(數人)이 그 1인 또는 전원에게 상행위가 되는 행위로 인하여 채무를 부담한 때에는 연대하여 변제할 책임이 있다.

② 보증인이 있는 경우에 그 보증이 상행위이거나 주채무가 상행위로 인한 것인 때에는 주채무자와 보증인은 연대하여 변제할 책임이 있다.

③ 오로지 임금을 받을 목적으로 물건을 제조하거나 노무에 종사하는 자의 행위는 기본적 상행위에 포함된다.

④ 점포 기타 유사한 설비에 의하여 상인적 방법으로 영업을 하는 자는 상행위를 하지 아니하더라도 상인으로 본다.

⑤ 일반적인 채권의 시효는 10년인 반면 상행위로 인한 채권의 소멸시효기간은 원칙적으로 5년이다.

해설 ③ 거래로 인하여 생기는 법률관계의 처리를 위하여 권리, 의무의 귀속주체가 필요하며, 이러한 기업활동에 관한 권리의무의 주체를 상인이라 한다. 상법에서는 당연상인, 의제상인 및 소상인에 관하여 규정하고 있다. 상행위란 실질적으로 상인이 영리의 목적을 달성하기 위한 채권적 법률행위(기업활동)을 말한다. 상법 제46조 각 호에 정한 행위를 기본적 상행위라고 한다. 기본적 상행위를 하는 자는 당연상인이지만, 오로지 임금을 받을 목적으로 물건을 제조하거나 노무에 종사하는 자의 행위는 기본적 상행위에 포함되지 않는다(상법 제46조(기본적 상행위) 단서).

① 상법 제57조(다수채무자간 또는 채무자와 보증인의 연대) 제1항

② 상법 제57조 제2항

④ 상법 제5조(상인-의제상인) 제1항 의제상인 중 설비상인에 대한 규정이다.

⑤ 상행위로 인한 채권은 본법에 다른 규정이 없는 때에는 5년간 행사하지 아니하면 소멸시효가 완성한다. 그러나 다른 법령에 이보다 단기의 시효의 규정이 있는 때에는 그 규정에 의한다(상법 제64조(상사시효)).

정답

01. ③

MEMO

2022년 기출

02 「상법」상 상인과 관련한 다음 설명 중 가장 적절하지 않은 것은?

① 지배인, 상호, 상업 장부와 상업등기에 관한 규정은 소상인에게 적용한다.
② 자기명의로 상행위를 하는 자를 상인이라 한다.
③ 점포 기타 유사한 설비에 의하여 상인적 방법으로 영업을 하는 자는 상행위를 하지 아니하더라도 상인으로 본다.
④ 「상법」 제46조에 열거된 행위(기본적 상행위)를 오로지 임금을 받을 목적으로 물건을 제조하거나 노무에 종사하는 자는 상인이 아니다.
⑤ 소상인이란 자본금 1천만 원 미만의 상인으로서, 회사가 아닌 자를 말한다.

해설 지배인, 상호, 상업장부와 상업등기에 관한 규정은 소상인에게 적용하지 아니한다[상법 제9조(소상인)].
② 상법 제4조(상인-당연상인)
③ 상법 제5조(동전-의제상인) 제1항
④ 상법 제46조(기본적 상행위) 단서 참조
⑤ 소상인의 개념

❑ **상인의 종류**

당연상인	① 의의 : 자기의 명의로 상행위를 하는 자(상법 제4조) ② 요건 ㉠ 자기명의로 할 것 : 자기가 그 상행위에서 생기는 권리·의무의 귀속주체가 되는 것을 의미한다. 따라서 영업주가 스스로 영업행위를 하는 경우는 물론이고 이것을 상업사용인이 대리하는 경우에도 영업주 자신이 상인이 되며 상업사용인은 상인이 되지 않는다. 법인에서는 대표자가 영업을 실행하지만 이 경우에도 대표자가 아닌 법인이 상인이다. 자기가 영업의 법주체인 이상 그 영업인이 타인의 계산으로 하는 경우에도 상인이 된다. ㉡ 상행위를 할 것 : 여기서의 상행위는 상법 제46조에 정한 상행위와 특별법(담보부사채신탁법 제23조 : 사채총액의 인수행위)에서 정한 상행위를 말한다. 이러한 상행위는 상인개념의 전제개념으로서 기초가 되기 때문에 기본적 상행위라고도 한다. ㉢ 영업으로 할 것 : 당연상인이 되기 위해서는 자기명의로 상행위를 영업으로 하여야 한다. 여기서 영업이란 영리를 목적으로 계속적·지속적으로 이루어지고 대외적 인식이 될 수 있도록 하여야 한다.

정답

02. ①

MEMO

의제 상인	설비 상인	점포 기타 유사한 설비에 의하여 상인적 방법으로 상행위 이외의 영업을 하는 자. 이러한 자는 상법 제46조의 기본적 상행위를 하지 아니하더라도 상인으로 본다(상법 제5조 제1항).
	민사 회사	상법 제46조의 상행위를 영위하지 아니하는 민사회사는 의제상인에 해당. 민사회사와 상사회사를 구별할 실익은 없으며 회사법상으로도 양자를 별도로 규정하고 있지 않다. 민사회사가 목적으로 하는 행위에는 상행위에 관한 규정이 준용되는데 이를 준상행위라 한다.
소상인	① 의의 및 범위 : 자본금 1천만원 미만의 상인으로서 회사가 아닌 자 ② 상법의 일부규정의 적용배제 : 소상인에 대하여는 지배인, 상호, 상업장부, 상업등기에 관한 규정을 적용하지 않는다(상법 제9조).	

상법 제46조【기본적 상행위】

영업으로 하는 다음의 행위를 상행위라 한다. 그러나 오로지 임금을 받을 목적으로 물건을 제조하거나 노무에 종사하는 자의 행위는 그러하지 아니하다.

1. 동산, 부동산, 유가증권 기타의 재산의 매매
2. 동산, 부동산, 유가증권 기타의 재산의 임대차
3. 제조, 가공 또는 수선에 관한 행위
4. 전기, 전파, 가스 또는 물의 공급에 관한 행위
5. 작업 또는 노무의 도급의 인수
6. 출판, 인쇄 또는 촬영에 관한 행위
7. 광고, 통신 또는 정보에 관한 행위
8. 수신·여신·환 기타의 금융거래
9. 공중(公衆)이 이용하는 시설에 의한 거래
10. 상행위의 대리의 인수
11. 중개에 관한 행위
12. 위탁매매 기타의 주선에 관한 행위
13. 운송의 인수
14. 임치의 인수
15. 신탁의 인수
16. 상호부금 기타 이와 유사한 행위
17. 보험
18. 광물 또는 토석의 채취에 관한 행위
19. 기계, 시설, 그 밖의 재산의 금융리스에 관한 행위
20. 상호·상표 등의 사용허락에 의한 영업에 관한 행위
21. 영업상 채권의 매입·회수 등에 관한 행위
22. 신용카드, 전자화폐 등을 이용한 지급결제 업무의 인수

MEMO

023년 기출

03 상행위와 관련한 다음 설명 중 가장 적절한 것은?

① 상행위의 대리인이 본인을 위한 것임을 표시하지 아니하고 한 행위는 본인에 대하여 효력이 없다.

② 상행위 채무는 원칙적으로 추심채무이다.

③ 어느 일방적 상행위로 인한 채권은 채권자를 위한 상행위이든, 채무자를 위한 상행위이든 모두 상사채권이 된다.

④ 오로지 임금을 받을 목적으로 물건을 제조하거나 노무에 종사하는 자의 행위는 기본적 상행위에 포함된다.

⑤ 수인의 보증인이 있는 때에 민법상 계약은 연대보증이 되는 반면, 상사 보증은 분별의 이익을 주장할 수 있다.

해설 ③ 상인이 영업을 위하여 하는 행위는 상행위로 본다. 상인의 행위는 영업을 위하여 하는 것으로 추정한다(상법 제47조). 따라서, 어느 일방적 상행위로 인한 채권은 채권자를 위한 상행위이든, 채무자를 위한 상행위이든 모두 상사채권이 된다.

① 상행위의 대리인이 대리행위를 함에 있어서는 본인을 위한 것임을 표시하지 아니하여도 그 행위는 본인에 대하여 효력이 있다. 그러나 상대방이 본인을 위한 것임을 알지 못한 때에는 대리인에 대하여도 이행의 청구를 할 수 있다(상법 제48조).

② 채무의 이행장소에 관하여 지참채무라 함은 채무자가 채권자의 주소에서 채무를 이행해야 하는 채무를 말하고, 추심채무라 함은 채무의 이행을 채무자의 주소에서 하는 채무를 말한다. 채무이행 장소에 관해 상법은 특별규정을 두고 있지 않으므로 민법의 일반원칙에 따르는데, 민법상 지참채무가 원칙적인 모습이다.

④ 영업으로 하는 상법 제46조 각호의 행위를 기본적 상행위라고 한다. 그러나 오로지 임금을 받을 목적으로 물건을 제조하거나 노무에 종사하는 자의 행위는 기본적 상행위에 포함되지 않는다(상법 제46조).

⑤ 민법상으로는 보증인은 특약이 없는 한 최고 및 검색의 항변권이 있으며(민법 제437조) 보증인이 수인인 때에는 분별의 이익을 갖는다(민법 제439조). 그러나 상법상으로는 보증인이 있는 경우에 그 보증이 상행위이거나 주채무가 상행위로 인한 것인 때에는 주채무자와 보증인은 연대하여 변제할 책임이 있다(상법 제57조 제2항).

03. ③

MEMO

2021년 기출

04 다음 중 「상법」상 기본적 상행위가 아닌 것은?

① 동산, 부동산, 유가증권 기타의 재산의 매매
② 상인의 영업의 준비행위
③ 동산, 부동산, 유가증권 기타의 재산의 임대차
④ 제조, 가공 또는 수선에 관한 행위
⑤ 전기, 전파, 가스 또는 물의 공급에 관한 행위

해설 상인이 영업의 목적인 상행위를 위하여 필요로 하는 재산상의 모든 행위를 '보조적 상행위'라 한다. 상법 제47조 제1항에도 '상인이 영업을 위하여 하는 모든 행위는 상행위로 본다.'고 하고 있다. 보조적 상행위는 법률행위에 한하지 않고 준법률행위는 물론 영업을 위한 직접적인 행위뿐만 아니라 영업의 유지를 위한 행위나 영업을 유익하게 하는 행위 및 영업과 간접적으로 관계되는 행위도 포함한다. 따라서 상인의 영업의 준비행위는 보조적 상행위에 해당한다.
①, ③, ④, ⑤ 한편 상법 제46조 각 호에서 정한 행위를 '기본적 상행위'라 한다.

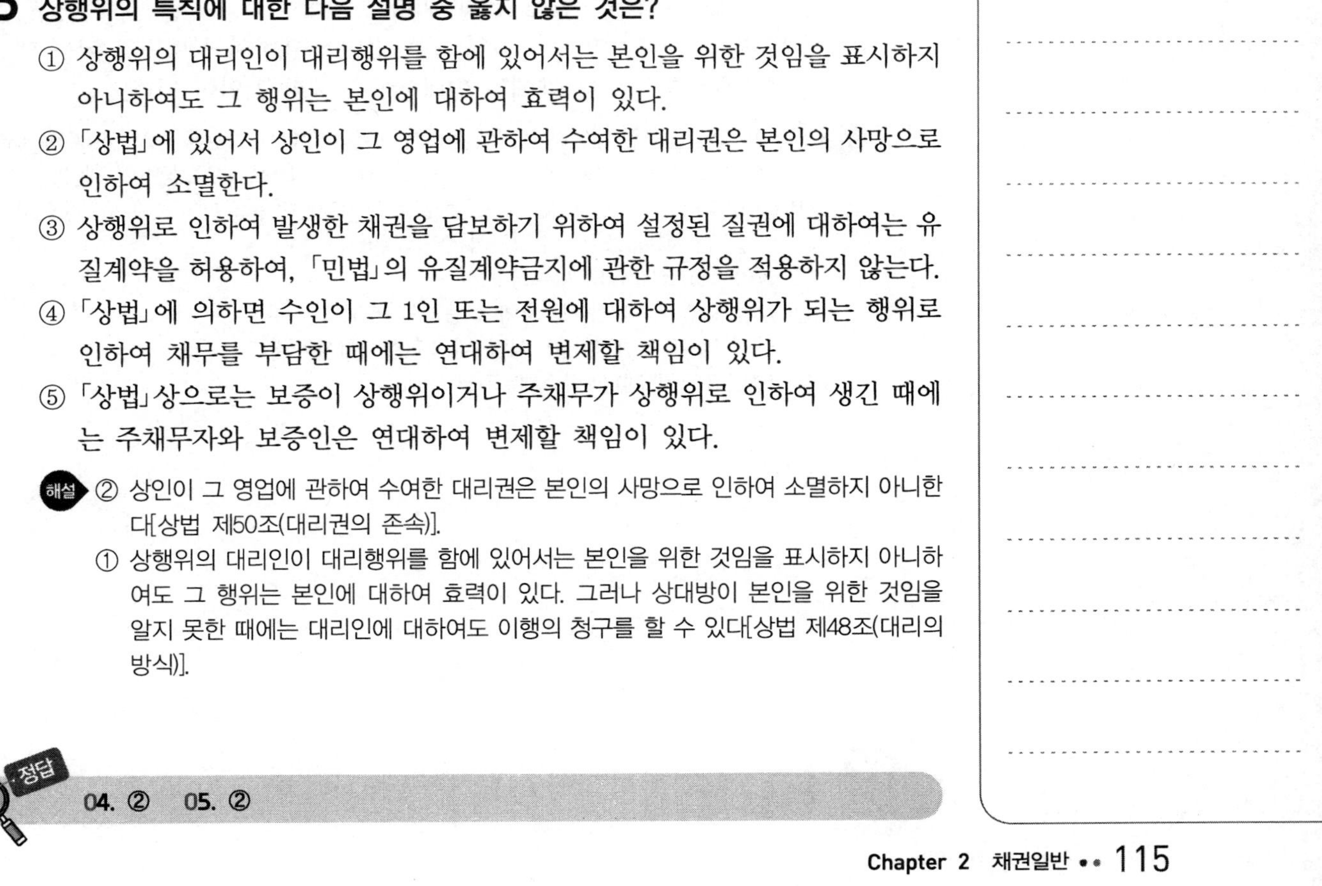

2020년 기출

05 상행위의 특칙에 대한 다음 설명 중 옳지 않은 것은?

① 상행위의 대리인이 대리행위를 함에 있어서는 본인을 위한 것임을 표시하지 아니하여도 그 행위는 본인에 대하여 효력이 있다.
② 「상법」에 있어서 상인이 그 영업에 관하여 수여한 대리권은 본인의 사망으로 인하여 소멸한다.
③ 상행위로 인하여 발생한 채권을 담보하기 위하여 설정된 질권에 대하여는 유질계약을 허용하여, 「민법」의 유질계약금지에 관한 규정을 적용하지 않는다.
④ 「상법」에 의하면 수인이 그 1인 또는 전원에 대하여 상행위가 되는 행위로 인하여 채무를 부담한 때에는 연대하여 변제할 책임이 있다.
⑤ 「상법」상으로는 보증이 상행위이거나 주채무가 상행위로 인하여 생긴 때에는 주채무자와 보증인은 연대하여 변제할 책임이 있다.

해설 ② 상인이 그 영업에 관하여 수여한 대리권은 본인의 사망으로 인하여 소멸하지 아니한다[상법 제50조(대리권의 존속)].
① 상행위의 대리인이 대리행위를 함에 있어서는 본인을 위한 것임을 표시하지 아니하여도 그 행위는 본인에 대하여 효력이 있다. 그러나 상대방이 본인을 위한 것임을 알지 못한 때에는 대리인에 대하여도 이행의 청구를 할 수 있다[상법 제48조(대리의 방식)].

04. ② 05. ②

MEMO

③ 상법은 상행위로 인하여 발생한 채권을 담보하기 위하여 설정된 질권에 대하여는 민법 제339조의 유질계약 금지조항의 적용이 없는 것으로 하였다[상법 제59조(유질계약의 허용) 참조].
④ 상법 제57조 제1항(다수채무자간 연대)
⑤ 상법 제57조 제2항(채무자와 보증인의 연대)

2019년 기출

06 상행위의 특칙에 대한 다음 설명 중 옳지 않은 것은?

① 「상법」상 상인이 그 영업범위 내에서 물건을 임치받은 경우 그 임치가 유상인 경우에는 수치인은 선량한 관리자의 주의로 임치물을 보관하여야 하지만, 임치가 무상인 경우에는 임치물을 자기재산과 동일한 주의로 보관하면 된다.
② 상인이 그 영업 범위 내에서 타인을 위하여 행위를 한 때에는 이에 대하여 상당한 보수를 청구할 수 있다.
③ 「상법」상으로는 보증이 상행위이거나 주채무가 상행위로 인하여 생긴 때에는 주채무자와 보증인은 연대하여 변제할 책임이 있다.
④ 다른 약정이 없는 한 「민법」의 법정이율은 연 5%이지만, 상행위로 인하여 발생한 채무의 법정이율은 연 6%이다.
⑤ 「상법」에 의하면 수인이 그 1인 또는 전원에 대하여 상행위가 되는 행위로 인하여 채무를 부담한 때에는 연대하여 변제할 책임이 있다.

해설 상인이 그 영업범위 내에서 물건의 임치를 받은 경우에는 보수를 받지 아니하는 때에도 선량한 관리자의 주의를 하여야 한다[상법 제62조(임치를 받은 상인의 책임).
[비교] 보수없이 임치를 받은 자는 임치물을 자기재산과 동일한 주의로 보관하여야 한다 [민법 제695조(무상수치인의 주의의무)].
② 상법 제61조(상인의 보수청구권)
③ 상법 제57조 제2항(채무자와 보증인의 연대)
④ 민법 제379조(법정이율), 상법 제54조(상사법정이율)
⑤ 상법 제57조 제1항(다수채무자간 연대)

정답 06. ①

MEMO

2018년 기출

07 **다음 중 상사채무의 이행시기 및 장소에 대한 설명으로 옳지 않은 것은?**

① 상사채권은 원칙적으로 추심채무이다.

② 상행위 채무의 이행시기는 영업시간이 정해져 있는 때에는 그 시간 내에 하여야 한다.

③ 채무이행장소는 통상 본점과 지점을 포함하며, 협의로는 거래가 있었던 영업점이 채무이행장소가 된다.

④ 행위의 성질 또는 당사자의 의사표시에 의하여 특정된 경우로서 특정물 인도의 경우에는 별도의 채무이행장소가 있을 수도 있다.

⑤ 특정물 이외의 영업에 관한 채무는 채권자의 현 영업소에서 이행하여야 한다.

> 상법 제56조【지점거래의 채무이행장소】
> 채권자의 지점에서의 거래로 인한 채무이행의 장소가 그 행위의 성질 또는 당사자의 의사표시에 의하여 특정되지 아니한 경우 특정물 인도 외의 채무이행은 그 지점을 이행장소로 본다.

> 민법 제467조【변제의 장소】
> ① 채무의 성질 또는 당사자의 의사표시로 변제장소를 정하지 아니한 때에는 특정물의 인도는 채권성립당시에 그 물건이 있던 장소에서 하여야 한다.
> ② 전항의 경우에 특정물인도 이외의 채무변제는 채권자의 현주소에서 하여야 한다. 그러나 영업에 관한 채무의 변제는 채권자의 현영업소에서 하여야 한다.

①③⑤ 채무의 이행장소에 관해서 '지참채무'라 함은 채무자가 채권자의 주소에서 채무를 이행해야 하는 채무를 말하고, '추심채무'라 함은 채무의 이행을 채무자의 주소에서 하는 채무를 말한다. 상법은 채무의 이행장소에 관하여 제56조만 두고 있다. 상법 제56조는 특정물인도 이외의 채무이행만을 규정하고 있으므로 우선 특정물인도의 경우에는 민법의 원칙에 따른다. 특정물인도 이외의 경우에도 상법 제56조는 "채권자의 지점"에서 이루어진 거래에 대해서만 규정하고 있다. 그 결과 i) 채무자의 본점 또는 지점에서의 거래는 민법 제467조 제2항이 적용되어 채권자의 영업소에서 이행하면 된다(지참채무). ii) 채권자의 본점에서 이루어진 거래 역시 민법 제467조 제2항에 따라 지참채무가 된다. iii) 거래가 채권자의 지점에서 이루어진 경우에는 제56조에 따라 그 지점을 이행장소로 한다. 지참채무가 된다는 점에서는 민법 제467조 제2항과 차이가 없다.

④ 강행규정이 급부장소를 정하고 있는 경우를 제외하고 급부장소는 1차적으로 당사자의 의사표시에 의하여 결정되며, 당사자의 의사표시가 없으면 채무의 성질에 의하여 결정된다(민법 제467조 제1항 전단). 따라서 행위의 성질 또는 당사자의 의사표시에 의하여 특정된 경우라면 특정물 인도의 경우 행위의 성질에 따른 또는 당사자가 합의한 별도의 채무이행장소가 있을 수도 있다.

② 법령 또는 관습에 의하여 영업시간이 정하여져 있는 때에는 채무의 이행 또는 이행의 청구는 그 시간 내에 하여야 한다(상법 제63조).

07. ①

MEMO

2022년 기출

08 다음은 상사채권의 민사채권에 대한 특칙을 열거한 것이다. 가장 적절한 것은?

① 상행위로 인한 채권의 소멸시효기간은 원칙적으로 10년이다.
② 상인이 그 영업에 관하여 수여한 대리권은 본인의 사망으로 인하여 소멸하지 아니한다.
③ 상사법정이율은 5%이고, 민사법정이율은 6%이다.
④ 상행위로 인하여 발생한 채권을 담보하기 위하여 설정된 질권에 대하여는 유질계약을 허용하지 않는다.
⑤ 수인의 채무자가 상행위로 인하여 보증 채무를 부담하는 때에는 분할 채권관계의 원칙이 적용되어 각자 균등한 비율로 채무를 부담한다.

해설 ② 상법 제50조(대리권의 존속)
① 상행위로 인한 채권은 본법에 다른 규정이 없는 때에는 5년간 행사하지 아니하면 소멸시효가 완성된다. 그러나 다른 법령에 이보다 단기의 시효의 규정이 있는 때에는 그 규정에 의한다[상법 제64조(상사시효)]. 이는 채권의 소멸시효기간을 10년으로 정한 민법의 일반원칙에 대한 특칙으로 상사거래관계의 신속한 해결을 기하는데 그 취지가 있다.
③ 상행위로 인한 채무의 법정이율은 연 6푼으로 한다[상법 제54조(상사법정이율)]. 이자있는 채권의 이율은 다른 법률의 규정이나 당사자의 약정이 없으면 연 5푼으로 한다[민법 제379조(법정이율)].
④ 민법 제339조(유질계약의 금지)의 규정은 상행위로 인하여 생긴 채권을 담보하기 위하여 설정한 질권에는 적용하지 아니한다[상법 제59조(유질계약의 허용)].
⑤ 수인이 그 1인 또는 전원에게 상행위가 되는 행위로 인하여 채무를 부담한 때에는 연대하여 변제할 책임이 있다. 보증인이 있는 경우에 그 보증이 상행위이거나 주채무가 상행위로 인한 것인 때에는 주채무자와 보증인은 연대하여 변제할 책임이 있다[상법 제57조(다수채무자간 또는 채무자와 보증인의 연대)]. 반면 민법상으로 보증인은 특약이 없는 한 최고 및 검색의 항변권이 있으며 보증인이 수인인 때에는 분별의 이익을 갖는다.

08. ②

MEMO

2021년 기출

09 상사채권에 관한 다음 설명 중 적절하지 않은 것은?

① 상사유치권은 채권자와 채무자가 모두 상인인 경우에 인정된다.
② 어음·수표행위는 엄격한 요식행위이므로 그 대리행위는 본인을 위한 것임을 표시하여야 한다.
③ 「상법」상 상인이 그 영업범위 내에서 물건을 임치받은 경우 임치물을 자기 재산과 동일한 주의로 보관하면 된다.
④ 「민법」상 유치권과 달리 상사유치권은 원칙적으로 피담보채권과 유치물 사이의 견련성을 요구하지 않는다.
⑤ 상행위로 인한 채권의 소멸시효기간은 원칙적으로 5년이지만, 민사채권의 소멸시효 기간은 10년이다.

해설 상법상 상인이 그 영업범위 내에서 물건을 임치 받은 경우 유상이든 무상이든 관계없이 선량한 관리자의 주의를 하여야 한다(상법 제62조).

①, ④ 상인간의 상행위로 인한 채권이 변제기에 있는 때에는 채권자는 변제를 받을 때까지 그 채무자에 대한 상행위로 인하여 자기가 점유하고 있는 채무자 소유의 물건 또는 유가증권을 유치할 수 있다(상법 제58조 본문). 이를 '상사유치권'이라고 한다. 상사유치권이 성립하려면 당사자 쌍방이 상인이어야 하고, 민법상 유치권과 달리 피담보채권과 유치물 사이의 개별적 관련성(견련성)을 요구하지 않고 일반적인 관련성만 있으면 된다.

② 민법상 대리행위는 원칙적으로 본인을 위한 것임을 표시한 의사표시로 하여야 한다(현명주의). 그러나 상행위에 있어서는 원칙적으로 상행위의 대리인이 본인을 위한 것임을 표시하지 아니하여도 그 행위는 본인에 대하여 효력이 있다(상법 제48조 본문). 다만, 어음·수표행위는 엄격한 요식행위이므로 그 대리행위는 본인을 위한 것임을 표시하여야 하여 민법상의 원칙과 같은 현명주의를 택하고 있다.

⑤ 상행위로 인한 채권은 상법에 다른 규정이 없는 때에는 5년간 행사하지 않으면 소멸시효가 완성된다. 그러나 다른 법령에 이보다 단기의 시효의 규정이 있는 때에는 그 규정에 의한다(상법 제64조). 이는 채권의 소멸시효기간을 10년으로 정한 민법의 일반원칙에 대한 특칙으로 상사거래관계의 신속한 해결을 기하는데 그 취지가 있다.

09. ③

MEMO

2018년 기출

10 다음 보기의 내용은 상사채권의 민사채권에 대한 특칙을 열거한 것이다. 옳은 것을 모두 고른 것은?

㉠ 상행위로 인한 채권의 소멸시효기간은 원칙적으로 10년이다.
㉡ 상인이 그 영업에 관하여 금전을 대여한 경우에는 상사법정이자를 청구할 수 있다.
㉢ 수인의 채무자가 상행위로 인하여 보증채무를 부담하는 때에는 분할 채권관계의 원칙이 적용되어 각자 균등한 비율로 채무를 부담한다.
㉣ 상법에서는 상인간의 유치권 이른바 상사유치권을 인정하고 있다.

① ㉠, ㉡
② ㉢, ㉣
③ ㉡, ㉢
④ ㉡, ㉣
⑤ ㉠, ㉢

해설 ㉠ 상행위로 인한 채권의 소멸시효기간은 원칙적으로 5년이다(상법 제64조).
㉡ 상인이 그 영업에 관하여 금전을 대여한 경우에는 상사법정이자를 청구할 수 있다(상법 제55조, 제54조 참조).
㉢ 보증인이 있는 경우에 그 보증이 상행위이거나 주채무가 상행위로 인한 것인 때에는 주채무자와 보증인은 연대하여 변제할 책임이 있다(상법 제57조 제2항).
㉣ 상법에서는 상인간의 유치권 이른바 상사유치권을 인정하고 있다(상법 제58조 참조).

정답 10. ④

MEMO

2017년 기출

11 다음은 상사채권과 민사채권을 비교한 설명이다. 옳지 않은 것은?

① 상행위로 인한 채권의 소멸시효기간은 원칙적으로 5년이지만 민사채권의 소멸시효는 10년이다.

② 상사법정이자율은 6%, 민사법정이자율은 5%이다.

③ 수인의 보증인이 있는 때에 민법상 계약은 연대보증이 되는 반면, 상사보증은 분별의 이익을 주장할 수 있다.

④ 상행위의 대리인이 본인을 위한 것임을 표시하지 아니하고 한 행위(비현명주의)는 본인에 대하여 효력이 있지만 「민법」은 본인을 위한 것임을 표시하여야 한다(현명주의).

⑤ 「민법」상 유치권과 달리 상사유치권은 원칙적으로 피담보채권과 유치물 사이의 견련성을 요구하지 않는다.

해설 수인의 보증인이 있는 때에 민법상 계약은 분별의 이익을 주장할 수 있다(민법 제439조 참조). 그러나 상사보증은 분별의 이익을 주장할 수 없다. 즉, 수인이 그 1인 또는 전원에게 상행위가 되는 행위로 인하여 채무를 부담한 때에는 연대하여 변제할 책임이 있고, 보증인이 있는 경우에 그 보증이 상행위이거나 주채무가 상행위로 인한 것인 때에는 주채무자와 보증인은 연대하여 변제할 책임이 있다(상법 제57조).

① 상법 제64조, 민법 제162조 제1항 참조

② 상법 제54조, 민법 제379조 참조

④ 상법 제48조 본문, 민법 제114조 참조

⑤ 상인 간의 상행위로 인한 채권이 변제기에 있는 때에는 채권자는 변제를 받을 때까지 그 채무자에 대한 상행위로 인하여 자기가 점유하고 있는 채무자소유의 물건 또는 유가증권을 유치할 수 있다. 그러나 당사자 간에 다른 약정이 있으면 그러하지 아니하다(상법 제58조). 타인의 물건 또는 유가증권을 점유한 자는 그 물건이나 유가증권에 관하여 생긴 채권이 변제기에 있는 경우에는 변제를 받을 때까지 그 물건 또는 유가증권을 유치할 권리가 있다(민법 제320조 제1항).

11. ③

Chapter 03 금융채권

제1절 금융채권의 분류체계

2023년 기출

01 금융채권에 관한 다음 설명 중 가장 적절하지 않은 것은?

① 대출금 지급 한도를 미리 정해 놓고 채무자가 필요에 따라 약정한 한도 범위 내에서 대출금을 인출하는 것을 한도대출이라 한다.
② 자금융통 기능이 강한 금융리스인 경우에도 리스물건의 소유권은 여전히 리스회사에 있다.
③ 기업의 공장이나 기계장치 등과 같이 생산시설을 설치할 때 필요한 자금에 충당할 목적으로 취급된 대출은 시설자금대출이다.
④ 법인이 아닌 개인사업자에게 제공되는 영업활동에 필요한 운영자금의 대출은 가계자금대출로 분류되지 않고 기업자금대출로 분류된다.
⑤ 신용보증기금이 발행한 보증서를 담보로 취득한 후 취급하는 대출은 신용대출이다.

해설 ⑤ 타은행이 발행한 지급보증서나 신용보증기금 또는 기술신용보증기금이 발행한 보증서를 담보로 취득한 후 취급하는 대출은 '보증서대출'이다. '신용대출'은 부동산, 동산, 보증서 등과 같은 담보를 취득하지 않고 차주에게 신용으로 제공하는 대출을 말한다. 자세한 내용은 아래 '금융채권의 분류체계' 표 참조.
② 전통적 의미에 있어서 리스는 임대차 계약이라고 할 수 있다. 그러나 리스계약이 조금 더 발전하게 되면서 금융조건이 더해져 금융의 소비대차적 성격을 띠게 되는데 이것을 '금융리스'라고 한다. 리스물건의 소유권은 임대인, 즉 리스회사에 있다. 자금융통 기능이 강한 금융리스인 경우에도 리스물건의 소유권은 여전히 리스회사에 있으므로 리스자산을 (가)압류의 목적물로 할 수 없게 된다.

담보 유무에 따른 분류	담보대출	부동산이나 동산 등의 담보를 취득하고 신용을 제공하는 대출
	보증서대출	타 은행이 발행한 지급보증서나 신용보증기금 또는 기술신용보증기금이 발행한 보증서를 담보로 취득한 후 취급하는 대출
	신용대출	부동산, 동산, 보증서 등과 같은 담보를 취득하지 않고 차주에게 신용으로 제공하는 대출

01. ⑤

MEMO

거래방식에 의한 분류	개별거래대출	대출 약정시 일정금액의 대출금을 약정기한까지 사용할 수 있는 대출
	한도거래대출	대출 약정시 대출금한도와 거래기간을 미리 정해 놓고 그 범위 안에서는 언제든지 자유롭게 차주가 필요한 금액을 인출하거나 상환이 가능한 대출
거래상대방에 의한 분류	기업자금대출	일반기업과 같이 영리를 목적으로 설립된 기업을 대상으로 하는 대출. 개인사업자에게 제공되는 영업활동에 필요한 운영자금의 대출은 가계자금대출이 아닌 기업자금대출로 분류
	가계자금대출	순수 개인(자연인)에게 제공되는 대출
	공공 및 기타자금대출	공공단체나 의료재단, 학교법인, 종교단체 등 영리를 목적으로 하지 않는 비영리단체에 제공되는 대출
자금용도에 의한 분류	운전자금대출	대출을 필요로 하는 기업의 자금용도에 따라 분류되며, 영업활동에 필요한 운전자금에 충당할 목적으로 대출을 받는 경우. 주로 자금용도의 성격상 1년 이내의 단기대출로 이루어진다.
	시설자금대출	기업의 공장이나 기계장치 등과 같이 생산시설을 설치할 때에 필요한 자금에 충당할 목적으로 취급된 대출. 주로 상환기간이 3~10년 이상의 장기대출이 대부분
	가계자금대출	개인에 대한 대출로서 구체적인 용도에 불구하고 통상 가계자금대출로 분류
약정형식에 의한 분류	증서대출	채무자로부터 금전소비대차 약정서에 서명날인하게 하여 취급하는 대출로서 개인에 대한 거의 모든 대출이 이에 해당. 주로 가계자금대출이나 1년 이상의 장기성 대출금 또는 예금·부적금 담보대출을 취급할 때에 이용
	어음대출	은행이 대출금의 기일에 대출채권의 지급확보를 위하여 차주를 발행인으로 하는 약속어음을 징구하고 취급하는 대출. 약속어음을 담보로 하는 금전소비대차계약을 말하며 주로 1년 이내의 단기성 기업자금대출을 운용할 때 이용
사무처리방식에 의한 분류	일시상환대출	대출금을 약정기일에 일시에 상환받는 대출. 기업자금대출 중 운전자금대출이나 가계자금대출 등
	분할상환대출	대출금을 정기적으로 분할하여 상환하는 대출. 1년 이상의 장기성 기업자금대출이나 주택구입자금대출과 같은 장기성 가계자금대출 등

MEMO

2017년 기출

02 다음에서 설명하고 있는 내용으로 옳은 것은?

> 카드사가 카드회원을 대상으로 자체 신용평가에 의해 일정한 한도범위 내의 현금을 대여하는 대출로, 보통의 대출금과 같이 일정기간 후 만기일에 변제하는 방식을 취한다.

① 현금서비스
② 증서대출
③ 할인어음(어음할인)
④ 당좌대출
⑤ 카드론

해설 카드론이란 대출의 일종으로서 신용카드 회원을 대상으로 현금을 빌려 준다는 측면에서 현금서비스와 유사하다. 그러나 현금서비스는 카드 사용등급에 따라 일률적으로 대출한도가 주어지는 반면, 카드론은 신용카드 이용실적에 따라 개별적 · 선별적으로 대출한도를 설정, 카드 회원이 필요한 시점에 수시로 자금을 빌려 준다는 점에서 차이가 있다. 또한 현금서비스는 보통 익월 결제일에 변제해야 하는 극히 단기의 대출이지만 카드론은 보통의 대출금과 같이 일정기간 후 만기일에 변제하는 방식을 취한다.

① 현금서비스의 법적 성질은 카드 회원과 카드회사를 당사자로 하는 금전소비대차계약이다. 현금서비스는 일종의 한도거래 대출로서 미리 정해진 한도범위 내에서 카드 회원이 필요로 하는 때 언제든지 자금을 인출하여 사용하고, 정해진 결제기일에 수수료와 함께 변제하기로 하는 계약을 말한다.
② 증서대출이란 대출신청자와 금융기관이 민법상의 금전소비대차 약정을 체결하고 대출을 실행하는 형식의 대출을 말한다.
③ 발행인을 제외한 어음소지인이 자금이 필요한 경우 어음만기에 이르기 전에 어음을 타인에게 매각하여 그 대가인 자금을 수령하고 어음을 양도하는 거래관계에서 양도의 목적물인 어음을 할인어음이라고 한다.
④ 당좌대출이란 당좌거래처가 당좌예금의 잔액을 초과하여 어음, 수표를 발행함으로써 그 결제자금이 부족할 경우에 은행이 일정한 한도까지 이를 대체지급하여 결제함을 내용으로 하는 대출을 말한다. 즉, 당좌거래를 하다보면 발행 당시부터 지급자금이 부족한 경우도 있을 수 있고, 발행 당시에는 지급제시일까지 지급자금을 충분히 확보할 것으로 예상하였으나 그렇지 못한 경우도 있을 수 있다. 이러한 경우에 대비하여 당좌거래와 은행 사이에 당좌거래약정과 별개로 체결하는 것이 당좌대출약정이다.

02. ⑤

MEMO

제2절 증서대출

2024년 기출

01 증서대출에 관한 다음 설명 중 가장 적절하지 않은 것은?

① 증서대출에 있어서 증거의 확보라는 측면에서 채무자로부터 채권서류를 작성하게 하여 이를 제출 받는데, 채권서류가 분실 또는 멸실 되어도 채권의 소멸을 초래하는 것은 아니다.
② 증서대출계약의 법적 성질은 금전소비대차계약이다.
③ 사문서의 경우 문서상 본인 또는 대리인의 서명이나 날인이 진정한 것임을 증명한 때에는 진정한 문서로 추정을 받는다.
④ 증서대출은 반드시 물건의 인도나 급부를 제공함으로써 계약이 성립하는 「민법」상의 요물계약의 성질을 갖는다.
⑤ 계약이 합의되면 금융기관은 약정일에 계약의 목적물인 금전의 지급 의무를 지게 되고 채무자는 자금을 지급받은 후에는 계약내용에 따라 이자의 지급의무와 만기상환의무를 지게 되는 쌍무계약이다.

해설 ④ 증서대출은 금융기관이 일정한 금전을 대여해 줄 것을 의사표시하고 채무자가 일정 기일에 변제할 것을 의사표시함으로써 성립하는 민법상 소비대차계약으로서의 성질을 갖는다. 소비대차계약은 당사자 사이의 합의만으로 성립하는 이른바 '낙성계약'이다. 계약의 측면에서 보면 대출계약은 채무자의 대출금 신청과 금융기관의 승인으로 성립한다. 대출신청인으로부터 채권서류에 서명날인하게 하여 금융기관이 그 증서를 받는 것은 계약의 성립에 관한 증거확보 수단이며, 채무자에게 대출금을 지급하는 것은 계약의 이행행위일 뿐이므로 채권증서를 받는 업무행위와 대출금을 교부하는 업무행위 측면에서 보면 증서대출계약은 낙성계약이다.

2023년 기출

02 증서대출에 관한 다음 설명 중 가장 적절하지 않은 것은?

① 금전소비대차계약이 성립되면 금융기관은 약정일에 목적물인 금전의 지급의무를 지게 되고, 차주는 월정 이자지급의무와 만기상환의무를 지게 된다.
② 증서대출이란 대출신청자와 금융기관이 「민법」상의 금전소비대차약정을 체결하고 대출을 실행하는 형식의 대출을 말한다.
③ 증서대출에 있어서 증거의 확보라는 측면에서 채무자로부터 채권서류를 작성하게 하여 이를 제출받는데, 채권서류가 분실 또는 멸실되어도 채권의 소멸을 초래하는 것은 아니다.

정답

01. ④ 02. ④

MEMO

④ 증서대출은 「민법」상의 요물계약의 성질을 갖는다.
⑤ 금전소비대차계약은 불요식계약이다.

해설 ④ 소비대차계약은 당사자 사이의 합의만으로 성립하는 이른바 '낙성계약'이다. 계약의 측면에서 보면 대출계약은 채무자의 대출금 신청과 금융기관의 승인으로 성립한다.
② 증서대출이란 대출신청자와 금융기관이 「민법」상의 금전소비대차약정을 체결하고 대출을 실행하는 형식의 대출을 말한다. 증서대출은 금융기관이 일정한 금전을 대여해 줄 것을 의사표시하고 채무자가 일정기일에 변제할 것을 의사표시함으로써 성립하는 민법상 소비대차계약으로서의 성질을 갖는다.
③ 대출신청인으로부터 채권서류에 서명날인하게 하여 금융기관이 그 증서를 받는 것은 계약의 성립에 관한 증거확보 수단이며, 채무자에게 대출금을 지급하는 것은 계약의 이행행위일 뿐이므로 채권증서를 받는 업무행위와 대출금을 교부하는 업무행위 측면에서 보면 증서대출계약은 낙성계약이다. 따라서 채권서류가 분실 또는 멸실되어도 채권의 소멸을 초래하는 것은 아니다.
① 대출계약은 당사자가 서로 상대방에 대하여 의무를 부담하는 쌍무계약이다. 즉, 금전소비대차계약이 성립되면 금융기관은 약정일에 목적물인 금전의 지급의무를 지게 되고, 차주는 월정 이자지급의무와 만기상환의무를 지게 된다.
⑤ 증서대출계약은 금전소비대차계약으로서의 성질을 가지는바, 구두나 서면 등 일정한 방식을 요건으로 하지 않는 불요식계약이다.

2022년 기출

03 금융기관의 증서대출계약에 관한 다음 설명 중 가장 적절하지 않은 것은?

① 금융기관이 일정한 금전을 대여해 줄 것을 의사표시 하고 채무자가 일정기일에 변제할 것을 의사표시 함으로써 성립하는 소비대차계약으로서의 성질을 갖는다.
② 채권증서가 분실되는 경우에는 증거가 멸실되어 채권의 소멸을 초래하게 된다.
③ 계약의 쌍방이 대가적인 부담을 지는 유상계약이다.
④ 쌍방당사자가 채무를 부담하는 쌍무계약이다.
⑤ 계약당사자(금융기관과 채무자) 사이에 합의로 성립하는 낙성계약이다.

해설 소비대차계약이란 당사자 일방이 금전 기타 대체물의 소유권을 상대방에게 이전할 것을 약정하고 상대방은 이행기에 동종, 동량, 동질의 물건을 반환할 것을 약정함으로써 성립하는 계약을 말하고 그 소비대차의 목적물이 금전이라는 측면에서 이를 금전소비대차계약이라고 한다. 소비대차계약은 민법상의 전형계약의 하나로서 유상, 쌍무, 낙성, 불요식계약이다. 증서대출은 민법상 소비대차계약으로서의 성질을 갖는다. 따라서, 채권증서가 분실 또는 멸실되었어도 채권의 소멸을 초래하는 것은 아니다.

03. ②

MEMO

2021년 기출

04 증서대출에 관한 다음 설명 중 가장 적절하지 않은 것은?

① 증서대출이란 대출신청자와 금융기관이 「민법」상의 금전소비대차약정을 체결하고 대출을 실행하는 형식의 대출을 말한다.
② 금전소비대차계약은 원칙적으로 요식계약이다.
③ 금융기관에서 통용되는 금전소비대차계약은 유상계약이다.
④ 증서대출은 「민법」상의 유상계약으로서의 성질을 갖는다.
⑤ 대출계약은 쌍무계약이다.

해설 소비대차계약은 민법상의 전형계약의 하나로서 유상, 쌍무, 낙성, 불요식계약이다.
① 증서대출의 정의
③ 금융기관에서 통용되는 금전소비대차계약은 금융기관이 채무자로부터 자금의 사용대가인 이자를 수취하는 것을 목적으로 한다는 측면에서 유상계약이다.
④ 증서대출의 법률적 성질은 민법상 소비대차계약으로, 유상계약으로서의 성질을 갖는다.
⑤ 대출계약은 당사자가 서로 상대방에 대하여 의무를 부담하는 쌍무계약이다.

2019년 기출

05 증서대출에 대한 다음 설명 중 옳지 않은 것은?

① 증서대출이란 대출신청자와 금융기관이 「민법」상의 금전소비대차약정을 체결하고 대출을 실행하는 형식의 대출을 말한다.
② 증서대출은 반드시 물건의 인도나 급부를 제공함으로써 계약이 성립하는 「민법」상의 요물계약의 성질을 갖는다.
③ 금전소비대차계약은 불요식계약이다.
④ 어음대출은 채무자가 「어음법」상의 어음채무를 부담하나, 증서대출은 「민법」상의 금전소비대차약정에 의한 채무를 부담한다.
⑤ 증서대출에 있어서 증거의 확보라는 측면에서 채무자로부터 채권서류를 작성하게 하여 이를 제출받는데, 채권서류가 분실 또는 멸실되어도 채권의 소멸을 초래하는 것은 아니다.

해설 증서대출은 금융기관이 일정한 금전을 대여해 줄 것을 의사표시하고 채무자가 일정기일에 변제할 것을 의사표시함으로써 성립하는 민법상의 소비대차계약으로서의 성질을 갖는다. 소비대차계약은 당사자 사이의 합의만으로 성립하는 이른바 '낙성계약'이다.
① 증서대출의 정의

04. ② 05. ②

MEMO

③ 소비대차계약이란 당사자 일방이 금전 기타 대체물의 소유권을 상대방에게 이전할 것을 약정하고 상대방은 이행기에 동종, 동량, 동질의 물건을 반환할 것을 약정함으로써 성립하는 계약을 말하고 그 소비대차의 목적물이 금전이라는 측면에서 이를 금전소비대차계약이라고 한다. 소비대차계약은 민법상의 전형계약의 하나로서 유상, 쌍무, 낙성, 불요식계약이다.

⑤ 대출신청인으로부터 채권서류에 서명날인하게 하여 금융기관이 그 증서를 받는 것은 계약의 성립에 관한 증거확보 수단이므로 채권서류가 분실 또는 멸실되어도 채권의 소멸을 초래하는 것은 아니다.

④ 어음대출이란 금융기관이 채무자로부터 차용증서를 받는 대신 또는 차용증서와 함께 채무자가 발행한 어음을 수령하고 대출금을 교부하는 형태의 대출을 말한다. 어음대출에 있어서 어음의 수수는 지급확보 및 채무의 담보를 위하여 교부되는 것이므로 채권금융기관은 채무자에 대하여 소비대차상의 채권과 아울러 어음상의 채권을 동시에 가진다.

2018년 기출

06 다음 중 금융기관과 거래처 사이에 이루어지는 증서대출의 법률적 성질로 볼 수 없는 것은?

① 소비대차계약　　② 요물계약
③ 유상계약　　④ 불요식계약
⑤ 쌍무계약

해설 ① '증서대출'이란 대출신청자와 금융기관이 민법상의 금전소비대차약정을 체결하고 대출을 실행하는 형식의 대출을 말한다.

② 소비대차계약은 당사자 사이의 합의만으로 성립하는 '낙성계약'으로 대출신청인으로부터 채권서류에 서명날인하게 하여 금융기관이 그 증서를 받는 것은 계약의 성립에 관한 증거확보 수단이며, 채무자에게 대출금을 지급하는 것은 계약의 이행행위일 뿐이므로 채권증서를 받는 업무행위와 대출금을 교부하는 업무행위의 측면에서 보면 증서대출계약은 낙성계약이다.

③ 금융기관에 통용되는 금전소비대차계약은 금융기관이 채무자로부터 자금의 사용대가인 이자를 취득하는 것을 목적으로 한다는 측면에서 '유상계약'이다.

④ 증서대출계약은 구두나 서면 등 일정한 방식을 요건으로 하지 않는 '불요식계약'이다.

⑤ 증서대출계약은 당사자가 서로 상대방에 대하여 의무를 부담하는 '쌍무계약'이다.

정답

06. ②

MEMO

제3절 어음대출

제4절 할인어음

2014년 기출

01 어음할인(할인어음)에 관한 설명으로 가장 잘못된 것은?

① 어음할인의 법적 성질에 관하여 매매설에 의하는 경우 할인의뢰인은 매도인으로서의 하자담보책임을 부담하지 않는다고 본다.

② 어음할인의 법적 성질을 매매로 보는 경우 어음 자체가 거래의 대상이 되므로 원칙적으로 금전소비대차와 같은 원인관계가 존재하지 않는다고 본다.

③ 어음할인은 여신거래의 한 형식으로 상업어음을 할인하는 형태에 의할 수 있다.

④ 어음할인은 외국환거래에서 은행이 수출상으로부터 운송증권(선하증권)이 담보조로 첨부된 화환어음을 매입하는 형태에 의할 수 있다.

⑤ 여신거래 기본약관에 의하면 할인을 받은 채무자는 일정한 사유가 발생한 경우 은행의 요구가 있는 때에는 할인한 어음을 다시 매입할 것을 약정한다.

해설 할인어음의 법적성질에 관하여는 소비대차설과 매매설이 대립하나 현재 여신거래 기본약관은 할인의뢰인은 은행의 요구가 있는 때에는 할인한 어음을 다시 매입할 것을 약정하고 있으므로 할인어음의 법적성질이 어음의 매매라는 것을 전제로 하고 있으며, 판례도 매매설을 취한다. 이에 어음할인의 법적성질에 관하여 매매설에 의하는 경우 할인의뢰인은 매도인으로서의 하자담보책임을 부담한다고 본다.

01. ①

MEMO

제5절 당좌대출

2013년 기출

01 다음은 당좌대출과 관련한 설명이다. 가장 적절한 것은?

① 당좌대출은 당좌거래처가 당좌예금의 잔액을 초과하여 어음・수표를 발행함으로써 그 결제자금이 부족할 경우에 은행이 일정한 한도까지 이를 대체지급하여 결제함을 내용으로 하는 대출이다.

② 당좌거래처와 은행 사이에 당좌거래약정을 체결하면 당좌대출약정을 체결한 것으로 본다.

③ 당좌거래처의 신용상태가 현저히 악화된 경우에도 은행은 여신기간만료일까지 대출금을 회수할 수 없다.

④ 당좌거래처가 어음・수표 발행 당시부터 지급자금이 부족한 상태인 경우에는 당좌대출을 받을 수 없다.

⑤ 당좌대출의 법적성질에 대하여는 위임계약설이 통설이다.

해설 당좌대출이란 당좌거래처가 당좌예금의 잔액을 초과하여 어음・수표를 발행함으로써 그 결제자금이 부족할 경우에 은행이 일정한 한도까지 이를 대체지급하여 결제함을 내용으로 하는 대출을 말한다.

② 즉, 당좌거래 시 지급제시된 어음・수표를 결제할 자금이 부족한 경우 당좌거래처와 은행 사이에 당좌거래약정과 별개로 체결하는 것이 당좌대출약정이다.

⑤ 또한 당좌대출채권은 현행 여신거래약정서상으로는 준소비대차 채권이므로 법적성질이 위임계약설은 아니며, 따라서 그 소송의 형태도 비용상환청구소송이 아닌 대여금청구소송의 형식을 취하게 된다.

01. ①

MEMO

제6절 지급보증

2019년 기출

01 다음 설명 중 가장 적절하지 않은 것은?

① 현금서비스는 일반적으로 익월 결제일에 변제해야 하는 단기 대출이다.
② 지급보증의뢰인이 주채무를 이행하지 않는 경우 금융기관은 보증채무를 이행하여야 하며 금융기관이 보증채무를 이행한 경우에 보증의뢰인에게 구상권을 가진다.
③ 금융리스는 임대인에게, 운용리스는 임차인에게 설비의 유지・관리 책임이 있다.
④ 일반적으로 보증계약은 채권자와 보증인 간에 체결하는 것이 원칙이다. 그러나 지급보증의 경우에는 보증의뢰인의 위탁에 따라 금융기관이 보증처 앞으로 보증서를 발급하고 채권자인 보증처는 보증계약에 전혀 개입하지 아니한다.
⑤ 신용카드 대금을 '지불할 의사와 능력'이 없으면서 신용카드를 발급받아 사용한 후 변제하지 아니하면 사기죄가 되기도 한다.

해설 전통적 의미에 있어서 리스는 임대차계약이라고 할 수 있다. 그러나 리스계약이 조금 더 발전하게 되면서 금융조건이 더해져 금융의 소비대차적 성격을 띠게 되는데 이것을 '금융리스'라고 한다. 즉 '금융리스'는 리스이용자가 일반적으로 특정한 기계설비 등의 구입을 위한 자금조달이 불가능한 경우에 리스회사가 그 물건의 구입자금을 융통하여 주는 대신에 그 물건을 직접 구입한 후 리스이용자에게 그 물건을 임대하여 이용하게 하며, 리스이용자가 금융비용 및 계약비용과 함께 일정기간 동안 분할하여 리스회사에게 지급하게 하는 계약으로서 금융의 융통적 성격을 갖는다. 거액 자금조달을 목적으로 하는 때가 많다. 이러한 금융리스를 제외한 모든 형태의 리스를 '운용리스'라고 하며, 서비스 제공적 성격이 강하다. 예를 들어 복사기 렌탈, 자동차 렌탈, 정수기 등의 렌탈이 전형적인 운용리스이다. 금융리스는 임차인에게, 운용리스는 임대인에게 설비의 유지・관리 책임이 있다.

① 현금서비스는 일반적으로 익월 결제일에 변제해야 하는 단기 대출이다. 현금서비스의 법적 성질은 카드회원과 카드회사를 당사자로 하는 금전소비대차계약이다. 현금서비스는 일종의 한도거래 대출로서 미리 정해진 한도범위 내에서 카드회원이 필요로 하는 때 언제든지 자금을 인출하여 사용하고, 정해진 결제기일에 수수료와 함께 변제하기로 하는 계약을 말한다.
② 지급보증이란 은행이 거래처(지급보증 신청인)의 위탁에 따라 그 거래처가 제3자에 대하여 부담하는 채무를 보증하여 주는 거래이다. 금융기관은 거래처의 부탁에 따라 그 거래처가 제3자에 대하여 부담하는 채무를 담보하기 위하여 지급보증서를 발급하는 형식을 취한다. 따라서 금융기관은 지급보증의뢰인에 대하여 부탁받은 보증인의

01. ③

MEMO

지위를 가진다. 즉, 보증의뢰인은 금융기관에 대하여 보증을 위탁하는 위임자의 지위에 있고 금융기관은 타인의 사무를 위임받아 처리하는 수임인의 지위에 있게 된다. 따라서 지급보증의뢰인이 주채무를 이행하지 않는 경우 금융기관은 보증채무를 이행하여야 하며 금융기관이 보증채무를 이행한 경우에 보증의뢰인에게 구상권을 가진다.

④ 금융기관과 보증처와의 관계는 보증계약 관계이나, 보증계약의 체결당사자는 금융기관과 보증의뢰인이 되고 지급보증에 있어서의 보증계약은 제3자를 위한 계약의 형식을 취하게 된다. 따라서, 보증처가 금융기관이 발급한 보증서를 수령한 이후에는 보증의뢰인과 금융기관의 합의만으로는 그 보증계약을 해제하거나 보증의 내용을 일방적으로 변경할 수 없게 된다.

⑤ 카드채권 사후관리에 있어서의 특수문제로 사기죄, 절도죄, 횡령죄, 여신전문금융업법위반죄 등이 문제되는데, 신용카드 대금을 '지불할 의사와 능력'이 없으면서 신용카드를 발급받아 사용한 후 변제하지 아니하면 사기죄가 성립할 수 있다.

2018년 기출

02 다음 사례에 관한 설명으로 옳지 않은 것은? (다툼이 있는 경우 판례에 따름)

> [사례] S보증보험은 거래 고객 甲이 A은행에서 대출을 받음에 있어 만일 甲이 대출금을 상환하지 아니하는 경우에는 S보증보험이 그 지급을 대신하기로 하는 계약을 甲과 체결하고, 보험증권을 발급하여 A은행이 이를 수령하였다.

① S보증보험과 甲사이의 계약은 제3자를 위한 계약이다.

② 甲이 A은행의 명의로 S보증보험과 계약을 체결하여야 그 효과가 제3자인 A은행에 미친다.

③ A은행이 수익의 의사표시를 한 때에는 S보증보험과 甲은 A은행의 동의 없이는 계약을 변경하지 못한다.

④ S보증보험과 甲사이의 계약은 A은행이 입게 되는 손해의 전보를 S보증보험이 인수하는 것을 내용으로 하는 손해보험에 해당한다.

⑤ S보증보험과 甲사이의 계약은 실질적으로 보증의 성격을 가지고 보증계약과 같은 효과를 목적으로 한다.

해설 ① 사례의 법률관계는 지급보증계약이다. '지급보증'이란 은행이 거래처(지급보증 신청인)의 위탁에 따라 그 거래처가 제3자에 대하여 부담하는 채무를 보증하여 주는 거래이다. 법적성질은 제3자를 위한 계약이다. 따라서, S보증보험과 甲사이의 계약은 제3자를 위한 계약이다.

② 금융기관은 거래처의 부탁에 따라 그 거래처가 제3자에 대하여 부담하는 채무를 담보하기 위하여 지급보증서를 발급하는 형식을 취한다. 따라서, 사례의 계약체결의 당사자는 甲과 S보증보험이므로 甲은 자신의 명의로 S보증보험과 계약을 체결하여야 하며, 그 효과가 제3자인 A은행에 미친다.

02. ②

MEMO

③ 제3자를 위한 계약에서 제3자가 수익의 의사표시를 하여 제3자의 권리가 생긴 후에는 당사자는 이를 변경 또는 소멸시키지 못한다(민법 제541조). 따라서 A은행이 수익의 의사표시를 한 때에는 S보증보험과 甲은 A은행의 동의 없이는 계약을 변경하지 못한다.
④ S보증보험과 甲사이의 계약은 A은행이 입게 되는 손해의 전보를 S보증보험이 인수하는 것을 내용으로 하는 손해보험에 해당한다.
⑤ S보증보험과 甲사이의 계약은 실질적으로 보증의 성격을 가지고 보증계약과 같은 효과를 목적으로 한다.

제7절 기타채권

2022년 기출

01 다음 설명 중 ( ) 안에 들어갈 용어로 가장 적절한 것은?

( )은/는 회원의 신용카드 이용액의 일정 비율을 적립한 후 일정시점에 고객의 결제계좌에 직접 현금으로 돌려주는 서비스를 말한다. 이용금액에 따라 포인트를 적립한 후 특정 사은품을 증정하는 서비스 방식과 구별된다.

① 캐쉬백서비스
② 현금서비스
③ 카드론
④ 할부금융
⑤ 전자화폐

해설 '캐쉬백 서비스(cashback service)'는 회원의 신용카드 이용액의 일정 비율을 적립한 후 일정시점에 고객의 결제계좌에 직접 현금으로 돌려주는 서비스로서, 이용금액에 따라 포인트를 적립한 후 특정 사은품을 증정하는 서비스 방식과 구별된다.
② '현금서비스'의 법적 성질은 카드회원과 카드회사를 당사자로 하는 금전소비대차계약이다. 현금서비스는 일종의 한도거래 대출로서 미리 정해진 한도범위 내에서 카드회원이 필요로 하는 때 언제든지 자금을 인출하여 사용하고, 정해진 결제기일에 수수료와 함께 변제하기로 하는 계약을 말한다. 현금서비스는 그 다음달이나 다다음달 결제일(리볼빙), 선결제제도로 상환하는 조건의 단기간 채무이다. 따라서 다음달에 부득이 상환을 못하는 경우 매우 높은 연체이자가 발생하기에 미리 일부결제금액 이월서비스를 신청하고 승인받아야 하는 경우(리볼빙), 또한 수수료가 부담되면 미리 갚을 수 있는 선결제제도가 있다.
③ '카드론'이란 대출의 일종으로서 신용카드회원을 대상으로 현금을 빌려 준다는 측면에서 현금서비스와 유사하다. 그러나 현금서비스는 카드 사용등급에 따라 일률적으로 대출한도가 주어지는 반면, 카드론은 신용카드 이용실적에 따라 개별적・선별적으로 대출한도를 설정, 카드회원이 필요한 시점에 수시로 자금을 빌려 준다는 점에서 차이가 있다. 카드론의 대출가능금액과 이자율은 상환기간 및 신용도에 따라 달라지

01. ①

MEMO

며, 원금균등상환, 원리금균등상환, 원금만기일시상환 등 상환방식이 다양하다.

④ 할부거래는 두 가지 형태로 일어난다. 한 가지는 동산의 매수인이 매도인에게 동산 또는 용역의 대가를 2월 이상의 기간에 걸쳐 3회 이상 분할하여 지급하고 대금의 완납 전에 동산의 인도 또는 용역의 제공을 받기로 하는 계약으로, 구매자가 공급자에게 직접 할부대금을 납입하는 방식이다. 다른 한 가지는 매수인이 신용제공자에게 목적물의 대금을 2월 이상의 기간에 걸쳐 3회 이상 분할하여 지급하고 그 대금의 완납 전에 매도인으로부터 동산의 인도 또는 용역의 제공을 받기로 하는 계약으로, 구매자가 그 구매대금을 할부방식으로 분할하여 매도인에게 납입하는 것이 아니라 할부금융회사에 납입하는 방식이다. '할부금융'이라 함은 바로 이 두 번째 방식의 거래에서 매수인에 대한 신용제공자의 여신을 말한다. 형식상으로는 매도인의 물품 및 용역에 대한 채권을 보유한 것 같지만 실제에 있어서는 금융제공을 하게 되는 점이 특이하다. 할부거래에 관한 법률상의 할부거래가 되려면 반드시 다음 네 가지 요건을 갖추어야 하며 할부금융회사가 매수인에게 할부금융을 제공하려면 이러한 요건을 갖춘 거래여야 한다. ⅰ) 할부거래의 목적물이 재화(동산) 또는 용역이어야 한다. 부동산은 할부거래의 목적물이 될 수 없다. ⅱ) 목적물의 대금을 2월 이상의 기간에 걸쳐 3회 이상 분할 지급하여야 한다. ⅲ) 매수인이 대금의 완납 전에 동산의 인도 또는 용역의 제공을 받아야 한다. ⅳ) 할부거래의 목적물 중에서 성질상 동법을 적용하는 것이 적당하지 아니하여 공정거래위원회가 관계행정기관의 장과 협의하여 대통령령으로 정하는 목적물에 대하여는 적용이 없다. ⅴ) 매수인이 상행위를 목적으로 할부계약을 체결하는 경우에는 동법을 적용하지 않는다(할부거래에 관한 법률 제3조 : 적용제외).

⑤ '전자화폐(electronic money) 또는 디지털 통화(digital currency)'는 전자적으로만 교환되는 돈이나 증서다. 보통, 컴퓨터 네트워크, 인터넷, 디지털 선불카드 시스템에서 통용된다. 전자송금, 지로, 디지털금통화는 전자화폐의 실례다. 또한 전자화폐는 관련된 금융암호학과 기술을 집합적으로 나타내기도 한다. 유사한 단어로 이머니, 전자캐시, 전자통화, 디지털화폐, 디지털캐시, 사이버화폐, 가상화폐, 가상캐시, 암호화폐 등이 있다.

2020년 기출

02 신용카드채권과 관련한 다음 설명 중 가장 옳지 않은 것은?

① 현금서비스의 법적 성질은 카드회원과 카드회사를 당사자로 한 사용대차계약이다.

② 신용카드 거래에는 신용구매, 할부구매, 현금서비스, 카드론 등이 있다.

③ 현금서비스는 보통 다음달 결제일에 변제해야 하는 극히 단기의 대출이다.

④ 카드론은 통상 일반적인 대출금과 같이 일정기간 후 만기일에 변제하는 방식을 취한다.

⑤ 카드론은 회원의 신용카드 이용실적 등에 따라 대출한도가 개별적으로 설정된다.

02. ①, ③, ④

MEMO

해설 ①이 원래 정답이었으나 ③과 ④도 잘못된 지문이어서 모두 정답처리함.

① 현금서비스의 법적 성질은 카드회원과 카드회사를 당사자로 하는 '금전소비대차계약'이다. 현금서비스는 일종의 한도거래 대출로서 미리 정해진 한도범위 내에서 카드회원이 필요로 하는 때 언제든지 자금을 인출하여 사용하고, 정해진 결제기일에 수수료와 함께 변제하기로 하는 계약이다.

③ 현금서비스는 그 다음달이나 다다음달 결제일(리볼빙), 선결제제도로 상환하는 조건의 단기간 채무이다. 따라서 다음달에 부득이 상환을 못하는 경우 매우 높은 연체이자가 발생하기에 미리 일부결제금액 이월서비스를 신청하고 승인받아야 하는 경우(리볼빙), 또한 수수료가 부담되면 미리 갚을 수 있는 선결제제도가 있으므로 "보통 다음달 결제일에 변제해야 하는 극히 단기의 대출"이라는 표현은 적절하지 않다.

④ 카드론의 대출가능금액과 이자율은 상환기간 및 신용도에 따라 달라지며, 원금균등상환, 원리금균등상환, 원금만기일시상환 등 상환방식이 다양하다. 따라서 "통상 일반적인 대출금과 같이 일정기간 후 만기일에 변제하는 방식을 취한다."라는 표현은 잘못 기술된 지문이다.

② 신용카드계약은 카드사용자와 가맹점 간의 상거래관계에서 발생한 카드사용자의 대금지급의무를 신용카드회사가 대신 지급하기로 하고, 그 지급액을 결제일에 카드사용자가 신용카드회사에 지급하기로 하는 3면관계로 형성된 계약이다. 이러한 신용카드거래에는 신용구매, 할부구매, 현금서비스, 카드론 등이 있다.

⑤ 카드론이란 대출의 일종으로서 신용카드회원을 대상으로 현금을 빌려준다는 측면에서 현금서비스와 유사하다. 그러나 현금서비스는 카드 사용등급에 따라 일률적으로 대출한도가 주어지는 반면, 카드론은 회원의 신용카드 이용실적 등에 따라 개별적·선별적으로 대출한도를 설정, 카드회원이 필요한 시점에 수시로 자금을 빌려준다는 점에서 차이가 있다.

2015년 기출

03 신용카드와 체크카드를 간단히 비교한 표이다. 가장 잘못된 것은?

	구분	신용카드(Credit Card)	체크카드(Check Card)
①	발급 주체	카드사(겸영은행)	카드사(겸영은행)
②	사용가맹점 범위	신용카드 가맹점	직불카드 가맹점으로 제한
③	신용한도 부여 여부	부여	원칙적으로 미부여(단, 소액신용한도 부여 가능)
④	회원 결제기일	신용공여기간 경과 후 결제일	이용 즉시 결제
⑤	신용등급에 따른 회원자격제한 여부	제한 있음	제한 없음(단, 소액신용한도 부여 시 자체기준 있음)

03. ②

MEMO

해설 체크카드는 은행에 신청하지만 카드사의 카드를 발급 대행하는 것이므로 발급 주체는 카드사이고, 결제 즉시 가맹점 계좌로 결제, 이체된다. 참고로 직불카드는 은행이 발행하고 결제하면 다음날 가맹점 계좌로 돈이 들어간다.

2018년 기출

04 리스에 관한 다음 설명 중 옳지 않은 것은?

① 설비의 소유권 이전 없이 사용권만 가지고 만기일에 설비를 반환하는 계약이다.

② 금융리스는 거액의 자금조달을 목적으로 하는 경우가 많다.

③ 설비의 유지 관리 책임은 금융리스의 경우 임차인, 운용리스의 경우에는 임대인에게 있다.

④ 리스자산은 (가)압류의 목적물이 될 수 있다.

⑤ 운용리스는 설비임대, 렌탈 등으로 서비스적 성격이 강하다.

해설 ① 전통적 의미에 있어서 리스는 임대차계약이라고 할 수 있다. 예를 들어 설비를 리스한다 함은 설비의 소유권 이전 없이 사용권만 가지고 만기일에 설비를 반환하기로 하는 계약이다.

② 리스는 금융리스와 운용리스로 구별된다. '금융리스'란 리스이용자가 일반적으로 특정한 기계 설비 등의 구입을 위한 자금조달이 불가능한 경우에 리스회사가 그 물건의 구입자금을 융통하여 주는 대신에 이 물건을 직접 구입한 후 리스이용자에게 그 물건을 임대하여 이용하게 하며 리스이용자가 금융비용 및 계약비용과 함께 일정기간 동안 분할하여 리스회사에게 지급하게 하는 계약으로서 금융의 융통적 성질을 갖는다. 금융리스는 거액의 자금조달을 목적으로 하는 경우가 많다.

③ 설비의 유지 관리 책임이 누구에게 있는가 하는 점도 금융리스와 운용리스에서 확연히 구별되는바, 금융리스의 경우 임차인, 운용리스의 경우에는 임대인에게 있다.

④ 리스물건의 소유권은 임대인 즉, 리스회사에 있다. 자금융통의 기능이 강한 금융리스라 할지라도 리스물건의 소유권은 여전히 리스회사에 있게 된다. 따라서 리스자산을 (가)압류의 목적물로 할 수 없게 된다.

⑤ '운용리스'란 금융리스를 제외한 모든 형태의 리스를 말하는바, 서비스 제공적 성격이 강하다. 예컨대, 복사기 렌탈, 자동차 렌탈, 정수기 렌탈 등이 전형적인 운용리스이다.

04. ④

MEMO

2017년 기출

05 리스(시설대여)는 운용리스와 금융리스로 구별된다. 리스에 관한 다음 설명 중 옳은 것은?

① 금융리스라고 하더라도 리스물건의 소유권은 리스이용자에게 있다.
② 리스설비의 유지 및 관리에 관한 책임이 운용리스의 경우에는 임차인에게, 금융리스의 경우에는 임대인에게 있다.
③ 금융의 융통적 성질을 가지고 거액 자금 조달 및 운용을 목적으로 하는 경우에 운용리스를 활용한다.
④ 복사기 렌탈, 자동차 렌탈 등은 전형적인 금융리스이다.
⑤ 운용리스의 법적 성질은 임대차계약이지만 금융리스는 민법상 전형적인 임대차계약은 아니다.

해설 전통적 의미에 있어서 리스(Lease)는 임대차계약이라고 할 수 있다. 그러나 리스계약이 조금 더 발전하게 되면서 금융조건이 더해져 금융의 소비대차적 성격을 띠게 되는데 이것을 '금융리스'라고 한다.

① 금융리스란 리스이용자가 일반적으로 특정한 기계설비 등의 구입을 위한 자금조달이 불가능한 경우에 리스회사가 그 물건의 구입자금을 융통하여 주는 대신에 그 물건을 직접 구입한 후 리스이용자에게 그 물건을 임대하여 이용하게 하며, 리스이용자가 금융비용 및 계약비용과 함께 일정기간 동안 분할하여 리스회사에게 지급하게 하는 계약으로서 금융의 융통적 성질을 갖는다. 자금융통의 기능이 강한 금융리스라 할지라도 리스물건의 소유권은 여전히 리스회사에 있으므로 리스자산을 (가)압류의 목적물로 할 수 없게 된다.
② 리스설비의 유지 및 관리에 관한 책임이 운용리스의 경우에는 임대인에게, 금융리스의 경우에는 임차인에게 있다.
③ 금융의 융통적 성질을 가지고 거액 자금 조달 및 운용을 목적으로 하는 경우에 금융리스를 활용한다.
④ 복사기 렌탈, 자동차 렌탈 등은 전형적인 운용리스이다.

05. ⑤

MEMO

2019년 기출

06 「할부거래에 관한 법률」상의 할부거래에 대한 다음 설명 중 옳지 않은 것은?

① 부동산은 할부거래의 목적물이 될 수 없다.
② 목적물의 대금을 2월 이상의 기간에 걸쳐 3회 이상 분할 지급하여야 한다.
③ 매수인이 대금의 완납 전에 동산의 인도 또는 용역의 제공을 받아야 한다.
④ 매수인이 상행위를 목적으로 할부계약을 체결하는 경우에도 「할부거래에 관한 법률」을 적용한다.
⑤ 할부거래의 목적물 중에서 성질상 「할부거래에 관한 법률」을 적용하는 것이 적당하지 아니한 것으로서 대통령령으로 정하는 재화 등의 거래에 대하여는 적용되지 않는다.

해설 사업자가 상행위를 위하여 재화등의 공급을 받는 거래에는 본법을 적용하지 아니한다. 다만, 사업자가 사실상 소비자와 같은 지위에서 다른 소비자와 같은 거래조건으로 거래하는 경우는 적용한다[할부거래에 관한 법률 제3조(적용제외) 제1호 참조].

① 할부거래의 목적물이 재화(동산) 또는 용역이어야 한다. 부동산은 할부거래의 목적물이 될 수 없다[동법 제2조(정의) 제1호].
② 목적물의 대금을 2월 이상의 기간에 걸쳐 3회 이상 분할 지급하여야 한다(동법 제2조 제1호 가목 전단).
③ 매수인이 대금의 완납 전에 동산의 인도 또는 용역의 제공을 받아야 한다(동법 제2조 제1호 가목 후단).
⑤ 할부거래의 목적물 중에서 성질상 「할부거래에 관한 법률」을 적용하는 것이 적당하지 아니한 것으로서 대통령령으로 정하는 재화 등의 거래에 대하여는 적용되지 않는다(동법 제3조 제2호).

06. ④

MEMO

제8절 이자계산

2023년 기출

01 이자에 관한 다음 설명 중 가장 적절하지 않은 것은?

① 이자 있는 소비대차는 차주가 목적물의 인도를 받은 다음 날부터 이자를 계산하여야 한다.

② 이자는 자금사용자가 자금대여자에게 지불하는 대가이며, 법률적 의미로는 금전채권에 있어서의 이자를 법정과실이라고 한다.

③ 연체이자의 법률적 성격은 지연배상금이다.

④ 이자채무는 이자약정 또는 법률의 규정으로부터 발생하는 채무이다.

⑤ 이자는 금전 기타의 대체물의 사용대가로서 원본액과 사용기간에 비례하여 지급되는 금전 기타의 대체물이다.

해설 ① 이자 있는 소비대차는 차주가 목적물의 인도를 받은 때로부터 이자를 계산하여야 하며 차주가 그 책임있는 사유로 수령을 지체할 때에는 대주가 이행을 제공한 때로부터 이자를 계산하여야 한다[민법 제600조(이자계산의 시기)].

2018년 기출

02 다음 중 법률적 성격상 연체이자의 의미로 옳은 것은?

① 정상이자　　② 지연배상금

③ 정상이자＋지연배상금　　④ 기발생이자

⑤ 정상이자＋지연배상금＋기발생이자

해설 여신실무에서 사용하는 '연체이자'라고 불리는 것은, 비록 이자라는 용어를 사용하고 있고 그 액이 일정한 이율과 기간에 의하여 산출된다는 점에서 이자와 유사하지만, 그 법적 성질은 이자가 아니라 지연배상금이다. 연체이자는 원본사용의 대가가 아니라 차주의 채무불이행으로 인하여 채권자가 그만큼의 자금을 이용할 기회를 상실함으로써 입은 손해를 배상하는 것이기 때문이다.

01. ①　02. ②

Chapter 04 어음

제1절 어음의 유통

제2절 어음행위

2023년 기출

01 다음 설명에 부합하는 어음의 성질은?

A가 매매대금의 지급을 위하여 B에게 약속어음을 발행하고 그 어음이 C에게 배서양도된 경우에 A, B 간의 원인관계가 해제된 경우라도 일단 성립된 어음상의 권리에는 영향이 없다.

① 지시증권성
② 무인증권성
③ 상환증권성
④ 문언증권성
⑤ 면책증권성

해설 ② 무인증권성이란 어음, 수표상의 권리는 그 원인인 법률관계와는 무관계하며 원인관계의 흠결이나 하자는 어음상 권리의 존부에 영향을 미치지 않는 성질을 말한다. 구체적인 '어음의 법적 성질'은 다음 표 참조.

유가증권성	유가증권이란 「사권이 표창되어 있는 증권으로서 그 권리의 주장을 위하여 증권의 소지가 필요한 것」을 말한다. 어음과 수표는 대표적인 유가증권으로서 어음, 수표의 발행으로 어음상의 권리가 발생하고, 어음, 수표법상 권리이전 방식인 배서양도에 따라 증권의 인도가 필요하고, 증권의 제시 없이는 권리행사도 할 수 없게 되므로 완전유가증권성을 갖는다. 즉, 어음은 유가증권으로서 권리와 증권이 결합되어 권리의 행사를 원활하고 안전하게 하여 유통성을 제고시키는 법적 성질을 갖는 것이다.
요식증권성	어음, 수표는 엄격한 형식을 요하는 요식증권이다. 어음, 수표법에 충실하게 법정기재사항을 반드시 기재해야만 한다. 이들 기재사항 중 어느 하나라도 누락되거나 흠결이 있으면 특별한 규정에 의하여 구제되지 않는 한 어음, 수표로서의 효력이 발생되지 않는다.
문언증권성	어음의 권리내용은 어음상에 기재된 문언에 따라 결정될 뿐이다.

01. ②

MEMO

무인증권성	무인증권성이란 어음, 수표상의 권리는 그 원인인 법률관계와는 무관계하며 원인관계의 흠결이나 하자는 어음상 권리의 존부에 영향을 미치지 않는 성질을 말한다.
지시증권성	어음, 수표는 배서에 의하여 양도할 수 있다. 지시식으로 발행된 때뿐만 아니라 기명식으로 발행되었다고 하더라도 배서에 의해 양도가 가능하다. 법률상 당연한 지시증권이기 때문이다.
제시증권성	어음, 수표의 청구는 현실의 어음, 수표를 제시하여야만 한다. 이러한 의미에서 어음, 수표는 제시증권적인 성질을 가지며, 현실의 지급제시 없이는 어음, 수표금을 청구하지 못한다.
상환증권성	어음, 수표와 상환으로만 그 지급을 한다는 측면에서 상환증권성을 가진다.
면책증권성	어음, 수표상의 정당한 소지인에게 지급하면 채무를 면한다.

2021년 기출

02 다음 중 어음의 법적 성질로 가장 적절하지 않은 것은?

① 완전 유가증권성
② 요식증권성
③ 유인증권성
④ 문언증권성
⑤ 지시증권성

해설 어음상의 권리는 그 원인인 법률관계와 무관하며 원인관계의 흠결이나 하자는 어음상 권리의 존부에 영향을 미치지 않는 성질(무인증권성)을 갖는다. 어음의 법적성질에 대한 구체적인 내용은 다음 표 참조

유가증권성(①)	유가증권이란 「사권이 표창되어 있는 증권으로서 그 권리의 주장을 위하여 증권의 소지가 필요한 것」을 말한다. 어음과 수표는 대표적인 유가증권으로서 어음, 수표의 발행으로 어음상의 권리가 발생하고, 어음, 수표법상 권리이전 방식인 배서양도에 따라 증권의 인도가 필요하고, 증권의 제시 없이는 권리행사도 할 수 없게 되므로 완전유가증권성을 갖는다. 즉, 어음은 유가증권으로서 권리와 증권이 결합되어 권리의 행사를 원활하고 안전하게 하여 유통성을 제고시키는 법적 성질을 갖는 것이다.
요식증권성(②)	어음, 수표는 엄격한 형식을 요하는 요식증권이다. 어음, 수표법에 충실하게 법정기재사항을 반드시 기재해야만 한다. 이들 기재사항 중 어느 하나라도 누락되거나 흠결이 있으면 특별한 규정에 의하여 구제되지 않는 한 어음, 수표로서의 효력이 발생되지 않는다.
문언증권성(④)	어음의 권리내용은 어음상에 기재된 문언에 따라 결정될 뿐이다.
무인증권성(③)	무인증권성이란 어음, 수표상의 권리는 그 원인인 법률관계와는 무관계하며 원인관계의 흠결이나 하자는 어음상 권리의 존부에 영향을 미치지 않는 성질을 말한다.

정답 02. ③

MEMO

지시증권성(⑤)	어음, 수표는 배서에 의하여 양도할 수 있다. 지시식으로 발행된 때뿐만 아니라 기명식으로 발행되었다고 하더라도 배서에 의해 양도가 가능하다. 법률상 당연한 지시증권이기 때문이다.
제시증권성	어음, 수표의 청구는 현실의 어음, 수표를 제시하여야만 한다. 이러한 의미에서 어음, 수표는 제시증권적인 성질을 가지며, 현실의 지급제시 없이는 어음, 수표금을 청구하지 못한다.
상환증권성	어음, 수표와 상환으로만 그 지급을 한다는 측면에서 상환증권성을 가진다.
면책증권성	어음, 수표상의 정당한 소지인에게 지급하면 채무를 면한다.

2015년 기출

03 '유가증권'에 해당하지 않는 것은?

① 국공채
② 무기명식으로 발행된 상품권
③ 주권(株券)
④ 적금통장
⑤ 표지어음

해설 '유가증권'이란 사권이 표창되어 있는 증권으로서 그 권리의 주장을 위하여 증권의 소지가 필요한 것을 말한다. 적금통장은 채무자가 증권의 소지인에게 이행을 하면 악의·중과실이 없는 한 면책되는 면책증권이지만 권리를 증권에 표창한 유가증권은 아니다.

② '상품권'이란 발행자가 일정한 금액이나 물품 또는 용역의 수량이 기재된 증표를 발행·매출하고, 그 소지자가 발행자 또는 발행자와 가맹계약을 맺은 자에게 이를 제시 또는 교부하여 그 증표에 기재된 내용에 따라 상품권 발행자 또는 가맹점으로부터 물품 또는 용역을 제공받을 수 있는 유가증권이다.

⑤ '표지어음'이란 금융기관이 기업이 발행한 어음을 할인해 사들인 뒤, 이 원어음을 바탕으로 만기 및 금액을 정형화하여 새로이 별도의 자체 어음을 발행해 일반투자자에게 파는 어음으로 어음의 유동성을 제고하기 위한 것이다. 이 역시 어음의 일종이므로 유가증권이다.

2024년 기출

04 약속어음에 관한 다음 설명 중 가장 적절하지 않은 것은?

① 만기가 적혀 있지 아니한 경우는 일람출급의 약속어음으로 본다.
② 지급지가 적혀 있지 아니한 경우는 발행지를 지급지 및 발행인의 주소지로 본다.
③ 약속어음에는 발행인의 기명날인 또는 서명을 적어야 한다.
④ 발행지가 적혀 있지 아니한 경우는 발행인의 명칭에 부기한 지(地)를 발행지로 본다.
⑤ 배서에는 조건을 붙일 수 있고, 일부의 배서도 유효하다.

정답 03. ④ 04. ⑤

MEMO

해설 ⑤ 배서에는 조건을 붙여서는 아니된다. 배서에 붙인 조건은 적지 아니한 것으로 본다(어음법 제12조(배서의 요건) 제1항). 일부의 배서는 무효로 한다(동조 제2항).
① 어음법 제76조(어음 요건의 흠) 제1호
② 어음법 제76조 제2호
③ 어음법 제75조(어음의 요건) 제7호
④ 어음법 제76조 제3호

2022년 기출

05 다음의 약속어음 기재사항 중 이를 기재하지 않아도 어음이 무효로 되지 않는 것은?

① 약속어음 문언
② 수취인
③ 발행인(기명날인 또는 서명)
④ 발행일
⑤ 만기

해설 어음은 엄격한 형식을 요하는 요식증권으로서, 어음수표법에 의한 기재사항을 충실하게 기재하여야 그 효력이 발생한다. 어음법은 기본 어음에 기재할 사항을 법정하고 있는데 이것을 어음요건 또는 필요적 기재사항이라고 하며, 이러한 요건을 갖추지 못하고 발행된 어음은 원칙적으로 어음으로서의 효력을 갖지 못한다. 만기란 어음금이 지급될 날로서 어음상에 기재된 날을 말한다. 어음에는 만기를 표시해야 하지만, 만기를 기재하지 않더라도 어음이 무효가 되는 것은 아니다. 즉, 만기의 기재가 없는 때에는 일람출급약속어음으로 보아 지급을 위하여 제시가 있었던 날을 만기로 보기 때문이다. 아래 조문 참조

> 어음법 제75조 【어음의 요건】
> 약속어음에는 다음 각 호의 사항을 적어야 한다.
> 1. 증권의 본문 중에 그 증권을 작성할 때 사용하는 국어로 약속어음임을 표시하는 글자(①)
> 2. 조건 없이 일정한 금액을 지급할 것을 약속하는 뜻
> 3. 만기
> 4. 지급지
> 5. 지급받을 자(②) 또는 지급받을 자를 지시할 자의 명칭
> 6. 발행일(④)과 발행지
> 7. 발행인의 기명날인 또는 서명(③)
>
> 어음법 제76조 【어음 요건의 흠】
> 제75조 각 호의 사항을 적지 아니한 증권은 약속어음의 효력이 없다. 그러나 다음 각 호의 경우에는 그러하지 아니하다.
> 1. 만기가 적혀 있지 아니한 경우 : 일람출급의 약속어음으로 본다.(⑤)
> 2. 지급지가 적혀 있지 아니한 경우 : 발행지를 지급지 및 발행인의 주소지로 본다.
> 3. 발행지가 적혀 있지 아니한 경우 : 발행인의 명치에 부기한 지(地)를 발행지로 본다.

05. ⑤

MEMO

2022년 기출

06 약속어음의 필요적 기재사항에 해당되지 않는 것들만 모두 고르면 몇 개인가?

ㄱ. 수취인
ㄴ. 발행인(기명날인)
ㄷ. 발행일
ㄹ. 발행지
ㅁ. 지급기일(만기)

① 1개
② 2개
③ 3개
④ 4개
⑤ 5개

해설 원래 ③이 정답이었으나 이의제기수용하여 모두 정답처리함. 이의제기 검토의견에 따르면 "어음법 제75조에 의하여 약속어음에 반드시 기재하여야 하는 사항이 법정되어 있고, 그 사항 중 하나라도 기재가 없으면, 특별한 규정에 의하여 구제되지 아니하는 한, 어음으로서의 효력을 발생할 수 없다(대법원 1967. 9. 5. 선고 67다1471판결). 따라서 어음법 제75조는 원칙적으로 반드시 기재하여야 하는 필요적 기재사항이지만 제76조 단서(특별한 규정)에 의하여 기재생략 가능한 것(만기)이 있고, 대체가 가능한 것(발행지, 지급지)이 있다. 그렇다면 문제의 질문을 오해의 소지가 있다. 즉, 어음법 제75조에 의하여 약속어음에 반드시 기재하여야 하는 사항으로 기재생략이나 대체가 가능한 경우는 모두 몇 개인가? 또는 ~ 기재생략 불가 또는 대체가 불가능한 것은 모두 몇 개인가?라고 질문해야 한다고 보여진다. 어음법 문헌을 그대로 해석하면 어음법 제75조는 원칙적으로 전부 필요적 기재사항이고, 따라서 제76조 전단에서 제한을 두고 있고 다만 예외적으로 76조 단서 규정이 있으므로 즉 필요적 기재사항으로 원칙과 예외규정이 있으므로 단지 필요적 기재사항이라고 표현하면 오해의 소지가 있을 것으로 보여진다"는 이유이다.

2021년 기출

07 어음 또는 수표에 관한 다음 설명 중 가장 적절하지 않은 것은?

① 어음 만기의 기재방법에는 확정일 지급, 발행일자 후 정기지급, 일람지급, 일람 후 정기지급이 있다.
② 어음상의 금액이 둘 다 문자로 되어 있거나 둘 다 숫자로 되어 있는 경우에는 작은 금액이 우선한다.
③ 피배서인의 명칭이 '여의도상사'로 기재되고 이어진 배서의 배서인이 '주식회사 여의도상사 대표이사 홍길동'으로 기재된 경우 배서의 연속이 인정된다.
④ A가 '지시금지'라는 문구와 함께 "B에게 지급하여 주십시오"라고 기재한 경우, B는 지명채권의 양도방식으로만 수표를 양도할 수 있다.

06. 모두 정답 07. ⑤

MEMO

⑤ 약속어음 문언, 어음금액의 지급약속, 수취인, 발행인(기명날인), 발행일, 지급기일(만기)은 필수적 기재사항이다.

해설 어음은 엄격한 형식을 요하는 요식증권으로서, 어음법에 의한 기재사항을 충실하게 기재하여야 그 효력이 발생한다. 어음법 제75조는 기본어음에 기재할 사항을 법정하고 있는데 이것을 어음요건 또는 필요적(필수적) 기재사항(약속어음 문구, 어음금액의 지급약속, 수취인, 발행인의 기명날인 또는 서명, 발행일과 발행지)이라고 하며, 이러한 요건을 갖추지 못하고 발행된 어음은 원칙적으로 어음으로서의 효력을 갖지 못한다. 만기란 어음금이 지급될 날로서 어음상에 기재된 날을 말한다. 어음에는 만기를 표시하여야 한다. 그러나 만기를 기재하지 않더라도 어음이 무효로 되는 것은 아니다. 즉 만기의 기재가 없는 때에는 일람출급약속어음으로 보아 지급을 위하여 제시가 있었던 날을 만기로 보기 때문이다(어음법 제76조 제1호 참조).

① 어음 만기의 기재방법에는 확정일 지급, 발행일자 후 정기지급, 일람지급, 일람 후 정기지급이 있다(어음법 제77조 제1항 제2호, 제33조).

② 어음상의 금액은 단일금액으로 단순하게 기재하여야 한다. 문자와 숫자를 병기하는 것이 일반적인데, 문자와 숫자의 금액이 서로 다른 경우에는 문자로 된 금액이 우선하고, 어음상의 금액이 둘 다 문자로 되어 있거나 둘 다 숫자로 되어 있는 경우에는 작은 금액이 우선한다.

③ '배서의 연속'이라 함은 어음상의 기재에 있어서 발행인으로부터 현재의 어음소지인에 이르기까지 어음상의 권리이전의 경로가 형식적으로 연속되어 있음을 말한다. 즉, 최초의 수취인이 제1배서의 배서인이 되고 제1배서의 피배서인이 제2배서의 배서인이 되는 것과 같이 연속되어 있음을 말한다. 수취인의 표시와 제1배서의 배서인의 표시가 완전히 일치하여야 배서가 연속되는 것으로 인정되는 것은 아니고 다소의 차이가 있어도 어음상의 표시가 사회통념상 수취인과 제1배서의 배서인이 동일인으로 인정될 수 있는 경우에는 배서는 연속되는 것으로 보아야 한다. 따라서 피배서인의 명칭이 '여의도상사'로 기재되고 이어진 배서의 배서인이 '주식회사 여의도상사 대표이사 홍길동'으로 기재된 경우 배서의 연속이 인정된다.

④ 지시 금지된 수표는 타인에게 양도할 수 없다. 발행인 자신이 발행한 수표가 전전 유통되는 것을 방지하고자 할 때 이 문언을 사용한다. 이는 지명채권양도의 효력으로써만 양도가 가능하다. A가 '지시금지'라는 문구와 함께 "B에게 지급하여 주십시오."라고 기재한 경우, B는 지명채권의 양도방식으로만 수표를 양도할 수 있다.

2022년 기출

08 어음의 발행인란의 유·무효한 날인방법에 관한 다음 설명 중 가장 적절한 것은?

① 기명+서명=무효 ② 기명+직인=무효
③ 기명+무인=무효 ④ 서명+직인=무효
⑤ 서명=무효

08. ③

MEMO

해설 모든 어음에는 발행인의 기명날인 또는 서명이 있어야 한다[어음법 제75조(어음의 요건) 제7호]. 발행인의 기명날인 또는 서명은 반드시 어음자체에 하여야 하고, 보전이나 등본에 할 수 없다. 발행인을 중첩적으로 기재할 수는 있으나, 선택적으로 기재할 수는 없다. 어음 발행인란에 '기명+서명', '기명+직인', '서명+직인', '서명+무인', '서명'은 모두 유효하나, '기명+무인'은 무효한 날인방법이다.

2020년 기출

09 어음의 발행과 관련한 다음 설명 중 옳지 않은 것은?

① 약속어음에는 일정한 금액을 지급할 뜻의 무조건의 약속을 기재하여야 한다.
② 어음의 금액을 글자와 숫자로 적은 경우에 그 금액에 차이가 있으면 글자로 적은 금액을 어음금액으로 한다.
③ 어음에는 만기를 표시하여야 하며, 만기를 기재하지 않으면 그 어음은 언제나 무효이다.
④ 모든 어음에는 지급을 받을 자 또는 지급을 받을 자를 지시할 자의 명칭을 기재하여야 한다.
⑤ 모든 어음에는 발행인의 기명날인 또는 서명이 있어야 한다.

해설 ③ 어음에는 만기를 적어야 한다(어음법 제1조 제4호 참조). 만기가 적혀 있지 아니한 경우는 일람출급의 환어음으로 본다(어음법 제2조 제1호).
① 약속어음에는 일정한 금액을 지급할 뜻의 무조건의 약속을 기재하여야 한다. 지급약속 문언은 단순해야하며 어떠한 조건부 지급약속이나 지급방법을 제한하는 것은 허용되지 않는다. 단, 어음의 소지인이 발행인의 직접 상대방일 때는 유효하며 발행인에 대한 청구가 가능하다. 어음상의 금액은 단일금액으로 단순하게 기재하여야 한다. 어음금액은 선택적, 불확정적, 유동적 기재 등을 할 수 없다.
② 어음의 금액을 글자와 숫자로 적은 경우에 그 금액에 차이가 있으면 글자로 적은 금액을 어음금액으로 한다. 어음상의 금액이 둘다 글자로 되어 있거나 둘 다 숫자로 되어 있는 경우에는 작은 금액이 우선한다.
④ 모든 어음에는 지급을 받을 자 또는 지급을 받을 자를 지시할 자의 명칭을 기재하여야 한다(어음법 제1조 제6호 참조).
⑤ 모든 어음에는 발행인의 기명날인 또는 서명이 있어야 한다(어음법 제1조 제8호 참조).

09. ③

MEMO

2019년 기출

10 약속어음 발행에 대한 다음 설명 중 옳지 않은 것은?

① 약속어음의 만기를 기재하지 않으면 어음은 무효가 된다.
② 어음에는 발행일을 기재하여야 하며, 발행일 자체를 기재하지 아니하면 그 어음은 무효이다.
③ 약속어음에는 '지급을 받을 자' 또는 '지급을 받을 자를 지시할 자'의 명칭을 기재하여야 한다.
④ 모든 어음에는 발행인의 기명날인 또는 서명이 있어야 한다.
⑤ 지급지의 기재가 없는 때에는 발행지를 지급지로 보며, 발행지가 없는 때에는 발행인의 명칭에 부기한 지(地)를 지급지로 본다.

해설 만기가 적혀 있지 아니한 경우 일람출급의 약속어음으로 본다(어음법 제76조 제1호).
② 어음법 제75조 제6호 전단 ③ 어음법 제75조 제5호
④ 어음법 제75조 제7호 ⑤ 어음법 제76조 제2호, 제3호

2024년 기출

11 어음의 배서에 관한 다음 설명 중 가장 적절하지 않은 것은?

① 발행인의 배서금지는 배서성이 박탈됨에 반하여 배서인의 배서금지는 배서성을 박탈하는 효과는 없고 단지 피배서인 이외의 자에 대하여만 담보책임을 지지 않는다.
② 지명채권양도방법에 의한 어음의 권리이전은 인적항변의 절단이나 선의취득이 인정되지 아니한다.
③ 배서금지어음은 배서성을 박탈당했기 때문에 기일에 어음금을 지급받기 위해서 지급제시가 필요 없다.
④ 기한 후 배서도 배서의 효력인 권리이전적 효력과 자격수여적 효력이 있다.
⑤ 환배서도 일반의 배서와 같이 배서로서의 효력이 있으며, 환배서를 받은 피배서인은 어음상의 권리를 타인에게 양도할 수 있다.

해설 ③ 배서금지어음도 기일에 어음금을 지급받기 위해서는 지급제시가 필요하다. 배서금지어음이라고 하여 어음의 성질의 하나인 상환증권성을 상실하는 것은 아니기 때문에 지급을 받기 위해서는 어음을 제시하여야 한다. 발행인은 당연히 어음과 상환하여 어음금을 지급할 수 있다.
① 발행인은 어음의 발행목적상 배서금지문언을 기재하여 어음을 발행할 수 있다. 이 경우 배서성을 박탈당하여 배서에 의해서는 양도할 수 없게 된다. 배서인은 자기의 배서 이후에 새로 하는 배서를 금지할 수 있다. 이 경우 그 배서인은 어음의 그 후의 피배서인에 대하여 담보의 책임을 지지 아니한다(어음법 제15조(배서의 담보적 효력)).

10. ① 11. ③

MEMO

② 어음은 배서와 어음의 양도로 권리가 이전되기도 하지만 상속, 회사의 합병과 같은 권리의무의 포괄승계, 전부명령, 지명채권양도의 방법에 의하여 이전되기도 한다. 지명채권양도방법에 의한 어음의 권리이전은 배서양도에 의한 당연한 법률상 효력인 담보적 효력, 자격수여적 효력은 없으며 인적항변의 절단이나 선의취득도 인정되지 아니한다.

④ 기한 후 배서라 함은 지급거절증서 작성 후 또는 그 작성기간경과 후의 배서를 말한다(어음법 제20조(기한 후 배서) 제1항 단서 참조). 기한 후 배서도 배서이므로 권리이전적 효력과 자격수여적 효력이 있으나, 기한 후 배서에 인정되는 권리이전적 효력은 일반 지명채권양도의 효력밖에 인정되지 않는다.

⑤ 환배서라 함은 이미 어음상의 채무자로 되어 있는 자가 다시 피배서인이 되는 배서로서 역배서라고도 한다. 환배서도 일반의 배서와 같이 배서로서의 효력이 있으며, 환배서를 받은 피배서인은 어음상의 권리를 타인에게 양도할 수 있다.

2023년 기출

12 어음의 배서에 관한 다음 설명 중 가장 적절하지 않은 것은?

① 배서금지어음은 배서성을 박탈당했기 때문에 기일에 어음금을 지급받기 위해서 지급제시가 필요 없다.

② 지명채권양도방법에 의한 어음의 권리이전은 인적항변의 절단이나 선의취득이 인정되지 아니한다.

③ 기한 후 배서도 배서의 효력인 권리이전적 효력과 자격수여적 효력이 있다.

④ 배서금지 어음은 배서양도의 방법으로 어음상의 권리를 이전할 수는 없으나, 지명채권양도방법에 의해 권리를 이전시킬 수는 있다.

⑤ 발행인의 배서금지는 배서성이 박탈됨에 반하여 배서인의 배서금지는 배서성을 박탈하는 효과는 없고 단지 피배서인 이외의 자에 대하여만 담보책임을 지지 않는다.

해설 ① 어음의 '배서'란 어음의 권리자가 어음상의 권리를 양도할 목적으로 어음의 뒷면에 어음금액을 피배서인에게 지급할 것을 의뢰하는 뜻을 기재하고 기명날인 또는 서명하여 이를 피배서인에게 교부하는 양도방법이다. 어음의 '지급제시'란 어음의 소지인이 발행인에 대하여 현실의 어음을 제시하고 어음금의 지급을 청구하는 행위를 말한다. 어음을 소지한 자가 반드시 지급제시해야만 채무를 이행할 수 있게 된다. 이런 의미에서 어음채무는 본질적으로 제시증권성을 갖는 추심채무이다. '배서금지어음'은 발행인이 지시금지, 배서금지 따위의 문언을 기재하여 발행한 어음을 말한다. 배서금지어음은 배서양도의 방법으로 어음상의 권리를 이전시킬 수는 없으나, 지명채권양도방법에 의해 권리를 이전시킬 수 있다. 따라서 배서금지어음은 배서성을 박탈당했지만 지명채권양도방법에 의해 권리가 이전될 수 있어 소지인이 발행인에게 지급기일에 지급제시를 하여야 채무를 이행할 수 있게 된다.

12. ①

MEMO

② 지명채권양도방법에 의한 어음의 권리이전은 인적항변의 절단이나 선의취득이 인정되지 아니한다.
⑤ 발행인의 배서금지는 배서성이 박탈됨에 반하여 배서인의 배서금지는 배서성을 박탈하는 효과는 없고 단지 피배서인 이외의 자에 대하여만 담보책임을 지지 않는다. 이를 '배서금지배서'라고 한다.
③ '기한 후 배서'란 지급거절증서 작성 후 또는 그 작성기간 경과 후의 배서를 말하는데, 기한 후 배서도 배서의 효력인 권리이전적 효력과 자격수여적 효력이 있으나, 기한 후 배서에 인정되는 권리이전적 효력은 일반 지명채권양도의 효력밖에 인정되지 않는다.

2020년 기출

13 어음의 배서와 관련한 다음 설명 중 옳은 것은?

① 권리이전적 효력이라 함은 어음의 소지인이 배서의 연속에 의하여 그 권리를 증명한 때에는 적법한 소지인으로 추정되는 효력을 말한다.
② 발행인의 배서금지는 배서성을 박탈하는 효과는 없고 단지 피배서인 이외의 자에 대하여만 담보책임을 지지 않는다.
③ 배서인의 배서금지는 배서성이 박탈된다.
④ 기한 후 배서는 권리이전적 효력과 자격수여적 효력이 없다.
⑤ 무담보배서를 하게 되면 그 배서인은 피배서인뿐 아니라 그 후의 배서인에 대하여도 어음상의 인수 및 지급에 대한 담보책임을 지지 않게 된다.

해설 ⑤ 배서인이 어음상의 담보책임을 지지 않는다는 뜻을 기재하고 배서하는 것을 '무담보배서'라 한다. 배서인은 피배서인을 포함하여 누구에게도 담보책임을 지지 않는 점에서, 담보책임을 피배서인 1인에게만 지는 '배서금지배서'와 구별된다.
① '배서'란 어음의 권리자가 어음상의 권리를 양도할 목적으로 어음의 뒷면에 어음금액을 피배서인에게 지급할 것을 의뢰하는 뜻을 기재하고 기명날인 또는 서명하여 이를 피배서인에게 교부하는 양도방법이다. 배서의 효력으로는 배서에 의하여 어음상의 일체의 권리가 피배서인에게 이전하는 효력인 '권리이전적 효력', 배서인은 배서에 의하여 원칙적으로 피배서인과 후자 전원에 대하여 어음의 지급을 담보하는 의무를 부담하는 효력인 '담보적 효력', 어음의 소지인이 배서의 연속에 의하여 그 권리를 증명한 때에는 적법한 소지인으로 추정되는 효력인 '자격수여적 효력'이 있다.
② 발행인이 지시금지, 배서금지 따위의 문언을 기재하여 발행한 어음을 '배서금지어음'이라고 한다. 배서금지어음은 배서성을 박탈당하여 배서에 의해서는 양도할 수 없지만, 지명채권양도방법에 의해 권리를 이전시킬 수는 있다.
③ 배서인이 지시금지, 배서금지 따위의 문언을 기재하여 배서(배서금지배서)하면 배서인에 대해서는 새로운 배서가 금지되지만 피배서인은 다시 배서할 수 있다. 이 경우 그 배서인은 직접의 피배서인에 대하여만 담보책임을 지게된다(어음법 제15조 제2항 참조). 즉, 배서성을 박탈하는 배서금지어음과 달리 배서금지배서는 피배서인 이외의

13. ⑤

MEMO

자에 대하여만 담보책임을 지지 않는다.

④ '기한후배서'란 지급거절증서 작성 후 또는 그 작성기간경과 후의 배서를 말한다(어음법 제20조 제1항 단서 참조). 기한후배서도 배서이므로 배서의 효력인 권리이전적 효력과 자격수여적 효력이 있다. 그러나 보통배서와 같은 유통 보호의 필요성이 없으므로 기한후배서에 인정되는 권리이전적 효력은 일반 지명채권양도의 효력밖에 인정되지 않는다.

2020년 기출

14 어음배서에 대한 다음 설명 중 가장 적절하지 않은 것은?

① 배서인은 자기의 배서 이후에 새로 하는 배서를 금지할 수 있고, 이 경우 그 배서인은 어음의 그 후의 피배서인에 대하여 담보의 책임을 진다.

② 소지인에게 지급하라는 소지인출급의 배서는 백지식(白地式) 배서와 같은 효력이 있다.

③ 배서는 피배서인(被背書人)을 지명하지 아니하고 할 수 있으며 배서인의 기명날인 또는 서명만으로도 할 수 있고(백지식 배서), 백지식 배서는 환어음의 뒷면이나 보충지에 하지 아니하면 효력이 없다.

④ 배서는 환어음으로부터 생기는 모든 권리를 이전(移轉)한다.

⑤ 발행인이 환어음에 "지시 금지"라는 글자 또는 이와 같은 뜻이 있는 문구를 적은 경우에는 그 어음은 지명채권의 양도 방식으로만, 그리고 그 효력으로서만 양도할 수 있다.

해설 ① 배서인은 자기의 배서 이후에 새로 하는 배서를 금지할 수 있다. 이 경우 그 배서인은 어음의 그 후의 피배서인에 대하여 담보의 책임을 지지 아니한다[어음법 제15조(배서의 담보적 효력) 제2항]. 즉, 이 경우 그 배서인은 어음의 피배서인 1인에게만 담보책임을 지고, 그 배서인에 대해서는 새로운 배서가 금지되지만 피배서인은 다시 배서할 수 있다.

② 어음법 제12조(배서의 요건) 제3항

③ 어음법 제13조(배서의 방식) 제2항

④ 어음법 제14조(배서의 권리 이전적 효력) 제1항

⑤ 어음법 제11조(당연한 지시증권성) 제2항

14. ①

MEMO

2019년 기출

15 어음의 배서에 대한 다음 설명 중 옳지 않은 것은?

① 기한 후 배서도 배서의 효력인 권리이전적 효력과 자격수여적 효력이 있다.
② 배서금지어음은 발행인이 '지시금지', '배서금지' 등의 문언을 기재하여 발행한 어음을 말하며 배서금지어음은 배서성을 박탈당하여 배서에 의해서는 양도할 수 없다.
③ 배서금지어음은 배서성을 박탈당했기 때문에 기일에 어음금을 지급받기 위해서 지급제시가 필요 없다.
④ 기한 후 배서는 항변의 절단이 인정되지 않음은 물론 담보적 효력이나 선의취득도 인정되지 않는다.
⑤ 발행인의 배서금지는 배서성이 박탈됨에 반하여 배서인의 배서금지는 배서성을 박탈하는 효과는 없고 단지 피배서인 이외의 자에 대하여만 담보책임을 지지 않는다.

해설 지급제시란 어음의 소지인이 발행인에 대하여 현실의 어음을 제시하고 어음금의 지급을 청구하는 행위를 말한다. 어음을 소지한 자가 반드시 지급제시해야만 채무를 이행할 수 있게 된다. 이런 의미에서 어음채무는 본질적으로 제시증권성을 갖는 추심채무이다. 배서금지어음이라도 기일에 어음금을 지급받기 위해서는 지급제시를 하여야 한다. 배서금지어음이라 하여 어음의 성질의 하나인 상환증권성을 상실하는 것은 아니기 때문에 지급을 받기 위해서는 어음을 제시하여야 한다.

② 배서금지어음은 발행인이 '지시금지', '배서금지' 등의 문언을 기재하여 발행한 어음을 말하며 배서금지어음은 배서성을 박탈당하여 배서에 의해서는 양도할 수 없고 지명채권의 양도 방식으로만, 그리고 그 효력으로써만 양도할 수 있다(어음법 제11조 제2항).

⑤ 발행인의 배서금지(배서금지어음)는 배서성이 박탈됨에 반하여 배서인의 배서금지(배서금지배서)는 배서성을 박탈하는 효과는 없고 단지 피배서인 이외의 자에 대하여만 담보책임을 지지 않는다. 즉 이렇게 배서인이 배서를 금지하게 되면 배서인에 대하여 새로운 배서가 금지되지만 피배서인은 다시 배서할 수 있다.

① 기한 후 배서란 지급거절증서가 작성된 후에 한 배서 또는 지급거절증서 작성기간이 지난 후에 한 배서를 말하다. 기한 후 배서도 배서이므로 배서의 효력인 권리이전적 효력과 자격수여적 효력이 있다. 그러나 보통배서와 같은 유통 보호의 필요성이 없으므로 기한 후 배서에 인정되는 권리이전적 효력은 일반 지명채권양도의 효력밖에 인정되지 않는다(어음법 제20조 제1항 단서 참조).

④ 기한 후 배서의 경우에는 피배서인은 배서인이 가졌던 권리만 승계하게 되고 기한 후 배서의 배서인에게 대항할 수 있는 항변은 당연히 피배서인에 대해서도 대항할 수 있다. 따라서, 기한 후 배서는 항변의 절단이 인정되지 않음은 물론 담보적 효력이나 선의취득도 인정되지 않는다.

15. ③

MEMO

2019년 기출

16 어음이나 수표의 배서에 대한 다음 설명 중 옳지 않은 것은?

① 수표도 어음에서와 같은 배서가 인정되고 있으나 수표는 지급만을 목적으로 하는 특성 때문에 어음의 배서와는 다른 점이 있다.
② 어음을 제3자에게 양도하는 방법으로 배서에 의한 양도방법이 있다.
③ 배서는 배서인이 기명날인하거나 서명하여야 한다.
④ 배서의 연속이라 함은 어음수령인으로부터 차례로 마지막 소지인에 이르기까지 배서가 형식상으로 연속되는 상태를 말한다.
⑤ 배서인이 어음에 피배서인 이름이나 배서한다는 문언도 적지 않은 채 단순히 기명날인이나 서명하여 피배서인에게 양도하는 배서는 무효이다.

해설 배서인이 어음에 피배서인 이름이나 배서한다는 문언도 적지 않은 채 단순히 기명날인이나 서명하여 피배서인에게 양도하는 배서도 유효하고 이를 '백지식 배서'라고 하며, 배서인의 기명날인 또는 서명만으로 하는 백지식 배서는 어음의 뒷면이나 보충지에 하지 아니하면 효력이 없다(어음법 제13조 제2항 참조).

① '수표'란 발행인이 지급인(은행)에게 일정금액을 수표상의 권리자에게 지급할 것을 무조건으로 위탁하는 유가증권이다. 수표도 어음과 유사하여 어음에서와 같은 배서가 인정되고 있으나, 지급인이 은행에 한정되어 있는 점(수표법 제3조), 만기가 없고 항상 일람출급인 점(수표법 제28조), 수취인의 기재가 임의적 기재사항인 점(수표법 제5조) 등에서 어음과 근본적으로 구별되고 있다. 따라서, 소지인출급식(무기명식) 수표의 경우에는 배서인 · 피배서인이 처음부터 없고 교부만에 의하여 양도된다.
② 어음을 제3자에게 양도하는 방법으로 일반적인 권리의 양도방법과 어음에 특유한 양도방법(배서 또는 교부)이 있다.
③ 배서는 어음 · 수표나 이에 결합한 보충지(보전)에 적고 배서인이 기명날인하거나 서명하여야 한다(어음법 제13조 제1항, 수표법 제16조 제1항).
④ 배서의 연속이라 함은 어음수령인으로부터 차례로 마지막 소지인에 이르기까지 배서가 형식상으로 연속되는 상태를 말한다. 배서로 양도할 수 있는 어음 · 수표의 점유자가 배서의 연속에 의하여 그 권리를 증명할 때에는 그를 적법한 소지인으로 추정한다[어음법 제16조(배서의 자격수여적 효력 및 어음의 선의취득) 제1항 제1문, 수표법 제19조(배서의 자격수여적 효력) 제1문]. 배서는 형식적으로 연속되어 있으면 되므로 실질적으로 단절되어 있는 경우라도 어음소지인은 어음상의 권리를 행사할 수 있는 자격을 가진다. 또한 만약 배서가 단절된 경우 어음소지인은 배서 단절 전의 자에 대해서는 어음금을 청구할 수 없다.

정답 16. ⑤

MEMO

2017년 기출

17 **어음행위에는 (1) 발행 (2) 인수 (3) 배서 (4) 참가인수 (5) 보증의 다섯 가지가 있는데 이들 중 약속어음을 대상으로 하는 어음행위를 모두 모아 놓은 것은?**

① 발행, 배서, 보증
② 발행, 인수, 배서, 참가인수, 보증
③ 발행, 배서, 참가인수
④ 발행, 인수, 배서, 보증
⑤ 발행, 인수, 보증

해설 어음행위란 '기명날인 또는 서명을 요건으로 하는 요식의 서면행위로서 원칙적으로 그 결과로서 어음상의 채무의 부담을 발생시키는 법률행위'를 말한다. 어음행위는 환어음을 중심으로 하는 체계에서는 발행, 인수, 배서, 참가인수, 보증으로, 약속어음을 중심으로 하는 체계에서는 발행, 배서, 보증의 세 가지가 있다.

2017년 기출

18 **다음 중 어음이나 수표의 배서에 대한 설명으로 옳지 않은 것은?**

① 배서란 어음이나 수표의 소지인이 어음의 이면에 일정사항을 기재 후 어음을 교부함으로써 어음상의 권리를 이전하는 것을 말한다.
② 수표도 어음에서와 같은 배서가 인정되고 있으나 수표는 지급만을 목적으로 하는 특성 때문에 어음의 배서와는 다른 점이 있다.
③ 배서는 형식적으로 연속되어 있더라도 실질적으로 단절되어 있으면 어음 소지인은 어음상의 권리를 행사할 수 없다.
④ 배서의 연속이라 함은 어음수령인으로부터 차례로 마지막 소지인에 이르기까지 배서가 형식상으로 연속되는 상태를 말한다.
⑤ 어음을 제3자에게 양도하는 방법으로 배서에 의한 양도방법이 있다.

해설 ① 배서란 어음이나 수표의 소지인이 어음의 이면에 일정사항을 기재 후 어음을 교부함으로써 어음상의 권리를 이전하는 것을 말한다.
⑤ 어음을 제3자에게 양도하는 방법에는 배서에 의한 양도방법과 지명채권 양도방법이 있으며, 실무에서는 배서에 의한 양도가 주로 이용된다.
④ 배서의 연속이라 함은 어음수령인으로부터 차례로 마지막 소지인에 이르기까지 배서가 형식상으로 연속되는 상태를 말한다.
③ 배서는 형식적으로 연속되어 있으면 되므로 실질적으로는 단절되어 있는 경우라도 어음소지인은 어음상의 권리를 행사할 수 있는 자격을 가진다.
② 수표도 어음에서와 같은 배서가 인정되고 있으나 수표는 지급만을 목적으로 하는 특성 때문에 어음의 배서와는 다른 점이 있다.

17. ① 18. ③

MEMO

2021년 기출

19 「민법」상 보증에 대한 어음보증의 특징으로서 가장 적절하지 않은 것은?

① 단독행위이다.
② 주채무의 성립을 요건으로 하여서만 성립한다.
③ 피보증인이 누구인지 불분명한 경우에도 성립한다.
④ 불특정의 어음소지인에 대하여 어음상의 채무를 부담한다.
⑤ 엄격한 요식행위로 성립한다.

해설 민법상의 보증은 피보증채무의 성립이 보증채무의 성립요건이지만, 어음보증은 어음행위독립의 원칙에 의해 피보증채무가 형식상 유효한 경우에는 그것이 실질상 무효이더라도 보증채무는 유효하게 된다. 어음보증과 민법상 보증의 차이는 아래 표 참조

구 분	어음보증	민법상의 보증
피보증인	누구를 위한 것임을 표시하지 아니하고 보증을 한 경우에는 발행인을 위하여 보증한 것으로 본다(어음법 제31조 제4항, 제77조 제3항, 수표법 제26조 제4항).	특정의 피보증인이 존재하여야 하므로 피보증인이 없으면 성립하지 않는다.
성 질	단독행위	계약
피보증채무의 성립	어음행위독립의 원칙에 의해 보증은 담보된 채무가 그 방식에 흠이 있는 경우 외에는 어떠한 사유로 무효가 되더라도 그 효력을 가진다(어음법 제32조 제2항, 제77조 제3항, 수표법 제27조 제2항).	피보증채무의 성립이 보증채무의 성립요건이다.
방 식	방식의 제한이 있다(요식행위).	무방식
보증인의 책임	• 피보증인과 같은 책임을 진다. • 불특정한 어음소지인에게 책임이 있다. • 최고·검색의 항변권 ×	• 특정채권자에게만 책임이 있다. • 보증인은 최고·검색의 항변권(민법 제437조)이 있다.
공동보증인	• 합동책임(어음법 제47조, 제77조 제1항 제4호, 수표법 제43조) • 분별의 이익 ×	• 분별의 이익(민법 제439조) : 균등한 비율
소멸시효	피보증인의 시효에 따라 정해진다.	10년(민법 제162조 제1항)

정답 19. ②

MEMO

2021년 기출

20 다음 중 어음보증의 법률적 성질로서 가장 적절하지 않은 것은?

① 어음보증은 어음금액의 일부에 대하여도 할 수 있다.
② 어음보증인은 최고 및 검색의 항변권이 인정되지 아니한다.
③ 어음보증은 주채무가 무효일 경우에 당연히 무효이다.
④ 어음보증은 반드시 엄격한 요식성을 가진다.
⑤ 어음보증인은 불특정 어음소지인에게 채무를 이행하여야 한다.

해설 어음보증인은 주된 채무자의 채무와 동일한 책임을 지지만 한편으로는 어음보증인은 독립하여 어음상의 채무를 진다(어음보증의 독립성). 즉, 어음보증인의 채무는 피보증채무가 형식상 유효한 경우에는 그것이 실질상 무효이더라도 보증채무는 유효하게 된다.
① 보증인은 보증채무의 범위를 원래의 채무 중 일부로 정할 수 있다. 어음보증은 어음금액의 일부에 대하여도 할 수 있기 때문이다.
② 민법상의 보증인은 최고 및 검색의 항변권이 인정(민법 제437조)되나, 어음보증인은 최고 및 검색의 항변권이 인정되지 아니한다.
④ 민법상의 보증은 방식의 제한이 없지만, 어음보증은 어음의 방식으로 되어 있으므로 엄격한 요식성을 가진다.
⑤ 민법상의 보증은 특정채권자에게만 책임이 있지만, 어음보증인은 불특정 어음소지인에게 책임이 있다.

2018년 기출

21 다음 중 어음보증의 법률적 성질로서 옳지 않은 것은?

① 어음보증은 어음금액의 일부에 대하여도 할 수 있다.
② 어음보증인은 최고 및 검색의 항변권이 인정되지 아니한다.
③ 어음보증은 주채무가 무효일 경우에 당연히 무효이다.
④ 어음보증은 반드시 엄격한 요식성을 가진다.
⑤ 어음보증인은 불특정 어음소지인에게 채무를 이행하여야 한다.

해설 어음행위독립의 원칙에 의해 어음보증은 담보된 채무가 그 방식에 흠이 있는 경우 외에는 어떠한 사유로 무효가 되더라도 그 효력을 가진다(어음법 제32조 제2항, 제77조 제3항).
① 어음보증은 어음금액의 일부에 대하여도 할 수 있다. 따라서 보증인은 보증채무의 범위를 원래의 채무 중 일부로 정할 수 있다.
② 어음보증인은 피보증인과 함께 소지인에 대해서 합동책임을 진다(어음법 제32조 제1항 참조). 소지인이 보증인에게 보증채무의 이행을 청구할 경우 보증인은 민법상 최고·검색의 항변권을 가지지 못한다는 것이다.
④ 어음보증은 방식의 제한이 있는 요식행위이다.
⑤ 민법상 보증인은 특정채권자에게만 책임이 있으나, 어음보증인은 불특정 어음소지인에게 책임이 있다.

20. ③ 21. ③

MEMO

2018년 기출

22 다음 중 어음채권 행사 관련 주의사항으로 적절하지 않은 것은?

① 백지보충권을 받아 어음요건을 빠짐없이 기록한다.
② 어음채권의 소멸시효기간이 도과하지 않도록 주의한다.
③ 어음채권을 행사하기 위해서는 완성된 어음을 발행인에게 지급제시하여야 한다.
④ 지급제시 기간 내에 지급제시가 없다면 모든 어음배서인에 대한 소구권을 잃게 된다.
⑤ 재판상의 청구에 있어서는 소장의 송달 또는 지급명령의 송달이 있어도 어음의 지급제시와 동일한 효력은 없다.

해설 '지급제시'란 어음의 소지인이 발행인에 대하여 현실의 어음을 제시하고 어음금의 지급을 청구하는 행위를 말한다. 지급제시는 원칙적으로 완전한 어음 자체를 현실로 제시하여야 하나, 예외적으로 재판상의 청구에서는 어음 자체를 제시하지 않더라도 소장 또는 지급명령의 송달이 있는 때에 적법한 지급제시가 있는 것으로 본다(대판 1958.12.28. 4291민상38).

① '백지어음'이란 어음행위자가 후일 어음소지인으로 하여금 어음요건의 전부 또는 일부를 보충시킬 의사로써 고의로 이를 기재하지 않고 어음이 될 서면에 기명날인 또는 서명하여 어음행위를 한 미완성의 어음을 말한다. 통설은 백지어음은 어음의 요건이 갖추어지지 않았기 때문에 어음으로서의 효력은 없고, 백지보충권과 장차 그 보충권의 행사로 완전한 어음이 될 수 있다는 기대권을 표창하는 특수한 유가증권이라고 한다. 따라서 백지보충권을 받아 어음요건을 빠짐없이 기록하는 식으로 행사한다.
② 어음채권의 소멸시효기간(3년, 어음법 제70조 제1항)이 도과하지 않도록 주의한다.
③ 백지어음의 경우 어음채권을 행사하기 위해서는 완성된 어음을 발행인에게 지급제시하여야 한다.
④ 소지인이 소구권을 보전하기 위해서는 지급제시 기간 내에 적법한 지급제시를 해야 하고, 지급제시 기간 내에 지급제시가 없다면 모든 어음배서인에 대한 소구권을 잃게 된다.

22. ⑤

MEMO

2023년 기출

23 어음에 관한 다음 설명 중 가장 적절하지 않은 것은?

① 타인으로 하여금 그 어음에 의하여 제3자로부터 금융을 얻게 할 목적으로 수수되는 어음으로서 실제 거래는 수반되지 아니하는 어음을 융통어음이라고 한다.
② 금융기관이 기업이 발행한 어음을 할인해 사들인 뒤 이 원 어음을 바탕으로 만기 및 금액을 정형화하여 새로이 별도의 자체 어음을 발행해 일반 투자자에 파는 어음은 표지어음이라고 한다.
③ 어음의 만기 중에는 일람출급, 일람후정기출급, 발행일자후정기출급 등이 있다.
④ 어음의 만기는 언제나 확정일로 기재하여야 한다.
⑤ 진성어음이란 상거래가 원인이 되어 발행된 어음을 말한다.

해설 ④ 어음의 만기란 어음금이 지급될 날로서 어음상에 기재된 날을 말한다. 어음에는 만기를 표시하여야 한다. 그러나 만기를 기재하지 않더라도 어음이 무효가 되는 것은 아니다. 즉, 만기의 기재가 없는 때에는 일람출급약속어음으로 보아 지급을 위하여 제시가 있었던 날을 만기로 보기 때문이다(어음법 제76조 제1호). 어음의 만기 기재방법에는 확정일 출급, 발행일자후정기출급, 일람출급, 일람후정기출급이 있다. 따라서 어음의 만기를 언제나 확정일로 기재하여야 하는 것은 아니다.

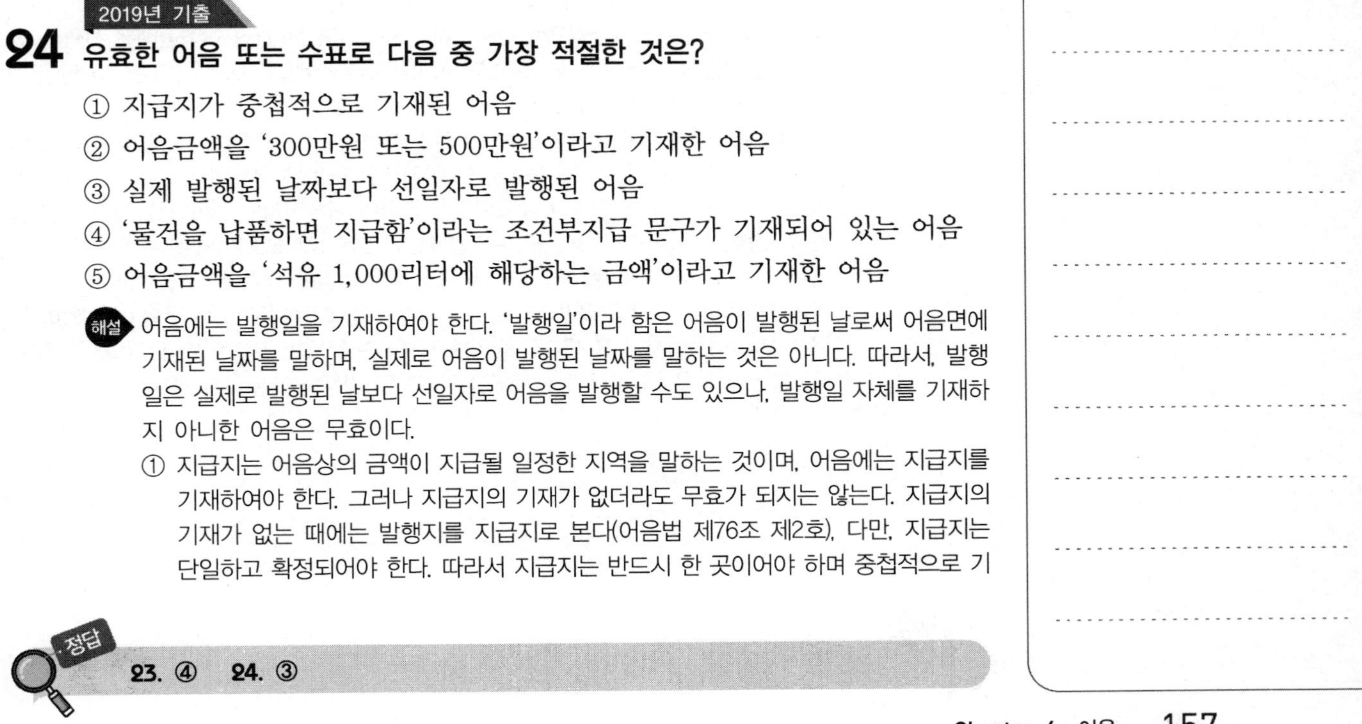

2019년 기출

24 유효한 어음 또는 수표로 다음 중 가장 적절한 것은?

① 지급지가 중첩적으로 기재된 어음
② 어음금액을 '300만원 또는 500만원'이라고 기재한 어음
③ 실제 발행된 날짜보다 선일자로 발행된 어음
④ '물건을 납품하면 지급함'이라는 조건부지급 문구가 기재되어 있는 어음
⑤ 어음금액을 '석유 1,000리터에 해당하는 금액'이라고 기재한 어음

해설 어음에는 발행일을 기재하여야 한다. '발행일'이라 함은 어음이 발행된 날로써 어음면에 기재된 날짜를 말하며, 실제로 어음이 발행된 날짜를 말하는 것은 아니다. 따라서, 발행일은 실제로 발행된 날보다 선일자로 어음을 발행할 수도 있으나, 발행일 자체를 기재하지 아니한 어음은 무효이다.

① 지급지는 어음상의 금액이 지급될 일정한 지역을 말하는 것이며, 어음에는 지급지를 기재하여야 한다. 그러나 지급지의 기재가 없더라도 무효가 되지는 않는다. 지급지의 기재가 없는 때에는 발행지를 지급지로 본다(어음법 제76조 제2호). 다만, 지급지는 단일하고 확정되어야 한다. 따라서 지급지는 반드시 한 곳이어야 하며 중첩적으로 기

정답 23. ④ 24. ③

MEMO

재하거나 선택적으로 기재하면 무효가 된다.

②⑤ 어음에는 일정한 금액을 지급할 뜻이 무조건의 약속을 기재하여야 한다. 즉, 어음상의 금액은 단일금액으로 단순하게 기재하여야 하며, 선택적 기재(300만원 또는 500만원), 불확정 기재(500만원 내지 1,000만원), 유동적 기재(석유 1,000리터에 해당하는 금액) 등은 무효가 된다.

④ '물건을 납품하면 지급함'이라는 조건부지급 문구가 기재되어 있는 어음은 무효지만 소지인이 발행인의 직접 상대방일 때는 유효하며 청구가 가능하다.

2018년 기출

25 다음 중 유효한 어음 또는 수표로 옳은 것은?

① 어음상에 지급기일(만기)이 기재되지 않은 어음
② "물건을 납품하면 지급함"이라는 조건부지급 문구가 기재되어 있는 어음
③ 어음금액을 "100만원 또는 200만원"이라고 기재한 어음
④ 발행인이 선택적(홍길동 또는 홍놀부)으로 기재된 어음
⑤ 발행인이 법인인 경우 "팔팔 주식회사 (인)"이라고만 기재하고 날인한 경우

해설 어음상에 만기가 적혀 있지 아니한 경우 (무효가 아니라) 일람출급의 환어음으로 본다(어음법 제2조 제1호).

② 어음상 지급약속 문언은 단순해야 하며 어떠한 조건부 지급약속이나 지급방법을 제한하는 것은 허용되지 않는다. 단, 어음이 소지인이 발행인의 직접 상대방일 때는 유효하며 발행인에 대한 청구가 가능하다. 따라서 "물건을 납품하면 지급함"이라는 조건부지급 문구가 기재되어 있는 어음은 무효이다.

③ 어음상의 금액은 단일금액으로 단순하게 기재하여야 한다. 즉 어음금액은 선택적, 불확정적, 유동적 기재 등을 할 수 없다. 따라서 어음금액을 "100만원 또는 200만원"이라고 기재한 어음은 무효이다.

④ 발행인을 중첩적으로 기재할 수는 있으나, 선택적으로 기재할 수는 없다. 따라서 발행인이 선택적(홍길동 또는 홍놀부)으로 기재된 어음은 무효이다.

⑤ 법인의 어음·수표행위는 그 대표기관을 통하여 이루어지는 것이므로, 그 방식은 법인의 명칭, 대표자격, 대표기관의 기명날인의 세 가지 요소가 갖추어져야 한다. 즉, "A주식회사 대표이사 甲"이라고 기재하고 甲의 인장을 찍거나 서명을 하는 것이 정확한 방식이다. 그러나 일반적으로 "A주식회사 대표이사 甲" 또는 甲의 이름 없이 "A주식회사 대표이사"라고 새겨진 직인을 사용하며 유효한 것으로 본다. 따라서 발행인이 법인인 경우 "팔팔 주식회사 (인)"이라고만 기재하고 날인한 경우는 무효이다.

25. ①

MEMO

2016년 기출

26 **어음 · 수표금 회수를 위한 다음의 지급제시 중 제시기간이 가장 적절하지 않은 것은? (단, 지급기일이 지나면 금융기관이 지급위탁을 취소한 경우이다)**

① 약속어음 만기일이 2016년 5월 30일이고, 2016년 5월 30일에 지급제시 한 경우

② 약속어음 만기일이 2016년 5월 31일이고, 2016년 6월 2일에 지급제시 한 경우

③ 약속어음 만기일이 2016년 5월 30일이고, 2016년 6월 2일에 지급제시 한 경우(단, 2016년 6월 1일을 공휴일로 가정)

④ 당좌수표 발행일이 2016년 5월 30일이고, 2016년 5월 30일에 지급제시 한 경우

⑤ 당좌수표 발행일이 2016년 5월 30일이고, 2016년 6월 10일에 지급제시 한 경우

해설 지급제시란 어음의 소지인이 발행인에 대하여 현실의 어음을 제시하고 어음금의 지급을 청구하는 행위를 말한다. 어음을 소지한 자가 반드시 지급제시해야만 채무를 이행할 수 있게 된다. 이런 의미에서 어음채무는 본질적으로 제시증권성을 갖는 추심채무이다. 어음의 지급제시기간은 지급할 날 또는 그날 이후의 2거래일 이내이고(어음법 제38조 제1항), 수표의 지급제시기간은 발행일로부터 10일 이내이다(수표법 제29조 제1항). 따라서 당좌수표 발행일이 2016년 5월 30일이고, 2016년 6월 10일에 지급제시 한 경우는 수표의 지급제시기간이 경과했으므로 적법한 지급제시가 아니다.

① 약속어음 만기일이 2016년 5월 30일이고, 2016년 5월 30일에 지급제시 한 경우는 지급할 날에 지급제시한 경우로서 적법하다.

② 약속어음 만기일이 2016년 5월 31일이고, 2016년 6월 2일에 지급제시 한 경우는 지급할 날 이후의 2거래일 이내에 지급제시한 경우로서 적법하다.

③ 약속어음 만기일이 2016년 5월 30일이고, 2016년 6월 2일에 지급제시 한 경우(단, 2016년 6월 1일을 공휴일로 가정)는 지급일이 공휴일인 때에는 그 익일이 지급일이 되므로 지급할 날 이후의 2거래일 이내에 지급제시한 경우로서 적법하다.

④ 당좌수표 발행일이 2016년 5월 30일이고, 2016년 5월 30일에 지급제시 한 경우는 발행당일, 즉 발행일로부터 10일 이내에 지급제시한 것으로 적법하다.

26. ⑤

MEMO

2023년 기출

27 **甲은 乙에게 1,000만 원을 빌려주면서 乙로부터 어음금액이 기재되지 않은 丙 발행의 약속어음을 배서 · 교부받으면서 이자를 포함한 1,100만 원으로 어음금액을 보충하여 발행인에게 청구하기로 약정하였다. 위 사례에 관한 다음 설명 중 가장 적절하지 않은 것은? (다툼이 있는 경우에는 판례에 의함)**

① 甲이 乙로부터 받은 어음은 백지어음으로 '미완성어음'이라고도 한다.

② 백지어음은 기명날인 또는 서명은 되어 있어야 하고, 어음의 필수기재사항 중 전부나 일부가 적혀있지 않아야 하며, 어음소지인에게 백지부분을 보충시키려는 의사가 있어야 한다.

③ 甲이 백지부분을 보충하지 않고 그냥 백지어음인 채로 발행인 丙에게 돈을 달라고 지급제시하는 것은 적법하지 않아 지급거절을 당하더라도 발행인 丙에게 지체책임을 물을 수 없다.

④ 甲이 백지어음으로 법원에 발행인 丙을 상대로 어음금 청구의 소를 제기하였다면 사실심(1, 2심) 변론종결 시까지 백지부분을 보충해야지 그렇지 않을 경우에는 기각된다.

⑤ 만기가 기재된 백지어음의 경우 어음의 주채무자에 대한 권리는 만기로부터 3년의 소멸시효에 걸리지 않으므로 백지의 보충도 이 기간 내에 이루어질 필요가 없다.

해설 ⑤ 만기가 기재된 백지어음의 경우 보충권의 행사는 만기를 기준으로 한 백지어음 자체의 시효기간 내에 이루어지면 족하다는 것이 통설의 입장이다. 즉, 백지미보충 상태에서는 적법한 지급제시나 이에 따른 소구권보전을 꾀할 수 없으므로 정상적인 어음채권의 행사가 가능한 최대시한을 그 행사기간으로 보면 된다. 따라서 어음의 경우 주채무자에 대한 행사기간은 만기로부터 3년(어음법 제70조 제1항), 소구의무자에 대해서는 지급제시기간(어음법 제38조 제1항, 지급일에 이은 2거래일)내에 보충권을 행사하여야 한다. 따라서, 만기가 기재된 백지어음의 경우 어음의 주채무자에 대한 권리는 만기로부터 3년의 소멸시효에 걸리므로 백지의 보충도 이 기간 내에 이루어져야 한다.

①② '백지어음'이란 어음행위자가 후일 어음소지인으로 하여금 어음요건의 전부 또는 일부를 보충시킬 의사로써 고의로 이를 기재하지 않고 어음이 될 서면에 기명날인 또는 서명하여 어음행위를 한 미완성의 어음을 말한다. 따라서, 甲이 乙로부터 받은 어음금액이 기재되지 않은 어음은 백지어음으로 '미완성어음'이라고도 한다.

③ 보충권자에 의하여 흠결된 어음요건이 보충되면 백지어음은 완전한 어음으로 되고 백지어음상의 발행 · 배서 · 보증 등 모든 어음행위는 보충된 문언에 따라 그 효력이 생긴다. 따라서, 甲이 백지부분을 보충하지 않고 그냥 백지어음인 채로 발행인 丙에게 돈을 달라고 지급제시하는 것은 적법하지 않아 지급거절을 당하더라도 발행인 丙에게 지체책임을 물을 수 없다.

27. ⑤

MEMO

④ 어음요건을 흠결한 백지어음은 그 자체로는 엄격한 의미로 무효이다. 보충권자에 의하여 흠결된 어음요건이 보충되면 백지어음은 완전한 어음으로 된다. 따라서, 甲이 백지어음으로 법원에 발행인 丙을 상대로 어음금 청구의 소를 제기하였다면 사실심(1, 2심) 변론종결 시까지 백지부분을 보충해야지 그렇지 않을 경우에는 기각된다.

제3절 어음의 지급과 부도

2024년 기출

01 **어음에 관한 다음 설명 중 가장 적절하지 않은 것은?**

① 만기의 종류는 일람출급, 일람 후 정기출급, 발행일자 후 정기출급, 확정일출급이 있다.

② 어음교환소에서 한 환어음의 제시는 지급을 받기 위한 제시로서의 효력이 있다.

③ 확정일출급, 발행일자 후 정기출급 또는 일람 후 정기출급의 환어음 소지인은 지급을 할 날 또는 그날 이후의 3거래일 내에 지급을 받기 위한 제시를 하여야 한다.

④ 백지를 보충하지 않고 지급제시된 어음은 형식불비로 부도 반환된다.

⑤ 어음발행인이 지급은행과 당좌거래계정이 없음에도 어음이 지급제시 되어 어음을 결제할 수 없는 경우는 부도사유가 된다.

해설 ③ 확정일출급, 발행일자 후 정기출급 또는 일람 후 정기출급의 환어음 소지인은 지급을 할 날 또는 그날 이후의 **2거래일 내**에 지급을 받기 위한 제시를 하여야 한다(어음법 제38조(지급 제시의 필요) 제1항).

① 어음법 제33조(만기의 종류) 제1항

② 어음법 제38조 제2항

④⑤ 어음교환소 규약에 따른 부도사유는 아래 표 참조

① 예금부족 및 지급자금의 부족	어음발행인이 당좌거래계정의 예금 잔액이 부족하거나 당좌대출한도 거래가 약정된 경우 당좌대출한도를 모두 소진하여도 이를 결제하지 못한 경우에는 예금부족 또는 지급자금부족으로 인한 부도통지 사유가 된다.
② 무거래	어음발행인이 지급은행과 당좌거래계정이 없음에도 불구하고 어음이 지급제시되어 어음을 결제할 수 없는 경우의 부도사유를 말한다.

01. ③

MEMO

③ 형식 불비	어음요건을 흠결하면 그 어음은 원칙적으로 무효이다. 형식요건을 흠결한 어음이 교환 제시되면 지급은행은 원칙적으로 형식 불비를 사유로 부도 반환하게 된다.
④ 안내서 미착	국고 수표에 대하여 인정되는 부도사유로서, 어음의 부도사유에는 해당 사항이 없다.
⑤ 사고신고서 접수	사고신고를 할 수 있는 경우는 어음의 분실, 도난, 피사취, 계약불이행으로 나뉜다. 분실 또는 도난된 어음에 대하여 발행인이 어음금을 지급할 수 없음은 당연하다고 할 수 있고, 이를 사유로 사고신고를 하면 지급사무를 처리하는 은행은 이에 따라 부도 반환하게 된다. 또한 피사취와 계약불이행을 사유로 사고신고를 한 때에도 부도 반환하게 한다.
⑥ 위조, 변조	• 위조 : 권한 없이 타인의 명의를 사용하여 어음행위를 하는 것(어음발행인으로서 어음에 서명 또는 기명날인을 하는 것) • 변조 : 권한 없이 기명날인 또는 서명행위를 제외한 어음기재사항을 임의로 변경 또는 말소 첨가하는 행위
⑦ 제시기간 경과 또는 미도래	만기일 또는 그로부터 2영업일까지의 기간 전 또는 후에 어음이 제시된 경우 은행은 위탁자인 거래처의 요구가 없는 한, 지급기일을 위반하여 청구한 어음에 대하여 지급할 의무가 없다. 따라서 이를 사유로 어음은 부도 반환된다.
⑧ 인감서명 상이	당좌거래약정을 하기 위해서는 지급은행에 발행인이 어음발행에 사용할 인감을 신고하도록 되어 있다. 어음발행인은 반드시 어음발행을 위하여 신고한 인감을 사용하여 어음을 발행하여야 한다. 만일 신고하지 아니한 인감을 사용하여 어음을 발행한 경우 그 어음이 지급은행에 지급제시되면 지급은행은 인감서명이 상이한 이유로 부도 반환하게 된다.
⑨ 지급지 상위	교환 제시된 어음상의 지급지와 지급장소가 지급은행의 영업점이 아닌 경우에 적용
⑩ 법적으로 가해진 지급제한	당좌예금에 대하여 제3자의 신청에 의하여 법원이 가압류 또는 압류명령을 송달하면 당좌예금은 지급할 수 없는 상태가 된다. 이때에는 법적으로 가해진 지급제한을 사유로 부도 반환하게 된다. 이때 주의할 점은 가압류 명령이 송달된 상태에서 동시에 예금부족 사유가 존재하게 되면 그 때의 부도사유는 예금부족이 된다는 점이다.
⑪ 가계수표 장당 최고발행한도 초과	어음의 경우 미해당, 수표면에 명시된 발행한도를 위반하여 가계수표를 발행하고 이 수표가 교환제시되면 이때에는 발행한도 초과를 사유로 부도 반환된다.

MEMO

2023년 기출

02 어음 · 수표의 부도에 관한 다음 내용 중 가장 적절하지 않은 것은?

① "어음 · 수표의 부도"란 어음 · 수표의 지급기일에 어음 · 수표금이 지급되지 아니하는 것을 말한다.

② 어음 · 수표의 분실 · 도난 · 피사취도 부도사유에 해당된다.

③ 어음 · 수표가 부도처리 되고 그 어음에 보증인이나 배서인이 있는 경우, 소지인은 발행인 · 보증인 · 배서인을 상대로 순서에 관계없이 그 중 가장 재력이 있는 한 사람에게 청구할 수도 있고, 또는 모두에 대하여 동시에 전액을 청구할 수도 있다.

④ 수표발행 후 예금부족, 거래정지처분 등의 사유로 부도가 난 경우에는 제1심 판결 선고 전까지 그 수표를 회수하거나 수표 소지인과 합의를 하여도 형사처벌을 면할 수 없다.

⑤ 어음은 부도가 나더라도 사기죄가 되지 않는 한 발행인 등이 형사책임을 지지 않으나, 수표는 부도가 나면 발행인은 부정수표단속법에 의하여 형사처벌을 받게 된다.

해설 ④ 수표발행 후 예금부족, 거래정지처분 등의 사유로 부도가 난 경우에는 제1심 판결 선고 전까지 그 수표를 회수하거나 수표 소지인과 합의를 하면 형사처벌을 면할 수 있다[아래 부정수표단속법 제2조(부정수표 발행인의 형사책임) 제2조, 제4조 참조].

> **부정수표단속법 제2조 【부정수표 발행인의 형사책임】**
> ① 다음 각 호의 어느 하나에 해당하는 부정수표를 발행하거나 작성한 자는 5년 이하의 징역 또는 수표금액의 10배 이하의 벌금에 처한다.
> 1. 가공인물의 명의로 발행한 수표
> 2. 금융기관(우체국을 포함한다. 이하 같다)과의 수표계약 없이 발행하거나 금융기관으로부터 거래정지처분을 받은 후에 발행한 수표
> 3. 금융기관에 등록된 것과 다른 서명 또는 기명날인으로 발행한 수표
>
> ② 수표를 발행하거나 작성한 자가 수표를 발행한 후에 예금부족, 거래정지처분이나 수표계약의 해제 또는 해지로 인하여 제시기일에 지급되지 아니하게 한 경우에도 제1항과 같다.
> ③ 과실로 제1항과 제2항의 죄를 범한 자는 3년 이하의 금고 또는 수표금액의 5배 이하의 벌금에 처한다.
> ④ 제2항과 제3항의 죄는 수표를 발행하거나 작성한 자가 그 수표를 회수한 경우 또는 회수하지 못하였더라도 수표 소지인의 명시적 의사에 반하는 경우 공소를 제기할 수 없다.

③ 어음, 수표를 적법한 기간 내에 지급제시했으나 지급거절된 경우 대처방법은 다음과 같다.

02. ④

MEMO

1. 부도사유 및 발행인에 대한 기본정보 취득 : 발행인의 지급은행에 문의하면 부도사유 및 발생인의 신상정보를 얻을 수 있다.
2. 보증인 및 배서인에게 부도사실 통지 : 어음·수표가 부도처리 되고 그 어음에 보증인이나 배서인이 있는 경우, 소지인은 발행인·보증인·배서인을 상대로 순서에 관계없이 그 중 가장 재력이 있는 한 사람에게 청구할 수도 있고, 또는 모두에 대하여 동시에 전액을 청구할 수도 있다.
3. 발행인 및 배서인들과의 교섭·합의 시도 및 법적 절차 진행 : 보증인과 배서인 상호간 분할상환 유도 및 가장 재력 있는 배서인으로 하여금 다른 배서인을 설득하도록 유도한다.

2022년 기출

03 어음·수표의 부도 시 대처방법 등에 관한 다음 설명 중 가장 적절하지 않은 것은?

① 피사취부도인 경우에 어음발행인이 거래정지처분 등의 불이익을 받는다.

② 수표의 정당한 소지인은 수표를 회수하기 위해서 발행일로부터 10일 이내에 발행인(또는 지급 은행)에게 지급제시를 하여야 한다.

③ 어음·수표가 부도처리 되고 그 어음에 보증인이나 배서인이 있는 경우, 소지인은 발행인· 보증인·배서인을 상대로 순서에 관계없이 그 중 가장 재력이 있는 사람에게 청구할 수도 있고, 또는 모두에 대하여 동시에 전액을 청구할 수도 있다.

④ 발행인 및 보증인, 배서인들을 피고로 하여 '약속어음금·수표금 청구의 소'를 제기한다.

⑤ 어음의 정당한 소지인은 어음의 회수를 위해서 지급기일 또는 이에 이은 2거래일 이내에 발행인(또는 지급은행)에게 지급제시를 하여야 한다.

해설 피사취부도의 경우 어음발행인이 거래정지처분 등의 불이익을 받지 않는다. 아래는 어음·수표의 부도시 대처방법에 대한 설명이다.

❑ **어음, 수표의 부도시 대처방법**

1. 어음, 수표금 회수를 위한 지급제시기간
   어음, 수표의 정당한 소지인은 어음, 수표금의 회수를 위해서 법정기일 내에 발행인에게 지급제시를 해야 한다.
   (1) 어음 : 지급기일 또는 그날 이후의 2거래일 이내(⑤)
   (2) 수표 : 발행일로부터 10일 이내(②)
2. 적법한 기간 내에 지급제시하였으나 지급 거절된 경우 대처방법
   (1) 부도사유 및 발행인에 대한 기본정보 취득 : 발행인의 지급은행에 문의하면 부도사유 및 발행인의 신상정보를 얻을 수 있다.
   (2) 보증인 및 배서인에게 부도사실 통지 : 어음, 수표가 부도처리되고 그 어음에 보증인이나 배서인이 있는 경우 소지인은 발행인, 보증인, 배서인을 상대로 순서에 관

정답

03. ①

MEMO

계 없이 또는 모두에 대하여 동시에 전액을 청구할 수 있다.(③)

(3) 발행인 및 배서인들과의 교섭·합의 시도 및 법적 절차 진행 : 보증인과 배서인 상호간 분할상환 유도 및 가장 재력 있는 배서인으로 하여금 다른 배서인을 설득하도록 유도한다.

3. 어음, 수표의 부도사유별 대처방법

구분	대처방법
어음, 수표 자체에 형식상의 하자	1) 하자를 보완할 수 있는 경우에는 발행인의 협조를 구하여 보완 후 지급제시 2) 형식상 하자가 있는 어음의 경우 발행인에게 형식상의 하자로 인해 부도 반환된 어음에 갈음하는 어음의 재발행을 부탁하여 지급제시한다.
예금부족	1) 어음의 보증인 및 배서인에 대해 부도사실 및 소구권행사, 변제요구를 통지 2) 발행인을 포함하여 보증인, 배서인 등 어음상 채무자에 대해 재산조사 실시 후 발견재산을 보전조치한다.
피사취신고	1) 발행인이 피사취신고시 지급은행에 예치하는 사고신고담보금(액면금액에 해당하는 금액)은 선의의 어음소지인을 보호하기 위한, 즉 소지인을 위한 담보금이므로 다른 채권자가 이를 압류할 수 없다. 그러므로 정당한 어음소지인은 어음금청구소송 제기 전 별도로 보전조치를 할 필요는 없다. 또한 어음발행인이 사고신고와 동시에 사고신고담보금을 예치하여야 한다. 은행은 관련어음을 사고신고 접수를 사유로 부도반환하게 된다. 이 경우 은행은 거래정지처분은 하지 않는다.(①) 만약 은행에 사고신고서는 접수되었으나 사고신고담보금이 예치되지 않은 경우에는 예금 부족으로 부도 통지하게 된다. 2) 대처방법 → 어음소지자는 발행자와의 협상을 통해서 은행에 예치된 사고신고담보금을 즉시 회수할 수 있다. → 그러나 협상이 안 되면 소송을 하여 회수까지 약 8개월 정도 걸린다. → 소송에 따른 회수절차는 다음과 같이 처리한다. ㉠ 지급지은행 관할법원에 「어음금 청구의 소, 수표금 청구의 소」를 제기한다.(④) ㉡ 법원으로부터 '소제기접수증명원'을 발급받아 지급지 은행에 제출한다. 만일 6개월내 소제기증명원이 지급지은행에 제출되지 않으면 사고신고담보금은 발행자에게 반환된다. ㉢ 어음소지자는 집행권원을 획득하여 지급지은행에 제출하면 지급지은행은 집행권원을 획득한 자에게 지급한다.

MEMO

2018년 기출

04 어음교환규약에 따른 부도사유로 가장 적절하지 않은 것은?

① 어음이 지급제시 되었으나 어음발행인이 당좌거래계정의 예금 잔액이 부족한 경우에는 예금부족으로 인한 부도이다.

② 어음발행인이 지급은행과 당좌거래계정이 없음에도 불구하고 어음이 지급제시된 경우에는 무거래로 인한 부도이다.

③ 형식요건을 흠결한 어음이 교환 제시되면 지급은행은 원칙적으로 형식불비를 사유로 부도반환하게 된다.

④ 어음발행인이 사고신고서를 접수하여 사전에 지급위탁을 취소 요청할 수 있는 경우는 어음의 분실, 도난, 피사취이며 계약 불이행을 사유로는 사고신고를 할 수 없다.

⑤ 법원의 명령에 의하여 지급을 거절하게 되면 법적으로 가해진 지급제한으로 부도반환된다.

해설 어음발행인이 사고신고서를 접수하여 사전에 지급위탁을 취소 요청할 수 있는 경우는 어음의 분실, 도난, 피사취, 계약불이행을 사유로 사고신고를 할 수 있다. 즉, 분실 또는 도난된 어음에 대하여 발행인이 어음금을 지급할 수 없음은 당연하다고 할 수 있고 이를 사유로 사고신고를 하면 지급사무를 처리하는 은행은 이에 따라 부도 반환한다. 정당한 계약상의 의무에 기하여 정상적으로 어음・수표를 발행 인수하였으나 후일 상대방이 계약상의 의무를 이행하지 않는다면 계약불이행이 되고, 처음부터 기망을 당하여 계약체결에 이르렀거나 어음・수표를 발행하였다면 사취가 된다.

①②③ 이 3가지는 어음교환규약에 정형화된 부도사유 11가지 중 하나에 해당되는 내용의 설명이다.

⑤ 당좌예금에 대하여 제3자의 신청에 의하여 법원이 가압류 또는 압류명령을 송달하면 당좌예금은 지급할 수 없는 상태가 된다. 즉, 법원의 명령에 의하여 지급을 거절하게 되면 법적으로 가해진 지급제한으로 부도반환된다.

04. ④

MEMO

2022년 기출

05 **다음 중 '사고신고서 접수'를 이유로 부도 반환되는 어음부도의 사유에 해당하지 않는 것은?**

① 예금부족　　② 어음의 분실
③ 어음의 도난　　④ 피사취
⑤ 계약불이행

 일반적으로 '부도'라 함은 지급자금이 부족하여 지급거절된 상태를 가리키는 반면, 어음교환소 규약의 부도는 지급자금 부족을 포함하여 보다 광범위하게 부도사유가 인정된다. 어음교환소 규약에 따르면 부도사유는 11가지로 정형화되어 있다(아래표 참조). 그중 사고신고를 할 수 있는 경우는 어음의 분실, 도난, 피사취, 계약불이행으로 나뉜다.

① 예금부족 및 지급자금의 부족	어음발행인이 당좌거래계정의 예금 잔액이 부족하거나 당좌대출한도 거래가 약정된 경우 당좌대출한도를 모두 소진하여도 이를 결제하지 못한 경우에는 예금부족 또는 지급자금부족으로 인한 부도통지사유가 된다.
② 무거래	어음발행인이 지급은행과 당좌거래계정이 없음에도 불구하고 어음이 지급제시되어 어음을 결제할 수 없는 경우의 부도사유를 말한다.
③ 형식 불비	어음요건을 흠결하면 그 어음은 원칙적으로 무효이다. 형식요건을 흠결한 어음이 교환 제시되면 지급은행은 원칙적으로 형식 불비를 사유로 부도 반환하게 된다.
④ 안내서 미착	국고 수표에 대하여 인정되는 부도사유로서, 어음의 부도사유에는 해당 사항이 없다.
⑤ 사고신고서 접수	사고신고를 할 수 있는 경우는 어음의 분실, 도난, 피사취, 계약불이행으로 나뉜다. 분실 또는 도난된 어음에 대하여 발행인이 어음금을 지급할 수 없음은 당연하다고 할 수 있고, 이를 사유로 사고신고를 하면 지급사무를 처리하는 은행은 이에 따라 부도 반환하게 된다. 또한 피사취와 계약불이행을 사유로 사고신고를 한 때에도 부도 반환하게 한다.
⑥ 위조, 변조	• 위조 : 권한 없이 타인의 명의를 사용하여 어음행위를 하는 것(어음발행인으로서 어음에 서명 또는 기명날인을 하는 것) • 변조 : 권한 없이 기명날인 또는 서명행위를 제외한 어음기재사항을 임의로 변경 또는 말소 첨가하는 행위
⑦ 제시기간 경과 또는 미도래	만기일 또는 그로부터 2영업일까지의 기간 전 또는 후에 어음이 제시된 경우 은행은 위탁자인 거래처의 요구가 없는 한, 지급기일을 위반하여 청구한 어음에 대하여 지급할 의무가 없다. 따라서 이를 사유로 어음은 부도 반환된다.

정답

05. ①

MEMO

⑧ 인감서명 상이	당좌거래약정을 하기 위해서는 지급은행에 발행인이 어음발행에 사용할 인감을 신고하도록 되어 있다. 어음발행인은 반드시 어음발행을 위하여 신고한 인감을 사용하여 어음을 발행하여야 한다. 만일 신고하지 아니한 인감을 사용하여 어음을 발행한 경우 그 어음이 지급은행에 지급제시되면 지급은행은 인감서명이 상이한 이유로 부도 반환하게 된다.
⑨ 지급지 상위	교환 제시된 어음상의 지급지와 지급장소가 지급은행의 영업점이 아닌 경우에 적용
⑩ 법적으로 가해진 지급제한	당좌예금에 대하여 제3자의 신청에 의하여 법원이 가압류 또는 압류 명령을 송달하면 당좌예금은 지급할 수 없는 상태가 된다. 이때에는 법적으로 가해진 지급제한을 사유로 부도 반환하게 된다. 이때 주의할 점은 가압류 명령이 송달된 상태에서 동시에 예금부족 사유가 존재하게 되면 그 때의 부도사유는 예금부족이 된다는 점이다.
⑪ 가계수표 장당 최고발행한도 초과	어음의 경우 미해당, 수표면에 명시된 발행한도를 위반하여 가계수표를 발행하고 이 수표가 교환제시되면 이때에는 발행한도 초과를 사유로 부도 반환된다.

2017년 기출

06 다음은 어음부도사유 중 사고신고접수를 이유로 부도반환 되는 사고의 유형에 대한 설명이다. (　)에 알맞은 어음부도사유는?

> 어음발행인이 사고신고서를 접수하여 사전에 지급위탁을 취소 요청할 수 있는 경우는 어음의 분실, (　), 피사취, (　)을/를 사유로 사고신고를 할 수 있다.

① 무거래 – 계약불이행
② 위조 · 변조 – 무거래
③ 위조 · 변조 – 도난
④ 도난 – 계약불이행
⑤ 법적으로 가해진 지급제한 – 계약불이행

해설 일반적으로 '부도'라 함은 지급자금이 부족하여 지급거절된 상태를 가리키는 반면, 어음교환소 규약의 부도는 지급자금 부족을 포함하여 보다 광범위하게 부도사유가 인정된다. 어음교환소 규약에 따르면 부도사유는 11가지로 정형화되어 있다. 그 중 사고신고서 접수를 이유로 부도반환 되는 사고의 유형이 있는데, 사고신고를 할 수 있는 경우는 어음의 분실, 도난, 피사취, 계약불이행으로 나뉜다. 분실 또는 도난된 어음에 대하여 발행인이 어음금을 지급할 수 없음은 당연하다고 할 수 있고, 이를 사유로 사고신고를 하면 지급사무를 처리하는 은행은 이에 따라 부도반환을 하게 된다. 또한 피사취와 계약불이행을 사유로 사고신고를 한 때에도 부도반환을 하게 한다.

06. ④

MEMO

2013년 기출

07 다음은 지급기일이 8월 15일(월요일, 광복절)로 되어 있는 확정일출급 약속어음의 지급제시기간과 관련한 설명이다. 가장 적절하지 않은 것은?

① 8월 15일은 법정공휴일이므로 그 다음 거래일인 8월 16일이 지급할 날이다.
② 이 어음소지인이 지급제시할 수 있는 기간은 8월 16일부터 이에 이은 2거래일이 되는 8월 18일까지이다.
③ 이 어음이 8월 14일을 포함하여 그 이전에 지급제시된다면 제시기일 미도래로 부도반환된다.
④ 이 어음이 8월 19일 이후에 지급제시되어 지급이 거절된 경우 이 어음소지인은 배서인에 대한 소구권을 행사할 수 없게 된다.
⑤ 이 어음소지인은 8월 19일 이후에는 발행인에 대하여 이 어음금지급청구권을 행사할 수 없게 된다.

해설 확정일출급 어음의 소지인은 지급을 할 날 또는 이에 이은 2거래일 이내에 지급을 위한 제시를 하여야 한다(어음법 제38조). 또한 지급일이 공휴일인 때에는 그 익일이 지급일이 되며, 어음소지인이 지급제시기간 내에 지급제시를 하지 않으면 배서인에 대한 소구권을 상실하게 된다. 반면, 만기 이후에도 어음소지인이 지급제시를 하지 않고 있는 동안은 지급인은 지연배상책임을 부담하지 않고, 어음소지인은 확정일출급 이후에도 발행인에 대하여 어음금지급청구권을 행사할 수 있다.

제4절 어음, 수표의 소멸시효

2018년 기출

01 다음은 어음 또는 수표의 소멸시효와 관련된 설명이다. 옳지 않은 것은?

① 지급기일이 있는 약속어음의 발행인에 대한 소멸시효기간은 만기일로부터 3년이다.
② 수표 소지인의 발행인에 대한 소구권의 소멸시효기간은 제시기간 경과 후 6개월이다.
③ 약속어음 소지인의 배서인에 대한 소구권 소멸시효기간은 거절증서 작성일로부터 1년이다.
④ 수표 소지인의 배서인에 대한 소구권의 소멸시효기간은 제시기간 경과 후 6개월이다.

정답 07. ⑤ / 01. ⑤

MEMO

⑤ 약속어음이 소멸시효가 완성된 경우, 채무자 또는 소구의무자에 대한 어떠한 청구도 할 수 없다.

해설 ① 어음법 제77조 제1항 제8호, 제70조 제1항
② 수표법 제51조 제1항
③ 어음법 제77조 제1항 제8호, 제70조 제2항
④ 수표법 제51조 제1항
⑤ 환어음 또는 약속어음에서 생긴 권리가 절차의 흠결로 인하여 소멸한 때나 그 소멸시효가 완성한 때라도 소지인은 발행인, 인수인 또는 배서인에 대하여 그가 받은 이익의 한도내에서 상환을 청구할 수 있다(어음법 제79조). 따라서 약속어음이 소멸시효가 완성된 경우, 채무자 또는 소구의무자에 대한 어떠한 청구도 할 수 없는 것은 아니다.

2016년 기출

02 어음 또는 수표의 소멸시효에 관한 다음 설명 중 옳지 않은 것은?

① 약속어음의 발행인에 대한 어음상의 청구권 소멸시효기간은 원칙적으로 만기일로부터 3년이다.
② 지급기일이 있는 약속어음에 공증을 받은 경우, 이 어음 소지인의 발행인에 대한 어음상의 청구권 소멸시효기간은 지급기일로부터 10년이다.
③ 수표소지인의 발행인 또는 배서인에 대한 소구권의 소멸시효기간은 제시기간 경과 후 6월이다.
④ 약속어음 소지인의 배서인에 대한 소구권 소멸시효기간은 거절증서 작성일로부터 또는 그 작성이 면제되어 있는 때에는 만기일로부터 1년이다.
⑤ 상환된 약속어음 배서인의 다른 배서인에 대한 청구권의 소멸시효기간은 그 배서인이 어음을 회수한 날 또는 제소(提訴)된 날로부터 6월이다.

해설 약속어음 소지인이 발행인에 대한 어음상의 청구권의 소멸시효기간은 지급기일로부터 3년이고, 공증을 받은 약속어음이라도 동일하다.
①, ④, ⑤ 어음법 제77조를 통해 약속어음에는 환어음에 관한 규정들이 준용된다.

> 어음법 제70조 【시효기간】
> ① 인수인에 대한 환어음상의 청구권은 만기일부터 3년간 행사하지 아니하면 소멸시효가 완성된다.
> ② 소지인의 배서인과 발행인에 대한 청구권은 다음 각 호의 날부터 1년간 행사하지 아니하면 소멸시효가 완성된다.
> 1. 적법한 기간 내에 작성시킨 거절증서의 날짜
> 2. 무비용상환의 문구가 적혀 있는 경우에는 만기일
> ③ 배서인의 다른 배서인과 발행인에 대한 청구권은 그 배서인이 어음을 환수한 날 또는 그 자가 제소된 날부터 6개월간 행사하지 아니하면 소멸시효가 완성된다.

정답 02. ②

MEMO

수표법 제51조 【시효기간】
① 소지인의 배서인, 발행인, 그 밖의 채무자에 대한 상환청구권은 제시기간이 지난 후 6개월간 행사하지 아니하면 소멸시효가 완성된다.

제5절 이득상환청구

제6절 어음, 수표 분실 시 처리절차

2021년 기출

01 다음 설명 중 (　) 안에 공통으로 들어갈 용어로 가장 적절한 것은?

(　)(이)란 법원이 당사자의 신청에 의해 공고의 방법으로 불분명한 이해관계인에게 권리신고의 최고를 하고 누구한테서도 권리의 신고가 없을 경우 제권판결을 하는 절차를 말한다. 예컨대, 증권이나 증서를 도난, 분실, 멸실 당한 때에는 최종소지인은 이행지(어음, 수표의 지급지, 화물상환증의 도착지, 창고증권의 보관창고)의 표시가 있는 때에는 그 지방법원, 그 표시가 없는 때에는 발행인의 주소지 지방법원에 유가증권의 무효선언을 위한 (　) 신청을 하여 제권판결을 받을 수 있으며, 그 판결을 얻은 사람은 판결문을 은행에 제시하여 수표금 등의 지급을 구할 수 있다.

① 공시지가　② 공시최고
③ 부도처리　④ 공시송달
⑤ 지급명령

해설 주권의 분실이나 도난 등을 당했을 때 공시최고라는 절차를 통하여 그 주권을 무효로 한 후 회사에 주권의 재발행을 청구하게 된다. 이와 같은 '공시최고'는 당사자의 신고를 받은 법원이 공고의 방법을 통하여 알려져 있지 않은 이해 당사자에게 권리신고의 최고를 하고 그 기간 내에 권리의 신고가 없을 때는 제권판결이나 실종선고를 하여 실권의 효과를 낳게 하는 절차를 말한다.
① '공시지가'란 국토교통부 장관이 조사・평가하여 매년 1월 1일을 기준으로 공시한 토지의 단위면적당 가격을 말한다. 종래 땅값이 정책목표에 따라 여러 가지로 책정되어 있어 정책의 일관성이나 형평성이 문제가 됨에 따라 이를 시정하기 위해 1989년 7월 「지가공시 및 토지 등의 평가에 관한 법률」을 근거로 도입되었다.
③ '부도'란 어음이나 수표를 갖고 있는 사람이 지급인・인수인 또는 발행인에게 지급제시를 하였으나 지급이 거절되는 것을 말한다. 현행 어음교환소 규약은 부도난 어음・

01. ②

MEMO

수표에 대해 다음 영업일까지 결제하면 당좌거래를 폐쇄하지 못하도록 규정하고 있다.(이른바 부도처리유예제) 즉 교환 제시된 어음을 당일 막지 못하면 1차 부도 상태가 되지만 그 다음날 결제하면 최종부도는 면하게 된다. 그렇다고 1차 부도를 무한정 낼 수는 없다. 어음교환소 규약은 1년 동안 이 같은 1차 부도를 4번 내게 되면 4번째는 자동으로 당좌거래가 정지될 수 있도록 해 놓고 있다. 최종부도를 내게 되는 셈이다.

④ '공시송달'이란 법원이 송달할 서류를 보관해 두었다가 당사자가 나타나면 언제라도 교부할 뜻을 법원게시장에 게시하는 송달방법이다(민사소송법 제195조 참조).

⑤ '지급명령'이란 금전 기타의 대체물 또는 유가증권의 일정 수량의 지급을 목적으로 하는 청구에 관하여 채권자의 일방적 신청이 있으면 채무자를 심문하지 않고 채무자에게 그 지급을 명하는 재판을 말한다(민사소송법 제462조 내지 제474조 참조).

2018년 기출

02 100,000원권 수표 5매를 분실한 A가 취하여야 할 조치로서 옳은 것은?

① 공시송달
② 공시최고
③ 공정증서(집행증서) 작성
④ 이득상환청구권 행사
⑤ 비용상환청구권 행사

해설 수표를 분실하면 관할법원에 공시최고 및 제권판결신청을 해야 하는데, 구체적인 수표 분실시 처리절차는 다음과 같다.

① 지급지은행에 분실신고 및 지급정지 신청
② 관할경찰서에 분실신고 → 분실신고접수증
③ 관할법원에 공시최고 및 제권판결 신청 → 신청서 1부, 목록 10통, 첨부서류 → 인지대 및 송달료(3회분) 납부
④ 사건번호 부여 및 신문공고료 납부서 발급 → 신문공고료 납부 → 접수증명원 발급
⑤ 공시최고 → 통상 3개월
⑥ • 권리신고자가 있는 경우 → 권리청구신청 → 분실자와 습득자 중 누가 진정한 권리자인지 재판으로 다툼 • 권리신고자가 없는 경우 → 제권판결신청 → 제권판결문을 은행에 제시하고 수표금을 청구함.

정답

02. ②

MEMO

2016년 기출

03 A는 자기앞수표 100,000원권 5매를 분실하여 일정한 절차를 거쳐 수표금을 지급받고자 한다. 공시최고 절차에 관한 다음 설명 중 옳지 않은 것은?

① 공시최고는 권리 또는 청구의 신고를 하지 아니하면 그 권리를 잃게 될 것을 법률로 정한 경우에만 할 수 있으므로, A는 공시최고절차를 이용하여 수표금을 지급받을 수 있다.

② A는 공시최고 신청을 구두로 할 수 없고 서면으로 신청하여야 한다.

③ A가 공시최고 신청을 하면 법원은 공시최고의 허가여부에 대해 재판을 판결로 하지 않고 결정으로 한다.

④ A가 공시최고 신청을 하면 법원은 공시최고의 기간을 공고가 끝난 날부터 2월 뒤로 정하여야 한다.

⑤ 제권판결을 받은 A는 증권에 따라 의무를 지는 사람에게 자기앞수표에 따른 권리를 주장할 수 있으므로 제권판결문을 은행에 제시하여 수표금을 청구하면 된다.

해설 '공시최고'란 법원이 당사자의 신청에 의해 불특정 또는 불분명한 상대편에 대하여 청구 또는 권리를 신고할 것을 촉구하고 그 신고가 없을 때에는 실권의 효력이 생길 수 있다는 취지의 경고를 붙여 공고하는 재판상의 최고를 말한다. 이러한 최고에 의하여 경고한 실권을 제권판결로써 선고하는 절차가 공시최고절차이다. 공시최고의 기간은 공고가 끝난 날로부터 3월 뒤로 정하여야 한다(민사소송법 제481조).

① 공시최고는 권리 또는 청구의 신고를 하지 아니하면 그 권리를 잃게 될 것을 법률로 정한 경우에만 할 수 있다(민사소송법 제475조).

② 공시최고의 신청은 서면으로 하여야 한다(민사소송법 제477조 제2항).

③ 공시최고의 허가여부에 대한 재판은 결정으로 한다(민사소송법 제478조 제1항 본문).

⑤ 제권판결이 내려진 때에는 신청인은 증권 또는 증서에 따라 의무를 지는 사람에게 증권 또는 증서에 따른 권리를 주장할 수 있다(민사소송법 제497조).

03. ④

MEMO

제7절 수표

2024년 기출

01 수표에 관한 다음 설명 중 가장 적절하지 않은 것은?

① 자기앞수표는 은행이 발행인과 지급인을 겸하고 있어서 수표의 명칭과 같이 '자기(은행)' 앞으로 지급을 위탁하는 수표다.
② 수표의 금액을 글자와 숫자로 적은 경우에 그 금액에 차이가 있으면 큰 금액을 수표금액으로 한다.
③ 미완성으로 발행한 수표에 미리 합의한 사항과 다른 내용을 보충한 경우에는 그 합의의 위반을 이유로 소지인에게 대항하지 못한다.
④ 수표는 보증에 의하여 그 금액의 전부 또는 일부의 지급을 담보할 수 있다.
⑤ 국내에서 발행하고 지급할 수표는 10일 내에 지급을 받기 위한 제시를 하여야 한다.

해설 ② 수표의 금액을 글자와 숫자로 적은 경우에 그 금액에 차이가 있으면 글자로 적은 금액을 수표금액으로 한다(수표법 제9조(수표금액의 기재에 차이가 있는 경우) 제1항).
① 수표는 발행인 자신을 지급인으로 하여 발행할 수 있다(수표법 제6조(자기지시수표, 위탁수표, 자기앞수표) 제3항).
③ 미완성으로 발행한 수표에 미리 합의한 사항과 다른 내용을 보충한 경우에는 그 합의의 위반을 이유로 소지인에게 대항하지 못한다. 그러나 소지인이 악의 또는 중대한 과실로 인하여 수표를 취득한 경우에는 그러하지 아니하다(수표법 제13조(백지수표)).
④ 수표법 제25조(보증의 가능) 제1항
⑤ 수표법 제29조(지급제시기간) 제1항

2023년 기출

02 「어음법」 및 「수표법」상 환어음, 약속어음, 수표에 관한 다음 설명 중 가장 적절하지 않은 것은?

① 환어음은 조건 없이 일정금액을 지급할 것을 위탁하는 뜻을 적고, 약속어음은 조건 없이 일정 금액을 지급할 것을 약속하는 뜻을 적는다.
② 약속어음은 지급인이 없고 따라서 지급지도 기재하지 않는다.
③ 수표에는 만기와 수취인을 기재할 필요가 없다.
④ 수표는 발행인이 처분할 수 있는 자금이 있는 은행을 지급인으로 한다.
⑤ 환어음과 달리 수표는 인수하지 못한다.

01. ② 02. ②

MEMO

해설 ② 환어음과 수표가 지급인의 명칭이 절대적 기재사항(어음법 제1조 제3호, 수표법 제1조 제3호)인데 반하여, 약속어음은 발행인 자신이 지급을 약속하는 증권이므로 지급인이 없다. 그러나, 환어음, 약속어음 모두 지급지의 기재가 절대적 기재사항(어음법 제1조 제5호, 어음법 제75조 제4호)이다. 다만, 지급지가 적혀 있지 않은 경우 지급인의 명칭에 부기한 지를 지급지 및 지급인의 주소로 본다(어음법 제2조 제2호).

④ 수표는 제시한 때에 발행인이 처분할 수 있는 자금이 있는 은행을 지급인으로 하고, 발행인이 그 자금을 수표에 의하여 처분할 수 있는 명시적 또는 묵시적 계약에 따라서만 발행할 수 있다. 그러나 이 규정을 위반하는 경우에도 수표로서의 효력에 영향을 미치지 아니한다[수표법 제3조(수표자금, 수표계약의 필요)].

⑤ 발행, 배서, 보증은 환어음, 약속어음, 수표의 공통적인 행위유형이고, 환어음은 이에 인수, 참가인수가, 수표는 이에 지급보증이 추가적으로 가능하다. 따라서, 환어음과 달리 수표는 인수하지 못한다. 아래 정리 표 참조

❑ 환어음·수표·약속어음의 절대적 기재사항

<table>
<tr><th>환어음</th><th>수 표</th><th>약속어음</th></tr>
<tr><td>1.환어음의 문구
2.어음금액의 지급위탁
3.지급인의 명칭
4.수취인의 명칭
5.발행인 기명날인(서명)
6.발행일
7.발행지</td><td>수표의 문구
수표금액의 지급위탁
지급인의 명칭
(불필요)
발행인 기명날인(서명)
발행일
발행지</td><td>약속어음의 문구
어음금액의 지급약속
(없음)
수취인의 명칭
발행인 기명날인(서명)
발행일
발행지</td></tr>
<tr><td colspan="3">* 발행지의 기재가 없는 경우 발행인의 명칭에 부기한 지를 발행지로 본다(어음법 제2조 제3호, 제76조 제3호, 수표법 제2조 제3호).</td></tr>
<tr><td>8.지급지</td><td>지급지</td><td>지급지</td></tr>
<tr><td>* 지급지가 적혀있지 아니한 경우 지급인의 명칭에 부기한 지를 지급지 및 지급인의 주소지로 본다(어음법 제2조 제2호).</td><td>환어음과 동일(수표법 제2조 제1호)</td><td>• 지급지의 기재가 없는 경우 발행지를 지급지로 본다(어음법 제76조 제2호).</td></tr>
<tr><td>9.만기</td><td>없음</td><td>만기</td></tr>
<tr><td>* 만기가 적혀있지 아니한 경우 무효로 하지 않고 일람출급의 환어음으로 본다(어음법 제2조 제1호).</td><td></td><td>환어음과 동일(어음법 제76조 제1호)</td></tr>
</table>

MEMO

2020년 기출

03 부정수표에 관한 다음 설명 중 가장 적절하지 않은 것은?

① 수표를 위조하거나 변조한 자는 1년 이상의 유기징역과 수표금액의 10배 이하의 벌금에 처한다.

② 가공인물의 명의로 부정수표를 발행하거나 작성한 자는 5년 이하의 징역 또는 수표금액의 10배 이하의 벌금에 처한다.

③ 수표를 발행하거나 작성한 자가 수표를 발행한 후에 예금부족, 거래정지처분으로 인하여 제시기일에 지급되지 아니하게 한 경우 수표를 발행하거나 작성한 자가 그 수표를 회수한 경우 공소를 제기할 수 없다.

④ 위 ③항에서 회수하지 못하였더라도 수표 소지인의 명시적 의사에 반하는 경우에도 공소를 제기할 수 있다.

⑤ 금융기관에 종사하는 사람이 직무상 위 ①항에 규정된 수표를 발견한 때에는 48시간 이내에 수사기관에 고발하여야 한다.

해설
① 부정수표 단속법 제5조(위조・변조자의 형사책임)
② 부정수표 단속법 제2조(부정수표 발행인의 형사책임) 제1항 제1호
③④ 수표를 발행하거나 작성한 자가 수표를 발행한 후에 예금부족, 거래정지처분이나 수표계약의 해제 또는 해지로 인하여 제시기일에 지급되지 아니하게 한 경우에도 제1항과 같다(부정수표 단속법 제2조 제2항). 제2항과 제3항의 죄는 수표를 발행하거나 작성한 자가 그 수표를 회수한 경우 또는 회수하지 못하였더라도 수표 소지인의 명시적 의사에 반하는 경우 공소를 제기할 수 없다(부정수표 단속법 제2조 제4항).
⑤ 금융기관에 종사하는 사람이 직무상 제2조 제1항(발행인이 법인이나 그 밖의 단체인 경우를 포함한다) 또는 제5조에 규정된 수표를 발견한 때에는 48시간 이내에 수사기관에 고발하여야 하며, 제2조 제2항(발행인이 법인이나 그 밖의 단체인 경우를 포함한다)에 규정된 수표를 발견한 때에는 30일 이내에 수사기관에 고발하여야 한다[부정수표 단속법 제7조(금융기관의 고발의무) 제1항]. 제1항의 고발을 하지 아니하면 100만원 이하의 벌금에 처한다(동조 제2항).

03. ④

MEMO

2018년 기출

04 **다음 중 「부정수표단속법」상의 부정수표에 해당하지 않는 것은?**

① 금융기관과의 수표계약 없이 발행한 수표
② 가공인물의 명의(가설명의)로 발행한 수표
③ 배서를 금지한 수표
④ 금융기관에 등록된 것과 다른 서명 또는 기명날인으로 발행한 수표
⑤ 금융기관으로부터 거래정지처분을 받은 후에 발행한 수표

부정수표단속법 제2조【부정수표 발행인의 형사책임】
① 다음 각 호의 어느 하나에 해당하는 부정수표를 발행하거나 작성한 자는 5년 이하의 징역 또는 수표금액의 10배 이하의 벌금에 처한다.
1. 가공인물의 명의로 발행한 수표
2. 금융기관(우체국을 포함한다. 이하 같다)과의 수표계약 없이 발행하거나 금융기관으로부터 거래정지처분을 받은 후에 발행한 수표
3. 금융기관에 등록된 것과 다른 서명 또는 기명날인으로 발행한 수표
② 수표를 발행하거나 작성한 자가 수표를 발행한 후에 예금부족, 거래정지처분이나 수표계약의 해제 또는 해지로 인하여 제시기일에 지급되지 아니하게 한 경우에도 제1항과 같다.
③ 과실로 제1항과 제2항의 죄를 범한 자는 3년 이하의 금고 또는 수표금액의 5배 이하의 벌금에 처한다.
④ 제2항과 제3항의 죄는 수표를 발행하거나 작성한 자가 그 수표를 회수한 경우 또는 회수하지 못하였더라도 수표 소지인의 명시적 의사에 반하는 경우 공소를 제기할 수 없다.

04. ③

MEMO

2020년 기출

05 수표에 관한 다음 설명 중 가장 적절하지 않은 것은?

① 수표에 적은 이자의 약정은 적지 아니한 것으로 본다.
② 수표의 금액을 글자와 숫자로 적은 경우에 그 금액에 차이가 있으면 글자로 적은 금액을 수표금액으로 한다.
③ 수표의 금액을 글자 또는 숫자로 중복하여 적은 경우에 그 금액에 차이가 있으면 최소금액을 수표금액으로 한다.
④ 대리권 없이 타인의 대리인으로 수표에 기명날인하거나 서명한 자는 그 수표에 의하여 의무를 부담하지 않는다.
⑤ 미완성으로 발행한 수표에 미리 합의한 사항과 다른 내용을 보충한 경우에 원칙적으로 그 합의의 위반을 이유로 소지인에게 대항하지 못한다.

해설 ④ 대리권 없이 타인의 대리인으로 수표에 기명날인하거나 서명한 자는 그 수표에 의하여 의무를 부담한다. 그 자가 수표금액을 지급한 경우에는 본인과 같은 권리를 가진다. 권한을 초과한 대리인의 경우도 같다[수표법 제11조(수표행위의 무권대리)].
① 수표법 제7조(이자의 약정)
② 수표법 제9조(수표금액의 기재에 차이가 있는 경우) 제1항
③ 수표법 제9조(수표금액의 기재에 차이가 있는 경우) 제2항
⑤ 수표법 제13조(백지수표) 본문

정답 05. ④

Chapter 05 채권의 확보

제1절 보증

2023년 기출

01 보증채무에 관한 다음 설명 중 가장 적절하지 않은 것은?

① 보증인은 자신의 보증채무를 변제함으로써 채권자의 승낙이 없어도 채권자를 대위한다.
② 보증채무를 이행한 보증인은 주채무자에 대하여 구상권을 갖는다.
③ 주채무자에 대한 시효의 중단은 보증인에 대하여도 그 효력이 있다.
④ 장래의 채무나 조건부 채무에 대한 보증은 불가능하다.
⑤ 보증채무에만 담보물권을 설정하는 것도 가능하다.

해설 ④ 장래의 채무 또는 정지조건부 채무에 대해서도 보증이 성립할 수 있다(민법 제428조 제2항 참조). 즉 주채무 발생의 원인이 되는 기본계약이 반드시 보증계약보다 먼저 체결되어야 하는 것은 아니고, 보증계약 체결 당시 보증의 대상이 될 주채무의 발생 원인과 그 내용이 어느 정도 확정되어 있다면 장래의 채무에 대해서도 유효하게 보증계약을 체결할 수 있다(대판 2006. 6. 27. 2005다50041). 이러한 경우에 주채무가 성립한 때에 보증채무가 발생한다. 즉 주채무 없이 보증채무가 성립하는 것은 아니고, 보증계약이 미리 체결되었을 뿐이므로 부종성에 반하지 않는다.

① 변제할 정당한 이익이 있는 자는 변제로 당연히 채권자를 대위한다[민법 제481조(변제자의 법정대위)]. 보증인은 변제할 정당한 이익이 있는 자로 자신의 보증채무를 변제함으로써 채권자의 승낙이 없어도 채권자를 대위한다.

② 보증채무를 이행한 보증인은 주채무자에 대하여 구상권을 갖는다. 주채무자의 부탁으로 보증인이 된 자(수탁보증인)가 과실없이 변제 기타의 출재로 주채무를 소멸하게 한 때에는 주채무자에 대하여 구상권이 있다(민법 제441조 제1항). 수탁보증인은 자신의 변제금액 뿐만 아니라 변제일 이후이 법정이자 및 피할 수 없는 비용, 기타 손해배상을 포함하여 주채무자에게 구상할 수 있다[민법 제429조(보증채무의 범위) 제1항 참조]. 주채무자의 부탁없이 보증인이 된 자(비수탁보증인)도 구상권이 있는데, 수탁보증인과 주채무자의 배상범위에 차이가 있다. 즉 비수탁보증인이 변제 기타 자기의 출재로 주채무를 소멸하게 한 때에는 주채무자는 그 당시에 이익을 받은 한도에서 배상하여야 하고(민법 제444조 제1항), 주채무자의 의사에 반하여 보증인이 된 자가 변제 기타 자기의 출재로 주채무를 소멸하게 한 때에는 주채무자는 현존이익의 한도에서 배상하여야 한다(동조 제2항).

01. ④

MEMO

③ 민법 제440조(시효중단의 보증인에 대한 효력)
⑤ 보증채무는 주채무와는 별개의 독립한 채무이다(독립성). 왜냐하면 주채무와는 별도의 보증계약을 통해서 발생하는 것이기 때문이다. 따라서 보증채무에만 담보물권을 설정하는 것도 가능하다.

2022년 기출

02 보증채무에 관한 다음 설명 중 가장 적절하지 않은 것은?

① 채권자가 보증인에게 채무의 이행을 청구한 때에는 보증인은 주채무자의 변제자력이 있는 사실 및 그 집행이 용이할 것을 증명하여 먼저 주채무자에게 청구할 것과 그 재산에 대하여 집행할 것을 항변할 수 있다.
② 보증은 장래의 채무에 대하여도 할 수 있다.
③ 보증채무는 주채무의 이자, 위약금, 손해배상 기타 주채무에 종속한 채무를 포함한다.
④ 보증인에 대한 시효의 중단은 주채무자에 대하여 그 효력이 있다.
⑤ 주채무자의 부탁 없이 보증인이 된 자가 변제 기타 자기의 출재로 주채무를 소멸하게 한 때에는 주채무자는 그 당시에 이익을 받은 한도에서 배상하여야 한다.

해설 주채무자에 대한 시효중단은 보증인에 대하여 그 효력이 있다[민법 제440조(시효중단의 보증인에 대한 효력)]. 동조는 보증채무의 부종성에 따른 당연한 규정이라기보다는 주채무자에 대한 권리행사만으로도 보증인에 대한 시효중단의 효력이 미치게 하여 주채무와 별도로 보증채무가 시효소멸하는 일이 없도록 함으로써 채권담보의 목적을 달성하고 채권자를 보호하려는 데 그 취지가 있다는 것이 판례의 입장이다(대판 1986.11.25. 86다카1569). 그러나 보증인에 대한 시효의 중단은 주채무자에 대하여 효력이 없다.
① 민법 제437조(보증인의 최고, 검색의 항변) 본문
② 민법 제428조(보증채무의 내용) 제2항
③ 민법 제429조(보증채무의 범위) 제1항
⑤ 민법 제444조(부탁없는 보증인의 구상권) 제1항

정답 02. ④

MEMO

2020년 기출

03 보증채무와 관련한 다음 설명 중 옳지 않은 것은?

① 채권자가 주채무자를 상대로 소송을 제기하여 승소하였을 경우에도 보증인에 대한 집행권원 없이는 주채무자에 대한 집행권원만 가지고는 보증인의 재산을 압류할 수 없다.

② 주채무자에 대해 채무일부를 상환 받고 채무를 감면한 경우에는 그 감면한 채무를 보증인에게 청구할 수 없다.

③ 주채무자의 부탁없이 보증인이 된 자가 변제 기타 자기의 출재로 주채무를 소멸하게 한 때에는 주채무자는 그 당시에 이익을 받은 한도에서 배상하여야 한다.

④ 주채무자로부터 부탁을 받은 보증인이라 해도 보증채무의 변제 이전에는 장래 구상권 행사가 인정되지 않는다.

⑤ 보증채무를 면책하거나 채무 일부를 감면한다고 하여도 주채무의 청구권에는 영향을 미치지 아니한다.

해설 ④ 주채무자의 부탁으로 보증인이 된 자는 일정한 경우에 주채무자에 대하여 미리 구상권을 행사할 수 있는데, 이를 '사전구상권'(민법 제442조 참조)이라 한다. (가) 보증인이 과실없이 채권자에게 변제할 재판을 받은 때 (나) 주채무자가 파산선고를 받은 경우에 채권자가 파산재단에 가입하지 아니한 때 (다) 채무의 이행기가 확정되지 아니하고 그 최장기도 확정할 수 없는 경우에 보증계약후 5년을 경과한 때 (라) 채무의 이행기가 도래한 때(이 경우에는 보증계약후에 채권자가 주채무자에게 허여한 기한으로 보증인에게 대항하지 못한다)가 이에 해당한다.

① 보증채무는 주채무와는 별개의 독립한 채무이다(독립성). 왜냐하면 주채무와는 별도의 보증계약을 통해서 발생하는 것이기 때문이다. 따라서 보증인에 대한 집행권원 없이는 주채무자의 집행권원만 가지고는 보증인의 재산을 압류할 수 없다.

② '부종성'이란 보증채무가 주채무와 법률적 운명을 같이 하는 것을 말한다. 따라서 보증채무는 주채무의 존재를 전제로 하여 성립하게 되며 만일 주채무가 무효이거나 소멸된 때에는 보증채무도 무효가 된다. 그러므로 채권자가 주채무자로부터 채무 일부를 변제받고 나머지를 면제한 경우 채권자는 그 면제한 채무를 보증인에게 청구할 수 없다.

③ 주채무자의 부탁없이 보증인이 된 자가 변제 기타 자기의 출재로 주채무를 소멸하게 한 때에는 주채무자는 그 당시에 이익을 받은 한도에서 배상하여야 한다(민법 제444조 제1항). 주채무자의 의사에 반하여 보증인이 된 자가 변제 기타 자기의 출재로 주채무를 소멸하게 한 때에는 주채무자는 현존이익의 한도에서 배상하여야 한다(민법 제444조 제2항).

⑤ 변제・대물변제・공탁 등 채권자에게 만족을 주는 사유를 제외하고 보증인에게 생긴 사유는 주채무자에게 효력을 미치지 않는다. 따라서 보증채무를 면책하거나 채무 일부를 감면한다고 하여도 주채무의 청구권에는 영향을 미치지 아니한다.

03. ④

MEMO

2024년 기출

04 연대보증과 보통의 보증에 관한 다음 설명 중 가장 적절한 것은?

① 주채무자에 대한 시효중단의 효력은 연대보증인에게 미치지 않는다.
② 주채무를 발생시킨 계약이 무효이거나 취소되면 연대보증채무도 성립하지 않는다.
③ 연대보증인은 최고의 항변권은 있으나 검색의 항변권은 없다.
④ 보통의 보증에는 부종성이 인정되나 연대보증에는 인정되지 않는다.
⑤ 보통의 보증에는 분별의 이익이 없으나 연대보증에는 분별의 이익이 있다.

해설 ② 연대보증이란 보증인이 주채무자와 연대하여 채무를 부담함으로써 주채무의 이행을 담보하는 보증채무를 말한다. 연대보증이 보통의 보증과 가장 뚜렷하게 구별되는 점은 '보충성이 없다'는 것과 '분별의 이익이 없다'는 것이다. 연대보증에 보충성이 없다는 것은 연대보증인은 채권자에 대하여 최고, 검색의 항변권을 주장할 수 없다는 것을 뜻한다. 따라서 채권자는 주채무자가 채무를 이행하지 않을 경우 연대보증인에게 즉시, 동시에 채무이행을 최고할 수 있고 연대보증인은 이에 대한 채권자의 청구에 항변할 수 없다. 연대보증인은 분별의 이익이 없다. 분별의 이익이란 공동보증에 있어 공동보증인이 주채무액을 분할한 그 일부분에 대하여 채무를 부담하는 보증인의 이익을 말한다. 이러한 분별의 이익은 보증인이 갖는 당연한 법률상의 이익으로서 보증인의 주장을 요하지 않는다. 그렇지만 연대보증인에게는 분별의 이익이 없으므로 채권자는 수인의 연대보증인이 있을 경우 어느 연대보증인에 대해서도 주채무의 전액을 청구할 수 있게 된다. 연대보증도 보통의 보증채무에서처럼 부종성을 갖는다. 즉, 주채무가 무효・취소로 부존재하면 연대보증인은 책임을 면하며, 주채무가 소멸하면 연대보증채무도 함께 소멸하게 된다.

① 주채무자에 대한 시효의 중단은 보증인에 대하여 그 효력이 있다(민법 제440조(시효중단의 보증인에 대한 효력)). 연대보증인도 동일하다.

③④⑤ 보증과 연대의 구별에 관한 아래표 참조

구 분	부종성	보충성 (최고, 검색의 항변권)	분별의 이익 (1/n)
연대채무	×	×	×
연대보증	○	×	×
보증연대	○	○	×
보증채무	○	○	×
공동보증	○	○	○

정답 04. ②

MEMO

2020년 기출

05 연대보증에 대한 다음 설명 중 옳지 않은 것은?

① 연대보증은 다른 유형의 보증과 달리 보충성이 없다.
② 채권자는 수인의 연대보증인이 있을 경우 어느 연대보증인에 대해서도 주채무의 전액을 청구할 수 있다.
③ 연대보증인은 분별의 이익이 없다.
④ 주채무가 상행위로 인해 성립한 상사채권인 때에는 그 보증채무는 언제나 연대보증이 된다.
⑤ 연대보증은 보통의 보증과 달리 부종성을 갖지 않는다.

해설 ⑤ 연대보증도 보통의 보증채무에서처럼 '부종성'을 갖는다. 즉, 주채무가 무효・취소로 부존재하면 연대보증인은 책임을 면하며, 주채무가 소멸하면 연대보증채무도 함께 소멸하게 된다.
① 연대보증은 다른 유형의 보증과 달리 '보충성'이 없다. 연대보증에서 보충성이 없다는 것은 연대보증인은 채권자에 대하여 최고・검색의 항변권을 주장할 수 없다는 것을 뜻한다. 따라서 채권자는 주채무자가 채무를 이행하지 않을 경우 연대보증인에게 즉시, 동시에 채무이행을 최고할 수 있고 연대보증인은 이에 대한 채권자의 청구에 항변할 수 없다.
②③ '분별의 이익'이란 공동보증에 있어 공동보증인이 주채무액을 분할한 그 일부분에 대하여 채무를 부담하는 보증인의 이익을 말한다. 이러한 분별의 이익은 보증인이 갖는 당연한 법률상의 이익으로서 보증인의 주장을 요하지 않는다. 그렇지만 연대보증인에게는 분별의 이익이 없으므로 채권자는 수인의 연대보증인이 있을 경우 어느 연대보증인에 대해서도 주채무의 전액을 청구할 수 있게 된다.
④ 보증인이 있는 경우에 그 보증이 상행위이거나 주채무가 상행위로 인한 것인 때에는 주채무자와 보증인은 연대하여 변제할 책임이 있다(상법 제57조). 즉, 주채무가 상행위로 인해 성립한 상사채권인 때에는 그 보증채무는 언제나 연대보증이 된다.

05. ⑤

MEMO

2019년 기출

06 연대보증에 대한 다음 설명 중 옳지 않은 것은?

① 연대보증이란 보증인이 주채무자와 연대하여 채무를 부담함으로써 주채무의 이행을 담보하는 보증채무를 말한다.
② 보통의 보증은 보충성을 갖고 있으나 연대보증에는 보충성이 없으므로 연대보증인은 채권자에 대하여 최고・검색의 항변권을 주장할 수 없다.
③ 연대보증인은 분별의 이익이 없다. 분별의 이익이란 공동보증에 있어 공동보증인이 주채무액을 분할한 그 일부분에 대하여 채무를 부담하는 보증인의 이익을 말한다.
④ 연대보증 채무는 보통의 보증채무와 달리 부종성이 없다.
⑤ 「보증인 보호를 위한 특별법」상 보증기간의 약정이 없는 때에는 그 기간을 3년으로 본다.

해설 연대보증도 보통의 보증채무에서처럼 부종성을 갖는다. 즉, 주채무가 무효・취소로 부존재하면 연대보증인은 책임을 면하며, 주채무가 소멸하면 연대보증채무도 함께 소멸하게 된다. 연대보증이 보통의 보증과 가장 뚜렷하게 구별되는 점은 "보충성이 없다"는 것과 "분별의 이익이 없다"는 점이다.

① 연대보증의 개념
② 연대보증에는 보충성이 없다는 것은 연대보증인은 채권자에 대하여 최고・검색의 항변권을 주장할 수 없다는 것을 뜻한다. 따라서, 채권자는 주채무자가 채무를 이행하지 않을 경우 연대보증인에게 즉시, 동시에 채무이행을 최고할 수 있고 연대보증인은 이에 대한 채권자의 청구에 항변할 수 없다.
③ 연대보증인은 분별의 이익이 없다. 분별의 이익이란 공동보증에 있어 공동보증인이 주채무액을 분할한 그 일부분에 대하여 채무를 부담하는 보증인의 이익을 말한다. 이러한 분별의 이익은 보증인이 갖는 당연한 법률상의 이익으로서 보증인의 주장을 요하지 않는다. 그렇지만 연대보증인에게는 분별의 이익이 없으므로 채권자는 수인의 연대보증인이 있을 경우 어느 연대보증인에 대해서도 주채무의 전액을 청구할 수 있다.
⑤ 보증인 보호를 위한 특별법 제7조(보증기간 등) 제1항

06. ④

2022년 기출

07 채무자 B는 A에게 3,000만 원을 차용하였고 이 채무에 대하여 C가 연대보증을 하고 있다. 다음 설명 중 가장 적절하지 않은 것은?

① A는 B에 대하여 3,000만 원의 지급을 청구할 수 있다.
② A는 C에 대하여 3,000만 원의 지급을 청구할 수 있다.
③ A는 B 및 C에 대하여 동시에 3,000만 원의 지급을 청구할 수 있다.
④ B의 A에 대한 채무가 소멸하면 C의 채무도 소멸한다.
⑤ C는 B가 변제자력이 있다는 사실 및 그 집행이 용이할 것을 증명하여 먼저 B에게 청구할 것과 그 재산에 대하여 집행할 것을 항변할 수 있다.

해설 연대보증이란 보증인이 주채무자와 연대하여 채무를 부담함으로써 주채무의 이행을 담보하는 보증채무를 말한다. 연대보증이 다른 유형의 보증과 가장 뚜렷하게 구별되는 점은 '분별의 이익이 없다'는 것과 '보충성이 없다'는 점이다. 보통의 보증채무에서 채권자가 보증인에게 채무의 이행을 청구한 때에는 보증인은 주채무자의 변제자력이 있는 사실 및 그 집행이 용이할 것을 증명하여 먼저 주채무자에게 청구할 것과 그 재산에 대하여 집행할 것을 항변할 수 있다. 그러나 보증인이 주채무자와 연대하여 채무를 부담한 때에는 그러하지 아니하다[민법 제437조(보증인의 최고, 검색의 항변)]. 연대보증에 '보충성이 없다'는 것은 연대보증인은 채권자에 대하여 최고, 검색의 항변권을 주장할 수 없다는 것을 뜻한다. 따라서, C는 B가 변제자력이 있다는 사실 및 그 집행이 용이할 것을 증명하여 먼저 B에게 청구할 것과 그 재산에 대하여 집행할 것을 항변할 수 없다.

①②③ 따라서 채권자는 주채무자가 채무를 이행하지 않을 경우 주채무자와 연대보증인에게 각각 혹은 동시에 채무이행을 최고할 수 있고, 연대보증인은 이에 대한 채권자의 청구에 항변할 수 없다. 따라서, A는 B와 C에 대하여 각각 혹은 동시에 3,000만 원의 지급을 청구할 수 있다.

④ 연대보증도 보통의 보증채무처럼 부종성을 갖는다. 즉, 주채무가 무효・취소로 부존재하면 연대보증인은 책임을 면하며, 주채무가 소멸하면 연대보증채무도 함께 소멸하게 된다. 따라서, B의 A에 대한 채무가 소멸하면 C의 채무도 소멸한다.

07. ⑤

MEMO

2017년 기출

08 채권자 甲은 채무자 乙에게 600만 원을 빌려주었다. 이 채무에 대하여 丙은 연대보증을 하였고 丁은 보통의 보증을 하였다. 이 채무의 변제기일이 도래한 경우의 법률관계에 대한 설명이다. 옳지 않은 것은? (이자는 고려하지 않음)

① 甲은 丙에 대하여 600만 원의 지급을 청구할 수 있다.
② 甲은 乙과 丙에 대하여 동시에 600만 원의 지급을 청구할 수 있다.
③ 甲이 丁에게 채무의 이행을 청구한 때에는 丁은 乙의 변제자력이 있다는 사실 및 그 집행이 용이함을 증명하여 먼저 乙에게 청구할 것과 그 재산에 대하여 집행할 것을 항변할 수 있다.
④ 乙이 채무를 이행하지 않은 때에 한하여 丁은 甲의 청구에 따라 300만 원을 지급하여야 한다.
⑤ 丙은 乙이 변제자력이 있다는 사실 및 그 집행이 용이함을 증명하여 먼저 乙에게 청구할 것과 그 재산에 대하여 집행할 것을 항변할 수 있다.

해설 연대보증이란 보증인이 주채무자와 연대하여 채무를 부담함으로써 주채무의 이행을 담보하는 보증채무를 말한다. 연대보증이 다른 유형의 보증과 가장 뚜렷하게 구별되는 점은 '분별의 이익이 없다'는 점과 '보충성이 없다'는 점이다. 보증인이 갖는 분별의 이익이란 공동보증에 있어 공동보증인이 주채무액을 분할한 그 일부분에 대하여 채무를 부담하는 보증인의 이익을 말한다. 이러한 분별의 이익은 보증인이 갖는 당연한 법률상의 이익으로서 보증인의 주장을 요하지 않는다.

①, ② 따라서 甲은 연대보증인 丙에 대하여 혹은 채무자 乙과 연대보증인 丙에 대하여 동시에 600만 원의 지급을 청구할 수 있다.
④ 반면에 乙이 채무를 이행하지 않은 때에 한하여 분별의 이익이 있는 일반보증인 丁은 甲의 청구에 따라 300만 원을 지급하여야 한다.
⑤ 연대보증에 보충성이 없다는 것은 연대보증인은 채권자에 대하여 최고, 검색의 항변권을 주장할 수 없다는 것을 뜻한다. 따라서 연대보증인 丙은 乙이 변제자력이 있다는 사실 및 그 집행이 용이함을 증명하여 먼저 乙에게 청구할 것과 그 재산에 대하여 집행할 것을 항변할 수 없다.
③ 반면에 甲이 일반보증인 丁에게 채무의 이행을 청구한 때에는 丁은 乙의 변제자력이 있다는 사실 및 그 집행이 용이함을 증명하여 먼저 乙에게 청구할 것과 그 재산에 대하여 집행할 것을 항변할 수 있다.

08. ⑤

MEMO

2017년 기출

09 다음 중 보증채무에 관한 설명이다. 옳지 않은 것은?

① 보증은 장래의 채무에 대하여도 할 수 있다.
② 연대보증채무는 주채무에 대한 관계에서 부종성과 보충성이 없다.
③ 주채무에 대한 시효중단은 보증인에 대하여 그 효력이 있다.
④ 보증채무를 이행한 보증인은 주채무에 대하여 구상권을 갖는다.
⑤ 보증채무는 보충성을 가지므로 최고·검색의 항변권을 갖는다.

해설 연대보증이 다른 유형의 보증과 가장 뚜렷하게 구별되는 점은 '분별의 이익이 없다'는 점과 '보충성이 없다'는 점이다. 그러나 연대보증도 보통의 보증채무에서처럼 부종성을 갖는다. 즉, 주채무가 무효·취소로 부존재하면 연대보증인은 책임을 면하며, 주채무가 소멸하면 연대보증채무도 함께 소멸하게 된다.
① 민법 제428조 제2항
③ 민법 제440조
④ 보증인의 변제는 채권자에 대한 관계에서 자기의 보증채무의 이행이지만 주채무자와의 내부관계에서는 실질적으로 주채무자의 채무를 대신 이행한 것이므로 보증채무를 이행한 보증인은 주채무에 대하여 구상권을 갖는다.
⑤ 채권자가 보증인에게 채무의 이행을 청구한 때에는 보증인은 주채무자의 변제자력이 있는 사실 및 그 집행이 용이할 것을 증명하여 먼저 주채무자에게 청구할 것과 그 재산에 대하여 집행할 것을 항변할 수 있다(민법 제437조 본문). 즉, 보증채무는 보충성을 가지므로 최고·검색의 항변권을 갖는다.

2016년 기출

10 甲은행은 A에게 3,000만 원을 대출하여 주었다. B는 A의 위 채무에 대하여 연대보증을 하였다. 채무변제 전 A가 사망하자 그의 子 C가 A의 재산을 상속하였는데 상속재산은 1,000만 원에 불과하여 C는 상속재산의 한도 내에서만 A의 채무를 변제하기 위하여 상속 시 한정승인을 하였다. 이 경우 B가 부담할 보증책임의 범위는?

① 4,000만 원
② 3,000만 원
③ 2,000만 원
④ 1,000만 원
⑤ 채무를 면함

해설 '상속의 한정승인'이란 상속인이 상속으로 인하여 얻은 재산의 한도에서 피상속인의 채무와 유증을 변제하는 상속형태 또는 그와 같은 조건으로 상속을 승인하는 것을 말한다(민법 제1028조 참조). 상속의 한정승인을 하더라도 상속채무자체는 감축되지 않으므로, 채권자는 한정승인자에게 전액을 이행청구할 수 있고, 한정승인자가 자기 책임 범위를 초과하여 변제하여도 비채변제가 아니므로 반환청구 할 수 없다. 한정승인자에 한해 책

정답 09. ② 10. ②

MEMO

임만 감축되는 것이므로 피상속인의 보증인과 물상보증인은 채무도 책임도 감축되지 않아 여전히 전액변제할 책임이 있다. 따라서 C가 한정승인하여 상속재산 한도 내인 1,000만 원만 변제할 수 있게 되었어도 연대보증인 B가 부담한 보증책임의 범위는 여전히 채무전액인 3,000만 원이다.

2015년 기출

11 다음과 같은 거래와 관련한 설명으로 틀린 것은?

A는 B의 부탁으로 B가 C에 대하여 부담하는 차입금 1억 원에 대하여 보증을 하였다.

① B의 채무이행기가 도래하여도 A는 보증채무를 이행하기 전에는 B에 대하여 미리 구상권을 행사할 수 없다.
② A가 보증채무를 이행하면 A는 그 지급한 날 이후의 법정이자도 B에게 상환을 청구할 수 있다.
③ C의 B에 대한 채권이 소멸시효가 완성되면 A도 이를 주장하여 그의 채무를 면할 수 있다.
④ C가 B에 대하여 위 차입금의 상환을 청구하는 소송을 제기하는 경우에 그로 인한 소멸시효의 중단의 효과는 A의 보증채무에도 미친다.
⑤ B가 담보로 자기 소유의 부동산에 C에 대한 위 차입금을 위한 저당권을 설정한 경우에 A가 보증채무를 이행하여 B의 채무가 소멸한 때에는 그 저당권에 대한 C의 권리는 A가 대위한다.

해설 주채무자의 부탁으로 보증인이 된 자는 다음 각 호의 경우에 주채무자에 대하여 미리 구상권을 행사할 수 있다(민법 제442조 제1항).

1. 보증인이 과실 없이 채권자에게 변제할 재판을 받은 때
2. 주채무자가 파산선고를 받은 경우에 채권자가 파산재단에 가입하지 아니한 때
3. 채무의 이행기가 확정되지 아니하고 그 최장기도 확정할 수 없는 경우에 보증계약 후 5년을 경과한 때
4. 채무의 이행기가 도래한 때

② 주채무자의 부탁으로 보증인이 된 자가 과실 없이 변제 기타의 출재로 주채무를 소멸하게 한 때에는 주채무자에 대하여 구상권이 있다. 이 구상권은 면책된 날 이후의 법정이자 및 피할 수 없는 비용 기타 손해배상을 포함한다(동법 제441조).
③ 보증채무의 부종성
④ 주채무자에 대한 시효의 중단은 보증인에 대하여 그 효력이 있다(동법 제440조).
⑤ 변제할 정당한 이익이 있는 자는 변제로 당연히 채권자를 대위한다(동법 제480조). 보증인은 변제할 정당한 이익이 있는 자에 해당한다.

11. ①

MEMO

2012년 기출

12 다음 보증계약과 관련한 설명 중 가장 적절하지 않은 것은?

채권자甲은 채무자乙에게 빌려준 6천만 원의 금전채권을 확보하기 위하여 A(보증인) 및 B(보증인)와 보통의 보증계약을 맺었다.

① A와 B는 甲이 자신들에게 채무의 이행을 청구한 때에는 乙에게 먼저 이행청구 및 집행할 것을 요구하는 최고·검색의 항변을 할 수 있다.
② A와 B의 최고·검색의 항변은 乙이 변제자력이 있는 사실 및 그 집행이 용이할 것임을 증명하여야 한다.
③ 乙이 무자력으로 채무를 이행할 수 없는 경우 A와 B는 3천만 원씩 변제하여야 할 채무를 진다.
④ 乙과 B가 무자력인 경우 A는 6천만 원을 변제하여야 할 채무를 진다.
⑤ 乙이 4천만 원을 변제하고 무자력이 되어 나머지 2천만 원을 변제하지 못한 경우 A와 B는 각각 1천만 원씩 변제하여야 할 채무를 진다.

해설 A와 B는 甲이 자신들에게 채무의 이행을 청구한 때에는 乙에게 먼저 이행청구 및 집행할 것을 요구하는 최고·검색의 항변을 할 수 있다. 즉, A와 B는 보통의 보증인으로서 연대보증인이 아니므로 최고·검색의 항변권을 가지며, 채무자乙이 무자력으로 채무를 이행할 수 없는 경우 보통의 보증인인 A와 B는 각 3천만 원씩 변제하여야 할 채무를 지게 되고 乙과 B가 무자력인 경우라도 A는 3천만 원만을 변제하여야 할 채무를 진다.

2011년 기출

13 甲, 乙, 丙이 균등한 비율로 채권자 A에 대하여 900만 원의 연대채무를 부담하는 경우, 乙은 무자력이고, 丙은 A로부터 연대의 면제를 받았다. 甲이 채무전액을 변제한 경우에 甲이 A에 대한 구상액은?

① 600만 원
② 450만 원
③ 300만 원
④ 150만 원
⑤ 없음

해설 상환할 자력이 없는 채무자(무자력자)의 부담부분을 분담할 다른 채무자가 채권자로부터 연대의 면제를 받은 때에는 그 채무자가 분담할 부분은 채권자의 부담으로 한다(민법 제427조 제2항). 설문의 경우 甲이 채무전액인 900만 원을 변제하면 甲은 乙, 丙에 대하여 각각 300만 원씩 구상할 수 있으나 乙이 무자력인 때에는 乙의 부담부분 300만 원은 甲과 丙이 각자의 부담부분에 비례하여 150만 원씩 부담하게 되며, 丙은 채권자 A로부터 연대의 면제를 받았으므로 丙이 분담할 150만 원은 채권자가 부담하여야 한다. 따라서 甲은 채권자 A에 대해서 150만 원을 구상하여야 한다.

12. ④ 13. ④

MEMO

제2절 담보물권

2023년 기출

01 담보물권에 관한 다음 설명 중 가장 적절하지 않은 것은?

① 담보물권은 피담보채권의 존재에 의지하는 성질이 있어 피담보채권의 성립·소멸과 운명을 같이 한다.

② 피담보채권이 양도되면 담보물권도 따라서 양도된다.

③ 저당권자는 집행권원을 취득하지 않고서도 담보물의 처분(경매)을 법원에 신청할 수 있다.

④ 피담보채권을 위하여 부동산등기부에 저당권설정등기가 되어 있는 경우, 그 피담보채권이 변제되었어도 저당권 말소등기를 하여야만 저당권이 소멸한다.

⑤ 담보권자가 물상대위권을 행사하기 위해서는 담보권설정자가 금전 기타의 물건을 지급 또는 인도 받기 전에 압류하여야 한다.

해설 ④ 담보물권은 피담보채권이 존재하지 아니하는 한 독립적으로 존재하지 못하는 것으로, 그 부종성으로 인하여 피담보채권의 성립 및 소멸과 운명을 같이 하게 된다. 또한 담보권이 약정되어 있더라도 피담보채권이 변제되거나 원인무효 등에 의하여 소멸하면 당연히 담보권도 소멸하게 된다. 즉, 피담보채권을 위하여 부동산등기부에 저당권설정등기가 되어 있는 경우, 그 피담보채권이 변제되었다면 저당권말소등기 없이도 담보권은 소멸하게 된다.

② 담보물권의 수반성

③ 담보물권의 처분적 효력

⑤ 약정담보물권에 있어서 그 목적물이 멸실, 훼손 또는 공용징수로 인하여 보험청구권, 손해배상청구권, 보상금청구권 등에 담보물권의 효력이 미치는 성질을 '물상대위성'이라고 하는데, 물상대위가 성립한다고 하여 담보설정자가 수령하게 될 금전 그 자체에 우선변제적 효력이 당연히 미치는 것은 아니며, 담보권자가 물상대위권을 행사하기 위해서는 담보권설정자가 금전 기타의 물건을 지급 또는 인도 받기 전에 압류하여야 한다.

01. ④

MEMO

2020년 기출

02 **담보물권에 대한 다음 설명 중 옳지 않은 것은?**

① 근저당권이 유효하게 성립하여 근저당권등기가 되어 있다 하더라도 피담보채권인 대출금이 변제되었다면 근저당권자는 근저당권을 행사할 수 없다.

② 1천만원의 채무에 관하여 부동산을 담보로 근저당권을 설정하였던 바, 후일 그 채무의 일부인 5백만원을 변제하였다고 하여 저당권의 효력이 담보목적부동산의 절반에 대해서만 미치는 것은 아니며 채무가 전부 소멸될 때까지는 담보권의 효력이 목적부동산에 전부 미치게 된다.

③ 주택, 아파트에 저당권이 설정되어 있는 경우에는 저당권자의 동의 없이 저당권설정자(소유자)가 제3자에게 매각할 수 없다.

④ 담보물의 매수인인 제3자가 채권자의 동의를 취득한 후 채무를 인수하지 아니하는 한 담보물의 소유권이 제3자에게 이전등기 되었다 하더라도, 채권자는 제3자에게 인적채무를 물을 수 없다.

⑤ 채무자 아닌 근저당권설정자(물상보증인이나 제3취득자)는 「민법」 제357조에서 말하는 채권의 최고액만을 변제하면 근저당권설정등기의 말소청구를 할 수 있고 채권최고액을 초과하는 부분의 채권액까지 변제할 의무가 있는 것이 아니다.

해설 ③ 소유자(담보설정자)가 채권자에게 담보제공 이후 담보목적물을 매각할 수 없다든지, 제3자는 소유권을 취득할 수 없다든지 하는 제한은 없다. 따라서 주택, 아파트에 저당권이 설정되어 있는 경우에는 저당권자의 동의 없이도 저당권설정자(소유자)가 제3자에게 매각할 수 있다. 그렇지만 주택에 설정된 저당권은 주택이 매매되어도 원래의 피담보채권을 계속 담보하게 된다. 주택의 소유권이 이전되더라도 저당권의 효력은 담보목적물에 계속 효력을 미치게 되는데, 이러한 성질을 담보권의 '추급효'라고 한다.

④⑤ 추급효는 물건에 대해서만 효력이 미친다. 물적 담보만을 제공한 제3자는 인적 채무를 부담하지 아니한다. 즉, 제3자는 담보목적물의 가액범위 내에서 저당권의 책임한도 범위 내에서만 책임이 있다. 따라서 채무자 아닌 근저당권설정자(물상보증인이나 제3취득자)는 「민법」 제357조에서 말하는 채권의 최고액만을 변제하면 근저당권설정등기의 말소청구를 할 수 있고 채권최고액을 초과하는 부분의 채권액까지 변제할 의무가 있는 것이 아니다.

① 담보물권은 피담보채권이 존재하지 아니하는 한 독립적으로 존재하지 못하는 것으로, 그 '부종성'으로 인하여 피담보채권의 성립 및 소멸과 운명을 같이 하게 된다. 따라서 근저당권이 유효하게 성립하여 근저당권등기가 되어 있다 하더라도 피담보채권인 대출금이 변제되었다면 근저당권자는 근저당권을 행사할 수 없다.

② 피담보채권이 전부 소멸하기까지는 담보권의 효력이 목적물 전부에 미치는 성질을 '불가분성'이라고 한다. 따라서 1천만원의 채무에 관하여 부동산을 담보로 근저당권을 설정하였던 바, 후일 그 채무의 일부인 5백만원을 변제하였다고 하여 저당권의 효력이 담보목적부동산의 절반에 대해서만 미치는 것은 아니며 채무가 전부 소멸될 때까지는 담보권의 효력이 목적부동산에 전부 미치게 된다.

02. ③

MEMO

2020년 기출

03 다음 설명 중 옳지 않은 것은?

① 질권은 질권설정자로부터 담보목적물의 점유 및 소유를 질권자에게 이전한다.

② 동산·채권 담보등기를 이용할 자의 자격은 법인 및 사업자등록을 한 개인이다. 즉 개인 자영업자는 사업자등록을 하여야 가능하다.

③ 동산·채권 등의 담보제도상 채권담보는 확정일자 있는 통지 또는 제3채무자의 승낙이 없더라도 담보등기로 제3채무자를 제외한 제3자에 대한 대항력이 발생한다.

④ 저당권은 담보목적물의 점유 및 소유를 저당권설정자에게 남겨 둔다.

⑤ 지시채권을 질권의 목적으로 한 질권의 설정은 증서에 배서하여 질권자에게 교부함으로써 그 효력이 생긴다.

해설 ①④ 질권이라 함은 채권자가 채권을 담보할 목적으로 채무자 또는 제3자로부터 받은 물건 또는 채권 등 재산권을 채무의 변제가 있을 때까지 점유하고 채무의 변제가 없을 때에는 그 목적물로부터 우선적으로 변제받는 권리를 말한다(민법 제329조, 제345조). 질권은 담보목적물의 소유권은 질권설정자에게 보류하되 점유를 질권설정자로부터 질권자로 이전시킨다는 점에서 담보목적물을 저당권설정자의 수중에 남겨두는 저당권과 근본적인 차이가 있다.

② 동산·채권 등의 담보에 관한 법률상 "담보권설정자"는 이 법에 따라 동산·채권·지식재산권에 담보권을 설정한 자를 말한다. 다만, 동산·채권을 담보로 제공하는 경우에는 법인 또는 「부가가치세법」에 따라 사업자등록을 한 사람으로 한정한다[동법 제2조(정의) 제5호].

③ 약정에 따른 채권담보권의 득실변경은 담보등기부에 등기한 때에 지명채권의 채무자(즉, 제3채무자) 외의 제3자에게 대항할 수 있다[동산·채권 등의 담보에 관한 법률 제35조(담보등기의 효력) 제1항].

⑤ 민법 제350조(지시채권에 대한 질권의 설정방법)

2024년 기출

04 피담보채권을 위하여 부동산등기부에 저당권설정등기가 되어 있는 경우, 그 피담보채권이 변제되면 저당권 말소등기를 하지 않아도 그 저당권이 소멸되는 담보물권의 성질은?

① 물상대위성 ② 무인성
③ 부종성 ④ 불가분성
⑤ 보충성

정답 03. ① 04. ③

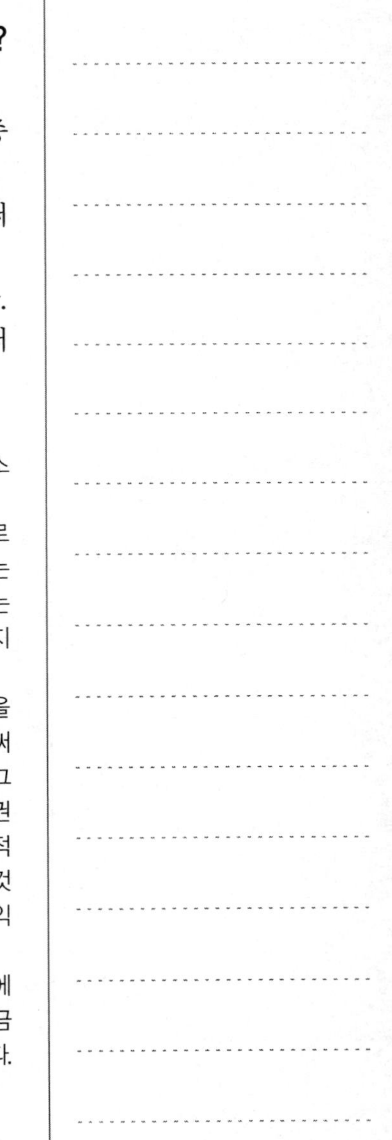

해설 ③ 담보물권은 피담보채권이 존재하지 아니하는 한 독립적으로 존재하지 못하는 것으로, 그 부종성으로 인하여 피담보채권의 성립 및 소멸과 운명을 같이 하게 된다. 또한 담보권이 약정되어 있더라도 피담보채권이 변제되거나 원인무효 등에 의하여 소멸하면 당연히 담보권도 소멸하게 된다. 즉, 피담보채권을 위하여 부동산등기부에 저당권 설정등기가 되어 있는 경우, 그 피담보채권이 변제되었다면 저당권말소등기 없이도 담보권은 소멸하게 된다.

2018년 기출

05 다음은 담보물권의 공통적인 성질과 효력에 관하여 기술한 것이다. 옳지 않은 것은?

① 담보물권의 특성으로는 부종성, 수반성, 물상대위성, 불가분성이 있다.
② 담보물권은 일반적으로 부종성이라는 특성을 가지나, 근저당권에서는 부종성이 다소 완화된다.
③ 물상대위성이란 담보물권의 목적물이 멸실・훼손・공용징수・매매됨으로써 성립한다.
④ 담보물권의 효력으로는 유치적 효력, 우선변제적 효력, 수익적 효력이 있다.
⑤ 물상대위성은 우선변제적 효력이 있는 담보물권에 인정되므로 질권이나 저당권에 적용된다.

해설 ① 담보물권의 특성으로는 부종성, 수반성, 물상대위성, 불가분성이 있다.
② 담보물권은 일반적으로 부종성이라는 특성을 가지나, 근저당권에서는 부종성이 다소 완화된다.
③ '물상대위성'이란 약정담보물권에 있어서 그 목적물이 멸실・훼손 또는 공용징수로 인하여 보험금청구권, 손해배상청구권, 보상금청구권 등 금전채권으로 변하게 되는 때에 보험금청구권, 손해배상청구권, 보상금청구권 등에 담보물권의 효력이 미치는 성질을 말한다(민법 제342조, 제370조 참조). 매매는 우선변제적 효력을 여전히 유지하게 되어(추급효) 물상대위성이 인정될 사유가 아니다.
④ 담보물권은 채권의 존재만 소명되면 절차(부동산 임의경매 등)에 따라 담보목적물을 처분할 수 있는 처분적 효력, 채무자로부터 주관적 가치가 많은 물건을 빼앗음으로써 심리적 압박을 가하여 채무의 변제를 촉구하는 유치적 효력, 채무불이행의 경우에 그 목적물의 교환가치로부터 우선변제를 받는 방법인 우선변제적 효력, 주택의 소유권이 이전되더라도 저당권의 효력은 담보목적물에 계속 미치는 추급효가 있다. 수익적 효력은 담보권자인 채권자가 담보목적물로 생기는 수익으로 채무변제에 충당하는 것을 말하는 것으로서 우리 민법이 인정하는 담보물권(유치권, 질권, 저당권)에는 수익적 효력을 갖는 경우는 없다(신용관리협회 이의제기 검토결과 복수정답 인정).
⑤ 물상대위성은 우선변제적 효력이 있는 약정담보물권에 인정되므로 질권이나 저당권에 적용되고, 법정담보물권인 유치권은 유치권자가 경매청구권을 가지지만, 그 매각대금으로부터 우선변제를 받을 권능은 가지지 못하므로 물상대위성을 인정할 여지가 없다.

05. ③, ④(복수정답 인정)

MEMO

2017년 기출

06 피담보채권을 위하여 부동산등기부에 저당권설정등기가 되어 있는 경우, 그 피담보채권이 변제되면 저당권 말소등기를 하지 않아도 그 저당권 등기가 무효인 담보물권의 성질은?

① 물상대위성
② 부종성
③ 담보물권의 추급효
④ 불가분성
⑤ 수반성

해설 담보물권은 피담보채권이 존재하지 아니하는 한 독립적으로 존재하지 못하는 것으로, 그 부종성으로 인하여 피담보채권의 성립 및 소멸과 운명을 같이 하게 된다. 또한 담보권이 약정되어 있더라도 피담보채권이 변제되거나 원인무효 등에 의하여 소멸하면 당연히 담보권도 소멸하게 된다. 즉, 피담보채권을 위하여 부동산등기부에 저당권설정등기가 되어 있는 경우, 그 피담보채권이 변제되면 저당권 말소등기를 하지 않아도 담보권은 소멸하게 된다.

2023년 기출

07 유치권에 관한 다음 설명 중 가장 적절하지 않은 것은?

① 유치권자는 채권의 변제를 받기 위하여 유치물을 유치할 수는 있어도 경매를 신청할 수는 없다.
② 유치권은 일정한 경우에 당연히 성립하는 법정담보물권이다.
③ 유치권은 그 점유가 불법행위로 인한 경우에는 발생하지 않는다.
④ 유치권자는 채권 전부의 변제를 받을 때까지 유치물 전부에 대하여 그 권리를 행사할 수 있다.
⑤ 유치권자가 유치물에 관하여 필요비를 지출한 때에는 소유자에게 그 상환을 청구할 수 있다.

해설 ① 유치권자는 채권의 변제를 받기 위하여 유치물을 경매할 수 있다(민법 제322조 제1항).
② 타인의 물건 또는 유가증권을 점유한 자는 그 물건이나 유가증권에 관하여 생긴 채권이 변제기에 있는 경우에는 변제를 받을 때까지 그 물건 또는 유가증권을 유치할 권리가 있는 법정담보물권이다(민법 제320조 참조).
③ 민법 제320조 제2항
④ 민법 제321조(유치권의 불가분성)
⑤ 유치권자가 유치물에 관하여 필요비를 지출한 때에는 소유자에게 그 상환을 청구할 수 있다(민법 제325조 제1항). 유치권자가 유치물에 관하여 유익비를 지출한 때에는 그 가액의 증가가 현존한 경우에 한하여 소유자의 선택에 좇아 그 지출한 금액이나 증가액의 상환을 청구할 수 있다. 그러나 법원은 소유자의 청구에 의하여 상당한 상환기간을 허여할 수 있다(동조 제2항).

06. ② 07. ①

MEMO

2021년 기출

08 유치권에 관한 다음 설명 중 적절하지 않은 것은?

① 유치권은 약정담보물권이다.
② 유치권자에게는 경매청구권이 있다.
③ 유치권은 그 점유가 불법행위로 인한 경우에는 발생하지 않는다.
④ 유치권은 목적물이 부동산인 경우에도 등기를 필요로 하지 않는다.
⑤ 유치권은 점유한 물건이나 유가증권에 관하여 생긴 채권이 변제기에 있어야 발생한다.

해설 유치권은 타인의 물건 유가증권을 점유한 자가 그 물건이나 유가증권에 관하여 생기는 채권(피담보채권)을 가지는 경우에, 그 채권의 변제를 받을 때까지 그 물건 또는 유가증권을 유치함으로써(인도거절) 채무자의 변제를 강제하는 법정담보물권이다(민법 제320조 제1항).
② 민법 제322조 제1항 ③ 민법 제320조 제2항
④ 유치권은 점유에 의해 공시되므로 목적물이 부동산인 경우에도 등기를 필요로 하지 않는다.
⑤ 채권의 변제기 도래는 일반적으로 담보권을 실행하기 위한 요건이지만, 유치권의 경우에 변제기의 도래는 그 성립요건이다. 따라서 채권의 변제기가 도래하지 않는 동안에는 유치권이 성립하지 않는다. 그렇지 않다면 변제기 전의 이행을 강제하는 결과로 된다.

2018년 기출

09 다음 중 현행법상 등기될 수 있는 권리가 아닌 것은?

① 저당권부 질권
② 저당권
③ 유치권
④ 전세권
⑤ 지상권

해설 유치권은 법률상 당연히 성립하는 법정담보물권으로서, 타인의 물건을 점유하고 있다는 점에 기초하여 인정되는 권리이므로 점유의 상실에 의해 소멸하며, 추급효를 가지지 않을 뿐만아니라 부동산의 경우에도 등기를 요하지 않는 점에서 다른 담보물권과 차이가 있다.
①②④⑤ **부동산등기법 제3조(등기할 수 있는 권리 등)** 등기는 부동산의 표시(表示)와 다음 각 호의 어느 하나에 해당하는 권리의 보존, 이전, 설정, 변경, 처분의 제한 또는 소멸에 대하여 한다. 1. 소유권(所有權) 2. 지상권(地上權) 3. 지역권(地役權) 4. 전세권(傳貰權) 5. 저당권(抵當權) 6. 권리질권(權利質權) 7. 채권담보권(債權擔保權) 8. 임차권(賃借權)

08. ① **09.** ③

MEMO

2023년 기출

10 **동산질권에 관한 다음 설명 중 가장 적절하지 않은 것은?**

① 동산질권자는 채권의 담보로 채무자 또는 제3자가 제공한 동산을 점유하고 그 동산에 대하여 다른 채권자보다 자기채권의 우선변제를 받을 권리가 있다.

② 질권자는 그 권리의 범위 내에서 자기의 책임으로 질물을 전질할 수 있다. 이 경우 전질을 하지 아니하였으면 면할 수 있는 불가항력으로 인한 손해에 대하여도 책임을 부담하지 아니한다.

③ 질권의 설정은 질권자에게 목적물을 인도함으로써 그 효력이 생긴다.

④ 수개의 채권을 담보하기 위하여 동일한 동산에 수개의 질권을 설정한 때에는 그 순위는 설정의 선후에 의한다.

⑤ 질권은 원본, 이자, 위약금, 질권실행의 비용, 질물보존의 비용 및 채무불이행 또는 질물의 하자로 인한 손해배상의 채권을 담보한다. 그러나 다른 약정이 있는 때에는 그 약정에 의한다.

해설 ② 질권자는 그 권리의 범위 내에서 자기의 책임으로 질물을 전질할 수 있다. 이 경우 전질을 하지 아니하였으면 면할 수 있는 불가항력으로 인한 손해에 대하여도 책임을 부담한다[민법 제336조(전질권)].
① 민법 제329조(동산질권의 내용)
③ 민법 제330조(설정계약의 요물성)
④ 민법 제333조(동산질권의 순위)
⑤ 민법 제334조(피담보채권의 범위)

10. ②

MEMO

2019년 기출

11 동산질권에 대한 다음 설명 중 옳지 않은 것은?

① 질권자는 설정자로 하여금 질물의 직접점유를 하게 하지 못한다.
② 동산질권의 설정은 질권자에게 목적물을 인도함으로써 그 효력이 생긴다.
③ 부동산 위에는 질권이 설정될 수 없다.
④ 동산질권자는 채무자의 변제가 없을 때에는 그 목적물로부터 다른 채권자보다 우선변제를 받을 권리가 있다.
⑤ 동산질권자가 질권설정자에게 질권의 목적물을 일시적으로 반환하는 행위는 질권의 존속에 영향을 미치지 않는다.

해설 질권이 설정된 후 질권자가 자의로 질물을 질권설정자에게 반환한 경우 질권의 효력에 관하여, 민법 제332조(설정자에 의한 대리점유의 금지)에 의한 유치적 효력 확보의 요청을 고려한다면 원칙적으로 질권 자체가 소멸한다고 보는 것이 다수설이다.
① 질권자는 설정자로 하여금 질물의 점유를 하게 하지 못한다(민법 제332조).
② 질권의 설정은 질권자에게 목적물을 인도함으로써 그 효력이 생긴다(민법 제330조).
③ 구민법은 수익질인 부동산질권도 인정하였으나, 현행민법은 수익질을 인정하지 않고, 점유질인 동산을 목적으로 하는 동산질권과 채권 기타 재산권을 목적으로 하는 권리질권의 2종류만을 인정한다.
④ 동산질권자는 채권의 담보로 채무자 또는 제3자가 제공한 동산을 점유하고 그 동산에 대하여 다른 채권자보다 자기채권의 우선변제를 받을 권리가 있다(민법 제329조).

2017년 기출

12 채권자(A)가 채권을 담보할 목적으로 채무자(B)로부터 받은 동산 또는 제3자(C)에 대한 채권 등 재산권을 채무의 변제가 있을 때까지 점유하고 채무의 변제가 없을 때에는 그 목적물로부터 우선적으로 변제 받는 담보물권은?

① 양도담보
② 질권
③ 가등기담보
④ 저당권
⑤ 유치권

해설 질권이라 함은 채권자가 채권을 담보할 목적으로 채무자 또는 제3자로부터 받은 물건 또는 채권 등 재산권을 채무의 변제가 있을 때까지 점유하고, 채무의 변제가 없을 때에는 그 목적물로부터 우선적으로 변제 받는 권리를 말한다(민법 제329조, 제345조). 질권의 목적물은 동산 또는 채권 등 재산권이다. 즉, 질권은 재산권을 그 목적으로 할 수 있다. 그러나 부동산의 사용, 수익을 목적으로 하는 권리는 그러하지 아니하다. 질권은 질권설정자로부터 담보목적물의 점유만 이전하고, 소유권은 이전되지 않는다는 점에서 양도담보와 구별된다.

11. ⑤ 12. ②

MEMO

2024년 기출

13 **근저당권에 관한 다음 설명 중 가장 적절하지 않은 것은?**

① 실제 채무액이 근저당채권최고액을 초과하는 경우 채무자 겸 근저당권설정자는 채권의 최고액만을 변제하면 근저당권설정등기의 말소청구를 할 수 있다.

② 근저당권이 성립하기 위해서는 당사자 사이에 설정계약이 필요한 것은 보통의 저당권과 같지만 근저당권을 등기함에 있어서는 근저당권임과 채권최고액을 반드시 명시해야만 한다.

③ 근저당권은 계속적 거래관계에서 생기는 여러 가지 채권을 장래의 결산기에 일정 한도액까지 담보하려는 것이다.

④ 피담보채권의 범위를 정하는 것은 담보권설정계약에 의하여 결정된다.

⑤ 피담보채권이 일시적으로 존재하지 않는 경우에도 근저당권은 소멸되지 않는다.

해설 ① 근저당권은 설정계약에서 정하여지고 등기된 최고액을 한도로 결산기에 실제로 존재하는 채권액 전부를 피담보채권으로 한다. 최고액이란 근저당권자가 목적물로부터 우선변제를 받을 수 있는 한도액을 말한다. 따라서 확정된 피담보채권액이 채권최고액을 넘더라도 최고액까지만 우선변제를 받을 수 있다. 그러나 이것이 근저당권자와 채무자 겸 근저당권 설정자 사이에서도 최고액의 범위 내의 채권에 한하여 변제받을 수 있음을 의미하는 것은 아니다. 즉 그들 사이에서는 채권 전액의 변제가 있을 때까지 근저당권의 효력은 채권최고액과 관계없이 잔존채무에 여전히 미친다(대판 2001.10.12.2000다59081). 한편 물상보증인이나 근저당부동산의 제3취득자는 채권최고액만을 변제하고 근저당권의 소멸을 청구할 수 있다(대판 1974.12.10. 74다998 참조)

② 부동산등기법 제75조(저당권의 등기사항) 제2항 제1호

③⑤ 저당권은 그 담보할 채무의 최고액만을 정하고 채무의 확정을 장래에 보류하여 이를 설정할 수 있다. 이 경우에는 그 확정될 때까지의 채무의 소멸 또는 이전은 저당권에 영향을 미치지 아니한다(민법 제357조(근저당) 제1항).

13. ①

MEMO

2022년 기출

14 **근저당에 관한 다음 설명 중 가장 적절하지 않은 것은?**

① 근저당권은 일반 저당권과 달리 피담보채권에 대한 부종성이 전혀 없어서 원칙적으로 그 피담보채권의 성립·소멸과 운명을 같이 하지 않는 것이 특징이다.

② 피담보채권이 상속·양도 등으로 그 동일성을 잃지 않고서 승계되는 때에는 근저당권도 이에 따라 승계됨이 원칙이다.

③ 근저당권이 성립하기 위해서는 당사자 사이에 설정계약이 필요한 것은 보통의 저당권과 같지만 근저당권을 등기함에 있어서는 근저당권임과 채권최고액을 반드시 명시해야만 한다.

④ 근저당권은 계속적 거래관계에서 생기는 여러 가지 채권을 장래의 결산기에 일정 한도액까지 담보한다.

⑤ 주택이나 아파트에 근저당권이 설정된 경우에도 근저당권설정자는 제3자에 대한 매매가 가능하다.

해설 저당권은 피담보채권이 존재하지 아니하는 한 독립적으로 존재하지 못하는 것으로, 그 부종성으로 인하여 피담보채권의 성립 및 소멸과 운명을 같이 하게 된다. 그러나, 근저당권은 저당권의 소멸에서의 부종성이 요구되지 않는다는 점에서 피담보채권의 소멸에 의하여 소멸되는 일반 저당권과 다르다. 즉 근저당권의 확정 전이라면, 채무가 일시적으로 전부 변제되었더라도 이로 인하여 근저당권은 소멸하지 않고, 채권이 다시 발생하면 근저당권은 동일성을 유지한 채 그 채권을 담보한다.

② 상속이나 합병 등 포괄승계사유가 발생하면, 근저당권은 법률상 당연히 기본계약상의 지위와 함께 상속인 또는 합병 후의 법인에게 이전된다. 이 점은 근저당권의 확정 전후를 불문한다. 한편 근저당권은 피담보채권과 분리하여 처분될 수 없다[부종성, 민법 제361조(저당권의 처분제한) 참조]. 그러나 이 규정이 피담보채권의 처분이 있으면 근저당권의 처분도 항상 이에 따르게 된다는 것을 의미하지는 않는다. 즉 근저당권의 확정 전후를 기준으로 하여 구별되어야 한다. 먼저 근저당권의 확정으로 피담보채권이 특정된 경우에, 근저당권은 채권최고액을 한도로 확정채권액을 담보하므로, 일반 저당권에서와 마찬가지로 그 확정된 채권의 전부 또는 일부의 양도가 있거나 대위변제되었다면, 확정된 근저당권은 피담보채권에 수반된다(대판 2002.7.26. 2001다53929 참조). 반면 피담보채권이 확정되지 않은 상태에서 개개의 파담보채권이 양도 또는 대위변제로 타인에게 이전된 경우에 이에 수반하여 근저당권도 이전되는지에 관하여 견해가 대립하는데, 판례는 부정한다(대판 2000.12.26. 2000다54451).

③ 등기관은 제1항의 저당권의 내용이 근저당권인 경우에는 제48조에서 규정한 사항 외에 다음 각호의 사항을 기록하여야 한다. 다만, 제3호 및 제4호는 등기원인에 그 약정이 있는 경우에만 기록한다. 1. 채권최고액 2. 채무자의 성명 또는 명칭과 주소 또는 사무소 소재지 3. 민법 제358조 단서의 약정 4. 존속기간[부동산등기법 제75조(저당권의 등기사항) 제2항]

14. ①

MEMO

④ 근저당권이란 장래의 채권을 위한 담보로서 저당권의 부종성 완화에 의해서 인정된 담보제도이다. 즉, 근저당권은 계속적인 채권·채무관계로부터 발생하는 장래 증감, 변동하는 불특정의 채권을 장래의 결산기에 일정한 한도액까지 담보하기 위해 설정하는 저당권이다.

⑤ 주택이나 아파트에 근저당권이 설정된 경우에도 근저당권설정자의 제3자에 대한 부동산매매가 제한되지는 않는다.

2021년 기출

15 **다음 설명 중 가장 적절하지 않은 것은?**

① 근저당권을 등기함에 있어서는 근저당권이라는 사실과 채권최고액을 반드시 명시해야만 한다.

② 연대보증인은 분별의 이익이 없다.

③ 담보권이 약정되어 있더라도 피담보채권이 변제되거나 원인무효 등에 의하여 소멸하면 원칙적으로 담보권도 소멸하게 된다.

④ 주채무가 무효·취소로 부존재하면 연대보증인은 책임을 면하며 주채무가 소멸하면 연대보증채무도 함께 소멸하게 된다.

⑤ 주택이나 아파트에 저당권이 설정되어 있으면 저당권설정자(소유자)는 그 아파트를 제3자에게 매각할 수 없다.

해설 부동산 소유권이 이전되더라도 저당권의 효력은 담보목적물에 계속 효력이 미친다(추급효). 따라서 소유자가 채권자에게 담보제공 이후 담보목적물을 매각할 수 없다든지 제3자는 소유권을 취득할 수 없다든지 하는 제한은 없다.

① 근저당권이 성립하기 위해서 당사자 사이에 설정계약이 필요하다는 것은 보통의 저당권과 같지만 근저당권을 등기함에 있어서는 근저당권임을 명시하고 채권최고액을 반드시 명시해야만 한다. 그러므로 담보할 채권의 최고액은 반드시 정하여야 한다.

② 연대보증이란 보증인이 주채무자와 연대하여 채무를 부담함으로써 주채무의 이행을 담보하는 보증채무를 말한다. 연대보증이 다른 유형의 보증과 가장 뚜렷하게 구별되는 점은 '보충성이 없다'는 것과 '분별의 이익이 없다'는 점이다.

③ 담보 물권은 피담보채권이 존재하지 아니하는 한 독립적으로 존재하지 못하는 것으로, 그 부종성으로 인하여 피담보채권의 성립과 소멸과 운명을 같이 하게 된다. 또한 담보권이 약정되어 있더라도 피담보채권이 변제되거나 원인무효 등에 의하여 소멸하면 원칙적으로 담보권도 소멸하게 된다. 즉, 피담보채권을 위하여 부동산등기부에 저당권설정등기가 되어 있는 경우, 그 피담보채권이 변제되었다면 저당권말소등기 없이도 담보권은 소멸하게 된다.

④ 연대보증도 보통의 보증채무에서처럼 부종성을 갖는다. 즉, 주채무가 무효·취소로 부존재하면 연대보증인은 책임을 면하며 주채무가 소멸하면 연대보증채무도 함께 소멸하게 된다.

15. ⑤

MEMO

2019년 기출

16 근저당에 대한 다음 설명 중 옳지 않은 것은?

① 근저당권은 계속적인 채권채무관계로부터 발생하는 장래의 증감변동하는 불특정의 채권을 장래의 결산기에 일정한 한도액까지 담보하기 위해 설정하는 저당권이다.

② 근저당권이 성립하기 위해서는 당사자 사이에 설정계약이 필요한 것은 보통의 저당권과 같지만 근저당권을 등기함에 있어서는 근저당권임과 채권최고액을 반드시 명시해야만 한다.

③ 실제 채무액이 근저당채권최고액을 초과하는 경우 채무자 겸 근저당권설정자는 채권의 최고액만을 변제하면 근저당권설정등기의 말소청구를 할 수 있다.

④ 피담보채권의 범위를 정하는 것은 담보권설정계약에 의하여 결정된다.

⑤ 한정근저당권은 피담보채권의 범위를 한정열거방식으로 정한다.

해설 판례는 "실제 채무액이 근저당채권최고액을 초과하는 경우 근저당권자와 채무자 겸 근저당권설정자와의 관계에 있어서는 위 채권 전액의 변제가 있을 때까지 근저당권의 효력은 채권최고액과는 관계없이 잔존채무에 여전히 미친다고 하면서(대판 2001.10.12. 2000다59081), 채무자의 채무액이 근저당채권최고액을 초과하는 경우에 채무자 겸 근저당권설정자가 그 채무의 일부인 채권최고액과 지연손해금 및 집행비용만을 변제하였다면 채권전액의 변제가 있을 때까지 근저당권의 효력은 잔존채무에 미치는 것이므로 위 채무일부의 변제로써 위 근저당권의 말소를 청구할 수 없다(대판 1981.11.10. 80다2712)."고 하였다.

① 근저당권의 개념

② 부동산등기법 제75조(저당권의 등기사항) 제2항 참조

④ 피담보채권의 범위를 정하는 것은 담보권설정계약에 의하여 결정된다. 채권의 담보범위를 정하는 방식에 따라 특정근저당권, 포괄근저당권, 한정근저당권으로 나눈다. 특정근저당권은 특정일자의 거래약정에 의하여 발생한 당해채무를 담보하는 계약이다. 포괄근저당권은 근저당권의 피담보채권을 모두 열거하고 그 한도에 이를때까지 열거된 모든 채권을 담보하는 계약이다.

⑤ 한정근저당권은 피담보채권의 범위를 한정열거방식으로 정한다. 거래종류별로 한정열거하는 방식과 대출약정일자별로 한정 열거하는 방식으로 운용한다. 현재는 포괄근저당권 설정은 사용 빈도가 거의 소멸되고 있으며, 대부분 한정근저당권을 이용하여 대출약정을 체결하고 있다.

16. ③

MEMO

2018년 기출

17 다음 중 근저당권에 대한 설명으로 옳지 않은 것은?

① 근저당의 채권최고액에는 이자가 포함되어 있다.
② 피담보채권이 일시적으로 존재하지 않는 경우에도 근저당권은 소멸되지 않는다.
③ 채권최고액을 초과한 부분에 대하여 근저당권자는 우선변제 받을 권리가 없다.
④ 채권이 확정되지 않은 상태라도 근저당권자는 담보권을 실행하여 우선변제를 받을 수 있다.
⑤ 근저당권자는 법원을 통하여 등기라는 공시를 하여야 한다.

해설 '근저당권'이란 장래의 채권을 위한 담보로서 저당권의 부종성 완화에 의해서 인정된 담보제도이다(민법 제357조 참조). 즉, 근저당권은 계속적인 채권·채무관계로부터 발생하는 장래 증감, 변동하는 불특정의 채권을 장래의 결산기에 일정한 한도액까지 담보하기 위해 설정하는 저당권이다. 피담보채권이 확정되기 전에는 이미 발생한 개별 채권이 변제로 소멸하여도 근저당권은 소멸하지 않는다. 그러나 현재 및 장래 증감, 변동하는 채무를 담보하는 근저당권의 성질상 어느 시점에 가서는 피담보채권이 확정되어야 한다. 즉, 피담보채권이 확정되지 않으면 근저당권을 실행할 수 없다.

② 그러나, 확정전에는 피담보채권이 일시적으로 존재하지 않는 경우에도 근저당권은 소멸되지 않는다.
⑤ 근저당권이 성립하기 위해서는 당사자 사이의 설정계약 외에 근저당권자는 법원을 통하여 등기라는 공시를 하여야 한다. 여기서 법원은 구체적으로는 '법원등기소'를 의미하는 것으로 보인다.
① 근저당권을 등기함에 있어서 근저당권임을 명시하고 채권최고액을 반드시 명시하여야 한다. 채권최고액의 담보범위는 이자를 포함한다.
③ 원본과 이자가 채권최고액 범위 내에 있는 경우에만 담보권의 효력이 미친다. 즉, 채권최고액을 초과한 부분에 대하여 근저당권자는 우선변제 받을 권리가 없다.

2017년 기출

18 근저당에 관한 다음 설명 중 옳은 것은?

① 근저당권자는 채권최고액을 초과한 이자채권에 대하여 우선변제를 받을 권리가 있다.
② 근저당권을 등기함에 있어서 채권최고액을 명시할 필요가 없다.
③ 채권최고액을 초과하는 부분의 원금채권은 우선변제를 받을 권리가 없다.
④ 피담보채권이 확정되기 전에 이미 발생한 개별 채권이 변제로 소멸하면 근저당권은 소멸한다.
⑤ 피담보채권이 확정되지 않아도 근저당권을 실행할 수 있다.

17. ④ 18. ③

MEMO

해설 근저당권이란 저당권과 다르지 않지만 장래의 채권을 위한 담보로서 저당권의 부종성 완화에 의해서 인정된 담보제도이다(민법 제357조). 즉, 근저당권은 계속적인 채권·채무관계로부터 발생하는 장래 증감, 변동하는 불특정의 채권을 장래의 결산기에 일정한 한도액까지 담보하기 위해 설정하는 저당권이다. 근저당권이 성립하기 위해서 당사자 사이에 설정계약이 필요하다는 것은 보통의 저당권과 같지만 ② 근저당권을 등기함에 있어서는 근저당권임을 명시하고 채권최고액을 반드시 명시하여야 한다. 그러므로 담보할 채권의 최고액은 반드시 정하여야 한다.

①, ③ 근저당권 등기에서 채권최고액의 담보범위는 이자를 포함한다. 즉, 원본과 이자가 채권최고액 범위 내에 있는 경우에만 담보권의 효력이 미친다. 따라서 근저당권자는 채권최고액을 초과한 채권(원본, 이자)에 대하여는 우선변제를 받을 권리가 없다.

④ 피담보채권이 확정되기 전에 이미 발생한 개별 채권이 변제로 소멸하면 근저당권은 소멸하지 않는다.

⑤ 그러나 현재 및 장래 증감, 변동하는 채무를 담보하는 근저당권의 성질상 어느 시점에 가서는 피담보채권이 확정되어야 한다. 즉, 피담보채권이 확정되지 않으면 근저당권을 실행할 수 없다. 피담보채권의 확정기란 다른 말로 결산기라고도 한다. 결산기를 지나면 그때부터는 채권의 증감, 변동을 인정하지 아니한다. 그때부터 결산기에 확정된 채권만을 담보하게 된다.

2022년 기출

19 질권, 양도담보권, 가등기담보권에 관한 다음 설명 중 가장 적절하지 않은 것은?

① 질권의 목적물은 동산 또는 채권 등 재산권이다.

② 부동산 위에는 질권이 설정될 수 없다.

③ 지명채권의 입질을 가지고 채권증서상의 채무자에 대항하려면 제3채무자에게 채무자가 통지하거나 제3채무자에게 질권설정에 대한 승낙을 받아야 하고, 제3자에게 대항하기 위해서는 통지나 승낙은 확정일자 있는 증서로서 하여야 한다.

④ 양도담보설정자는 목적물을 이용할 수 없다.

⑤ 피담보채권의 변제기가 도래하였음에도 채무자가 채무를 이행하지 않는 경우에 가등기담보권자가 목적부동산의 경매를 청구할 수 있다.

해설 양도담보라 함은 채권의 담보로서 담보목적물의 소유권을 채권자에게 이전하고 채권의 변제시 담보목적물의 소유권을 원래의 소유자에게 회복시키는 방법으로 채권을 담보하는 형태의 계약을 말한다. 반대의 특약이 없는 한 양도담보에서 목적물의 점유 내지 이용의 권리는 양도담보설정자(담보제공자, 채무자)에게 속하는 것으로 새겨야 한다. 즉 담보계약은 담보목적으로 취득한 채권자의 소유권 행사의 제약에 관한 합의를 포함하고, 별도의 합의가 없는 한 청산절차를 개시하기까지 채무자는 적법하게 담보목적물을 점유하고 이용할 수 있다(대판 1988.11.22. 87다카2555참조).

19. ④

MEMO

①② 질권이라 함은 채권자가 채권을 담보할 목적으로 채무자 또는 제3자로부터 받은 물건 또는 채권 등 재산권을 채무의 변제가 있을 때까지 점유하고 채무의 변제가 없을 때에는 그 목적물로부터 우선적으로 변제받는 권리를 말한다. 질권의 목적물은 동산 또는 채권 등 재산권이다. 그러나 부동산의 사용, 수익을 목적으로 하는 권리는 그러하지 아니하다.

③ 민법 제349조(지명채권에 대한 질권의 대항요건) 제1항 참조

⑤ 가등기담보 등에 관한 법률 제12조(경매의 청구) 제1항 참조

2021년 기출

20 다음 설명 중 가장 적절하지 않은 것은?

① 한정근저당권은 피담보채권의 범위를 한정열거방식으로 정한다.

② 가등기담보권리자가 경매를 신청하는 경우에 가등기담보권은 저당권으로 본다.

③ 양도담보는 담보목적물의 점유 및 소유를 양도담보권설정자에게 남겨 둔다.

④ 질권은 질권설정자로부터 담보목적물의 점유만 이전하고 소유권은 이전되지 않는다.

⑤ 담보가등기는 가등기가 채권담보의 목적으로 행하여진다는 점에서 일반적인 청구권보전을 위한 가등기와 다르다.

해설 양도담보라 함은 채권의 담보로서 담보목적물의 소유권을 채권자에게 이전하고 채권의 변제시 담보목적물의 소유권을 원래의 소유자에게 회복시키는 방법으로 채권을 담보하는 형태의 계약을 말한다.

① 피담보채권의 범위를 정하는 것은 담보권설정계약에 의하여 결정된다. 채권의 담보범위를 정하는 방식에 따라 특정근저당권, 포괄근저당권, 한정근저당권으로 나눈다. 특정근저당권은 특정일자의 거래약정에 의하여 발생한 당해 채무를 담보하는 계약이고, 포괄근저당권은 근저당권의 피담보채권을 모두 열거하고 그 한도에 이를 때까지 열거된 모든 채권을 담보하는 계약이며, 한정근저당권은 피담보채권의 범위를 한정열거방식으로 정한다.

② 가등기담보 등에 관한 법률 제12조 제1항 2문 참조

④ 질권이라 함은 채권자가 채권을 담보할 목적으로 채무자 또는 제3자로부터 받은 물건 또는 채권 등 재산권을 채무의 변제가 있을 때까지 점유하고 채무의 변제가 없을 때에는 그 목적물로부터 우선적으로 변제받는 권리를 말한다. 즉, 질권은 질권설정자로부터 담보목적물의 점유만 이전하고 소유권은 이전되지 않는다.

⑤ 담보가등기는 가등기가 채권담보의 목적으로 행하여진다는 점에서 일반적인 청구권보전을 위한 가등기와 다르다. 그러나 등기부상의 기재만으로는 그 구별이 곤란하다. 담보가등기는 일반적으로 등기부상 갑구에 소유권이전청구권을 보전하는 형식으로 기재된다.

20. ③

MEMO

2018년 기출

21 양도담보에 관한 다음 설명 중 옳지 않은 것은?

① 양도담보설정자는 목적물을 처분할 수 없다.
② 환매나 재매매의 예약은 본등기라 할 수 있는 점에서 같다.
③ 목적물의 점유·이용 여부는 양도담보의 설정요소가 아니다.
④ 동산·부동산뿐만 아니라, 양도 가능한 것이면 모두 양도담보의 목적으로 할 수 있다.
⑤ 양도담보의 목적물임을 알고 채권자로부터 이를 매수한 자도 유효하게 소유권을 취득한다.

해설 '양도담보'라 함은 채권의 담보로서 담보목적물의 소유권을 채권자에게 이전하고 채권의 변제시 담보목적물의 소유권을 원래의 소유자에게 회복시키는 방법으로 채권을 담보하는 형태의 계약을 말한다. 따라서, 양도담보설정자는 대외적으로 담보목적물의 소유자가 아니므로 이를 처분할 수 없다.

⑤ 그리고 대외적으로는 채권자가 소유자이므로 양도담보의 목적물임을 알고 채권자로부터 이를 매수한 자도 유효하게 소유권을 취득한다.
③ 양도담보목적물의 점유·이용 여부는 양도담보의 설정요소가 아니므로 양도담보설정자는 당사자간의 합의로 목적물을 이용할 수 있다.
④ 양도담보의 목적물로 할 수 있는 재산권은 부동산, 동산, 채권 등 제한이 없는바, 재산적 가치가 있는 것으로서 양도성이 있으면 된다.
② 넓은 의미의 양도담보는 담보제공자가 필요한 자금을 획득하는 방법에 따라 매매의 형식(구체적으로 환매 또는 재매매의 예약)을 이용하는 매도담보와 소비대차의 형식을 이용하는 좁은 의미의 양도담보로 나뉜다. '환매'란 매도인이 매매계약과 동시에 매수인과의 특약으로 환매권을 보류한 경우에, 일정한 기간 내에 그 환매권을 행사하여 그 매매목적물을 도로 찾는 것을 말하고(민법 제590조), '재매매의 예약'이란 매도인이 매수인에게 물건이나 권리를 매도한 후 다시 그 물건이나 권리를 매수할 것을 예약하는 것이다. 환매특약의 등기는 권리취득을 위한 소유권이전등기에 대한 부기등기의 형식으로 이루어지고(부동산등기법 제52조 제6호, 제53조), 재매매예약의 경우 예약완결권을 가등기할 수 있다(동법 제88조, 제3조).

2024년 기출

22 가등기담보에 관한 다음 설명 중 가장 적절하지 않은 것은?

① 담보가등기를 마친 부동산에 대하여 강제경매등이 행하여진 경우에 담보가등기권리는 그 부동산이 매각되어도 소멸하지 않는다.
② 가등기담보권은 가등기담보계약과 가등기를 함으로써 성립된다.

정답 21. ② 22. ①

MEMO

③ 가등기담보란 차주(채무자)가 차용물에 갈음하여 자기 또는 제삼자의 재산권을 주(채권자)에게 이전할 것을 예약하고, 장차 채무의 이행이 없을 때 이전하기로 예약된 재산권을 채권자가 취득하거나 경매를 실행하여 채권의 우선변제를 확보하기 위하여 이루어지는 담보수단을 말한다.
④ 피담보채권의 변제기가 도래하였음에도 채무자가 채무를 이행하지 않는 경우에 가등기담보권자가 목적부동산의 경매를 청구할 수 있다.
⑤ 가등기담보권자가 경매를 신청하는 경우에 가등기담보권을 저당권으로 본다.

해설 ① 담보가등기를 마친 부동산에 대하여 강제경매등이 행하여진 경우에는 담보가등기권리는 그 부동산의 매각에 의하여 소멸한다(가등기담보 등에 관한 법률 제15조(담보가등기권리의 소멸)).
② 가등기담보는 많은 경우에 당사자 사이에 대물변제의 예약 또는 매매의 예약을 체결하고 소유권이전청구권의 보전을 위한 가등기를 함으로써 성립한다.
③ 가등기담보의 의의
④⑤ 가등기담보 등에 관한 법률 제12조(경매의 청구) 제1항

2014년 기출

23 가등기담보권에 관한 설명으로 틀린 것은?

① 가등기담보권은 가등기담보계약과 가등기를 함으로써 설정된다.
② 가등기담보부 채권의 양도는 채권의 양도에 가등기담보권의 양도가 포함되므로 부동산물권변동을 위한 등기를 요하지 않는다.
③ 피담보채권의 변제기가 도래하였음에도 채무자가 채무를 이행하지 않는 경우에 가등기담보권자가 담보물의 가치로부터 피담보채권을 변제받기 위하여 목적부동산에 대한 소유권을 취득할 수 있다.
④ 피담보채권의 변제기가 도래하였음에도 채무자가 채무를 이행하지 않는 경우에 가등기담보권자가 목적부동산의 경매를 청구할 수 있다.
⑤ 가등기담보권자가 경매를 신청하는 경우에 가등기담보권을 저당권으로 본다.

해설 가등기담보 등에 관한 법률은 가등기담보권자에게 경매청구권, 우선변제권, 별제권 등을 인정하고 그 권리행사에 관하여 가등기담보권을 저당권으로 보고 있다. 이를 근거로 가등기담보권의 성질을 담보물권으로 보는 것이 통설이다. 따라서 가등기담보권도 담보물권의 공통성질인 부종성, 수반성, 불가분성, 물상대위성에 관한 규정이 유추적용되는 것으로 해석되며 담보물권의 특성으로 인해 가등기담보부 채권의 양도라도 부동산물권변동을 위한 등기를 요한다(가등기담보 등에 관한 법률 제18조 등 참조).

23. ②

MEMO

2018년 기출

24 **갑은 을의 토지를 임차하여 공장을 지어 운영하고 있다. 갑은 공장건물 1동, 기계, 재고상품을 담보로 공장의 운전 자금을 은행에서 대출받고자 한다. 갑이 이용할 수 있는 물적 담보수단을 모두 고른 것은?**

㉠ 공장재단저당	㉡ 동산양도담보	㉢ 근저당
㉣ 공동저당	㉤ 연대보증	

① ㉠, ㉡
② ㉠, ㉡, ㉢
③ ㉡, ㉢
④ ㉢, ㉣
⑤ ㉠, ㉢, ㉣

해설 ㉢ 우선 갑이 운영하는 공장부지는 을의 소유이고 공장건물은 자신의 소유이고 토지와 건물은 별개의 부동산이므로 갑의 공장건물1동은 근저당권의 목적이 될 수 있다.

㉠ 한편 공장 소유자는 하나 또는 둘 이상의 공장으로 공장재단을 설정하여 저당권의 목적으로 할 수 있는데(공장및광업재단저당법 제10조 제1항), 공장재단은 공장재단등기부에 소유권보존등기를 함으로써 설정하고(동법 제11조 제1항), 공장재단을 1개의 부동산으로 본다(동법 제12조 제1항). 여기서 '공장재단'이란 공장에 속하는 일정한 기업용 재산으로 구성되는 일단의 기업재산으로서 공장및광업재단저당법에 따라 소유권과 저당권의 목적이 되는 것을 말한다(동법 제2조 제2호). 공장 소유자가 공장에 속하는 건물에 설정한 저당권의 효력은 그 건물에 부합된 물건과 그 건물에 설치된 기계, 기구, 그 밖의 공장의 공용물에 미친다(동법 제4조, 제3조). 따라서 갑의 공장건물과 기계는 공장재단저당의 목적이 될 수 있다.

㉡ '양도담보'라 함은 채권의 담보로서 담보목적물의 소유권을 채권자에게 이전하고 채권의 변제시 담보목적물의 소유권을 원래의 소유자에게 회복시키는 방법으로 채권을 담보하는 형태의 계약을 말한다. 양도담보의 목적물로 할 수 있는 재산권은 부동산, 동산, 채권 등 제한이 없는바, 재산적 가치가 있는 것으로서 양도성이 있으면 된다. 따라서 갑의 재고상품은 동산양도담보의 목적이 될 수 있다.

㉤ 지문에서 명백하게 물적 담보수단을 고르라고 하였으므로 연대보증이 들어가는 지문은 답이 될 수 없다.

㉣ 또한 갑의 부동산은 공장건물 1개동뿐이므로 2개 이상의 부동산을 전제로 하는 공동저당은 설정할 수가 없으므로 이것이 들어가는 지문 역시 정답이 될 수 없다.

24. ②

신용관리사 기출문제집
memo

PART 02

채권관리방법

〉〉〉 신용관리사 기출문제집

Chapter 01 채권의 보전관리

제1절 총설

2021년 기출

01 채권관리에 관한 다음 설명 중 가장 적절하지 않은 것은?

① 일반적으로 채권관리라고 함은 채권과 담보의 보전·관리 및 회수에 관한 제반 업무를 말한다.
② 채권회수는 크게 임의회수와 강제회수로 구분할 수 있다.
③ 채권관리를 철저히 하려면 채권의 이행기일 이후에 있어서의 채권관리에 못지 않게 대출사고 등을 방지하기 위하여 채권의 발생시부터 관리하는 이른바 예방적 채권관리가 필요하고 또 중요하다.
④ 「민법」은 당사자의 특약이나 법률행위의 성질상 반대의 취지가 있지 않는 한 기한은 채권자의 이익을 위한 것으로 추정한다.
⑤ 「민법」상의 기한의 이익 상실 조항은 강행규정이 아니므로 채권자·채무자 간 약정에 의하여 기한의 이익 상실 규정을 둘 수 있다.

해설 「민법」은 당사자의 특약이나 법률행위의 성질상 반대의 취지가 있지 않는 한 기한은 채무자의 이익을 위한 것으로 추정한다(민법 제153조 제1항).

2024년 기출

02 다음 중 채권의 강제회수 방법에 해당하는 경우를 모두 고른 것은?

ㄱ. 변제
ㄴ. 강제경매
ㄷ. 대물변제
ㄹ. 가압류
ㅁ. 채무인수

① ㄱ, ㄴ
② ㄴ, ㄹ
③ ㄷ, ㄹ
④ ㄹ, ㅁ
⑤ ㄱ, ㅁ

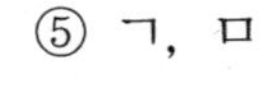

01. ④ 02. ②

MEMO

 ② 아래 채권회수의 체계요약 표 참조

	구분	방법
임의회수	채무자 및 제3자의 협력에 의한 채권회수	① 채권양도(매출채권, 임차보증금) ② 채무인수(병존적 채무인수, 면책적 채무인수) ③ 신규 담보 및 보증인 추가 징구 ④ 임의변제, 대물변제(보관상품, 기계 등) ⑤ 제소전 화해 ⑥ 약속어음공정증서 또는 집행증서 작성
	채권자가 일방적으로 할 수 있는 조치	① 선일자 당좌수표의 지급제시 ② 기한 미도래 어음・수표의 지급제시(채무자 부도 발생시) ③ 상계
강제회수	채권자가 일방적으로 할 수 있는 채권회수 및 법적 조치	① 가압류(타인의 물품이나 채권) ② 가처분(소유권유보부 매매 기타 자신의 소유 상품 및 권리) ③ 임의경매(근저당권, 질권, 가등기담보부 등 물적 담보가 있을 때) ④ 강제경매(집행권원이 있을 때 압류 및 경매 신청) ⑤ 지급명령신청, 소송제기, 중재신청, 배상명령 신청 ⑥ 타 채권자의 강제집행절차에 참가(압류경합, 배당요구) ⑦ 부정수표단속법 위반죄로 고소, 고발 ⑧ 형사고소 및 고발조치 : 강제집행 면탈죄(형법 제327조), 공무상 비밀표시무효죄(형법 제140조), 권리행사방해죄(형법 제323조), 기타 사기죄, 공갈죄, 횡령, 배임 등
	채무자 회생 및 파산에 관한 법률에 의한 절차	① 회생절차 ② 파산절차 ③ 개인회생절차

MEMO

2021년 기출

03 다음의 보기 중에서 강제회수에 해당하는 것을 모두 고르면 몇 개인가?

ㄱ. 채권양도　　ㄴ. 상계　　ㄷ. 가압류
ㄹ. 강제경매　　ㅁ. 대물변제

① 1개　② 2개
③ 3개　④ 4개
⑤ 5개

해설 ㄷ. 가압류와 ㄹ. 강제경매가 강제회수에 해당한다. 상세는 채권회수의 체계에 관한 다음 표를 참조

	구 분	방 법
임의회수	채무자 및 제3자의 협력에 의한 채권회수	① 채권양도(매출 채권, 임차보증금)(ㄱ) ② 채무인수(병존적 채무인수, 면책적 채무인수) ③ 신규 담보 및 보증인 추가 징구 ④ 임의변제, 대물변제(보관상품, 기계 등)(ㅁ) ⑤ 제소전화해 ⑥ 약속어음공정증서 또는 집행증서 작성
	채권자가 일방적으로 할 수 있는 조치	① 선일자 당좌수표의 지급제시 ② 기한 미도래 어음 · 수표의 지급제시(채무자 부도 발생시) ③ 상계(ㄴ)
강제회수	채권자가 일방적으로 할 수 있는 채권회수 및 법적조치	① 가압류(타인의 물품이나 채권)(ㄷ) ② 가처분(소유권유보부 매매 기타 자신의 소유상품 및 권리) ③ 임의경매(근저당권, 질권, 가등기담보부 등 물적 담보가 있을 때) ④ 강제경매(집행권원이 있을 때 압류 및 경매신청)(ㄹ) ⑤ 지급명령신청, 소송제기, 중재신청, 배상명령신청 ⑥ 타 채권자의 강제집행절차에 참가(압류경합, 배당요구) ⑦ 부정수표단속법 위반죄로 고소, 고발 ⑧ 형사고소 및 고발조치 : 강제집행 면탈죄(형법 제327조), 공무상 비밀표시무효죄(형법 제140조), 권리행사방해죄(형법 제323조), 기타 사기죄, 공갈죄, 횡령, 배임 등
	채무자 회생 및 파산에 관한 법률에 의한 절차	① 회생절차 ② 파산절차 ③ 개인회생절차

정답

03. ②

MEMO

2020년 기출

04 다음의 보기 중에서 채권자가 일방적으로 할 수 있는 채권회수방법인 것들만 모두 고르면 몇 개인가?

㉠ 채권양도
㉡ 상계
㉢ 약속어음공정증서 또는 집행증서 작성
㉣ 채무인수
㉤ 대물변제
㉥ 신규담보 및 보증인 추가징구
㉦ 임의변제
㉧ 선일자당좌수표의 지급제시

① 2개　　② 3개
③ 4개　　④ 5개
⑤ 6개

해설 ① 채권회수는 크게 임의회수와 강제회수로 구분할 수 있는데, 이러한 구별은 그 회수를 위한 별도의 법적절차를 밟아야 하는지 여부에 달려 있다. 그 밖에 강제회수의 특별한 도산절차에 참가하는 방법이 있다. 지문에서 채권자가 일방적으로 할 수 있는 채권회수의 방법은 ㉡ 상계, ㉧ 선일자당좌수표의 지급제시이다. 채권회수의 체계에 대한 앞 문제 해설 표 참조

2019년 기출

05 다음 설명 중 옳지 않은 것은?

① 채권회수는 크게 임의회수와 강제회수로 구분할 수 있는데, 이러한 구별은 그 회수를 위하여 별도의 법적 절차를 밟아야 하는지 여부에 달려 있다.
② 기한의 이익이란 기한이 도래하지 않고 있음으로써 그 동안 당사자가 받는 이익을 말하며, 대출금 채권에서 기한의 이익이란 채무자가 대출약정의 만기까지 대출금을 변제하지 않아도 된다는 것을 의미한다.
③ 「민법」은 당사자의 특약이나 법률행위의 성질상 반대의 취지가 있지 않는 한 기한은 채권자의 이익을 위한 것으로 추정한다.
④ 「민법」은 일정한 경우에는 채무자의 기한의 이익을 상실시키고 채권자의 기한 전 이행청구를 거절하지 못하도록 규정하고 있다.
⑤ 「민법」상의 기한의 이익 상실 조항은 강행규정이 아니므로 채권자・채무자간 약정에 의하여 기한의 이익 상실 규정을 둘 수 있다.

04. ①　05. ③

MEMO

해설 기한은 채무자의 이익을 위한 것으로 추정한다(민법 제153조 제1항).
② 기한의 이익과 대출금 채권에서 기한의 이익의 개념
④ 민법 제388조(기한의 이익의 상실) 참조
⑤ 특별히 예외적인 경우를 제외하고 일반적으로 물권편은 강행규정, 채권편은 임의규정인바, 기한의 이익 상실 조항(민법 제388조)은 민법 제3편 채권편에 규정되어 있다.
① 채권회수는 크게 임의회수와 강제회수로 구분할 수 있는데, 이러한 구별은 그 회수를 위하여 별도의 법적 절차를 밟아야 하는지 여부에 달려 있다. 채권회수의 체계에 대하여는 앞 문제 표를 참조

2024년 기출

06 기한의 이익과 관련된 다음 설명 중 가장 적절하지 않은 것은?

① 대출금 채권에서 기한의 이익이란 채무자가 대출약정의 만기까지 대출금을 변제하지 않아도 된다는 것을 의미한다.
② 기한의 이익 상실에 관한 민법규정은 강행규정이 아니다.
③ 「은행 여신거래 기본약관」에 따르면 채무불이행자명부 등재신청이 있는 때에는 은행으로부터의 독촉·통지등이 없어도 채무자는 당연히 은행에 대한 모든 채무의 기한의 이익을 상실한다.
④ 기한은 채권자의 이익을 위한 것으로 추정한다.
⑤ 기한의 이익은 이를 포기할 수 있다. 그러나 상대방의 이익을 해하지 못한다.

해설 ④ 기한은 채무자의 이익을 위한 것으로 추정한다(민법 제153조 제1항)
② 기한의 이익 상실에 관한 민법규정은 강행규정이 아니므로 채권자, 채무자 간 약정에 의하여 기한의 이익 상실조항을 둘 수 있다.
③ 아래 은행여신거래기본약관(가계용) 제7조(기한전의 채무변제의무) 제1항 제3호 참조
⑤ 민법 제153조 제2항

은행여신거래기본약관(가계용) 제7조(기한전의 채무변제의무)

① 채무자에게 다음 각 호의 어느 하나에 해당하는 사유가 발생한 경우, 저축은행은 채무자에게 저축은행에 대한 모든 채무에 대하여 기한의 이익을 상실시킬 수 있다(지급보증거래에 있어서 사전구상채무 발생을 포함한다. 이하 같음). 이 경우, 저축은행은 채무자에게 서면으로 다음 각 호의 사유 및 이에 따라 다음 각 호의 사유 발생 즉시 기한의 이익을 상실하였다는 사실을 함께 통지하여야 한다. 통지가 도달하면 채무자는 다음 각 호의 사유발생시부터 기한의 이익을 상실하여, 이를 곧 갚아야 할 의무를 진다.
1. 저축은행에 대한 예치금 등 각종 채권에 대하여 가압류·압류명령이나 체납처분 압류통지가 도달하거나 또는 기타의 방법에 의한 강제집행개시나 체납처분 착수가 있는 때. 다만, 담보재산이 존재하는 채무의 경우에는 채권회수에 중대한 지장이 있는 때에만 가압류를 사유로 기한의 이

정답 06. ④

MEMO

익을 상실한다.

2. 채무자가 제공한 담보재산(제1호의 저축은행에 대한 예치금 등 각종 채권은 제외)에 대하여 압류명령이나 체납처분 압류통지가 도달하거나 기타의 방법에 의한 강제집행개시나 체납처분 착수가 있는 때
3. 파산 · 회생, 개인회생절차개시의 신청이 있거나, 채무불이행자명부 등재 신청이 있는 때
4. 조세공과에 관하여 납기전 납부고지서를 받거나, 어음교환소의 거래정지 처분이 있는 때
5. 폐업, 도피 기타의 사유로 지급을 정지한 것으로 인정된 때
6. 채무자의 과점주주나 실질적인 기업주인 포괄근보증인의 제예치금 기타 저축은행에 대한 채권에 대하여 제1호의 명령이나 통지가 발송된 때

② 채무자에 관하여 다음 각 호에서 정한 사유중 하나라도 발생한 경우에는 채무자는 당연히 당해 채무의 기한의 이익을 상실하여 곧 이를 변제(또는 이행)할 의무를 지기로 한다. 다만, 저축은행은 기한의 이익상실일 7영업일 전까지 다음 각 호의 채무이행 지체사실과 대출잔액 전부에 대하여 연체이자가 부과될 수 있다는 사실을 채무자에게 서면으로 통지하여야 하며, 기한의 이익상실일 7영업일 전까지 통지하지 않은 경우에는 채무자는 실제 통지가 도달한 날로부터 7영업일이 경과한 날에 기한의 이익을 상실하여 곧 이를 변제(또는 이행)할 의무를 지기로 한다.

1. 이자 등을 지급하여야 할 때로부터 계속하여 1개월(가계주택담보대출의 경우 2개월)간 지체한 때
2. 분할상환금 또는 분할상환원리금의 지급을 2회(가계주택담보대출의 경우 3회)이상 연속하여 지체한 때

③ 채무자에 관하여 다음 각 호에서 정한 사유중 하나라도 발생하여 저축은행의 채권보전에 현저한 위험이 예상될 경우, 저축은행은 서면으로 변제 · 압류 등의 해소 · 신용의 회복 등을 독촉하고, 그 통지의 도달일로부터 10일 이상으로 저축은행이 정한 기간이 경과하면 채무자는 저축은행에 대한 모든 채무의 기한의 이익을 상실하여, 곧 이를 변제(또는 이행)할 의무를 지기로 한다.

1. 저축은행에 대한 수개의 채무 중 하나라도 기한에 변제하지 아니하거나 제2항 또는 제4항에 의하여 기한의 이익을 상실한 채무를 변제하지 아니한 때
2. 제1항 제1호 및 제2호 외의 재산에 대하여 압류 · 체납처분이 있는 때
3. 채무자의 제1항 제1호 외의 재산에 대하여, 민사집행법상의 담보권실행 등을 위한 경매 개시가 있거나 가압류통지가 발송되는 경우로서, 채무자의 신용이 현저하게 악화되어 채권회수에 중대한 지장이 있는 때
4. 여신거래와 관련하여 허위, 위 · 변조 또는 고의로 부실자료를 저축은행에 제출한 사실이 확인된 때
5. 제5조, 제19조에서 정한 약정을 위반하여 건전한 계속거래유지가 어렵다고 인정된 때
6. 청산절차 개시, 결손회사와의 합병, 노사분규에 따른 조업중단, 휴업, 관련기업의 도산, 회사경영에 영향을 미칠 법적분쟁발생 등으로 현저하게

MEMO

신용이 악화되었다고 인정된 때
7. 신용정보관리규약에 의한 연체정보·대위변제 대지급정보·부도정보·관련인정보·금융질서문란정보 및 공공기록정보가 등록된 때

④ 채무자에 관하여 다음 각호에서 정한 사유중 하나라도 발생한 경우에, 저축은행은 서면으로 독촉하고, 그 통지의 도달일로부터 10일이상으로 저축은행이 정한 기간이 경과하면 채무자는 저축은행에 대한 당해 채무 전부의 기한의 이익을 상실하여, 곧 이를 변제(또는 이행)할 의무를 지기로 한다.
1. 제6조 제1항, 제15조에서 정한 약정을 이행하지 아니한 때
2. 담보물에 대한 화재보험 가입의무를 이행하지 아니한 때, 저축은행을 해할 목적으로 담보물건을 양도하여 저축은행에 손해를 끼친 때, 시설자금을 받아 설치·완공된 기계·건물 등의 담보제공을 지체하는 때, 기타 저축은행과의 개별약정을 이행하지 아니하여 정상적인 거래관계 유지가 어렵다고 인정된 때
3. 보증인이 제1항 제1호 내지 제5호의 사유에 해당하거나 제3항 제2호·제3호에 해당하는 경우로서, 상당한 기간내에 보증인을 교체하지 아니한 때

⑤ 제1항 내지 제4항에 의하여 채무자가 저축은행에 대한 채무의 기한의 이익을 상실한 경우라도, 저축은행의 명시적 의사표시가 있거나, 분할상환금·분할상환원리금·이자·지연배상금의 수령 등 정상적인 거래의 계속이 있는 때에는, 그 채무 또는 저축은행이 지정하는 채무의 기한의 이익은 그때부터 부활하는 것으로 한다.

2023년 기출

07 채무자가 기한의 이익을 상실할 사유가 아닌 것은?

① 담보의 손상
② 채무자의 파산
③ 채무자의 무자력
④ 담보제공의무의 불이행
⑤ 담보의 멸실

해설 ③ 기한의 이익을 상실할 사유는 당사자 사이의 합의로 자유로이 약정할 수 있지만, 법률은 다음과 같은 경우에는 채무자가 기한의 이익을 주장하지 못하는 것으로 규정하고 있다. 즉, 민법 제388조에서 i) 채무자가 담보를 손상, 감소, 멸실하게 한 때, ii) 채무자가 담보제공의무를 이행하지 아니한 때를 규정하고 있으며, 채무자 회생 및 파산에 관한 법률 제425조에 채무자가 파산선고를 받은 때도 상실사유로 규정하고 있다. 채무자가 기한의 이익을 주장하지 못하는 것이므로(기한의 도래가 의제되는 것은 아님), 채권자는 선택적으로 기한 전에 이행을 청구할 수도 있고, 이행기까지 기다리면서 이행기까지의 이자를 청구할 수도 있다. 따라서 기한의 이익의 상실로 곧 이행기가 도래하는 것이 아니라, 채권자의 청구가 있는 때로부터 채무자는 지체의 책임을 진다.

정답 07. ③

MEMO

022년 기출

08 기한의 이익에 관한 다음 설명 중 가장 적절하지 않은 것은?

① 기한의 이익은 포기할 수 없다.
② 대출금 채권에서 기한의 이익이란 채무자가 대출약정의 만기까지 대출금을 변제하지 않아도 된다는 것을 의미한다.
③ 「민법」상의 기한의 이익 상실 조항은 강행규정이 아니므로 채권자·채무자 간 약정에 의하여 기한의 이익 상실 규정을 둘 수 있다.
④ 「민법」은 당사자의 특약이나 법률행위의 성질상 반대의 취지가 없는 한 기한의 이익은 채무자를 위한 것으로 추정한다.
⑤ 은행여신거래의 경우에는 당연 기한이익의 상실사유(일정한 사유가 발생하면 채권자의 통지가 없어도 채무자의 이행지체가 성립하는 경우)도 인정된다.

해설 기한의 이익은 이를 포기할 수 있다. 그러나 상대방의 이익을 해하지 못한다[민법 제153조(기한의 이익과 그 포기) 제2항].

② 기한의 이익이란 기한이 도래하지 않고 있음으로써 그 동안 당사자가 받는 이익을 말한다. 대출금 채권에서 기한의 이익이란 채무자가 대출약정만기까지 자금을 계속 사용할 수 있고 변제기가 도래하기까지는 채무를 변제할 의무가 없다는 것을 의미한다.
③ 민법상 기한의 이익 상실 조항은 강행규정이 아니므로 채권자·채무자 간 약정에 의하여 기한의 이익 상실조항을 둘 수 있다. 또한 채무자가 기한의 이익을 상실한 경우에는 채권자는 보증인이나 담보제공자에게 그 사실을 통지함으로써 불필요한 분쟁을 예방할 수 있다.
④ 기한은 채무자의 이익을 위한 것으로 추정한다(민법 제153조 제1항).
⑤ 여신거래에 있어서 기한의 이익 상실사유에는 당연기한이익 상실사유와 변제 청구에 의한 기한의 이익 상실사유가 있다. 당연기한이익 상실사유라는 것은 금융기관과의 여신거래에서 채무자의 신용상태가 중대하고 현저히 악화된 때에는 채권자인 금융기관으로부터 기한의 이익을 상실하게 되는 통지가 채무자에게 도달하지 않더라도 채무자는 곧 이행지체 상태에 놓이게 되는 것을 말한다.

08. ①

MEMO

2017년 기출

09 채권의 성립 시부터 변제기까지의 기간 동안 채무자 등이 갖는 이익을 기한의 이익이라고 한다. 기한의 이익에 관한 다음 설명 중 옳지 않은 것은?

① 기한의 이익은 채무자의 이익을 위한 것으로 추정한다.
② 대출금 채권에서 기한의 이익이란 채무자가 대출약정의 만기까지 대출금을 변제하지 않아도 된다는 것을 의미한다.
③ 기한의 이익이 상실되면 채무자는 채권자의 기한 전 이행청구를 거절하지 못한다.
④ 은행여신거래의 경우에는 당연 기한이익의 상실사유(일정한 사유가 발생하면 채권자의 통지가 없어도 채무자의 이행지체가 성립하는 경우)도 인정된다.
⑤ 「민법」상의 기한이익상실조항은 강행규정이므로 계약당사자 간의 약정으로 기한의 이익 상실 조항을 둘 수 없다.

해설 민법상의 기한이익상실조항은 임의규정이므로 계약당사자 간의 약정으로 기한의 이익 상실 조항을 둘 수 있다.
① 민법 제153조 제1항
② 기한의 이익이란 기한이 도래하지 않고 있음으로써 그동안 당사자가 받는 이익을 말한다. 대출금 채권에서 기한의 이익이란 채무자가 대출약정만기까지 자금을 계속 사용할 수 있고 변제기가 도래하기까지는 채무를 변제할 의무가 없다는 것을 뜻한다.
③ 민법은 일정한 경우(채무자가 담보를 손상, 감소 또는 멸실한 때 등)에는 채무자의 기한의 이익을 상실시키고 채권자의 기한 전 이행청구를 거절하지 못하도록 규정하고 있다.
④ 금융기관과의 여신거래에서 채무자의 신용상태가 중대하고 현저히 악화된 때에는 채권자인 금융기관으로부터 기한의 이익을 상실하게 되는 통지가 채무자에게 도달하지 않더라도 채무자는 곧 이행지체 상태에 놓이게 된다. 이를 당연 기한이익의 상실사유라 한다.

09. ⑤

MEMO

2018년 기출

10 **다음 중 은행여신거래기본약관에서 정한 기한의 이익에 관한 설명으로 옳지 않은 것은?**

① 기한의 이익이란 채무의 변제 기한이 도래하지 않아 채무자가 받는 이익을 말한다.

② 대출계약에는 통상 "기한이익의 상실" 조항을 두어서 채무자가 일정기간 이자납입을 지체하는 경우 기한의 이익을 상실하는 것으로 약정한다.

③ 채무자의 신용상태가 중대하고 현저하게 변경된 경우 채무자는 당연히 기한이익을 상실하게 되어 채권자의 이행최고가 없더라도 채무자는 이행지체가 된다.

④ 채무자의 신용상태에 일정한 사유가 발생한 경우 금융기관의 청구에 의해 기한의 이익이 상실되기도 한다.

⑤ 채무자가 담보로 제공한 재산에 압류명령이나 체납처분압류 통지가 있더라도 금융기관은 변제청구를 해야 채무자의 기한의 이익을 상실시킬 수 있다.

해설 ① 기한의 이익의 개념. 기한은 채무자의 이익을 위한 것으로 추정한다(민법 제153조 제1항).

② 통상적인 은행여신거래약정에 기한이익의 상실규정을 둔다.

③ 지문표현이 채무자의 신용상태가 중대하고 현저하게 변경되어 "은행기본거래약관에서 정한 일정한 사유에 해당하는 경우" 라는 식으로 표현되지 않고, 채무자의 신용상태가 중대하고 현저하게 변경된 경우...라고만 단정하고 있다보니 여기에 해당하는 모든 경우가 다 당연기한이익 상실사유가 되는 것처럼 오해될 수 있어 보이므로, 이 지문을 그대로 객관식 시험에서 올바른 설명지문으로 단정하기에는 현재 2016. 10. 7. 개정된 은행거래약관의 내용과 비교하여 볼 때 표현의 객관성에 있어서 혼선의 여지가 있어 부적절한 지문으로 보임(신용정보협회 이의제기검토결과 복수정답인정)

④ "기한이익 상실의 특약은 그 내용에 의하여 일정한 사유가 발생하면 채권자의 청구 등을 요함이 없이 당연히 기한의 이익이 상실되어 이행기가 도래하는 것으로 하는 것(정지조건부 기한이익 상실의 특약)과 일정한 사유가 발생한 후 채권자의 통지나 청구 등 채권자의 의사행위를 기다려 비로소 이행기가 도래하는 것으로 하는 것(형성권적 기한이익 상실의 특약)의 두 가지로 대별할 수 있고, 이른바 형성권적 기한이익 상실의 특약이 있는 경우에는 그 특약은 채권자의 이익을 위한 것으로서 기한이익의 상실 사유가 발생하였다고 하더라도 채권자가 나머지 전액을 일시에 청구할 것인가 또는 종래대로 할부변제를 청구할 것인가를 자유로이 선택할 수 있으므로, 이와 같은 기한이익 상실의 특약이 있는 할부채무에 있어서는 1회의 불이행이 있더라도 각 할부금에 대해 그 각 변제기의 도래시마다 그 때부터 순차로 소멸시효가 진행하고 채권자가 특히 잔존 채무 전액의 변제를 구하는 취지의 의사를 표시한 경우에 한하여 전액에 대하여 그 때부터 소멸시효가 진행한다."(대판 1997.8.29, 97다12990) 즉, 은행의 대출계약과 당사자 사이에 기한이익 상실의 특약이 있는 경우 이른바 '정지조건부 기한이익 상실의 특약'을 한 경우는 일정한 사유가 발생한 경우 채무자는 당연히 기한이익을 상실하게 되어 채권자의 이행최고가 없더라도 채무자는 이행지체가 된다.

10. ③, ⑤(복수정답 인정)

MEMO

한편 당사자간의 기한이익 상실의 특약이 이른바 '형성권적 기한이익 상실의 특약'이라면 일정한 사유가 발생한 경우 채권자는 기한의 도래를 기다리지 않고 즉시 채무의 이행을 청구할 수 있으며 그럼에도 불구하고 채무의 이행이 없으면 이행지체로 된다.

⑤ 채무자가 담보로 제공한 재산에 압류명령이나 체납처분압류 통지가 있는 경우 금융기관은 변제청구 없이도 채무자의 기한의 이익을 상실시킬 수 있다. '은행여신거래기본약관'에서 정한 기한의 이익에 관한 조문은 다음과 같다.

> **은행여신거래기본약관 제7조【기한전의 채무변제의무】**
>
> ① 채무자에게 다음 각 호의 어느 하나에 해당하는 사유가 발생한 경우, 은행은 채무자에게 은행에 대한 모든 채무에 대하여 기한의 이익을 상실시킬 수 있습니다(지급보증거래에 있어서 사전구상채무 발생을 포함합니다. 이하 같습니다). 이 경우, 은행은 채무자에게 서면으로 다음 각 호의 사유 및 이에 따라 다음 각 호의 사유 발생 즉시 기한의 이익을 상실하였다는 사실을 함께 통지하여야 합니다. 통지가 도달하면 채무자는 다음 각 호의 사유발생시부터 기한의 이익을 상실하여, 이를 곧 갚아야 할 의무를 집니다.
>
> 1. 은행에 대한 예치금 등 각종 채권에 대하여 압류명령이나 체납처분 압류 통지가 도달하거나 또는 기타의 방법에 의한 강제집행 개시나 체납처분 착수가 있는 때 〈단서 삭제〉
> 2. 채무자가 제공한 담보재산(제1호의 은행에 대한 예치금 등 각종 채권은 제외)에 대하여 압류명령이나 체납처분 압류통지가 도달하거나 기타의 방법에 의한 강제집행 개시나 체납처분 착수가 있는 때
> 3. 채무불이행자명부 등재 결정이 있는 때
> 4. 어음교환소의 거래정지처분이 있는 때
> 5. 도피 기타의 사유로 지급을 정지한 것으로 인정된 때

제2절 채권회수의 제방법

2024년 기출

01 다음 중 채권의 강제회수 방법에 해당하는 경우를 모두 고른 것은?

ㄱ. 변제	ㄴ. 강제경매	ㄷ. 대물변제
ㄹ. 가압류	ㅁ. 채무인수	

① ㄱ, ㄴ　　② ㄴ, ㄹ
③ ㄷ, ㄹ　　④ ㄹ, ㅁ
⑤ ㄱ, ㅁ

01. ②

MEMO

해설 ② 아래 채권회수의 체계요약 표 참조

	구 분	방 법
임의회수	채무자 및 제3자의 협력에 의한 채권회수	① 채권양도(매출채권, 임차보증금) ② 채무인수(병존적 채무인수, 면책적 채무인수) ③ 신규 담보 및 보증인 추가 징구 ④ 임의변제, 대물변제(보관상품, 기계 등) ⑤ 제소전 화해 ⑥ 약속어음공정증서 또는 집행증서 작성
	채권자가 일방적으로 할 수 있는 조치	① 선일자 당좌수표의 지급제시 ② 기한 미도래 어음 · 수표의 지급제시(채무자 부도 발생시) ③ 상계
강제회수	채권자가 일방적으로 할 수 있는 채권회수 및 법적 조치	① 가압류(타인의 물품이나 채권) ② 가처분(소유권유보부 매매 기타 자신의 소유상품 및 권리) ③ 임의경매(근저당권, 질권, 가등기담보부 등 물적 담보가 있을 때) ④ 강제경매(집행권원이 있을 때 압류 및 경매신청) ⑤ 지급명령신청, 소송제기, 중재신청, 배상명령신청 ⑥ 타 채권자의 강제집행절차에 참가(압류경합, 배당요구) ⑦ 부정수표단속법 위반죄로 고소, 고발 ⑧ 형사고소 및 고발조치 : 강제집행 면탈죄(형법 제327조), 공무상 비밀표시무효죄(형법 제140조), 권리행사방해죄(형법 제323조), 기타 사기죄, 공갈죄, 횡령, 배임 등
	채무자 회생 및 파산에 관한 법률에 의한 절차	① 회생절차 ② 파산절차 ③ 개인회생절차

2023년 기출

02 다음 채권회수 방법 중에서 채무자 및 제3자의 협력을 요하는 것은?

① 가압류
② 가처분
③ 선일자당좌수표의 지급제시
④ 병존적채무인수
⑤ 상계

02. ④

MEMO

해설 ④ '병존적채무인수'란 구채무자가 채무로부터 해방됨이 없이 신채무자가 구채무자와 나란히 연대채무자로서 등장하는 경우, 즉 제3자가 채무관계에 가입하여 채무자로 되지만, 종전의 채무자는 채무를 면하지 못하고 양자가 나란히 동일내용의 채무를 부담하는 경우를 말하는데, 결국 채무를 담보하는 작용을 한다.

①②③⑤ 아래 표 참조

❑ 채권회수의 체계요약

	구 분	방 법
임의회수	채무자 및 제3자의 협력에 의한 채권회수	① 채권양도(매출채권, 임차보증금) ② 채무인수(병존적 채무인수, 면책적 채무인수) ③ 신규 담보 및 보증인 추가 징구 ④ 임의변제, 대물변제(보관상품, 기계 등) ⑤ 제소전 화해 ⑥ 약속어음공정증서 또는 집행증서 작성
	채권자가 일방적으로 할 수 있는 조치	① 선일자 당좌수표의 지급제시 ② 기한 미도래 어음・수표의 지급제시(채무자 부도 발생시) ③ 상계
강제회수	채권자가 일방적으로 할 수 있는 채권회수 및 법적 조치	① 가압류(타인의 물품이나 채권) ② 가처분(소유권유보부 매매 기타 자신의 소유상품 및 권리) ③ 임의경매(근저당권, 질권, 가등기담보부 등 물적 담보가 있을 때) ④ 강제경매(집행권원이 있을 때 압류 및 경매신청) ⑤ 지급명령신청, 소송제기, 중재신청, 배상명령신청 ⑥ 타 채권자의 강제집행절차에 참가(압류경합, 배당요구) ⑦ 부정수표단속법 위반죄로 고소, 고발 ⑧ 형사고소 및 고발조치 : 강제집행 면탈죄(형법 제327조), 공무상 비밀표시무효죄(형법 제140조), 권리행사방해죄(형법 제323조), 기타 사기죄, 공갈죄, 횡령죄, 배임죄 등
	채무자 회생 및 파산에 관한 법률에 의한 절차	① 회생절차 ② 파산절차 ③ 개인회생절차

2022년 기출

03 다음 채권회수 방법 중에서 채무자 또는 제3자의 협력을 요하지 않는 것은?

① 채권양도　② 신규담보 추가설정
③ 약속어음공정증서 작성　④ 강제경매
⑤ 채무인수

03. ④

MEMO

해설 강제경매는 채권회수 방법 중에서 채무자 또는 제3자의 협력이 필요없다. 상세는 채권회수의 체계에 관한 다음 표 참조

구분		방법
임의 회수	채무자 및 제3자의 협력에 의한 채권회수	① 채권양도(매출 채권, 임차보증금)(①) ② 채무인수(병존적 채무인수, 면책적 채무인수)(⑤) ③ 신규 담보 및 보증인 추가 징구(②) ④ 임의변제, 대물변제(보관상품, 기계 등) ⑤ 제소전화해 ⑥ 약속어음공정증서 또는 집행증서 작성(③)
	채권자가 일방적으로 할 수 있는 조치	① 선일자 당좌수표의 지급제시 ② 기한 미도래 어음・수표의 지급제시(채무자 부도 발생시) ③ 상계
강제 회수	채권자가 일방적으로 할 수 있는 채권회수 및 법적조치	① 가압류(타인의 물품이나 채권) ② 가처분(소유권유보부 매매 기타 자신의 소유상품 및 권리) ③ 임의경매(근저당권, 질권, 가등기담보부 등 물적 담보가 있을 때) ④ 강제경매(집행권원이 있을 때 압류 및 경매신청)(④) ⑤ 지급명령신청, 소송제기, 중재신청, 배상명령신청 ⑥ 타 채권자의 강제집행절차에 참가(압류경합, 배당요구) ⑦ 부정수표단속법 위반죄로 고소, 고발 ⑧ 형사고소 및 고발조치 : 강제집행 면탈죄(형법 제327조), 공무상 비밀표시무효죄(형법 제140조), 권리행사방해죄(형법 제323조), 기타 사기죄, 공갈죄, 횡령죄, 배임죄 등
	채무자 회생 및 파산에 관한 법률에 의한 절차	① 회생절차 ② 파산절차 ③ 개인회생절차

2019년 기출

04 채권회수 방법 중에서 채무자 또는 제3자의 협력을 요하지 않는 것은?

① 가압류
② 임의변제
③ 대물변제
④ 병존적 채무인수
⑤ 채권양도

해설 확정판결을 받기 전에 미리 채무자의 일반재산이나 다툼의 대상(계쟁물)의 현상을 동결시켜 두거나 임시로 잠정적인 법률관계를 형성시켜 두는 조치를 함으로써 나중에 확정판결을 얻었을 때 그 판결의 집행을 용이하게 하고 그때까지 채권자가 입게 될지 모르는 손해를 예방할 수 있는 수단으로 강구된 것이 바로 보전처분이다. 가압류는 보전처분의 일종으로 채권자가 일방적으로 할 수 있는 채권회수 방법이다.

② '임의변제'는 채무자나 제3자가 임의로 채무내용에 좇은 현실제공을 하는 것이다[민법 제460조(변제제공의 방법) 참조].

04. ①

③ '대물변제'는 채무자가 채권자의 승낙을 얻어 본래의 채무이행에 갈음하여 다른 급여를 한 때에는 변제과 같은 효력이 있는 것으로 보는 채권의 회수방법이다[민법 제466조(대물변제) 참조].
④ 본래의 채무인수가 전 채무자의 채무를 면제시키고 인수인은 새롭게 채무를 부담하는 반면, 병존적 채무인수는 전 채무자의 채무를 면제시키지 않고 인수인이 채무자와 병존적으로 함께 동일 내용의 채무를 부담한다. 면책적 채무인수는 채무자의 의사에 반하여 채무를 인수하지 못하나, 병존적 채무인수는 채무자에게 이익이 되는 계약이기 때문에 채무자의 의사에 반해서도 유효하게 성립할 수 있다는 점에서 차이가 있지만, 최소한 채무자나 인수인의 협력이 필요하다.
⑤ '채권양도'는 일방이 채권의 동일성을 유지하면서 그 채권을 타방에게 법률행위로써 이전하는 것을 말한다. 즉, 채무자가 제3채무자에 대해 가지는 각종 채권을 채권자가 양도받아 채권을 회수하는 방법이므로 채무자의 협력이 필요하다.

2017년 기출

05 다음의 채권회수 방법 중 채무자 또는 제3자의 협력을 요하지 않는 것은?

① 채권양도 ② 신규담보의 설정 및 보증인 추가
③ 대물변제 ④ 선일자 당좌수표의 지급제시
⑤ 병존적 채무인수

해설 채권회수 방법은 크게 임의회수와 강제회수로 구분할 수 있는데, 이러한 구별은 그 회수를 위하여 별도의 법적절차를 밟아야 하는지 여부에 달려 있다. 임의회수는 채무자 및 제3자의 협력에 요하는 조치와 채권자가 일방적으로 할 수 있는 조치로 구분할 수 있다. 전자의 예는 채권양도, 채무인수(병존적 채무인수, 면책적 채무인수), 신규담보의 설정 및 보증인 추가, 임의변제, 대물변제, 제소전화해, 약속어음공정증서 또는 집행증서 작성 등이 있고, 후자의 예는 선일자 당좌수표의 지급제시, 기한 미도래 어음・수표의 지급제시(채무자의 부도 발생 시), 상계 등이 있다. 선일자수표란 수표의 발행일자를 실제 발행일보다 장래 일자로 기재한 수표이다. 선일자수표는 제시기간을 사실상 연장하기 위해, 즉 수표 발행 당시에는 은행에 예치된 당좌예금이 없으나 수표에 기재된 발행일까지 자금을 준비할 수 있을 것으로 예상되는 경우 등에 이용된다. 수표는 금전지급 위탁증권으로 법률상 당연한 일람출급증권이다(수표법 제28조 제1항). 따라서 수표법은 수표의 발행일자 도래 전(수표소지인의 채무자나 제3자의 협력 없이) 지급제시를 하더라도 그 지급제시를 유효한 것으로 보고, 지급인이 이에 대하여 지급을 하면 그 경제적 효과를 발행인에게 돌릴 수 있다고 규정하고 있다(수표법 제28조 제2항). 지급인이 거절하면 소지인은 즉시 전자에게 소구할 수 있다. 자금이 없이 수표발행하여 부도가 될 때에는 과태료(수표법 제67조), 형벌(부정수표단속법 제4조), 은행으로부터 거래정지처분 등이 따를 수 있으므로 발행인은 이를 감수하고 발행해야 한다.

05. ④

MEMO

2018년 기출

06 임의회수와 강제회수의 장점 또는 단점에 관한 다음 설명 중 옳은 것은?

㉠ 집행비용이 절감된다.
㉡ 원만한 해결로 기업의 이미지 실추를 방지하고 거래처와 거래의 지속이 가능해진다.
㉢ 채무자가 재산을 도피하기 위하여 지연작전을 쓰는 데 말려들기 쉽다.
㉣ 인간관계의 최면에 빠져 사후집행의 불가능을 초래하기 쉽다.

① 모든 지문은 강제회수의 장점에 관한 설명이다.
② ㉢, ㉣의 지문은 임의회수의 단점에 관한 설명이다.
③ ㉠, ㉢의 지문은 강제회수의 단점에 관한 설명이다.
④ ㉡, ㉣의 지문은 강제회수의 장점에 관한 설명이다.
⑤ ㉠, ㉣의 지문은 임의회수의 장점에 관한 설명이다.

해설 임의회수와 강제회수의 장단점은 다음 표와 같다.

구분	장점	단점
임의회수	① 집행비용이 절감된다.(㉠) ② 원만한 해결로 기업의 이미지 실추를 방지하고 거래처와 거래의 지속이 가능하다.(㉡) ③ 대책여부에 따라 은닉재산까지 회수자원으로 함으로써 회수를 최대한으로 할 수 있다. ④ 종결과정의 시간이 짧다.	① 인간관계의 최면에 빠져 사후집행의 불가능을 초래하기 쉽다.(㉣) ② 채무자가 재산을 도피하기 위하여 지연작전을 쓰는데 말려들기 쉽다.(㉢) ③ 판단착오가 발생하기 쉽다. ④ 과거 경영상태의 회복을 기대하는 거래처의 기원을 현실로 착각할 수 있다.
강제회수	① 판단의 오류가 적다. ② 채권의 보전이 용이하다. ③ 채무자가 책임재산을 분산하거나 도피시키는 것을 막을 수 있다. ④ 인력과 노력의 소모가 적다.	① 많은 집행경비가 소요된다. ② 시간이 오래 걸린다. ③ 타 채권자의 배당참가로 배당여력의 감소를 배제할 수 없다. ④ 향후 채무자와 거래관계가 단절될 가능성이 높다.

정답 06. ②

MEMO

2024년 기출

07 다음 설명 중 (　　)에 공통적으로 들어갈 내용으로 가장 적절한 것은?

(　　)이 있는 때에는 제600조의 규정에 의하여 중지한 회생절차 및 파산절차와 개인회생 채권에 기한 강제집행·가압류 또는 가처분은 그 효력을 잃는다. 다만, 변제계획 또는 (　　)에서 다르게 정한 때에는 그러하지 아니하다(「채무자회생 및 파산에 관한 법률」 제615조 제3항).

① 개인회생신청
② 변제계획인가결정
③ 개인회생결정
④ 금지명령결정
⑤ 개인회생채권확정

해설 ② 개인회생개시결정 후 절차인 변제계획인가의 효력에 관한 법조항을 그대로 출제한 문제이다. 아래 법조문 참조

> 채무자 회생 및 파산에 관한 법률 제615조(변제계획인가의 효력) ① 변제계획은 인가의 결정이 있은 때부터 효력이 생긴다. 다만, 변제계획에 의한 권리의 변경은 면책결정이 확정되기까지는 생기지 아니한다.
> ② 변제계획인가결정이 있는 때에는 개인회생재단에 속하는 모든 재산은 채무자에게 귀속된다. 다만, 변제계획 또는 변제계획인가결정에서 다르게 정한 때에는 그러하지 아니하다.
> ③ 변제계획인가결정이 있는 때에는 제600조의 규정에 의하여 중지한 회생절차 및 파산절차와 개인회생채권에 기한 강제집행·가압류 또는 가처분은 그 효력을 잃는다. 다만, 변제계획 또는 변제계획인가결정에서 다르게 정한 때에는 그러하지 아니하다.

정답 07. ②

MEMO

2020년 기출

08 채무자회생 및 파산절차와 관련한 다음 설명 중 옳은 것은?

① 파산선고가 있으면 파산채권에 기하여 파산재단에 속하는 재산에 대하여 행하여진 강제집행・가압류 또는 가처분과 근저당 등 변제권에 기한 경매신청은 그 효력을 잃는다.

② 개인회생절차개시의 결정이 있어도 개인회생재단에 속하는 재산에 대한 담보권의 설정 또는 담보권의 실행 등을 위한 경매는 중지 또는 금지되지 않는다.

③ 회생절차개시결정이 있는 때에는 채무자의 재산에 대하여 이미 행한 회생채권에 기한 강제집행만 정지되고 회생담보권에 기한 강제집행은 정지되지 않는다.

④ 회생계획인가의 결정이 있는 때에는 회생계획이나 「채무자 회생 및 파산에 관한 법률」의 규정에 의하여 인정된 권리를 제외하고는 채무자는 모든 회생채권과 회생담보권에 관하여 그 책임을 면하며, 주주・지분권자의 권리와 채무자의 재산상에 있던 모든 담보권은 소멸한다.

⑤ 면책을 받은 개인회생 채무자는 변제계획에 따라 변제한 것을 제외하고 개인회생채권자에 대한 채무에 관하여 그 책임이 면제되며, 개인회생채권자목록에 기재되지 아니한 청구권에 대하여도 책임이 면제된다.

해설 ④이 원래 정답이었으나 이의제기 수용하여 모두 정답처리함. 즉, 채무자 회생 및 파산에 관한 법률 제251조는 "회생계획인가의 결정이 있는 때에는 회생계획이나 이 법의 규정에 의하여 인정된 권리를 제외하고는 채무자는 모든 회생채권과 회생담보권에 관하여 그 책임을 면하며, 주주・지분권자의 권리와 채무자의 재산상에 있던 모든 담보권은 소멸한다. 다만, 제140조 제1항의 청구권은 그러하지 아니하다."고 규정하고, 동법 제140조 제1항은 "회생절차개시 전의 벌금・과료・형사소송비용・추징금 및 과태료의 청구권에 관하여는 회생계획에서 감면 그 밖의 권리에 영향을 미치는 내용을 정하지 못한다." 고 규정하고 있다. 즉, 해당지문에는 동법 제251조 단서의 조건부분이 생략되어 오해를 불러일으킬 여지가 있다는 이유이다.

① 파산선고에 의하여 파산채권자는 개별적인 권리행사가 금지된다. 파산절차에 참가하여야만 채권의 만족을 얻을 수 있다. 따라서 파산선고 전에 파산채권에 기하여 파산재단 소속의 재산에 대하여 한 강제집행 및 가압류 또는 가처분은 파산재단에 대하여는 그 효력을 잃는다. 그러나 파산재단 소송 재산에 관한 저당권 등의 담보권실행을 위한 경매절차는 파산선고가 있어도 실효가 되지 않는다. 별제권은 파산절차에 의하지 아니하고 행사하고(채무자 회생 및 파산에 관한 법률 제412조), 별제권자는 그 별제권의 행사에 의하여 변제를 받을 수 없는 채권액에 관하여만 파산채권자로서 그 권리를 행사할 수 있기 때문이다(동법 제413조 본문 참조).

② 법원은 개인회생절차개시의 신청이 있는 경우 필요하다고 인정하는 때에는 이해관계인의 신청에 의하거나 직권으로 개인회생절차의 개시신청에 대한 결정시까지 채무자의 업무 및 재산에 대한 담보권의 설정 또는 담보권의 실행 등을 위한 경매의 중지

08. 모두 정답

MEMO

또는 금지를 명할 수 있다(채무자 회생 및 파산에 관한 법률 제593조 제1항 제3호).

③ 회생절차개시결정이 있는 때에는 채무자의 재산에 대하여 이미 행한 회생채권 또는 회생담보권에 기한 강제집행은 중지된다(채무자 회생 및 파산에 관한 법률 제58조 제2항 제2호).

⑤ 면책을 받은 개인회생 채무자는 변제계획에 따라 변제한 것을 제외하고 개인회생채권자에 대한 채무에 관하여 그 책임이 면제된다. 다만, 개인회생채권자목록에 기재되지 아니한 청구권에 관하여는 책임이 면제되지 아니한다(채무자 회생 및 파산에 관한 법률 제625조 제2항 제1호).

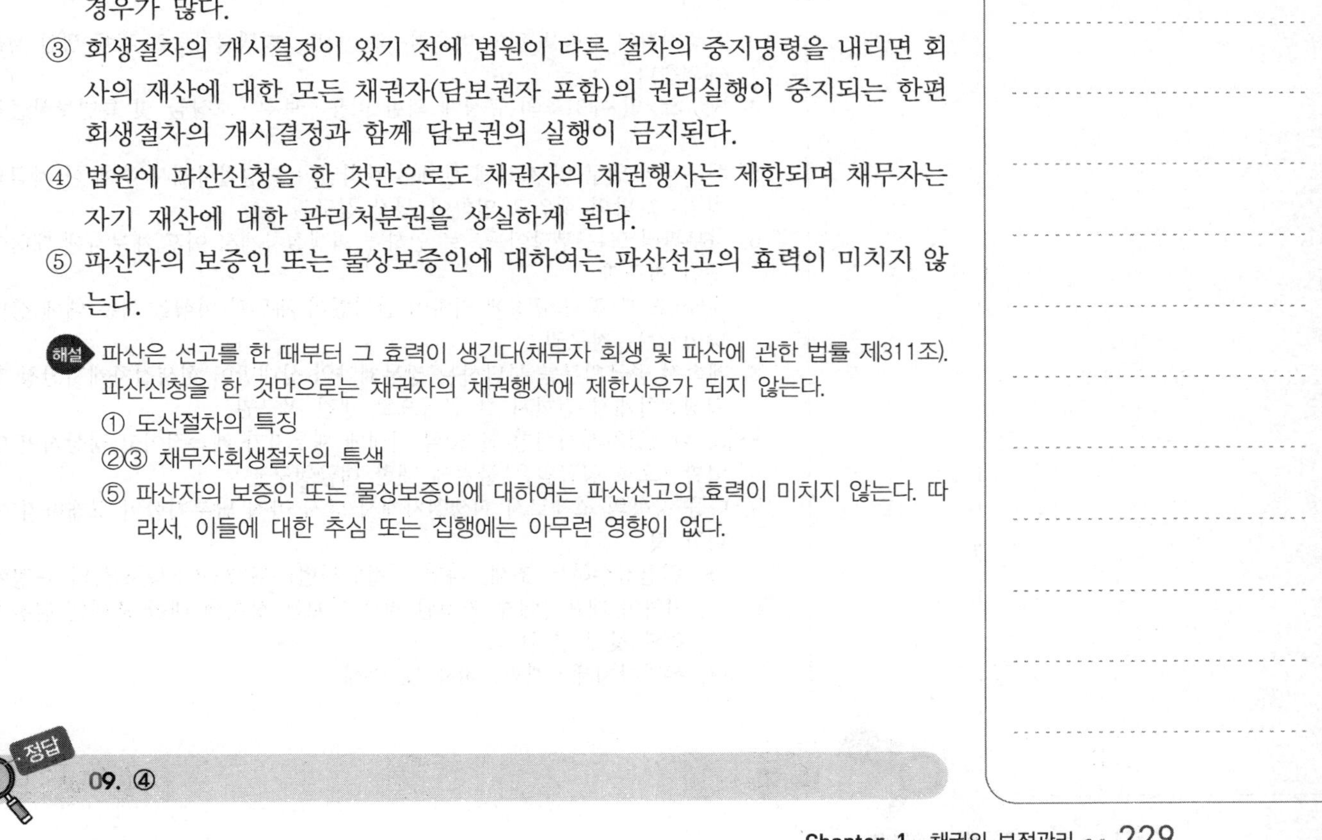

2019년 기출

09 채무자 회생 및 파산절차에 대한 다음 설명 중 옳지 않은 것은?

① 도산절차는 특정한 채권자만을 위한 절차가 아니라, 도산한 채무자의 전체 재산에 대하여 법원의 관여하에 종합적인 도산계획이 수립·확정되고, 그 계획에 따라 채권을 신고한 채권자에게 평등하게 재산을 배분해 주는데 특징이 있다.

② 채무자회생절차는 회사를 청산하는 것이 아니고 회사의 재건을 주목적으로 하고 있으며 일반적으로 볼 때에 채무자에게 유리하고 채권자에게는 불리한 경우가 많다.

③ 회생절차의 개시결정이 있기 전에 법원이 다른 절차의 중지명령을 내리면 회사의 재산에 대한 모든 채권자(담보권자 포함)의 권리실행이 중지되는 한편 회생절차의 개시결정과 함께 담보권의 실행이 금지된다.

④ 법원에 파산신청을 한 것만으로도 채권자의 채권행사는 제한되며 채무자는 자기 재산에 대한 관리처분권을 상실하게 된다.

⑤ 파산자의 보증인 또는 물상보증인에 대하여는 파산선고의 효력이 미치지 않는다.

해설 파산은 선고를 한 때부터 그 효력이 생긴다(채무자 회생 및 파산에 관한 법률 제311조). 파산신청을 한 것만으로는 채권자의 채권행사에 제한사유가 되지 않는다.

① 도산절차의 특징

②③ 채무자회생절차의 특색

⑤ 파산자의 보증인 또는 물상보증인에 대하여는 파산선고의 효력이 미치지 않는다. 따라서, 이들에 대한 추심 또는 집행에는 아무런 영향이 없다.

정답 09. ④

MEMO

2017년 기출

10 **「채무자 회생 및 파산에 관한 법률」에서 규정한 채무자 회생절차에 의하지 아니하고 수시로 변제하며, 회생채권과 담보채권에 우선하여 변제하는 채권은?**

① 파산채권
② 공익채권
③ 회생채권
④ 주주에 대한 채권
⑤ 물품대금 채권

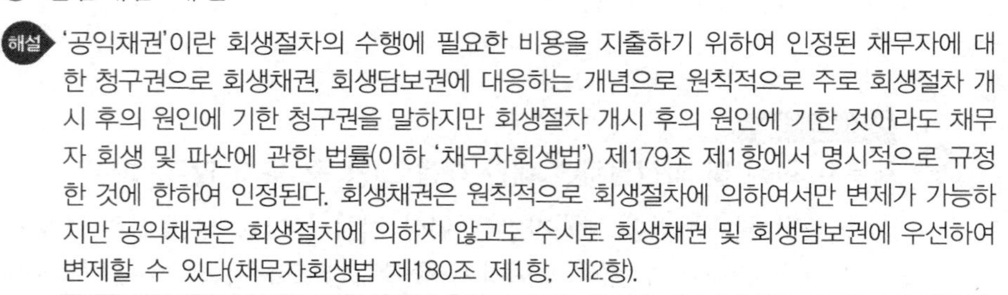

해설 '공익채권'이란 회생절차의 수행에 필요한 비용을 지출하기 위하여 인정된 채무자에 대한 청구권으로 회생채권, 회생담보권에 대응하는 개념으로 원칙적으로 주로 회생절차 개시 후의 원인에 기한 청구권을 말하지만 회생절차 개시 후의 원인에 기한 것이라도 채무자 회생 및 파산에 관한 법률(이하 '채무자회생법') 제179조 제1항에서 명시적으로 규정한 것에 한하여 인정된다. 회생채권은 원칙적으로 회생절차에 의하여서만 변제가 가능하지만 공익채권은 회생절차에 의하지 않고도 수시로 회생채권 및 회생담보권에 우선하여 변제할 수 있다(채무자회생법 제180조 제1항, 제2항).

채무자회생법 제179조【공익채권이 되는 청구권】

① 다음 각 호의 어느 하나에 해당하는 청구권은 공익채권으로 한다.
1. 회생채권자, 회생담보권자와 주주・지분권자의 공동의 이익을 위하여 한 재판상 비용청구권
2. 회생절차개시 후의 채무자의 업무 및 재산의 관리와 처분에 관한 비용청구권
3. 회생계획의 수행을 위한 비용청구권. 다만, 회생절차종료 후에 생긴 것을 제외한다.
4. 제30조 및 제31조의 규정에 의한 비용・보수・보상금 및 특별보상금청구권
5. 채무자의 업무 및 재산에 관하여 관리인이 회생절차개시 후에 한 자금의 차입 그 밖의 행위로 인하여 생긴 청구권
6. 사무관리 또는 부당이득으로 인하여 회생절차개시 이후 채무자에 대하여 생긴 청구권
7. 제119조 제1항의 규정에 의하여 관리인이 채무의 이행을 하는 때에 상대방이 갖는 청구권
8. 계속적 공급의무를 부담하는 쌍무계약의 상대방이 회생절차개시신청 후 회생절차개시 전까지 한 공급으로 생긴 청구권

8의2. 회생절차개시신청 전 20일 이내에 채무자가 계속적이고 정상적인 영업활동으로 공급받은 물건에 대한 대금청구권

9. 다음 각목의 조세로서 회생절차개시 당시 아직 납부기한이 도래하지 아니한 것
   가. 원천징수하는 조세. 다만, 「법인세법」 제67조(소득처분)의 규정에 의하여 대표자에게 귀속된 것으로 보는 상여에 대한 조세는 원천징수된 것에 한한다.
   나. 부가가치세・개별소비세 및 주세

10. ②

MEMO

다. 본세의 부과징수의 예에 따라 부과징수하는 교육세 및 농어촌특별세
라. 특별징수의무자가 징수하여 납부하여야 하는 지방세
10. 채무자의 근로자의 임금·퇴직금 및 재해보상금
11. 회생절차개시 전의 원인으로 생긴 채무자의 근로자의 임치금 및 신원보증금의 반환청구권
12. 채무자 또는 보전관리인이 회생절차개시신청 후 그 개시 전에 법원의 허가를 받아 행한 자금의 차입, 자재의 구입 그 밖에 채무자의 사업을 계속하는 데에 불가결한 행위로 인하여 생긴 청구권
13. 제21조 제3항의 규정에 의하여 법원이 결정한 채권자협의회의 활동에 필요한 비용
14. 채무자 및 그 부양을 받는 자의 부양료
15. 제1호부터 제8호까지, 제8호의2, 제9호부터 제14호까지에 규정된 것 외의 것으로서 채무자를 위하여 지출하여야 하는 부득이한 비용

2016년 기출

11 다음 중 채무자회생절차의 특색으로 가장 옳지 않은 것은?

① 채무자회생절차는 회사를 청산하는 것이 아니고, 회사의 재건을 주목적으로 하고 있다.
② 채무자회생절차는 일반적으로 채무자에게 유리하고 채권자에게는 불리한 경우가 많다.
③ 회생절차의 개시결정이 있기 전에 법원의 보전처분이 있더라도 어음교환소의 부도처분을 면할 수 없다.
④ 회생절차의 개시결정이 있기 전에 법원이 다른 절차의 중지명령을 내리면 회사의 재산에 대한 담보권자를 포함하여 모든 채권자의 권리실행이 중지된다.
⑤ 급료 및 퇴직금은 공익채권이므로 회생절차에 의하지 아니하고 우선변제를 받을 수 있다.

해설 회생절차의 개시를 신청하였다는 사유만으로 소송절차 등 법률관계에 특별한 영향을 미치는 것은 아니다. 다만, 법원은 회생절차개시의 신청이 있는 때에는 이해관계인의 신청에 의하거나 직권으로 회생절차개시신청에 대한 결정이 있을 때까지 채무자의 업무 및 재산에 관하여 가압류·가처분 그 밖에 필요한 보전처분을 명할 수 있다(채무자 회생 및 파산에 관한 법률 제43조 제1항). 따라서 회생절차의 개시결정이 있기 전에 법원의 보전처분이 있다면 어음교환소의 부도처분을 면할 수 있다.
① 회사를 청산하는 것은 채무자파산절차이고, 회사의 재건을 주목적으로 하는 절차가 채무자회생절차이다.

11. ③

MEMO

② 채무자회생절차를 시행하는 것은 부도위기에 처한 기업을 파산시키는 것보다 회생시키는 것은 단기적으로 채권자에게 불이익을 발생하지만 장기적으로는 기업과 채권자 그리고 국민경제에 이익이 크다는 것 때문이다. 따라서 채무자회생절차는 일반적으로 채무자에게 유리하고 채권자에게는 불리한 경우가 많다.

④ 회생절차의 개시결정이 있기 전에 법원이 다른 절차의 중지명령을 내리면 회사의 재산에 대한 담보권자를 포함하여 모든 채권자의 권리실행이 중지된다(아래 채무자 회생 및 파산에 관한 법률 제44조 참조).

채무자 회생 및 파산에 관한 법률 제44조 【다른 절차의 중지명령 등】

① 법원은 회생절차개시의 신청이 있는 경우 필요하다고 인정하는 때에는 이해관계인의 신청에 의하거나 직권으로 회생절차개시의 신청에 대한 결정이 있을 때까지 다음 각 호의 어느 하나에 해당하는 절차의 중지를 명할 수 있다. 다만, 제2호의 규정에 의한 절차의 경우 그 절차의 신청인인 회생채권자 또는 회생담보권자에게 부당한 손해를 끼칠 염려가 있는 때에는 그러하지 아니하다.

1. 채무자에 대한 파산절차
2. 회생채권 또는 회생담보권에 기한 강제집행, 가압류, 가처분 또는 담보권 실행을 위한 경매절차(이하 "회생채권 또는 회생담보권에 기한 강제집행 등"이라 한다)로서 채무자의 재산에 대하여 이미 행하여지고 있는 것
3. 채무자의 재산에 관한 소송절차
4. 채무자의 재산에 관하여 행정청에 계속되어 있는 절차
5. 「국세징수법」 또는 「지방세징수법」에 의한 체납처분, 국세징수의 예(국세 또는 지방세 체납처분의 예를 포함한다. 이하 같다)에 의한 체납처분 또는 조세채무담보를 위하여 제공된 물건의 처분. 이 경우 징수의 권한을 가진 자의 의견을 들어야 한다.

채무자 회생 및 파산에 관한 법률 제179조 【공익채권이 되는 청구권】

① 다음 각 호의 어느 하나에 해당하는 청구권은 공익채권으로 한다.

1. 회생채권자, 회생담보권자와 주주・지분권자의 공동의 이익을 위하여 한 재판상 비용청구권
2. 회생절차개시 후의 채무자의 업무 및 재산의 관리와 처분에 관한 비용청구권
3. 회생계획의 수행을 위한 비용청구권. 다만, 회생절차종료 후에 생긴 것을 제외한다.
4. 제30조 및 제31조의 규정에 의한 비용・보수・보상금 및 특별보상금청구권
5. 채무자의 업무 및 재산에 관하여 관리인이 회생절차개시 후에 한 자금의 차입 그 밖의 행위로 인하여 생긴 청구권
6. 사무관리 또는 부당이득으로 인하여 회생절차개시 이후 채무자에 대하여 생긴 청구권
7. 제119조 제1항의 규정에 의하여 관리인이 채무의 이행을 하는 때에 상대방이 갖는 청구권
8. 계속적 공급의무를 부담하는 쌍무계약의 상대방이 회생절차개시신청 후 회생절차개시 전까지 한 공급으로 생긴 청구권

8의2. 회생절차개시신청 전 20일 이내에 채무자가 계속적이고 정상적인 영

MEMO

업활동으로 공급받은 물건에 대한 대금청구권
9. 다음 각 목의 조세로서 회생절차개시 당시 아직 납부기한이 도래하지 아니한 것
   가. 원천징수하는 조세. 다만, 「법인세법」 제67조(소득처분)의 규정에 의하여 대표자에게 귀속된 것으로 보는 상여에 대한 조세는 원천징수된 것에 한한다.
   나. 부가가치세・개별소비세 및 주세
   다. 본세의 부과징수의 예에 따라 부과징수하는 교육세 및 농어촌특별세
   라. 특별징수의무자가 징수하여 납부하여야 하는 지방세
10. 채무자의 근로자의 임금・퇴직금 및 재해보상금
11. 회생절차개시 전의 원인으로 생긴 채무자의 근로자의 임치금 및 신원보증금의 반환청구권
12. 채무자 또는 보전관리인이 회생절차개시신청 후 그 개시 전에 법원의 허가를 받아 행한 자금의 차입, 자재의 구입 그 밖에 채무자의 사업을 계속하는 데에 불가결한 행위로 인하여 생긴 청구권
13. 제21조 제3항의 규정에 의하여 법원이 결정한 채권자협의회의 활동에 필요한 비용
14. 채무자 및 그 부양을 받는 자의 부양료
15. 제1호부터 제8호까지, 제8호의2, 제9호부터 제14호까지에 규정된 것 외의 것으로서 채무자를 위하여 지출하여야 하는 부득이한 비용

채무자 회생 및 파산에 관한 법률 제180조【공익채권의 변제 등】

① 공익채권은 회생절차에 의하지 아니하고 수시로 변제한다.

② 공익채권은 회생채권과 회생담보권에 우선하여 변제한다.

Chapter 02 임의회수

제1절 변제

2024년 기출

01 변제에 관한 다음 설명 중 가장 적절하지 않은 것은?

① 변제비용은 다른 의사표시가 없으면 채권자의 부담으로 하지만, 채무자의 주소 이전 등으로 변제비용이 증가한 때에는 그 증가액은 채무자의 부담으로 한다.
② 특정물의 인도를 목적으로 하는 채무의 이행은 원칙적으로 채권 성립 당시 그 물건이 있던 장소에서 하여야 한다.
③ 특정물 인도채무 이외의 채무의 이행은 원칙적으로 채권자의 현주소에서 하여야 한다.
④ 변제 받을 권한이 없는 자(채권의 준점유자와 영수증 소지자를 제외한다)에 대한 변제는 채권자가 이익을 받은 한도에서 효력이 있다.
⑤ 연대채무자, 보증인, 담보부동산의 제3취득자는 채무자의 의사에 반하여서도 변제할 수 있다.

해설 ① 변제비용은 다른 의사표시가 없으면 채무자의 부담으로 한다. 그러나 채권자의 주소 이전 기타의 행위로 인하여 변제비용이 증가된 때에는 그 증가액은 채권자의 부담으로 한다(민법 제473조(변제비용의 부담)).
② 채무의 성질 또는 당사자의 의사표시로 변제장소를 정하지 아니한 때에는 특정물의 인도는 채권성립당시 그 물건이 있던 장소에서 하여야 한다(민법 제467조(변제의 장소) 제1항).
③ 전항의 경우에 특정물인도 이외의 채무변제는 채권자의 현주소에서 하여야 한다. 그러나 영업에 관한 채무자의 변제는 채권자의 현영업소에서 하여야 한다(민법 제467조 제2항).
④ 전2조(채권의 준점유자에 대한 변제, 영수증소지자에 대한 변제)의 경우 외에 변제받을 권한없는 자에 대한 변제는 채권자가 이익을 받은 한도에서 효력이 있다(민법 제472조(권한없는 자에 대한 변제)).
⑤ 이해관계 없는 제3자(예컨대, 채무자의 배우자)는 채무자의 의사에 반하여 변제하지 못한다(민법 제469조(제3자의 변제) 제2항). 그러므로 법률상 변제하는 데에 이해관계 있는 연대채무자, 보증인, 물상보증인, 담보부동산의 제3취득자 등은 채무자의 의사에 반하여도 변제할 수 있다.

01. ①

MEMO

2024년 기출

02 **변제에 관한 다음 설명 중 가장 적절하지 않은 것은?**

① 변제의 제공은 그때로부터 채무불이행의 책임을 면하게 한다.

② 영수증을 소지한 자에 대한 변제는 그 소지자가 변제를 받을 권한이 없는 경우에도 효력이 있다. 그러나 변제자가 그 권한 없음을 알았거나 알 수 있었을 경우에는 그러하지 아니하다.

③ 변제충당의 순서에 관하여 당사자간 그 합의가 없는 경우에는 법정변제충당 순서인 비용, 원본, 이자의 순으로 충당된다.

④ 금전채무 등에 있어서 우리 민법은 법률에 특별규정이 있는 경우를 제외하고는 지참채무를 원칙으로 한다.

⑤ 채무 중 이행기가 도래한 것과 도래하지 않은 것이 있는 때는 이행기 도래의 채무의 변제에 먼저 충당된다.

해설 ③ 변제충당은 채무자가 한 개 또는 수 개의 채무의 비용 및 이자를 지급할 경우에 변제자가 그 전부를 소멸하게 하지 못한 급부를 한때 발생하는 문제이다. 변제충당의 순서에 관하여 당사자간 합의가 없는 경우, 당사자 일방의 지정(변제자 > 변제수령자 순)에 의해 충당하고, 당사자가 변제에 충당할 채무를 지정하지 아니한 때에는 법정변제충당 순서에 따른다. 채무자가 1개 또는 수개의 채무의 비용 및 이자를 지급할 경우에 변제자가 그 전부를 소멸하게 하지 못한 급여를 한 때에는 비용, 이자, 원본의 순서로 변제에 충당하여야 한다(민법 제479조(비용, 이자, 원본에 대한 변제충당의 순서)).

① 변제의 제공은 그때로부터 채무불이행의 책임을 면하게 한다(민법 제461조(변제제공의 효과)).

② 영수증을 소지한 자에 대한 변제는 그 소지자가 변제를 받을 권한이 없는 경우에도 효력이 있다. 그러나 변제자가 그 권한없음을 알았거나 알 수 있었을 경우에는 그러하지 아니하다(민법 제471조(영수증소지자에 대한 변제)).

④ 변제의 장소는 당사자의 의사표시 또는 채무의 성질에 의하여 정해진다. 민법은 특별한 규정이 없다면 지참채무를 원칙으로 하며, 지참채무는 채권자의 주소 또는 영업소에서 이행하는 채무를 말한다.

⑤ 법정변제충당에 관한 민법 제477조 참조

02. ③

MEMO

민법 제477조(법정변제충당) 당사자가 변제에 충당할 채무를 지정하지 아니한 때에는 다음 각호의 규정에 의한다.
1. 채무중에 이행기가 도래한 것과 도래하지 아니한 것이 있으면 이행기가 도래한 채무의 변제에 충당한다.
2. 채무전부의 이행기가 도래하였거나 도래하지 아니한 때에는 채무자에게 변제이익이 많은 채무의 변제에 충당한다.
3. 채무자에게 변제이익이 같으면 이행기가 먼저 도래한 채무나 먼저 도래할 채무의 변제에 충당한다.
4. 전2호의 사항이 같은 때에는 그 채무액에 비례하여 각 채무의 변제에 충당한다.

2022년 기출

03 다음 설명 중 가장 적절하지 않은 것은?

① 채무자가 채권자의 승낙을 얻어 본래의 채무이행에 갈음하여 다른 급여를 한 때에는 변제와 같은 효력이 있다.
② 당사자의 특별한 의사표시가 없으면 변제기 전이라도 채무자는 변제할 수 있다. 그러나 상대방의 손해는 배상하여야 한다.
③ 변제자가 변제수령권한이 없는 영수증의 소지인에 대하여 변제한 때에는 그 변제자의 선의·악의 여부를 불문하고 그 변제는 유효하게 된다.
④ 채권의 준점유자에 대한 변제는 변제자가 선의이며 과실 없는 때에 한하여 효력이 있다.
⑤ 이해관계 없는 제3자는 채무자의 의사에 반하여 변제하지 못한다.

해설 영수증을 소지한 자에 대한 변제는 그 소지자가 변제를 받을 권한이 없는 경우에도 효력이 있다. 그러나 변제자가 그 권한없음을 알았거나 알 수 있었을 경우에는 그러하지 아니하다[민법 제471조(영수증소지자에 대한 변제)].
① 민법 제466조(대물변제)
② 민법 제468조(변제기전의 변제)
④ 민법 제470조(채권의 준점유자에 대한 변제)
⑤ 민법 제469조(제3자의 변제) 제2항

03. ③

MEMO

2022년 기출

04 변제와 관련한 다음 설명 중 가장 적절하지 않은 것은?

① 변제비용은 다른 의사표시가 없으면 채권자의 부담으로 한다.
② 금전채무는 원칙적으로 지참채무이다.
③ 지참채무는 채권자의 주소 또는 영업소에서 이행하여야 하는 채무이다.
④ 계약으로 변제기를 정함에 있어서 불확정기한으로 정할 수도 있다.
⑤ 변제의 제공은 그때로부터 채무불이행의 책임을 면하게 한다.

해설 변제비용은 다른 의사표시가 없으면 채무자의 부담으로 한다. 그러나 채권자의 주소이전 기타의 행위로 인하여 변제비용이 증가된 때에는 그 증가액은 채권자의 부담으로 한다 [민법 제473조(변제비용의 부담)].

②③ 변제의 장소는 당사자의 의사표시 또는 채무자의 성질에 의하여 정해진다. 민법은 특별한 규정이 없다면 지참채무를 원칙으로 하며, 지참채무는 채권자의 주소 또는 영업소에서 이행하여야 하는 채무를 말한다.
④ 계약으로 변제기를 정할 때에는 흔히 확정기한을 정하는 것이 일반적이나, 불확정기한으로 할 수도 있고, 혹은 기한을 정하지 않는 경우도 있다.
⑤ 변제의 제공은 그때로부터 채무불이행의 책임을 면하게 한다[민법 제461조(변제제공의 효과)].

2020년 기출

05 변제와 관련한 다음 설명 중 옳은 것은?

① 변제비용은 다른 의사표시가 없으면 채권자의 부담으로 한다. 그러나 채무자의 주소이전, 기타의 행위로 인하여 변제비용이 증가된 때에는 그 증가액은 채무자의 부담으로 한다.
② 채무의 성질 또는 당사자의 의사표시로 변제장소를 정하지 아니한 때에는 특정물의 인도는 채권성립 당시에 그 물건이 있던 장소에서 하여야 하고, 특정물인도 이외의 채무변제는 채무자의 현주소에서 하여야 한다. 그러나 영업에 관한 채무의 변제는 채무자의 현 영업소에서 하여야 한다.
③ 채무자가 1개 또는 수개의 채무의 비용 및 이자를 지급할 경우에 변제자가 그 전부를 소멸하게 하지 못한 급여를 한 때에는 이자, 비용, 원본의 순서로 변제에 충당하여야 한다.
④ 채권의 일부에 대하여 대위변제가 있는 때에는 대위자는 그 변제한 가액에 비례하여 채권자와 함께 그 권리를 행사한다. 이 경우에 채무불이행을 원인으로 하는 계약의 해지 또는 해제는 대위자만이 할 수 있다.

04. ① 05. ⑤

MEMO

⑤ 변제는 채무내용에 좇은 현실제공으로 이를 하여야 한다. 그러나 채권자가 미리 변제받기를 거절하거나 채무의 이행에 채권자의 행위를 요하는 경우에는 변제준비의 완료를 통지하고 그 수령을 최고하면 된다.

해설 ⑤ 민법 제460조(변제제공의 방법)

① 변제비용은 다른 의사표시가 없으면 채무자의 부담으로 한다. 그러나 채권자의 주소이전 기타의 행위로 인하여 변제비용이 증가된 때에는 그 증가액은 채권자의 부담으로 한다[민법 제473조(변제비용의 부담)].

② 채무의 성질 또는 당사자의 의사표시로 변제장소를 정하지 아니한 때에는 특정물의 인도는 채권성립 당시에 그 물건이 있던 장소에서 하여야 하고, 특정물인도 이외의 채무변제는 채권자의 현주소에서 하여야 한다. 그러나 영업에 관한 채무의 변제는 채권자의 현 영업소에서 하여야 한다[민법 제467조(변제의 장소)].

③ 채무자가 1개 또는 수개의 채무의 비용 및 이자를 지급할 경우에 변제자가 그 전부를 소멸하게 하지 못한 급여를 한 때에는 비용, 이자, 원본의 순서로 변제에 충당하여야 한다[민법 제479조(비용, 이자, 원본에 대한 변제충당의 순서) 제1항].

④ 채권의 일부에 대하여 대위변제가 있는 때에는 대위자는 그 변제한 가액에 비례하여 채권자와 함께 그 권리를 행사한다. 이 경우에 채무불이행을 원인으로 하는 계약의 해지 또는 해제는 채권자만이 할 수 있고 채권자는 대위자에게 그 변제한 가액과 이자를 상환하여야 한다[민법 제483조(일부의 대위)].

2019년 기출

06 변제에 대한 다음 설명 중 가장 옳지 않은 것은?

① 변제라 함은 채무의 내용인 급부를 실현하는 채무자 또는 기타의 자의 행위를 말하며 변제가 있으면 채권자는 목적을 달성하고 채권은 소멸한다.

② 변제비용은 다른 의사표시가 없으면 채무자의 부담으로 한다. 그러나 채권자의 주소이전 기타의 행위로 인하여 변제비용이 증가된 때에는 그 증가액은 채권자의 부담으로 한다.

③ 채무가 일정한 액수의 돈을 지급하여야 하는 금전채무일 때에는 강제통용력이 있는 통화로 지급하여야 한다.

④ 금전채무 등에 있어서 우리 「민법」은 법률에 특별규정이 있는 경우를 제외하고는 지참채무를 원칙으로 한다.

⑤ 특정물의 인도 이외의 급부를 목적으로 하는 채무는 채무자의 현주소지에서 변제하여야 한다.

해설 채무의 성질 또는 당사자의 의사표시로 변제장소를 정하지 아니한 때에는 특정물의 인도는 채권성립당시에 그 물건이 있던 장소에서 하여야 한다[민법 제 467조(변제의 장소) 제1항].

06. ⑤

MEMO

① 변제의 의의
② 민법 제473조(변제비용의 부담)
③ 채무가 일정한 액수의 돈을 지급하여야 하는 금전채무일 때에는 강제통용력이 있는 통화로 지급하여야 하며, 그 통화가 변제기에 강제통용력을 잃은 때에는 채무자는 다른 통화로 변제하여야 한다[민법 제376조(금전채권) 참조].
④ 변제의 장소는 당사자의 의사표시 또는 채무의 성질에 의하여 정해진다. 민법은 특별한 규정이 없다면 채권자의 주소 또는 영업소에서 이행하는 지참채무를 원칙으로 한다.

2018년 기출

07 다음은 변제와 관련한 설명이다. 가장 옳지 않은 것은?

① 금전채무 등에 있어서 우리 민법은 법률에 특별규정이 있는 경우를 제외하고는 지참채무를 원칙으로 한다.
② 채무자가 한 개 또는 수 개의 채무의 비용 및 이자를 지급할 경우에 변제자가 그 전부를 소멸하게 하지 못한 급부를 한 때에는 비용, 이자, 원본의 순서로 변제에 충당하여야 한다.
③ 법률상 변제하는 데에 이해관계 있는 연대채무자, 보증인, 물상보증인, 담보부동산의 제3취득자는 채무자의 의사에 반하여서도 변제할 수 있다.
④ 지참채무는 채무자의 주소 또는 영업소에서 이행해야 하는 채무를 말한다.
⑤ 이해관계 없는 제3자는 채무자의 의사에 반하여 변제하지 못한다.

해설 변제의 장소는 당사자의 의사표시 또는 채무의 성질에 의하여 정해진다. '지참채무'란 채권자의 주소 또는 영업소에서 이행하는 채무를 말한다.
① 민법은 특별한 규정이 없다면 지참채무를 원칙으로 한다.
② '변제충당'이란 채무자가 한 채권자에 대하여 동종의 목적을 가지는 수 개의 채무를 부담하거나 또는 한 채무의 변제로서 수 개의 급부를 하여야 할 경우, 혹은 채무자가 한 개 또는 수 개의 채무에 관하여 원본 이외의 이자나 비용을 지급해야 할 경우에 변제로서 제공한 급부가 그 채무를 전부 소멸시킬 수 없을 경우 그 변제를 어느 채무의 변제에 충당할 것인가를 지정하는 것을 말한다. 채무자가 한 개 또는 수 개의 채무의 비용 및 이자를 지급할 경우에 변제자가 그 전부를 소멸하게 하지 못한 급부를 한 때에는 비용, 이자, 원본의 순서로 변제에 충당하여야 한다(민법 제479조 제1항).
⑤ 이해관계 없는 제3자(예컨대, 채무자의 배우자)는 채무자의 의사에 반하여 변제하지 못한다.
③ 법률상 변제하는 데에 이해관계 있는 연대채무자, 보증인, 물상보증인, 담보부동산의 제3취득자는 채무자의 의사에 반하여서도 변제할 수 있다.

정답

07. ④

MEMO

2021년 기출

08 채무자의 의사에 반하여 변제를 할 수 있는 법률상 이해관계인에 해당하지 않는 사람은?

① 담보부동산의 제3취득자
② 보증인
③ 물상보증인
④ 연대채무자
⑤ 채무자의 가족

해설 채무의 변제는 원칙적으로 제3자도 할 수 있다(민법 제469조 제1항 본문). 다만, 다음과 같은 3가지 경우는 제3자의 변제를 제한하고 있다(동조 제1항 단서, 제2항).

채무의 성질에 의한 제한	채무자 이외의 자가 변제할 수 없는 이른바 일신전속적인 급부가 이에 해당한다(학자의 강연, 명우의 연기 등).
반대의 의사표시에 의한 제한	당사자가 반대의 의사표시를 한 때에는 제3자는 변제하지 못한다.
이해관계 없는 제3자의 제한	이해관계 없는 제3자(예컨대, 채무자의 배우자)는 채무자의 의사에 반하여 변제하지 못한다. 그러므로 법률상 변제하는 데에 이해관계 있는 연대채무자, 보증인, 물상보증인, 담보부동산의 제3취득자 등은 채무자의 의사에 반하여서도 변제할 수 있다.

2017년 기출

09 변제할 정당한 이익이 있는 자는 변제로 당연히 채권자를 대위한다(「민법」 제481조). 다음 중 법률상 당연히 채권자를 대위할 수 없는 자는?

① 보증인
② 물상보증인
③ 담보물의 제3취득자
④ 채무자의 자녀
⑤ 불가분채무자

해설 채무의 변제는 원칙적으로 제3자도 할 수 있다(민법 제469조 제1항 본문). 다만, 채무의 성질, 반대의 의사표시, 이해관계 없는 제3자의 변제는 제한된다. 채무자의 자녀는 이해관계 없는 제3자로서 채무자의 의사에 반하여 변제하지 못한다(민법 제469조 제2항). 보증인, 물상보증인, 담보물의 제3취득자, 불가분채무자는 대위변제한 경우 주채무자 등에 구상권을 행사할 수 있는 이해관계 있는 제3자에 해당한다.

정답

08. ⑤ 09. ④

MEMO

2022년 기출

10 원칙적으로 유효하게 변제를 수령할 권한이 없는 자는?

① 파산한 채권자
② 대항요건을 갖춘 채권질권자
③ 채권자대위권자
④ 채권추심을 위임 받은 신용정보회사
⑤ 부재자의 재산관리인

해설 유효하게 변제를 수령할 수 있는 자를 변제수령권자라 한다. 채권자가 원칙적으로 변제수령권자이나 일정한 경우에는 채권자라도 변제수령의 권한이 제한된다. 압류를 당한 채권자, 자신의 채권을 질권의 담보로 제공한 채권자, 파산한 채권자가 이에 해당한다. 한편 법률의 규정에 의하여 또는 채권자로부터 변제수령의 권한이 주어진 자에 대한 변제가 유효함은 당연하다. 대항요건을 갖춘 채권질권자, 채권자대위권자, 부재자의 재산관리인이 전자, 채권추심위임을 받은 신용정보회사가 후자의 예이다.

2019년 기출

11 원칙적으로 유효하게 변제를 수령할 권한이 없는 자는?

① 채권자대위권자
② 채권질권자
③ 채권자의 대리인
④ 파산관재인
⑤ 해당채권을 가압류 당한 채권자

해설 유효하게 변제를 수령할 수 있는 자를 변제수령권자라 한다. 채권자가 원칙적으로 변제수령권자이나 일정한 경우에는 채권자라도 변제수령의 권한이 제한된다. 예컨대, 채권자가 그의 채권자로부터 채권의 (가)압류를 당한 때에는 채무자는 자기의 채권자에게 지급하는 것이 금지된다. 채권자가 자신의 채권을 질권의 담보로 제공한 때나 채권자가 채무자 회생 및 파산에 관한 법률(약칭 : 채무자회생법)에 의거 회생절차개시결정을 받은 때에 그의 채권을 추심할 권한을 잃게 되고 채무자가 그의 채무를 관리인에게 변제하여야 한다.

①②③④ 한편 법률에 의하여 또는 채권자로부터 변제수령의 권한이 주어진 자에 대한 변제가 유효함은 당연하다. 예컨대, 채권자대위권자, 채권질권자, 채권자의 대리인, 파산관재인과 같은 관리인, 채권추심위임을 받은 채권추심회사 등은 그러한 변제수령의 권한이 주어진 자이다. 즉, 민법 제470조에 정하여진 채권의 준점유자라 함은, 변제자의 입장에서 볼 때 일반의 거래관념상 채권을 행사할 정당한 권한을 가진 것으로 믿을 만한 외관을 가지는 사람을 말하므로 준점유자가 스스로 채권자라고 하여 채권을 행사하는 경우 뿐만 아니라 채권자의 대리인이라고 하면서 채권을 행사하는 때에도 채권의 준점유자에 해당한다(대판 2004.4.23. 2004다5389). 그리고 채권자가 파산선고를 받은 때에는 파산관재인만이 변제수령권한을 갖는다(채무자회생법 제384조, 제479조).

10. ① 11. ⑤

MEMO

2023년 기출

12 **채무자가 1개 또는 수개의 채무의 비용 및 이자를 지급할 경우에 변제자가 그 전부를 소멸하게 하지 못한 급여를 한 때에 다른 의사표시가 없는 경우, 변제충당의 순서로서 맞는 것은?**

① 이자 → 원본 → 비용
② 비용 → 이자 → 원본
③ 원본 → 비용 → 이자
④ 비용 → 원본 → 이자
⑤ 이자 → 비용 → 원본

해설 ② '변제충당'이란 채무자가 한 채권자에 대하여 동종의 목적을 가지는 수 개의 채무를 부담하거나 또는 한 채무의 변제로서 수 개의 급부를 하여야 할 경우, 혹은 채무자가 한 개 또는 수 개의 채무에 관하여 원본 이외의 이자나 비용을 지급해야 할 경우에 변제로서 제공한 급부가 그 채무를 전부 소멸시킬 수 없을 경우 그 변제를 어느 채무의 변제에 충당할 것인가를 지정하는 것을 말한다. 변제충당은 합의 > 지정 > 법정변제충당의 순으로 하는데, 채무자가 한개 또는 수개의 채무의 비용 및 이자를 지급할 경우에 변제자가 그 전부를 소멸하게 하지 못한 급부를 한 때에는 비용, 이자, 원본의 순서로 변제에 충당하여야 한다(민법 제479조 제1항). 또한 비용 상호간에, 이자 상호간에, 원본 상호간에 있어서는 법정충당에 따라야 한다(동조 제2항, 제477조). 다음 표 참조

❑ 법정충당 순위정리

순위	채무의 종류별 순위	채무의 내용별 순위	비 고
1순위	비용	각 채무액에 비례하여 충당	채무의 내용별 충당 순위는 동일한 조건일 때는 선순위 충당방법으로 이전
2순위	이자	변제이익이 많은 채무	
3순위	원금	이행기가 도래한 채무	
4순위		이행기가 미도래한 채무	

2022년 기출

13 **다음 중 변제충당 시 고려하여야 할 기준으로 적절하지 않은 것은?**

① 변제이익
② 변제자의 충당지정
③ 당사자의 충당합의
④ 대출일자
⑤ 이행기

해설 변제충당은 채무자가 한 개 또는 수 개의 채무의 비용 및 이자를 지급할 경우에 변제자가 그 전부를 소멸하게 하지 못한 급부를 한 때에 발생되는 문제이다. 변제충당방법에 있어서 명문규정은 없지만 당사자의 합의에 의한 충당이 최우선적으로 이루어진다. 즉, 변제충당에 관한 민법 제476조 내지 제469조는 임의규정이므로 변제자와 변제받는 자 사이에 위 규정과 다른 약정이 있다면 그 약정에 따라 변제충당의 효력이 발생하고, 위

12. ② 13. ④

MEMO

규정과 다른 약정이 없는 경우에 변제의 제공이 그 채무 전부를 소멸하게 하지 못하는 때에는 제476조의 지정변제충당에 의하여 변제충당의 효력이 발생하고 보충적으로 제477조의 법정변제충당의 순서에 따라 변제충당의 효력이 발생한다(대결 2010.03.10.2009마1942). 법정변제충당 순위는 다음표 참조

❑ 법정충당 순위정리

순 위	채무의 종류별 순위	채무의 내용별 순위	비 고
1순위	비용	각 채무액에 비례하여 충당	채무의 내용별 충당 순위는 동일한 조건일 때는 선순위 충당방법으로 이전
2순위	이자	변제이익이 많은 채무	
3순위	원금	이행기가 도래한 채무	
4순위		이행기가 미도래한 채무	

2021년 기출

14 **채무자가 한 개 또는 수 개의 채무의 비용 및 이자를 지급할 경우에 변제자가 그 전부를 소멸하게 하지 못한 급부를 한 때에 다른 의사표시가 없는 경우, 변제충당의 순서로서 옳은 것은?**

① 이자 → 원본 → 비용
② 비용 → 이자 → 원본
③ 원본 → 비용 → 이자
④ 이자 → 비용 → 원본
⑤ 비용 → 원본 → 이자

해설 채무자가 한 개 또는 수 개의 채무의 비용 및 이자를 지급할 경우에 변제자가 그 전부를 소멸하게 하지 못한 급부를 한 때에는 비용, 이자, 원본의 순서로 변제에 충당하여야 한다(민법 제479조 제1항).

2019년 기출

15 **다음 중 변제충당 시 고려하여야 할 기준으로 옳지 않은 것은?**

① 대출일자
② 채무자의 충당지정
③ 채권자의 충당지정
④ 변제이익
⑤ 이행기

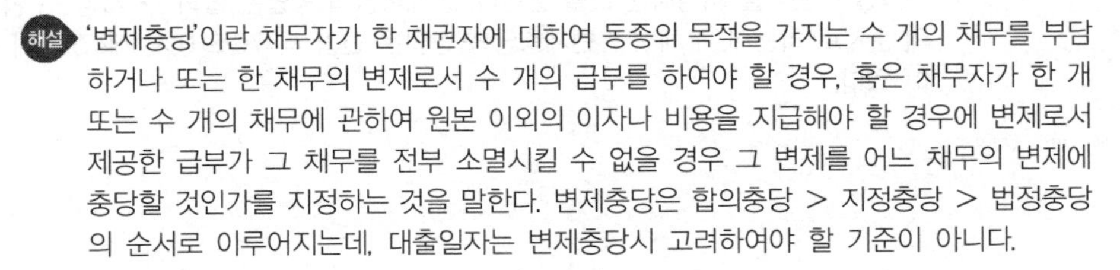
해설 '변제충당'이란 채무자가 한 채권자에 대하여 동종의 목적을 가지는 수 개의 채무를 부담하거나 또는 한 채무의 변제로서 수 개의 급부를 하여야 할 경우, 혹은 채무자가 한 개 또는 수 개의 채무에 관하여 원본 이외의 이자나 비용을 지급해야 할 경우에 변제로서 제공한 급부가 그 채무를 전부 소멸시킬 수 없을 경우 그 변제를 어느 채무의 변제에 충당할 것인가를 지정하는 것을 말한다. 변제충당은 합의충당 > 지정충당 > 법정충당의 순서로 이루어지는데, 대출일자는 변제충당시 고려하여야 할 기준이 아니다.

14. ② 15. ①

MEMO

② 채무자가 동일한 채권자에 대하여 같은 목적으로 한 수개의 채무를 부담한 경우에 변제의 제공이 그 채무전부를 소멸하게 하지 못하는 때에는 변제자(채무자 등)는 그 당시 어느 채무를 지정하여 그 변제에 충당할 수 있다[민법 제476조(지정변제충당) 제1항].

③ 변제자가 전항의 지정을 하지 아니할 때에는 변제받는 자(채권자 등)는 그 당시 어느 채무를 지정하여 변제에 충당할 수 있다(동조 제2항).

④⑤ 변제이익이나 이행기는 법정변제충당시 고려되어야 할 내용인데, 이하의 조문을 참조한다.

민법 제477조【법정변제충당】 당사자가 변제에 충당할 채무를 지정하지 아니한 때에는 다음 각호의 규정에 의한다. 1. 채무중에 이행기가 도래한 것과 도래하지 아니한 것이 있으면 이행기가 도래한 채무의 변제에 충당한다. 2. 채무전부의 이행기가 도래하였거나 도래하지 아니한 때에는 채무자에게 변제이익이 많은 채무의 변제에 충당한다. 3. 채무자에게 변제이익이 같으면 이행기가 먼저 도래한 채무나 먼저 도래할 채무의 변제에 충당한다. 4. 전2호의 사항이 같은 때에는 그 채무액에 비례하여 각 채무의 변제에 충당한다.

2017년 기출

16 채무자가 한 개 또는 수 개의 채무의 비용 및 이자를 지급할 경우에 변제자가 그 전부를 소멸하게 하지 못한 급부를 한 때에 발생되는 문제 중 가장 관련이 깊은 것은?

① 채권양도 ② 대물변제
③ 변제공탁 ④ 채무인수
⑤ 변제충당

해설 '변제충당'이란 채무자가 한 채권자에 대하여 동종의 목적을 가지는 수 개의 채무를 부담하거나 또는 한 채무의 변제로서 수 개의 급부를 하여야 할 경우, 혹은 채무자가 한 개 또는 수 개의 채무에 관하여 원본 이외의 이자나 비용을 지급해야 할 경우에 변제로서 제공한 급부가 그 채무를 전부 소멸시킬 수 없을 경우 그 변제를 어느 채무의 변제에 충당할 것인가를 지정하는 것을 말한다. 변제충당의 방법은 합의 → 지정 → 법정충당의 순서로 하는데, 구체적인 변제충당의 방법은 민법 제476조 내지 제479조에 규정되어 있다.

16. ⑤

MEMO

2015년 기출

17 다음 변제자대위에 관한 사례에서 E가 C 및 D에 대하여 B를 대위할 수 있는 금액은 얼마인가?

> 1. A는 B로부터 3억 원을 빌리면서 A 소유의 J토지(1억 원), K토지(2억 원)에 공동저당권을 설정하여 주었고, C는 이 채무에 대하여 보증하였다.
> 2. 그 후 J토지의 소유권은 D에게, K토지의 소유권은 E에게 각각 이전되었다.
> 3. 이 채무의 변제기가 도래하였으나 A는 무자력 상태가 되어 채무를 이행하지 못하게 되자 E는 A의 채무 3억 원을 B에게 변제하였다.

① C : 없음, D : 없음
② C : 1억 원, D : 5천만 원
③ C : 5천만 원, D : 1억 5천만 원
④ C : 1억 원, D : 1억 원
⑤ C : 없음, D : 1억 원

해설 저당부동산에 대하여 소유권, 지상권 또는 전세권을 취득한 제3자(이른바 제3취득자)는 저당권자에게 그 부동산으로 담보된 채권을 변제하고 저당권의 소멸을 청구할 수 있다(민법 제364조). 제3취득자는 보증인에 대하여 채권자를 대위하지 못한다(동법 제482조 제2항 제2호). 왜냐하면 제3취득자는 담보의 부담을 각오하고 부동산을 취득한 자이므로 보증인에 대하여 대위하게 할 필요가 없기 때문이다. 그러나 제3취득자 중의 1인은 각 부동산의 가액에 비례하여 다른 제3취득자에 대하여 채권자를 대위한다(동법 동조 제3호). 따라서 제3취득자 E는 보증인 C에 대하여는 채권자를 대위하지 못하고, 다른 제3취득자 D에게는 그 부동산의 가액에 비례하여 1억 원을 대위할 수 있다.

정답

17. ⑤

MEMO

2013년 기출

18 다음 사례에서 A가 B, C, D에 대하여 채권자 甲을 대위할 수 있는 한도액은?

- 甲의 乙에 대한 8억 원의 채권에 대하여 A와 B는 보증인이 되고 C와 D는 각각 6억 원 및 2억 원의 재산을 담보로 제공하였다.
- 乙이 채무상환능력을 상실하자 A가 전액을 대위변제하였다.

구분	B	C	D
①	2억 원	3억 원	1억 원
②	3억 원	2억 원	1억 원
③	2억 원	2억 원	2억 원
④	3억 원	2억 원	1억 원
⑤	3억 원	2억 원	2억 원

해설 민법 제482조 제2항 제5호의 규정에 따라 보증인과 물상보증인 간에는 그 인원수에 비례하여 채권자를 대위한다. 이때 보증인이 물상보증인의 지위를 겸하고 있는 경우에는 1인으로 계산한다. 또한 물상보증인이 수인인 때에는 먼저 보증인의 부담부분을 제외하고 그 잔액에 대하여 각 재산의 가액에 비례하여 채권자를 대위하게 된다. 이에 보증인인 A와 B는 인원수에 비례한 1/4인 각 2억 원씩을 우선 부담하며, 물상보증인들인 C와 D는 보증인의 부담부분을 제외한 4억 원의 잔액에 대하여 각 재산의 가액에 비례하여 1/2씩 각 3억 원 및 1억 원을 대위할 수 있다.

2012년 기출

19 다음 사례에서 C가 D에게 A를 대위하여 구상할 수 있는 금액은?

A는 B에게 1억 원을 대출해주면서 그 채권확보를 위하여 C의 부동산(가액 2억 원)과 D의 부동산(가액 1억 원)을 공동담보로 취득하였다. B가 사업부진으로 그 대출금의 상환을 연체하자 C는 대출원금 1억 원과 연체이자 2천만 원을 A에게 전액 변제하였다.

① 1억 2천만 원
② 1억 원
③ 8천만 원
④ 4천만 원
⑤ 2천만 원

해설 1억 2천만 원(C의 변제총액) x 1/3(D의 담보부담비율) = 4천만 원

18. ① 19. ④

MEMO

제2절 대물변제

2024년 기출

01 대물변제에 관한 다음 설명 중 가장 적절하지 않은 것은?

① 대물변제에서 급부는 현실적으로 행하여질 필요는 없다.
② 대물변제는 요물계약이다.
③ 본래의 급부와 대물급부가 반드시 가치가 같아야 할 필요는 없다.
④ 대물변제는 변제와 같은 효력이 있다.
⑤ 대물변제로 급부된 목적물에 하자가 있는 경우에는 매도인의 담보책임에 관한 「민법」 규정이 준용되어 채권자는 계약해제 또는 손해배상을 청구할 수 있다.

해설 ① 대물변제는 유상계약이자 요물계약이므로 본래의 급부와 다른 급부를 단순히 약속하는 것만으로는 부족하며, 그 다른 급부를 '현실적'으로 하여야 한다. 따라서 판례는 대물급부로서 부동산의 소유권을 이전하는 때에는 당사자가 대물변제의 의사표시를 하는 것만으로는 '대물변제의 예약'에 지나지 않고, 그 밖에 등기까지도 완료하여야만 대물변제는 성립한다고 본다.
④ 채무자가 채권자의 승낙을 얻어 본래의 채무이행에 갈음하여 다른 급여를 한 때에는 변제와 같은 효력이 있다(민법 제466조(대물변제)).
⑤ 대물변제는 변제와 같은 효력이 있다. 따라서 본래의 채권은 소멸하고 또한 그 채권을 담보하는 담보권도 소멸한다. 그런데 대물변제로 급부된 목적물에 하자가 있는 경우에는 매도인의 담보책임에 관한 「민법」 규정이 준용되어 채권자는 계약해제 또는 손해배상을 청구할 수 있다(제580조, 제575조 제1항 참조).

2023년 기출

02 변제와 대물변제에 관한 다음 설명 중 가장 적절하지 않은 것은?

① 채무자가 채권자의 승낙을 얻어 본래의 채무이행에 갈음하여 다른 급여를 한 때에는 변제와 같은 효력이 있다.
② 대물변제는 본래의 급부와 다른 급부를 약속하는 것만으로 충분하며 그 다른 급부를 현실적으로 하여야 하는 것은 아니다.
③ 당사자의 특별한 의사표시가 없으면 변제기 전이라도 채무자는 변제할 수 있다. 그러나 상대방의 손해는 배상하여야 한다.
④ 채권의 준점유자에 대한 변제는 변제자가 선의이며 과실 없는 때에 한하여 효력이 있다.
⑤ 대물변제에 의해 그 채권을 담보하는 담보권도 소멸한다.

01. ① 02. ②

MEMO

해설 ② '대물변제'란 채무자가 부담하고 있는 본래의 급부에 갈음하여 다른 급부를 현실적으로 함으로써 채권을 소멸시키는 채권자, 변제자 사이의 계약을 말하며, 변제와 같은 효력을 가진다.
① 민법 제466조(대물변제)
⑤ 대물변제에 의해 본래의 채권은 소멸하고 또한 그 채권을 담보하는 담보권도 소멸한다.
③ 민법 제468조(변제기전의 변제)
④ 민법 제470조(채권의 준점유자에 대한 변제)

2021년 기출

03 대물변제에 관한 다음 설명 중 적절하지 않은 것은?

① 대물변제는 변제와 같은 효력이 있다.
② 본래의 급부와 다른 급부, 즉 대물급부는 동가치이어야 하며 두 급부의 가치 사이에 과부족이 있으면 대물변제가 성립하지 않는다.
③ 본래의 급부와 다른 급부를 단순히 약속하는 것만으로는 부족하며 그 다른 급부를 '현실적으로' 하여야 한다.
④ 금전의 급부에 갈음하여 동산 또는 부동산의 급부를 하여도 좋고 어음・수표의 교부도 가능하다.
⑤ 변제자 측의 대물변제 의사와 채권자 측의 대물변제 수령의사가 합치하고 있어야만 한다.

해설 본래의 급부와 다른 급부, 즉 대물급부는 동가치이어야 하는 것은 아니다. 두 급부의 가치 사이에 과부족이 있더라도 대물변제의 성립을 방해하지 않는다.
① 대물변제는 채무자가 부담하고 있는 본래의 급부에 갈음하여 다른 급부를 현실적으로 함으로써 채권을 소멸시키는 채권자, 변제자 사이의 계약을 말하며, 변제와 같은 효력을 가진다(민법 제466조).
③ 대물변제는 유상계약이자 요물계약이므로 본래의 급부와 다른 급부를 단순히 약속하는 것만으로는 부족하며 그 다른 급부를 '현실적으로' 하여야 한다. 그래서 판례는 대물급부로서 부동산의 소유권을 이전하는 때에는 당사자가 대물변제의 의사표시를 하는 것만으로는 '대물변제의 예약'에 지나지 않고, 그밖에 등기까지도 완료하여야만 대물변제는 성립한다고 본다.
④ 대물변제는 본래의 급부와 다른 급부를 하여야 하나, 그 다른 급부의 내용이나 종류는 묻지 않는다. 따라서 금전의 급부에 갈음하여 동산 또는 부동산의 급부를 하여도 좋고 어음・수표의 교부도 가능하다.
⑤ 대물변제가 유효하게 성립하려면 채권자와 변제자 사이에 합의 내지 계약, 즉 변제자 측의 대물변제 의사와 채권자 측의 대물변제 수령의사가 합치하고 있어야만 한다.

03. ②

MEMO

2017년 기출

04 **다음은 대물변제와 관련된 설명이다. 옳지 않은 것은?**

① 대물변제는 본래의 급부에 갈음하여 다른 급부를 현실적으로 실행함으로써 채권을 소멸시키는 채권자와 변제자 사이의 계약이다.
② 본래의 급부와 같지 않은 다른 급부를 하여야 하나 그 다른 급부의 내용이나 종류는 이를 묻지 않는다.
③ 대물급부로서 부동산의 소유권을 이전하는 때에는 당사자가 대물변제의 의사표시를 하는 것만으로는 부족하고, 그 밖에 등기까지도 완료하여야만 대물변제는 성립한다.
④ 대물변제를 하여도 그 채권을 담보하는 담보권은 소멸하지 않는다.
⑤ 대물급부는 본래의 급부를 위하여서가 아니고 그에 갈음하여 하는 것이어야 한다.

해설 채무자가 채권자의 승낙을 얻어 본래의 채무이행에 갈음하여 다른 급여를 한 때에는 변제와 같은 효력이 있는데(민법 제466조), 이를 대물변제라고 한다. 따라서 변제를 하면 담보물권의 부종성에 기하여 그 채권을 담보하는 담보권은 소멸하므로 변제와 같은 효력이 있는 대물변제를 하여도 그 채권을 담보하는 담보권은 소멸한다.
① 대물변제의 개념
② 본래의 급부와 같지 않은 다른 급부를 하여야 하나 그 다른 급부의 내용이나 종류는 이를 묻지 않는다. 또한 본래의 급부와 다른 급부, 즉 대물급부는 동가치이어야 하는 것은 아니다. 두 급부의 가치 사이에 과부족이 있더라도 대물변제의 성립을 방해하지 않는다.
③ 부동산의 소유권 이전을 위해서는 당사자의 소유권이전 의사표시 외에 등기까지 해야 한다(형식주의). 따라서 대물급부로서 부동산의 소유권을 이전하는 때에는 당사자가 대물변제의 의사표시를 하는 것만으로는 부족하고, 그 밖에 등기까지도 완료하여야만 대물변제는 성립한다.
⑤ 대물급부는 본래의 채무의 변제의 수단으로서, 즉 이른바 '변제를 위하여'가 아니라 본래의 채무를 소멸하게 하기 위하여, 즉 '변제에 갈음하여' 하여야 한다.

04. ④

MEMO

2011년 기출

05 다음과 같은 거래관계를 가장 바르게 설명한 것은? (다툼이 있는 경우에는 대법원판례에 따름)

A가 B에게 1억 원을 대여하였는데 B가 변제를 못하게 되자 B는 채무에 갈음하여 B소유의 임야(이하 '임야'라 한다)를 A에게 이전해 주기로 A와 약정하였다. 그 후 B는 '임야'를 C에게 매각하여 C앞으로 소유권이전등기를 마쳤다.

① B와 C 간에 체결된 '임야'에 대한 매매계약은 무효이다.
② '임야'에 대한 소유권을 A에게 이전해주기로 체결한 A와 B 간의 약정은 대물변제의 예약(계약)이다.
③ A는 '임야'를 이전받지 못하여도 B에게 본래의 채무 1억 원의 상환을 청구할 수 없다.
④ A는 C에 대해서 '임야'의 소유권이전등기를 청구할 수 있다.
⑤ A는 B에 대한 소유권이전청구권에 근거하여 B와 C 간에 체결된 '임야'에 대한 매매계약을 취소할 수 있다.

해설 대물변제의 예약은 채무자가 변제기까지 변제하지 않는 경우에 본래의 급부에 갈음하여 다른 급부를 할 것을 미리 약정하여 두는 것을 말한다. 따라서 '임야'에 대한 소유권을 A에게 이전해주기로 체결한 A와 B 간의 약정은 대물변제의 예약(계약)이 된다.

05. ②

MEMO

제3절 공탁

2024년 기출

01 변제공탁에 관한 다음 설명 중 가장 적절한 것은?

① 본래의 채권에 부착하고 있지 않은 조건을 붙여서 한 공탁은 그 조건뿐만 아니라 공탁 전부가 무효가 된다.
② 채권자에 대한 공탁통지나 채권자의 수익의 의사표시가 있는 때에 공탁의 효력이 발생하여 채무는 소멸한다.
③ 착오로 공탁한 변제자가 공탁물을 회수하였을 경우에도 채무는 소멸한다.
④ 공탁을 하는 자는 채무자에 한한다.
⑤ 공탁하여야 할 장소는 채무자 주소지를 관할하는 공탁소이다.

해설 ① 채무자가 채권자에 대하여 동시이행항변권을 가지고 있는 경우를 제외하고는 본래의 채권에 부착하고 있지 않은 조건을 붙여서 한 공탁은 그 조건뿐만 아니라 공탁 전부가 무효가 된다(대판 2002.12.6. 2001다2846).
② 변제공탁은 공탁공무원의 수탁처분과 공탁물보관자의 공탁물 수령으로 그 효력이 발생하여 채무소멸의 효과를 가져오는 것이고 채권자에 대한 공탁통지나 채권자의 수익의 의사표시가 있는 때에 공탁의 효력이 생기는 것은 아니다(대결 1972.5.15. 72마401결정).
③ 착오로 공탁한 변제자가 공탁물을 회수하였을 경우에도 채무는 소멸하지 아니한다. 아래 민법과 공탁법 조문 참조
④ 공탁을 하는 자는 변제자이다. 따라서 채무자에 한하지 않고 제3자도 할 수 있다.
⑤ 공탁은 채무이행지의 공탁소에 하여야 한다. 공탁소에 관하여 법률에 특별한 규정이 없으면 법원은 변제자의 청구에 의하여 공탁소를 지정하고 공탁물보관자를 선임하여야 한다. 공탁자는 지체없이 채권자에게 공탁통지를 하여야 한다(민법 제488조).

> **민법 제489조(공탁물의 회수)** ① 채권자가 공탁을 승인하거나 공탁소에 대하여 공탁물을 받기를 통고하거나 공탁유효의 판결이 확정되기까지는 변제자는 공탁물을 회수할 수 있다. 이 경우에는 공탁하지 아니한 것으로 본다.
> ② 전항의 규정은 질권 또는 저당권이 공탁으로 인하여 소멸한 때에는 적용하지 아니한다.
>
> **공탁법 제9조(공탁물의 수령 · 회수)** ② 공탁자는 다음 각 호의 어느 하나에 해당하면 그 사실을 증명하여 공탁물을 회수할 수 있다.
> 1. 「민법」 제489조에 따르는 경우
> 2. <u>착오로 공탁을 한 경우</u>
> 3. 공탁의 원인이 소멸한 경우

01. ①

MEMO

2023년 기출

02 변제공탁에 관한 다음 설명 중 가장 적절한 것은?

① 공탁을 하는 자는 채무자에 한한다.
② 공탁하여야 할 장소는 채무자 주소지를 관할하는 공탁소이다.
③ 본래의 채권에 부착하고 있지 않은 조건을 붙여서 한 공탁은 공탁 전부가 아니라 그 조건만 무효가 된다.
④ 채권자에 대한 공탁통지나 채권자의 수익의 의사표시가 있는 때에 공탁의 효력이 발생하여 채무는 소멸한다.
⑤ 채권자가 공탁을 승인하거나 공탁소에 대하여 공탁물을 받기를 통고하거나 공탁유효의 판결이 확정되기까지는 변제자는 공탁물을 회수할 수 있다.

해설 ⑤ 민법 제489조(공탁물의 회수) 제1조 제1문
① 공탁을 하는 자는 변제자이다. 따라서 채무자에 한하지 않고 제3자도 할 수 있다.
② 공탁은 채무이행지의 공탁소에 하여야 한다(민법 제488조 제1항).
③ 채무자가 채권자에 대하여 동시이행항변권을 가지고 있는 경우를 제외하고는 본래의 채권에 부착하고 있지 않은 조건을 붙여서 한 공탁은 그 조건뿐만 아니라 공탁 전부가 무효로 된다(대판 2002.12.06. 2001다2846).
④ 채권자에 대한 공탁통지나 채권자의 수익의 의사표시가 있는 때에 공탁의 효력이 생기는 것이 아니라, 공탁공무원의 수탁처분과 공탁물보관자의 공탁물수령으로 공탁의 효력이 발생하여 변제가 있었던 것과 같이 채무는 소멸한다.

2022년 기출

03 변제공탁에 관한 다음 설명 중 가장 적절하지 않은 것은?

① 채권자가 변제를 받지 아니하거나 받을 수 없는 때에는 변제자는 채권자를 위하여 변제의 목적물을 공탁하여 그 채무를 면할 수 있다.
② 공탁은 원칙적으로 채무자의 주소지의 공탁소에 하여야 한다.
③ 공탁소에 관하여 법률에 특별한 규정이 없으면 법원은 변제자의 청구에 의하여 공탁소를 지정하고 공탁물보관자를 선임하여야 한다.
④ 채권자가 공탁을 승인하거나 공탁소에 대하여 공탁물을 받기를 통고하거나 공탁유효의 판결이 확정되기까지는 변제자는 공탁물을 회수할 수 있다.
⑤ 채무자가 채권자의 상대의무이행과 동시에 변제할 경우에는 채권자는 그 의무이행을 하지 아니하면 공탁물을 수령하지 못한다.

해설 공탁은 채무이행지의 공탁소에 하여야 한다[민법 제488조(공탁의 방법) 제1항].
① 민법 제487조(변제공탁의 요건, 효과) 제1문
③ 민법 제488조 제2항

정답 02. ⑤ 03. ②

MEMO

④ 민법 제489조(공탁물의 회수) 제1항 제1문
⑤ 민법 제491조(공탁물수령과 상대의무이행)

2021년 기출

04 변제공탁에 관한 다음 설명 중 적절하지 않은 것은?

① 일부공탁은 원칙적으로 무효이다.
② 변제공탁으로 인하여 채무는 소멸한다.
③ 공탁은 채무이행지의 공탁소에 하여야 한다.
④ 변제자가 과실 없이 채권자를 알 수 없는 경우에는 변제공탁을 할 수 있다.
⑤ 채권자가 수익의 의사표시를 한 때에 공탁의 효력이 발생한다.

해설 공탁공무원의 수탁처분과 공탁물보관자의 공탁물수령으로 공탁의 효력이 발생한다.
① 일부의 제공이 특히 유효한 제공이 되지 않는 한 공탁원인 자체가 성립하고 있지 않기 때문에 일부공탁은 원칙적으로 무효이다.
② 변제공탁의 효과
③ 공탁하여야 하는 장소는 채무이행지의 공탁소이다(민법 제488조 제1항).
④ 채권자가 변제를 받지 아니하거나 받을 수 없는 때에는 변제자는 채권자를 위하여 변제의 목적물을 공탁하여 그 채무를 면할 수 있다. 변제자가 과실 없이 채권자를 알 수 없는 경우에도 같다(민법 제487조).

2020년 기출

05 변제공탁과 관련한 다음 설명 중 옳지 않은 것은?

① 공탁은 채무이행지의 공탁소에 하여야 한다. 공탁소에 관하여 법률에 특별한 규정이 없으면 법원은 변제자의 청구에 의하여 공탁소를 지정하고 공탁물보관자를 선임하여야 한다.
② 채권자가 변제를 받지 아니하거나 받을 수 없는 때에는 변제자는 채권자를 위하여 변제의 목적물을 공탁하여 그 채무를 면할 수 있다.
③ 채권자가 공탁을 승인하거나 공탁소에 대하여 공탁물을 받기를 통고하거나 공탁유효의 판결이 확정되기까지는 변제자는 공탁물을 회수할 수 있다. 질권 또는 저당권이 공탁으로 인하여 소멸한 때에도 같다.
④ 변제의 목적물이 공탁에 적당하지 아니하거나 멸실 또는 훼손될 염려가 있거나 공탁에 과다한 비용을 요하는 경우에는 변제자는 법원의 허가를 얻어 그 물건을 경매하거나 시가로 방매하여 대금을 공탁할 수 있다.
⑤ 채무자가 채권자의 상대의무이행과 동시에 변제할 경우에는 채권자는 그 의무이행을 하지 아니하면 공탁물을 수령하지 못한다.

04. ⑤ 05. ③

MEMO

해설 ③ 채권자가 공탁을 승인하거나 공탁소에 대하여 공탁물을 받기를 통고하거나 공탁유효의 판결이 확정되기까지는 변제자는 공탁물을 회수할 수 있다. 이 경우에는 공탁하지 아니한 것으로 본다. 이 규정은 질권 또는 저당권이 공탁으로 인하여 소멸한 때에는 적용하지 아니한다[민법 제489조(공탁물의 회수)].

① 민법 제488조(공탁의 방법) 제1항, 제2항
② 민법 제487조(변제공탁의 요건, 효과) 제1문
④ 민법 제490조(자조매각금의 공탁)
⑤ 민법 제491조(공탁물수령과 상대의무이행)

2019년 기출

06 다음 설명 중 옳지 않은 것은?

① 대물변제는 본래의 급부에 갈음하여 다른 급부를 현실적으로 실행함으로써 채권을 소멸시키는 채권자와 변제자 사이의 계약이다.
② 대물변제를 하면 그 채권을 담보하는 담보권은 소멸한다.
③ 변제공탁하여야 할 장소는 원칙적으로 채권자 주소지의 공탁소이다.
④ 일부의 공탁은 일부의 제공이 특히 유효한 제공이 되지 않는 한 공탁원인 자체가 성립하고 있지 않기 때문에 그 공탁은 무효가 된다.
⑤ 면책적 채무인수의 경우에 전채무자의 채무에 대한 보증이나 제3자(물상보증인)가 제공한 담보는 소멸하지 않고 그대로 존속한다.

해설 전채무자의 채무에 대한 보증이나 제3자가 제공한 담보는 채무인수로 인하여 소멸한다. 그러나 보증인이나 제3자가 채무인수에 동의한 경우에는 그러하지 아니하다[민법 제459조(채무인수와 보증, 담보의 소멸)].

① 대물변제의 정의
② 채무자가 채권자의 승낙을 얻어 본래의 채무이행에 갈음하여 다른 급여를 한 때에는 변제와 같은 효력이 있다[민법 제466조(대물변제)]. 따라서, 대물변제를 하면 본래의 채권은 소멸하고 또한 그 채권을 담보하는 담보권도 소멸한다.
③ 변제공탁하여야 할 장소는 원칙적으로 채무이행지의 공탁소이고[민법 제488조(공탁의 방법) 제1항], 채무이행지는 원칙적으로 지참채무의 원칙상 채권자 주소지이다.
④ 일부의 공탁은 일부의 제공이 특히 유효한 제공이 되지 않는 한 공탁원인 자체가 성립하고 있지 않기 때문에 그 공탁은 무효가 된다. 따라서 채무자는 공탁한 부분에 상당하는 채무를 면하지 못한다. 판례도 채무의 일부변제제공은 채무의 본지에 따른 이행의 제공이라 할 수 없으므로 채무 일부의 공탁은 변제의 효력이 없다고 판시하고 있다(대판 1984.9.11. 84다카781).

06. ⑤

MEMO

2018년 기출

07 변제공탁에 관한 다음 설명 중 옳지 않은 것은?

① 채권자에 대한 공탁통지나 채권자의 수익의 의사표시가 있는 때에, 공탁의 효력이 발생하여 변제가 있었던 것과 같게 되어 채무가 소멸하게 된다.
② 본래의 급부청구권에 채권자의 선이행의무가 있거나 동시이행의 항변권이 붙어 있는 경우에는 채권자는 자기의 급부를 하지 않고서는 공탁물을 수령하지 못한다.
③ 채무자가 채권자에 대하여 동시이행의 항변권을 가지고 있는 경우를 제외하고는 본래의 채권에 부착하고 있지 않은 조건을 붙여서 한 공탁은 그 조건뿐만 아니라, 공탁 전부가 무효로 된다.
④ 공탁을 하는 자는 변제자이며, 채무자에 한하지 않고 제3자도 할 수 있다.
⑤ 일부의 공탁은 일부의 제공이 특히 유효한 제공이 되지 않는 한, 공탁원인 자체가 성립하고 있지 않기 때문에 그 공탁은 무효가 된다.

해설 채권자에 대한 공탁통지나 채권자의 수익의 의사표시가 있는 때 공탁의 효력이 생기는 것이 아니라, 공탁공무원의 수탁처분과 공탁물보관자의 공탁물수령으로 공탁의 효력이 발생하여 변제가 있었던 것과 같게 되어 채무는 소멸한다.

② 본래의 급부청구권에 채권자의 선이행의무가 있거나 동시이행의 항변권이 붙어 있는 경우에는 채권자는 자기의 급부를 하지 않고서는 공탁물을 수령하지 못한다(민법 제491조 참조).
③ 채무자가 채권자에 대하여 동시이행의 항변권을 가지고 있는 경우를 제외하고는 본래의 채권에 부착하고 있지 않은 조건을 붙여서 한 공탁은 그 조건뿐만 아니라, 공탁 전부가 무효로 된다(대판 2002.12.6. 2001다2846).
④ 공탁을 하는 자는 변제자이며, 채무자에 한하지 않고 제3자도 할 수 있다.
⑤ 일부의 공탁은 일부의 제공이 특히 유효한 제공이 되지 않는 한, 공탁원인 자체가 성립하고 있지 않기 때문에 그 공탁은 무효가 된다. 따라서 채무자는 공탁한 부분에 상당하는 채무를 면하지 못한다. 판례도 채무의 일부변제제공은 채무의 본지에 따른 이행의 제공이라 할 수 없으므로 채무 일부의 공탁은 변제의 효력이 없다(대판 1984.9.11. 84다카781)고 판시하고 있다.

정답

07. ①

MEMO

2017년 기출

08 변제공탁에 관한 다음 설명 중 옳지 않은 것은?

① 공탁하여야 할 장소는 채무이행지의 공탁소이다.
② 채무자에 한하지 않고 제3자도 할 수 있다.
③ 일부공탁은 원칙적으로 무효이다.
④ 채권자에 대한 공탁통지나 채권자의 수익의 의사표시가 있는 때에 공탁의 효력이 발생하여 채무는 소멸한다.
⑤ 채무자가 채권자에 대하여 동시이행의 항변권을 가지고 있는 경우를 제외하고는 본래의 채권에 부착하고 있지 않은 조건을 붙여서 한 공탁은 그 조건뿐만 아니라 공탁 전부가 무효로 된다.

해설 변제공탁이 적법하다면, 채권자가 공탁물출급청구를 하였는지 여부와 관계없이 공탁을 한 때에 변제의 효력이 발생하여 채무는 소멸한다.
① 공탁을 받는 자는 채무이행지의 공탁소이다(민법 제488조 제1항).
② 공탁자는 변제자이면 되므로 채무자에 한하지 않고 제3자도 할 수 있다.
③ 일부공탁은 일부의 제공이 특히 유효한 제공이 되지 않는 한 공탁 원인 자체가 성립하고 있지 않기 때문에 무효가 된다. 따라서 채무자는 공탁한 부분에 상당하는 채무를 면하지 못한다. 판례도 채무의 일부변제제공은 채무의 본지에 따른 이행의 제공이라 할 수 없으므로 채무일부의 공탁은 변제의 효력이 없다고 판시하고 있다(대판 1984.09.11. 84다카781).
⑤ 판례는 채무자가 채권자에 대하여 동시이행의 항변권을 가지고 있는 경우를 제외하고는 본래의 채권에 부착하고 있지 않은 조건을 붙여서 한 공탁은 그 조건뿐만 아니라 공탁 전부가 무효로 된다(대판 2002.12.06. 2001다2846).

08. ④

MEMO

제4절 상계

2024년 기출

01 상계에 관한 다음 설명 중 가장 적절하지 않은 것은?

① 상계에는 소급효가 없다.
② 상계의 의사표시에는 조건 또는 기한을 붙이지 못한다.
③ 상계에 의하여 당사자 쌍방의 채권은 그 대등액에 관하여 소멸한다.
④ 각 채무의 이행지가 다른 경우의 상계도 허용된다.
⑤ 상계는 상대방에 대한 의사표시로 한다.

해설 ① 상계의 의사표시는 각 채무가 상계될 수 있었던 때에 대등액에 관하여 소멸한 것으로 본다(민법 제493조(상계의 방법, 효과) 제2항, 상계의 소급효).
②⑤ 상계는 상대방에 대한 의사표시로 한다. 이 의사표시에는 조건 또는 기한을 붙이지 못한다(민법 제493조 제1항).
④ 각 채무의 이행지가 다른 경우에도 상계할 수 있다. 그러나 상계하는 당사자는 상대방에게 상계로 인한 손해를 배상하여야 한다(민법 제494조).

2023년 기출

02 상계에 관한 다음 설명 중 가장 적절하지 않은 것은?

① 고의의 불법행위로 인한 손해배상채권을 자동채권으로 한 상계는 금지된다.
② 상계는 상대방에 대한 의사표시로 한다. 이 의사표시에는 조건 또는 기한을 붙이지 못한다.
③ 채권이 압류하지 못할 것인 때에는 그 채무자는 상계로 채권자에게 대항하지 못한다.
④ 지급을 금지하는 명령을 받은 제3채무자는 그 후에 취득한 채권에 의한 상계로 그 명령을 신청한 채권자에게 대항하지 못한다.
⑤ 소멸시효가 완성된 채권이 그 완성 전에 상계할 수 있었던 것이면 그 채권자는 상계할 수 있다.

해설 ① 채무가 고의의 불법행위로 인한 것인 때에는 그 채무자는 상계로 채권자에게 대항하지 못한다[민법 제496조(불법행위채권을 수동채권으로 하는 상계의 금지)]. 즉 고의의 불법행위로 인한 손해배상채권을 수동채권으로 해서는 상계할 수 없다. 불법행위의 유발, 조장을 방지하기 위함이다. 그러나 손해배상채권을 자동채권으로 하여 상계하는 것은 상관없다. 또한 과실이나 중과실의 불법행위로 인한 손해배상청구권은 이를 자동채권 또는 수동채권으로 상계할 수 있다.

01. ① 02. ①

MEMO

② 민법 제493조(상계의 방법, 효과) 제1항
③ 민법 제497조(압류금지채권을 수동채권으로 하는 상계의 금지)
④ 민법 제498조(지급금지채권을 수동채권으로 하는 상계의 금지)
⑤ 민법 제495조(소멸시효완성된 채권에 의한 상계)

2021년 기출

03 상계에 관한 다음 설명 중 적절하지 않은 것은?

① 상계는 상대방에 대한 의사표시로 한다.
② 압류금지채권을 수동채권으로 해서 상계할 수 있다.
③ 상계의 효력은 원칙적으로 상계적상 시로 소급하여 발생한다.
④ 상계의 의사표시에는 조건을 붙이지 못한다.
⑤ 상계의 의사표시에는 기한을 붙이지 못한다.

해설 채권이 압류하지 못할 것인 때에는 그 채권자는 상계로 채권자에게 대항하지 못한다(민법 제497조). 즉 압류금지채권을 수동채권으로 하여 상계할 수 없다. 그러나 자동채권으로 하여 상계하는 것은 상관없다.

① 상계는 상대방에 대한 의사표시로 한다(민법 제493조 제1항 1문). 즉 상계는 변제기가 도래한 채권을 가진 당사자 일방이 상대방에 대해 상계의 의사표시를 함으로써 행해진다(채무자의 단독 법률행위). 상계의 의사표시를 할 때에는 상계할 채권을 채권의 동일성이 인식될 수 있을 정도로 표시하면 된다.
③ 상계의 의사표시는 각 채무가 상계할 수 있는 때에 대등액에 관하여 소멸한 것으로 본다(민법 제493조 제2항). 즉 상계의 효력은 원칙적으로 상계적상 시로 소급하여 발생한다.
④, ⑤ 상계의 의사표시에는 조건 또는 기한을 붙이지 못한다(민법 제493조 제1항 2문).

2018년 기출

04 다음 중 상계적상 요건으로 볼 수 없는 것은?

① 양채권이 서로 대립하고 있을 것
② 대립하는 채권이 동종의 목적을 가진 채권일 것
③ 수동채권은 반드시 변제기가 도래하고 있을 것
④ 채권의 성질상 상계가 금지되는 경우가 아닐 것
⑤ 법률상 상계가 금지되는 경우가 아닐 것

03. ② 04. ③

MEMO

해설 상계가 유효하기 위해서는 대립하는 채권에 관하여 일정한 요건을 갖추어야 하는데 이를 '상계적상'이라고 한다. 상계적상의 요건은 ⅰ) 양채권이 서로 대립하고 있을 것(①), ⅱ) 대립하는 채권이 동종의 목적을 가진 채권일 것(②), ⅲ) 양채권이 변제기에 있을 것, ⅳ) 채권의 성질상 상계가 금지되는 경우가 아닐 것(④), ⅴ) 법률상 상계가 금지되는 경우가 아닐 것(⑤) 이다. 이 중 ⅲ)요건에 대하여 원칙적으로 양채권이 변제기에 있어야 하는데, 특히 자동채권은 반드시 변제기에 있어야 한다. 변제기가 도래하지 않은 채권을 자동채권으로 하여 상계를 허용한다면, 상대방은 이유 없이 기한의 이익을 상실하게 되기 때문이다. 이에 반해 수동채권은 채무자가 기한의 이익을 포기할 수 있으므로 반드시 변제기가 도래하고 있어야 하는 것은 아니다.

2022년 기출

05 다음 중 상계가 허용되는 경우는?

① 고의의 불법행위로 인한 손해배상 청구채권을 수동채권으로 하는 상계
② 압류금지채권을 수동채권으로 하는 상계
③ 근로자의 임금채권을 수동채권으로 하는 상계
④ 지급금지명령을 받은 제3채무자가 그 후에 취득한 채권을 자동채권으로 하는 상계
⑤ 상가임대차보증금반환채권을 수동채권으로 하는 상계

해설 상계란 채권자와 채무자가 서로 동종의 채권, 채무를 갖는 경우에 그 채권과 채무를 대등액에서 소멸시키는 일방적인 의사표시를 말한다. 상계가 유효하기 위해서는 대립하는 채권에 관하여 일정한 요건(상계적상)을 갖추어야 한다. 쌍방의 채권이 상계적상에 있기 위해서는 ⅰ) 채권이 대립하고 있을 것, ⅱ) 양 채권이 동종의 목적을 가질 것, ⅲ) 양 채권이 변제기에 있을 것, ⅳ) 채권의 성질이 상계가 허용되는 것일 것, ⅴ) 상계가 금지되어 있지 않은 채권일 것을 요한다. ⅴ)요건과 관련하여 ① 채무가 고의의 불법행위로 인한 것인 때에는 그 채무자는 상계로 채권자에게 대항하지 못한다[민법 제496조(불법행위채권을 수동채권으로 하는 상계의 금지)].

②③ 채권이 압류하지 못할 것인 때에는 그 채무자는 상계로 채권자에게 대항하지 못한다[민법 제497조(압류금지채권을 수동채권으로 하는 상계의 금지)]. 근로자의 임금채권은 압류금지채권에 해당한다.

④ 지급을 금지하는 명령을 받은 제3채무자는 그 후에 취득한 채권에 의한 상계로 그 명령을 신청한 채권자에게 대항하지 못한다[민법 제498조(지급금지채권을 수동채권으로 하는 상계의 금지)].

05. ⑤

MEMO

2017년 기출

06 다음 중 상계가 가능한 경우는? (다툼이 있는 경우에는 대법원 판례에 따름)

① 고의의 불법행위로 인한 손해배상청구권을 수동채권으로 하는 상계
② 과실의 불법행위로 인한 손해배상청구권을 수동채권으로 하는 상계
③ 압류금지채권을 수동채권으로 하는 상계
④ 지급을 금지하는 명령(압류명령, 가압류명령)을 받은 제3채무자가 그 명령 후에 취득한 채권으로 하는 상계
⑤ 상대방의 항변권이 붙어 있는 채권을 자동채권으로 하는 상계

해설 ① 고의의 불법행위로 인한 손해배상청구권을 수동채권으로 하여 상계할 수 없다(민법 제496조). 불법행위의 유발, 조장을 방지하기 위함이다. 그러나 손해배상청구권을 자동채권으로 하여 상계하는 것은 상관없다.
② 또한 과실이나 중과실의 불법행위로 인한 손해배상청구권을 자동 또는 수동채권으로 하여 상계할 수 있다.
③ 채권이 압류될 수 없는 것인 때에는 이를 수동채권으로 하여 상계할 수 없다(민법 제497조). 그러나 자동채권으로 하여 상계하는 것은 상관없다.
④ 지급을 금지하는 명령(압류명령, 가압류명령)을 받은 제3채무자는 그 명령 후에 취득한 채권으로 그 채권의 상대방과 상계를 한다 하더라도 압류명령, 가압류명령을 신청한 채권자에 대해서는 대항하지 못한다(민법 제498조). 그러나 지급금지 전에 자기의 채권자에 대하여 취득한 채권으로서 상계하는 것은 무방하다.
⑤ 자동채권에 상대방의 항변권(동시이행의 항변권, 최고·검색의 항변권 등)이 붙어 있는 경우에도 상대방의 항변권을 일방적으로 소멸시킬 수는 없기 때문에 상계가 허용되지 않는다.

06. ②

MEMO

2014년 기출

07 상계의 효과에 관한 설명으로 틀린 것은?

① 상계에 의하여 쌍방의 채권은 그 대등액에 관하여 소멸한다.
② 상계자의 자기채무가 상대방의 채무보다 소액인 때에는 상계로써 자기채무는 완전히 이행되고 상대방채무만이 차액에 한해 잔존한다.
③ 자기채무의 일부와 상대방채무의 일부만을 상계하는 것은 허용되지 않는다.
④ 상계의 의사표시는 각 채무가 상계할 수 있는 때에 소멸한 것으로 본다.
⑤ 상계자와 상대방 사이에 여러 개의 채권관계가 있고 상계로써 모두 결제될 수 없는 경우에 상계자는 상계의 의사표시와 함께 상계로써 소멸한 자기채무와 상대방채무를 지정할 수 있다.

해설 상계는 하나의 의사표시만으로 성립하는 법률행위로써 상대방이 있는 단독행위에 해당하고 채권자와 채무자가 서로 동종의 채권, 채무를 갖는 경우에 그 채권과 채무를 대등액에서 소멸시키는 일방적 의사표시인 바, 판례는 채권의 일부 양도가 이루어지면 특별한 사정이 없는 한 각 분할된 부분에 대하여 독립한 분할채권이 성립하므로 그 채권에 대하여 양도인에 대한 반대채권으로 상계하고자 하는 채권자로서는 양도인을 비롯한 각 분할채권자 중 어느 누구도 상계의 상대방으로 지정하여 상계할 수 있다(대판 2002. 2. 8. 2000다50596 판결 ; 양수금)고 판시하고 있으며, 또한 일개의 손해배상청구권 중 일부가 소송상 청구되어 있는 경우에 과실상계를 함에 있어서는 손해의 전액에서 과실비율에 의한 감액을 하고 그 잔액이 청구액을 초과하지 않을 경우에는 그 잔액을 인용할 것이고 잔액이 청구액을 초과할 경우에는 청구의 전액을 인용하는 것으로 풀이하는 것이 일부청구를 하는 당사자의 통상적 의사라고 할 것이다(대판 1976.6.22. 75다819 판결 ; 손해배상)라고 판시하고 있는 바, 이러한 판례의 견해 및 취지나 민법상 상계의 의사표시에 조건 또는 기한을 붙이지 못할 뿐 자기채무의 일부와 상대방채무의 일부만을 상계하는 것은 허용된다.

07. ③

MEMO

2015년 기출

08 '면제'에 관한 설명으로 올바른 것은?

① 면제에 의한 채권소멸의 효과는 그 채권에 관하여 정당한 이익을 갖는 제3자에게도 대항할 수 있다.

② 면제는 단독행위이므로 당사자의 합의에 의해 채무자의 채무를 면하게 하는 면제계약은 허용되지 않는다.

③ 면제는 조건이나 기한을 붙일 수 없다.

④ 채권자가 채무자에게 채무를 면제하는 의사를 표시한 때에는 채권은 소멸함이 원칙이다.

⑤ 면제에 의하여 당해 채권에 종속하는 권리(예 : 보증채무)는 소멸하지 않는다.

해설 채권자가 채무자에게 채무를 면제하는 의사를 표시한 때에는 채권은 소멸한다(민법 제506조 본문).

① 그러나 면제로써 정당한 이익을 가진 제3자에게 대항하지 못한다(동조 단서).

② 면제는 채권을 무상으로 소멸시키는 채권자의 처분행위로서 채무자에 대한 단독행위이다. 그러나 당사자의 합의에 의해 채무자의 채무를 면하게 하는 면제계약은 계약자유의 원칙상 당연히 허용된다.

③ 그 효과가 확정적으로 발생할 것이 요구되는 경우(예 어음 및 수표행위)와 조건을 붙이면 상대방의 지위를 현저하게 불리하게 하는 경우(예 단독행위)는 조건에 친하지 않은 법률행위지만 단독행위라도 상대방의 동의가 있거나 상대방에게 이익만을 주는 경우(예 채무면제, 유증)는 조건을 붙일 수 있다. 혼인과 같이 효력을 즉시 발생하게 할 필요가 있는 경우는 기한에 친하지 않지만 면제는 기한을 붙일 수 있다.

⑤ 담보물권, 보증채무의 부종성

08. ④

MEMO

제5절 채권양도

2024년 기출

01 채권양도에 관한 다음 설명 중 가장 적절하지 않은 것은?

① 양도인이 양도통지만을 한 때에는 채무자는 그 통지를 받은 때까지 양도인에 대하여 생긴 사유로써 양수인에게 대항할 수 없다.

② 지명채권양도의 통지나 승낙은 확정일자 있는 증서에 의하지 아니하면 채무자 이외의 제3자에게 대항하지 못한다.

③ 지명채권양도는 원칙적으로 양도인이 채무자에게 통지하여야 한다.

④ 채권양도행위에 대한 채무자의 승낙은 양도인 또는 양수인의 어느 쪽에 대하여도 할 수 있다.

⑤ 지명채권을 양도할 때에는 채무자에게 통지하거나 채무자로부터 승낙을 받지 아니하면 그 채권양도 사실을 채무자에게 주장하지 못한다.

해설 ① 양도인이 양도통지만을 한 때에는 채무자는 그 통지를 받은 때까지 양도인에 대하여 생긴 사유로써 양수인에게 대항할 수 있다(민법 제451조(승낙, 통지의 효과) 제2항).

② 민법 제450조(지명채권양도의 대항요건) 제2항 참조

③ 통지는 채권양도의 사실을 알리는 행위로서 양도인이 채무자에 대하여 하여야 한다. 즉, 양도인만이 유효한 통지를 할 수 있으며 양수인이 양도인을 대위하여 통지하지도 못한다.

④ 채권양도통지가 채무자에 대하여 이루어져야 하는 것과는 달리 채무자의 승낙은 양도인 또는 양수인 모두가 상대방이 될 수 있다(대판 2011.6.30. 2011다8614).

⑤ 지명채권의 양도는 양도인이 채무자에게 통지하거나 채무자가 승낙하지 아니하면 채무자 기타 제3자에게 대항하지 못한다(민법 제450조 제1항).

01. ①

MEMO

2023년 기출

02 다음 중 양도를 할 수 없는 권리는?

① 물품대금 청구권
② 공사대금 청구권
③ 대여금 청구권
④ 카드대금 청구권
⑤ 부양 청구권

해설 ⑤ 채권은 양도할 수 있다. 그러나 채권의 성질이 양도를 허용하지 아니하는 때에는 그러하지 아니하다(민법 제449조 제1항). 채권은 당사자가 반대의 의사를 표시한 경우에는 양도하지 못한다. 그러나 그 의사표시로써 선의의 제3자에게 대항하지 못한다(동조 제2항). 아울러 법률의 규정에 의하여 양도할 수 없는 것으로 정한 경우에도 양도할 수 없다. 민법 제979조(부양청구권처분의 금지)에 '부양을 받을 권리는 이를 처분하지 못한다'고 명문으로 부양청구권의 양도를 금지하고 있다.

❑ 양도의 제한

(1) 채권의 성질에 의한 제한(민법 제449조 제1항 단서)
① 절대적 제한 : 급부가 계약의 취지, 목적 또는 법률관계의 특수성에 비추어 특정개인에게 행해지지 않으면 아무런 의미가 없거나 급부가 그 수령자 또는 특정개인과 강한 결합관계를 갖고 있는 경우 그 급부를 목적으로 하는 채권의 양도는 금지된다.
② 상대적 제한 : 임대차, 사용대차나 고용에서와 같이 당사자의 신뢰관계를 배경으로 하여 성립하는 계속적 채무관계에서 발생하는 채권은 채무자에게 통지하는 것만으로 양도가 곤란하고 채무자로부터 반드시 승낙을 받아야 양도가 가능하다. 만약 승낙이나 동의 없이 채권을 양도한 경우 그 효력은 양도인과 양수인 사이에서만 발생할 뿐 채무자나 제3채무자에게는 아무런 효력도 발생하지 않는다.

(2) 당사자의 특약에 의한 제한
당사자가 반대의 특약을 함으로써 채권의 양도성을 배제할 수 있다. 그러나 그 특약을 가지고 선의의 제3자에게 대항하지는 못한다(민법 제449조 제2항).

(3) 법률에 의한 제한
법률이 특별한 본래의 채권자에게만 변제하게 할 필요를 인정하는 채권에 관하여는 명문으로 그 양도를 금지하는 경우가 있다. 그러한 채권으로는 친족에 대한 부양청구권, 사용자에 대한 재해보상청구권, 산업재해보상보험급여청구권, 선원의 각종 권리, 각종 연금의 급여청구권 등이 있다. 법률에 의하여 양도가 금지되는 채권은 이를 압류하지 못하나 압류가 금지되는 채권이더라도 반드시 양도할 수 없는 것은 아니다.

02. ⑤

MEMO

2022년 기출

03 다음 중 채권양도가 가능하지 않은 채권은? (양도금지 특약이 없는 경우를 전제로 함)

① 신용카드대금 채권
② 물품대금 채권
③ 공사대금 채권
④ 국민연금급여청구권
⑤ 대여금 채권

해설 채권은 원칙적으로 양도성을 가지나 채권의 성질이 양도를 허용하지 않는 경우, 당사자 사이에 양도금지 특약이 있는 경우, 법률의 규정에 의하여 양도할 수 없는 것으로 정한 경우에는 양도할 수 없다. 법률이 특별한 본래의 채권자에게만 변제하게 할 필요를 인정하는 채권에 관하여는 명문으로 그 양도를 금지하는 경우가 있다. 그러한 채권으로는 친족에 대한 부양청구권, 사용자에 대한 재해보상청구권, 산업재해보상보험급여청구권, 선원의 각종 권리, 각종 연금의 급여청구권 등이 있다. 법률에 의하여 양도가 금지되는 채권은 이를 압류하지 못하나 압류가 금지되는 채권이더라도 반드시 양도할 수 없는 것은 아니다.

2021년 기출

04 채권양도에 관한 다음 설명 중 적절하지 않은 것은?

① 지시채권은 그 증서에 배서하여 양수인에게 교부하는 방식으로 양도한다.
② 지명채권양도는 원칙적으로 양수인이 채무자에게 통지하여야 한다.
③ 지명채권을 양도할 때에는 채무자에게 통지하거나 채무자로부터 승낙을 받지 아니하면 그 채권양도 사실을 채무자에게 주장하지 못한다.
④ 지명채권양도의 통지나 승낙은 확정일자 있는 증서에 의하지 아니하면 채무자 이외의 제3자에게 대항하지 못한다.
⑤ 무기명채권의 양도에는 배서가 필요 없으며 단순히 양수인에게 그 증서를 교부함으로써 양도의 효력이 생긴다.

해설 ②, ③ 지명채권양도는 양도인이 채무자에게 통지하거나 채무자가 승낙하지 아니하며 채무자 기타 제3자에게 대항하지 못한다(민법 제450조 제1항).
④ 지명채권양도의 통지나 승낙은 확정일자 있는 증서에 의하지 아니하면 채무자 이외의 제3자에게 대항하지 못한다(민법 제450조 제2항).
① 지시채권은 그 증서에 배서하여 양수인에게 교부하는 방식으로 양도할 수 있다(민법 제508조).
⑤ 무기명채권은 양수인에게 그 증서를 교부함으로써 양도의 효력이 있다(민법 제523조).

03. ④ 04. ②

MEMO

2020년 기출

05 채권양도와 관련한 다음 설명 중 옳지 않은 것은?

① 채무자가 이의를 보류하지 아니하고 채권양도를 승낙한 때에는 양도인에게 대항할 수 있는 사유로써 양수인에게 대항하지 못한다.
② 지명채권의 양도는 양수인이 채무자에게 통지하거나 채무자가 승낙하지 아니하면 채권자, 기타 제삼자에게 대항하지 못한다.
③ 양도인이 채무자에게 채권양도를 통지한 때에는 아직 양도하지 아니하였거나 그 양도가 무효인 경우에도 선의인 채무자는 양수인에게 대항할 수 있는 사유로 양도인에게 대항할 수 있다.
④ 양도인이 양도통지만을 한 때에는 채무자는 그 통지를 받은 때까지 양도인에 대하여 생긴 사유로써 양수인에게 대항할 수 있다.
⑤ 채권은 당사자가 반대의 의사를 표시한 경우에는 양도하지 못한다. 그러나 그 의사표시로써 선의의 제3자에게 대항하지 못한다.

해설 ② 지명채권의 양도는 양도인이 채무자에게 통지하거나 채무자가 승낙하지 아니하면 채무자 기타 제3자에게 대항하지 못한다[민법 제450조(지명채권양도의 대항요건) 제1항].
① 민법 제451조(승낙, 통지의 효과) 제1항 본문
③ 민법 제452조(양도통지와 금반언) 제1항
④ 민법 제451조(승낙, 통지의 효과) 제2항
⑤ 민법 제449조(채권의 양도성) 제2항

2019년 기출

06 다음 설명 중 옳지 않은 것은?

① 지명채권을 양도할 때에는 채무자에게 통지하거나 채무자로부터 승낙을 받지 아니하면 그 채권양도 사실을 채무자에게 주장하지 못한다.
② 지명채권양도는 원칙적으로 양수인이 채무자에게 통지하여야 한다.
③ 지시채권은 그 증서에 배서하여 양수인에게 교부하는 방식으로 양도한다.
④ 지명채권양도의 통지나 승낙은 확정일자 있는 증서에 의하지 아니하면 채무자 이외의 제3자에게 대항하지 못한다.
⑤ 무기명채권의 양도에는 배서가 필요 없으며 단순히 양수인에게 그 증서를 교부함으로써 양도의 효력이 생긴다.

해설 지명채권양도의 통지는 채권양도의 사실을 알리는 행위로서 양도인이 채무자에 대하여 하여야 한다. 즉, 양도인만이 유효한 통지를 할 수 있으며 양수인이 양도인을 대위하여 통지하지도 못한다.

05. ② 06. ②

MEMO

① 민법 제450조(지명채권양도의 대항요건) 제1항 참조
③ 민법 제508조(지시채권의 양도방식) 참조
④ 민법 제450조 제2항
⑤ 민법 제523조(무기명채권의 양도방식) 참조

2018년 기출

07 다음은 채권양도와 채무인수에 관한 설명이다. 가장 옳지 않은 것은?

① 채무인수에 의하여 전채무자가 채권자에 대해 가졌던 모든 항변권은 그대로 인수인에게 이전한다.
② 채무인수가 있어도 전채무자의 채무에 대한 보증이나 제3자가(물상보증인) 제공한 담보는 원칙적으로 소멸하지 않는다.
③ 채권양도가 유효하면 그 채권에 부종하고 있었던 이자채권, 위약금채권, 보증채권 등의 종된 권리는 당사자 사이에 특별한 약정이 없는 한 당연히 양수인에게 이전한다.
④ 채무인수라 함은 어떤 채무가 그 동일성이 유지된 상태에서 인수인에게 이전되는 계약, 다시 말해 채무는 변경되지 않고 채무자만 변경되는 계약을 말한다.
⑤ 채권양도라 함은 양도인이 채권의 동일성을 유지하면서 그 채권을 양수인에게 법률행위로써 이전하는 것을 말한다.

해설 ④ '채무인수'라 함은 어떤 채무가 그 동일성이 유지된 상태에서 인수인에게 이전되는 계약, 다시 말해 채무는 변경되지 않고 채무자만 변경되는 계약을 말한다.
① 채무인수에 의하여 전채무자가 채권자에 대해 가졌던 모든 항변권은 그대로 인수인에게 이전한다. 따라서 인수인은 전채무자의 항변할 수 있는 사유로 채권자에게 대항할 수 있다(민법 제458조).
② 전채무자의 채무에 대한 보증이나 제3자가 제공한 담보는 채무인수로 인하여 소멸한다. 그러나 보증인이나 제3자가 채무인수에 동의한 경우에는 그러하지 아니하다(민법 제459조).
⑤ '채권양도'라 함은 양도인이 채권의 동일성을 유지하면서 그 채권을 양수인에게 법률행위로써 이전하는 것을 말한다.
③ 채권양도는 처분행위로서 이른바 준물권계약의 성질을 갖는다. 그리고 채권양도가 유효하면 채권은 동일성을 유지하면서 양수인에게 이전된다. 따라서 그 채권에 부종하고 있었던 이자채권, 위약금채권, 보증채권 등의 종된 권리는 당사자 사이에 특별한 약정이 없는 한 당연히 양수인에게 이전한다. 그리고 이전한 채권은 동일성을 유지하므로 그 채권에 붙어 있는 각종의 항변도 그대로 존속한다.

07. ②

MEMO

2017년 기출

08 다음 사례에 관한 설명 중 옳지 않은 것은?

甲은 乙로부터 乙이 丙에게 가지고 있는 물품대금 채권을 양수받았다. 한편 乙의 채권자 丁은 乙의 丙에 대한 위 물품대금 채권에 대하여 채권가압류를 하였다.

① 채권양도에 대한 丙의 승낙은 甲 또는 乙 어느 쪽에 하여도 무방하다.
② 丙에 대한 채권양도의 통지는 원칙적으로 乙만이 유효하게 할 수 있다.
③ 만약 확정일자 있는 채권양도통지서가 丙에게 먼저 도달하였다면 채권양도가 채권가압류에 우선한다.
④ 만약 채권가압류 결정문이 채권양도 통지서보다 먼저 丙에게 송달되었다면 채권양도 통지에 대한 확정일자가 있든 없든 채권가압류가 우선한다.
⑤ 확정일자가 없더라도 채권양도통지서가 채권가압류보다 먼저 丙에게 도달하였다면 채권양도가 우선한다.

해설 채권가압류는 확정일자 있는 통지를 한 채권양도와 동일한 효력이 있으므로 본 사례는 채권이 이중으로 양도된 경우의 우열에 관한 문제이다. 이 경우 양수인 중 일방만이 제3자에 대한 대항요건을 갖춘 경우는 확정일자 있는 증서에 의한 대항요건을 갖춘 양수인이 우선한다. 따라서 확정일자가 없는 채권양도통지서가 채권가압류보다 먼저 丙에게 도달하였더라도 채권가압류가 우선한다.

① 채권양도에 대한 제3자의 승낙은 채무자가 양도인 또는 양수인에게 할 수 있다. 따라서 채권양도에 대한 丙의 승낙은 甲 또는 乙 어느 쪽에 하여도 무방하다.
② 그러나 채권양도의 통지는 양도인이 채무자에 대하여 하여야 한다. 양수인이 양도인을 대위하여 통지하지도 못한다. 따라서 丙에 대한 채권양도의 통지는 원칙적으로 乙만이 유효하게 할 수 있다.
③ 이중양수인들이 모두 제3자에 대한 대항요건을 갖춘 경우 판례는 "채권양도에 대한 채무자의 인식, 즉 확정일자 있는 양도통지가 채무자에게 도달한 일시 또는 확정일자 있는 승낙의 일시의 선후에 의하여 결정하여야 할 것이고, 이러한 법리는 채권양수인과 동일채권에 대하여 가압류명령을 집행한 자 사이의 우열을 결정하는 경우에 있어서도 마찬가지이므로 확정일자 있는 채권양도통지와 가압류결정 정본의 제3채무자에 대한 도달의 선후에 의하여 그 우열을 결정하여야 한다"고 하였다[대판(전) 1994.04.26. 93다24223]. 따라서 만약 확정일자 있는 채권양도통지서가 丙에게 먼저 도달하였다면 채권양도가 채권가압류에 우선한다.
④ 만약 채권가압류 결정문이 채권양도 통지서보다 먼저 丙에게 송달되었다면 채권양도 통지에 대한 확정일자가 있든 없든 채권가압류가 우선한다.

08. ⑤

MEMO

2014년 기출

09 채권양도에 관한 다음 사례와 관련한 설명 중 틀린 것은?

- 7월 2일 : A는 B에게 A의 채무자 C에 대한 300만 원의 채권을 양도하기로 B와 합의하였다.
- 7월 3일 : C는 위 사실을 모르고 A에게 100만 원을 송금하여 채무를 일부 변제하였다.
- 7월 4일 : C는 B로부터 A와 B 간의 채권양도 사실을 듣고 이의 없이 이를 승낙하였다.

① C는 B에 대하여 300만 원의 채무를 부담한다.
② C는 7월 3일 A에게 100만 원을 변제한 사실을 입증하여 B에 대하여 채무액이 200만 원뿐이라고 주장할 수 있다.
③ C는 B에 대하여 300만 원의 채무를 지고 A에게는 100만 원의 부당이득을 반환청구할 수 있다.
④ C가 7월 4일에 200만 원의 채권양도에 관해서만 승낙하겠다고 이의를 달고 승낙한 경우에는 B에게 200만 원의 채무만 부담한다.
⑤ 만약 C가 7월 1일 A에게 채무의 일부인 100만 원을 변제하였다면 A의 7월 2일 300만 원의 채권양도행위는 일부 무효가 된다.

해설 A와 B 간에 채권양도행위가 있은 후 C가 A에게 100만 원을 변제하였으나 C는 B에 대하여 A와 B 간의 채권양도행위를 이의 없이 승낙하였으므로 B에게 위 변제사실에 관한 입증자료를 제시하더라도 B에 대한 300만 원의 채무이행을 거절할 수 없다.

> 민법 제451조 【승낙, 통지의 효과】
> ① 채무자가 이의를 보유하지 아니하고 지명채권양도의 승낙을 한 때에는 양도인에게 대항할 수 있는 사유로써 양수인에게 대항할 수 없다. 그러나 채무자가 채무를 소멸하게 하기 위하여 양도인에게 급여한 것이 있으면 이를 회수할 수 있고 양도인에 대하여 부담한 채무가 있으면 그 성립되지 아니함을 주장할 수 있다.

09. ②

MEMO

2011년 기출

10 다음 거래관계에 맞지 않는 설명은?

> A는 B소유의 건물을 임차보증금 500만 원에 임차하였다. A에 대하여 200만 원의 채권을 갖고 있던 C는 그 담보로 A의 B에 대한 임차보증금채권 중 200만 원의 채권을 자신에게 양도하라고 하여 A는 이를 양도하여 주었고 그 사실을 B에게 통지하였다. 그 후 A는 C에게 200만 원의 채무를 변제하였다. 임대차 기간이 종료되어 A가 B에게 임차보증금 500만 원의 지급을 요구하고 있다.

① A의 B에 대한 200만 원의 채권을 C에게 양도한 것은 지명채권양도이다.
② A의 B에 대한 200만 원의 채권을 C에게 양도한 것을 확정일자 있는 증서에 의하여 B에게 통지하지 아니한 경우에는 B에게 양도사실을 가지고 대항하지 못한다.
③ A가 B에게 임차보증금 500만 원의 지급을 요구하여도 B는 A에게 300만 원만 지급하면 된다.
④ B는 C로부터의 200만 원의 지급청구를 거절할 수 없다.
⑤ C가 B로부터 200만 원을 받은 경우에는 A는 C에게 200만 원의 부당이득반환 청구를 할 수 있다.

해설 확정일자가 있는 증서가 없으면 양수인은 채무자 외의 제3자에게 채권양도사실을 주장하지 못한다.

2020년 기출

11 지시채권 및 무기명채권에 관한 다음 설명 중 옳은 것들만 모두 고르면 몇 개인가?

> ㉠ 지시채권은 그 증서를 교부하는 방식으로 양도할 수 있다.
> ㉡ 무기명채권은 증서에 배서하여 양수인에게 교부하는 방식으로 양도할 수 있다.
> ㉢ 채권자를 지정하고 소지인에게도 변제할 것을 부기한 증서는 지시채권과 같은 효력이 있다.
> ㉣ 멸실한 증서나 소지인의 점유를 이탈한 증서는 공시송달이라는 제도로 무효로 할 수 있다.
> ㉤ 채무자는 배서의 연속 여부를 조사할 의무가 있으며 배서인의 서명 또는 날인의 진위나 소지인의 진위를 조사할 의무가 있다.

10. ② 11. ①

MEMO

① 없다 ② 1개
③ 2개 ④ 3개
⑤ 4개

해설 ㉠ 지시채권은 그 증서에 배서하여 양수인에게 교부하는 방식으로 양도할 수 있다[민법 제508조(지시채권의 양도방식)].
㉡ 무기명채권은 양수인에게 그 증서를 교부함으로써 양도의 효력이 있다[민법 제523조(무기명채권의 양도방식)].
㉢ 채권자를 지정하고 소지인에게도 변제할 것을 부기한 증서는 무기명채권과 같은 효력이 있다[민법 제525조(지명소지인출급채권)].
㉣ 멸실한 증서나 소지인의 점유를 이탈한 증서는 공시최고의 절차에 의하여 무효로 할 수 있다[민법 제521조(공시최고절차에 의한 증서의 실효)].
㉤ 채무자는 배서의 연속 여부를 조사할 의무가 있으며 배서인의 서명 또는 날인의 진위나 소지인의 진위를 조사할 권리는 있으나 의무는 없다[민법 제518조(채무자의 조사권리의무) 본문].

2022년 기출

12 무기명채권의 양도방식으로서 가장 적절한 것은?

① 의사표시만으로 한다. ② 배서만으로 한다.
③ 교부만으로 한다. ④ 의사표시와 배서가 있어야 한다.
⑤ 배서와 교부가 있어야 한다.

해설 무기명채권이란 특정의 이름이 기재되어 있지 않고 그 증권의 정당한 소지인에게 변제하여야 하는 증권적 채권을 말한다. 무기명사채, 상품권, 승차권, 극장입장권과 같은 것이 그 예이다. 무기명채권의 양도는 배서가 필요없으며 단순히 양수인에게 그 증서를 교부함으로써 양도의 효력이 생긴다(민법 제523조).

2018년 기출

13 다음 중 지시채권의 양도방식으로 옳은 것은?

① 의사표시만으로 한다. ② 배서만으로 한다.
③ 교부만으로 한다. ④ 의사표시와 배서가 있어야 한다.
⑤ 배서와 교부가 있어야 한다.

해설 특정인 또는 그가 지시한 자에게 변제하여야 하는 증권적 채권을 지시채권이라고 한다. 어음, 수표, 화물상환증, 창고증권, 선하증권 등이 이에 해당하는데, 지시채권은 그 증서에 배서하여 양수인에게 교부하는 방식으로 양도할 수 있다(민법 제508조). 배서와 교부는 양도행위의 성립요건이다.

12. ③ 13. ⑤

MEMO

제6절 채무인수

2024년 기출

01 채무인수에 관한 다음 설명 중 가장 적절하지 않은 것은?

① 채무인수에 의해 채무는 동일성을 유지하면서 전채무자로부터 인수인에게로 이전한다.

② 전채무자의 채무에 대한 보증이나 제3자가 제공한 담보는 채무인수로 인해 소멸한다.

③ 채무자와 인수인 간에 채무인수계약이 체결된 경우 그 효력은 채권자의 승낙이 있는 때에 발생한다.

④ 전채무자의 채무가 인수인에게 이전할 때 그 채무에 종속된 이자채무, 위약금채무 등 종속된 채무는 소멸한다.

⑤ 채무인수에 의하여 전채무자가 채권자에 대해 가졌던 모든 항변권은 그대로 인수인에게 이전한다.

해설 ④ 전채무자의 채무가 인수인에게 이전할 때, 그 채무에 종속된 채무도 함께 이전한다. 따라서 이자채무, 위약금채무 등도 모두 이전된다.

① 채무인수에 의해 채무는 동일성을 유지하면서 전채무자로부터 인수인에게로 이전한다. 이로써 전채무자는 채무를 면하고 인수인은 채무를 새롭게 부담한다.

② 전채무자의 채무에 대한 보증이나 제3자가 제공한 담보는 채무인수로 인해 소멸한다. 그러나 보증인이나 제3자가 채무인수에 동의한 경우에는 그러하지 아니하다(민법 제459조(채무인수와 보증, 담보의 소멸)).

③ 채무인수는 채무자와 인수인 사이의 계약으로도 할 수 있으나 채권자의 승낙이 있어야만 그 효력이 생긴다. 이러한 채무인수는 채권자의 승낙이 있을 때까지 당사자는 이를 철회하거나 변경할 수 있다(민법 제456조(채무인수의 철회, 변경)). 채권자의 승낙 또는 거절의 상대방은 채무자나 제3자이다(민법 제454조(채무자와의 계약에 의한 채무인수) 제2항).

⑤ 인수인은 전채무자의 항변할 수 있는 사유로 채권자에게 대항할 수 있다(민법 제458조(전채무자의 항변사유)). 인수인은 전채무자가 가지고 있던 항변사유, 즉 계약의 불성립, 취소, 채무의 일부면제, 동시이행의 항변권 등 채무의 성립, 존속 또는 이행을 저지, 배척하는 모든 사유를 주장할 수 있다. 그러나 채권관계의 발생원인인 계약 자체의 취소권, 해제권은 계약당사자만이 갖는 권리이므로 인수인은 채무자의 그러한 권리를 행사할 수 없다.

01. ④

MEMO

2023년 기출

02 채무인수(면책적 채무인수)에 관한 다음 설명 중 가장 적절하지 않은 것은?

① 채무 인수인은 전(前)채무자의 항변할 수 있는 사유로 채권자에게 대항할 수 없다.
② 이해관계 없는 제3자는 채무자의 의사에 반하여 채무를 인수하지 못한다.
③ 제3자는 채권자와의 계약으로 채무를 인수하여 채무자의 채무를 면하게 할 수 있다. 그러나 채무의 성질이 인수를 허용하지 아니하는 때에는 그러하지 아니하다.
④ 제3자가 채무자와의 계약으로 채무를 인수한 경우에는 채권자의 승낙에 의하여 그 효력이 생긴다.
⑤ 전채무자의 채무에 대한 보증이나 제3자가 제공한 담보는 채무인수로 인하여 소멸한다. 그러나 보증인이나 제3자가 채무인수에 동의한 경우에는 그러하지 아니하다.

해설 ① 인수인은 전(前)채무자의 항변할 수 있는 사유로 채권자에게 대항할 수 있다[민법 제458조(전채무자의 항변사유)].
② 민법 제453조(채권자와의 계약에 의한 채무인수) 제2항
③ 민법 제453조 제1항
④ 민법 제454조(채무자와의 계약에 의한 채무인수) 제1항
⑤ 민법 제459조(채무인수와 보증, 담보의 소멸)

2022년 기출

03 채무인수에 관한 다음 설명 중 가장 적절하지 않은 것은?

① 제3자는 채권자와의 계약으로 채무를 인수하여 채무자의 채무를 면하게 할 수 있다. 그러나 채무의 성질이 인수를 허용하지 아니하는 때에는 그러하지 아니하다.
② 이해관계 없는 제3자는 채무자의 의사에 반하여 채무를 인수하지 못한다.
③ 전채무자의 채무에 대한 보증이나 제3자가 제공한 담보는 원칙적으로 채무인수로 인하여 소멸하지 않는다.
④ 제3자와 채무자간의 계약에 의한 채무인수는 채권자의 승낙이 있을 때까지 당사자는 이를 철회하거나 변경할 수 있다.
⑤ 제3자가 채무자와의 계약으로 채무를 인수한 경우에는 채권자의 승낙에 의하여 그 효력이 생긴다.

02. ①　03. ③

MEMO

해설 전채무자의 채무에 대한 보증이나 제3자가 제공한 담보는 채무인수로 인하여 소멸한다. 그러나 보증인이나 제3자가 채무인수에 동의한 경우에는 그러하지 아니하다[민법 제459조(채무인수와 보증, 담보의 소멸)].
① 민법 제453조(채권자와의 계약에 의한 채무인수) 제1항
② 민법 제453조 제2항
④ 민법 제456조(채무인수의 철회, 변경)
⑤ 민법 제454조(채무자와의 계약에 의한 채무인수) 제1항

2021년 기출

04 채무인수(면책적채무인수)의 효과에 관한 다음 설명 중 적절하지 않은 것은?

① 이해관계 없는 제3자는 채무자의 의사에 반하여 채무를 인수하지 못한다.
② 채무인수에 의하여 전채무자가 채권자에 대해 가졌던 항변권은 그대로 인수인에게 이전한다.
③ 채무는 동일성을 유지하면서 전(前)채무자로부터 인수인에게 이전한다.
④ 전채무자의 채무에 대한 보증이나 제3자(물상보증인)가 제공한 담보는 원칙적으로 채무인수로 소멸하지 않고 그대로 존속한다.
⑤ 채무자와 인수인 사이의 계약으로 채무인수가 이루어지는 경우에는 채권자의 승낙이 있어야만 효력이 생긴다.

해설 전채무자의 채무에 대한 보증이나 제3자가 제공한 담보는 채무인수로 인하여 소멸한다. 그러나 보증인이나 제3자가 채무인수에 동의한 경우에는 그러하지 아니하다(민법 제459조).
① 이해관계 없는 제3자는 채무자의 의사에 반하여 채무를 인수하지 못한다(민법 제453조 제2항).
② 인수인은 전 채무자에게 대항할 수 있는 사유로 채권자에게 대항할 수 있다(민법 제459조). 즉 채무인수에 의하여 전채무자가 채권자에 대해 가졌던 항변권은 그대로 인수인에게 이전한다.
③ 채무인수에 의해 채무는 동일성을 유지하면서 전(前)채무자로부터 인수인에게 이전한다. 이로써 전채무자는 채무를 면하고 인수인은 채무를 새롭게 부담한다.
⑤ 제3자가 채무자와의 계약으로 채무를 인수한 경우에는 채권자의 승낙에 의하여 그 효력이 생긴다(민법 제454조 제1항). 채무자와 인수인 사이의 계약으로 채무인수가 이루어지는 경우에는 채권자의 승낙이 있어야만 효력이 생긴다.

04. ④

MEMO

2020년 기출

05 채무인수와 관련한 다음 설명 중 옳은 것은?

① 전채무자의 채무에 대한 보증이나 제3자가 제공한 담보는 원칙적으로 채무인수로 인하여 소멸한다.
② 제3자와 채무자간의 계약에 의한 채무인수는 채권자의 승낙이 있을 때까지 당사자는 이를 철회하거나 변경할 수 없다.
③ 채권자의 채무인수에 대한 승낙은 다른 의사표시가 없으면 채무를 인수한 때에 소급하여 그 효력이 생기는 것이 아니라 승낙시에 그 효력이 생긴다.
④ 제3자가 채무자와의 계약으로 채무를 인수한 경우에는 채권자의 승낙이 필요 없다.
⑤ 채무인수에 대한 채권자의 승낙 또는 거절은 반드시 채무자에게 하여야 한다.

해설 ① 전채무자의 채무에 대한 보증이나 제3자가 제공한 담보는 채무인수로 인하여 소멸한다. 그러나 보증인이나 제3자가 채무인수에 동의한 경우에는 그러하지 아니하다(민법 제459조).
② 제3자와 채무자간의 계약에 의한 채무인수는 채권자의 승낙이 있을 때까지 당사자는 이를 철회하거나 변경할 수 있다(민법 제456조).
③ 채권자의 채무인수에 대한 승낙은 다른 의사표시가 없으면 채무를 인수한 때에 소급하여 그 효력이 생긴다. 그러나 제3자의 권리를 침해하지 못한다(민법 제457조).
④ 제3자가 채무자와의 계약으로 채무를 인수한 경우에는 채권자의 승낙에 의하여 그 효력이 생긴다(민법 제454조 제1항).
⑤ 채권자의 승낙 또는 거절의 상대방은 채무자나 제3자이다(민법 제454조 제2항).

05. ①

MEMO

2017년 기출

06 채무인수에 관한 다음 설명 중 옳지 않은 것은?

① 인수인은 전채무자가 가지고 있던 항변사유, 즉 계약의 불성립, 취소, 채무의 일부면제, 동시이행의 항변권 등 채무의 성립·존속 또는 이행을 저지·배척하는 모든 사유를 주장할 수 있다.

② 채무자와 인수인 간에 채무인수계약이 체결된 경우 그 효력은 채권자의 승낙이 있는 때에 발생한다.

③ 전채무자의 채무에 대한 보증이나 제3자가 제공한 담보는 채무인수로 인해 원칙적으로 소멸하지 아니한다.

④ 전채무자의 채무가 인수인에게 이전될 때 이자채무, 위약금채무 등 종속된 채무도 함께 이전된다.

⑤ 당사자 간 채무인수금지의 특약은 유효하나, 선의의 제3자에게 대항하지 못한다.

해설 전채무자의 채무에 대한 보증이나 제3자가 제공한 담보는 채무인수로 인해 소멸한다. 그러나 보증인이나 제3자가 채무인수에 동의한 경우에는 그 보증채무가 소멸하지 않고 그대로 존속한다(민법 제459조).

① 채무인수인은 전채무자의 항변할 수 있는 사유로 채권자에게 대항할 수 있다(민법 제458조). 인수인은 전채무자가 가지고 있던 항변사유, 즉 계약의 불성립, 취소, 채무의 일부면제, 동시이행의 항변권 등 채무의 성립, 존속 또는 이행을 저지, 배척하는 모든 사유를 주장할 수 있다. 그러나 채권관계의 발생원인인 계약 자체의 취소권, 해제권은 계약당사자만이 갖는 권리이므로 인수인은 채무자의 그러한 권리를 행사할 수 없다.

② 보통의 경우 채무인수는 계약성립과 동시에 그 효력이 생기지만 채무자와 인수인 간에 채무인수계약이 체결된 경우 그 효력은 채권자의 승낙이 있는 때에 발생한다. 채권자의 승낙은 다른 의사표시가 없으면 채무를 인수한 때에 소급해서 효력을 발생한다. 그러나 소급효로 제3자의 권리를 해하지는 못한다(민법 제457조).

④ 전채무자의 채무가 인수인에게 이전할 때, 그 채무에 종속된 채무도 함께 이전한다. 따라서 이자채무, 위약금채무 등도 모두 이전된다.

⑤ 채무인수는 유효한 채무의 존재를 전제로 한다. 그리고 채무인수가 유효하기 위해서는 인수되는 채무가 이전할 수 있는 것이어야 한다. 즉, 채무의 성질이 인수를 허용하지 아니하는 때에는 제3자는 채권자와 계약으로 채무를 인수하여 채무자의 채무를 면하게 할 수 없다(민법 제453조 제1항 참조). 또는 당사자 간에 채무인수금지의 특약을 한 경우 등에는 채무의 이전이 불가능하다. 당사자 간 채무인수금지의 특약은 유효하며, 당사자는 제한에 따라야 할 것이다. 그러나 이 특약은 선의의 제3자에게 대항하지 못한다(민법 제449조 제2항 단서 참조).

06. ③

MEMO

제7절 상속으로 인한 채무의 이전

2024년 기출

01 채무자가 사망한 채권에 대한 채권추심 시 다음 설명 중 가장 적절하지 않은 것은?

① 상속인이 상속포기를 하였다면 채권추심 제한 대상이므로 추심을 하여서는 안 된다.

② 상속인이 기한 내(상속개시 있음을 안 날로부터 3월) 상속포기나 한정승인 하지 않고 포괄승계(단순승인)한 경우 상속인에게 채권추심을 할 수 있다.

③ 상속인이 기간 내에 상속포기 등을 하지 않았다면 상속인의 고유재산에 대해서도 강제집행을 할 수 있으므로 재산조사가 필요하다.

④ 상속인이 기간 내에 상속포기 등을 하지 않았고 채무자 사망 전에 집행권원을 획득한 경우 승계집행문을 부여 받을 필요 없이 상속인의 재산에 대한 강제집행을 할 수 있다.

⑤ 상속인이 기간 내에 상속포기 등을 하지 않았고 채무자 사망 전에 집행권원을 획득하지 못한 경우 상속인 재산에 먼저 가압류를 신청하고 소를 제기하여 집행권원을 획득할 수 있다.

해설 ④ '승계집행문'이란 판결에 표시된 채권자의 승계인을 위하여 또는 채무자의 승계인에 대하여 집행하는 경우에 부여되는 집행문을 말한다. (승계)집행문은 판결에 표시된 채권자의 승계인을 위하여 내어 주거나 판결에 표시된 채무자의 승계인에 대한 집행을 위하여 내어 줄 수 있다. 다만, 그 승계가 법원에 명백한 사실이거나, 증명서로 승계를 증명한 때에 한한다(민사집행법 제31조(승계집행문) 제1항). 제1항의 승계가 법원에 명백한 사실인 때에는 이를 집행문에 적어야 한다(동조 제2항). 따라서, 상속인이 기간 내에 상속포기 등을 하지 않았고 채무자 사망 전에 집행권원을 획득한 경우 승계집행문을 부여 받아서 상속인의 재산에 대한 강제집행을 할 수 있다.

⑤ 반면에 상속인이 기간 내에 상속포기 등을 하지 않았고 채무자 사망 전에 집행권원을 획득하지 못한 경우에는 상속인에게 피상속인의 채권채무가 포괄승계되므로 상속인 재산에 먼저 가압류를 신청하고 소를 제기하여 집행권원을 획득할 수 있다.

01. ④

MEMO

2023년 기출

02 상속의 승인 및 포기에 관한 다음 설명 중 가장 적절하지 않은 것은?

① 상속의 포기는 상속개시된 때에 소급하여 그 효력이 있다.
② 상속인이 수인인 경우에 어느 상속인이 상속을 포기한 때에는 그 상속분은 다른 상속인의 상속분의 비율로 그 상속인에게 귀속된다.
③ 포기는 상속개시를 안 날로부터 3월 내에 하여야 한다.
④ 상속인이 한정승인을 한 때에는 피상속인에 대한 상속인의 재산상 권리의무는 소멸한다.
⑤ 상속인이 수인인 때에는 각 상속인은 그 상속분에 응하여 취득할 재산의 한도에서 그 상속분에 의한 피상속인의 채무와 유증을 변제할 것을 조건으로 상속을 승인할 수 있다.

해설 ④ 상속인이 한정승인을 한 때에는 피상속인에 대한 상속인의 재산상 권리의무는 소멸하지 아니한다[민법 제1031조(한정승인과 재산상 권리의무의 불소멸)].
① 민법 제1042조(포기의 소급효)
② 민법 제1043조(포기한 상속재산의 귀속)
③ 민법 제1019조(승인, 포기의 기간) 제1항 본문 참조
⑤ 민법 제1029조(공동상속인의 한정승인)

2023년 기출

03 상속에 관한 다음 설명 중 가장 적절하지 않은 것은?

① 상속은 사망으로 인하여 개시된다.
② 甲이 사망하고 甲의 자녀와 부모가 없다면 甲의 조부모가 있다 해도 甲의 아내가 단독으로 상속을 받게 된다.
③ 상속은 피상속인의 주소지에서 개시한다.
④ 상속에 관한 비용은 상속재산 중에서 지급한다.
⑤ 동순위의 상속인이 수인인 때에는 그 상속분은 균분으로 한다.

해설 ② 상속은 사망으로 인하여 개시된다(민법 제997조). 상속에 있어서는 1. 피상속인의 직계비속 2. 피상속인의 직계존속 3. 피상속인의 형제자매 4. 피상속인의 4촌이내의 방계혈족의 순으로 상속인이 된다(민법 제1000조 제1항 참조). 피상속인의 배우자는 제1000조 제1항 제1호와 제2호의 규정에 의한 상속인이 있는 경우에는 그 상속인과 동순위로 공동상속인이 되고 그 상속인이 없는 때에는 단독상속인이 된다(민법 제1003조 제1항). '존속'이란 부모 또는 그와 같은 항렬 이상의 친족을 뜻하는데 부모님 외에도 이모, 삼촌, 고모, 외삼촌도 포함된다. 존속에 직계를 붙이면 범위가 좁아져서 오직 부모님과 조부모님이 직계존속에 해당한다. 즉 아버지, 어머니, 친할아버지, 친할머니, 외할아버지, 외할머니가 이에 해당한다. 이상의 내용을 바탕으로 사안을 검토

02. ④ 03. ②

MEMO

하면 피상속인 甲의 사망으로 상속이 개시되었고, 甲의 자녀와 부모는 없지만 甲의 조부모가 있다면 상속인에 해당하므로 甲의 아내는 이들과 공동상속인이 된다.
① 민법 제997조(상속개시의 원인)
③ 민법 제998조(상속개시의 장소)
④ 민법 제998조의2(상속비용)
⑤ 민법 제1009조(법정상속분) 제1항

2022년 기출

04 甲은 사망하면서 재산을 남겼고 甲에게는 乙(모친), 丙(이혼한 전처), 丁(아들), 戊(손자)가 있다. 상속포기나 한정승인 등이 없이 단순승인이 이루어진 경우에 관한 다음 설명 중 가장 적절한 것은?

① 乙도 상속을 받을 수 있다.
② 丙도 상속을 받을 수 있다.
③ 丁과 戊가 공동 상속인이 된다.
④ 丁이 단독상속인이 된다.
⑤ 乙, 丙, 丁, 戊 모두 공동 상속인이 된다.

해설 상속은 사망으로 인하여 개시된다(민법 제997조). 상속에 있어서는 1. 피상속인의 직계비속 2. 피상속인의 직계존속 3. 피상속인의 형제자매 4. 피상속인의 4촌이내의 방계혈족의 순으로 상속인이 된다(민법 제1000조 제1항 참조). 피상속인의 배우자는 제1000조 제1항 제1호와 제2호의 규정에 의한 상속인이 있는 경우에는 그 상속인과 동순위로 공동상속인이 되고 그 상속인이 없는 때에는 단독상속인이 된다(민법 제1003조 제1항). 제1000조 제1항 제1호와 제3호의 규정에 의하여 상속인이 될 직계비속 또는 형제자매가 상속개시전에 사망하거나 결격자가 된 경우에 그 직계비속이 있는 때에는 그 직계비속이 사망하거나 결격된 자의 순위에 갈음하여 상속인이 된다(민법 제1001조). 이상의 규정을 바탕으로 사안을 검토하면 피상속인 甲의 사망으로 상속이 개시되었고, 직계비속 丁(아들)이 단독상속인이 된다.
① 乙(모친)은 피상속인의 직계존속으로 피상속인의 직계비속이 있으면 상속인이 되지 못한다.
② 丙(이혼한 전처)은 법률상 배우자가 아니므로 상속인이 되지 못한다.
③⑤ 戊(손자)는 상속인이 되지 못하며, 선순위 상속인 丁(아들)이 상속개시전 사망하거나 결격자가 된 경우도 아니어서 대습상속인이 될 수도 없다.

04. ④

MEMO

2021년 기출

05 상속에 관한 다음 설명 중 옳은 것을 모두 고르면 몇 개인가?

ㄱ. 상속은 사망으로 인하여 개시된다.
ㄴ. 한정승인이란 상속으로 인하여 취득할 재산의 한도 내에서 피상속인의 채무와 유증을 변제한다는 조건으로 상속을 승인하는 것을 말한다.
ㄷ. 상속의 포기는 상속개시있음을 안 날로부터 3개월 이내에 가정법원에 포기의 신고를 하여야 한다.
ㄹ. 유류분권리자의 법정유류분은 피상속인의 직계비속과 배우자는 법정상속분의 1/2이고, 피상속인의 직계존속과 형제자매는 법정상속분의 1/3이다.

① 없다
② 1개
③ 2개
④ 3개
⑤ 4개

 ㄱ. 상속은 사망으로 인하여 개시된다(민법 제997조).
ㄴ. 한정승인이란 상속으로 인하여 취득할 재산의 한도 내에서 피상속인의 채무와 유증을 변제한다는 조건으로 상속을 승인하는 것을 말한다(민법 제1028조).
ㄷ. 상속의 포기는 상속개시 있음을 안 날로부터 3개월 이내에 가정법원에 포기의 신고를 하여야 한다(민법 제1041조).
ㄹ. 유류분권리자의 법정유류분은 피상속인의 직계비속과 배우자는 법정상속분의 1/2이고, 피상속인의 직계존속과 형제자매는 법정상속분의 1/3이다(민법 제1112조).

2021년 기출

06 甲이 유족으로 처 乙과 아들 丙, 딸 丁을 남겨 두고 사망한 경우 甲의 재산에 대한 상속인별 상속지분은? (상속포기가 없는 경우를 전제로 함)

	乙	丙	丁
①	3/7	2/7	2/7
②	2/7	3/7	2/7
③	2/7	2/7	3/7
④	5/7	1/7	1/7
⑤	1/7	3/7	3/7

05. ⑤ 06. ①

MEMO

해설 상속은 사망으로 인하여 개시된다(민법 제997조). 상속에 있어서는 1. 피상속인의 직계비속 2. 피상속인의 직계존속 3. 피상속인의 형제자매 4. 피상속인의 4촌 이내의 방계혈족의 순으로 상속인이 된다(민법 제1000조 제1항 참조). 이 경우에 동순위의 상속인이 수인인 때에는 최근친을 선순위로 하고 동친 등의 상속인이 수인인 때에는 공동상속인이 된다(동조 제2항). 피상속인의 배우자는 제1000조 제1항 제1호와 제2호의 규정에 의한 상속인이 있는 경우에는 그 상속인과 동순위로 공동상속인이 되고 그 상속인이 없는 때에는 단독상속인이 된다(민법 제1003조 제1항). 동순위의 상속인이 수인인 때에는 그 상속분은 균분으로 한다(민법 제1009조 제1항). 피상속인의 배우자의 상속분은 직계비속과 공동으로 상속하는 때에는 직계비속의 상속분의 5할을 가산하고, 직계존속과 공동으로 상속하는 때에는 직계존속의 상속분의 5할을 가산한다(동조 제2항). 이상의 규정을 바탕으로 사안을 검토하면 피상속인 甲의 사망으로 상속이 개시되었고, 그 상속인은 배우자 乙과 직계비속 丙과 직계비속 丁이 된다. 배우자 乙의 상속분은 직계비속의 상속분에 5할을 가산하므로 3/7, 직계비속 丙과 직계비속 丁의 상속분은 2/7, 2/7이 된다.

2020년 기출

07 상속과 관련한 다음 설명 중 옳지 않은 것은?

① 상속인이 수인인 경우에 어느 상속인이 상속을 포기한 때에는 그 상속분은 다른 상속인의 상속분의 비율로 그 상속인에게 귀속된다.
② 상속인은 상속개시있음을 안 날로부터 3월내에 단순승인이나 한정승인 또는 포기를 할 수 있다.
③ 상속의 포기는 상속개시된 때에 소급하여 그 효력이 있다.
④ 상속인이 한정승인을 한 때에는 피상속인에 대한 상속인의 재산상 권리의무는 소멸한다.
⑤ 상속을 포기한 자는 그 포기로 인하여 상속인이 된 자가 상속재산을 관리할 수 있을 때까지 그 재산의 관리를 계속하여야 한다.

해설 ④ 상속인이 한정승인을 한 때에는 피상속인에 대한 상속인의 재산상 권리의무는 소멸하지 아니한다[민법 제1031조(한정승인과 재산상 권리의무의 불소멸)].
① 민법 제1043조(포기한 상속재산의 귀속)
② 민법 제1019조(승인, 포기의 기간) 제1항 본문
③ 민법 제1042조(포기의 소급효)
⑤ 민법 제1044조(포기한 상속재산의 관리계속의무) 제1항

07. ④

MEMO

2020년 기출

08 **A는 B에게 금 5,000만원을 대여하고 그 금원을 지급받지 못해 B에 대하여 법적 조치를 준비하고 있던 중 B는 2019.7.25. 사망하였다. 이에 따라 A가 B의 상속인에 대하여 채권추심을 하려고 한다. 이와 관련하여 가장 적절하지 않은 것은?**

① B가 사망하면 B의 상속인들은 원칙적으로 B의 채권·채무를 포괄승계받는다.
② B가 소유하였던 부동산에 대하여 상속인이 상속등기를 하지 않은 경우 대위원인을 증명하는 금전소비대차계약서 등을 첨부한 후 상속인을 대위하여 상속등기를 신청할 수 있다.
③ B의 상속인은 상속개시 있음을 안 날로부터 3개월 안에 상속포기 또는 한정승인을 신청할 수 있으며 3개월 안에 미신청시 단순승인(포괄승계)한 것으로 보아 A는 B 상속인의 재산조사에 착수한다.
④ 만약, A가 B의 사망 전에 집행권원을 획득하였다면 B의 상속인을 대상으로 별도의 소를 제기하여 집행권원을 획득할 필요 없이 승계집행문을 부여받아 상속인 재산에 강제집행을 할 수 있다.
⑤ 만약 A가 소를 제기하지 않은 상태에서 채무자 B가 사망했다면 원칙적으로 B의 상속인들을 대상으로 소를 제기할 수 없으므로 상속인의 재산에 강제집행할 수 없다.

해설 ⑤ 상속은 사망으로 인하여 개시되고[민법 제997조(상속개시의 원인)], 상속인은 상속개시된 때로부터 피상속인의 재산에 관한 포괄적 권리의무를 승계한다[민법 제1005조(상속의 포괄적 권리의무의 승계) 본문]. 따라서 채권자의 채무자에 대한 소제기 여부와 상관없이 채무자의 사망과 동시에 채무자의 채무를 포괄승계한 상속인들을 상대로 소를 제기할 수 있고, 이를 집행권원으로 상속인의 재산에 강제집행도 할 수 있다.

① 민법 제1005조 참조
② 채무자가 소유하였던 부동산에 대하여 상속인이 상속등기를 하지 않은 경우 채권자는 민법 제404조에 따라 채무자를 대위하여 채권자의 성명, 주소, 대위원인을 기재한 서면으로 상속등기를 신청할 수 있다[부동산등기법 제28조(채권자대위권에 의한 등기신청) 참조]. 대위에 의한 상속등기 신청서에는 대위원인을 증명하는 서면(금전소비대차계약서 등)을 첨부하여야 한다.
③ 민법 제1019조(승인, 포기의 기간) 제1항 본문 참조
④ 집행문은 판결에 표시된 채권자의 승계인을 위하여 내어 주거나 판결에 표시된 채무자의 승계인에 대한 집행을 위하여 내어 줄 수 있다[민사집행법 제31조(승계집행문) 제1항 본문]. 이를 승계집행문이라고 하는데, 채권자가 채무자 사망전 집행권원을 획득하였다면 채무자의 상속인에 대한 별도의 소제기를 할 필요없이 승계집행문을 부여받아 상속인 재산에 강제집행을 할 수 있다.

08. ⑤

MEMO

2019년 기출

09 상속에 대한 다음 설명 중 옳지 않은 것은?

① 한정승인이란 상속으로 인하여 취득할 재산의 한도 내에서 피상속인의 채무와 유증을 변제한다는 조건으로 상속을 승인하는 것을 말한다.

② A가 사망하고 A에게 자녀들도 없고 부모들이 없다면 A의 조부모들이 있다 해도 A의 아내가 단독으로 상속을 받게 된다.

③ A의 자녀 B가 A의 사망 전에 이미 사망하였는데, B에게 처 C와 아들 D가 있는 경우에는 B가 살아 있었다면 가질 상속분을 C와 D가 대습상속하게 된다.

④ 상속의 포기란 상속재산의 모든 권리・의무의 승계를 부인하고 처음부터 상속인이 아니었던 효력을 발생시키는 단독의 의사표시를 말한다.

⑤ 3억원의 부동산을 남기고 사망한 A에게 자녀 B, 동생 C가 있는 경우 자녀 B가 상속을 포기하지 않는 한 동생 C에게는 상속이 일어나지 않는다.

해설 피상속인의 배우자는 피상속인의 직계존속, 직계비속과 동순위의 상속인이 되며, 직계존속과 직계비속이 없는 경우에는 단독상속인이 된다[민법 제10003조(배우자의 상속순위) 제1항]. 피상속인 A의 조부모들도 직계존속에 해당하므로 A의 아내는 A의 조부모들과 동순위의 상속인이 된다.

① 한정승인의 개념[민법 제1028조(한정승인의 효과) 참조]

③ '대습상속'이란 상속인이 될 직계비속 또는 형제자매가 상속개시 전에 사망하거나 결격자가 된 경우에 그 직계비속이나 배우자가 있는 때에는 그 직계비속이나 배우자가 사망하거나 결격된 자의 순위에 갈음하여 상속인이 되는 제도이다[민법 제1001조(대습상속), 제1003조(배우자의 상속순위) 제2항 참조]. 따라서, A의 자녀 B가 A의 사망 전에 이미 사망하였는데, B에게 처 C와 아들 D가 있는 경우에는 B가 살아 있었다면 가질 상속분을 C와 D가 대습상속하게 된다.

④ 상속의 포기의 개념

⑤ 상속에 있어서는 피상속인의 직계비속, 피상속인의 직계존속, 피상속인의 형제자매, 피상속인의 4촌 이내의 방계혈족의 순으로 상속인이 된다[민법 제1000조(상속의 순위)]. 따라서, 3억원의 부동산을 남기고 사망한 A에게 자녀 B, 동생 C가 있는 경우 직계비속인 자녀 B가 상속을 포기하지 않는 한 형제자매 동생 C에게는 상속이 일어나지 않는다.

09. ②

MEMO

2018년 기출

10 **상속에 관한 다음 설명 중 옳지 않은 것은?**

① 갑이 사망하면 그 자녀들과 갑의 아내가 공동으로 상속을 받고, 갑의 자녀들이 없다면 갑의 부모들과 아내가 공동으로 상속을 받게 된다.

② 갑이 사망하고 갑에게 자녀들도 없고 부모들이 없다면 갑의 조부모들이 있다 해도 갑의 아내가 단독으로 상속을 받게 된다.

③ 갑의 자녀 을이 갑의 사망 전에 이미 사망하였는데, 을에게 처 병과 아들 정이 있는 경우에는 을이 살아 있었다면 가질 상속분을 병과 정이 대습상속하게 된다.

④ 4촌 이내의 방계혈족에게도 상속이 인정된다.

⑤ 10억원의 부동산을 남기고 사망한 A에게 자녀 B, 동생 C가 있는 경우 자녀 B가 상속을 포기하지 않는 한 동생 C에게는 상속이 일어나지 않는다.

해설 ①②④ 상속은 혈족상속과 배우자상속 2종류가 있다. 그런데 배우자는 언제나 상속인으로 되지만(민법 제1003조), 혈족상속에 관하여 민법은 피상속인의 관계에 따라 순위(피상속인의 직계비속 > 피상속인의 직계존속 > 피상속인의 형제자매 > 피상속인의 4촌 이내의 방계혈족)를 정하고 있다(민법 제1000조 제1항). 따라서 갑이 사망하면 그 자녀들과 갑의 아내가 공동으로 상속을 받고, 갑의 자녀들이 없다면 갑의 부모들과 아내가 공동으로 상속을 받게 된다. 아울러, 갑이 사망하고 갑에게 자녀들도 없고 부모들이 없더라도 갑의 조부모들이 있다면 이역시 직계존속이므로 갑의 조부모들과 갑의 아내가 공동으로 상속을 받게 된다. 그리고 선순위상속인이 모두 없다면 4촌 이내의 방계혈족에게도 상속이 인정된다.

⑤ 상속인으로 될 자가 수인인 경우에, 그들의 순위가 다르면 최선순위자만이 상속인으로 되고, 그들이 동순위라면 공동상속을 한다(민법 제1000조 제2항). 따라서 10억원의 부동산을 남기고 사망한 A에게 자녀 B, 동생 C가 있는 경우 1순위 상속인인 자녀 B가 상속을 포기하지 않는 한 3순위 상속인인 동생 C에게는 상속이 일어나지 않는다.

③ 대습자의 상속인에 대한 기대를 보호함으로써 공평을 기하기 위하여 대습상속이라는 제도가 인정된다. 즉, 상속인이 될 직계비속 또는 형제자매가 상속개시 전에 사망하거나 결격자가 된 경우에 그 직계비속이나 배우자가 있는 때에는 그 직계비속이나 배우자가 사망하거나 결격된 자의 순위에 갈음하여 상속인이 된다(민법 제1001조, 제1003조 제2항). 따라서 갑의 자녀 을이 갑의 사망 전에 이미 사망하였는데, 을에게 처 병과 아들 정이 있는 경우에는 을이 살아 있었다면 가질 상속분을 병과 정이 대습상속하게 된다.

10. ②

MEMO

2024년 기출

11 **갑 은행에 1,000만원의 신용대출채무를 남기고 사망한 A에게는 모친 B, 아내 C, 미성년자인 딸 D, 그리고 친동생 E가 있다. 각 상속인과 그 채무상속금액은? (단, 상속포기나 한정승인이 없음을 전제로 함)**

① C는 600만원을, D는 400만원을 각각 상속한다.
② C는 500만원을, B와 D는 250만원씩 각각 상속한다.
③ B와 C가 각각 500만원씩 상속한다.
④ C와 D가 각각 500만원씩 상속한다.
⑤ B, C, D, E는 각각 250만원씩 상속한다.

해설 ① 상속은 사망으로 인하여 개시된다(민법 제997조). 상속인은 상속개시된 때로부터 상속인의 재산에 관한 포괄적 권리의무를 승계한다(민법 제1005조 본문). 상속의 순위는 피상속인의 직계비속>직계존속>형제자매>4촌이내의 방계혈족이고(민법 제1000조 제1항), 배우자는 직계비속>직계존속과 동순위로 공동상속인이 된다(민법 제1003조 제1항). 피상속인의 배우자의 상속분은 직계비속과 공동으로 상속하는 때에는 직계비속의 상속분의 5할을 가산하고, 직계존속과 공동으로 상속하는 때에는 직계존속의 상속분의 5할을 가산한다(민법 제1009조 제2항). A의 사망으로 상속은 개시되고, 피상속인의 채무도 포괄적으로 상속인에게 승계된다. 상속인은 직계비속인 딸 D와 배우자인 아내 C이다. 상속분은 C:D=1.5:1이므로 사안의 경우 C는 600만 원을, D는 400만 원을 각각 상속한다.

2017년 기출

12 **갑 은행에 5,000만 원의 대출금채무를 남기고 사망한 A에게는 모친 B, 아내 C, 미성년자인 딸 D, 그리고 친동생 E가 있다. 채무상속에 관한 다음 설명 중 옳은 것은? (단, 상속인 전부는 상속을 단순승인 하였음)**

① C는 3,000만 원을, D는 2,000만 원을 각각 상속한다.
② C는 2,000만 원을, B, D 및 E는 1,000만 원씩 각각 상속한다.
③ B와 C가 각각 2,500만 원씩 상속한다.
④ C와 D가 각각 2,500만 원씩 상속한다.
⑤ B, C, D, E는 각각 1,250만 원씩 상속한다.

11. ① 12. ①

MEMO

해설 상속은 사망으로 인하여 개시된다(민법 제997조). 상속인은 상속개시된 때로부터 피상속인의 재산에 관한 포괄적 권리의무를 승계한다(민법 제1005조 본문). 상속의 순위는 피상속인의 직계비속 → 직계존속 → 형제자매 → 4촌 이내의 방계혈족이고(민법 제1000조 제1항), 배우자는 직계비속 → 직계존속과 동순위로 공동상속인이 된다(민법 제1003조 제1항). 피상속인의 배우자의 상속분은 직계비속과 공동으로 상속하는 때에는 직계비속의 상속분의 5할을 가산하고, 직계존속과 공동으로 상속하는 때에는 직계존속의 상속분의 5할을 가산한다(민법 제1009조 제2항). A의 사망으로 상속은 개시되고, 피상속인의 채무도 포괄적으로 상속인에게 승계된다. 상속인은 직계비속인 딸 D와 배우자인 아내 C이다. 상속분은 C:D=1.5:1이므로 사안의 경우 C는 3,000만 원을, D는 2,000만 원을 각각 상속한다.

2016년 기출

13 **A는 B에게 금 3,000만 원을 대여하고 그 금원을 지급받지 못해 B에 대하여 법적 조치를 실시하여 2015.1.20. 집행권원을 획득하였다. 그런데 B는 2015.5.25. 사망하였다. 이에 따라 A가 B의 상속인에 대하여 채권추심을 하려고 한다. 이와 관련하여 가장 적절하지 않은 것은?**

① 집행권원으로 사망자의 제적등본(舊), 상속인을 소명할 수 있는 가족관계증명서 등을 발급받아 정확하게 상속인을 파악한다.

② B가 소유하였던 부동산에 대하여 상속인이 상속등기를 하지 않은 경우 대위원인을 증명하는 서면을 첨부한 후 상속인을 대위하여 상속등기를 신청할 수 있다.

③ B의 은행예금을 확인하고 채권압류 등 법적 조치를 검토하여야 한다.

④ B의 상속인은 상속개시 있음을 안 날로부터 3개월 안에 한정승인을 신청할 수 있으며 3개월 안에 미신청시 단순승인(포괄승계)한 것으로 보아 A는 B 상속인의 재산조사에 착수한다.

⑤ A는 B가 사망하기 전에 집행권원을 획득하였으므로 B의 상속인을 대상으로 별도의 소를 제기하고 집행권원을 획득하여 상속인 재산에 강제집행 한다.

해설 판결이 확정되면 당사자는 되풀이하여 다투는 소송이 허용되지 아니하며(불가쟁), 어느 법원도 다시 재심사하여 그와 모순·저촉되는 판단을 해서는 아니 되는(불가반) 구속력을 '기판력'이라고 한다. 기판력은 당사자 간에 한하여 생기고, 제3자에게는 미치지 않는 것이 원칙(기판력의 상대성의 원칙)이나 예외적으로 법률에 특별한 규정이 있는 경우는 당사자 이외의 제3자에게 미치는 경우가 있다. 변론종결 후의 승계인에 대하여는 확정판결의 효력이 미친다(민사소송법 제218조 제1항). 상속인과 같은 승계인에게는 확정판결의 효력이 미치므로 상속인은 별도의 소를 제기할 필요 없이 승계집행문(민사집행법 제31조)을 받아 상속인의 재산에 강제집행을 하면 된다.

정답 13. ④

MEMO

① 강제집행의 상대방을 파악하기 위해 집행권원으로 사망자의 제적등본(舊), 상속인을 소명할 수 있는 가족관계증명서 등을 발급받아 정확하게 상속인을 파악한다.
② 채권자가 자기 채권을 보전하기 위하여 채무자의 권리를 대신 행사할 수 있는 권리를 '채권자대위권'(민법 제404조 제1항 본문)이라 한다. 일신전속권과 압류금지채권을 제외한 채무자의 일반재산을 구성하는 재산권은 대위의 목적이 된다. 상속등기신청권도 상속인의 일반재산을 구성하는 재산권에 해당하므로 B가 소유하였던 부동산에 대하여 상속인이 상속등기를 하지 않은 경우 대위원인을 증명하는 서면을 첨부한 후 상속인을 대위하여 상속등기를 신청할 수 있다.
③ 집행권원이 있다면 채무자에 대한 재산조사가 가능한 바, 조사결과 채무자의 거래은행이 파악된다면 채권압류 등 법적조치를 검토하여야 한다.
④ 상속인은 상속개시 있음을 안 날로부터 3개월 내에 단순승인이나 한정승인 또는 포기를 할 수 있다(민법 제1019조 제1항 본문). 상속인이 제1019조 제1항의 기간 내에 한정승인 또는 포기를 하지 아니한 때에는 상속인이 단순승인을 한 것으로 본다(민법 제1026조 제2호). 이 경우 채권자는 상속인의 재산조사를 할 수 있다.

2024년 기출

14 다음 설명 중 (　　)에 들어갈 용어로 가장 적절한 것은?

> (　　)이란 상속재산 중 상속인에게 유보되는 최소한의 몫 또는 법률상 상속인에게 귀속되는 것이 보장되는 상속재산에 대한 일정비율을 의미한다.

① 상속의 포기　　② 유류분
③ 한정승인　　④ 유증
⑤ 대습상속

② 개인(피상속인)의 무제한적인 재산처분의 자유 또는 유언의 자유를 인정하는 경우에는 유언 또는 사전증여, 유증으로 인하여 법정상속인이 상속에서 배제될 수 있고 공동상속인 중 특정인이 법정상속분을 초과하여 증여나 상속을 받게 되거나 상속인이 아닌 사람이 상속재산을 증여받게 되어 일부 상속인은 생활보장이 이루어지지 않을 수 있다. 이러한 폐해를 방지하기 위하여 법정상속인이 상속재산 중 일정비율에 해당하는 부분을 확보할 수 있도록 법적 지위를 부여하는 제도를 만들어 두고 있는데 이를 유류분제도라고 한다.

14. ②

MEMO

2015년 기출

15 상속인의 '유류분'에 관한 설명으로 옳지 않은 것은?

① 피상속인의 직계비속의 유류분은 그 법정상속분의 2분의 1이다.
② 피상속인의 배우자의 유류분은 그 법정상속분의 2분의 1이다.
③ 피상속인의 직계존속의 유류분은 그 법정상속분의 3분의 1이다.
④ 유류분권은 재산권이므로 상속개시 전에 이를 포기할 수 있다.
⑤ 유류분 반환청구권은 유류분 권리자가 상속개시와 반환하여야 할 증여 또는 유증을 한 사실을 안 때로부터 1년 내에 행사하지 않으면 시효로 소멸한다. 상속을 개시한 때로부터 10년을 경과한 때도 같다.

해설 유류분권은 상속권에서 파생되는 것이므로 상속이 개시되어야 비로소 발생한다. 물론 이러한 지위의 사전포기가 이론적으로 불가능한 것은 아니지만 상속의 사전포기가 허용되지 않을 뿐만 아니라 피상속인이 위력으로 상속인에게 포기를 강요할 수 있어서 특히 배우자상속권이 침해될 염려가 있기 때문에 유류분권의 사전포기는 인정되지 않는다.
① 민법 제1112조 제1호, ② 동법 동조 제2호, ③ 동법 동조 제3조, ⑤ 동법 제1117조

15. ④

Chapter

03 채권보전

제1절 서설

제2절 채무자 책임재산의 보전

2015년 기출

01 강제집행의 대상이 되는 채무자의 재산(책임재산)에 관한 설명으로 옳지 않은 것은?

① 법률상 압류가 금지된 재산은 책임재산에 속하지 않는다.
② 법률상 금전으로 환가할 수 없는 것은 채무자의 소유물이라도 책임재산에 속하지 않는다.
③ 집행개시 전에는 채무자의 재산이었으나 집행개시 당시에 이미 제3자에게 귀속된 재산은 집행의 대상이 아니다.
④ 채무자가 장차 취득할 재산은 그 기초되는 법률요건이 존재하고 기대권으로서 인정될 수 있는 것이면 집행의 목적이 될 수 있다.
⑤ 채무자의 신체・노동력은 집행대상이 되고 책임재산이 될 수 있다.

해설 오늘날의 강제집행은 원칙적으로 인적 집행이 인정되지 않기 때문에 재산 자체라야 하지 채무자의 신체・노동력은 책임재산에 속하지 아니한다.
① 법정압류금지재산, 도산절차집행의 재산, 처분금지물 등 압류금지재산은 집행의 대상에서 제외된다.
② 채권자에게 금전적 만족을 주는 것이 금전집행이므로 금전이나 금전으로 환가할 수 있는 것이 책임재산에 속한다.
③ 종전부터 채무자의 소유에 속하였으나 집행 당시에는 제3자에 귀속되어 있는 이른바 과거의 재산은 집행의 대상이 될 수 없다.
④ 장래의 재산은 그 기초되는 법률요건이 이미 성립되어 있고, 기대권으로 인정되는 정도의 것, 예를 들면 급료나 임대료와 같은 계속적 급부관계의 채권이라면 집행의 대상이 된다.

01. ⑤

MEMO

2023년 기출

02 채권자대위권에 관한 다음 설명 중 가장 적절한 것은?

① 보전하려는 채권이 금전채권인 경우에는 채무자의 무자력을 요건으로 한다.
② 채권자가 채무자의 이름으로 채무자의 권리를 행사한다.
③ 물권적 청구권은 채권자가 대위할 수 없다.
④ 채무자가 스스로 권리를 행사하고 있어도 그 행사의 방법이 부당하다고 인정되면 대위권행사가 가능하다.
⑤ 반드시 재판상 행사하여야 한다.

해설 ① '채권자대위권'이란 채권자가 채권을 보전하기 위하여 그의 채무자에게 속하는 권리를 대신 행사할 수 있는 권리이다. 채권자의 대위에 의하여 보전하는 것에 적합한 것이면 채권은 반드시 금전채권일 것을 요하지 않으며 부작위채권, 노무공급채권이더라도 불이행으로 손해배상채권으로 변하여 일반재산에 의하여 공동으로 담보되는 채권이라면 모두 보전될 수 있다. 판례는 '채권보전의 필요성'에 대하여 대위행사하려는 채권이 금전채권인 경우는 채무자의 무자력을 필요로 한다고 하나, 금전채권 이외의 특정의 채권을 보전하려는 경우(예컨대, 등기청구권의 대위행사 또는 임차인의 방해제거 또는 예방청구권의 대위행사)에는 채무자가 무자력이어야 할 필요는 없다고 판시한다(대판 1992.10.27. 91다483).
② 채권자대위권은 채권자가 자기 이름으로 채무자의 권리를 행사할 수 있는 권리이므로, 일종의 법정재산관리권이다.
③ 채권의 공동담보에 적합한 채무자의 권리, 즉 재산권은 모두 원칙적으로 대위행사의 목적인 권리에 해당한다. 따라서, 물권적 청구권은 채권자가 대위할 수 있다.
④ 채무자가 스스로 권리를 행사하고 있는 경우에는 그 행사의 방법이나 결과가 좋든 나쁘든 채권자는 대위하지 못한다.
⑤ 채권자대위권은 반드시 재판상 행사할 필요는 없으며 재판 외에서의 행사도 가능하다.

2021년 기출

03 다음 중 채권자대위권의 피보전권리가 될 수 없는 것은?

① 공유물분할청구권
② 채무불이행으로 인한 손해배상채권
③ 혼인취소권
④ 매수인의 소유권이전등기청구권
⑤ 계약상의 금전채권

해설 혼인취소권은 채권자대위권의 피보전권리가 될 수 없다. 채권자의 대위에 의하여 보전하는 것에 적합한 것이면 채권은 반드시 금전채권(⑤)일 것을 요하지 않으며 부작위채권, 노무공급채권이더라도 불이행으로 손해배상채권(②)으로 변하여 일반재산에 의하여 공동으로 담보되는 채권이라면 모두 보전될 수 있다. 또한 청구권 또는 형성권(①)도 피보전권리가 된다. 판례는 채권보전의 필요성에 대하여 대위행사하려는 채권이 금전채권인 경우는 채무자의 무자력을 필요로 한다고 하나, 금전채권 이외의 특정의 채권을 보전하는 경우(④)에는 채무자가 무자력이어야 할 필요는 없다고 판시하고 있다(대판 1992.10.27. 91다483).

정답 02. ① 03. ③

MEMO

2018년 기출

04 다음 중 채권자대위권의 행사가 허용되는 것은?

① 혼인취소권
② 공무원연금청구권
③ 아직 구체화되지 않은 위자료청구권
④ 사용자에 대한 산업재해보상청구권
⑤ 손해배상청구권

해설 채권자대위권의 성립요건 중 대위의 객체에 대한 요건을 묻는 문제이다. 우선 채권의 공동담보에 적합한 채무자의 권리, 즉 재산권[예컨대, 손해배상청구권(⑤)]은 모두 원칙적으로 대위행사의 목적인 권리에 해당하는 반면, 혼인취소권(①) 등 가족법상 권리와 같은 비재산권은 대위의 대상이 되지 못한다. 그리고 권리자 자신이 권리를 행사할 것인지 여부를 결정하여야 비로소 그 권리행사가 의미를 가지게 되는 권리, 즉 행사상의 일신전속권[예컨대, 친족간의 부양청구권, 상속회복청구권과 같은 신분권, 아직 구체화되지 않은 위자료청구권(③), 계약의 청약 및 승낙권, 산업재해보상청구권(④) 등]은 대위의 목적으로 되지 못한다(민법 제404조 제1항 단서). 나아가 명문규정이 없지만 채권의 공동담보로 되지 못하는 압류금지채권[예컨대, 임금청구권, 공무원연금청구권(②) 등]도 대위행사할 수 없다는 것이 다수설이다. 또한 재산권의 행사를 위하여 소송 기타 공법상의 행위를 필요로 하는 경우 채권자는 채무자가 가진 공법상의 권리, 즉 등기청구권이나 민사소송법상의 권리 등도 채권자대위권의 객체가 될 수 있다. 그러나 이미 채무자와 제3자 사이에 소송이 계속된 후에 소송수행상의 개개의 행위를 대위하는 것은 허용되지 않는다는 것이 다수설과 판례(대결 1961.9.26. 4294민재항559)의 입장이다.

2017년 기출

05 다음 중 채권자대위권의 피보전권리가 될 수 없는 것은?

① 계약상의 금전채권
② 채무불이행으로 인한 손해배상채권
③ 혼인취소권
④ 매수인의 소유권이전등기청구권
⑤ 공유물분할청구권

해설 채권자대위권의 피보전권리는 채권자의 대위에 의하여 보전하는 것에 적합한 것이면 채권은 계약상의 금전채권은 물론 반드시 금전채권일 것을 요하지 않으며 부작위채권, 노무공급채권이더라도 불이행으로 손해배상채권으로 변하여 일반재산에 의하여 공동으로 담보되는 채권(②)이라면 모두 보전될 수 있다. 또한 청구권 또는 형성권도 대위권의 대상이 된다. 그러나 피보전채권은 보전의 필요성이 있어야 하는데, 이 요건은 채무자의 권리를 대신 행사하지 않으면 채무자의 재산이 감소하거나 증가되지 않고, 그 결과 채권의 변제를 받을 수 없게 될 우려가 있는 경우에 충족된다. 혼인취소권은 이러한 보전의 필요성이 인정되지 않아 피보전권리가 될 수 없다.

04. ⑤ 05. ③

MEMO

2024년 기출

06 채권자대위권과 채권자취소권에 관한 다음 설명 중 가장 적절하지 않은 것은?

① 채권자취소권은 채권의 공동담보 보전을 목적으로 소송으로써만 행사할 수 있는 실체법상의 권리이다.

② 채권자대위권은 채권자가 그 대위원인을 안 날로부터 1년, 법률행위 있은 날로부터 5년 내에 행사하여야 한다.

③ 사해행위취소소송의 피고는 채무자가 아니라 수익자 또는 전득자이다.

④ 채권자취소권 행사의 효과는 모든 채권자의 이익을 위하여 그 효력이 있다.

⑤ 대위소송판결의 효력은 채무자가 그 소의 제기 사실을 안 경우 채무자에게도 미친다는 것이 판례이다.

해설 ② 채권자대위권과 달리 채권자취소권은 행사기간에 제한이 있다. 즉, 사해행위취소소송은 채권자가 취소원인을 안 날로부터 1년, 법률행위있은 날로부터 5년내에 제기하여야 한다(민법 제406조(채권자취소권) 제2항).

① 채권자취소권은 채권의 공동담보를 목적으로 채무자가 갖는 책임재산을 보전하기 위한 실체법상의 권리로서 채권의 본래의 효력은 아니지만 법률이 채권자에게 특별히 부여한 권리이다. 채권자취소권은 반드시 재판상 행사하여야 하지만, 이는 권리행사의 방법에 지나지 않는다.

③ 사해행위취소소송의 피고는 언제나 이익반환청구의 상대방, 즉 이미 채무자로부터 부동산이나 금전을 수취한 수익자 또는 전득자이며 채무자를 포함시키지 못한다.

④ 채권자취소권 행사에 의한 취소와 원상회복은 모든 채권자의 이익을 위하여 효력이 있다(민법 제407조(채권자취소의 효력)). 수익자 또는 전득자로부터 반환받은 재산 또는 재산에 갈음하는 손해배상은 채무자의 일반재산으로 회복되고, 총채권자를 위하여 공동담보가 되는 것이며 취소채권자가 그로부터 우선변제를 받는 권리를 취득하지는 않는다.

⑤ 판례는 채무자가 소송참가를 하지 않았고 또한 소송고지를 받지 않은 경우에도 채권자가 채권자대위권을 행사하여 제3채무자를 상대로 소송을 제기하였다는 사실을 어떤 사유에 의하였든지 간에 채무자가 알았을 때에는 그 대위소송의 기판력은 당연히 채무자에게 미친다고 보는 것이 상당하다고 하였다(대판 1975.5.13. 75다1664).

06. ②

MEMO

2020년 기출

07 채권자대위와 채권자취소에 관한 다음 설명 중 옳지 않은 것은?

① 채권자취소권의 행사는 채권자를 해하는 법률행위 있은 날로부터 1년, 채권자가 취소원인을 안 날로부터 5년 내에 제기하여야 한다.

② 채권자는 그 채권의 기한이 도래하기 전에는 법원의 허가 없이 채무자의 권리를 행사하지 못한다. 그러나 보전행위는 그러하지 아니하다.

③ 채무자가 채권자를 해함을 알고 재산권을 목적으로 한 법률행위를 한 때에는 채권자는 그 취소 및 원상회복을 법원에 청구할 수 있다. 그러나 그 행위로 인하여 이익을 받은 자나 전득한 자가 그 행위 또는 전득 당시에 채권자를 해함을 알지 못한 경우에는 그러하지 아니하다.

④ 채권자취소 소송에 의한 취소와 원상회복은 모든 채권자의 이익을 위하여 그 효력이 있다.

⑤ 채권자는 자기의 채권을 보전하기 위하여 채무자의 권리를 행사할 수 있다. 그러나 일신에 전속한 권리는 그러하지 아니하다.

해설 ① 채권자취소권의 행사는 채권자가 취소원인을 안 날로부터 1년, 법률행위있은 날로부터 5년 내에 제기해야 한다[민법 제406조(채권자취소권) 제2항 참조].
② 민법 제404조(채권자대위권) 제2항
③ 민법 제406조(채권자취소권) 제1항
④ 민법 제407조(채권자취소의 효력)
⑤ 민법 제404조(채권자대위권) 제1항

2019년 기출

08 채권자대위권 및 채권자취소권의 행사에 대한 다음 설명 중 옳지 않은 것은?

① 채권자취소권이란 채무자가 채권자를 해함을 알고 재산권을 목적으로 한 법률행위를 한 때에는 채권자는 그 취소 및 원상회복을 법원에 청구할 수 있는 권리이다.

② 채권자취소소송은 채권자가 취소원인을 안 날로부터 1년, 법률행위가 있은 날로부터 5년 내에 행사하여야 한다.

③ 채권자취소권은 반드시 재판상 행사할 필요는 없으며 재판 외에서의 행사도 가능하다.

④ 채권자대위권이란 채권자가 채권을 보전하기 위하여 그의 채무자에게 속하는 권리를 대신 행사할 수 있는 권리이다.

⑤ 채권자취소소송에서 채권자가 채무자의 악의를 입증하면 수익자와 전득자의 악의는 추정되므로, 수익자와 전득자 스스로가 선의를 입증하여야 한다.

07. ① 08. ③

MEMO

해설 채무자가 채권자를 해함을 알고 재산권을 목적으로 한 법률행위를 한 때에는 채권자는 그 취소 및 원상회복을 법원에 청구할 수 있다[민법 제406조(채권자취소권) 제1항 본문]. 즉, 채권자취소권은 반드시 재판상 행사하여야 한다.
① 채권자취소권의 개념
② 민법 제406조 제2항
④ 채권자대위권의 개념
⑤ 채권자취소소송의 주관적 요건으로서 채무자와 수익자 또는 전득자의 악의를 요한다. 즉, 채무자가 사해행위의 당시에 그것에 의하여 채권자를 해하게 됨을 알고 있었어야 한다. 채무자의 악의에 대한 입증책임은 채권자에게 있다. 아울러 수익자 또는 전득자 역시도 사해행위시 또는 전득시에 채권자를 해한다는 사실을 알고 있었어야 한다. 채권자가 채무자의 악의를 입증하면 수익자와 전득자의 악의는 추정되므로, 수익자와 전득자 스스로가 선의를 입증하여야 한다.

2023년 기출

09 채권자취소 소송의 제기기간에 관한 설명으로 (   )에 들어갈 기간으로 가장 적절한 것은?

> 채권자가 취소원인을 안 날로부터 (A)년, 법률행위가 있은 날로부터 (B)년 내에 제기하여야 한다.

	A	B
①	1	3
②	1	5
③	1	10
④	3	5
⑤	3	10

해설 ② 채권자취소 소송은 채권자가 취소원인을 안 날로부터 1년, 법률행위가 있은 날로부터 5년 내에 행사하여야 한다(민법 제406조 제2항).

09. ②

MEMO

2022년 기출

10 다음은 사해행위 취소소송을 제기하여야 하는 기간에 대한 설명이다. ( )에 들어갈 내용으로 가장 적절한 것은?

채권자취소의 소는 채권자가 취소원인을 안 날로부터 1년, 법률행위가 있은 날로부터 ( ) 내에 제기하여야 한다.

① 1년 ② 2년
③ 3년 ④ 4년
⑤ 5년

해설 민법 제406조(채권자취소권) 제2항

2021년 기출

11 채권자취소권(사해행위취소)과 관련한 다음 설명 중 적절한 것은?

① 소송으로만 행사할 수 있는 절차법상의 권리이다.
② 채권자취소소송을 제기하여 승소한 채권자는 다른 채권자보다 우선변제를 받을 수 있는 권리를 가진다.
③ 인적 담보가 있는 채권의 경우에는 행사할 수 없다.
④ 채권자는 취소원인을 안 날로부터 5년 이내에 취소권을 행사하여야 한다.
⑤ 채권자가 채무자의 악의를 입증하면 수익자와 전득자의 악의는 추정되므로 수익자와 전득자 스스로가 선의를 입증하여야 한다.

해설 채무자뿐만 아니라 수익자 또는 전득자 역시도 사해행위 시 또는 전득 시에 채권자를 해한다는 사실을 알고 있어야 한다. 채권자가 채무자의 악의를 입증하면 수익자와 전득자의 악의는 추정되므로 수익자와 전득자 스스로가 자신의 선의를 입증하여야 한다.
① 채권자취소권은 반드시 재판상 행사되어야 하지만 절차법상의 권리라서가 아니고, 권리행사의 방법에 지나지 않는다.
② 채권자취소권 행사의 효력은 모든 채권자의 이익을 위하여 효력이 있다(민법 제407조). 수익자 또는 전득자로부터 반환받은 재산 또는 재산에 갈음하는 손해배상은 채무자의 일반재산으로 회복되고, 총채권자를 위하여 공동담보가 되는 것이며 취소채권자가 다른 채권자보다 우선변제를 받을 수 있는 권리를 취득하지는 않는다.
③ 물적 담보에 의해 담보되어 있는 채권은 담보물의 가액이 부족한 한도 내에서만 채권자취소권이 발생하며, 인적담보를 수반하는 채권의 경우 채권자는 채권 전액에 관해 채권자취소권을 행사할 수 있다.
④ 사해행위취소소송은 채권자가 취소원인을 안 날로부터 1년, 법률행위가 있는 날로부터 5년 내에 행사하여야 한다(민법 제406조 제2항).

10. ⑤ 11. ⑤

MEMO

2018년 기출

12 채권자취소권에 관한 다음 설명 중 옳지 않은 것은? (다툼이 있는 경우 판례에 따름)

① 취소채권자의 채권은 금전채권이어야 하며 특정채권의 보전을 목적으로 행사할 수 없다.

② 질권・저당권과 같은 물적담보에 의하여 담보되는 채권은 우선변제를 받는 한도에서 적극재산・소극재산에서 공제되어야 하므로 담보물의 가액이 부족되는 한도에서만 채권자는 취소권을 행사할 수 있다.

③ 채권자는 채무자의 악의뿐만 아니라 수익자와 전득자의 악의도 입증하여야 한다.

④ 채권자취소권의 채권은 원칙적으로 사해행위가 있기 이전에 발생한 것이어야 한다.

⑤ 사해행위취소소송은 채권자가 취소원인을 안 날로부터 1년, 법률행위가 있은 날로부터 5년 내에 행사하여야 한다.

해설 '채권자취소권'이란 채무자가 채권자를 해침을 알면서 자기의 일반재산을 감소시키는 법률행위를 한 경우에, 채권자가 그 법률행위를 취소하고 재산을 원상으로 회복하는 것을 내용으로 하는 권리를 말한다. 채권자취소권이 성립하기 위해서는 객관적 요건으로서 채무자가 채권자를 해하는 법률행위를 하였을 것과 주관적 요건으로서 채무자, 수익자 또는 전득자가 사해행위의 사실을 알고 있었을 것이 필요하다. 객관적 요건 중 피보전채권은 금전채권이어야 하며 특정채권의 보전을 목적으로 행사할 수 없다(①). 또한 물적담보에 의하여 담보되는 채권은 담보물의 가액이 부족한 한도 내에서만 채권자취소권이 발생한다(②). 채권자취소권의 피보전채권은 원칙적으로 사해행위가 있기 전에 발생한 것이어야 한다(대판 2002.4.12. 2000다43352)(④). 주관적 요건으로서 채무자가 사해행위의 당시에 그것에 의하여 채권자를 해하게 됨을 알고 있었어야 한다. 이러한 채무자의 악의에 대한 입증책임은 채권자에게 있다. 아울러 수익자 또는 전득자 역시도 사해행위시 또는 전득시에 채권자를 해한다는 사실을 알고 있었어야 한다. 채권자가 채무자의 악의를 입증하면 수익자와 전득자의 악의는 추정되므로, 수익자와 전득자 스스로가 선의를 입증하여야 한다(③). 사해행위취소소송은 채권자가 취소원인을 안 날로부터 1년, 법률행위가 있은 날로부터 5년내에 행사하여야 한다(민법 제406조 제2항)(⑤).

12. ③

MEMO

2017년 기출

13 **채권자취소권에 관한 다음 설명 중 옳은 것은? (다툼이 있는 경우에는 판례에 따름)**

① 취소채권자의 채권은 반드시 금전채권일 것을 요하지 않으며 특정채권의 보전을 목적으로도 행사할 수 있다.
② 채권자취소권의 피보전채권은 사해행위가 있은 후에 발생한 것이어야 한다.
③ 채권자가 채무자의 악의를 입증하면 수익자와 전득자의 악의는 추정되므로 수익자와 전득자 스스로가 선의를 입증하여야 한다.
④ 채권자취소의 소는 채권자가 취소원인을 안 날로부터 5년 내에 제기하여야 한다.
⑤ 채무자가 채권자를 해함을 알고 재산권을 목적으로 한 법률행위를 한 때에는 채권자는 그 취소 및 원상회복을 재판 외에서 청구할 수 있다.

해설 채권자취소권의 주관적 요건으로 채무자의 악의, 즉 채무자가 사해행위의 당시에 그것에 의하여 채권자를 해하게 됨을 알고 있었어야 한다. 이 사해의 의사는 특정의 채권자를 해한다는 적극적인 의욕이 아니라 공동담보에 부족이 생긴다는 것에 대한 소극적인 인식으로써 충분하다. 위와 같은 채무자의 악의에 대한 입증책임은 채권자에게 있다. 채무자뿐만 아니라 수익자 또는 전득자 역시도 사해행위 시 또는 전득 시에 채권자를 해한다는 사실을 알고 있었어야 한다. 채권자가 채무자의 악의를 입증하면 수익자와 전득자의 악의는 추정되므로 수익자와 전득자 스스로가 선의를 입증하여야 한다.

① 채권자대위권과는 달리 취소채권자의 채권은 금전채권이어야 하며 특정채권의 보전을 목적으로 행사할 수 없다.
② 판례는 채권자취소권의 채권은 원칙적으로 사해행위가 있기 전에 발생한 것이어야 한다고 본다(대판 2002.04.12. 2000다43352). 예외적으로 ⓐ 사해행위 당시 이미 채권 성립의 기초가 되는 법률관계가 발생되어 있고, ⓑ 가까운 장래에 그 법률관계에 기하여 채권이 성립하리라는 점에 대한 고도의 개연성이 있으며, ⓒ 실제로 가까운 장래에 그 개연성이 현실화되어 채권이 성립한 경우에 그 채권도 채권자취소권의 피보전채권이 될 수 있다고 한다(대판 1995.11.28. 95다27905).
④ 사해행위취소소송은 채권자가 취소원인을 안 날로부터 1년, 법률행위가 있는 날로부터 5년 내에 행사하여야 한다(민법 제406조 제2항).
⑤ 채권자취소권은 채권자가 자기의 이름으로 행사하되 채권자대위권과는 달리 반드시 재판상 행사하여야 한다.

13. ③

MEMO

2015년 기출

14 **채권의 공동담보가 부족한 상태에 있는 채무자 A의 행위 중 채권자취소권의 객관적 성립요건인 사해행위에 해당될 수 있는 것을 모두 고른 것은?**

㉠ A가 B와 통정허위표시 방식으로 B에게 그의 소유 부동산을 매각하였다.
㉡ A가 C에게 그의 소유 부동산을 무상으로 증여하였다.
㉢ A는 D가 무상으로 재산을 수여하는 의사를 표시하였으나 이를 승낙하지 않았다.
㉣ A는 고액채무자인 E와 혼인하였다.
㉤ A는 그의 부친 F가 사망하자 상속을 포기하였다.

① ㉠, ㉡
② ㉠
③ ㉡, ㉣
④ ㉢, ㉣, ㉤
⑤ ㉣, ㉤

해설 채무자의 법률행위의 결과 그의 재산이 감소하여 채권자가 충분히 채권의 만족을 받을 수 없게 될 염려가 있을 것이 필요한데 이러한 결과를 발생시키는 법률행위를 '사해행위'라고 한다.

㉠ 판례는 가장매매(통정허위표시)에 해당하여 무효인 법률행위에 대해서도 채권자취소권을 행사할 수 있다고 한다.
㉡ 채무자가 한 법률행위라면 계약(증여 등), 단독행위(권리의 포기, 채무면제 등) 및 합동행위(공익법인의 설립 등) 등 그 종류에 상관없다.
㉢ 단순한 부작위나 사실행위는 포함되지 않는다.
㉣, ㉤ 채무자가 한 '재산권을 목적으로 한' 법률행위여야 하므로 이혼, 혼인, 상속의 승인이나 포기 등의 신분행위는 채권자취소권의 대상이 되지 아니한다. 다만, 재산행위와 신분행위의 성격이 겸비된 경우(이혼에 따른 재산분할, 상속재산분할 등)는 대상이 될 수 있다.

14. ①

MEMO

2014년 기출

15 **다음 사례와 관련하여 A는 채권자취소권을 행사하고자 한다. 바르게 설명된 것은? (다툼이 있는 경우에는 판례에 따름)**

A에게 3억 원의 채무를 부담하고 있는 B는 그의 유일한 자산인 건물(시가 2억 원)을 C에게 염가(1억 원)로 매각하고 그에게 소유권이전등기를 경료하였다.

① 채권자취소소송의 피고는 B와 C이다.
② A가 채권자취소소송에서 승소하면 그는 위 건물에 관하여 우선 변제권을 갖는다.
③ A는 취소원인을 안 날로부터 3년 내에 채권자취소권을 행사하여야 한다.
④ B는 위 건물매각 당시 염가로 매각하는 것이 채권자를 해하게 됨을 알고 있었어야 한다.
⑤ A는 채권자취소소송에서 B와 C의 악의를 입증하여야 한다.

해설 채권자취소권은 주관적 요건으로 사해의사를 필요로 하는 바, 사해의사는 채무자가 사해행위의 당시에 그것에 의하여 채권자를 해하게 됨을 알고 있었어야 한다. 따라서 B는 위 건물매각 당시 염가로 매각하는 것이 채권자를 해하게 됨을 알고 있었어야 한다. 즉, 사해의사가 있어야 한다. 또한 이 사해의 의사는 특정의 채권자를 해한다는 적극적인 의욕이 아니라 공동담보에 부족이 생긴다는 것에 대한 소극적인 인식으로써 충분하며, 이 같은 채무자의 악의에 대한 입증책임은 채권자에게 있다.

15. ④

MEMO

제3절 보전처분

2021년 기출

01 다음 중 보전처분의 특질로 가장 적절하지 않은 것은?

① 부수성
② 신속성
③ 확정성
④ 자유재량성
⑤ 밀행성

해설 보전처분은 권리 내지 법률관계의 확정을 목적으로 하는 제도가 아니라 최종적인 판단이 있을 때까지 현재의 권리 내지 법률관계에 대하여 잠정적 내지 임시적으로 내려주는 처분이다. 보전처분의 특질을 정리한 아래표 참조

잠정성	보전처분은 권리 내지 법률관계의 확정을 목적으로 하는 제도가 아니라 최종적인 판단이 있을 때까지 현재의 권리 내지 법률관계에 대하여 잠정적 내지 임시적으로 내려주는 처분이다. 이 점에서 권리보전을 위한 제도이기는 하지만 그 권리의 종국적 실현을 목적으로 하는 실체법상의 채권자대위권이나 채권자취소권 등과는 다르다.
긴급성(신속성)	보전처분은 장래의 권리실현에 대비하는 긴급 내지 급박한 조치이다.
부수성	보전처분은 그 권리관계를 확정하는 본안소송의 존재를 예정한 부수적 절차이다. 또한 보전처분은 본안소송을 전제로 하기 때문에 본안소송의 범위를 초과할 수 없으며, 집행된 뒤에는 3년간 본안의 소를 제기하지 아니하면 사정변경에 따른 보전처분의 취소를 할 수 있다(민사집행법 제288조 제1항 제3호).
밀행성	보전처분은 이를 미리 상대방에게 알리면 그 효과를 얻을 수 없기에 원칙적으로 상대방이 알 수 없는 상태에서 비밀리에 심리되고 발령되며 그 처분을 송달하기 전에 미리 집행에 착수하는 것이 보통이다.
자유재량성	보전절차의 심리방법은 법원의 자유재량에 속한다.

2017년 기출

02 다음의 설명과 관련된 보전처분의 특질은?

보전처분은 권리 내지 법률관계의 확정을 목적으로 하는 제도가 아니라 최종적인 판단이 있을 때까지 현재의 권리 또는 법률관계에 대하여 잠정적 · 임시적으로 내려주는 처분이다.

01. ③ 02. ②

MEMO

① 확정성　　② 잠정성
③ 밀행성　　④ 부수성
⑤ 긴급성

해설 잠정성에 대한 설명이다. 보전처분의 특질은 앞 문제 해설 표 참조

2024년 기출

03 보전처분에 관한 다음 설명 중 가장 적절하지 않은 것은?

① 가압류 절차는 원칙적으로 상대방이 알 수 없는 상태에서 비밀리에 심리되고 발령되며 그 처분을 송달하기 전에 미리 집행에 착수하게 되는 것이 보통이다.
② 변론을 거칠 것인가, 서면심리에 의할 것인가, 소명만으로 발령할 것인가, 담보를 제공하게 할 것인가, 그 담보의 종류와 범위는 어떻게 할 것인가 등은 모두 법원의 자유재량에 속한다.
③ 가압류가 집행된 뒤에 3년간 본안의 소를 제기하지 아니한 때에는 가압류가 인가된 뒤에도 그 취소를 신청할 수 있는 바 이 경우에는 이해관계인은 신청할 수 없다.
④ 가압류에 의하여 보전하고자 하는 청구권에 충분한 물적담보권이 붙어 있는 경우에는 원칙적으로 가압류 보전의 필요성이 없는 것으로 보아야 한다.
⑤ 피보전권리에 관하여 이미 확정판결을 가지고 있는 때에는 원칙적으로 보전의 필요성이 없다.

해설 ③ 보전절차의 특질에 관한 문제로 보전처분 집행 후 3년간 본안의 소를 제기하지 아니한 때에는 채무자는 그 보전처분이 인가된 뒤에도 보전처분의 취소를 구할 수 있다. 이 경우에는 이해관계인도 취소를 신청할 수 있다(민사집행법 제288조(사정변경 등에 따른 가압류취소) 제1항, 부수성).
① 밀행성
② 자유재량성
④ 가압류에 있어서의 보전의 필요성은 가압류를 하지 아니하면 판결 그 밖의 집행권원을 집행할 수 없거나 집행하는 것이 매우 곤란할 염려가 있을 경우에 인정된다. 따라서 채권자의 금전채권에 관하여 충분한 물적 담보가 설정되어 있거나 채무자에게 재산이 충분히 있음이 소명된 경우에는 가압류의 필요성이 부인된다.
⑤ 채권자가 이미 보전처분에 의한 보호 이상의 보호를 받고 있을 때는 보전의 필요성이 부인된다. 즉 피보전권리에 관하여 이미 확정판결이나 그 밖의 집행권원(조정, 화해등의 조서 또는 집행증서)을 가지고 있는 때에는 원칙적으로 보전의 필요성이 없다.

03. ③

MEMO

2021년 기출

04 보전처분에 관한 다음 설명 중 가장 적절하지 않은 것은?

① 채권자가 채무자에 대하여 대여금 채권을 가지는 경우 채권자는 그 대여금 채권의 보전을 위하여 채무자 소유의 부동산을 가처분(처분금지가처분)을 할 수 있다.

② 채권자가 채무자에 대하여 물품대금 채권을 가지는 경우 채권자는 그 물품대금 채권의 보전을 위하여 채무자의 은행예금 채권을 가압류할 수 있다.

③ 부동산에 대한 가압류의 집행은 법원사무관 등이 관할 등기소에 촉탁하여 가압류명령을 부동산등기기록에 기입하는 방법을 이용하고 있다.

④ 채권에 대한 가압류의 효력발생 시기는 가압류결정문이 제3채무자에게 송달된 때이다.

⑤ 동일한 대상물에 대한 가압류 경합이 있는 경우 가압류채권자 상호간에는 원칙적으로 우열이 없다.

해설 보전처분의 종류에는 가압류와 가처분이 있다. 가처분은 다툼의 대상에 관한 가처분과 임시의 지위를 정하기 위한 가처분이 있는데, 처분금지가처분은 다툼의 대상에 관한 가처분에 해당한다. 다툼의 대상에 관한 가처분이란 금전채권의 집행을 보전하기 위하여 현재의 상태를 유지시키도록 하는 보전처분이다(민사집행법 제300조 제1항 참조). 청구권을 보전하기 위한 제도임에는 가압류와 같으나 그 청구권이 금전채권이 아니라는 점과 그 대상이 채무자의 일반재산이 아닌 특정 물건이나 권리라는 점에서 다르다. 따라서 금전채권으로는 다툼의 대상이 되는 가처분이 허용되지 않는다.

② 가압류는 금전채권이나 금전으로 환산할 수 있는 채권의 집행을 위한 보전처분으로서 앞으로 집행의 대상이 될 수 있는 재산을 임시로 동결시켜 두는 조치이다(민사집행법 제276조 참조). 따라서 채권자가 채무자에 대하여 물품대금 채권을 가지는 경우 채권자는 그 물품대금 채권의 보전을 위하여 채무자의 은행예금 채권을 가압류할 수 있다.

③ 부동산 가압류는 가압류재판에 관한 사항으로 등기부에 기입하는 방법으로 집행한다. 부동산 가압류의 집행법원은 가압류재판을 한 법원이 되나, 가압류등기는 법원사무관 등이 촉탁한다(민사집행법 제293조).

④ 채권의 가압류는 제3채무자에게 채무자에 대한 지급을 금지하는 명령이 기재된 가압류재판 정본을 송달함으로써 집행한다. 집행법원은 가압류명령을 한 법원이 되며, 법원은 따로 집행신청을 기다리지 않고 가압류 발령과 동시에 제3채무자에게 정본을 송달한다. 가압류의 효력은 제3채무자에게 정본이 송달됨으로써 발생한다.

⑤ 동일한 대상물에 대한 가압류 경합이 있는 경우 가압류채권자 상호간에는 원칙적으로 우열이 없다. 가압류집행이 경합된 경우 그 중 하나가 본압류로 이행된 때에는 다른 가압류채권자는 배당받을 채권자로서의 지위를 갖는다(민사집행법 제148조 제3호).

04. ①

MEMO

2020년 기출

05 보전처분과 관련한 다음 설명 중 옳은 것은?

① 채권이 조건이 붙어 있는 것이거나 기한이 차지 아니한 것인 경우에는 가압류를 할 수 없다.
② 청구채권과 가압류의 이유를 소명한 때에는 법원은 담보를 제공하게 하고 가압류를 명할 수 없다.
③ 가압류신청에 대한 재판은 판결로 한다.
④ 담보를 제공하게 하는 재판, 가압류신청을 기각하거나 각하하는 재판은 채무자에게 고지할 필요가 없다.
⑤ 채권자는 가압류신청을 기각하거나 각하하는 결정에 대하여 이의신청을 할 수 있다.

해설 ④ 담보를 제공하게 하는 재판, 가압류신청을 기각하거나 각하하는 재판과 제2항의 즉시항고를 기각하거나 각하하는 재판은 채무자에게 고지할 필요가 없다[민사집행법 제281조(재판의 형식) 제3항].
① 채권이 조건이 붙어 있는 것이거나 기한이 차지 아니한 것인 경우에도 가압류를 할 수 있다[민사집행법 제276조(가압류의 목적) 제2항].
② 청구채권이나 가압류의 이유를 소명하지 아니한 때에도 가압류로 생길 수 있는 채무자의 손해에 대하여 법원이 정한 담보를 제공한 때에는 법원은 가압류를 명할 수 있다. 청구채권과 가압류의 이유를 소명한 때에는 법원은 담보를 제공하게 하고 가압류를 명할 수 있다[민사집행법 제280조(가압류명령) 제2항, 제3항].
③ 가압류신청에 대한 재판은 결정으로 한다[민사집행법 제281조(재판의 형식) 제1항].
⑤ 채권자는 가압류신청을 기각하거나 각하하는 결정에 대하여 즉시항고를 할 수 있다[민사집행법 제281조(재판의 형식) 제2항].

2020년 기출

06 보전처분과 관련한 다음 설명 중 옳지 않은 것은?

① 가압류에 대한 재판이 있은 뒤에 채권자나 채무자의 승계가 이루어진 경우에 가압류의 재판을 집행하려면 집행문을 덧붙여야 한다.
② 가압류에 대한 재판의 집행은 채권자에게 재판을 고지한 날부터 2주를 넘긴 때에는 하지 못한다. 가압류 재판의 집행은 채무자에게 재판을 송달하기 전에도 할 수 있다.
③ 가압류가 집행된 뒤에 3년간 본안의 소를 제기하지 아니한 때에는 채무자는 그 취소를 신청할 수 있으나 채무자가 아닌 이해관계인은 그 취소를 신청할 수 없다.

정답 05. ④ 06. ③

MEMO

④ 가압류법원이 채무자의 신청에 따라 채권자에게 상당한 기간 이내에 본안의 소를 제기하여 이를 증명하는 서류를 제출하거나 이미 소를 제기하였으면 소송계속사실을 증명하는 서류를 제출하도록 명하였음에도 불구하고 채권자가 그 기간 이내에 위 서류를 제출하지 아니한 때에는 법원은 채무자의 신청에 따라 결정으로 가압류를 취소하여야 한다.

⑤ 채권자가 위 ④항의 서류를 제출한 뒤에 본안의 소가 취하되거나 각하된 경우에는 그 서류를 제출하지 아니한 것으로 본다.

해설 ③ 채무자는 가압류이유가 소멸되거나 그 밖에 사정이 바뀐 때, 법원이 정한 담보를 제공한 때, 가압류가 집행된 뒤에 3년간 본안의 소를 제기하지 아니한 때 중 어느 하나에 해당하는 사유가 있는 경우에는 가압류가 인가된 뒤에도 그 취소를 신청할 수 있다. 가압류가 집행된 뒤에 3년간 본안의 소를 제기하지 아니한 때에 해당하는 경우에는 이해관계인도 취소를 신청할 수 있다[민사집행법 제288조(사정변경 등에 따른 가압류취소) 제1항 참조].

① 민사집행법 제292조(집행개시의 요건) 제1항
② 민사집행법 제292조(집행개시의 요건) 제2항, 제3항
④ 민사집행법 제287조(본안의 제소명령) 제1항, 제3항
⑤ 민사집행법 제287조(본안의 제소명령) 제4항

2020년 기출

07 보전처분과 관련한 다음 설명 중 옳지 않은 것은?

① 부동산에 대하여 가압류등기가 먼저 되고 나서 근저당권설정등기가 마쳐진 경우에 경매절차의 배당관계에서 가압류권자가 근저당권자보다 우선한다.

② 가압류 후 목적물이 제3자에게 양도된 경우에 채권자들이 모두 만족을 받고 난 후 잉여가 있으면 제3취득자에게 교부한다.

③ 토지에 대하여 가압류가 집행되어 있어도 토지의 수용으로 기업자가 그 소유권을 원시취득하면 가압류의 효력은 소멸되고, 토지에 대한 가압류가 수용보상금 청구권에 당연히 이전되지는 않는다.

④ 채권가압류의 효력은 제3채무자에게 채권가압류결정정본이 송달됨으로써 발생한다.

⑤ 채권가압류에 있어서 채권자가 채권가압류신청을 취하하면 채권가압류결정은 그로써 효력이 소멸되지만, 채권가압류결정정본이 제3채무자에게 이미 송달되어 채권가압류결정이 집행되었다면 그 취하통지서가 제3채무자에게 송달되었을 때에 비로소 그 가압류집행의 효력이 장래를 향하여 소멸된다.

07. ①, ②

MEMO

해설 원래 정답은 ①이었으나 이의일부수용하여 ①②를 복수정답처리함.

① 가압류명령의 집행은 가압류의 목적물에 대하여 채무자가 매매, 증여, 질권 등의 담보권 설정, 그 밖에 일체의 처분을 금지하는 효력을 생기게 한다. 가압류에 반하는 처분행위는 가압류채권자 및 처분행위 전에 집행에 참가한 자에 대한 관계에서만 무효일 뿐 처분행위 후에 집행에 참가한 채권자에 대하여는 그 처분의 유효를 주장할 수 있다는 '개별상대효설'이 통설, 판례이다. 따라서 부동산에 대하여 가압류등기가 먼저 되고 나서 근저당권설정등기가 마쳐진 경우에 그 근저당권등기는 가압류의 처분금지의 효력 때문에 그 집행보전의 목적을 달성하는 데 필요한 범위 안에서 가압류채권자에 대한 관계에서만 상대적으로 무효이다. 이 경우 가압류채권자와 근저당권자 및 근저당설정등기 후 강제경매신청을 한 압류채권자 사이의 배당관계에 있어서, 근저당권자는 선순위 가압류채권자에 대하여는 우선변제권을 주장할 수 없으므로 1차로 채권액에 따른 안분비례에 의하여 평등배당을 받은 다음, 후순위 경매신청압류채권자에 대하여는 우선변제권이 인정되므로 경매신청압류채권자가 받을 배당액으로부터 자기의 채권액을 만족시킬 때까지 이를 흡수하여 배당받을 수 있다(대판 1994.11.29. 94마417 결정).

② 부동산에 대한 가압류집행 후 가압류목적물의 소유권이 제3자에게 이전된 경우 가압류채권자는 집행권원을 얻어 제3취득자가 아닌 가압류채무자를 집행채무자로 하여 그 가압류를 본압류로 이전하는 강제집행을 실시할 수 있으나, 이 경우 그 강제집행은 가압류의 처분금지적 효력이 미치는 객관적 범위인 가압류결정 당시의 청구금액의 한도 안에서만 집행채무자인 가압류채무자의 책임재산에 대한 강제집행절차라 할 것이고, 나머지 부분은 제3취득자의 재산에 대한 매각절차라 할 것이므로, 제3취득자에 대한 채권자는 그 매각절차에서 제3취득자의 재산 매각대금 부분으로부터 배당을 받을 수 있다(대판 2005.7.29. 2003다40637). 따라서 해당지문의 출제의도는 강제집행시 배당을 전제로 한 지문이었으나, 지문에서 강제집행이나 배당을 전혀 언급하지 않고 일반적인 설명만 하고 있어서 지문의 객관성면에서 부적절한 지문으로 인정하였다.

③ '공익사업을 위한 토지 등의 취득 및 보상에 관한 법률' 제45조 제1항에 의하면, 토지수용의 경우 사업시행자는 수용의 개시일에 토지의 소유권을 취득하고 그 토지에 관한 다른 권리는 소멸하는 것인바, 수용되는 토지에 대하여 가압류가 집행되어 있더라도 토지 수용으로 사업시행자가 그 소유권을 원시취득하게 됨에 따라 그 토지 가압류의 효력은 절대적으로 소멸하는 것이고, 이 경우 법률에 특별한 규정이 없는 이상 토지에 대한 가압류가 그 수용보상금채권에 당연히 전이되어 효력이 미치게 된다거나 수용보상금채권에 대하여도 토지 가압류의 처분금지적 효력이 미친다고 볼 수는 없으며, 또 가압류는 담보물권과는 달리 목적물의 교환가치를 지배하는 권리가 아니고, 담보물권의 경우에 인정되는 물상대위의 법리가 여기에 적용된다고 볼 수도 없다. 그러므로 토지에 대하여 가압류가 집행된 후에 제3자가 그 토지의 소유권을 취득함으로써 가압류의 처분금지 효력을 받고 있던 중 그 토지가 공익사업법에 따라 수용됨으로 인하여 기존 가압류의 효력이 소멸되는 한편 제3취득자인 토지소유자는 위 가압류의 부담에서 벗어나 토지수용보상금을 온전히 지급받게 되었다고 하더라도, 이는 위 법에 따른 토지 수용의 효과일 뿐이지 이를 두고 법률상 원인 없는 부당이득이라고 할 것은 아니다(대판 2009.9.10. 2006다61536, 61543).

④ 민사집행법 제291조(가압류집행에 대한 본집행의 준용), 제227조(금전채권의 압류) 제3항 참조

⑤ 대판 2001.10.12. 2000다19373

MEMO

2020년 기출

08 **A는 B에게 금 1,000만원을 대여하고 그 금원을 지급받지 못해 B에 대하여 집행권원을 획득하기 전 보전처분을 하려고 한다. 다음 설명 중 가장 적절하지 않은 것은?**

① A가 B에 대하여 가지고 있는 채권이 금전채권이므로 B 소유 부동산을 처분하지 못하도록 부동산처분금지가처분 신청을 하여 결정을 받을 수 없다.

② 가압류는 가압류할 물건이 있는 곳을 관할하는 지방법원이나 본안의 관할법원이 관할하므로 A가 B에 대하여 본안 소송 전 가압류하려면 채권자 A 주소지 또는 채무자 B의 주소지 또는 물건이 있는 곳을 관할하는 법원을 선택하여 신청할 수 있다.

③ 법원은 A가 가압류신청시 청구채권이나 가압류의 이유를 소명하지 아니한 때에도 가압류로 생길 수 있는 채무자의 손해에 대하여 법원이 정한 담보를 제공한 때에는 법원은 가압류를 명할 수 있다.

④ 채무자 B는 가압류결정에 대하여 이의를 신청할 수 있고, 이의신청에는 가압류의 취소나 변경을 신청하는 이유를 밝혀야 한다.

⑤ 가압류가 집행된 뒤에 A가 3년간 본안의 소를 제기하지 아니한 때에는 가압류 취소를 신청할 수 있지만, 가압류가 인가된 뒤에는 그 취소를 신청할 수 없다.

해설 ⑤ 채무자는 1. 가압류 이유가 소멸되거나 그 밖에 사정이 바뀐 때 2. 법원이 정한 담보를 제공한 때 3. 가압류가 집행된 뒤에 3년간 본안의 소를 제기하지 아니한 때 중 어느 하나에 해당하는 사유가 있는 경우에는 가압류가 인가된 뒤에도 그 취소를 신청할 수 있다. 제3호에 해당하는 경우에는 이해관계인도 신청할 수 있다[민사집행법 제288조(사정변경 등에 따른 가압류취소) 제1항].

① 부동산처분금지가처분은 목적물에 대한 채무자의 소유권이전, 저당권, 전세권, 임차권의 설정 그 밖에 일체의 처분행위를 금지하고자 하는 가처분이다. 금전채권은 처분금지가처분의 피보전권리가 될 수 없다.

② 민사집행법 제278조(가압류법원) 참조

③ 민사집행법 제280조(가압류명령) 제2항 참조

④ 민사집행법 제283조(가압류결정에 대한 채무자의 이의신청) 제1항, 제2항 참조

08. ⑤

MEMO

2019년 기출

09 보전처분에 대한 다음 설명 중 옳지 않은 것은?

① 가압류 절차는 원칙적으로 상대방이 알 수 없는 상태에서 비밀리에 심리되고 발령되며 그 처분을 송달하기 전에 미리 집행에 착수하게 되는 것이 보통이다.
② 변론을 거칠 것인가, 서면심리에 의할 것인가, 소명만으로 발령할 것인가, 담보를 제공하게 할 것인가, 그 담보의 종류와 범위는 어떻게 할 것인가 등은 모두 법원의 자유재량에 속한다.
③ 보전처분은 장래의 권리실현에 대비하는 긴급한 조치이다.
④ 재판의 고지 또는 송달 후 2주일 내에 그 집행을 종료하여야 한다.
⑤ 피보전권리에 관하여 이미 확정판결을 가지고 있는 때에는 원칙적으로 보전의 필요성이 없다.

해설 보전처분의 집행력은 재판의 고지 또는 송달 후 2주일 내에 집행에 착수하지 않으면 상실된다[민사집행법 제292조(집행개시의 요건) 제2항]. 그러나 그 기간 내에 집행을 종료해야 하는 것은 아니다.
① 보전처분은 이를 미리 상대방에게 알리면 그 효과를 얻을 수 없기에 원칙적으로 상대방이 알 수 없는 상태에서 비밀리에 심리되고 발령되며 그 처분을 송달하기 전에 미리 집행에 착수하게 되는 것이 보통이다(밀행성).
② 보전절차에 있어서는 긴급성과 밀행성의 요구와 재판의 적정이라는 서로 상충되는 두 개의 요구를 개개의 사건에서 구체적으로 조화시키려는 목적으로 심리방법에 관하여 법원에 많은 자유재량을 주고 있다(자유재량성).
③ 보전처분은 장래의 권리실현에 대비하는 긴급한 조치이다(긴급성).
⑤ 채권자가 피보전권리에 관하여 이미 확정판결이나 그 밖의 집행권원(조정, 화해 등의 조서 또는 집행증서)을 가지고 있는 때에는 즉시 집행할 수 있는 상태에 있으므로 원칙적으로 보전의 필요성이 없다.

2023년 기출

10 보전처분의 집행에 관한 다음 설명 중 가장 적절하지 않은 것은?

① 부동산에 대한 가압류의 집행은 가압류재판에 관한 사항을 등기부에 기입하여야 한다.
② 제3채무자가 가압류 집행된 금전채권액을 공탁한 경우에는 그 가압류의 효력은 그 청구채권액에 해당하는 공탁금액에 대한 채무자의 출급청구권에 대하여 존속한다.
③ 보전처분은 채권자에게 결정서를 고지한 날로부터 2주 내에 착수하여 그 기간 내에 집행을 종료하여야 한다.

09. ④ 10. ③

MEMO

④ 가압류명령에는 가압류의 집행을 정지시키거나 집행한 가압류를 취소시키기 위하여 채무자가 공탁할 금액을 적어야 한다.

⑤ 유체동산의 가압류는 집행관이 이를 집행한다.

해설 ③ 보전처분의 집행력은 재판의 고지 또는 송달 후 2주일 내에 집행에 착수하지 않으면 상실된다(민사집행법 제292조 제2항). 그러나 그 기간 내에 집행을 종료해야 하는 것은 아니다.

① 민사집행법 제293조(부동산가압류집행) 제1항

② 민사집행법 제297조(제3채무자의 공탁)

④ 민사집행법 제282조(가압류해방금액)

⑤ 동산에 대한 가압류의 집행은 압류와 같은 원칙에 따라야 한다[민사집행법 제296조(동산가압류집행) 제1항]. 따라서 유체동산의 경우라도 가압류결정은 법원(법관)이 하지만, 집행기관은 본집행과 마찬가지로 집행관이 된다.

2022년 기출

11 보전처분의 집행에 관한 다음 설명 중 가장 적절하지 않은 것은?

① 부동산에 대한 가압류의 집행은 법원사무관 등이 등기관에 촉탁하여 가압류명령을 부동산등기부에 기입(기록)하는 방법을 이용하고 있다.

② 채권가압류는 채무자에게 가압류결정문이 송달된 때에 효력이 발생한다.

③ 보전처분의 집행력은 그 명령의 성립과 동시에 발생하므로 그 명령의 확정을 기다릴 필요가 없다.

④ 보전처분의 집행력은 재판의 고지 후 2주일 내에 집행에 착수하지 않으면 상실된다.

⑤ 유체동산에 대한 가압류 집행은 집행관이 이를 집행한다.

해설 채권가압류는 제3채무자에게 가압류결정정본이 송달된 때 효력이 발생한다.

① 부동산에 대한 가압류의 집행은 가압류재판에 관한 사항을 등기부에 기입하여야 한다[민사집행법 제293조(부동산가압류집행) 제1항]. 가압류등기는 법원사무관등이 촉탁한다(민사집행법 제293조 제3항).

③ 보전처분의 집행력은 그 명령 성립과 동시에 발생하고 그 명령의 확정을 기다릴 필요가 없다. 따라서 가집행선고를 붙일 여지가 없으며, 보전명령 발령법원이 동시에 집행기관인 경우에는 실무상 집행신청을 기다리지 않고 집행에 착수한다.

④ 보전처분의 집행력은 재판의 고지 또는 송달 후 2주일 내에 집행에 착수하지 않으면 상실된다[민사집행법 제292조(집행개시의 요건) 제2항 참조].

⑤ 가압류의 집행에 대하여는 강제집행에 관한 규정을 준용한다[민사집행법 제291조(가압류집행에 대한 본집행의 준용)]. 채무자가 점유하고 있는 유체동산의 압류는 집행관이 그 물건을 점유함으로써 한다[민사집행법 제189조(채무자가 점유하고 있는 물건의 압류) 제1항 본문].

11. ②

MEMO

2018년 기출

12 다음 중 보전처분집행의 특색으로 옳지 않은 것은?

① 당사자의 승계가 있는 경우에도 승계집행문이 필요하지 않다.
② 보전처분을 명하는 재판에는 가집행선고를 붙일 필요가 없다.
③ 채무자에게 송달하기 전에도 집행할 수 있다.
④ 재판의 고지 또는 송달 후 2주일 내에 집행에 착수하여야 한다.
⑤ 2주일의 기간 내에 집행하지 않으면 보전처분은 그 집행력을 잃는다.

해설 강제집행과 달리 보전명령의 집행에는 원칙적으로 집행문의 부여를 필요로 하지 아니하는 것인데 예외적으로 민사집행법 제292조 제1항의 규정에 따라 보전명령이 발령후 그 집행이 이루어지기 전에 채권자 또는 채무자의 승계가 있어 그 승계인에 대하여 또는 승계인이 집행을 함에는 승계집행문을 받아야 하고 위 승계에는 일반승계 이외에 특정승계도 포함된다.

②③ 가압류에 대한 재판의 집행은 채무자에게 재판을 송달하기 전에도 할 수 있다(민사집행법 제292조 제3항). 가처분절차에는 가압류절차에 관한 규정을 준용한다(동법 제301조 본문). 따라서 보전처분을 명하는 재판에는 가집행선고를 붙일 필요가 없다.

④⑤ 가압류에 대한 재판의 집행은 채권자에게 재판을 고지한 날부터 2주를 넘긴 때에는 하지 못한다(동법 제292조 제2항). 즉, 재판의 고지 또는 송달 후 2주일 내에 집행에 착수하여야 한다. 2주일의 기간 내에 집행하지 않으면 보전처분은 그 집행력을 잃는다.

2017년 기출

13 보전처분에 관한 다음 설명 중 옳은 것은?

① 다툼의 대상에 대한 가처분의 피보전권리는 금전채권이나 금전으로 환산할 수 있는 채권이어야 한다.
② 해방공탁에 관한 가압류의 규정은 가처분의 경우에도 인정된다.
③ 가압류의 피보전권리는 특정물에 대한 이행청구권이어야 한다.
④ 관할권 없는 법원에 가압류 신청이 있으면 그 사건을 각하하여야 한다.
⑤ 피보전권리에 관하여 이미 확정판결이나 그 밖의 집행권원(조정, 화해 등의 조서 또는 집행증서)을 가지고 있는 때에는 원칙적으로 보전의 필요성이 없다.

해설 확정판결을 받기 전에 미리 채무자의 일반재산이나 다툼의 대상(계쟁물)의 현상을 동결시켜 두거나 임시로 잠정적인 법률관계를 형성시켜 두는 조치를 함으로써 나중에 확정판결을 얻었을 때 그 판결의 집행을 용이하게 하고, 그때까지 채권자가 입게 될지 모르는 손해를 예방할 수 있는 수단으로서 강구된 것이 바로 보전처분이다. 피보전권리에 관하여 이미 확정판결이나 그 밖의 집행권원(조정, 화해 등의 조서 또는 집행증서)을 가지고 있는 때에는 원칙적으로 보전의 필요성이 없다.

12. ① 13. ⑤

MEMO

① 다툼의 대상에 대한 가처분은 비금전채권의 집행을 보전하기 위하여 현재의 상태를 유지시키도록 하는 보전처분이다. 청구권을 보전하기 위한 제도임에는 가압류와 같으나 그 청구권이 금전채권이 아니라는 점과 그 대상이 채무자의 일반재산이 아닌 특정 물건이나 권리라는 점에서 다르다. 따라서 금전채권으로는 다툼의 대상이 되는 가처분이 허용되지 않는다.
② 가압류명령에는 가압류의 집행을 정지시키거나 집행한 가압류를 취소시키기 위하여 채무자가 공탁할 금액을 적어야 한다(민사집행법 제282조). 즉, 법원은 가압류결정을 할 때 채무자가 채권자의 청구금액을 공탁하고 이를 증명하여 가압류의 집행을 정지시키거나 집행한 가압류의 취소를 청구할 수 있음을 기재한다. 이를 해방공탁이라고 한다. 가처분절차에는 가압류절차에 관한 규정을 준용한다. 다만, 아래의 여러 조문과 같이 차이가 나는 경우에는 그러하지 아니하다(민사집행법 제301조). 특별한 사정이 있는 때에는 담보를 제공하게 하고 가처분을 취소할 수 있다(민사집행법 제307조 제1항). 소송물인 권리 또는 법률관계가 이행되는 것과 같은 내용의 가처분을 명한 재판에 대하여 이의신청이 있는 경우에 이의신청으로 주장한 사유가 법률상 정당한 사유가 있다고 인정되고 주장사실에 대한 소명이 있으며, 그 집행에 의하여 회복할 수 없는 손해가 생길 위험이 있다는 사정에 대한 소명이 있는 때에는 법원은 당사자의 신청에 따라 담보를 제공하게 하거나 담보를 제공하게 하지 아니하고 가처분의 집행을 정지하도록 명할 수 있고, 담보를 제공하게 하고 집행한 처분을 취소하도록 명할 수 있다(민사집행법 제309조 제1항). 따라서 해방공탁에 관한 가압류의 규정이 가처분의 경우에도 인정되는 것이 아니라 별도의 규정에 따라 규율된다.
③ 가압류의 피보전권리는 금전채권이나 금전으로 환산할 수 있는 채권이어야 하고, 다툼의 대상에 관한 가처분의 피보전권리가 특정물에 대한 이행청구권이어야 한다.
④ 보전처분의 신청이 소송요건을 흠결하는 등으로 부적법하거나 피보전권리 또는 보전의 필요성이 없는 등으로 그 이유가 없는 때 또는 법원이 명한 담보를 제공하지 아니한 때에는 그 신청을 배척하는 재판을 한다. 실무상으로는 소송요건에 흠이 있거나 법원이 명한 담보를 제공하지 아니한 때에는 신청각하, 보전처분의 신청이 이유가 없으면 신청기각의 재판을 하는 것이 보통이다. 반면 관할권 없는 법원에 보전처분(가압류, 가처분) 신청이 있으면 사건을 관할법원에 이송하는 것이 원칙이다. 관할권 없음을 간과하고 보전처분을 하였을 때에는 상소나 또는 이의가 있으면 취소사유가 된다. 그러나 관할권이 없는 법원이 발한 보전처분도 상소나 이의에 의하여 취소되지 않는 한 유효하며, 재심사유가 되지 아니하므로 확정되면 관할위반의 흠이 치유된다.

2024년 기출

14 다음 중 가압류의 대상에 해당하지 않는 것은?

① 등기된 토지
② 등기된 건물
③ 건설업면허권
④ 광업권
⑤ 어업권

14. ③

MEMO

해설 ③ 가압류는 금전채권이나 금전으로 환산할 수 있는 채권에 대하여 동산 또는 부동산에 대한 강제집행을 보전하기 위하여 할 수 있다(민사집행법 제276조(가압류의 목적)). 건설업면허권은 금전채권이나 금전을 환산할 수 있는 채권이 아니라 건설업을 합법적으로 영위할 수 있는 자격에 불과하여 강제집행의 대상으로 삼기에 부적합하므로 가압류의 대상도 되지 아니한다. 판례도 '건설업법 제6조, 제7조, 제9조, 제16조의2, 제13조, 제15조의 규정에 의하면, 건설부장관의 인가를 받아 건설업의 양도가 적법하게 이루어지면 건설업면허는 당연히 양수인에게 이전되는 것일 뿐, 건설업을 떠난 건설업면허 자체는 건설업을 합법적으로 영위할 수 있는 자격에 불과한 것으로서 양도가 허용되지 아니하는 것이라 할 것이므로, 결국 건설업자의 건설업면허는 법원이 강제집행의 방법으로 이를 압류하여 환가하기에는 적합하지 아니한 것이라 할 것이다'라고 판시하였다(대법원 1994.12.15. 94마1802, 94마1803 결정).

2024년 기출

15 **채권자가 채무자의 재산에 가압류를 신청하여 결정을 받은 경우 다음 중 채무자의 대응 방법으로 가장 적절하지 않은 것은?**

① 가압류에 대한 이의신청
② 사정변경에 따른 가압류 취소신청
③ 본안의 제소명령 신청
④ 해방공탁신청
⑤ 본집행으로 이전신청

해설 ⑤ 채권자가 채무자의 재산에 가압류를 신청하여 결정을 받은 후 판결이 확정되면 채권자는 가압류를 본압류로 이전하는 청구를 할 수 있다. 따라서 본집행으로 이전신청은 채무자의 대응방법이 아니다.

① 보전처분은 원칙적으로 채무자를 심문하지 않고 채권자의 일방적인 소명에 의하여 발령하는 것이고, 일단 보전처분이 발령되면 채무자는 자신의 재산의 처분이 금지됨으로 인하여 큰 고통을 받게 된다. 따라서 법은 채무자의 이익보호를 위하여 각종의 구제절차를 마련하고 있는 바, 이를 크게 보전처분의 신청 내지 보전처분의 당부를 재심사하는 '이의절차'와 보전처분의 당부를 심사하는 것이 아니라 현재의 보전처분을 유지할 필요가 없게 되었다는 이유로 그 취소를 구하는 '취소절차'로 나눌 수 있다. 채무자는 가압류결정에 대하여 이의를 신청할 수 있다(민사집행법 제283조(가압류결정에 대한 채무자의 이의신청) 제1항).

② 보전처분의 발령 후 보전처분의 이유가 소멸되거나 그 밖에 사정이 바뀌어 보전처분을 유지함이 상당하지 않게 된 때, 보전처분 집행후 3년간 본안의 소송을 제기하지 아니한 때에는 채무자는 그 보전처분이 인가된 뒤에도 보전처분의 취소를 구할 수 있다(민사집행법 제288조(사정변경 등에 따른 가압류 취소) 제1항 제1호, 제3호 참조).

③ 채무자는 보전처분이 발령되어 유효하게 존속함에도 불구하고 채권자가 본안소송을 제기하지 않는 경우 가압류법원이 채권자에게 제소명령을 하여 줄 것을 함께 신청할 수 있다(민사집행법 제287조(본안의 제소명령) 참조).

15. ⑤

MEMO

④ 가압류는 금전채권의 집행보전을 목적으로 채무자의 일반재산을 확보하는 제도이므로 채무자가 적당한 담보를 제공한다면 가압류할 필요성은 사라진다. 이에 채무자는 가압류결정상의 해당 금액을 공탁하고 가압류집행의 취소 또는 정지를 구할 수 있다(민사집행법 제282조(가압류해방금액) 참조).

2023년 기출

16 다음 중 가압류의 피보전권리와 가장 거리가 먼 것은?

① 손해배상청구권
② 대여금청구권
③ 공사대금청구권
④ 물품대금청구권
⑤ 건물명도청구권

해설 ⑤ '가압류'는 금전채권이나 금전으로 환산할 수 있는 채권의 집행을 위한 보전처분으로서 앞으로 집행의 대상이 될 수 있는 재산을 임시로 동결시켜 두는 조치이다. 건물명도청구권은 특정물에 대한 이행청구권으로 가압류의 피보전권리가 될 수 없다.

2022년 기출

17 가압류에 관한 다음 설명 중 가장 적절하지 않은 것은?

① 가압류는 금전채권이나 금전으로 환산할 수 있는 채권의 강제집행을 보전하기 위하여 할 수 있다.
② 금전채권이 조건이 붙어 있는 것이거나 기한이 차지 아니한 것인 경우에도 가압류를 할 수 있다.
③ 가압류신청에 대한 재판은 변론 없이 할 수 없다.
④ 가압류는 보전의 필요성이 있어야 한다.
⑤ 가압류는 가압류할 물건이 있는 곳을 관할하는 지방법원이나 본안의 관할법원이 관할한다.

해설 보전처분의 심리방식으로는 서면심리, 심문을 거치는 심리, 변론심리의 3가지가 있을 수 있다. 이 점이 필요적 변론의 원칙 때문에 변론심리를 하여야 하는 판결절차와 다르다. 서면심리의 방식은 채권자가 제출한 신청서나 소명자료 등 서면만에 기하여 재판을 행하는 것이다. 따라서 사실상 채무자 모르는 사이에 가압류명령이 발하여 지게 된다. 실무상 보통 변론없이 하는 이유는 변론을 하게 되면 채무자가 보전처분의 신청을 알게 되어 재산을 은닉하거나 처분하여 집행의 실효성을 거둘 수 없기 때문이다.

① 가압류는 금전채권이나 금전으로 환산할 수 있는 채권에 대하여 동산 또는 부동산에 대한 강제집행을 보전하기 위하여 할 수 있다[민사집행법 제276조(가압류의 목적) 제1항].

16. ⑤ 17. ③

MEMO

② 제1항의 채권이 조건이 붙어 있는 것이거나 기한이 차지 아니한 것인 경우에도 가압류를 할 수 있다[민사집행법 제276조(가압류의 목적) 제2항].
④ 가압류의 요건은 '1. 피보전권리가 있을 것 2. 보전의 필요성이 있을 것'이다. 가압류는 이를 하지 아니하면 판결을 집행할 수 없거나 판결을 집행하는 것이 매우 곤란할 염려가 있을 경우에 할 수 있다[민사집행법 제277조(보전의 필요)].
⑤ 가압류는 가압류할 물건이 있는 곳을 관할하는 지방법원이나 본안의 관할법원이 관할한다[민사집행법 제278조(가압류법원)].

2019년 기출

18 **가압류에 대한 다음 설명 중 옳지 않은 것은?**

① 채권의 가압류는 제3채무자에게 채무자에 대한 지급을 금지하는 명령이 기재된 가압류재판정본을 송달함으로써 집행한다.
② 동일한 대상물에 대한 가압류 경합이 있는 경우 가압류채권자 상호간에는 원칙적으로 우열이 없다.
③ 채무자는 가압류의 결정 내지 집행에 대하여 가압류를 결정한 법원의 상급법원에 이의를 신청할 수 있다.
④ 이의신청이 있는 때에는 법원은 변론기일 또는 당사자 쌍방이 참여할 수 있는 심문기일을 정하여야 한다.
⑤ 토지에 대하여 가압류가 집행되어 있어도 토지의 수용으로 기업자가 그 소유권을 원시취득하면 가압류의 효력은 소멸되는데, 토지에 대한 가압류가 수용보상금 청구권에 당연히 이전되지는 않는다.

해설 보전처분의 이의사건은 보전처분을 발령한 법원의 전속관할에 속한다.
① 채권의 가압류는 제3채무자에게 채무자에 대한 지급을 금지하는 명령이 기재된 가압류재판정본을 송달함으로써 집행한다. 집행법원은 가압류명령을 한 법원이 되며, 법원은 따로 집행신청을 기다리지 않고 가압류발령과 동시에 제3채무자에게 정본을 송달한다. 가압류의 효력은 제3채무자에게 정본이 송달됨으로써 발생한다.
② 동일한 대상물에 대한 가압류 경합이 있는 경우 가압류채권자 상호간에는 원칙적으로 우열이 없다(채권자평등의 원칙).
④ 이의신청이 있는 때에는 법원은 변론기일 또는 당사자 쌍방이 참여할 수 있는 심문기일을 정하고 당사자에게 이를 통지하여야 한다[민사집행법 제286조(이의신청에 대한 심리와 재판) 제1항].

18. ③

MEMO

⑤ 「공익사업을 위한 토지 등의 취득 및 보상에 관한 법률」 제45조 제1항에 의하면, 토지 수용의 경우 사업시행자는 수용의 개시일에 토지의 소유권을 취득하고 그 토지에 관한 다른 권리는 소멸하는 것인바, 수용되는 토지에 대하여 가압류가 집행되어 있더라도 토지 수용으로 사업시행자가 그 소유권을 원시취득하게 됨에 따라 그 토지 가압류의 효력은 절대적으로 소멸하는 것이고, 이 경우 법률에 특별한 규정이 없는 이상 토지에 대한 가압류가 그 수용보상금채권에 당연히 전이되어 효력이 미치게 된다거나 수용보상금채권에 대하여도 토지 가압류의 처분금지적 효력이 미친다고 볼 수는 없으며, 또 가압류는 담보물권과는 달리 목적물의 교환가치를 지배하는 권리가 아니고, 담보물권의 경우에 인정되는 물상대위의 법리가 여기에 적용된다고 볼 수도 없다. 그러므로 토지에 대하여 가압류가 집행된 후에 제3자가 그 토지의 소유권을 취득함으로써 가압류의 처분금지 효력을 받고 있던 중 그 토지가 공익사업법에 따라 수용됨으로 인하여 기존 가압류의 효력이 소멸되는 한편 제3취득자인 토지소유자는 위 가압류의 부담에서 벗어나 토지수용보상금을 온전히 지급받게 되었다고 하더라도, 이는 위 법에 따른 토지 수용의 효과일 뿐이지 이를 두고 법률상 원인 없는 부당이득이라고 할 것은 아니다(대판 2009.9.10. 2006다61536,61543).

2018년 기출

19 가압류의 결정 내지 집행 이후의 상황에 관한 다음 설명 중 옳은 것은?

① 채무자는 가압류의 결정 내지 집행에 대하여 가압류를 결정한 법원의 상급법원에 이의를 신청할 수 있다.

② 채무자의 이의신청을 수리한 법원은 채권자와 채무자의 소환 없이 서면으로 하급법원이 내린 가압류 결정의 인용 또는 취소를 결정한다.

③ 채무자가 가압류에 의한 이의신청을 하면서, 채권자에게 제소명령을 내려줄 것을 신청하는 것은 법원의 재량권을 침해하는 것이므로 허용되지 않는다.

④ 채무자는 채권자의 청구금액을 공탁하고 이를 증명함으로써, 가압류 집행의 정지를 청구하거나 이미 집행된 가압류의 취소를 청구할 수 있다.

⑤ 채무자가 채권자와 화해하여 집행을 취소하겠다는 합의를 얻어낸 때에는 법원의 가압류 취소결정이 없더라도 가압류된 물건에 대한 봉인 등의 표시를 제거할 수 있다.

해설 가압류명령에는 가압류의 집행을 정지시키거나 집행한 가압류를 취소시키기 위하여 채무자가 공탁할 금액을 적어야 한다(민사집행법 제282조). 즉, 법원은 가압류결정을 할 때 채무자가 채권자의 청구금액을 공탁하고 이를 증명하여 가압류의 집행을 정지시키거나 집행한 가압류의 취소를 청구할 수 있음을 기재하는데, 이를 '해방공탁'이라고 한다.

① 채무자는 가압류의 결정 내지 집행에 대하여 가압류를 결정한 법원에 이의를 신청할 수 있다.

19. ④

MEMO

② 보전처분에 대한 이의는 지급명령에 대한 이의와 같이 심급에서의 불복신청으로서 변론 또는 당사자 쌍방이 참여할 수 있는 심문을 거쳐 다시 보전처분신청의 당부를 심리 판단하여 달라는 신청으로 보는 것이 통설이다.
③ 보전처분이 발령되어 유효하게 존속함에도 불구하고 채권자가 본안소송을 제기하지 않는 이상 채무자는 보전처분의 발령법원에 본안의 제소명령을 신청할 수 있다. 따라서 채무자가 가압류에 의한 이의신청을 하면서, 채권자에게 제소명령을 내려줄 것을 신청하는 것은 법원의 재량권을 침해하는 것이 아니어서 허용된다.
⑤ 채무자가 채권자와 화해하여 집행을 취소하겠다는 합의를 얻어낸 때라도 법원의 가압류 취소결정이 있어야 가압류된 물건에 대한 봉인 등의 표시를 제거할 수 있다.

2017년 기출

20 다음 표에 열거한 사항은 부동산 가압류를 위한 업무절차이다. 일반적인 절차를 순서대로 가장 적절하게 연결한 것은?

> ㉮ 담보제공 명령 및 담보제공
> ㉯ 채무자의 재산조사와 부동산 소유 확인
> ㉰ 부동산 가압류 신청
> ㉱ 부동산 가압류 기입등기 촉탁
> ㉲ 부동산 가압류 결정

① ㉯ → ㉰ → ㉮ → ㉲ → ㉱
② ㉰ → ㉲ → ㉮ → ㉱ → ㉯
③ ㉰ → ㉮ → ㉱ → ㉲ → ㉯
④ ㉰ → ㉮ → ㉯ → ㉱ → ㉲
⑤ ㉯ → ㉰ → ㉱ → ㉮ → ㉲

해설 ㉯ 우선 채무자의 재산을 조사하여 가압류할 대상이 된 부동산의 채무자 소유여부를 확인한다. → ㉰ 이후 부동산 가압류신청서를 작성하여 법원에 제출한다. → ㉮ 신청서를 접수한 법원은 담보제공명령을 내리고 신청한 채권자는 법원이 명한 담보를 제공한다. → ㉲ 법원은 부동산가압류결정을 내린다. → ㉱ 법원은 직권으로 관할등기소에 부동산 가압류 기입등기를 촉탁한다.

20. ①

MEMO

2017년 기출

21 가압류신청에 대한 다음 설명 중 옳은 것은?

① 유체동산가압류는 결정문이 채무자에게 송달된 날로부터 14일 이내에 유체동산 소재지 관할법원 집행관에게 가압류 집행 신청을 해야 한다.
② 채권가압류는 신속한 보전을 목적으로 하므로 제3채무자에게 송달 불능 시 공시송달로 14일이 경과하면 효력이 발생한다.
③ 채권가압류의 경우 제3채무자에 대한 진술최고 신청은 필수요건으로 진술최고 신청서가 누락되면 가압류의 효력이 없다.
④ 채권가압류 신청 시 제3채무자가 국가인 경우, 제3채무자는 "대한민국 위 법률상 대표자 법무부장관 ○○○"로 표시하고 소관처(부서) 등을 기재한다.
⑤ 부동산가압류 신청서 제출 시 법원의 담보제공 명령 전에 미리 보증보험증권을 발급받아 첨부하는 선(先) 담보제공은 허용되지 않는다.

해설 채권가압류 신청 시 제3채무자가 국가인 경우, 제3채무자는 "대한민국 위 법률상 대표자 법무부장관 ○○○"로 표시하고 소관처(부서) 등을 기재한다.

① 유체동산가압류는 결정문이 신청인(채권자)에게 송달된 날로부터 14일 이내에 유체동산 소재지 관할법원 집행관에게 위임하여 유체동산에 가압류 표지를 부착시켜야 한다.
② 채권가압류의 경우에는 결정문이 제3채무자에게 송달되지 못하면 법원은 채권자에게 제3채무자의 주소를 보정할 것을 명하고 일정한 기간 동안 송달되지 않으면 가압류결정의 효력이 상실된다(집행불능). 즉, 채권가압류결정문의 제3채무자에 대한 송달은 소장의 송달과는 달리 제3채무자가 실제로 결정문을 송달받아야만 효력이 발생한다.
③ 채권가압류의 경우 가압류명령이 송달된 후에는 제3채무자에게 채권이 존재하는지 여부 등에 대하여 진술해 줄 것을 법원에 신청할 수 있다. 이러한 제3채무자에 대한 진술최고 신청은 필수요건은 아니므로 진술최고 신청서가 누락되더라도 가압류의 효력에는 영향이 없다.
⑤ 부동산가압류 신청서 제출 시 법원의 담보제공 명령 전에 미리 청구금액의 10%에 해당하는 지급보증서 또는 보증보험증권을 발급받아 첨부하는 선(先) 담보제공은 허용된다.

21. ④

2015년 기출

22 **다음 표는 부동산에 대한 가압류집행과 강제집행압류의 차이를 간단히 비교한 것이다. 가장 적절하지 않은 것은?**

	구분	가압류	압류
①	제도의 의의	집행보전	본집행(압류 → 현금화 → 배당)의 1단계
②	관할법원	가압류할 물건이 있는 곳의 관할법원 또는 본안의 관할법원	압류할 물건이 있는 곳의 관할법원
③	집행권원의 송달	채무자 앞 송달 불필요	채무자 앞 송달 필요
④	집행기간	채권자에게 재판을 고지한 날로부터 2주간	기간 제한 없음
⑤	집행문의 부여 필요 여부	필요	불필요

해설 가압류는 나중에 확정판결을 얻었을 때, 그 판결의 집행을 용이하게 하고 그때까지 채권자가 입게 될지 모르는 손해를 예방할 수 있는 수단으로 강구된 것이다. 따라서 가압류는 판결문 등의 집행권원을 얻기 전의 조치이므로 집행문이 존재할 수 없고, 강제집행(압류) 시는 집행문이 필요하다.

③ 가압류는 집행권원을 얻기 전 보전조치이므로 집행권원의 송달이 있을 수 없고, 압류는 채무자 앞으로 송달이 필요하다.

④ 가압류에 대한 재판의 집행기간은 명시(민사집행법 제292조 제2항)하고 있으나 압류의 경우는 이러한 제한규정을 두고 있지 않다. 이와 같이 가압류에만 집행기간을 둔 취지는 보전처분이 발령 당시의 급박한 상황하에서 응급조치로 행하여지기 때문에 즉시 집행하도록 하는 것이 순리이기 때문이다.

22. ⑤

MEMO

2015년 기출

23 다음 사례와 관련한 설명으로 가장 올바른 것은?

일자	변동사항
2015년 2월 1일	A는 B에게 1억 원을 빌려주면서 차용증을 받았다. * 상환기일 : 2015년 6월 30일
2015년 4월 1일	B는 C에게 자신이 소유한 J주택을 보증금 1억 원에 임대하는 계약을 체결하였다.
2015년 5월 1일	C는 J주택에 입주하여 전입신고 하고 확정일자를 받았다.
2015년 5월 31일	D는 B에게 1억 원을 빌려주면서 J주택에 저당권을 취득하였다. * 상환기일 : 2015년 7월 31일
2015년 7월 31일	A는 B가 채무를 이행하지 아니함에 따라 채무의 이행을 촉구하면서 민사소송을 제기할 것임을 통지하였다.

① A는 B에게 1억 원을 빌려주면서 받은 차용증에 대하여 공증을 받지 않은 경우에는 소송에서 증거자료로서 제출할 수 없다.
② B의 C에 대한 J주택 임대행위는 A에 대하여 당연히 사해행위에 해당된다.
③ C는 J주택이 경매되더라도 보증금에 대하여 A 또는 D보다 우선하여 변제받을 권리가 있다.
④ D의 저당권은 부동산등기사항증명서(부동산등기부등본)에 기재되지 아니하여도 효력이 있다.
⑤ A의 B에 대한 민사소송의 제기통지는 J주택에 대한 가압류와 동일한 효력이 있다.

해설 전입신고와 확정일자를 받은 임차인은 대항력과 우선변제권이 있으므로 임차인 C는 J주택이 경매되더라도 보증금에 대하여 일반채권자 A나 후순위저당권자 D보다 우선하여 변제받을 권리가 있다.

① 차용증은 처분문서로서 공증(정확히는 사서증서 인증)을 받지 않은 경우라도 증거자료로 제출할 수 있다.
② 판례는 "채무자가 채무초과상태에서 채무자 소유의 유일한 주택에 대하여 주택임대차보호법 제8조(소액보증금 최우선변제관련) 소정의 임차권을 설정해 준 행위는 채무초과상태에서 담보제공행위로서 채무자의 총재산의 감소를 초래하는 행위가 되는 것이고, 따라서 그 임차권설정행위는 사해행위취소의 대상이 된다고 할 것이다."라고 나와 있다(대판 2005.5.13. 2003다50771). 따라서 J주택이 채무자의 유일한 재산임이 확정되지 않은 상태에서 B의 C에 대한 J주택 임대행위가 A에 대하여 당연히 사해행위에 해당된다고 볼 수는 없다.
④ 저당권의 성립요건은 저당권설정계약과 저당권설정등기이다. 따라서 D의 저당권은 부동산등기사항증명서(부동산등기부등본)에 기재되지 아니하면 효력이 없다.
⑤ 민사소송의 제기통지라는 것이 채권자의 통지인지 법원의 소장부본의 송달을 의미하는지 애매하지만 민사소송절차와 가압류절차는 별개의 절차로서 A의 B에 대한 민사소송의 제기통지가 J주택에 대한 가압류와 동일한 효력이 있는 것은 아니다.

23. ③

MEMO

2019년 기출

24 배당할 금액이 2,000만원이고, 1번 가압류채권자 갑의 채권이 1,000만원, 2번 가압류채권자 을의 채권이 2,000만원, 3번 가압류채권자 병의 채권이 1,000만원이라면 갑·을·병에게 배당되어야 할 금액으로 맞는 것은?

구분	갑	을	병
①	1,000만원	1,000만원	0원
②	500만원	1,000만원	500만원
③	1,000만원	500만원	500만원
④	500만원	1,500만원	0원
⑤	2,000만원	0원	0원

해설 매각대금으로 배당에 참가한 모든 채권자를 만족하게 할 수 없는 때에는 법원은 민법·상법, 그 밖의 법률에 의한 우선순위에 따라 배당하여야 한다[민사집행법 제145조(매각대금의 배당) 제2항]. 물권과 채권이 충돌하면 물권이 우선하나, 채권상호간에는 채권자 평등의 원칙에 따라서 우열이 없이 그 채권의 성립시기, 효력발생 시기를 불문하고 동순위로서 채권액에 따라 안분배당하게 된다.
따라서, 갑, 을, 병은 모두 가압류채권자여서 우열이 없으므로 각 채권액에 따라 안분배당을 하면 갑은 500만원(=2,000만원×1,000만원/4,000만원)을, 을은 1,000만원(=2,000만원×2,000만원/4,000만원)을, 병은 500만원(=2,000만원×1,000만원/4,000만원)을 배당받게 된다.

2019년 기출

25 다음은 유체동산 가압류 신청서에 원칙적으로 반드시 기재하거나 첨부할 사항이다. 가장 적절하지 않은 것은?

① 채권자와 채무자의 성명과 주소
② 피보전채권에 대한 집행권원
③ 청구채권과 피보전권리의 요지
④ 신청취지와 신청이유
⑤ 가압류 진술서

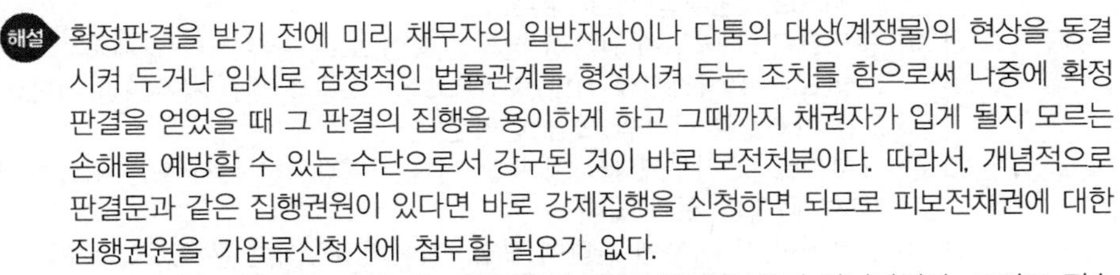
해설 확정판결을 받기 전에 미리 채무자의 일반재산이나 다툼의 대상(계쟁물)의 현상을 동결시켜 두거나 임시로 잠정적인 법률관계를 형성시켜 두는 조치를 함으로써 나중에 확정판결을 얻었을 때 그 판결의 집행을 용이하게 하고 그때까지 채권자가 입게 될지 모르는 손해를 예방할 수 있는 수단으로서 강구된 것이 바로 보전처분이다. 따라서, 개념적으로 판결문과 같은 집행권원이 있다면 바로 강제집행을 신청하면 되므로 피보전채권에 대한 집행권원을 가압류신청서에 첨부할 필요가 없다.

⑤ 가압류를 신청하는 경우에 가압류신청 진술서를 첨부하지 아니하거나, 고의로 진술사항을 누락하거나 허위로 진술한 내용이 발견된 경우에는 특별한 사정이 없는 한

정답 24. ② 25. ②

MEMO

보정명령 없이 신청을 기각할 수 있다[보전처분 신청사건의 사무처리요령(재판예규 제1229호 제3조)]. 따라서, 모든 가압류 사건에는 가압류신청 진술서를 첨부하여야 하므로 유체동산 가압류신청서에 가압류 진술서를 첨부하여야 한다.

2014년 기출

26 유체동산 가압류절차에 관한 설명으로 틀린 것은?

① 통상 가압류할 유체동산을 그 소재한 장소별로 특정하여 신청하여야 한다.
② 원칙적으로 가압류물을 현금화하지 못하고 배당절차가 없다.
③ 가압류물을 즉시 처분하지 아니하면 값이 크게 떨어질 염려가 있는 경우에는 집행관이 현금화할 수 있다.
④ 가압류물 보관에 지나치게 많은 비용이 드는 경우에는 집행관이 현금화할 수 있다.
⑤ 집행관은 가압류물을 매각한 때에는 그 매각대금을 공탁하여야 한다.

해설 유체동산가압류의 경우에는 통상 가압류할 유체동산을 특정하지 아니하고 채무자의 유체동산 전체를 그 대상으로 신청하는 것이 일반적이나 가압류할 유체동산의 종류와 장소 등으로 특정하는 경우도 있다.

2022년 기출

27 가압류된 물건에 대하여 집행관이 봉한 봉인 등의 표시를 제거하고 처분하였을 때의 죄책은?

① 공무상비밀표시무효죄
② 횡령죄
③ 사기죄
④ 절도죄
⑤ 공용물의 파괴죄

해설 가압류된 물건에 대하여 집행관이 봉한 봉인 등 표시를 제거하고 처분하였을 때 공무상비밀표시무효죄가 성립한다. 다음 조문 참조

> **형법 제140조【공무상비밀표시무효】**
> ① 공무원이 그 직무에 관하여 실시한 봉인 또는 압류 기타 강제처분의 표시를 손상 또는 은닉하거나 기타 방법으로 그 효용을 해한 자는 5년 이하의 징역 또는 700만원 이하의 벌금에 처한다.
> ② 공무원이 그 직무에 관하여 봉함 기타 비밀장치한 문서 또는 도화를 개봉한 자도 제1항의 형과 같다.
> ③ 공무원이 그 직무에 관하여 봉함 기타 비밀장치한 문서, 도화 또는 전자기록등 특수매체기록을 기술적 수단을 이용하여 그 내용을 알아낸 자도 제1항의 형과 같다.

정답 **26.** ① **27.** ①

MEMO

2020년 기출

28 해방공탁과 관련한 다음 설명 중 옳은 것은?

① 가압류해방금액은 금전에 의한 공탁뿐만 아니라 지급보증위탁계약체결문서의 제출에 의한 담보제공도 허용된다.

② 가압류채무자 이외의 제3자는 해방공탁을 할 수 없으므로 가압류된 부동산의 소유권을 취득한 제3자가 가압류를 말소하기 위하여 해방공탁을 할 수 없다.

③ 해방금액의 일부만을 공탁하고 가압류집행 일부만을 취소신청하는 것도 허용된다.

④ 가압류의 해방공탁금에 관한 규정은 가처분에도 준용할 수 있다.

⑤ 채무자의 다른 채권자가 가압류해방공탁금 회수청구권에 대하여 압류명령을 받은 경우에는 가압류채권자의 가압류가 다른 채권자의 압류에 우선한다.

해설 ② 가압류채무자 아닌 제3자는, 나중에 채권자가 채무자에 대한 집행권원을 받아도 그 해방금액에 대한 집행을 할 근거가 없으므로, 해방금액을 공탁할 수 없다고 보아야 한다.

① 가압류해방금액의 공탁은 반드시 현금으로 해야 하고, 유가증권이나 지급보증서 등은 허용되지 않는다.

③ 해방금액의 일부만 공탁하고 가압류집행 일부만을 취소신청하는 것은 허용되지 않는다.

④ 가처분절차에는 가압류절차에 관한 규정을 준용한다. 다만, 아래의 여러 조문(가처분규정)과 같이 차이가 나는 경우에는 그러하지 아니하다[민사집행법 제301조(가압류절차의 준용)]. 가압류와 달리 다툼의 대상에 관한 가처분이나 임시지위를 정하는 가처분은 해방공탁절차가 없다.

⑤ 가압류집행의 목적물에 갈음하여 가압류해방금이 공탁된 경우에 그 가압류의 효력은 공탁금 자체가 아니라 공탁자인 채무자의 공탁금 회수청구권에 대하여 미치는 것이므로 채무자의 다른 채권자가 가압류해방공탁금 회수청구권에 대하여 압류명령을 받은 경우에는 가압류채권자의 가압류와 다른 채권자의 압류를 그 집행대상이 같아 서로 경합하게 된다(대판 1996.11.11. 95마252).

28. ②

MEMO

2022년 기출

29 부동산처분금지가처분신청서의 기재사항이 아닌 것은?

① 채권자
② 채무자
③ 신청이유
④ 신청취지
⑤ 청구채권 및 금액

해설 부동산처분금지가처분은 목적물에 대한 채무자의 소유권이전, 저당권・전세권・임차권의 설정 그밖에 일체의 처분행위를 금지하고자 하는 가처분이다. 금전채권은 처분금지가처분의 피보전권리가 될 수 없는바, 부동산처분금지가처분신청서에도 청구채권 및 금액을 기재할 필요가 없다. 가처분신청서의 작성방법은 다음 표 참조.

채권자	신청의 주체 → 송달장소 등 기재
채무자	신청의 상대방 → 추후 집행을 위하여 주민등록번호, 법인등록번호 등 명확하게 기재
목적물의 표시	가처분하고자 하는 대상을 기재 → 통상 '별지목록 기재와 같음' 이라고 기재하고, 그 구체적인 목록은 신청서 뒤에 별도의 목록을 만들어 첨부하면 된다.
목적물의 가격	목적물가액은 기록상 나타나는 자료에 기초하여 시가 내지 실제 거래가격 또는 이에 가장 근접한 가격을 산정
피보전권리의 요지	채무자에게 청구할 금액과 채권자가 보전하고자 하는 권리의 내용을 기재
신청취지	채권자가 법원에 대하여 요구하는 사항을 기재
신청이유	채무자에 대하여 채권(피보전권리)이 존재하며, 채무자가 재산을 처분할 위험이 있다는 사실(보전의 필요성)을 기술하여 법원의 가처분 결정을 도출해내는 단계
입증(소명)방법	채권자의 주장을 증명하는 방법으로, 원인서류 등을 첨부
첨부서류	입증방법 외에 비용납부서(송달료, 인지 등), 가압류신청진술서, 위임장 등을 첨부
관할법원	가처분의 종류에 따라 법원을 선택 → 본안소송 관할 또는 다툼의 대상이 있는 곳 관할

29. ⑤

MEMO

2016년 기출

30 **가처분에 관한 다음 설명 중 옳지 않은 것은?**

① 다툼의 대상에 관한 가처분은 현상이 바뀌면 당사자가 권리를 실행하지 못하거나 이를 실행하는 것이 매우 곤란할 염려가 있을 경우에 한다.

② 가처분의 재판은 본안의 관할법원 또는 다툼의 대상이 있는 곳을 관할하는 지방법원이 관할한다.

③ 가처분으로 부동산의 양도나 저당을 금지한 때에는 등기부에 그 금지한 사실을 기입하게 하여야 한다.

④ 부동산 처분금지 가처분 결정이 있기 이전에 그 부동산이 제3자에게 먼저 양도되고 대금도 모두 지급하였으나 처분금지가처분등기가 먼저 이루어지고 양도에 따른 소유권이전등기가 나중에 이루어진 경우, 가처분권자에게 양도가 우선함을 대항할 수 있다.

⑤ 임시의 지위를 정하기 위한 가처분은 현재의 위험방지가 주목적이다.

해설 형식주의(성립요건주의)를 취하는 우리 법제상 소유권의 이전이 있기 위해서는 당사자 간의 의사의 합치 외에 인도나 등기와 같은 형식을 갖추어야 한다. 부동산이 제3자에게 양도되고 대금을 모두 지급하였더라도 소유권이전등기가 이루어지지 않았다면 아직 제3자에게 소유권이 이전된 것이 아니다. 따라서 부동산 처분금지 가처분 결정이 있기 이전에 그 부동산이 제3자에게 먼저 양도되고 대금도 모두 지급하였으나 처분금지가처분등기가 먼저 이루어지고 양도에 따른 소유권이전등기가 나중에 이루어진 경우, 가처분권자에게 양도가 우선함을 대항할 수 없다.

① 다툼의 대상에 관한 가처분은 현상이 바뀌면 당사자가 권리를 실행하지 못하거나 이를 실행하는 것이 매우 곤란할 염려가 있을 경우에 한다(민사집행법 제300조 제1항).

② 가처분의 재판은 본안의 관할법원 또는 다툼의 대상이 있는 곳을 관할하는 지방법원이 관할한다(민사집행법 제303조).

③ 가처분으로 부동산의 양도나 저당을 금지한 때에는 등기부에 그 금지한 사실을 기입하게 하여야 한다(민사집행법 제305조 제3항).

⑤ 임시의 지위를 정하기 위한 가처분은 권리관계에 관하여 다툼이 있는 경우, 다툼이 해결될 때까지 현재의 권리관계를 유지하여서 지금 당장의 위험을 방지하고자 하는 보전처분이다(민사집행법 제300조 제2항 참조).

30. ④

MEMO

2011년 기출

31 **다음 예시와 관련된 설명으로 틀린 것은? (다툼이 있는 경우에는 대법원판례에 따름)**

> A(가처분채권자)는 B(가처분채무자) 소유의 부동산에 대하여 법원으로부터 부동산 처분금지가처분 명령을 얻었다. 그러나 B는 제3자인 C에게 그 부동산을 매도하여 소유권이전등기를 마쳤다(이 건 관련 본안 소송은 현재 확정되지 않은 상태에 있다).

① 부동산 처분금지가처분이 등기되기 전에 C의 소유권이전등기가 행해진 경우에는 C의 소유권취득행위는 유효하다.
② 부동산 처분금지가처분이 등기된 후에 C의 소유권이전등기가 행해진 경우에는 C의 소유권취득행위의 유효를 A에게 주장할 수 없다.
③ A는 본안소송에서 승소 확정판결을 받기 전이라도 C에 대하여 그 부동산에 대한 소유권이전등기말소를 청구할 수 있다.
④ B가 그 부동산을 계속 점유하고 있는 경우에는 C는 B에게 그 점유의 이전을 청구할 수 있다.
⑤ B를 상대방으로 하는 타인이 신청한 그 부동산에 대한 강제집행에 대하여 C는 제3자이의의 소를 제기할 수 있다.

해설 부동산처분금지가처분 등기가 유효하게 기입된 이후에도 가처분채권자의 지위만으로는 가처분 이후에 경료된 처분등기의 말소청구권은 없고, 나중에 가처분채권자가 본안 승소판결에 의한 등기의 기재를 청구할 수 있게 되면서 가처분등기 후에 경료된 가처분 내용에 위반된 등기의 말소를 청구할 수 있을 뿐이다(대판 1996.3.22. 95다53768).

31. ③

Chapter 04 소송실무

제1절 민사소송절차

2024년 기출

01 판결에 관한 설명으로 가장 적절하지 않은 것은?

① 집행력이란 형식적으로 확정된 판결이 후소 법원에 대하여 가지는 구속력을 말하는 것으로서 판결에 집행력이 생기면 그 판결의 정당성에 대하여 어느 당사자도 더 이상 다툴 수 없게 된다.
② 청구기각의 판결은 원고의 청구를 인정하지 않는 판결이다.
③ 청구인용의 판결은 이행판결, 확인판결, 형성판결로 나눌 수 있다.
④ 청구각하 판결의 경우 원고는 다시 소송을 제기할 수 있다.
⑤ 소송판결은 소・상소를 부적법 각하하는 판결로서 소송요건・상소요건의 흠이 있는 경우에 행한다.

해설 ① 기판력에 대한 설명이다. 집행력이란 판결로 명한 이행의무를 강제집행절차에 의하여 실현할 수 있는 효력을 말한다. 즉 판결을 집행권원으로 하여 피고의 재산에 대해 강제집행을 신청할 수 있는 효력을 말한다.
②③④ 판결이 확정되면 법률이 정한 일정한 효력이 생기는 데, 청구각하 판결의 경우 원고는 다시 소송을 제기할 수 있으므로 크게 문제되지 않고 청구인용 판결과 청구기각 판결의 효력이 중요하다.
⑤ 소의 적법요건에 관한 판단인가, 청구의 정당여부에 관한 판단인가에 의해 소송판결과 본안판결로 구별된다. 소송판결은 소・상소를 부적법 각하하는 판결로서 소송요건・상소요건의 흠이 있는 경우에 행한다.

2024년 기출

02 민사소송의 제기에 관한 다음 설명 중 가장 적절하지 않은 것은?

① 통상의 소를 제기함에는 원칙적으로 소장이라는 서면을 제1심법원에 제출할 것을 요한다.
② 입증방법은 소장의 필요적 기재사항이다.
③ 소장에는 당사자와 법정대리인, 청구의 취지와 원인을 적어야 한다.

01. ① 02. ②

MEMO

④ 당사자는 원고와 피고를 말한다.
⑤ 소장의 부본은 특별한 사정이 없으면 바로 피고에게 송달하여야 한다.

해설 ② 입증방법은 소장 제출시 반드시 제출할 필요는 없다.
① 소를 제기하려는 자는 법원에 소장을 제출하여야 한다(민사소송법 제248조(소제기의 방식) 제1항).
③ 민사소송법 제249조(소장의 기재사항) 제1항
⑤ 법원은 소장의 부본을 피고에게 송달하여야 한다(민사소송법 제255조(소장부본의 송달) 제1항).

2024년 기출

03 민사소송에 관한 다음 설명 중 가장 적절하지 않은 것은?

① 판결선고기일에는 당사자가 출석하지 않아도 된다.
② 소송대리인의 권한은 서면으로 증명하여야 한다.
③ 소송대리인은 당해 소송에 있어서 제3자에 불과하므로 소송 참가를 할 수 있고 증인능력이 있다.
④ 소송법상 성립된 재판이 한번 외부에 선고되면 선고한 법원도 스스로 취소·변경할 수 없는 효력을 기속력이라 한다.
⑤ 어느 하나의 사건에 관하여 보통재판적과 특별재판적이 모두 있는 경우 특별재판적이 우선한다.

해설 ⑤ 소장을 작성하여 법원에 제출하려면 국내에 있는 여러 곳의 법원 중 그 사건과 관련된 법원에 제출해야 되는데 일반적으로 이것을 '관할'이라고 한다. 법원의 관할은 소를 제기한 때를 표준으로 한다(민사소송법 제33조). 관할은 분류표준에 따라 법정관할, 재정관할, 거동관할 등으로 나눌 수 있는데, 이중 법정관할은 법률에 의하여 직접 정해진 관할로서, 여기에는 직분관할, 사물관할, 토지관할이 있다. '토지관할'이라 함은 소재지를 달리하는 같은 종류의 법원사이에 재판권(특히 제1심사건)의 분담관계를 정해 놓은 것을 말한다. 토지관할의 발생원인이 되는 인적·물적인 관련지점을 '재판적'이라고 한다. 이는 모든 소송사건에 대하여 공통적으로 적용되는 '보통재판적'(민사소송법 제2조~제6조)과 특별한 종류·내용의 사건에 대해서 한정적으로 적용되는 '특별재판적'(민사소송법 제7조~제24조)이 있다. 한 사건인데도 여러 곳의 법원이 관할권을 갖게 되는 재판적의 경합은 흔히 있는 일이며, 일반적으로 보통재판적과 특별재판적이 공존하거나 특별재판적이 여러 개 공존함으로써 토지관할의 경합이 생겨난다. 이 경우에 원고는 경합하는 관할법원 중 아무데나 임의로 선택하여 소제기할 수 있으며, 특별재판적이 보통재판적에 우선하는 것이 아니다. 하나의 법원에 소제기하였다고 해서 다른 법원의 관할권이 소멸되지 아니하며 이미 한 법원에 소제기하였는데 다른 관할법원에 소제기하면 중복소송(민사소송법 제259조)으로 부적법해질 뿐이다.

03. ⑤

MEMO

① 판결은 당사자가 출석하지 아니하여도 선고할 수 있다(민사소송법 제207조(선고기일)).
② 민사소송법 제89조(소송대리권의 증명)

2023년 기출

04 민사소송에 관한 다음 설명 중 가장 적절한 것은?

① 법원은 당사자가 신청한 증거를 필요하지 아니하다고 인정한 때에는 조사하지 아니할 수 있다. 다만, 그것이 당사자가 주장하는 사실에 대한 유일한 증거인 때에는 그러하지 아니하다.
② 청구각하 판결의 경우 원칙적으로 다시 소송을 제기할 수 없다.
③ 법원의 관할은 소장이 피고에게 송달된 때를 표준으로 정한다.
④ 판결의 선고는 소송절차가 중단된 중에는 할 수 없다.
⑤ 1심 소송에서 패소한 당사자는 판결이 선고된 날로부터 2주 이내에 항소할 수 있다.

해설 ① 민사소송법 제290조(증거신청의 채택여부)
② 판결이 확정되면 법률이 정한 일정한 효력이 생기는데, 청구각하 판결의 경우 원고는 다시 소송을 제기할 수 있으므로 크게 문제되지 않고 청구인용판결과 청구기각판결의 효력이 중요하다.
③ 법원의 관할은 소를 제기한 때를 표준으로 정한다[민사소송법 제33조(관할의 표준이 되는 시기)].
④ 판결의 선고는 소송절차가 중단된 중에도 할 수 있다[민사소송법 제247조(소송절차 정지의 효과) 제1항].
⑤ 항소는 판결서가 송달된 날부터 2주 이내에 하여야 한다. 다만, 판결서 송달전에도 할 수 있다[민사소송법 제396조(항소기간) 제1항].

2023년 기출

05 피고가 원고의 청구를 다투는 경우에는 「민사소송법」상 원칙적으로 소장의 부본을 송달받은 날부터 얼마기간 이내에 답변서를 제출하여야 하는가?

① 7일
② 10일
③ 14일
④ 21일
⑤ 30일

해설 ⑤ 피고가 원고의 청구를 다투는 경우에는 소장의 부본을 송달받은 날부터 30일 이내에 답변서를 제출하여야 한다. 다만, 피고가 공시송달의 방법에 따라 소장의 부본을 송달받은 경우에는 그러하지 아니하다[민사소송법 제256조(답변서의 제출의무) 제1항].

04. ① 05. ⑤

MEMO

2023년 기출

06 「소송촉진 등에 관한 특례법」에 관한 다음 설명 중 (   )에 들어갈 가장 적절한 이자율은?

> 금전채무의 전부 또는 일부의 이행을 명하는 판결을 선고할 경우, 금전채무 불이행으로 인한 손해배상액 산정의 기준이 되는 법정이율은 그 금전채무의 이행을 구하는 소장(訴狀) 또는 이에 준하는 서면(書面)이 채무자에게 송달된 날의 다음 날부터는 연 100분의 40 이내의 범위에서 「은행법」에 따른 은행이 적용하는 연체금리 등 경제 여건을 고려하여 대통령령으로 정하는 이율에 따른다. 여기서 대통령령(2019.5.21. 개정)으로 정하는 이율이란 연( )%를 말한다.

① 24
② 20
③ 12
④ 6
⑤ 5

해설 ③ 「소송촉진 등에 관한 특례법」 제3조(법정이율) 제1항 본문, 소송촉진 등에 관한 특례법 제3조 제1항 본문의 법정이율에 관한 규정 참조

2021년 기출

07 민사소송에 관한 다음 설명 중 적절하지 않은 것은?

① 항소는 판결을 선고한 날부터 2주 이내에 하여야 한다.
② 소송대리인의 권한은 서면으로 증명하여야 한다.
③ 소장에는 당사자와 법정대리인, 청구의 취지와 원인을 적어야 한다.
④ 재산권에 관한 소를 제기하는 경우에는 거소지 또는 의무이행지의 법원에 제기할 수 있다.
⑤ 관할의 합의가 있으면 그 합의된 내용에 따라 새로운 법원의 관할권이 생기거나 기존 법원의 관할권이 소멸하게 된다.

해설 항소는 판결서가 송달된 날로부터 2주 이내에 하여야 한다(민사소송법 제396조 제1항 제1문).
② 소송대리인의 권한은 서면으로 증명하여야 한다(민사소송법 제89조 제1항).
③ 소장에는 당사자와 법정대리인, 청구의 취지와 원인을 적어야 한다(민사소송법 제249조 제1항).
④ 재산권에 관한 소를 제기하는 경우에는 거소지 또는 의무이행지의 법원에 제기할 수 있다(민사소송법 제8조).
⑤ 관할의 창설 – 관할의 합의가 있으면 그 합의된 내용에 따라 새로운 법원의 관할권이 생기거나 기존 법원의 관할권이 소멸하게 된다.

06. ③ 07. ①

MEMO

2020년 기출

08 민사소송과 관련한 다음 설명 중 옳지 않은 것은?

① 항소는 판결을 선고한 날부터 2주 이내에 하여야 한다.
② 피고가 원고의 청구를 다투는 경우에는 소장의 부본을 송달받은 날부터 30일 이내에 답변서를 제출하여야 한다. 다만, 피고가 공시송달의 방법에 따라 소장의 부본을 송달받은 경우에는 그러하지 아니하다.
③ 당사자가 변론에서 상대방이 주장하는 사실을 명백히 다투지 아니한 때에는 그 사실을 자백한 것으로 본다. 다만, 변론 전체의 취지로 보아 그 사실에 대하여 다툰 것으로 인정되는 경우에는 그러하지 아니하다.
④ 당사자가 변론에서 상대방이 주장하는 사실을 명백히 다투지 아니한 때에는 그 사실을 자백한 것으로 본다. 다만, 변론 전체의 취지로 보아 그 사실에 대하여 다툰 것으로 인정되는 경우에는 그러하지 아니하다.
⑤ 소송대리인의 권한은 서면으로 증명하여야 한다.

해설 원래 정답은 ①이었으나 ③④가 중복지문으로 모두 정답처리함.
① 항소는 판결서가 송달된 날부터 2주 이내에 하여야 한다. 다만, 판결서 송달 전에도 할 수 있다[민사소송법 제396조(항소기간) 제1항].
② 민사소송법 제256조(답변서의 제출의무) 제1항
③④ 민사소송법 제150조(자백간주) 제1항
⑤ 민사소송법 제89조(소송대리권의 증명) 제1항

2020년 기출

09 다음 중 채무자(피고) 주소지 관할 법원에만 소장이나 신청서 등을 제출할 수 있는 경우를 모두 고른 것은?

㉠ 임대차보증금반환청구의 소
㉡ 채무자 소유 부동산에 대한 강제경매신청(단, 채무자 주소지와 부동산 소재지 관할이 다름)
㉢ 채무자 소유 부동산에 대한 가압류신청
㉣ 재산명시신청
㉤ 채권압류 및 추심명령(또는 전부명령)신청

① ㉠, ㉢
② ㉡
③ ㉣, ㉤
④ ㉢, ㉣
⑤ ㉢, ㉤

08. ① 09. ③

MEMO

해설 ㉣ 재산명시신청은 채무자의 보통재판적이 있는 곳의 법원에 할 수 있다(민사집행법 제61조 제1항 본문 참조).

㉤ 채권압류명령의 집행법원은 채무자의 보통재판적이 있는 곳의 지방법원으로 한다[민사집행법 제224조(집행법원) 제1항 참조]. 그리고 추심명령(또는 전부명령)의 관할법원은 압류명령의 집행법원과 동일한 지방법원이다.

㉠ 임대차보증금반환청구의 소의 관할법원은 피고의 보통재판적이 있는 곳의 법원[민사소송법 제2조(보통재판적)] 혹은 의무이행지[금전이행청구의 경우 지참채무의 원칙상 채권자(원고)의 주소지] 법원[민사소송법 제8조(거소지 또는 의무이행지의 특별재판적)]이다.

㉡ 부동산에 대한 강제집행은 그 부동산이 있는 곳의 지방법원이 관할한다[민사집행법 제79조(집행법원)].

㉢ 가압류는 가압류할 물건이 있는 곳을 관할하는 지방법원이나 본안의 관할법원이 관할한다[민사집행법 제278조(가압류법원)]. 채무자 소유 부동산에 대한 가압류신청은 부동산이 있는 곳의 지방법원 혹은 채무자 주소지(아니면 채권자 주소지)의 지방법원이 관할법원이 될 수 있다.

2019년 기출

10 다음 중 원칙적으로 채무자 주소지를 관할하는 법원에만 소장 및 신청서를 제출할 수 있는 경우를 모두 고른 것은?

㉠ 채권자 A의 채무자 B를 상대로 한 물품대금청구의 소
㉡ 채권자 A의 채무자 B 소유 부동산에 대한 강제경매신청
㉢ 본안소송 전 채권자 A의 채무자 B 소유 부동산에 대한 가압류신청
㉣ 채권자 A의 채무자 B를 상대로 한 재산명시신청
㉤ 채권자 A의 채무자 B를 상대로 한 가압류로부터 본압류로 이전하는 채권압류 및 추심명령(또는 전부명령)신청

① ㉢, ㉣, ㉤
② ㉠, ㉡, ㉤
③ ㉠, ㉢
④ ㉣
⑤ ㉠, ㉢

해설 '관할'이라 함은 재판권을 행사하는 여러 법원 사이에서 어떤 법원이 어떤 사건을 담당처리하느냐 하는 재판권의 분담관계를 정해 놓은 것을 말한다. 관할의 종류는 관할의 결정근거를 표준으로 법정관할, 재정관할 거동관할로 나뉘고, 소송법상의 효과의 차이에 따라 전속관할과 임의관할로 나뉜다. 법정관할은 법률에 의하여 직접 정해진 관할인데, 직분관할, 사물관할, 토지관할이 있다. 여기서 '직분관할'이란 담당직분의 차이를 표준으로 법원 사이에서 재판권의 분담관계를 정해 놓은 것이고, '사물관할'이란 제1심소송사건을 다루는 지방법원 단독판사(시군법원)와 지방법원 합의부 사이에서 사건의 경중을 표준으로 재판권의 분담관계를 정해 놓은 것을 말하며, '토지관할'이란 소재지를 달리하는 같은

정답 10. ④

MEMO

종류의 법원 사이에 재판권(특히 제1심사건)의 분담관계를 정해 놓은 것을 말한다.
토지관할의 발생원인이 되는 인적・물적 관련지점을 '재판적'이라고 하는데, 일반적으로 모든 소송사건에 대하여 공통적으로 적용되는 '보통재판적'과 특별한 종류・내용의 사건에 대해서 한정적으로 적용되는 '특별재판적'으로 나누어 진다. 한 사건인데도 여러 곳의 법원이 관할권을 갖게 되는 재판적의 경합은 흔히 있는 일이며, 일반적으로 보통재판적과 특별재판적이 공존하거나 특별재판적이 여러 개 공존함으로써 토지관할의 경합이 생겨난다. 이 경우에 원고는 경합하는 관할법원 중 아무데나 임의로 선택하여 소제기할 수 있으며, 특별재판적이 보통재판적보다 우선하는 것은 아니다. 보통재판적은 피고와 관계있는 곳[사람은 피고의 주소지(민사소송법 제2조)]을 기준으로 하고, 민사소송법 제7조 이하 제24조까지의 특별재판적은 예시규정으로 이 밖에도 특별재판적에 대한 규정은 적지 않다.

㉠ 채권자 A의 채무자 B를 상대로 한 물품대금청구의 소
  → 채무자 B의 주소지(보통재판적)와 물품대금청구의 소는 재산권에 관한 소로서 의무이행지의 법원에도 할 수 있는데 의무이행지는 실체법이 특정물의 인도청구 이외의 채무에 대해서는 지참채무의 원칙을 채택하고 있으므로 채권자 A의 주소지(특별재판적)의 법원도 가능하다.

㉡ 채권자 A의 채무자 B 소유 부동산에 대한 강제경매신청
  → 부동산에 대한 강제집행은 부동산이 있는 곳의 지방법원이 관할한다(민사집행법 제79조 제1항). 채무자 B 소유 부동산이 채무자 B의 주소지에 있지 않을 수 있다.

㉢ 본안소송 전 채권자 A의 채무자 B 소유 부동산에 대한 가압류신청
  → 가압류는 가압류할 물건이 있는 곳을 관할하는 지방법원이나 본안의 관할법원이 관할한다(민사집행법 제278조). 따라서 부동산가압류는 부동산이 있는 곳을 관할하는 지방법원 또는 채권자 A가 제기한 본안의 관할법원(보통재판적 혹은 특별재판적)이 관할한다.

㉣ 채권자 A의 채무자 B를 상대로 한 재산명시신청
  → 금전의 지급을 목적으로 하는 집행권원에 기초하여 강제집행을 개시할 수 있는 채권자는 채무자의 보통재판적이 있는 곳의 법원에 채무자의 재산명시를 요구하는 신청을 할 수 있다(민사집행법 제61조 제1항 본문). 따라서, 채무자 B의 주소지 관할법원에 재산명시신청을 하여야 한다.

㉤ 채권자 A의 채무자 B를 상대로 한 가압류로부터 본압류로 이전하는 채권압류 및 추심명령(또는 전부명령)신청
  → 가압류에서 이전되는 채권압류의 경우에는 채권의 압류명령의 집행법원은 가압류를 명한 법원이 있는 곳을 관할하는 지방법원으로 한다(민사집행법 제224조 제3항).

MEMO

2019년 기출

11 다음 설명 중 가장 적절하지 않은 것은?

① 원고가 제출하는 서증은 '갑 호증'이라고 한다.
② 피고가 제출하는 서증은 '을 호증'이라고 한다.
③ 소송목적의 값이 1천만원 미만인 경우에는 그 값에 1만분의 50을 곱한 금액으로 인지액을 산정한다.
④ 청구금액이 소송목적의 값이 되며, 청구금액에 이자 등 부대청구가 포함되었다면 이를 포함한 금액을 소송목적의 값으로 한다.
⑤ 소송목적의 값이 1천만원 이상 1억원 미만인 경우에는 그 값에 1만분의 45를 곱한 금액에 5천원을 더한 금액으로 인지액을 산정한다.

해설 '소송목적의 값'이라고 함은 소송물 즉 원고가 소로써 달하려는 목적이 갖는 경제적 이익을 화폐단위로 평가한 금액이다. 금전지급 청구의 소의 경우 청구금액이 소송목적의 값인데, 이자, 손해배상, 위약금 또는 비용의 청구가 소송의 부대목적이 되는 때에는 가액을 산입하지 아니한다.

①② 민사소송에서 증서에 의한 증명방법을 '서증'이라고 하는데, 원고가 제출하는 서증을 '갑 호증'이라고 하고, 피고가 제출하는 서증을 '을 호증'이라고 한다.

③⑤ 소송목적이 값에 따른 인지대의 산정은 다음표와 같다.

소 가	인지액
청구금액이 1,000만원 미만인 경우(③)	소가×0.005
소가가 1,000만원 이상 1억원 미만인 경우(⑤)	소가×0.0045+5,000원
소가가 1억원 이상 10억원 미만인 경우	소가×0.004+55,000원
소가가 10억원 이상인 경우	소가×0.0035+555,000원
항소장의 인지액	1심 인지액의 1.5배
상고장의 인지액	1심 인지액의 2배

11. ④

MEMO

2019년 기출

12 다음 설명 중 가장 옳지 않은 것은?

① 소송을 제기하는 사람을 원고라 하고 그 상대방을 피고라 한다.
② 합의부 관할 사건에서는 법률에 따라 재판상 행위를 할 수 있는 대리인 외에는 원칙적으로 변호사가 아니면 소송대리인이 될 수 없다.
③ 소송당사자의 호칭은 제1심 절차에서는 원고・피고, 항소심 절차에서는 항소인・피항소인, 상고심 절차에서는 상고인・피상고인이다.
④ 재산권에 관한 소를 제기하는 경우에는 의무이행지의 법원에도 관할권이 있다.
⑤ 이행권고결정은 공시송달의 방법에 의하여도 가능하다.

해설 법원사무관등은 이행권고결정서의 등본을 피고에게 송달하여야 한다. 다만, 그 송달은 민사소송법 제187조(우편송달), 제194조 내지 제196조(공시송달)에 규정한 방법으로는 이를 할 수 없다[소액사건심판법 제5조의3(결정에 의한 이행권고) 제3항].

① 소송을 제기하는 사람을 원고라 하고 그 상대방을 피고라 한다. 원고와 피고를 함께 부를 때 당사자라고 한다(2당사자 대립주의).
② 법률에 따라 재판상 행위를 할 수 있는 대리인 외에는 원칙적으로 변호사가 아니면 소송대리인이 될 수 없다[민사소송법 제87조(소송대리인의 자격)]. 단독판사가 심리・재판하는 사건 가운데 그 소송목적의 값이 일정한 금액 이하인 사건에서, 당사자와 밀접한 생활관계를 맺고 있고 일정한 범위안의 친족관계에 있는 사람 또는 당사자와 고용계약 등으로 그 사건에 관한 통상사무를 처리・보조하여 오는 등 일정한 관계에 있는 사람이 법원의 허가를 받은 때에는 제87조를 적용하지 아니한다[민사소송법 제88조(소송대리인의 자격의 예외) 제1항].
③ 소송당사자의 호칭은 제1심 절차에서는 원고・피고, 항소심 절차에서는 항소인・피항소인, 상고심 절차에서는 상고인・피상고인이다. 지급명령・강제집행・보전절차(가압류・가처분)에서는 채권자・채무자, 제소전화해절차・소송비용확정절차에서는 신청인・피신청인이다.
④ 민사소송법 제8조(거소지 또는 의무이행지의 특별재판적)

12. ⑤

MEMO

2019년 기출

13 민사소송에 대한 다음 설명 중 옳은 것은?

① 1심 소송에서 패소한 당사자는 판결이 선고된 날로부터 2주 이내에 항소할 수 있다.
② 청구각하 판결의 경우에도 원칙적으로 다시 소송을 제기할 수 없다.
③ 동일한 사실관계에 대하여 변론종결 전에 생긴 사유로 다시 다툴 수 없는 효력을 기속력이라 한다.
④ 소송법상 성립된 재판이 한번 외부에 선고되면 선고한 법원도 스스로 취소·변경할 수 없는 효력을 기판력이라 한다.
⑤ 청구기각의 판결은 원고의 청구를 인정하지 않는 판결이다.

해설 원고의 청구를 인용하고 피고에게 의무의 이행을 명하는 판결이 '청구인용의 판결', 원고의 청구를 인정하지 않는 판결이 '청구기각의 판결', 원고의 청구 자체가 부적합하다 하여 각하하는 판결이 '청구각하의 판결'이다.

① 항소는 판결서가 송달된 날부터 2주 이내에 하여야 한다[민사소송법 제396조(항소기간) 제1항 본문].
③ 동일한 사실관계에 대하여 변론종결 전에 생긴 사유로 다시 다툴 수 없는 효력을 기판력이라 한다.
④ 소송법상 성립된 재판이 한번 외부에 선고되면 선고한 법원도 스스로 취소·변경할 수 없는 효력을 기속력이라 한다.
② 종국판결이 확정되면 원칙적으로 기판력이 생긴다. 본안판결이면 청구인용판결이든 기각판결이든 불문하며, 이행판결·확인판결·형성판결 모두에 기판력이 생긴다. 소송판결도 소송요건의 흠으로 소가 부적법하다는 판단에 기판력이 생기는 것이고, 소송물인 권리관계의 존부에 미치지 않는다(대판 1994.6.14. 93다45015). 예컨대 재판권이나 당사자적격 등의 소송요건의 흠으로 소각하판결을 받은 후에 그 흠을 그대로 둔 채 재소하면, 전소의 가판력에 의해 각하된다. 그러나 예컨대 대표권의 흠을 이유로 소각하의 소송판결을 받아 확정된 뒤 새로 대표자를 선임보완하여 재소하는 경우 기판력에 저촉되지 아니한다(대판 1994.6.14. 93다45015). 따라서, 청구각하 판결의 경우에도 흠결사항을 보완하면 다시 소송을 제기할 수 있다.

13. ⑤

MEMO

2018년 기출

14 다음 중 소장 및 각종 신청서 작성 방법으로 옳지 않은 것은?

① 소장에 반드시 기재하여야 할 필요적 기재사항은 당사자 및 법정대리인의 표시, 청구취지와 청구원인이다.

② 채권가압류 또는 채권압류 및 추심명령(또는 전부명령) 결정문이 제3채무자에게 송달된 후 제3채무자에 대한 진술최고서를 신청하여야 한다.

③ 재산명시신청시 채권자, 채무자 표시, 집행권원의 표시, 신청취지와 신청사유, 채무자가 이행하지 아니하는 금전채무액은 필요적 기재사항이다.

④ 부동산가압류신청시 청구채권의 표시, 그 청구채권이 일정한 금액이 아닌 때에는 금전으로 환산한 금액, 가압류의 이유가 될 사실의 표시를 적어야 한다.

⑤ 채권압류 및 추심명령신청서에 압류할 채권의 종류와 액수를 밝혀야 한다.

해설 채권가압류 또는 채권압류 및 추심명령(또는 전부명령) 신청시 동 결정문이 제3채무자에게 송달되기 전에 진술최고신청을 하여야 하는바, 채권가압류 또는 채권압류 및 추심명령(또는 전부명령) 신청시에 제3채무자에 대한 진술최고신청을 함께 하는 것이 일반적이다.

① 소장에는 당사자와 법정대리인, 청구의 취지와 원인을 적어야 한다(민사소송법 제249조 제1항).

③ 재산명시신청시 채권자, 채무자 표시, 집행권원의 표시, 신청취지와 신청사유, 채무자가 이행하지 아니하는 금전채무액은 필요적 기재사항이다(민사집행규칙 제25조 제1항).

④ 부동산가압류신청시 청구채권의 표시, 그 청구채권이 일정한 금액이 아닌 때에는 금전으로 환산한 금액, 가압류의 이유가 될 사실의 표시를 적어야 한다(민사집행법 제279조 제1항).

⑤ 채권압류 및 추심명령신청서에 압류할 채권의 종류와 액수를 밝혀야 한다(민사집행법 제225조).

2022년 기출

15 「민사소송법」상 항소의 제기기간에 관한 다음의 설명 중 가장 적절한 것은?

① 1심 판결을 선고한 날부터 1주

② 1심 판결서가 송달된 날부터 1주

③ 1심 판결을 선고한 날부터 2주

④ 1심 판결서가 송달된 날부터 2주

⑤ 1심 판결을 선고한 날부터 3주

해설 민사소송법 제396조(항소기간) 제1항 본문

정답 14. ② 15. ④

MEMO

2017년 기출

16 민사소송과 관련한 다음 설명 중 옳지 않은 것은?

① 1심 소송에서 패소한 당사자는 판결이 선고된 날로부터 2주 이내에 항소할 수 있다.

② 선고기일에는 당사자가 출석하지 않아도 된다.

③ 동일한 사실관계에 대하여 변론종결 전에 생긴 사유로 다시 다툴 수 없는 효력을 기판력이라 한다.

④ 소송법상 성립된 재판이 한번 외부에 선고되면 선고한 법원도 스스로 취소·변경할 수 없는 효력을 기속력이라 한다.

⑤ 법원은 정당한 사유 없이 출석하지 아니한 증인을 구인하도록 명할 수 있다.

해설 항소는 판결서가 송달된 날로부터 2주 이내에 하여야 한다. 다만, 판결서 송달 전에도 할 수 있다(민사소송법 제396조 제1항).
② 민사소송법 제201조 제2항, ③ 기판력의 개념, ④ 기속력의 개념, ⑤ 민사소송법 제312조 제1항

2022년 기출

17 「민사소송법」상 소송의 전부 또는 일부에 대하여 관할권이 없다고 인정하는 경우 법원이 취하여야 할 조치에 대한 설명으로서 가장 적절한 것은?

① 명령으로 소장 각하

② 결정으로 소장 각하

③ 판결로 관할법원에 이송

④ 판결로 소 각하

⑤ 결정으로 관할법원에 이송

해설 '소송의 이송'이라 함은 어느 법원에 일단 계속된 소송을 그 법원의 재판에 의하여 다른 법원에 이전시키는 것을 말한다. 이송의 원인에는 관할위반에 의한 이송(민사소송법 제34조 제1항), 심판의 편의에 의한 이송[재량이송, 민사소송법 제35조(손해나 지연을 피하기 위한 이송), 민사소송법 제34조 제2항(지법단독판사로부터 지법합의부로의 이송), 민사소송법 제36조(지식재산권 등에 관한 이송)], 반소제기에 의한 이송(민사소송법 제269조 제2항)이 있다. 해당 지문은 관할위반에 의한 이송에 대한 설명으로 법원은 소송의 전부 또는 일부에 대하여 관할권이 없다고 인정하는 경우에는 결정으로 이를 관할법원에 이송한다.

16. ① 17. ⑤

MEMO

2020년 기출

18 **민사소송의 관할과 관련한 다음 설명 중 옳지 않은 것들만 모두 고르면 몇 개인가?**

㉠ 모든 소(訴)는 원칙적으로 원고의 보통재판적(普通裁判籍)이 있는 곳의 법원이 관할한다.
㉡ 어음·수표에 관한 소를 제기하는 경우에는 발행지의 법원에 제기할 수 있다.
㉢ 재산권에 관한 소를 제기하는 경우에는 거소지 또는 의무이행지의 법원에 제기할 수 있다.
㉣ 법원의 관할은 소장이 피고에게 송달될 때를 표준으로 정한다.
㉤ 당사자는 합의로 제2심 관할법원을 정할 수 있다.

① 1개
② 2개
③ 3개
④ 4개
⑤ 5개

해설 ㉠ 소(訴)는 원칙적으로 피고의 보통재판적(普通裁判籍)이 있는 곳의 법원이 관할한다[민사소송법 제2조(보통재판적)].
㉡ 어음·수표에 관한 소를 제기하는 경우에는 지급지의 법원에 제기할 수 있다[민사소송법 제9조(어음·수표 지급지의 특별재판적)].
㉢ 옳은 내용이다[민법 제8조(거소지 또는 의무이행지의 특별재판적)].
㉣ 법원의 관할은 소를 제기한 때를 표준으로 정한다[민사소송법 제33조(관할의 표준이 되는 시기)].
㉤ 당사자는 합의로 제1심 관할법원을 정할 수 있다[민사소송법 제29조(합의관할) 제1항].

18. ④

MEMO

2018년 기출

19 **다음은 관할에 관한 설명이다. 옳지 않은 것은? (다툼이 있는 경우 판례에 따름)**

① 피고가 자연인인 때에는 그 사람의 주소지 법원에 관할권이 있다.

② 피고가 국가인 경우에는 국가를 대표하는 관청 또는 대법원이 있는 곳의 법원에 관할권이 있다.

③ 재산권에 관한 소를 제기하는 경우에는 거소지 또는 의무이행지의 법원에도 관할권이 있다.

④ 부동산에 관한 소를 제기하는 경우에는 부동산이 있는 곳의 법원에 관할권이 있다.

⑤ 어느 하나의 사건에 관하여 보통재판적과 특별재판적이 모두 있는 경우 특별재판적이 우선한다.

해설 소재지를 달리하는 같은 종류의 법원사이에 재판권(특히 제1심사건)의 분담관계를 정해 놓은 것을 '토지관할'이라고 하고, 토지관할의 발생원인이 되는 인적・물적인 관련지점을 '재판적'이라고 한다. 재판적은 다른 분류기준도 있지만 일반적으로 모든 소송사건에 대하여 공통적으로 적용되는 '보통재판적'과 특별한 종류・내용의 사건에 대해서 한정적으로 적용되는 '특별재판적'으로 분류할 수 있다. 원고는 경합하는 관할법원 중 아무데나 임의로 선택하여 소제기할 수 있으며, 특별재판적이 보통재판적에 우선하는 것이 아니다. 하나의 법원에 소제기하였다고 해서 다른 법원의 관할권이 소멸되지 아니하며 이미 한 법원에 소제기하였는데 다른 관할법원에 소제기하면 중복소송으로 부적법해질 뿐이다.

① 사람의 보통재판적은 그 주소에 따라 정한다. 다만, 대한민국에 주소가 없거나 주소를 알 수 없는 경우에는 거소에 따라 정하고, 거소가 일정하지 아니하거나 거소도 알 수 없으면 마지막 주소에 따라 정한다(민사소송법 제3조). 따라서 피고가 자연인인 때에는 그 사람의 주소지 법원에 관할권이 있다.

② 국가의 보통재판적은 그 소송에서 국가를 대표하는 관청 또는 대법원이 있는 곳으로 한다(동법 제6조). 따라서 피고가 국가인 경우에는 국가를 대표하는 관청(법무부 소재지) 또는 대법원이 있는 곳의 법원(서울중앙지방법원)에 관할권이 있다.

③ 재산권에 관한 소를 제기하는 경우에는 거소지 또는 의무이행지의 법원에 제기할 수 있다(동법 제8조). 즉, 재산권에 관한 소를 제기하는 경우에는 거소지 또는 의무이행지의 법원에도 관할권이 있다.

④ 부동산에 관한 소를 제기하는 경우에는 부동산이 있는 곳의 법원에 제기할 수 있다(동법 제20조). 즉, 부동산에 관한 소를 제기하는 경우에는 부동산이 있는 곳의 법원에 관할권이 있다.

19. ⑤

MEMO

2018년 기출

20 민사소송절차상의 송달과 관련한 다음 설명 중 옳지 않은 것은?

① 공시송달을 신청하기 위해서는 원고가 피고의 주소를 알지 못하는 사실과 그것이 원고에게 과실없는 것임을 소명하여야 한다.

② 집행관 특별송달은 집행관이 하는 송달로서, 법원에 대한 특별송달허가의 신청 → 집행관에게 송달의 촉탁 → 수수료의 납부절차를 거쳐서 한다.

③ 소장 송달이 불가능한 경우 법원은 원고에 대하여 피고에게 송달될 주소 및 송달방법을 제출할 것을 명하는 이른바 주소보정명령을 한다.

④ 집행관 특별송달 신청서를 작성할 때에는 주간특별송달, 야간 및 공휴일 특별송달 중 어느 것을 선택하는지 기재하여야 한다.

⑤ 이행권고결정은 공시송달의 방법에 의하여도 된다.

해설 당사자의 주소등 행방을 알기 어려워 송달장소의 불명으로 통상의 송달방법에 의해서는 송달을 실시할 수 없게 되었을 때에 하는 송달을 '공시송달'이라고 한다. 화해권고결정, 조정에 갈음하는 결정, 이행권고결정, 지급명령의 송달은 공시송달에 의할 수 없다.

① 공시송달을 신청하기 위해서는 원고가 피고의 주소를 알지 못하는 사실과 그것이 원고에게 과실없는 것임을 소명하여야 한다(민사소송법 제194조 제2항 참조).

② 집행관 특별송달은 집행관이 하는 송달로서, 법원에 대한 특별송달허가의 신청 → 집행관에게 송달의 촉탁 → 수수료의 납부절차를 거쳐서 한다. 이 수수료는 집행관에게 지급하는 금액이다.

④ 집행관 특별송달 신청서를 작성할 때에는 송달가능한 시간대를 참작하여 주간특별송달, 야간 및 공휴일 특별송달 중 어느 것을 선택하는지 명백히 기재하여야 한다.

③ 소장 송달이 불가능한 경우 법원은 원고에 대하여 피고에게 송달될 주소 및 송달방법을 제출할 것을 명하는 이른바 주소보정명령을 한다. 여기에도 일정한 기간이 정해져 있으며, 원고는 이 기간 내에 주소보정의 신청을 하여야 한다.

20. ⑤

MEMO

2018년 기출

21 다음은 판결의 효력에 관한 설명이다. 옳지 않은 것은?

① 판결을 집행권원으로 하여 피고의 재산에 대해 강제집행을 신청할 수 있는 효력을 확정력이라 한다.

② 법원이 판결을 일단 선고하면 혹시 그 판결에 잘못된 판단이 있더라도 이를 변경하거나 철회할 수 없는 효력이 발생하는데 이를 기속력이라 한다.

③ 판결을 한 법원은 기속력 때문에 스스로 한 판결을 변경할 수 없으나 명백한 오기, 계산착오 등의 경우에는 이를 결정에 의해 간단히 고칠 수 있도록 하고 있는데 이를 판결의 경정이라 한다.

④ 청구각하 판결의 경우 원고는 다시 소송을 제기할 수 있다.

⑤ 기판력이란 형식적으로 확정된 판결이 후소 법원에 대하여 가지는 구속력을 말하는 것으로서 판결에 기판력이 생기면 그 판결의 정당성에 대하여 어느 당사자도 더 이상 다툴 수 없게 된다.

해설 판결이 선고되면 기속력, 형식적 확정력, 실질적 확정력(기판력), 집행력, 형성력 등 효력이 발생한다.

② 법원이 판결을 일단 선고하면 혹시 그 판결에 잘못된 판단이 있더라도 이를 변경하거나 철회할 수 없는 효력이 발생하는데 이를 '기속력'이라 한다.

③ 판결을 한 법원은 기속력 때문에 스스로 한 판결을 변경할 수 없으나 명백한 오기, 계산착오 등의 경우에는 이를 결정에 의해 간단히 고칠 수 있도록 하고 있는데 이를 '판결의 경정'이라 한다.

⑤ 판결의 확정에 의하여 당사자에 대한 관계에서 생기는 효력이 '형식적 확정력'이고, 형식적으로 확정된 판결이 후소 법원에 대하여 가지는 구속력을 말하는 것으로서 판결에 기판력이 생기면 그 판결의 정당성에 대하여 어느 당사자도 더 이상 다툴 수 없게 되는 효력을 '실질적 확정력(기판력)'이라 한다.

① 판결을 집행권원으로 하여 피고의 재산에 대해 강제집행을 신청할 수 있는 효력을 '집행력'이라 한다.

④ 소송판결도 소송요건의 흠으로 소가 부적법하다는 판단에 기판력이 생기는 것이고, 소송물인 권리관계의 존부에 미치지 않는다. 예컨대 재판권이나 당사자적격 등의 소송요건의 흠으로 소각하판결을 받은 후에 그 흠을 그대로 둔 채 재소하면, 전소판결의 기판력에 의하여 각하된다. 그러나 예컨대 대표권의 흠을 이유로 소각하의 소송판결을 받아 확정된 뒤 새로 대표자를 선임보완하여 재소하는 경우 기판력에 저촉되지 아니한다. 따라서 청구각하 판결의 경우 원고는 다시 소송을 제기할 수 있다.

21. ①

MEMO

제2절 소액사건과 지급명령

2022년 기출

01 집행권원을 획득하기 위한 각종 소송제도에 관한 다음 설명 중 가장 적절하지 않은 것은?

① 「소액사건심판법」상 소액사건의 적용대상은 제소한 때의 소송목적의 값이 3,000만 원을 초과하지 아니하여야 한다.
② 지급명령제도의 적용대상은 제소한 때의 소송목적의 값이 10억 원을 초과하지 아니하여야 한다.
③ 민사에 관한 분쟁의 당사자는 법원에 민사조정을 신청할 수 있다.
④ 제소전화해란 민사분쟁에 대한 소송을 제기하기 전 화해를 원하는 당사자의 신청으로 지방법원 단독판사 앞에서 행해지는 화해를 말한다.
⑤ 강제집행을 인낙하는 취지의 약속어음 공정증서를 작성하면 그 공정증서가 집행권원이 되어 채무 불이행시 별도의 소송 없이도 강제집행을 할 수 있다.

해설 지급명령신청은 청구한도액의 제한이 없다.
① 소액사건심판규칙 제1조의2 참조
③ 민사조정법 제2조(조정사건)
④ 제소전화해란 민사소송의 목적이 될 수 있는 분쟁에 대하여 정식 소송에 의하지 아니하고 화해에 의하여 사건을 해결하고자 하는 당사자가 소송제기 전에 상대방의 주소지 관할법원에 제소전화해 신청을 하고 화해기일에 쌍방당사자가 출석하여 화해하는 것을 말한다[민사소송법 제385조(화해신청의 방식) 참조].
⑤ 강제집행을 인낙하는 취지의 약속어음 공정증서(혹은 금전소비대차계약 공정증서나 양도담보부 공정증서)를 작성하면 그 공정증서가 집행권원이 되어 채무 불이행시 별도의 소송 없이도 집행문을 발부받아 강제집행을 할 수 있다.

❑ 지급명령과 소액소송의 비교

구 분	소액심판법	지급명령
근거법	소액사건심판법	민사소송법
청구한도액	3,000만원 이하(①)	제한 없음(②)
소의 제기	구두, 서면(전자)	서면(전자)
변론 유무	필요시	변론 무
비 용	인지대 : 청구액 × 0.5%	인지대 : 소송의 1/10
송 달	공시송달 가능	공시송달 불가
소요기간	최단 1~2개월	최단 20일
상고 등	원칙적 상고 불허	이의제기시 일반소송으로 전환
시 효	10년	10년
적 용	이의 예상시	이의 예상되지 않을 때

01. ②

MEMO

2019년 기출

02 **다음 설명 중 옳지 않은 것은?**

① 지급명령은 청구액이 3천만원 이하인 사건의 경우에만 인정된다.
② 소액사건심판법은 제1심 절차에서만 적용되고 항소심, 상고심에서는 적용되지 않는다.
③ 소액사건 심판의 판결서에는 이유를 적지 아니할 수 있다.
④ 확정된 지급명령이나 이행권고결정은 집행권원이 된다.
⑤ 지급명령신청서에 붙이는 인지대는 민사소송의 소장에 붙이는 인지대의 10분의 1이다.

해설 지급명령은 청구액에 제한이 없고, 소액사건은 청구액이 3천만원을 초과하지 아니하는 사건의 경우에 인정된다.
② 소액사건심판법 제2조(적용범위 등) 제1항, 소액사건심판규칙 제1조의2(소액사건의 범위) 참조
③ 소액사건심판법 제11조의2(판결에 관한 특례) 제3항
④ 민사소송법 제474조(지급명령의 효력), 소액사건심판법 제5조의7(이행권고결정의 효력) 참조
⑤ 민사소송 등 인지법 제7조 제2항

2024년 기출

03 **「소액사건심판법」에 관한 다음 설명 중 가장 적절하지 않은 것은?**

① 법령에서 정한 소액사건은 법원의 허가 없이 당사자의 배우자·직계혈족 또는 형제자매가 소송대리인이 될 수 있다.
② 채권자가 금전, 그 밖의 대체물이나 유가증권의 일정한 수량의 지급을 청구하는 경우 「소액사건심판법」을 적용받기 위해 청구를 분할하여 그 일부만을 청구할 수 있다.
③ 피고는 이행권고결정서의 등본을 송달받은 날부터 2주일 이내에 서면으로 이의신청을 할 수 있다.
④ 법원은 이의신청이 적법하지 아니하다고 인정되는 경우에는 그 흠을 보정할 수 없으면 결정으로 그 이의신청을 각하하여야 한다.
⑤ 피고가 이행권고결정서의 등본을 송달받은 날부터 2주일 이내 이의신청을 하지 아니한 경우 확정판결과 같은 효력을 가진다.

정답

02. ① 03. ②

MEMO

해설 ② 채권자는 금전, 그 밖의 대체물이나 유가증권의 일정한 수량의 지급을 목적으로 하는 청구의 경우에는 이 법을 적용받기 위해 청구를 분할하여 그 일부만을 청구할 수 없다(소액사건심판법 제5조의2(일부청구의 제한) 제1항). 제1항을 위반한 소는 판결로 각하하여야 한다(동조 제2항).

① 소액사건심판법 제8조(소송대리에 관한 특칙) 제1항
③ 소액사건심판법 제5조의4(이행권고결정에 대한 이의신청) 제1항 본문
④ 소액사건심판법 제5조의5(이의신청의 각하) 제1항
⑤ 소액사건심판법 제5조의7(이행권고결정의 효력) 제1항 제1호

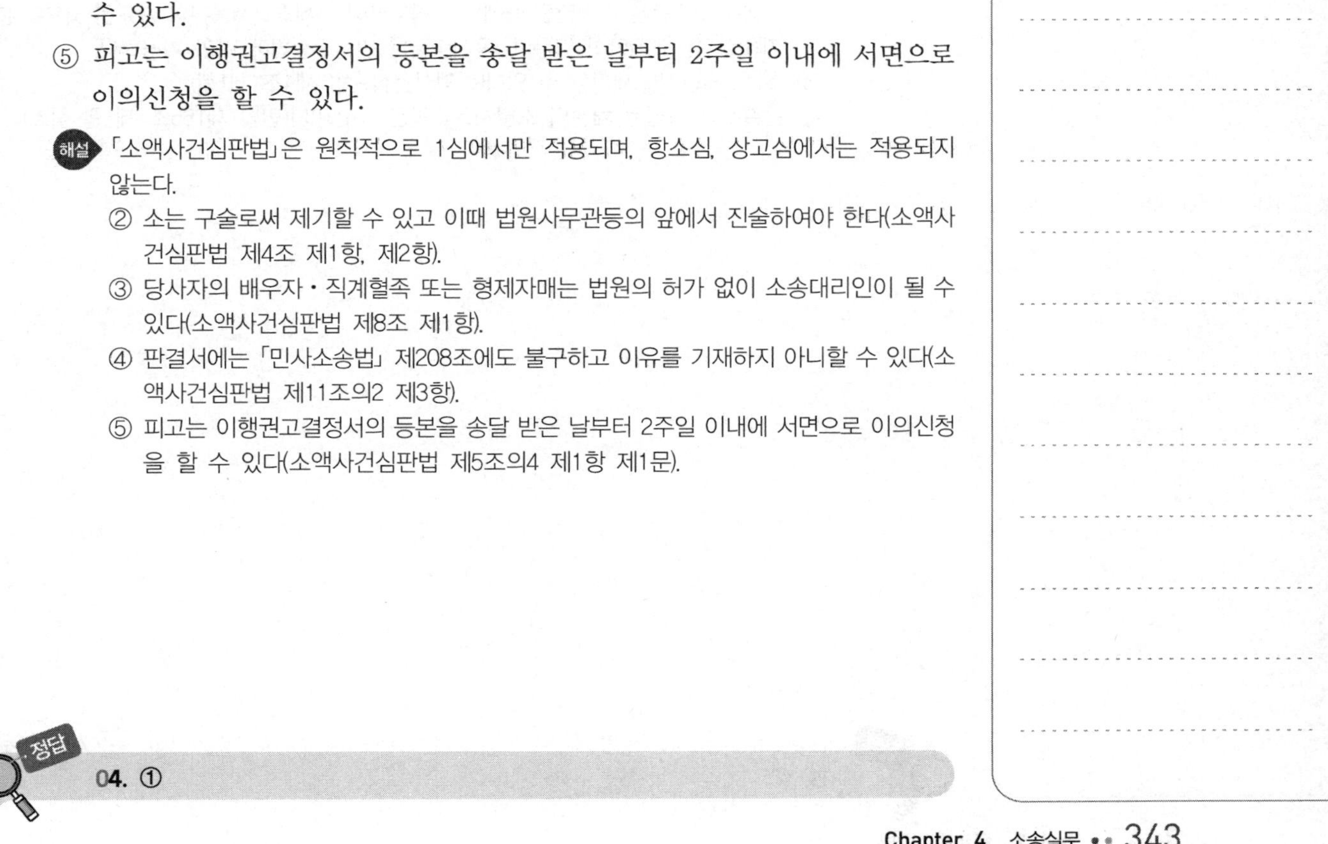

2021년 기출

04 「소액사건심판법」에 관한 다음 설명 중 적절하지 않은 것은?

① 「소액사건심판법」은 제1심 절차뿐만 아니라 항소심, 상고심에서도 적용된다.
② 소는 구술로써 제기할 수 있고 이때 법원사무관등의 앞에서 진술하여야 한다.
③ 당사자의 배우자·직계혈족 또는 형제자매는 법원의 허가 없이 소송대리인이 될 수 있다.
④ 판결서에는 「민사소송법」 제208조에도 불구하고 이유를 기재하지 아니할 수 있다.
⑤ 피고는 이행권고결정서의 등본을 송달 받은 날부터 2주일 이내에 서면으로 이의신청을 할 수 있다.

해설 「소액사건심판법」은 원칙적으로 1심에서만 적용되며, 항소심, 상고심에서는 적용되지 않는다.

② 소는 구술로써 제기할 수 있고 이때 법원사무관등의 앞에서 진술하여야 한다(소액사건심판법 제4조 제1항, 제2항).
③ 당사자의 배우자·직계혈족 또는 형제자매는 법원의 허가 없이 소송대리인이 될 수 있다(소액사건심판법 제8조 제1항).
④ 판결서에는 「민사소송법」 제208조에도 불구하고 이유를 기재하지 아니할 수 있다(소액사건심판법 제11조의2 제3항).
⑤ 피고는 이행권고결정서의 등본을 송달 받은 날부터 2주일 이내에 서면으로 이의신청을 할 수 있다(소액사건심판법 제5조의4 제1항 제1문).

정답

04. ①

MEMO

2021년 기출

05 「소액사건심판법」의 적용을 받는 소액사건에 관한 다음 설명 중 가장 적절하지 않은 것은?

① 판사는 필요한 경우 공휴일에도 개정할 수 있다.
② 소가 5,000만원 이하의 건물인도청구사건에도 적용된다.
③ 공시송달이 가능하다.
④ 구술로써 소를 제기할 수 있다.
⑤ 판결로써 확정된 채권의 소멸시효기간은 10년이다.

해설 소액사건의 범위는 지방법원 및 지방법원 지원의 관할사건 중 소송물의 가액이 금3,000만원을 초과하지 아니하는 금전 기타 대체물 또는 유가증권의 일정한 수령의 지급을 목적으로 하는 민사사건에 한한다(소액사건심판규칙 제1조의2 참조).

① 판사는 필요한 경우 근무시간 외의 시간이나 공휴일에도 개정할 수 있다(소액사건심판법 제7조의2).
③ 소액사건심판법은 지방법원 및 지방법원지원에서 소액의 민사사건을 간이한 절차에 따라 신속히 처리하기 위하여 민사소송법에 대한 특례를 규정함을 목적으로 한다(제1조). 따라서 소액사건심판법에 특별한 규정이 있는 경우를 제외하고는 민사소송법의 규정을 적용한다(제2조 제2항). 소액사건심판법에는 소장의 송달과 관련하여 "소장부본이나 제소조서등본은 지체없이 피고에게 송달하여야 한다. 다만, 피고에게 이행권고결정서의 등본이 송달된 때에는 소장부본이나 제소조서등본이 송달된 것으로 본다(제6조)."는 규정만이 있는바, 공시송달은 민사소송법에 따라 가능하다.
④ 소는 구술로써 제기할 수 있다(소액사건심판법 제4조 제1항).
⑤ 판결로써 확정된 채권의 소멸시효기간은 10년이다(민법 제165조 제1항 참조).

정답

05. ②

MEMO

2020년 기출

06 소액사건 심판절차와 관련한 다음 설명 중 옳지 않은 것들만 모두 고르면 몇 개인가?

> ㉠ 당사자의 배우자·직계혈족 또는 형제자매는 법원의 허가 없이 소송대리인이 될 수 있으며, 법무사에게도 소액사건의 소송대리가 인정된다.
> ㉡ 채권자는 금전, 그 밖의 대체물이나 유가증권의 일정한 수량의 지급을 목적으로 하는 청구의 경우에는 소액사건심판법을 적용받기 위해 청구를 분할하여 그 일부만을 청구할 수 없다.
> ㉢ 판결의 선고는 변론 종결 후 즉시 할 수 없다.
> ㉣ 판결서에는 판결의 이유를 기재하지 아니할 수 있다.
> ㉤ 이행권고결정에 따른 강제집행은 집행문을 부여 받을 필요 없이 이행권고결정서의 정본에 의하여 행한다.
> ㉥ 피고는 이행권고결정서의 등본을 송달받은 날부터 2주일 이내에 서면으로 이의신청을 할 수 있다. 다만, 그 등본이 송달되기 전에는 이의신청을 할 수 없다.

① 1개
② 2개
③ 3개
④ 4개
⑤ 5개

해설 ㉠㉢㉥이 옳지 않다.

㉠ 당사자의 배우자·직계혈족 또는 형제자매는 법원의 허가 없이 소송대리인이 될 수 있으나[소액사건심판법 제8조(소송대리에 관한 특칙) 제1항], 법무사에게는 소액사건의 소송대리가 인정되지 않는다.
㉡ 소액사건심판법 제5조의2(일부청구의 제한) 제1항
㉢ 판결의 선고는 변론 종결 후 즉시 할 수 있다[소액사건심판법 제11조의2(판결에 관한 특례) 제1항].
㉣ 소액사건심판법 제11조의2 제3항
㉤ 소액사건심판법 제5조의8(이행권고결정에 기한 강제집행의 특례) 제1항 본문
㉥ 피고는 이행권고결정서의 등본을 송달받은 날부터 2주일 이내에 서면으로 이의신청을 할 수 있다. 다만, 그 등본이 송달되기 전에도 이의신청을 할 수 있다[소액사건심판법 제5조의4(이행권고결정에 대한 이의신청) 제1항].

06. ③

MEMO

2018년 기출

07 다음은 소액사건 재판절차에 대한 설명이다. 가장 적절하지 않은 것은?

① 소액사건심판법은 원칙적으로 제1심 절차에만 적용되며 항소심, 상고심에서는 적용이 되지 않는다.

② 채권자는 금전, 그 밖의 대체물이나 유가증권의 일정한 수량의 지급을 목적으로 하는 청구의 경우에는 소액사건심판법을 적용받기 위해 청구를 분할하여 그 일부만을 청구할 수 없다.

③ 당사자의 배우자·직계혈족 또는 형제자매는 법원의 허가 없이 소송대리인이 될 수 없다.

④ 피고가 이행권고결정서의 등본을 송달받은 날부터 2주일 이내에 이의신청이 있는 때에는 법원은 지체없이 변론기일을 지정하여야 한다.

⑤ 확정된 이행권고결정은 별도의 집행문을 부여받을 필요 없이 강제집행이 가능하다.

해설 당사자의 배우자·직계혈족 또는 형제자매는 법원의 허가 없이 소송대리인이 될 수 있다(소액사건심판법 제8조 제1항).

① 소액사건심판법은 원칙적으로 제1심 절차에만 적용되며 항소심, 상고심에서는 적용이 되지 않는다(동법 제2조 제1항, 동규칙 제1조의2).

② 채권자는 금전, 그 밖의 대체물이나 유가증권의 일정한 수량의 지급을 목적으로 하는 청구의 경우에는 이 법을 적용받기 위해 청구를 분할하여 그 일부만을 청구할 수 없다(동법 제5조의2 제1항).

④ 피고가 이행권고결정서의 등본을 송달받은 날부터 2주일 이내에 이의신청이 있는 때에는 법원은 지체없이 변론기일을 지정하여야 한다(동법 제5조의4 제3항).

⑤ 확정된 이행권고결정은 별도의 집행문을 부여받을 필요 없이 강제집행이 가능하다(동법 제5조의8 제1항 본문 참조).

2017년 기출

08 소액사건심판 등에 관한 다음 설명 중 옳지 않은 것은?

① 「소액사건심판법」은 제1심 절차뿐만 아니라 항소심, 상고심에서도 적용이 된다.

② 피고는 이행권고결정서의 등본을 송달받은 날로부터 2주일 이내에 이의신청을 할 수 있다.

③ 이행권고결정이 확정된 때에는 원칙적으로 별도의 집행문 부여 없이 이행권고결정서 정본으로 강제집행 할 수 있다.

④ 소액사건 심판의 판결서에는 이유를 적지 아니할 수 있다.

07. ③ 08. ①

MEMO

⑤ 당사자의 배우자·직계혈족 또는 형제자매는 법원의 허가 없이 소송대리인이 될 수 있다.

해설 소액사건심판법은 원칙적으로 1심에서만 적용되며, 항소심, 상고심에서는 적용되지 않는다.
② 피고는 이행권고결정서의 등본을 송달받은 날부터 2주일 이내에 서면으로 이의신청을 할 수 있다. 다만, 그 등본이 송달되기 전에도 이의신청을 할 수 있다(소액사건심판법 제5조의4 제1항).
③ 이행권고결정에 따른 강제집행은 집행문을 부여받을 필요 없이 제5조의7 제2항의 이행권고결정서 정본에 의하여 한다. 다만, 다음 각 호의 어느 하나에 해당하는 경우에는 그러하지 아니하다(소액사건심판법 제5조의8 제1항).
1. 이행권고결정의 집행에 조건을 붙인 경우
2. 당사자의 승계인을 위하여 강제집행을 하는 경우
3. 당사자의 승계인에 대하여 강제집행을 하는 경우
④ 소액사건심판의 판결서에는 민사소송법 제208조(판결서의 기재사항)에도 불구하고 이유를 적지 아니할 수 있다(소액사건심판법 제11조의2 제3항).
⑤ 소액사건심판법 제8조 제1항

2020년 기출

09 「소액사건심판법」의 이행권고제도에 대한 다음 설명 중 적절하지 않은 것은?

① 이행권고결정에는 피고가 이의신청을 할 수 있다는 뜻을 적어야 한다.
② 소액사건의 간이한 처리와 당사자의 법정출석의 불편을 덜어주고자 함이다.
③ 법원은 이의신청이 있는 때에는 지체 없이 변론기일을 지정하여야 한다.
④ 피고는 이행권고결정서의 등본을 송달받은 날부터 2주일 이내에 서면으로 이의신청을 할 수 있다.
⑤ 법원사무관등은 이행권고결정서 등본을 피고에게 송달하여야 한다. 그 송달은 우편송달 또는 공시송달의 방법으로도 할 수 있다.

해설 ⑤ 법원사무관등은 이행권고결정서의 등본을 피고에게 송달하여야 한다. 다만, 그 송달은 민사소송법 제187조(우편송달), 제194조 내지 제196조(공시송달)에 규정한 방법으로는 이를 할 수 없다[소액사건심판법 제5조의3(결정에 의한 이행권고) 제3항].
① 이행권고결정에는 당사자, 법정대리인, 청구의 취지와 원인 및 이행조항을 적고, 피고가 이의신청을 할 수 있음과 이행권고결정의 효력의 취지를 덧붙여 적어야 한다(소액사건심판법 제5조의3 제2항).
② 이행권고결정의 취지
③ 소액사건심판법 제5조의4(이행권고결정에 대한 이의신청) 제3항
④ 소액사건심판법 제5조의4 제1항 본문

09. ⑤

MEMO

2017년 기출

10 **「소액사건심판법」상 이행권고제도에 대한 설명 중 적절하지 않은 것은?**

① 소액사건에서 간이한 처리와 당사자의 법정출석의 불편을 덜어주고자 함이다.
② 이행권고결정에는 피고가 이의신청을 할 수 있다는 뜻을 적어야 한다.
③ 법원사무관등은 이행권고결정서 등본을 피고에게 송달하여야 한다. 그 송달은 우편송달 또는 공시송달의 방법으로 할 수 있다.
④ 피고는 이행권고결정서의 등본을 송달받은 날부터 2주일 이내에 서면으로 이의신청을 할 수 있다.
⑤ 법원은 이의신청이 있는 때에는 지체 없이 변론기일을 지정하여야 한다.

해설 소액사건의 소가 제기된 때에 법원이 결정으로 소장부본이나 제소조서등본을 첨부하여 피고에게 청구취지대로 이행할 것을 권고하는 결정을 말한다. 이는 지급명령의 개념과 화해권고결정제도의 개념을 함께 반영하여 소액사건심판법에 새로이 도입한 제도이다. 즉, 간이한 소액사건에 대하여 직권으로 이행권고결정을 한 후 이에 대하여 피고가 이의하지 않으면 곧바로 변론 없이 집행권원을 부여하자는 것이 이 제도의 목적이다. 법원사무관등은 이행권고결정서 등본을 피고에게 송달하여야 한다. 다만, 그 송달은 우편송달 또는 공시송달의 방법으로 할 수 없다(소액사건심판법 제5조의3 제3항).

① 이행권고결정제도는 피고가 이의신청을 하지 않을 경우 원고는 법정에 한차례도 나오지 않아도 되므로 소액사건에서 간이한 처리와 당사자의 법정출석의 불편을 덜어주게 된다.
② 이행권고결정에는 당사자, 법정대리인, 청구의 취지와 원인 및 이행조항을 적고, 피고가 이의신청을 할 수 있음과 이행권고결정의 효력의 취지를 덧붙여 적어야 한다(소액사건심판법 제5조의3 제2항).
④ 피고는 이행권고결정서의 등본을 송달받은 날부터 2주일 이내에 서면으로 이의신청을 할 수 있다(소액사건심판법 제5조의4 제1항 1문).
⑤ 법원은 이의신청이 있는 때에는 지체 없이 변론기일을 지정하여야 한다(소액사건심판법 제5조의4 제3항).

10. ③

MEMO

2024년 기출

11 지급명령에 관한 다음 설명 중 가장 적절하지 않은 것은?

① 지급명령의 신청을 각하하는 결정에 대하여는 불복할 수 있다.
② 금전, 그 밖에 대체물이나 유가증권의 일정한 수량의 지급을 목적으로 하는 청구에 대하여 법원은 채권자의 신청에 따라 지급명령을 할 수 있다.
③ 채무자가 지급명령에 대하여 적법한 이의신청을 한 경우에는 지급명령을 신청한 때에 이의 신청된 청구목적의 값에 관하여 소가 제기된 것으로 본다.
④ 채권자의 신청에 의해 채무자를 심문하지 않고 서면심리만으로 지급명령을 발하는 절차이다.
⑤ 지급명령을 신청 할 수 있는 청구한도액에는 제한이 없다.

해설 ① 지급명령의 신청이 관할위반, 신청요건 흠결, 신청취지에 의하여 청구에 정당한 이유가 없는 것이 명백한 경우에는 그 신청을 각하하여야 한다. 청구의 일부에 대하여 지급명령을 할 수 없는 때에 그 일부에 대하여도 또한 같다. 신청을 각하한 결정에 대하여는 불복할 수 없다(민사소송법 제465조(신청의 각하)).
② 민사소송법 제462조(적용의 요건) 본문
③ 채무자의 적법한 이의신청이 있으면 지급명령은 실효한다(민사소송법 제470조(이의신청의 효력) 제1항 참조). 채무자가 지급명령에 대한 적법한 이의신청을 한 경우에는 지급명령을 신청한 때에 이의신청된 청구목적의 값에 대하여 소가 제기된 것으로 본다(민사소송법 제472조(소송으로의 이행) 제2항).
④ 지급명령은 금전 및 기타 대체물이나 유가증권의 일정 수량의 지급을 목적으로 하는 청구권에 관하여 채무자가 다툼이 없을 것으로 예상되는 경우에 채권자의 신청으로 서면심리만으로 채무자를 심문하지 않고 지급명령을 발하는 절차로 채권자에게 간이, 신속하게 집행권원을 얻게 하는 판결절차 대용의 특별소송절차이다.
⑤ 소액심판은 3천만원 이하인 사건의 경우에만 인정되나, 지급명령은 청구한도액에 제한이 없다.

2023년 기출

12 지급명령(독촉절차)에 관한 다음 설명 중 가장 적절하지 않은 것은?

① 지급명령은 채무자를 심문하지 아니하고 한다.
② 채무자가 지급명령을 송달받은 날부터 2주 이내에 이의신청을 한 때에는 지급명령은 그 범위 안에서 효력을 잃는다.
③ 채무자는 지급명령이 송달된 날로부터 2주일 이내에 이의신청을 하여 불복할 수 있다.
④ 지급명령은 청구액이 3천만 원 이하인 사건의 경우에만 인정된다.

11. ① 12. ④

MEMO

⑤ 지급명령에 대하여 이의신청이 없거나, 이의신청을 취하하거나, 각하결정이 확정된 때에는 지급명령은 확정판결과 같은 효력이 있다.

해설 ④ 청구액 3천만 원 이하인 사건의 경우에만 인정되는 것은 소액사건심판이고, 지급명령의 경우에는 청구금액에 제한이 없다.
① 민사소송법 제467조(일방적 심문)
② 민사소송법 제470조(이의신청의 효력) 제1항
③ 지급명령에는 당사자, 법정대리인, 청구의 취지와 원인을 적고, 채무자가 지급명령이 송달된 날부터 2주 이내에 이의신청할 수 있다는 것을 덧붙여 적어야 한다[민사소송법 제468조(지급명령의 기재사항)]. 채무자는 지급명령에 대하여 이의신청을 할 수 있다[민사소송법 제469조(지급명령의 송달) 제2항].
⑤ 민사소송법 제474조(지급명령의 효력)

2022년 기출

13 지급명령에 관한 다음 설명 중 가장 적절하지 않은 것은?

① 채무자가 지급명령을 송달 받은 날부터 2주 이내에 이의신청을 한 때에는 지급명령은 그 범위 안에서 효력을 잃는다.
② 지급명령신청서에 붙이는 인지대는 일반 민사소송의 소장에 붙이는 인지대의 5분의 1이다.
③ 지급명령은 당사자에게 송달하여야 한다.
④ 채무자는 지급명령에 대하여 이의신청을 할 수 있다.
⑤ 채무자가 지급명령에 대하여 적법한 이의신청을 한 경우에는 지급명령을 신청한 때에 이의신청된 청구목적의 값에 관하여 소가 제기된 것으로 본다.

해설 지급명령신청서에 붙이는 인지대는 일반 민사소송의 소장에 붙이는 인지대의 10분의 1이고, 송달료도 당사자1인당 6회분만 납부하면 되므로 비용이 더 저렴하다.
③ 민사소송법 제469조(지급명령의 송달) 제1항
④ 민사소송법 제469조 제2항
① 민사소송법 제470조(이의신청의 효력) 제1항
⑤ 민사소송법 제472조(소송으로의 이행) 제2항

정답 13. ②

MEMO

2021년 기출

14 지급명령에 관한 다음 설명 중 적절한 것은?

① 채권자는 지급명령을 신청할 때에 통상 소송 인지액의 1/5에 해당하는 금액을 납부해야 한다.
② 채무자가 지급명령에 대하여 적법한 이의신청을 한 경우에는 이의신청을 한 때에 이의신청된 청구목적의 값에 관하여 소가 제기된 것으로 본다.
③ 채무자의 보통재판적 있는 곳의 지방법원만 관할법원의 전속관할로 한다.
④ 지급명령은 채무자를 심문하고 한다.
⑤ 확정된 지급명령은 집행권원이 된다.

해설 지급명령에 대하여 이의신청이 없거나, 이의신청을 취하하거나, 각하결정이 확정된 때에는 지급명령은 확정판결과 같은 효력이 있다(민사소송법 제474조). 확정된 지급명령은 집행권원이 된다(민사집행법 제56조 제3호).
① 지급명령을 신청할 때는 통상 소송 인지액의 1/10에 해당하는 인지대와 당사자 1인당 6회분의 송달료만 납부하면 되므로 채권자가 법원에 납부하는 각종 비용이 저렴하다.
② 채무자가 지급명령에 대하여 적법한 이의신청을 한 경우에는 지급명령을 신청한 때에 이의신청된 청구목적의 값에 관하여 소가 제기된 것으로 본다(민사소송법 제472조 제2항).
③ 법정관할에서는 채무자의 보통 재판적 있는 곳의 지방 법원뿐만 아니라 다양한 특별재판적이 있는 곳의 지방법원도 토지관할로 한다.
④ 지급명령은 채무자를 심문하지 아니하고 한다(민사소송법 제467조).

2020년 기출

15 지급명령과 관련한 다음 설명 중 옳지 않은 것들만 모두 고르면 몇 개인가?

㉠ 지급명령은 채무자를 심문해야 한다.
㉡ 채무자가 지급명령에 대하여 적법한 이의신청을 한 경우에는 이의신청을 한 때에 이의신청된 청구목적의 값에 관하여 소가 제기된 것으로 본다.
㉢ 지급명령에 대하여 이의신청이 없거나, 이의신청을 취하하거나, 각하결정이 확정된 때에는 지급명령은 확정판결과 같은 효력이 있다.
㉣ 채무자가 지급명령을 송달받은 날부터 2주 이내에 이의신청을 한 때에는 지급명령은 그 범위 안에서 효력을 잃는다.
㉤ 소유권이전등기청구나 부동산 인도청구에 대하여 법원은 채권자의 신청에 따라 지급명령을 할 수 있다.

① 1개 ② 2개 ③ 3개
④ 4개 ⑤ 5개

14. ⑤ 15. ③

MEMO

해설 ③ ㉠㉡㉤이 옳지 않다.

㉠ 지급명령은 채무자를 심문하지 아니하고 한다[민사소송법 제467조(일방적 심문)].

㉡ 채무자가 지급명령에 대하여 적법한 이의신청을 한 경우에는 지급명령을 신청한 때에 이의신청된 청구목적의 값에 관하여 소가 제기된 것으로 본다[민사소송법 제472조(소송으로의 이행) 제2항].

㉢ 민사소송법 제474조(지급명령의 효력)

㉣ 민사소송법 제470조(이의신청의 효력) 제1항

㉤ 금전, 그 밖의 대체물이나 유가증권의 일정한 수량의 지급을 목적으로 하는 청구에 대하여 법원은 채권자의 신청에 따라 지급명령을 할 수 있다[민사소송법 제462조(적용의 요건) 본문]. 따라서 소유권이전등기청구나 부동산 인도청구에 대하여 법원은 채권자의 신청에 따라 지급명령을 할 수 없다.

2019년 기출

16 독촉절차(지급명령)에 대한 다음 설명 중 옳지 않은 것은?

① 독촉절차의 관할법원은 원칙적으로 채무자의 보통재판적이 있는 곳의 지방법원이다.

② 지급명령의 신청이 신청의 취지로 보아 청구에 정당한 이유가 없는 것이 명백한 때에는 그 신청을 각하하여야 한다.

③ 채권자는 법원으로부터 채무자의 주소를 보정하라는 명령을 받은 경우에 소제기신청을 할 수 있다.

④ 채무자가 지급명령에 대하여 적법한 이의신청을 한 경우에는 지급명령을 신청한 때에 이의신청된 청구목적의 값에 관하여 소가 제기된 것으로 본다.

⑤ 지급명령에는 당사자, 법정대리인, 청구의 취지와 원인을 적고, 채무자가 지급명령이 송달된 날부터 2주 이내에 이의신청을 할 수 있다는 것을 덧붙일 필요가 없다.

해설 지급명령에는 당사자, 법정대리인, 청구의 취지와 원인을 적고, 채무자가 지급명령이 송달된 날부터 2주 이내에 이의신청을 할 수 있다는 것을 덧붙여 적어야 한다[민사소송법 제468조(지급명령의 기재사항)].

① 독촉절차는 채무자의 보통재판적이 있는 곳의 지방법원이나 제7조 내지 제9조, 제12조 또는 제18조의 규정에 의한 관할법원의 전속관할로 한다[민사소송법 제463조(관할법원)]. 따라서 독촉절차의 관할법원은 원칙적으로 채무자의 보통재판적이 있는 곳의 지방법원이지만, 의무이행지의 법원에도 신청할 수 있다.

② 민사소송법 제465조(신청의 각하) 제1항 제1문

③ 민사소송법 제466조(지급명령을 하지 아니하는 경우) 제1항

④ 민사소송법 제472조(소송으로의 이행) 제2항

정답 16. ⑤

MEMO

2017년 기출

17 **지급명령(독촉절차)에 관한 다음 설명 중 옳은 것은? (다툼이 있는 경우에는 판례에 따름)**

① 채무자는 지급명령에 대하여 이의신청을 할 수 없다.
② 확정된 지급명령에는 확정판결과 같은 기판력이 인정된다.
③ 지급명령을 신청할 수 있는 청구한도액은 소가 2억 원 미만 사건이다.
④ 지급명령신청서에 붙이는 인지대는 일반 민사소송의 소장에 붙이는 인지대의 2분의 1이다.
⑤ 확정된 지급명령은 집행권원이 된다.

해설 ⑤는 민사집행법 제56조 제3호이다.

① 채무자는 지급명령이 송달된 날로부터 2주일 내에 이의신청을 하여 불복할 수 있다(민사소송법 제469조 제2항).
② 확정된 지급명령에는 확정판결과 같은 효력이 있지만 기판력이 있는 것은 아니며, 단지 집행력이 있을 뿐이다.
③ 채권의 목적이 금전, 대체물, 유가증권의 일정한 수량의 지급을 목적으로 하는 것일 때 지급명령을 신청할 수 있다(민소법 제462조 본문). 금전채권의 경우에는 금액의 한도 없이 모두 지급명령의 대상이 된다.
④ 지급명령신청서에 붙이는 인지대는 일반 민사소송의 소장에 붙이는 인지대의 10분의 1이다.

17. ⑤

MEMO

2018년 기출

18 **다음은 지급명령 관련 설명이다. 가장 적절하지 않은 것은?**

① 서류만으로 심사하여 형식상 하자가 없는 경우 지급명령을 결정한다.
② 지급명령결정문 송달 불가 시 주소보정명령에 따라 채권자는 주소보정을 실시한다.
③ 채무자가 지급명령을 송달받은 날부터 3주 이내에 이의신청을 한 때에는 지급명령은 그 범위안에서 효력을 잃는다.
④ 채무자가 지급명령에 대하여 적법한 이의신청을 한 경우에는 지급명령을 신청한 때에 이의신청된 청구목적의 값에 관하여 소가 제기된 것으로 본다.
⑤ 지급명령에 대하여 이의신청이 없거나, 이의신청을 취하하거나, 각하결정이 확정된 때에는 지급명령은 확정판결과 같은 효력이 있다.

해설 채무자가 지급명령을 송달받은 날부터 2주 이내에 이의신청을 한 때에는 지급명령은 그 범위안에서 효력을 잃는다(민사소송법 제470조 제1항).

① 지급명령은 금전 및 기타 대체물이나 유가증권의 일정 수량의 지급을 목적으로 하는 청구권에 관하여 채무자가 다툼이 없을 것으로 예상되는 경우에 채권자의 신청으로 서면심리만으로 채무자를 심문하지 않고 지급명령을 발하는 절차로서 채권자에게 간이, 신속하게 집행권원을 얻게 하는 판결절차의 대용의 특별소송절차이다.
② 지급명령결정문 송달 불가시 주소보정명령에 따라 채권자는 주소보정을 실시한다. 채권자는 법원으로부터 채무자의 주소를 보정하라는 명령을 받은 경우에 소제기신청을 할 수 있다(동법 제466조 제1항).
④ 채무자가 지급명령에 대하여 적법한 이의신청을 한 경우에는 지급명령을 신청한 때에 이의신청된 청구목적의 값에 관하여 소가 제기된 것으로 본다(동법 제472조 제2항).
⑤ 지급명령에 대하여 이의신청이 없거나, 이의신청을 취하하거나, 각하결정이 확정된 때에는 지급명령은 확정판결과 같은 효력이 있다(동법 제474조).

18. ③

MEMO

제3절 민사조정 및 제소전 화해

2013년 기출

01 소송절차 대비 민사조정절차의 장점에 관한 설명으로서 가장 적절하지 않은 것은?

① 법률지식이 부족한 사람도 쉽게 이용할 수 있고 절차에서 자신의 의견을 충분히 개진할 수 있다.
② 신청이 있으면 즉시 조정기일이 정하여지고 신청인과 상대방에게 그 일시·장소가 통지된다.
③ 민사조정신청의 수수료는 소송사건의 인지대에 비하여 매우 저렴하다.
④ 전문가가 조정위원으로 참여함으로써 그들의 경험과 지식을 분쟁의 해결에 널리 활용할 수 있다.
⑤ 조정이 성립하지 않으면 이에 대하여 상소로 불복할 수 있다.

해설 조정신청을 하였으나 조정을 하지 아니하는 결정이 있거나 조정불성립의 경우 또는 조정에 갈음하는 결정에 대하여 당사자가 이의신청을 한 경우에는 그 사건은 자동적으로 소송으로 이행되어 소송절차에 의하여 심리 판단된다(민사조정법 제36조 제1항).

2014년 기출

02 '제소전 화해'에 관한 설명으로 틀린 것은?

① 제소전 화해를 신청하고자 하는 자(신청인)는 상대방의 보통재판적이 있는 곳의 지방법원에 서면으로 제소전 화해 신청서를 제출하여야 한다.
② 법원은 화해신청이 적법하면 화해기일을 정하여 신청인 및 상대방을 소환한다.
③ 기일에 신청인 또는 상대방이 불출석한 때에는 법원은 이들의 화해가 성립되지 아니한 것으로 볼 수 있다.
④ 당사자는 화해를 위하여 대리인을 선임하는 권리를 상대방에게 위임할 수 있다.
⑤ 법원은 필요한 경우 대리권의 유무를 조사하기 위하여 당사자 본인 또는 법정대리인의 출석을 명할 수 있다.

해설 제소전 화해 절차에서는 피신청인의 대리인이 출석하는 경우에는 반드시 피신청인이 직접 선임한 대리인이어야 한다. 즉, 대리인 선임권을 신청인에게 위임할 수 없다(민사소송법 제385조 제2항).

01. ⑤ 02. ④

Chapter 05 민사집행

제1절 민사집행 일반

2022년 기출

01 현행 「민사집행법」상 인정되지 않는 제도는?

① 강제관리제도
② 자력구제
③ 채권압류 및 추심명령제도
④ 인도집행제도
⑤ 가처분제도

해설 '자력구제'란 사인이 자신의 권리를 보호하거나 실현하기 위하여 국가의 힘을 빌리지 않고 사적 실력을 행사하여 강제하는 것을 말한다. 자력구제는 원칙적으로 금지되지만, 국가구제가 불가능하거나 극히 곤란한 경우에 예외적으로, 그것도 질서교란행위가 계속되는 동안 종전의 상태를 유지하려는 전화(轉化)의 단계에서만 인정된다. 민사집행법은 강제집행, 담보권 실행을 위한 경매, 민법・상법, 그 밖의 법률의 규정에 의한 경매 및 보전처분의 절차를 규정함을 목적으로 한다[민사집행법 제1조(목적)]. 따라서, 민사집행법이 적용되는 경우는 국가구제가 가능한 경우이므로 자력구제가 허용되지 않는 것이다.

① 강제관리제도는 민사집행법 제2편(강제집행) 제2장(금전채권에 기초한 강제집행) 제2절(부동산에 대한 강제집행) 제3관(강제관리)에서 제163조 내지 제171조로 인정된다.
③ 채권압류 및 추심명령제도는 민사집행법 제2편(강제집행) 제2장(금전채권에 기초한 강제집행) 제4절(동산에 대한 강제집행) 제3관(채권과 그 밖의 재산권에 대한 강제집행)에서 인정된다.
④ 인도집행제도는 제2편(강제집행) 제3장(금전채권 외의 채권에 기초한 강제집행)에서 제257조(동산인도청구의 집행)와 제258조(부동산 등의 인도청구의 집행)로 인정된다.
⑤ 가처분제도는 민사집행법 제4편(보전처분) 제300조 내지 제312조에서 인정된다.

01. ②

MEMO

2020년 기출

02 **재판이나 집행기관의 담당사무와 관련한 다음 설명 중 옳지 않은 것들만 모두 고르면 몇 개인가?**

㉠ 채무불이행자명부등재절차 및 재산조회절차의 사무는 사법보좌관이 담당한다.
㉡ 부동산에 대한 강제경매절차 및 자동차, 건설기계에 대한 강제경매절차 사무는 법관이 담당한다.
㉢ 채권과 그 밖의 재산권에 대한 강제집행절차 사무는 사법보좌관이 담당한다.
㉣ 가압류와 가처분 재판은 법관이 담당한다.
㉤ 유체동산 경매사무는 집행관이 담당한다.
㉥ 유치권에 의한 부동산경매절차는 법관이 담당한다.

① 1개 ② 2개
③ 3개 ④ 4개
⑤ 5개

해설 ㉡ 부동산에 대한 강제경매절차 및 자동차, 건설기계에 대한 강제경매절차 사무는 사법보좌관이 담당한다.
㉥ 유치권에 의한 부동산경매절차는 사법보좌관이 담당한다. 해당 근거규정은 다음과 같다.

사법보좌관규칙 제2조 【업무범위】
① 「법원조직법」 제54조 제2항 각호의 업무 가운데 사법보좌관이 행할 수 있는 업무는 다음 각 호와 같다.
1. 「민사소송법」 제110조 내지 제115조(「행정소송법」 제8조 제2항, 「가사소송법」 제12조 및 「민사집행법」 제23조 제1항의 규정에 따라 「민사소송법」 제110조 내지 제115조의 규정이 준용되는 경우를 포함한다)의 규정에 따른 소송비용액 또는 집행비용액 확정결정절차에서의 법원의 사무
2. 「민사소송법」 제462조 내지 제474조 및 「소송촉진 등에 관한 특례법」 제20조의2의 규정에 따른 독촉절차에서의 법원의 사무
3. 「민사소송법」 제477조 내지 제479조의 규정에 따른 공시최고에 관한 법원의 사무
3의2. 「소액사건심판법」 제5조의3 내지 제5조의8의 규정에 따른 이행권고결정절차에서의 법원의 사무
4. 「민사집행법」 제32조 및 제35조(동법 제57조의 규정에 따라 「민사집행법」 제32조 및 제35조의 규정이 준용되는 경우를 포함한다)의 규정에 따른 집행문부여 명령에 관한 법원의 사무
5. 「민사집행법」 제70조 내지 제73조의 규정에 따른 채무불이행자명부등재절차에서의 법원의 사무(㉠)

02. ②

MEMO

6. 「민사집행법」 제74조 및 제75조 제1항의 규정에 따른 재산조회절차에서의 법원의 사무(㉠)
7. 「민사집행법」 제78조 내지 제162조의 규정에 따른 부동산에 대한 강제경매절차 및 동법 제187조의 규정에 따른 자동차 · 건설기계 · 소형선박에 대한 강제경매절차에서의 법원의 사무.(㉡) 다만, 다음 각목에 해당하는 사무를 제외한다.
   가. 「민사집행법」 제86조의 규정에 따른 경매개시결정에 대한 이의신청에 대한 재판
   나. 삭제 〈2020.5.1.〉
8. 「민사집행법」 제193조의 규정에 따른 압류물의 인도명령, 같은 법 제214조의 규정에 따른 특별현금화명령 및 같은 법 제216조의 규정에 따른 매각실시명령에 관한 법원의 사무
9. 「민사집행법」 제223조 내지 제251조의 규정에 따른 채권과 그 밖의 재산권에 대한 강제집행절차에서의 법원의 사무.(㉢) 다만, 다음 각목에 해당하는 사무를 제외한다.
   가. 「민사집행법」 제232조 제1항 단서의 규정에 따른 채권추심액의 제한허가
   나. 삭제 〈2020.5.1.〉
   다. 「민사집행법」 제246조 제2항부터 제4항까지의 규정에 따른 압류금지채권의 범위변경
10. 「민사집행법」 제252조 내지 제256조의 규정에 따른 배당절차에 관한 법원의 사무
10의2. 「민사집행법」 제258조, 제259조의 규정에 따른 강제집행절차에서의 법원의 사무
11. 「민사집행법」 제264조 내지 제268조의 규정에 따른 부동산을 목적으로 하는 담보권의 실행을 위한 경매절차 및 동법 제270조의 규정에 따른 자동차 · 건설기계 · 소형선박를 목적으로 하는 담보권의 실행을 위한 경매절차에서의 법원의 사무. 다만, 제7호 가목의 「민사집행법」 규정이 준용되는 사무를 제외한다.
12. 「민사집행법」 제271조 내지 제273조의 규정에 따른 유체동산, 채권과 그 밖의 재산권을 목적으로 하는 담보권의 실행절차에 관한 법원의 사무 가운데 제8호 내지 제10호의 「민사집행법」 규정이 준용되는 사무. 다만, 제9호 가목 및 다목의 「민사집행법」 규정이 준용되는 사무를 제외한다.
13. 「민사집행법」 제274조의 규정에 따른 유치권 등에 의한 경매절차에서의 법원의 사무 가운데 제11호 및 제12호의 「민사집행법」 규정이 준용되는 사무.(㉥) 다만, 제7호 가목 및 제9호 가목 · 다목의 「민사집행법」 규정이 준용되는 사무를 제외한다.
14. 제7호 내지 제9호 · 제10의2호 내지 제13호의 규정에 따른 집행절차에서의 법원의 사무 가운데 다음 각목의 사무
   가. 「민사집행법」 제49조의 규정에 따른 집행의 정지 및 제한
   나. 「민사집행법」 제50조의 규정에 따른 집행처분의 취소 및 일시유지
   다. 「민사집행법」 제52조 제2항, 제3항의 규정에 따른 채무자 유산에 대한 강제집행을 위한 특별대리인의 선임 및 개임
   라. 「민사집행법」 제54조의 규정에 따른 군인 · 군무원에 대한 강제집행

MEMO

의 촉탁

마. 「민사집행법」 제266조(동법 제270조・제272조 및 제274조 제1항의 규정에 따라 준용되는 경우를 포함한다)의 규정에 따른 경매절차의 정지 및 경매절차의 취소・일시유지

15. 「민사집행법」 제287조 제1항(「민사집행법」 제301조, 「가사소송법」 제63조의 규정에 의하여 준용되는 경우를 포함한다)의 규정에 따른 본안의 제소명령
16. 「민사집행법」(「가사소송법」 제63조의 규정에 의하여 준용되는 경우를 포함한다)의 규정에 따른 가압류・가처분집행의 취소에 관한 법원의 사무
17. 「주택임대차보호법」 제3조의3 및 「상가건물임대차보호법」 제6조의 규정에 따른 임차권등기명령 및 그 집행의 취소에 관한 법원의 사무
18. 「가사소송법」 제2조 제1항 제2호 가목 32)에 따른 상속의 한정승인신고 또는 포기신고의 수리와 한정승인 취소신고 또는 포기 취소신고의 수리 절차에서의 가정법원의 사무
19. 미성년 자녀가 없는 당사자 사이의 「가족관계의 등록 등에 관한 법률」 제75조 제1항, 제4항에 따른 협의상 이혼의 확인 절차에서의 가정법원의 사무(민법 제836조의2 제2항, 제3항에 따른 숙려기간의 단축 또는 면제와 관련된 사무를 제외함)
20. 그 밖에 다른 법률에서 사법보좌관이 담당하는 것으로 규정하는 사무
21. 제1호부터 제20호까지의 규정에 따른 처분에 잘못된 계산이나 기재 그 밖에 이와 비슷한 잘못이 있음이 분명한 때에 직권으로 또는 당사자의 신청에 따라 이를 경정하는 사무

② 사법보좌관은 제1항 각 호의 업무를 독립하여 처리한다.

2016년 기출

03 집행비용에 관한 다음 설명 중 옳지 않은 것은?

① 채권자가 집행비용을 예납하지 않는 경우, 집행관은 사무를 행하지 아니할 수 있고, 집행법원은 판결로써 신청을 각하하거나 집행절차를 취소할 수 있다.

② 집행비용이라 함은 민사집행에 필요한 비용, 즉 민사집행의 준비 및 실시를 위하여 필요한 비용을 말한다.

③ 집행비용은 별도의 집행권원 없이 본래의 강제집행에서 우선적으로 변상을 받을 수 있다. 판례도 집행비용을 별소로써 청구하는 것은 소의 이익이 없으므로 허용되지 않는다고 한다.

④ 집행개시 후 본안의 청구가 소멸된 때라도 집행비용채권이 소멸하지 않으면 집행비용 추심을 위하여 강제집행을 속행할 수 있다.

⑤ 집행비용의 예납은 신청인으로 하여금 소요경비를 미리 내게 하는 것을 말한다.

03. ①

MEMO

해설 채권자가 집행비용을 미리 내지 아니한 때에는 법원은 결정으로 신청을 각하하거나 집행절차를 취소할 수 있다(민사집행법 제18조 제2항).

② '집행비용'이라 함은 민사집행에 필요한 비용, 즉 민사집행의 준비 및 실시를 위하여 필요한 비용을 말한다. 집행비용은 집행준비비용과 집행실시비용으로 나눌 수 있다. '집행준비비용'은 집행의 준비에 필요한 비용, 즉 집행실시 이전에 집행개시를 위하여 필요한 비용이며, '집행실시비용'은 집행신청 이후에 채권자 및 집행기관이 집행절차를 수행하기 위하여 필요한 비용이다.

③ 강제집행에 필요한 비용은 채무자가 부담하고 그 집행에 의하여 우선적으로 변상을 받는다(민사집행법 제3조 제1항). 집행절차에서 변상받지 못한 집행비용을 별도의 소(訴)로 청구할 수 있는지에 관하여 판례는 "유체동산에 대한 집행을 위하여 집행관에게 지급한 수수료는 민사소송법 제513조(현행 민사집행법 제53조) 제1항, 민사소송규칙 제107조(현행 민사집행규칙 제24조) 제1항 소정의 집행비용에 해당하므로 그 집행절차에서 변상을 받지 못하였을 경우에는 별도로 집행법원에 '집행비용액확정결정의 신청'을 하여 그 결정을 채무명의(집행권원)로 삼아 집행하여야 하고, 집행관에게 지급한 수수료 상당의 금원을 채무자에게 지급명령신청의 방법으로 지급을 구하는 것은 허용되지 않는다"라고 한다(대판 96그8 결정). 즉, 위 집행비용확정결정을 기초로 하여 바로 금전 채권집행을 할 수 있으므로 강제집행비용만을 소송으로 청구하거나 지급명령의 방법으로 별로도 지급을 구하는 것은 소의 이익이 없어 허용되지 아니한다는 것이 대법원의 입장이다(대판 89다2356).

④ 집행권원에 표시된 채무는 소멸되었으나 집행비용을 변상하지 아니한 경우, 그 집행력 전부의 배제를 구할 수 있는지에 관하여 판례는 "강제집행에 필요한 비용은 채무자의 부담으로 하고 그 집행에 의하여 우선적으로 변상을 받게 되어 있으므로 이러한 집행비용은 별도의 채무명의(집행권원) 없이 그 집행의 기본인 당해 채무명의(집행권원)에 터 잡아 당해 강제집행절차에서 그 채무명의(집행권원)에 표시된 채권과 함께 추심할 수 있고, 따라서 채무명의(집행권원)에 표시된 본래의 채무가 변제공탁으로 소멸되었다 하여도 그 집행비용을 변상하지 아니한 이상 당해 채무명의(집행권원)의 집행력 전부의 배제를 구할 수는 없다"라고 하였다(대판 89다2356, 89다카12121, 91다41620). 다만, "채권자에 대한 변제자의 공탁금액이 채무의 총액에 비하여 아주 근소하게 부족한 경우에는 당해 변제공탁은 신의칙상 유효한 것이라고 보아야 한다"라고 하면서 채무총액 69,384,761원에서 248,816원이 부족한 69,135,945원을 공탁하였는데, 집행비용의 차이, 계산상 과오 등으로 인하여 근소한 부족금액이 발생하였던 것이고, 그 부족비율이 0.35%에 지나지 않는 경우 그 공탁은 그 공탁시점에서 신의칙상 유효한 것으로 볼 수 있다고 한 사례가 있다(대판 2002다12871). 이에 비추어 보면, 집행개시 후 본안의 청구가 소멸된 때라도 집행비용채권이 소멸하지 않으면 집행비용 추심을 위하여 강제집행을 속행할 수 있다.

⑤ 집행비용은 종국적으로 채무자의 부담으로 되지만 집행절차 내에서 회수할 수 없는 경우도 있기 때문에 신청인으로 하여금 일정한 소요경비를 미리 내게 한 후 배당의 절차단계에서 이를 청산하도록 하고 있는데, 이를 '집행비용의 예납'이라고 한다.

MEMO

2015년 기출

04 다음 (   ) 안에 공통으로 들어갈 용어로 가장 적합한 것은?

- (   )은 법률이 정하는 바에 의하여 재판의 집행, 서류의 송달 기타의 사무에 종사한다.
- 지방법원 및 그 지원에 (   )을 두며, (   )은 법률이 정하는 바에 따라 소속지방법원장이 임명한다.

① 법관
② 조사관
③ 집행관
④ 사법보좌관
⑤ 집행법원의 보조기관

해설 집행관은 법률이 정하는 바에 의하여 재판의 집행, 서류의 송달 기타 법령에 의한 사무에 종사하는 독립적, 단독제의 사법기관으로서 실질적인 의미에 있어서 국가공무원이다. 집행관은 10년 이상 법원주사보, 등기주사보, 검찰주사보, 마약수사주사보 이상의 직에 있던 자 중에서 소속 지방법원장이 임명하며 지방법원에 소속된다.

제2절 강제집행총론

2024년 기출

01 다음은 집행문에 관한 설명이다. 가장 적절하지 않은 것은?

① 강제집행을 하려면 원칙적으로 집행문이 부기된 집행권원의 정본(집행력 있는 정본)이 있어야 한다.
② 가처분 명령을 집행하는 경우에도 반드시 집행문이 필요하다.
③ 확정된 지급명령이 집행권원인 경우에는 원칙적으로 집행문의 부여 없이도 집행할 수 있다.
④ 집행문은 판결정본의 끝에 덧붙여 적는다.
⑤ 집행권원이 집행증서일 경우 집행문의 부여기관은 그 증서를 보존하는 공증인이다.

정답 04. ③ / 01. ②

MEMO

해설 ② 집행문은 원칙적으로 모든 집행권원에 요구된다. 확정판결의 경우뿐만 아니라 가집행선고 있는 판결, 확정된 화해권고결정, 화해조서, 조정조서, 집행판결, 집행증서 등에도 필요하다. 그러나 집행절차의 간이성 및 신속성의 요구에 따라 예외적으로 집행문의 부여가 필요하지 않은 경우가 있다. 확정된 지급명령에 의한 강제집행, 확정된 이행권고결정의 집행에 기한 강제집행, 가압류・가처분명령을 집행하는 경우 등이 이에 해당한다. 집행절차 중의 부수적 집행이기 때문에 별도의 집행문이 필요하지 않은 경우도 있다. 이에는 채권압류명령에 기한 채권증서의 인도집행, 강제관리개시결정에 기한 부동산의 점유집행과 같은 경우이다. 또한 과태료의 재판, 확정된 배상명령은 집행력 있는 민사판결정본과 동일한 효력이 있으므로 집행문이 필요하지 않다.

④ 민사집행법 제29조(집행문) 제1항

⑤ 재판관의 명령에 의하여 부여하는 경우를 제외하면 집행력있는 정본은 원칙적으로 재판기관의 참여를 받지 않고 제1심 법원의 법원서기관, 법원사무관, 법원주사 또는 법원주사보 등이 부여하고, 집행증서의 경우에는 그 증서를 보관하는 공증인, 법무법인 또는 공증인가 합동법률사무소가 집행문을 준다.

2024년 기출

02 다음 중 원칙적으로 집행문을 부여 받지 않아도 강제집행을 할 수 있는 것은?

① 강제집행 인낙의 의사표시가 있는 금전소비대차계약공정증서

② 화해권고결정

③ 집행의 조건이 붙은 지급명령

④ 이행권고결정

⑤ 조정조서

해설 ④ 집행문은 원칙적으로 모든 집행권원에 요구된다. 확정판결의 경우뿐 아니라 가집행선고 있는 판결, 집행판결, 집행증서 등에도 필요하다. 그러나 다음의 경우에는 집행절차의 간이성 및 신속성의 요구에 따라 예외적으로 집행문의 부여가 필요하지 않은 경우가 있다. 확정된 지급명령에 의한 강제집행, 확정된 이행권고결정의 집행에 기한 강제집행, 가압류, 가처분명령을 집행하는 경우 등이 이에 해당한다. 집행절차 중의 부수적 집행이기 때문에 별도의 집행문이 필요하지 않은 경우도 있다. 이에는 채권압류명령에 기한 채권증서의 인도집행, 강제관리개시결정에 기한 부동산의 점유집행과 같은 경우이다. 또한 과태료의 재판, 확정된 배상명령은 집행력 있는 민사판결정본과 동일한 효력이 있으므로 집행문이 필요하지 않다. 다만, 위와 같이 집행문의 부여를 요하지 아니하는 집행권원이라도 집행에 조건이 붙여진 경우, 당사자의 승계가 있는 경우, 수통의 집행문을 부여하는 경우에는 집행문이 필요하다.

02. ④

MEMO

2023년 기출

03 다음 중 강제집행 시 원칙적으로 집행문의 부여가 필요 없는 것을 모두 모은 것은?

ㄱ. 확정된 지급명령
ㄴ. 확정된 종국판결
ㄷ. 확정된 이행권고결정
ㄹ. 화해조서
ㅁ. 확정된 화해권고결정

① ㄱ, ㄴ
② ㄱ, ㄷ
③ ㄱ, ㅁ
④ ㄴ, ㄹ
⑤ ㄷ, ㅁ

해설 ② 집행문은 원칙적으로 모든 집행권원에 요구된다. 확정된 종국판결뿐만 아니라 가집행선고가 있는 판결, 확정된 화해권고결정, 화해조서, 조정조서, 집행판결, 집행조서 등에도 필요하다. 그러나 다음의 경우에는 집행절차의 간이성 및 신속성의 요구에 따라 예외적으로 집행문의 부여가 필요하지 않은 경우가 있다. 확정된 지급명령에 의한 강제집행, 확정된 이행권고결정의 집행에 기한 강제집행, 가압류, 가처분 명령을 집행하는 경우 등이 이에 해당한다. 집행절차 중의 부수적 집행이기 때문에 별도의 집행문이 필요하지 않은 경우도 있다. 이에는 채권압류명령에 기한 채권증서의 인도집행, 강제관리개시결정에 기한 부동산의 점유집행과 같은 경우이다. 또한 과태료의 재판, 확정된 배상명령은 집행력 있는 민사판결정본과 동일한 효력이 있으므로 집행문이 필요하지 않다.

2022년 기출

04 다음의 집행권원 중 원칙적으로 집행문을 부여 받지 않아도 강제집행을 할 수 있는 것은?

① 가집행의 선고가 있는 종국판결
② 확정된 화해권고결정
③ 조정조서
④ 소송상 화해조서
⑤ 확정된 이행권고결정

해설 '집행권원'이라 함은 일정한 사법상의 이행청구권의 존재 및 범위를 표시하고 그 청구권에 집행력을 정한 공정의 문서를 말하고, '집행문'이라 함은 집행권원에 집행력이 있는 것과 집행당사자를 공증하기 위하여 공증공무원이 집행권원의 정본의 말미에 부가하는 공증문언을 말한다. 집행문은 원칙적으로 모든 집행권원에 요구된다. 확정판결의 경우뿐 아니라 가집행선고있는 판결, 집행판결, 집행증서 등에도 필요하다. 그러나 집행절차의 간이성 및 신속성의 요구에 따라 예외적으로 집행문의 부여가 필요하지 않은 경우가 있다. 확정된 지급명령에 의한 강제집행, 확정된 이행권고결정의 집행에 기한 강제집행, 가압류 또는 가처분명령을 집행하는 경우 등이 이에 해당한다.

03. ② 04. ⑤

MEMO

2021년 기출

05 다음 중 원칙적으로 집행문을 부여 받지 않아도 강제집행 할 수 있는 것은? (단, 집행권원은 모두 확정됨)

① 조정에 갈음하는 결정
② 집행의 조건이 붙은 지급명령
③ 화해권고결정
④ 이행권고결정
⑤ 강제집행 인낙의 의사표시가 있는 약속어음공정증서

해설 '집행문'이라 함은 집행권원에 집행력이 있는 것과 집행당사자를 공증하기 위하여 공증공무원이 집행권원의 정본의 말미에 부기하는 공증문언을 말한다. 집행문은 원칙적으로 모든 집행권원에 요구된다. 확정판결의 경우뿐 아니라 가집행선고 있는 판결, 집행판결, 집행증서 등에도 필요하다. 그러나 집행절차의 간이성 및 신속성의 요구에 따라 예외적으로 집행문의 부여가 필요하지 않은 경우가 있다. 확정된 지급명령에 의한 강제집행, 확정된 이행권고결정의 집행에 기한 강제집행, 가압류, 가처분명령을 집행하는 경우 등이 이에 해당한다. 집행절차 중의 부수적 집행이기 때문에 별도의 집행문이 필요하지 않은 경우도 있다. 이에는 채권압류명령에 기한 채권증서의 인도집행, 강제관리개시결정에 기한 부동산의 점유집행과 같은 경우이다. 또한 과태료의 재판, 확정된 배상명령은 집행력 있는 민사판결정본과 동일한 효력이 있으므로 집행문이 필요하지 않다. 다만, 위와 같이 집행문의 부여를 요하지 아니하는 집행권원이라도 집행에 조건이 붙여진 경우, 당사자의 승계가 있는 경우, 수통의 집행문을 부여하는 경우에는 집행문이 필요하다.

2021년 기출

06 다음 중 금전의 지급을 목적으로 하는 집행권원으로서 재산명시신청을 할 수 있는 집행권원이 아닌 것은?

① 확정된 이행권고결정
② 화해조서
③ 가집행선고 있는 판결
④ 인낙조서
⑤ 파산 채권표

해설 재산명시신청은 금전의 지급을 목적으로 하는 집행권원 중 가집행의 선고가 붙어 집행력을 가지는 집행권원을 제외한 집행권원에 기초하여야 한다. 집행권원이라 함은 일정한 사법상의 이행청구권의 존재 및 범위를 표시하고 그 청구권에 집행력을 정한 공정의 문서를 말한다. 그 종류는 다음 표 참조

민사집행법과 민사소송법에 규정된 것	판결	1) 확정된 종국판결 2) 가집행의 선고가 있는 종국판결 3) 외국법원의 판결에 대한 집행판결
	항고로만 불복할 수 있는 재판	소송비용액확정결정 등

05. ④ 06. ③

MEMO

	확정된 지급명령	
	확정된 이행권고결정(①)	
	확정된 화해권고결정	
	소송상 화해조서(②)	
	청구의 인락조서(④)	
	가압류명령, 가처분명령	민사집행법 제291조, 제301조
	집행증서	금전소비대차공정증서, 어음공정증서 등
기타 법률에 규정된 것	1) 중재판정에 대한 집행판결 2) 파산채권자표(⑤) 3) 회사정리채권자표, 회사정리담보권자표 4) 조정조서와 조정에 갈음하는 결정 5) 비송사건절차의 비용의 재판 6) 당사자가 예납하지 아니한 비용의 수봉 결정 7) 변협징계위원회의 과태료의 결정 8) 회사정리절차에 있어서 발기인 등에 대한 주금납입청구권 또는 그 책임에 기한 손해배상청구권의 사정의 재판 9) 언론중재위원회의 중재화해조서와 중재조서 10) 비송사건절차법상의 과태료의 재판에 대한 검사의 명령 11) 이의신청에 대한 중앙토지수용위원회의 재결	

2020년 기출

07 다음 중 집행문을 받을 필요 없이 강제집행이 가능한 것들만 모두 고르면 몇 개인가?

㉠ 확정된 화해권고결정
㉡ 집행증서
㉢ 소송상 화해조서
㉣ 가집행의 선고가 있는 종국판결
㉤ 확정된 지급명령
㉥ 조정조서
㉦ 파산채권자표
㉧ 부동산 인도명령

① 1개
② 2개
③ 3개
④ 4개
⑤ 5개

해설 집행문은 원칙적으로 모든 집행권원에 요구된다. 확정판결의 경우뿐 아니라 가집행선고 있는 판결, 집행판결, 집행증서 등에도 필요하다. 그러나 집행절차의 간이성 및 신속성의 요구에 따라 예외적으로 집행문의 부여가 필요하지 않은 경우가 있다. 확정된 지급명령

07. ①

MEMO

에 의한 강제집행(ⓜ), 확정된 이행권고결정의 집행에 기한 강제집행, 가압류, 가처분명령을 집행하는 경우 등이 이에 해당한다. 집행절차 중의 부수적 집행이기 때문에 별도의 집행문이 필요하지 않은 경우도 있다. 이에는 채권압류명령에 기한 채권증서의 인도집행, 강제관리개시결정에 기한 부동산의 점유집행과 같은 경우이다. 또한 과태료의 재판, 확정된 배상명령은 집행력 있는 민사판결정본과 동일한 효력이 있으므로 집행문이 필요하지 않다. 다만 위와 같이 집행문의 부여를 요하지 아니하는 집행권원이라도 집행에 조건이 붙여진 경우, 당사자의 승계가 있는 경우, 수통의 집행문을 부여하는 경우에는 집행문이 필요하다. 집행권원의 종류에 대해서는 앞 문제 해설 표 참조

2018년 기출

08 다음 중 집행권원이 아닌 것은?

① 확정된 종국판결
② 소송상 화해조서
③ 청구의 인낙조서
④ 소송비용액 확정결정
⑤ 중재판정

해설 '집행권원'이라 함은 일정한 사법상의 이행청구권의 존재 및 범위를 표시하고 그 청구권에 집행력을 정한 공정의 문서인데, 중재판정에 대한 집행판결이 집행권원이고 중재판정만으로는 집행권원이 될 수 없다. 현행법상 집행권원으로 인정되고 있는 것은 앞선 문제 해설 표 참조

2019년 기출

09 다음 중 원칙적으로 집행문을 받아야만 강제집행할 수 있는 경우는?

① 확정된 지급명령에 기한 강제집행
② 가압류명령의 집행
③ 확정된 화해권고결정에 기한 강제집행
④ 가처분명령의 집행
⑤ 확정된 이행권고결정에 기한 강제집행

해설 '집행문'이라 함은 집행권원에 집행력이 있는 것과 집행당사자를 공증하기 위하여 공증공무원이 집행권원의 말미에 부기하는 공증문언을 말한다. 집행문은 원칙적으로 모든 집행권원에 요구된다. 확정판결의 경우뿐만 아니라 가집행선고 있는 판결, 집행판결, 집행증서 등에도 필요하다. 화해권고결정은 재판상 화해와 같은 효력을 가지고[민사소송법 제231조(화해권고결정의 효력)], 재판상 화해는 확정판결과 같은 효력을 가지므로[민사소송법 제220조(화해, 청구의 포기·인락조서의 효력)], 집행문이 요구된다. 그러나, 다음의 경우에는 집행절차의 간이성 및 신속성의 요구에 따라 예외적으로 집행문의 부여가 필요하지 않은 경우가 있다. 확정된 지급명령에 의한 강제집행(①), 확정된 이행권고결정의 집행에 기한 강제집행(⑤), 가압류, 가처분명령을 집행하는 경우(②,④) 등이 이에 해당

정답 08. ⑤ 09. ③

MEMO

한다. 집행절차 중의 부수적 집행이기 때문에 별도의 집행문이 필요하지 않은 경우도 있다. 이에는 채권압류명령에 기한 채권증서의 인도집행, 강제관리개시결정에 기한 부동산의 점유집행과 같은 경우이다. 또한 과태료재판, 확정된 배상명령은 집행력 있는 민사판결정본과 동일한 효력이 있으므로 집행문이 필요하지 않다. 다만, 위와 같이 집행문의 부여를 요하지 않는 경우, 당사자의 승계가 있는 경우, 수통의 집행문을 부여하는 경우에는 집행문이 필요하다.

2018년 기출

10 다음 중 집행문 부여 요건으로 옳은 것은?

① 집행권원의 송달
② 집행권원상의 조건성취
③ 집행문과 증명서의 송달
④ 담보제공증명서의 송달과 그 등본의 송달
⑤ 반대급부의 이행 또는 이행의 제공

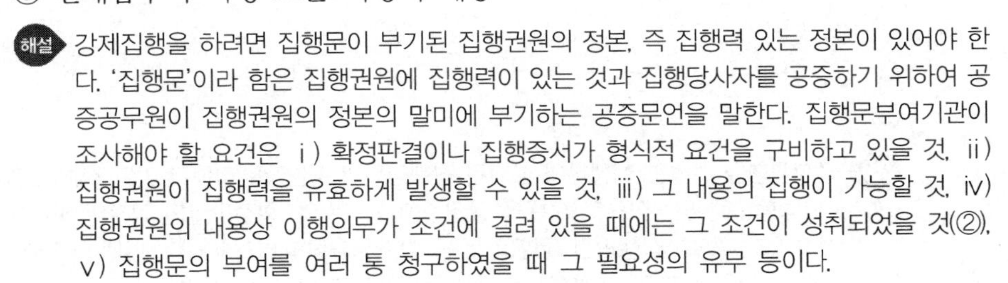
해설 강제집행을 하려면 집행문이 부기된 집행권원의 정본, 즉 집행력 있는 정본이 있어야 한다. '집행문'이라 함은 집행권원에 집행력이 있는 것과 집행당사자를 공증하기 위하여 공증공무원이 집행권원의 정본의 말미에 부기하는 공증문언을 말한다. 집행문부여기관이 조사해야 할 요건은 ⅰ) 확정판결이나 집행증서가 형식적 요건을 구비하고 있을 것, ⅱ) 집행권원이 집행력을 유효하게 발생할 수 있을 것, ⅲ) 그 내용의 집행이 가능할 것, ⅳ) 집행권원의 내용상 이행의무가 조건에 걸려 있을 때에는 그 조건이 성취되었을 것(②), ⅴ) 집행문의 부여를 여러 통 청구하였을 때 그 필요성의 유무 등이다.

2018년 기출

11 집행문의 부여절차 없이 강제집행할 수 있는 경우로 볼 수 없는 것은?

① 확정된 지급명령에 기한 강제집행
② 확정된 이행권고결정에 기한 강제집행
③ 가집행선고가 있는 판결에 기한 강제집행
④ 가압류명령의 집행
⑤ 가처분명령의 집행

해설 집행문은 원칙적으로 모든 집행권원에 요구된다. 확정판결의 경우뿐만 아니라 가집행선고가 있는 판결(③), 집행판결, 집행증서 등에도 필요하다. 그러나 다음의 경우에는 집행절차의 간이성 및 신속성의 요구에 따라 예외적으로 집행문의 부여가 필요하지 않은 경우가 있다. 확정된 지급명령에 의한 강제집행(①), 확정된 이행권고결정에 기한 강제집행(②), 가압류, 가처분명령을 집행(④,⑤)하는 경우 등이 이에 해당한다. 집행절차 중의 부

10. ② 11. ③

MEMO

수적 집행이기 때문에 별도의 집행문이 필요하지 않은 경우도 있다. 이에는 채권압류명령에 기한 채권증서의 인도집행, 강제관리개시결정에 기한 부동산의 점유집행과 같은 경우이다. 또한 과태료의 재판, 확정된 배상명령은 집행력 있는 민사판결정본과 동일한 효력이 있으므로 집행문이 필요하지 않다. 다만, 위와 같이 집행문의 부여를 요하지 아니하는 집행권원이라도 집행에 조건이 붙여진 경우, 당사자의 승계가 있는 경우, 수통의 집행문을 부여하는 경우에는 집행문이 필요하다.

2017년 기출

12 다음 보기에서 원칙적으로 집행문의 부여가 필요한 것들만 모은 것은?

㉮ 확정된 지급명령에 의한 강제집행
㉯ 확정된 종국판결에 의한 강제집행
㉰ 확정된 이행권고결정에 의한 강제집행
㉱ 조정조서에 의한 강제집행

① ㉮, ㉯
② ㉯, ㉰
③ ㉯, ㉱
④ ㉮, ㉰
⑤ ㉰, ㉱

해설 강제집행을 하려면 집행문의 부기된 집행권원의 정본, 즉 집행력 있는 정본이 있어야 한다. 집행문은 원칙적으로 모든 집행권원에 요구된다. 확정판결의 경우뿐 아니라 가집행선고 있는 판결, 집행판결, 집행증서 등에도 필요하다. 그러나 집행절차의 간이성 및 신속성의 요구에 따라 예외적으로 집행문의 부여가 필요하지 않은 경우가 있다.

㉮ 확정된 지급명령에 기한 강제집행은 집행문을 부여받을 필요 없이 지급명령 정본에 의하여 행한다. 다만, 지급명령의 집행에 조건이 붙은 경우, 당사자의 승계인을 위하여 강제집행을 하는 경우, 당사자의 승계인에 대하여 강제집행을 하는 경우에는 집행문을 부여받아야 한다(민사집행법 제58조 제1항).

㉰ 이행권고결정에 기한 강제집행은 집행문을 부여받을 필요 없이 이행권고결정서 정본에 의하여 행한다. 다만, 이행권고결정의 집행에 조건이 붙은 경우, 당사자의 승계인을 위하여 강제집행을 하는 경우, 당사자의 승계인에 대하여 강제집행을 하는 경우에는 집행문을 부여받아야 한다(소액사건심판법 제5조의8 제1항).

12. ③

MEMO

2017년 기출

13 다음 중 (   )에 공통적으로 들어갈 용어로 적절한 것은?

- 채무자 사망 시 사망 전에 채무자를 상대로 집행권원을 획득한 경우에는 (   )을(를) 부여받은 후 상속인의 재산에 대한 강제집행을 한다.
- 집행권원에 표시된 채무자를 위하여 집행권원에 표시된 채권자에게 대위변제한 자는 (   )을(를) 부여받아 채무자에게 집행할 수 있다.

① 가압류결정문　　② 가집행결정문
③ 승계집행문　　④ 재도부여
⑤ 가처분결정문

해설 강제집행을 하려면 우선 집행당사자가 확정되어야 하는데, 집행채무자의 사망 혹은 대위변제 등의 원인으로 집행당사자의 변동이 있는 경우에는 승계집행문을 부여받아 상속인 혹은 채무자에게 집행할 수 있다. 이를 집행문부여 여부를 기준으로 구체적으로 상설하면 다음과 같다.

(1) 집행문부여 전 변동의 경우 : 집행권원 성립 후 집행문부여 전에 당사자의 사망이나 그 밖의 승계로 집행권원에 기재된 집행당사자의 적격에 변동이 생긴 때에는 새로 적격을 취득한 사람을 위하여 또는 그 사람에 대하여 승계집행문을 부여받지 않으면 아니 된다.

(2) 집행문부여 후 변동의 경우

1) 원칙 : 집행문부여 후의 당사자 적격에 변동이 있는 때에는 새로운 적격자를 위하여 또는 그에 대하여 집행문을 부여받지 아니하면 그를 위하여 또는 그에 대하여 집행의 착수 또는 속행을 할 수 없다. 왜냐하면 집행절차에서는 판결절차에서와 같은 법률상의 당연승계나 이에 기한 중단, 수계가 없기 때문이다.

2) 예외 : 집행개시 후 채무자의 지위에 포괄승계가 있는 경우에는 승계집행문 없이도 그 채무자에 속하는 책임재산에 대하여 그대로 집행할 수 있다. 이를테면, 강제집행을 개시한 뒤에 채무자가 죽은 때에는 채권자는 그 상속재산에 대하여 강제집행을 계속하여 진행한다(민사집행법 제52조 제1항).

13. ③

MEMO

2015년 기출

14 **집행권원의 내용에 관한 설명으로 옳지 않은 것은?**

① 집행권원은 실체법상의 청구권의 존재와 범위를 표시하고 법률상 집행력을 인정한 공문서이다.

② 집행권원에 명시된 급부의무의 내용은 가능·특정·적법하여 강제이행을 할 수 있어야 한다.

③ 집행권원에 의하여(집행문의 부여가 있는 경우에는 이와 결합하여) 집행당사자 및 집행의 내용, 범위가 정하여진다.

④ 이행청구권의 범위의 최대한도는 집행권원에 표시된 바에 의하여 정하여진다. 실제로는 집행권원에 표시된 액수 이상의 채권이 있다 하여도 그 초과부분은 집행할 수 없다.

⑤ 청구이의의 소에서 집행권원 표시의 일부에 대하여 집행 불허의 판결이 있는 경우에는 집행 불허가 되지 않는 나머지 부분에 대하여도 집행할 수 없다.

해설 청구이의의 소에서 집행권원 표시의 일부에 대하여 집행 불허의 판결이 있는 경우에는 집행 불허가 되지 않는 나머지 부분에 대하여는 집행할 수 있다.

① 집행권원의 의의

② 집행권원에는 급부의 목적물의 종류, 범위, 급부의 시기 등이 표시되어야 하며 급부가 집행 당시에 객관적으로 불능이면 집행불능으로 된다. 급부의 내용 자체가 부적법하거나 사회질서에 반하는 것인 때에는 잘못하여 판결로 그러한 급부를 명하였더라도 무효이므로 집행할 수 없다.

③ 이에 의하여 한정된 이외의 집행행위는 위법으로 되고, 채무자 및 이행관계 있는 제3자는 이에 대하여 이의신청 또는 소송으로써 그 집행의 배제를 구할 수 있다.

④ 이행청구권의 범위

14. ⑤

MEMO

014년 기출

15 강제집행의 분류와 관련한 설명으로 가장 적절하지 않은 것은?

① 실현될 권리가 금전채권인 경우의 집행을 '금전집행(금전채권에 기초한 강제집행)'이라 하고 비금전채권인 경우의 집행을 '비금전집행(금전채권 외의 채권에 기초한 강제집행)'이라 한다.

② 금전집행과 비금전집행의 구별은 상대적이므로 「민사집행법」상의 금전집행에 관한 규정은 일반적으로 비금전집행에 준용된다.

③ 금전집행은 집행대상재산의 종류에 따라 '부동산에 대한 집행', '선박 등에 대한 집행', '동산에 대한 집행'으로 구분된다.

④ 비금전집행은 '물건의 인도를 구하는 청구권의 집행', '작위 · 부작위채권의 집행', '의사표시의무의 집행' 등으로 나뉜다.

⑤ 동산에 대한 집행은 '유체동산에 대한 집행'과 '채권과 그 밖의 재산권'에 대한 집행으로 구분된다.

해설 금전채권의 집행은 집행대상 재산의 종류에 따라 부동산, 선박, 자동차, 항공기, 동산에 대한 집행으로 구분되며, 동산집행은 다시 유체동산에 대한 금전집행과 채권집행으로 세분된다. 반면, 비금전채권의 집행은 물건의 인도를 구하는 청구권의 집행과 작위, 부작위, 의사표시를 구하는 청구권의 집행으로 나눌 수 있다. 즉, 실현될 권리가 금전채권인 경우의 집행을 금전채권에 기초한 강제집행이라 하고, 실현될 권리가 비금전채권인 경우의 집행을 금전채권 이외의 채권에 기초한 강제집행이라고도 한다. 현행 민사집행법은 양자를 명백히 구별하여 규정하고 있는데, 이 구별을 무시하여 일방의 규정을 타방에 적용하는 것은 허용하지 않는다. 따라서 민사집행법상의 금전집행에 관한 규정은 비금전집행에 준용되지 않는다.

15. ②

MEMO

제3절 금전채권에 기초한 강제집행

2023년 기출

01 甲은 乙에 대한 5,000만 원의 채권에 대하여 지급명령을 신청하여 인용 결정을 받고 확정되었다. 위와 같은 사례에 대한 다음 설명 중 가장 적절하지 않은 것은?

① 甲이 乙의 은행에 가지는 예금채권에 대하여 강제집행을 신청하려면 원칙적으로 乙의 주소지를 관할하는 법원에 채권압류 및 추심명령(또는 전부명령)을 신청하여야 한다.

② 甲이 乙의 부동산에 대하여 강제경매를 신청하려면 부동산 소재지를 관할하는 법원에 하여야 한다.

③ 甲의 재산명시신청에 대하여 乙이 거짓의 재산목록을 낸 때에는 3년 이하의 징역 또는 500만 원 이하의 벌금에 처할 수 있다.

④ 재산명시절차에서 乙이 제출한 재산목록의 재산만으로는 집행채권의 만족을 얻기에 부족한 경우, 甲은 재산명시신청을 한 법원에 재산조회를 신청할 수 있다.

⑤ 甲은 위 집행권원으로 채무자 재산에 강제집행을 하려면 집행문 부여와 송달증명원, 확정증명원을 발급받아 첨부하여야 한다.

해설 ⑤ 확정된 지급명령에 의한 강제집행을 할 때는 집행절차의 간이성 및 신속성의 요구에 따라 예외적으로 집행문의 부여가 필요치 않다. 아울러 지급명령결정문 상에 송달일자와 확정일자가 기재되어 있어서 별도의 송달증명원, 확정증명원의 발급도 필요치 않다.

① 채권압류 및 추심명령(전부명령)의 신청의 집행법원은 채무자의 보통재판적이 있는 곳의 지방법원으로 한다[민사집행법 제224조(집행법원) 제1항]. 따라서, 甲이 乙의 은행에 가지는 예금채권에 대하여 강제집행을 신청하려면 원칙적으로 乙의 주소지를 관할하는 법원에 채권압류 및 추심명령(또는 전부명령)을 신청하여야 한다.

② 부동산에 대한 강제집행은 그 부동산이 있는 곳의 지방법원이 관할한다[민사집행법 제79조(집행법원) 제1항]. 따라서, 甲이 乙의 부동산에 대하여 강제경매를 신청하려면 부동산 소재지를 관할하는 법원에 하여야 한다.

③ 채무자가 거짓의 재산목록을 낸 때에는 3년 이하의 징역 또는 500만원 이하의 벌금에 처한다[민사집행법 제68조(채무자의 감치 및 벌칙) 제9항]. 따라서, 甲의 재산명시신청에 대하여 乙이 거짓의 재산목록을 낸 때에는 3년 이하의 징역 또는 500만 원 이하의 벌금에 처할 수 있다.

④ 재산명시절차의 관할 법원은 재산명시절차에서 채무자가 제출한 재산목록의 재산만으로는 집행채권의 만족을 얻기에 부족한 경우에는 그 재산명시를 신청한 채권자의

정답

01. ⑤

MEMO

신청에 따라 개인의 재산 및 신용에 관한 전산망을 관리하는 공공기관・금융기관・단체 등에 채무자명의의 재산에 관하여 조회할 수 있다[민사집행법 제74조(재산조회) 제1항 제2호]. 따라서, 재산명시절차에서 乙이 제출한 재산목록의 재산만으로는 집행채권의 만족을 얻기에 부족한 경우, 甲은 재산명시신청을 한 법원에 재산조회를 신청할 수 있다.

2022년 기출

02 재산명시, 재산조회, 채무불이행자명부등재에 관한 다음 설명 중 가장 적절한 것은?

① 재산명시명령을 송달 받은 채무자가 정당한 사유 없이 재산명시기일에 불출석하는 경우에는 법원은 3년 이하의 징역 또는 500만 원 이하의 벌금에 처한다.

② 채무자가 거짓의 재산목록을 제출한 때에는 결정으로 20일 이내의 감치에 처한다.

③ 채무불이행자명부등재신청은 금전의 지급을 명한 집행권원이 확정된 후 또는 집행권원을 작성한 후 원칙적으로 3개월 이내에 채무를 이행하지 아니하는 때 신청할 수 있다.

④ 재산명시목록은 누구나 제한 없이 일정수수료를 내고 열람・복사할 수 있다.

⑤ 채무불이행자명부나 그 부본은 누구든지 보거나 복사할 것을 신청할 수 있다.

해설 민사집행법 제72조(명부의 비치) 제4항

① 재산명시명령을 송달 받은 채무자가 정당한 사유 없이 재산명시기일에 불출석하는 경우에는 법원은 결정으로 20일 이내의 감치에 처한다[민사집행법 제68조(채무자의 감치 및 벌칙) 제1항 제1호].

② 채무자가 거짓의 재산목록을 낸 때에는 3년 이하의 징역 또는 500만원 이하의 벌금에 처한다(민사집행법 제68조 제9항).

③ 채무불이행자명부등재신청은 금전의 지급을 명한 집행권원이 확정된 후 또는 집행권원을 작성한 후 원칙적으로 6개월 이내에 채무를 이행하지 아니하는 때 신청할 수 있다[민사집행법 제70조(채무불이행자명부 등재신청) 제1항 제1호 본문].

④ 채무자에 대하여 강제집행을 개시할 수 있는 채권자는 재산목록을 보거나 복사할 것을 신청할 수 있다[민사집행법 제67조(재산목록의 열람・복사)].

정답 02. ⑤

MEMO

2024년 기출

03 **다음은 재산명시절차에 대한 설명이다. 가장 적절하지 않은 것은?**

① 채무자는 재산명시명령을 송달받은 날로부터 1주 이내에 이의신청을 할 수 있다.

② 채무자에게 하는 재산명시명령의 송달은 「민사소송법」에 의한 공시송달의 방법으로는 할 수 없다.

③ 재산명시명령을 송달받은 채무자가 정당한 사유 없이 재산명시기일에 불출석하는 경우에는 법원은 3년 이하의 징역 또는 500만원 이하의 벌금에 처한다.

④ 채무자가 채무를 이행하지 않고 있어야 하며, 채무 전부의 불이행은 물론이고, 채무 일부의 불이행이 있는 경우에도 신청할 수 있다.

⑤ 인낙조서에 의해서도 재산명시절차를 신청할 수 있다.

해설 ③ 재산명시명령을 송달받은 채무자가 정당한 사유 없이 재산명시기일에 불출석하는 경우에는 법원은 결정으로 20일 이내의 감치에 처한다(민사집행법 제68조(채무자의 감치 및 벌칙) 제1항 제1호). 채무자가 거짓의 재산목록을 낸 때에는 3년 이하의 징역 또는 500만원 이하의 벌금에 처한다(민사집행법 제68조 제9항).

① 민사집행법 제63조(재산명시명령에 대한 이의신청) 제1항

② 채무자에 대한 재산명시명령의 송달은 등기우편 발송 및 공시송달의 방법에 의할 수 없다(민사집행법 제62조(재산명시신청에 대한 재판) 제5항 참조).

④ 채무자가 채무를 이행하지 않고 있어야 한다. 이 요건은 집행권원에 표시된 채권이 소멸하지 않았다는 것을 의미하는 소극적 요건이다. 따라서 채무의 일부에만 불이행이 있는 경우도 포함한다.

⑤ 금전의 지급을 목적으로 하는 집행권원에 기초하여야 한다. 다만, 재산명시신청서에 첨부하는 집행력있는 정본에는 가집행의 선고가 붙은 판결은 포함되지 아니한다(민사집행법 제61조(재산명시신청) 제1항 단서 참조). 인락조서는 금전의 지급을 목적으로 하는 집행권원에 해당한다.

03. ③

MEMO

2023년 기출

04 다음 중 재산명시를 신청할 수 있는 채권자로 가장 적절하지 않은 자는?

① 금전청구의 조정조서 정본을 가진 자
② 금전소비대차계약공정증서를 가진 자
③ 금전청구의 화해조서 정본을 가진 자
④ 확정된 지급명령 정본을 가진 자
⑤ 근저당권자

해설 ⑤ 금전의 지급을 목적으로 하는 집행권원에 기초하여 강제집행을 개시할 수 있는 채권자는 채무자의 보통재판적이 있는 곳의 법원에 채무자의 재산명시를 요구하는 신청을 할 수 있다. 다만, 민사소송법 제213조에 따른 가집행의 선고가 붙은 판결 또는 같은 조의 준용에 따른 가집행의 선고가 붙어 집행력을 가지는 집행권원의 경우에는 그러하지 아니하다[민사집행법 제61조(재산명시신청) 제1항]. 근저당권자는 금전의 지급을 목적으로 하는 집행권원이 없는 담보권자이므로 근저당 등 담보권이 있음을 증명하는 서류로도 재산명시신청이 허용되지 않는다.

2021년 기출

05 재산명시절차에 관한 다음 설명 중 적절하지 않은 것은?

① 가집행선고가 붙은 판결에 의하여는 재산명시신청을 할 수 없다.
② 재산명시기일에는 채무자가 출석하여야 한다.
③ 시·군법원은 재산명시신청사건을 처리할 수 없다.
④ 대리선서가 가능하므로 채무자가 변호사를 소송대리인으로 선임하면 재산명시기일에 대리인만 출석하여도 된다.
⑤ 근저당 등 담보권이 있음을 증명하는 서류로는 재산명시신청을 할 수 없다.

해설 대리선서가 허용되지 않으므로 재산명시기일에 대리인만 출석해서는 안 된다. 다만, 채무자가 미성년자 등 소송무능력자인 경우에는 법정대리인이 출석하여야 한다.
① 재산명시신청서에 첨부하는 집행력 있는 정본에는 가집행의 선고가 붙은 판결은 포함되지 아니한다(민사집행법 제61조 제1항 단서 참조).
② 재산명시기일에는 채무자가 출석하여야 한다. 채무자가 법인 또는 법인 아닌 사단·재단인 때에는 그 대표자 또는 관리인이 출석하여야 한다.
③ 재산명시신청의 관할법원은 채무자의 보통 재판적이 있는 곳을 관할하는 지방법원이다(민사집행법 제61조 제1항 본문 참조). 따라서 시·군법원은 재산명시신청사건을 처리할 수 없다.
⑤ 금전의 지급을 목적으로 하는 집행권원 중 가집행의 선고가 붙어 집행력을 가지는 집행권원을 제외한 집행권원에 기초하여야 한다. 따라서 근저당 등 담보권이 있음을 증명하는 서류로는 재산명시신청을 할 수 없다.

04. ⑤ 05. ④

MEMO

2021년 기출

06 재산명시절차에 관한 다음 설명 중 가장 적절하지 않은 것은?

① 재산명시신청에 대한 심리는 채무자의 심문 없이 서면심리만으로 재판한다.
② 재산명시제도에 의하여 채권자의 채권자취소권 행사가 용이하게 될 수 있다.
③ 재산명시신청의 관할법원은 채권자의 보통재판적이 있는 곳을 관할하는 지방법원이다.
④ 재산명시신청은 금전의 지급을 목적으로 하는 집행권원에 기초하여 강제집행을 하는 경우에 한하여 할 수 있다.
⑤ 가집행선고가 붙은 판결에 의하여 강제집행을 하는 경우에는 재산명시신청을 할 수 없다.

해설 재산명시신청의 관할법원은 채무자의 보통 재판적이 있는 곳을 관할하는 지방법원이다(민사집행법 제61조 제1항 참조).

① 재산명시신청에 대한 심리는 채무자의 심문 없이 서면심리만으로 재판한다(민사집행법 제62조 제3항 참조).
② 재산명시제도에 의하여 채권자는 채무자의 책임재산을 탐지할 수 있어 강제집행을 용이하게 할 수 있고, 나아가 채무자는 일정기간 내에 재산의 처분상황을 밝혀야 하므로 채권자취소권의 행사를 용이하게 할 뿐만 아니라 자기 재산의 공개 및 법원에 출석하여 선서하는 것을 꺼리는 채무자에 대하여 심리적 압박을 가하여 그로 하여금 채무를 가급적 빠른 시일 내에 자진하여 이행하도록 하는 간접강제의 효과를 거둘 수 있다.
④ 재산명시신청은 금전의 지급을 목적으로 하는 집행권원에 기초하여 강제집행을 하는 경우에 한하여 할 수 있다(민사집행법 제61조 제1항 본문 참조).
⑤ 가집행선고가 붙은 판결에 의하여 강제집행을 하는 경우에는 재산명시신청을 할 수 없다(민사집행법 제61조 제1항 단서 참조).

2020년 기출

07 재산명시절차와 관련한 다음 설명 중 옳은 것은?

① 근저당 등 담보권이 있음을 증명하는 서류로도 재산명시신청이 허용된다.
② 재산명시는 필요한 경우 법원의 직권으로도 할 수 있다.
③ 재산명시신청은 아직 강제집행이 아니므로 강제집행개시의 요건이 구비되었음을 증명하는 문서를 붙일 필요는 없다.
④ 재산명시신청의 관할법원은 채무자의 보통재판적이 있는 곳을 관할하는 지방법원이다. 시·군법원에서도 재산명시신청사건을 처리할 수 있다.
⑤ 재산명시명령이 채무자에게 송달되면 시효중단사유인 최고로서의 효력이 있을 뿐, 소멸시효 중단사유인 압류·가압류·가처분에 준하는 효력까지는 인정할 수 없다는 것이 판례이다.

06. ③ 07. ⑤

MEMO

해설 ⑤ 대판 2012.1.12. 2011다78606

① 재산명시신청은 금전의 지급을 목적으로 하는 집행권원 중 가집행의 선고가 붙어 집행력을 가지는 집행권원을 제외한 집행권원에 기초하여야 한다[민사집행법 제61조(재산명시신청) 제1항 참조].

② 가사소송법과는 달리 민사집행법상 재산명시는 법원의 직권으로 할 수 없다[민사집행법 제61조 제1항 본문 참조]. 가사소송법 제48조의2 재산명시는 재산분할, 부양료 및 미성년자인 자녀의 양육비 청구사건을 위하여(즉, 채권회수가 아님) 특히 필요하다고 인정하는 경우에 해당되고, 양육비 등 미수채권의 재산명시는 민사집행법의 적용을 받는다.

③ 재산명시신청은 집행력있는 정본과 강제집행을 개시하는데 필요한 문서를 붙여야 한다(민사집행법 제61조 제2항).

④ 재산명시신청의 관할법원은 채무자의 보통재판적이 있는 곳을 관할하는 지방법원이다(민사집행법 제61조 제1항 본문 참조). 따라서 시·군법원은 재산명시신청사건을 처리할 수 없다[법원조직법 제34조(시·군법원의 관할) 참조].

2020년 기출

08 재산명시, 재산조회, 채무불이행자명부등재와 관련한 다음 설명 중 옳은 것은?

① 재산명시명령을 송달받은 채무자가 정당한 사유 없이 재산명시기일에 불출석하거나, 재산명시기일에 출석하더라도 재산목록의 제출을 거부하거나, 선서를 거부하는 경우에는 3년 이하의 징역 또는 500만원 이하의 벌금에 처한다.

② 채무자에 대하여 강제집행을 개시할 수 있는 채권자는 누구나 다른 선행절차가 필요 없이 재산조회를 신청할 수 있다.

③ 채무자가 조회 당시 보유한 재산이 아니라 채무자가 보유했던 과거 재산에 대하여는 조회할 수 없다.

④ 채무불이행자명부는 인쇄물 등으로 공표되어서는 아니 된다.

⑤ 재산조회결과는 누구든지 보거나 복사할 것을 신청할 수 있다.

해설 ④ 민사집행법 제72조(명부의 비치) 제5항

① 재산명시명령을 송달받은 채무자가 정당한 사유 없이 재산명시기일에 불출석하거나, 재산명시기일에 출석하더라도 재산목록의 제출을 거부하거나, 선서를 거부하는 경우에는 법원은 결정으로 20일 이내의 감치에 처한다(민사집행법 제68조 제1항).

② 확정판결을 받은 채권자는 채무자의 주소지를 관할하는 법원에 재산명시신청을 하여 명시절차를 거친 이후 재산명시를 실시한 법원에 재산조회를 신청할 수 있다[민사집행법 제74조(재산조회) 제1항 참조].

③ 민사집행법 제74조의 규정에 따른 재산조회신청은 ⅰ) 채권자, 채무자와 그 대리인의 표시, 집행권원의 표시, 채무자가 이행하지 아니하는 금전채무액, 신청취지와 신청사

정답 08. ④

MEMO

유 ⅱ) 조회할 공공기관, 금융기관 또는 단체 ⅲ) 조회할 재산의 종류 ⅳ) 재산명시명령이 송달되기 전 2년 이내에 채무자가 보유한 재산내역에 대한 조회를 요구하는 때에는 그 취지와 조회기간을 적어야 한다. 가압류신청에 대한 재판은 결정으로 한다[민사집행법 제281조(재판의 형식) 제1항]. 따라서 채무자가 조회 당시 보유한 재산이 아니라 채무자가 보유했던 과거 재산에 대하여도 조회할 수 있다.

⑤ 채무자에게 대하여 강제집행을 개시할 수 있는 채권자는 재산목록을 보거나 복사할 것을 신청할 수 있다[민사집행법 제67조(재산목록의 열람・복사)]. 따라서 재산조회 결과에 대해 누구든지 보거나 복사할 것을 신청할 수 있는 것은 아니다.

2020년 기출

09 A는 B에게 금 2,000만원을 대여하고 그 금원을 지급받지 못해 B에 대하여 법적 조치를 하려고 한다. 다음 설명 중 가장 적절하지 않은 것은?

① B가 C에게 받을 물품대금채권이 존재하면 A는 B를 채무자, C를 제3채무자로 하는 채권가압류를 신청할 수 있다.

② A가 B를 상대로 소를 제기했는데 법원은 B에게 이행권고명령을 하였고 B가 일정한 기간 내에 이의신청을 하지 않으면 A는 집행권원을 획득할 수 있다.

③ 위 ①에서 A가 채권가압류를 신청하고 ②와 같이 집행권원을 획득했다면 A는 가압류로부터 본압류로 이전하는 채권압류 및 추심명령(또는 전부명령)을 신청하여 채권을 회수할 수 있다.

④ A가 B에 대하여 집행권원을 획득하고 5개월이 경과되어도 채무자 B가 채무를 변제하지 않는 경우 A는 재산명시신청을 할 필요 없이 바로 채무불이행자명부등재신청을 할 수 있다.

⑤ A가 B에 대하여 집행권원을 획득하고 B의 재산을 조사한 바, B의 부동산에 저당권자 C가 경매신청을 하여 경매개시결정이 부동산 등기부등본(부동산 등기사항증명서)상에 기입되었다면 A는 배당요구종기일까지 위 집행권원을 가지고 배당요구를 할 수 있다.

해설 ④ 금전의 지급을 명한 집행권원이 확정된 후 또는 집행권원을 작성한 후 6월 이내에 채무를 이행하지 아니하는 때에는 채권자는 그 채무자를 채무불이행자명부에 올리도록 신청할 수 있다. 다만, 제61조 제1항 단서에 규정된 집행권원의 경우(가집행선고가 붙어 집행력을 가지는 집행권원)를 제외한다[민사집행법 제70조(채무불이행자명부 등재신청) 제1항 제1호]. 그리고 재산명시신청을 한 경우 채무자가 정당한 사유없이 명시기일 불출석이나 재산목록 제출거부 혹은 선서거부를 하여 법원이 20일 이내의 감치결정을 한 경우나 채무자가 거짓의 재산목록을 내서 3년 이하의 징역 또는 500만원 이하의 벌금에 처해진 경우도 채무불이행자명부에 올리도록 신청할 수 있다(동조 제1항 제2호). 따라서 재산명시신청을 필수적인 전제조건으로 하는 것은 아니

09. ④

MEMO

지만, 집행권원이 확보되고 6개월이 지나야 채무불이행자명부 등재신청이 가능하다.

① 채권자가 금전채권이나 금전으로 환산할 수 있는 채권에 대하여 동산 또는 부동산에 대한 강제집행을 보전하기 위하여 가압류를 할 수 있다[민사집행법 제276조(가압류의 목적) 제1항 참조].

② 소가 3,000만원을 초과하지 않는 금전 기타 대체물이나 유가증권의 일정한 수량의 지급을 목적으로 하는 제1심의 민사사건은 소액사건심판법을 적용한다[소액사건심판법 제2조(적용범위등) 제1항 참조]. 법원은 이러한 소가 제기된 경우에 결정으로 소장부본이나 제소조서 등본을 첨부하여 피고에게 청구취지대로 이행할 것을 권고할 수 있다[소액사건심판법 제5조의3(결정에 의한 이행권고) 제1항 본문]. 피고가 이행권고결정서의 등본을 송달받은 날부터 2주일 내에 서면으로 이의신청을 할 수 있는데[소액사건심판법 제5조의4(이행권고결정에 대한 이의신청) 제1항 본문], 피고가 이 기간 내에 이의신청을 하지 아니하거나, 이의신청에 대한 각하결정이 확정되거나, 이의신청이 취하된 경우에는 확정판결과 같은 효력을 가진다[소액사건심판법 제5조의7(이행권고결정의 효력) 제1항].

③ 채권자가 채권가압류를 신청하고 집행권원을 획득했다면 채권자는 가압류로부터 본압류로 이전하는 채권압류 및 추심명령(또는 전부명령)을 신청하여 채권을 회수할 수 있다[민사집행법 제229조(금전채권의 현금화방법) 참조].

⑤ 집행력 있는 정본을 가진 채권자, 경매개시결정이 등기된 뒤에 가압류를 한 채권자, 민법·상법, 그 밖의 법률에 의하여 우선변제청구권이 있는 채권자는 배당요구를 할 수 있다[민사집행법 제88조(배당요구) 제1항].

2020년 기출

10 집행보전절차에 관한 다음 설명 중 가장 옳지 않은 것은?

① 채무자는 재산명시명령을 송달받은 날부터 1주 이내에 이의신청을 할 수 있고, 채무자의 재산을 쉽게 찾을 수 있다고 인정한 때에는 법원은 재산명시신청을 기각하여야 한다.

② 채무자가 정당한 사유 없이 명시기일에 불출석한 경우에는 법원은 결정으로 20일 이내의 감치(監置)에 처한다.

③ 채무자에 대한 재산명시명령의 송달은 「민사소송법」의 공시송달의 방법으로는 할 수 없고, 금전의 지급을 목적으로 하는 집행권원이더라도 가집행선고가 붙은 판결에 기초하여서는 재산명시신청을 할 수 있다.

④ 재산조회신청은 바로 신청할 수 없고, 먼저 재산명시절차를 거쳐 일정한 사유가 있는 경우에 한하여 신청할 수 있다.

⑤ 채무자가 재산명시기일에 불출석한 경우 채권자는 그 채무자를 채무불이행자명부에 올리도록 신청할 수 있다.

10. ③

MEMO

해설 ③ 채무자에 대한 재산명시명령의 송달은 「민사소송법」의 공시송달의 방법으로는 할 수 없고[민사집행법 제62조(재산명시신청에 대한 재판) 제4항 참조], 금전의 지급을 목적으로 하는 집행권원이더라도 가집행선고가 붙은 판결에 기초하여서는 재산명시신청을 할 수 없다[민사집행법 제61조(재산명시신청) 제1항 단서 참조].

① 채무자는 재산명시명령을 송달받은 날부터 1주 이내에 이의신청을 할 수 있고[민사집행법 제63조(재산명시명령에 대한 이의신청) 제1항], 채무자의 재산을 쉽게 찾을 수 있다고 인정한 때에는 법원은 재산명시신청을 기각하여야 한다(민사집행법 제62조 제2항 참조).

② 민사집행법 제68조(채무자의 감치 및 벌칙) 제1항 제1호

④ 재산명시절차의 관할 법원은 다음 각 호의 어느 하나(재산명시절차에서의 사유)에 해당하는 경우에는 그 재산명시신청을 신청한 채권자의 신청에 따라 개인의 재산 및 신용에 관한 전산망을 관리하는 공공기관·금융기관·단체 등에 채무자명의의 재산에 관하여 조회할 수 있다[민사집행법 제74조(재산조회) 제1항].

⑤ 민사집행법 제70조(채무불이행자명부 등재신청) 제1항 제2호, 제68조 제1항 제1호)

2019년 기출

11 다음 설명 중 옳은 것은?

① 집행권원이 확정된 후 6월 이내에 채무를 이행하지 아니하는 때에는 재산명시절차를 선행절차로 거칠 필요 없이 바로 재산조회를 신청할 수 있다.

② 누구나 제한 없이 일정 수수료를 내고 재산조회 결과를 열람하거나 복사를 신청할 수 있다.

③ 재산명시명령을 송달받은 채무자가 정당한 사유 없이 재산명시기일에 불출석하는 경우에는 법원은 3년 이하의 징역 또는 500만원 이하의 벌금에 처한다.

④ 채무불이행자명부나 그 부본은 누구든지 열람하거나 복사할 것을 신청할 수 있다.

⑤ 재산명시명령을 송달받은 채무자가 거짓의 재산목록을 제출한 때에는 법원은 결정으로 20일 이내의 감치에 처한다.

해설 ④ 민사집행법 제72조(명부의 비치) 제4항

① 확정판결을 받은 채권자가 채무자의 주소를 관할하는 법원에 재산명시신청을 해 명시절차를 거친 이후 재산명시를 실시한 법원에 재산조회를 신청할 수 있다[민사집행법 제74조(재산조회) 제1항 참조].

② 재산조회결과는 재산목록에 준하여 관리하여야 하므로[민사집행법 제75조(재산조회의 결과 등)], 재산목록의 경우와 마찬가지로 재산조회신청인은 물론 재산조회신청인이 아니더라도 채무자에 대하여 강제집행을 실시할 수 있는 채권자는 재산조회결과를 열람하거나 복사를 신청할 수 있다[민사집행규칙 제38조(재산조회결과의 열람·

정답

11. ④

MEMO

복사), 민사집행법 제67조(재산목록의 열람 · 복사)].

③ 재산명시명령을 송달받은 채무자가 정당한 사유 없이 재산명시기일에 불출석하는 경우에는 법원은 결정으로 20일 이내의 감치에 처한다[민사집행법 제68조(채무자의 감치 및 벌칙) 제1조 제1호].

⑤ 재산명시명령을 송달받은 채무자가 거짓의 재산목록을 제출한 때에는 법원은 3년 이하의 징역 또는 500만원 이하의 벌금에 처한다[민사집행법 제68조(채무자의 감치 및 벌칙) 제9항].

2018년 기출

12 다음 설명 중 옳지 않은 것은?

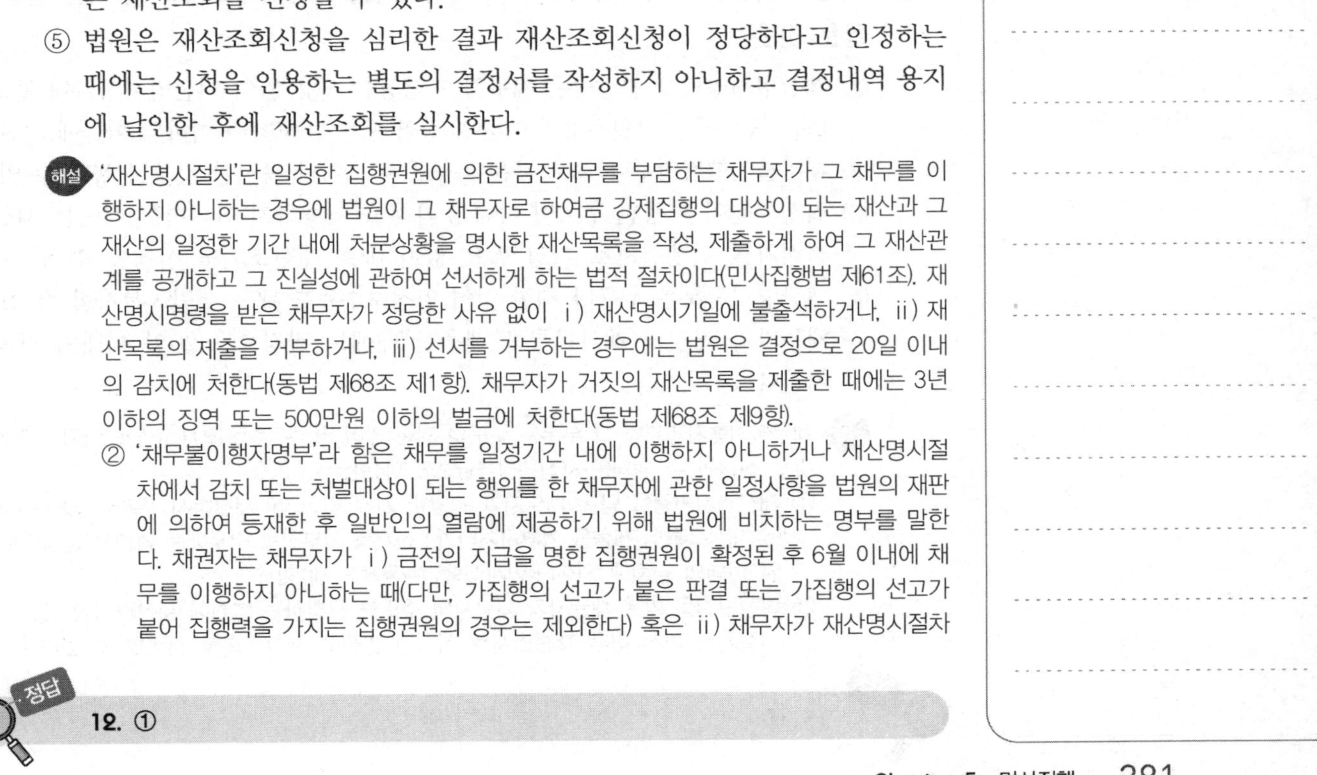

① 재산명시명령을 송달받은 채무자가 거짓의 재산목록을 제출한 때에는 법원은 결정으로 20일 이내의 감치에 처한다.

② 금전의 지급을 명한 집행권원이 확정된 후 6월 이내에 채무를 이행하지 아니하는 때에는 채권자는 채무자를 채무불이행자명부에 등재하도록 신청할 수 있다.

③ 확정판결을 받은 채권자가 재산명시절차를 거친 이후 재산명시를 실시한 법원에 재산조회를 신청할 수 있다.

④ 채무자가 제출한 재산목록만으로 집행채권의 만족을 얻기에 부족한 경우에는 재산조회를 신청할 수 있다.

⑤ 법원은 재산조회신청을 심리한 결과 재산조회신청이 정당하다고 인정하는 때에는 신청을 인용하는 별도의 결정서를 작성하지 아니하고 결정내역 용지에 날인한 후에 재산조회를 실시한다.

해설 '재산명시절차'란 일정한 집행권원에 의한 금전채무를 부담하는 채무자가 그 채무를 이행하지 아니하는 경우에 법원이 그 채무자로 하여금 강제집행의 대상이 되는 재산과 그 재산의 일정한 기간 내에 처분상황을 명시한 재산목록을 작성, 제출하게 하여 그 재산관계를 공개하고 그 진실성에 관하여 선서하게 하는 법적 절차이다(민사집행법 제61조). 재산명시명령을 받은 채무자가 정당한 사유 없이 ⅰ) 재산명시기일에 불출석하거나, ⅱ) 재산목록의 제출을 거부하거나, ⅲ) 선서를 거부하는 경우에는 법원은 결정으로 20일 이내의 감치에 처한다(동법 제68조 제1항). 채무자가 거짓의 재산목록을 제출한 때에는 3년 이하의 징역 또는 500만원 이하의 벌금에 처한다(동법 제68조 제9항).

② '채무불이행자명부'라 함은 채무를 일정기간 내에 이행하지 아니하거나 재산명시절차에서 감치 또는 처벌대상이 되는 행위를 한 채무자에 관한 일정사항을 법원의 재판에 의하여 등재한 후 일반인의 열람에 제공하기 위해 법원에 비치하는 명부를 말한다. 채권자는 채무자가 ⅰ) 금전의 지급을 명한 집행권원이 확정된 후 6월 이내에 채무를 이행하지 아니하는 때(다만, 가집행의 선고가 붙은 판결 또는 가집행의 선고가 붙어 집행력을 가지는 집행권원의 경우는 제외한다) 혹은 ⅱ) 채무자가 재산명시절차

정답

12. ①

MEMO

에서 재산명시기일에 불출석하거나, 재산목록의 제출 또는 선서를 거부한 때, 거짓의 재산목록을 적어낸 때 중 하나에 해당하면 그 채무자를 채무불이행자명부에 올리도록 신청할 수 있다(동법 제70조 제1항).

③ '재산조회제도'는 개인의 재산 및 신용정보에 관한 전산망을 관리하는 공공기관, 금융기관, 단체 등에 대하여 재산명시를 신청한 채권자에게 채무자명의의 재산을 쉽게 조회할 수 있게 함으로써 재산의 투명성을 확보하고 채권자의 권리를 찾아주기 위한 것을 목적으로 한다. 확정판결을 받은 채권자가 재산명시절차를 거친 이후 재산명시를 실시한 법원에 재산조회를 신청할 수 있다.

④ 재산조회 신청사유는 ⅰ) 재산명시절차에서 채권자가 법 규정에 의한 주소보정명령을 받고도 민사소송법상 공시송달의 요건에 해당하는 사유로 인하여 채권자가 이를 이행할 수 없었던 것으로 인정되는 경우, ⅱ) 재산명시절차에서 채무자가 제출한 재산목록의 재산만으로는 집행채권의 만족을 얻기에 부족한 경우, ⅲ) 채무자가 재산명시절차에서 재산명시기일에 불출석하거나, 재산목록의 제출 또는 선서를 거부한 때, 거짓의 재산목록을 적어낸 때이다.

⑤ 법원은 재산조회신청을 심리한 결과 재산조회신청이 정당하다고 인정하는 때에는 신청을 인용하는 별도의 결정서를 작성하지 아니하고 결정내역 용지에 날인한 후에 재산조회를 실시한다(재산조회결정의 필요성).

2017년 기출

13 재산명시절차, 재산조회제도, 채무불이행자명부 등재제도에 관한 다음 설명 중 옳은 것은?

① 재산명시명령을 송달받은 채무자가 정당한 사유 없이 재산명시기일에 불출석하는 경우에는 법원은 3년 이하의 징역 또는 500만 원 이하의 벌금에 처한다.
② 채무불이행자명부나 그 부본은 누구든지 보거나 복사할 것을 신청할 수 있다.
③ 집행권원이 확정된 후 6월 이내에 채무를 이행하지 아니하는 때에는 재산명시절차를 선행절차로 거칠 필요 없이 바로 재산조회를 신청할 수 있다.
④ 재산명시목록은 누구나 제한 없이 일정수수료를 내고 열람·복사할 수 있다.
⑤ 채무자가 거짓의 재산목록을 제출한 때에는 결정으로 20일 이내의 감치에 처한다.

해설 채무불이행자명부나 그 부본은 누구나 제한 없이 일정수수료를 내고 열람하거나 복사할 것을 신청할 수 있다(민사집행법 제72조 제4항).

① 재산명시명령을 받은 채무자가 정당한 사유 없이 ⓐ 재산명시기일에 불출석하거나 ⓑ 재산목록의 제출을 거부하거나 ⓒ 선서를 거부하는 경우에는 법원은 결정으로 20일 이내의 감치에 처한다(민사집행법 제68조 제1항).
③ 확정판결을 받은 채권자가 채무자의 주소를 관할하는 법원에 재산명시신청을 해 명시절차를 거친 이후 재산명시를 실시한 법원에 재산조회를 신청할 수 있다.

13. ②

④ 채무자에 대하여 강제집행을 개시할 수 있는 채권자는 재산목록을 보거나 복사할 것을 신청할 수 있다(민사집행법 제67조). 재산명시신청을 한 채권자는 언제든지 법원에 열람, 복사를 신청할 수 있지만 다른 채권자는 집행력 있는 정본 및 집행을 개시함에 필요한 문서를 첨부하여 열람, 복사를 신청할 수 있다.

⑤ 채무자가 거짓의 재산목록을 제출한 때에는 3년 이하의 징역 또는 500만 원 이하의 벌금에 처한다(민사집행법 제68조 제9항).

2023년 기출

14 채무불이행자 명부등재에 관한 다음 설명 중 가장 적절하지 않은 것은?

① 금전의 지급을 명한 집행권원이 확정된 후 6월 이내에 채무를 이행하지 아니하는 때 채권자는 그 채무자를 채무불이행자명부에 올리도록 신청할 수 있다.

② 법원은 채무불이행자명부의 부본을 대법원규칙이 정하는 바에 따라 일정한 금융기관의 장이나 금융기관 관련단체의 장에게 보내어 채무자에 대한 신용정보로 활용하게 할 수 있다.

③ 채무불이행자 명부등재 결정이 확정된 후라도 변제, 그 밖의 사유로 채무가 소멸되었다는 것이 증명된 때에는 법원은 채무자의 신청에 따라 채무불이행자명부에서 그 이름을 말소하는 결정을 한다.

④ 채무불이행자명부나 그 부본은 채권자와 그 대리인만 보거나 복사할 것을 신청할 수 있다.

⑤ 채무불이행자명부에 오른 다음 해부터 10년이 지난 때에는 법원은 직권으로 그 명부에 오른 이름을 말소하는 결정을 하여야 한다.

해설 ④ 채무불이행자명부나 그 부본은 누구든지 보거나 복사할 것을 신청할 수 있다[민사집행법 제72조(명부의 비치) 제4항].
① 민사집행법 제70조(채무불이행자명부 등재신청) 제1항 제1호 본문
② 민사집행법 제72조 제3항
③ 민사집행법 제73조(명부등재의 말소) 제1항
⑤ 민사집행법 제73조 제3항

14. ④

MEMO

2018년 기출

15 다음 중 채무불이행자명부등재제도에 대한 설명으로 가장 적절한 것은?

① 등재신청은 구술 또는 서면으로 할 수 있다.
② 금전의 지급을 명한 집행권원이 확정된 후 6월 이내에 채무를 이행하지 않을 때에도 신청할 수 있다.
③ 이해관계인에 한해 채무불이행자명부의 열람 또는 복사 신청이 가능하다.
④ 채무불이행자명부는 채무자의 주소지를 관할하는 지방법원에 비치한다.
⑤ 강제집행이 용이하다고 인정할 만한 명백한 사유가 있는 때에는 법원은 등재신청을 각하한다.

해설 '채무불이행자명부'라 함은 채무를 일정기간 내에 이행하지 아니하거나 재산명시절차에서 감치 또는 처벌대상이 되는 행위를 한 채무자에 관한 일정사항을 법원의 재판에 의하여 등재한 후 일반인의 열람에 제공하기 위해 법원에 비치하는 명부를 말한다. 채권자는 채무자가 ⅰ) 금전의 지급을 명한 집행권원이 확정된 후 6월 이내에 채무를 이행하지 아니하는 때(다만, 가집행의 선고가 붙은 판결 또는 가집행의 선고가 붙어 집행력을 가지는 집행권원의 경우는 제외한다) 혹은 ⅱ) 채무자가 재산명시절차에서 재산명시기일에 불출석하거나, 재산목록의 제출 또는 선서를 거부한 때, 거짓의 재산목록을 적어낸 때 중 하나에 해당하면 그 채무자를 채무불이행자명부에 올리도록 신청할 수 있다(민사집행법 제70조 제1항).
① 등재신청은 서면으로 하여야 한다.
③ 채무불이행자명부나 그 부본은 누구나 제한 없이 일정수수료를 내고 열람하거나 복사할 것을 신청할 수 있다(동법 제72조 제4항).
④ 채무불이행자명부는 등재결정을 한 법원에 비치한다(동법 제72조 제1항).
⑤ 등재신청에 정당한 이유가 없거나 쉽게 강제집행을 할 수 있다고 인정할 만한 명백한 사유가 있는 때에는 법원은 결정으로 이를 기각하여야 한다(동법 제71조 제2항).

2016년 기출

16 재산조회제도에 관한 다음 설명 중 옳지 않은 것은?

① 채무자의 주소를 관할하는 법원에 재산명시신청을 하여 명시절차를 거친 이후 재산명시를 실시한 법원에 재산조회를 신청할 수 있다.
② 누구나 제한 없이 일정 수수료를 내고 그 재산조회 결과를 열람하거나 복사를 신청할 수 있다.
③ 채권자가 재산조회를 신청할 때에는 조회에 드는 비용을 미리 내야 한다.
④ 채권자는 재산조회 신청서에 조회할 공공기관, 금융기관 또는 단체를 적어야 한다.
⑤ 법원으로부터 재산조회를 받은 기관 또는 단체는 정당한 사유가 없는 한 조회를 거부하지 못한다.

15. ② 16. ②

MEMO

해설 그 재산명시를 신청한 채권자만이 일정 수수료를 내고 그 재산조회 결과를 열람하거나 복사를 신청할 수 있다(민사집행법 제74조 제1항 참조).
① 확정판결을 받은 채권자가 채무자의 주소를 관할하는 법원에 재산명시신청을 하여 명시절차를 거친 이후 재산명시를 실시한 법원에 재산조회를 신청할 수 있다.
③, ④ 채권자가 재산조회를 신청할 때에는 조회할 기관·단체를 특정하여야 하며 조회에 드는 비용을 미리 내야 한다(민사집행법 제74조 제2항).
⑤ 법원으로부터 재산조회를 받은 기관 또는 단체는 정당한 사유가 없는 한 조회를 거부하지 못한다(민사집행법 제74조 제4항 참조).

2014년 기출

17 재산조회 신청서에 적어야 할 사항으로 볼 수 없는 것은?

① 집행권원의 표시
② 채무자가 이행하지 아니하는 금전채무액, 신청취지와 신청사유
③ 채무자의 재산목록
④ 조회할 공공기관, 금융기관 또는 단체
⑤ 조회할 재산의 종류

해설 재산조회 신청은 서면으로 하여야 하고 그 서면에는 민사집행규칙 제35조 제1항에 따라 채권자, 채무자와 그 대리인의 표시, 집행권원의 표시, 채무자가 이행하지 아니하는 금전채무액, 신청취지와 신청사유, 조회할 공공기관, 금융기관 또는 단체, 조회할 재산의 종류를 적어야 하며, 이로 인해 채무자에 대한 재산목록 등 조회를 하게 된다.

2024년 기출

18 甲의 乙에 대한 3,000만 원의 대여금 채권에 대하여 확정된 집행권원을 획득하였다. 이와 같은 사례에 관한 다음 설명 중 가장 적절하지 않은 것은?

① 甲은 확정판결에 기하여 乙이 은행에 가지는 예금채권에 대하여 채권압류 및 추심명령 신청을 할 수 있다.
② 甲이 乙의 부동산에 가압류신청을 하면 원칙적으로 보전의 필요성이 존재하므로 법원은 이를 허용할 수 있다.
③ 甲이 乙을 상대로 위 집행권원을 획득하기 전 가압류결정을 받았고 상당한 기간이 지나도록 본 집행을 하지 아니하고 있는 경우 보존의 필요성이 소멸되어 사정변경이 있다는 이유로 가압류 취소를 신청할 수 있다.
④ 乙의 재산을 알 수 없다면 甲은 乙의 주소지를 관할하는 법원에 재산명시신청을 할 수 있다.

17. ③ 18. ②

MEMO

⑤ 甲이 재산명시신청을 하여도 乙의 재산이 발견되지 않은 경우 재산명시신청을 한 법원에 재산조회를 신청할 수 있다.

해설 ② 확정판결을 받기 전에 미리 채무자의 일반재산이나 다툼의 대상(계쟁물)의 현상을 동결시켜 두거나 임시로 잠정적인 법률관계를 형성시켜 두는 조치를 함으로써 나중에 확정판결을 얻었을 때 그 판결의 집행을 용이하게 하고 그때까지 채권자가 입게 될지 모르는 손해를 예방할 수 있는 수단으로서 강구된 것이 바로 '보전처분'이다. 금전채권이나 금전으로 환산할 수 있는 채권의 집행을 위한 보전처분이 '가압류'인데, 가압류의 요건은 ⅰ) 피보전권리, ⅱ) 보전의 필요성이다. '보전의 필요성'은 가압류하지 아니하면 판결 그 밖의 집행권원을 집행할 수 없거나 집행하는 것이 매우 곤란할 염려가 있는 경우에 인정된다. 사안의 경우 甲의 乙에 대한 3,000만 원의 대여금 채권에 대하여 확정된 집행권원을 획득하여 강제집행 – 보전처분에 의한 보호 이상의 조치 – 이 가능하므로 보전의 필요성이 인정되지 않아 법원은 이를 불허하게 된다.

① 확정된 집행권원을 획득한 甲은 乙이 은행에 가지는 예금채권에 대하여 강제집행의 한 방법인 채권압류 및 추심명령 신청을 할 수 있다.

③ 甲이 乙을 상대로 위 집행권원을 획득하기 전 가압류결정을 받았고 상당한 기간이 지나도록 본 집행을 하지 아니하고 있는 경우 보전처분에 의하여 제거되어야 할 상태가 채권자에 의하여 오랫동안 방임되어 온 때로서 보존의 필요성이 소멸되어 사정변경이 있다는 이유로 가압류 취소를 신청할 수 있다.

④ 금전의 지급을 목적으로 하는 집행권원에 기초하여 강제집행을 개시할 수 있는 채권자는 채무자의 보통재판적이 있는 곳의 법원에 채무자의 재산명시를 요구하는 신청을 할 수 있다(민사집행법 제61조(재산명시신청) 제1항 본문).

⑤ 아래 조문 참조

> **민사집행법 제74조(재산조회)** ① 재산명시절차의 관할 법원은 다음 각호의 어느 하나에 해당하는 경우에는 그 재산명시를 신청한 채권자의 신청에 따라 개인의 재산 및 신용에 관한 전산망을 관리하는 공공기관·금융기관·단체 등에 채무자명의의 재산에 관하여 조회할 수 있다.
> 1. 재산명시절차에서 채권자가 제62조 제6항의 규정에 의한 주소보정명령을 받고도 민사소송법 제194조 제1항의 규정에 의한 사유로 인하여 채권자가 이를 이행할 수 없었던 것으로 인정되는 경우
> 2. 재산명시절차에서 채무자가 제출한 재산목록의 재산만으로는 집행채권의 만족을 얻기에 부족한 경우
> 3. 재산명시절차에서 제68조 제1항 각호의 사유 또는 동조 제9항의 사유가 있는 경우
>
> ② 채권자가 제1항의 신청을 할 경우에는 조회할 기관·단체를 특정하여야 하며 조회에 드는 비용을 미리 내야 한다.
> ③ 법원이 제1항의 규정에 따라 조회할 경우에는 채무자의 인적 사항을 적은 문서에 의하여 해당 기관·단체의 장에게 채무자의 재산 및 신용에 관하여 그 기관·단체가 보유하고 있는 자료를 한꺼번에 모아 제출하도록 요구할 수 있다.
> ④ 공공기관·금융기관·단체 등은 정당한 사유 없이 제1항 및 제3항의 조회를 거부하지 못한다.

MEMO

2024년 기출

19 **甲은 乙에 대한 1억 원의 물품대금 채권을 가지고 있다. 이와 같은 사례에 대한 다음 설명 중 가장 적절하지 않은 것은?**

① 甲은 乙을 상대로 甲의 주소지를 관할하는 법원에 지급명령을 신청할 수 있다.

② 甲의 지급명령 신청에 대하여 乙이 지급명령 송달을 받은 날부터 2주 이내에 이의신청을 하지 않으면 확정판결과 같은 효력을 가진다.

③ 甲이 확정된 지급명령으로 乙의 재산에 강제집행을 하면 乙은 소멸시효 완성을 이유로 지급명령에 따라 확정된 청구에 관하여 이의의 소를 제기할 수 없다.

④ 甲이 乙을 상대로 소를 제기하였는데, 乙이 소장부분 등을 송달 받지 않아 공시송달로 판결이 확정된 경우 乙은 그 책임을 질 수 없는 사유로 인하여 불변기간을 준수할 수 없었다면 그 사유가 없어진 후 2주 내에 추완항소를 할 수 있다.

⑤ 甲은 금전의 지급을 명한 집행권원이 확정된 후 6월 이내에 乙이 채무를 이행하지 아니하면 乙을 채무불이행자명부에 올리도록 신청할 수 있다.

해설 ③ '청구이의의 소'란 채무자가 집행권원에 표시된 청구권에 관하여 생긴 이의를 내세워 그 집행권원이 가지는 집행력의 배제를 구하는 소를 말한다. 청구이의의 소는 강제집행의 절차와 관련된 하자가 아니라, 그 강제집행의 근거가 되는 집행권원 상의 법률관계 또는 청구권과 관련한 실체법상의 사유에 터잡아 집행권원의 집행력을 배제하고 집행을 부적법하게 만드는 소로서, 그 절차의 형식적인 흠을 문제삼는 이의신청이나 강제집행절차에 관한 집행법원의 재판에 대하여 특별한 규정이 있는 경우에만 가능한 즉시항고와는 구별되고, 실체적 권리상태를 제대로 반영하지 않는 집행권원에 기한 강제집행을 막는 구제방법이다. 판결에 따라 확정된 청구에 관하여 이의는 그 이유가 변론이 종결된 뒤에, 변론없이 한 판결의 경우에는 판결이 선고된 뒤에 생긴 것이어야 한다(민사집행법 제44조(청구에 관한 이의의 소) 제2항). 그러나, 확정된 지급명령, 확정된 이행권고결정, 집행증서의 경우에는 민사집행법 제44조 제2항의 제한이 적용되지 아니하므로 이의이유의 발생시기에 관하여 아무런 제한이 없다. 사안의 경우 甲이 확정된 지급명령으로 乙의 재산에 강제집행을 하면 乙은 소멸시효 완성을 이유로 지급명령에 따라 확정된 청구에 관하여 이의의 소를 제기할 수 있다.

① 독촉절차는 채무자의 보통재판적이 있는 곳의 지방법원이나 제7조 내지 제9조, 제12조 또는 제18조의 규정(특별재판적 규정)에 의한 관할법원의 전속관할로 한다(민사소송법 제463조(관할법원)). 사안의 경우 甲은 乙을 상대로 甲의 주소지를 관할하는 법원에 지급명령을 신청할 수 있다.

19. ③

MEMO

② 채무자가 지급명령을 송달받은 날부터 2주 이내에 이의신청을 한 때에는 지급명령은 그 범위안에서 효력을 잃는다(민사소송법 제470조(이의신청의 효력) 제1항). 지급명령에 대하여 이의신청이 없거나, 이의신청을 취하하거나, 각하결정이 확정된 때에는 지급명령은 확정판결과 같은 효력이 있다(민사소송법 제474조(지급명령의 효력)). 사안의 경우 甲의 지급명령 신청에 대하여 乙이 지급명령 송달을 받은 날부터 2주 이내에 이의신청을 하지 않으면 확정판결과 같은 효력을 가진다.

④ 당사자가 책임질 수 없는 사유로 말미암아 불변기간을 지킬 수 없었던 경우에는 그 사유가 없어진 날부터 2주 이내에 게을리 한 소송행위를 보완할 수 있다(민사소송법 제173조(소송행위의 추후보완) 제1항 본문). 사안의 경우 甲이 乙을 상대로 소를 제기하였는데, 乙이 소장부본 등을 송달 받지 않아 공시송달로 판결이 확정된 경우 乙은 그 책임을 질 수 없는 사유로 인하여 불변기간을 준수할 수 없었다면 그 사유가 없어진 후 2주 내에 추완항소를 할 수 있다.

⑤ 채무자가 금전의 지급을 명한 집행권원이 확정된 후 또는 집행권원을 작성한 후 6월 이내에 채무를 이행하지 아니하는 때에는 채권자는 그 채무자를 채무불이행자명부에 올리도록 신청할 수 있다(민사집행법 제70조(채무불이행자명부 등재신청) 제1항 제1호). 사안의 경우 甲은 금전의 지급을 명한 집행권원이 확정된 후 6월 이내에 乙이 채무를 이행하지 아니하면 乙을 채무불이행자명부에 올리도록 신청할 수 있다.

2022년 기출

20 **A는 B를 상대로 대여금의 집행권원을 획득하고, 강제집행 등 각종 신청을 하려고 한다. 다음 설명 중 가장 적절하지 않은 것들만 모두 고르면 몇 개인가?**

ㄱ. 부동산강제경매를 신청하려면 A는 B의 부동산 소재지를 관할하는 법원에 신청하여야 한다.
ㄴ. 예금채권에 대하여 강제집행을 신청하려면 A는 B가 예금한 은행의 주소지를 관할하는 법원에 채권압류 및 추심명령(또는 전부명령)을 신청하여야 한다.
ㄷ. 가압류를 본압류로 이전하는 채권압류 및 추심명령(또는 전부명령)을 신청하려면 A는 본인 주소지를 관할하는 법원에서 가압류결정을 받았다고 하더라도 채무자 B의 주소지 관할하는 법원에 신청하여야 한다.
ㄹ. 재산명시신청을 하려면 A는 B의 주소지를 관할하는 법원에 신청하여야 한다.
ㅁ. B가 재산명시절차 위반에 해당함을 이유로 채무불이행자명부등재신청을 하려면 A는 B의 주소지를 관할하는 법원에 신청하여야 한다.

① 1개
② 2개
③ 3개
④ 4개
⑤ 5개

정답

20. ③

MEMO

해설 ② → ③ 정답변경됨, 3개(ㄴ, ㄷ, ㅁ)

ㄴ. 채권과 그 밖의 재산권에 대한 강제집행은 관념적인 방법에 의하므로 법원이 집행기관이 된다. 집행법원은 채무자의 보통재판적이 있는 곳의 지방법원이다(민사집행법 제224조 제1항). 따라서, 예금채권에 대하여 강제집행을 신청하려면 A는 B가 예금한 은행의 주소지가 아니라 B의 주소지를 관할하는 법원에 채권압류 및 추심명령(또는 전부명령)을 신청하여야 한다.

ㄷ. 가압류를 본압류로 이전하는 채권압류 및 추심명령(또는 전부명령)을 신청은 채무자의 주소지뿐만 아니라 본안의 관할법원에도 가능하므로, A는 본인 주소지를 관할하는 법원에서 가압류결정을 받은 경우에는 채무자 B의 주소지 또는 A 본인 주소지를 관할하는 법원에 신청해도 무방하다.

ㅁ. 채무불이행자명부등재신청의 경우 등재신청사유가 금전의 지급을 명한 집행권원이 확정된 후 또는 집행권원을 작성한 후 6월 이내에 채무를 이행하지 아니한 것인 때에는 채무자의 보통재판적이 있는 곳의 법원이 관할하고, 등재신청사유가 재산명시절차에서 재산명시기일 불출석, 재산목록 제출 또는 선서 거부, 거짓의 재산목록 제출인 때에는 재산명시절차를 실시한 법원이 관할한다(민사집행법 제70조 제3항). 따라서, B가 재산명시절차 위반에 해당함을 이유로 채무불이행자명부등재신청을 하려면 A는 B의 주소지를 관할하는 법원이 아니라 재산명시절차를 실시한 법원에 신청하여야 한다.

ㄱ. 부동산에 대한 강제집행은 그 부동산이 있는 곳의 지방법원이 관할한다(민사집행법 제79조 제1항, 제268조). 따라서, 부동산강제경매를 신청하려면 A는 B의 부동산 소재지를 관할하는 법원에 신청하여야 한다.

ㄹ. 재산명시신청의 관할법원은 채무자의 보통재판적이 있는 곳을 관할하는 지방법원이다(민사집행법 제61조 제1항). 따라서, 재산명시신청을 하려면 A는 B의 주소지를 관할하는 법원에 신청하여야 한다.

제4절 부동산에 대한 집행

2024년 기출

01 부동산경매에 있어서 배당요구를 하지 않아도 배당을 받을 수 있는 사람들만 모두 고른 것은?

ㄱ. 첫 경매 개시결정등기 전에 등기된 지상권자
ㄴ. 선행사건의 배당요구 종기까지 이중경매신청을 한 채권자
ㄷ. 첫 경매 개시결정등기 전에 등기된 근저당권자
ㄹ. 경매개시결정등기 후에 가압류를 한 채권자

01. ⑤

MEMO

① ㄱ, ㄴ
② ㄴ, ㄹ
③ ㄷ, ㄹ
④ ㄱ, ㄷ
⑤ ㄴ, ㄷ

해설 ⑤ 배당요구란 다른 채권자에 의하여 개시된 집행절차에 참가하여 동일한 재산의 매각대금에서 변제를 받으려는 집행법상의 행위로서 다른 채권자의 강제집행절차에 편승한다는 점에서 종속적인 것이다. 집행력 있는 정본을 가진 채권자, 경매개시결정이 등기된 뒤에 가압류를 한 채권자, 민법・상법, 그 밖의 법률에 의하여 우선변제청구권이 있는 채권자는 배당요구를 할 수 있다(민사집행법 제88조(배당요구) 제1항).

ㄱ. 지상권이란 타인의 토지에 건물 기타 공작물 또는 수목을 소유하기 위하여 그 토지를 사용하는 권리를 말한다(민법 제279조). 지상권은 부동산이 가지는 가치 중 사용가치를 독점적으로 지배하는 것을 내용으로 하는 용익물권이므로 첫 경매 개시결정등기 전에 등기된 지상권자는 애당초 배당을 받을 자격이 없는 자이다. 즉, 지상권은 소멸되지 않고 매수인이 인수하므로 배당요구를 하지 않아도 배당을 받을 수 있는 채권자의 범위에 해당되지 않는다.

ㄹ. 경매개시결정등기 후에 가압류를 한 채권자는 경매신청인에게 대항할 수 없고 집행법원도 가압류사실을 알 수가 없으므로 배당요구의 종기까지 배당요구를 하여야만 배당을 받을 수 있다.

2024년 기출

02 부동산 매각대금의 배당절차에 관한 다음 설명 중 가장 적절하지 않은 것은?

① 배당기일에 출석한 이해관계인과 배당을 요구한 채권자가 합의한 때에는 이에 따라 배당표를 작성하여야 한다.

② 법원은 채권자와 채무자에게 보여 주기 위하여 배당기일의 3일 전에 배당표원안을 작성하여 법원에 비치하여야 한다.

③ 집행력 있는 집행권원의 정본을 가진 채권자에 대하여 배당기일에 이의한 채무자는 배당이의의 소를 제기하여야 한다.

④ 배당이의한 채권자가 배당기일부터 1주 이내에 집행법원에 대하여 배당이의의 소를 제기한 사실을 증명하는 서류를 제출하지 아니한 때에는 이의가 취하된 것으로 본다.

⑤ 매수인이 매각대금을 지급하면 법원은 배당에 관한 진술 및 배당을 실시할 기일을 정하고 이해관계인과 배당을 요구한 채권자에게 이를 통지하여야 한다.

02. ③

MEMO

해설 ③ 집행력있는 집행권원의 정본을 가진 채권자에 대하여 이의한 채무자는 청구이의의 소를 제기하여야 한다(민사집행법 제154조(배당이의의 소 등) 제2항). 집행력있는 집행권원의 정본을 가지지 아니한 채권자(가압류채권자를 제외한다)에 대하여 이의한 채무자와 다른 채권자에 대하여 이의한 채권자는 배당이의의 소를 제기하여야 한다(민사집행법 제154조 제1항). 판례도 '집행력있는 집행권원의 정본을 가진 채권자에 대하여 청구이의의 소가 아니라 배당이의의 소를 제기한 것은 부적합하다'고 판시하였다(대판 2005.1.14. 2004다72464).

① 민사집행법 제150조(배당표의 기재 등) 제2항

② 민사집행법 제149조(배당표의 확정) 제1항

④ 이의한 채권자나 채무자가 배당기일부터 1주 이내에 집행법원에 대하여 배당이의의 소를 제기한 사실을 증명하는 서류를 제출하지 아니한 때 또는 청구이의의 소를 제기한 사실을 증명하는 서류와 그 소에 관한 집행정지재판의 정본을 제출하지 아니한 때에는 이의가 취하된 것으로 본다(민사집행법 제154조 제3항).

⑤ 매수인이 매각대금을 지급하면 법원은 배당에 관한 진술 및 배당을 실시할 기일을 정하고 이해관계인과 배당을 요구한 채권자에게 이를 통지하여야 한다. 다만, 채무자가 외국에 있거나 있는 곳이 분명하지 아니한 때에는 통지하지 아니한다(민사집행법 제146조(배당기일)).

2022년 기출

03 다음 중 강제경매의 대상이 될 수 없는 것은?

① 어업권　② 광업권

③ 등록된 자동차　④ 등기된 선박

⑤ 무허가 건물

부동산은 강제경매의 대상이 된다. 등기된 부동산이 원칙적인 모습이나, 미등기 부동산이라 하더라도 채무자의 소유이면 강제경매를 할 수 있다. 미등기 부동산에 대한 경매를 신청할 때는 즉시 채무자의 명의로 등기할 수 있음을 증명할 서류, 즉 채무자의 소유임을 증명하는 서면과 부동산의 표시를 증명하는 서면(토지대상, 소유권확인판결, 수용증명서 등)을 붙여야 한다. 종전에는 신청인이 이러한 서면을 제출하는 것은 사실상 어렵기 때문에 실무상 미등기 부동산에 대한 경매는 거의 이루어지지 않았는데, 민사집행법 제81조 제1항 제2호 단서의 신설로 적법하게 건축하거나 건축신고를 마친 건물이 사용승인을 받지 못한 경우 부동산 집행을 위한 보존등기를 할 수 있게 함으로써 경매를 가능하게 한 것이다. 하지만 무허가건물은 여전히 그 대상이 아니다.

①② 어업권과 광업권은 법률상 부동산으로 취급되므로 이들은 강제경매의 대상이 된다(수산업법 제16조 제2항, 광업법 제10조)

③ 등록된 자동차에 대한 강제집행은 민사집행규칙에 특별한 규정이 없으면 부동산에 대한 강제경매의 규정을 따른다(민사집행규칙 제108조).

④ 등기된 선박은 부동산 강제경매규정을 준용한다(민사집행규칙 제105조)

03. ⑤

MEMO

2021년 기출

04 **다음 중 부동산의 강제경매에 관한 규정에 따라 강제집행할 수 있는 재산이 아닌 것은?**

① 어업권
② 등기된 선박
③ 소유권보존등기된 입목
④ 광업권
⑤ 임차권

해설 ⑤ 부동산의 강제경매에 관한 규정에 따라 강제집행할 수 있는 재산은 등기된 부동산, 채무자의 소유인 미등기부동산, 공장재단 및 광업재단, 광업권 및 어업권, 소유권보존등기된 입목, 자동차, 건설기계 및 항공기, 지상권 등이다. 임차권은 이에 해당하지 아니한다.

2022년 기출

05 **부동산 경매신청의 절차 및 배당요구에 관한 다음 설명 중 가장 적절하지 않은 것은?**

① 근저당권자가 부동산 임의경매를 신청하는 경우 집행권원의 존재를 요하지 아니한다.
② 매수신고가 있은 뒤 경매신청을 취하하는 경우에는 부동산 강제경매는 물론 부동산 임의경매에서도 최고가매수신고인 또는 매수인과 「민사집행법」 제114조의 차순위매수신고인의 동의를 받아야 그 효력이 생긴다.
③ 집행력 있는 정본을 가진 채권자는 배당요구하지 않아도 당연히 배당에 참가할 수 있는 자이다.
④ 경매개시결정등기 후에 가압류를 한 채권자는 배당요구가 필요한 채권자이다.
⑤ 대항력과 확정일자를 갖춘 주택임차인은 배당요구를 할 수 있다.

해설 유체동산 집행절차에서는 집행력 있는 정본을 가진 채권자는 자신이 별도의 강제집행을 신청하여야만 하고 배당요구를 할 수 없으나, 부동산 집행절차에서는 별도의 집행신청을 하든가 배당요구를 하든가를 선택할 수 있다. 집행력 있는 정본은 집행권원의 종류에 있어서 판결뿐만 아니라 민사집행법 제56조 각호의 집행권원이 모두 포함되고, 또한 집행권원에 표시된 급부의 내용이 주된 청구이든 대상청구이든 금전의 지급을 내용으로 하는 것이어야 하며, 강제집행에 집행문이 필요한 것은 집행문을 부여받아야 한다.

① 임의경매는 피담보채권의 변제를 받기 위하여 경매의 신청권이 인정되므로 집행권원의 존재를 요하지 아니하며 그 신청서에도 집행력 있는 정본은 요구되지 않으며, 담보권의 존재를 증명하는 서류를 내도록 되어 있다.
② 경매신청 후 매각기일에 적법한 매수신고가 있기까지는 경매신청인은 임의로 경매신청을 취하할 수 있다. 경매시청인 외의 다른 채권자의 동의를 받을 필요는 없다. 그러

04. ⑤ 05. ③

MEMO

나 매수신고가 있은 뒤 경매신청을 취하하는 경우에는 최고가매수신고인 또는 매수인과 「민사집행법」 제114조의 차순위매수신고인의 동의를 받아야 그 효력이 생긴다[민사집행법 제93조(경매신청의 취하) 제2항]. 부동산을 목적으로 담보권 실행을 위한 경매(임의경매)절차에는 제79조 내지 제162조의 규정(부동산 강제경매 규정)을 준용한다[민사집행법 제268조(준용규정)].

④ 첫 경매개시결정등기 후에 가압류를 한 채권자는 경매신청인에게 대항할 수 없고 집행법원도 가압류사실을 알 수 없으므로 배당요구종기까지 배당요구를 하여야만 배당을 받을 수 있다.

⑤ 민법 · 상법상, 그 밖의 법률에 의한 우선변제청구권이 있는 채권자는 배당요구종기까지 배당요구를 하면 배당을 받을 수 있다. 대항력과 확정일자를 갖춘 주택임차인은 이에 해당한다.

2021년 기출

06 부동산 강제경매에 관한 다음 설명 중 적절하지 않은 것은?

① 최저매각가격은 법정의 매각조건이며 이해관계인 전원의 합의에 의하여도 바꿀 수 없다.

② 법원은 매각물건명세서, 현황조사보고서 및 평가서의 사본을 법원에 비치하여 누구든지 볼 수 있도록 하여야 한다.

③ 법원은 경매개시결정을 한 뒤에 바로 집행관에게 부동산의 현상, 점유관계, 차임 또는 보증금의 액수, 그 밖의 현황에 관하여 조사하도록 명하여야 한다.

④ 법원은 최저매각가격으로 압류채권자의 채권에 우선하는 부동산의 모든 부담과 절차비용을 변제하면 남을 것이 없다고 인정한 때에는 압류채권자에게 통지하여야 한다.

⑤ 집행법원은 집행관에게 매각부동산을 평가하게 하고 그 평가액을 참작하여 최저매각가격을 정하여야 한다.

해설 법원은 감정인에게 부동산을 평가하게 하고 그 평가액을 참작하여 최저매각가격을 정하여야 한다(민사집행법 제97조 제1항).

① 최저매각가격 외의 매각조건은 법원이 이해관계인의 합의에 따라 바꿀 수 있다(민사집행법 제110조 제1항). 따라서, 최저매각가격은 법정의 매각조건이며 이해관계인 전원의 합의에 의하여도 바꿀 수 없다.

② 법원은 매각물건명세서, 현황조사보고서 및 평가서의 사본을 법원에 비치하여 누구든지 볼 수 있도록 하여야 한다(민사집행법 제105조 제2항).

③ 법원은 경매개시결정을 한 뒤에 바로 집행관에게 부동산의 현상, 점유관계, 차임 또는 보증금의 액수, 그 밖의 현황에 관하여 조사하도록 명하여야 한다(민사집행법 제85조 제1항).

06. ⑤

MEMO

④ 법원은 최저매각가격으로 압류채권자의 채권에 우선하는 부동산의 모든 부담과 절차 비용을 변제하면 남을 것이 없다고 인정한 때에는 압류채권자에게 통지하여야 한다(민사집행법 제102조 제1항).

2021년 기출

07 부동산 강제경매에 관한 다음 설명 중 가장 적절하지 않은 것은?

① 강제경매를 신청할 때에는 집행력 있는 정본 외에 집행개시요건을 증명하는 서류를 첨부하여야 한다.

② 경매개시결정이 있으면 채무자는 그 부동산을 타인에게 양도하여도 압류채권자에게 대항하지 못한다.

③ 법원은 매각물건명세서, 현황조사보고서를 법원에 비치하여 열람기간 내에는 누구든지 볼 수 있도록 하여야 한다.

④ 경매개시결정에 대하여는 이의신청을 할 수 있다.

⑤ 최저매각가액 조건은 법원이 이해관계인의 합의에 따라 변경할 수 있다.

해설 최저매각가격은 경매에 있어서 매각을 허가하는 최저의 가격으로 그 액에 미달하는 매수신고에 대하여는 매각허가가 되지 아니한다. 이는 법정의 매각조건이며 이해관계인 전원의 합의에 의해서도 바꿀 수 없다(민사집행법 제110조 제1항 참조).

① 강제경매를 신청할 때에는 집행력 있는 정본 외에 채무자의 소유로 등기된 부동산에 대하여는 등기사항증명서, 채무자의 소유로 등기되지 아니한 부동산에 대하여는 즉시 채무자명의로 등기할 수 있다는 것을 증명할 서류(다만, 그 부동산이 등기되지 아니한 건물인 경우에는 그 건물이 채무자의 소유임을 증명할 서류, 그 건물의 지번・구조・면적을 증명할 서류 및 그 건물에 관한 건축허가 또는 건축신고를 증명할 서류) 등 집행개시요건을 증명하는 서류를 첨부하여야 한다(민사집행법 제81조 제1항 참조).

② 경매개시결정은 곧 압류를 뜻한다. 압류에는 처분금지효가 있으나 처분금지에 위반되는 채무자의 처분행위는 경매신청채권자에 대해서만 대항할 수 없을 뿐이다. 즉, 처분제한의 효력은 상대적 효력만을 가질 뿐이므로 압류 후 채무자의 처분행위는 당사자 간에는 유효하고 압류채권자가 행하는 집행절차와의 관계에서만 효력이 없게 된다(개별상대효설). 그러므로 경매개시결정이 있으면 채무자는 그 부동산을 타인에게 양도하여도 압류채권자에게 대항하지 못한다.

③ 법원은 매각물건명세서, 현황조사보고서를 법원에 비치하여 열람기간 내에는 누구든지 볼 수 있도록 하여야 한다(민사집행법 제105조 제2항).

④ 이해관계인은 매각대금이 모두 지급될 때까지 법원에 경매개시결정에 대한 이의신청을 할 수 있다(민사집행법 제86조 제1항).

07. ⑤

MEMO

2021년 기출

08 **부동산경매에 있어서 배당을 받기 위해 배당요구를 해야 하는 채권자만 모두 고르면 몇 개인가?**

ㄱ. 경매개시결정등기 후에 가압류를 한 채권자
ㄴ. 최우선 변제권이 있는 임금채권자
ㄷ. 첫 경매개시결정등기 전에 등기된 근저당권자
ㄹ. 집행력 있는 정본을 가진 채권자

① 없다
② 1개
③ 2개
④ 3개
⑤ 4개

해설 3개(ㄱ, ㄴ, ㄹ) '배당요구'란 다른 채권자에 의하여 개시된 집행절차에 참가하면서 동일한 재산의 매각대금에서 변제를 받으려는 집행법상의 행위를 말한다. 배당요구와 대비되는 행위로서 권리신고가 있는데, 권리신고는 배당요구와 달리 부동산 위의 권리자가 집행법원에 신고를 하고 그 권리는 증명하는 것이며 권리신고를 함으로써 이해관계인이 되지만, 권리신고를 한 것만으로 당연히 배당을 받게 되는 것은 아니며 별도로 배당요구를 하여야 한다. 구체적으로 배당요구를 하지 않아도 당연히 배당에 참가할 수 있는 자와 배당요구를 하여야 배당을 받을 수 있는 자는 다음과 같다.

1. 배당요구하지 않아도 당연히 배당에 참가할 수 있는 자
   (1) 이중경매신청인
   (2) 첫 경매개시결정등기 전에 등기된 가압류채권자
   (3) 첫 경매개시결정등기 전에 등기된 우선변제권자
      ㉠ 저당권(ㄷ), 전세권, 임차권자 등
      ㉡ 체납처분에 의한 압류권자
   (4) 종전 등기기록상의 권리자
2. 배당요구를 하여야 배당을 받을 수 있는 자(민사집행법 제148조)
   (1) 집행력 있는 정본을 가진 채권자(ㄹ) : 유체동산 집행절차에서는 집행력 있는 정본을 가진 채권자는 자신이 별도의 강제집행을 신청하여야만 하고 배당요구를 할 수 없으나, 부동산 집행절차에 있어서는 별도의 집행신청을 하든가 배당요구를 하든가를 선택할 수 있다. 집행력 있는 정본은 집행 권원의 종류에 있어서 판결뿐만 아니라 민사집행법 제56조 각 호의 집행권원이 모두 포함되고, 또한 집행권원에 표시된 급부의 내용이 주된 청구이든 대상청구이든 금전의 지급을 내용으로 하는 것이어야 하며, 강제집행에 집행문이 필요한 것은 집행문을 부여받아야 한다.
   (2) 첫 경매개시결정등기 후에 가압류를 한 채권자(ㄱ) : 첫 경매개시결정등기 후에 가압류를 한 채권자는 경매신청인에게 대항할 수 없고 집행법원도 가압류사실을 알 수가 없으므로 배당요구의 종기까지 배당요구를 하여야만 배당받을 수 있다.
   (3) 민법 · 상법상, 그 밖의 법률에 의한 우선변제청구권이 있는 채권자(ㄴ)
   (4) 조세 기타 공과금채권

정답 08. ④

MEMO

2023년 기출

09 다음 중 배당요구 종기일로 가장 적절한 것은?

① 경매개시결정정본 송달일
② 매각기일
③ 매각결정기일
④ 법원이 정한 매수대금의 지급기한
⑤ 첫 매각기일 이전으로 법원이 정한 기일

해설 ⑤ 경매개시결정에 따른 압류의 효력이 생긴 때(그 경매개시결정전에 다른 경매개시결정이 있는 경우를 제외한다)에는 집행법원은 절차에 필요한 기간을 고려하여 배당요구를 할 수 있는 종기를 첫 매각기일 이전으로 정한다[민사집행법 제84조(배당요구의 종기결정 및 공고) 제1항]. 부동산강제경매절차 개관은 아래 표 참조

순서	구 분	구체적 절차
1	경매신청	법원예납금 납부
2	경매개시요건 검토	
3	경매개시결정	기입등기 촉탁
4	압류	기입등기 또는 개시결정정본 채무자 송달 시 압류효력발생
5	배당요구종기일	법원이 통상 3개월 이내의 날짜로 지정
6	매각준비절차 진행	현황조사명령, 부동산의 평가 및 최저매각가격결정
7	매각기일 지정공고	신문 및 법원게시판 공고
8	매각실시	낙찰자가 최저매각가격의 1/10 보증금납부 후
9	매각기일	
10	매각허부결정	• 불허가 • 허가 : 대금납부명령
11	대금납부기일	통상 1개월 이내
12	배당기일	• 이해관계인 소환 • 기일에 배당금 수령
13	소유권이전등기촉탁	낙찰받은 자 : 인도명령 등
14	경매절차 종료	

09. ⑤

MEMO

2020년 기출

10 부동산강제경매절차의 진행과정을 순서대로 올바르게 나열한 것은?

㉠ 감정인의 감정평가서가 제출되었다.
㉡ 집행법원이 경매개시결정등기를 관할등기소에 촉탁하였다.
㉢ 배당기일날 채권자와 채무자의 이의 없이 배당표가 확정되었다.
㉣ 경매개시결정정본을 채무자에게 송달하였다.
㉤ 매각물건명세서를 법원에 비치하여 누구든지 볼 수 있도록 하였다.
㉥ 집행법원이 최저매각가격을 결정하였다.
㉦ 매각결정기일날 매각허가결정이 선고되고, 이해관계인의 항고 없이 매각허가결정이 확정되었다.
㉧ 매수인이 대금지급기한 이내에 매각대금을 납부하였다.

① ㉣ - ㉡ - ㉠ - ㉥ - ㉤ - ㉦ - ㉢ - ㉧
② ㉡ - ㉣ - ㉠ - ㉤ - ㉥ - ㉧ - ㉦ - ㉢
③ ㉡ - ㉣ - ㉤ - ㉥ - ㉠ - ㉢ - ㉧ - ㉦
④ ㉡ - ㉣ - ㉠ - ㉥ - ㉤ - ㉦ - ㉧ - ㉢
⑤ ㉠ - ㉡ - ㉢ - ㉣ - ㉤ - ㉥ - ㉦ - ㉧

해설 부동산강제경매절차를 개관하면 다음 표와 같다.

순서	구 분	구체적 절차
1	경매신청	법원예납금 납부
2	경매개시요건 검토	
3	경매개시결정	기입등기 촉탁(㉡)
4	압류	기입등기 또는 개시결정정본 채무자 송달(㉣)시 압류효력발생
5	배당요구종기일	법원이 통상 3개월 이내의 날짜로 지정
6	매각준비절차 진행	현황조사명령, 부동산의 평가(㉠) 및 최저매각가격결정(㉥)
7	매각기일 지정공고	신문 및 법원게시판 공고(㉤)
8	매각실시	낙찰자가 최저매각가격의 1/10 보증금납부 후
9	매각기일	
10	매각허부결정	• 불허가 • 허가 : 대금납부명령(㉦)
11	대금납부기일	통상 1개월 이내(㉧)
12	배당기일	• 이해관계인 소환(㉢) • 기일에 배당금 수령
13	소유권이전등기촉탁	낙찰받은 자 : 인도명령 등
14	경매절차 종료	

10. ④

MEMO

2020년 기출

11 부동산경매와 관련한 다음 설명 중 옳지 않은 것은?

① 집행법원은 법원이 정한 최저매각가격으로 압류채권자의 채권에 우선하는 부동산상의 모든 부담(우선부담)과 절차비용(이하 위 부담과 절차비용을 포함하여 우선채권이라 한다)을 변제하면 남는 것이 없다고 인정한 때에는, 이를 압류채권자에게 통지하여 압류채권자가 우선채권을 넘는 가격으로 매수하는 자가 없을 경우에는 스스로 매수할 것을 신청하고 충분한 보증을 제공하지 않는 한 매각절차를 취소하여야 한다.

② 여러 개의 부동산을 동시에 매각하는 경우 집행법원이 일괄매각결정을 한 바 없다면 그 부동산들은 개별매각되는 것이 원칙이다.

③ 기일입찰에서 매수신청의 보증금액은 원칙적으로 매수가격의 10분의 1이다.

④ 가압류권자, 가처분권자, 재매각을 실시하는 경우 전의 매수인은 「민사집행법」 제90조에서 정한 매각절차의 이해관계인이 아니다.

⑤ 부동산강제경매개시결정은 비단 압류의 효력을 발생시키는 것일 뿐만 아니라 매각절차의 기초가 되는 재판이어서 그것이 채무자에게 고지되지 않으면 효력이 있다고 할 수 없다(매각절차진행의 유효요건).

해설 ③ 기일입찰에서 매수신청의 보증금액은 최저매각가격의 10분의 1로 한다[민사집행규칙 제63조(기일입찰에서 매수신청의 보증금액) 제1항].

① 민사집행법 제102조(남을 가망이 없을 경우의 경매취소) 제1항, 제2항

② 민사집행법은 개별매각을 원칙으로 한다. 다만, 법원은 여러 개의 부동산의 위치・형태・이용관계 등을 고려하여 이를 일괄매수하게 하는 것이 알맞다고 인정하는 경우에는 직권으로 또는 이해관계인의 신청에 따라 일괄매각하도록 결정할 수 있다[민사집행법 제98조(일괄매각결정) 제1항].

④ 경매절차의 이해관계인은 ⅰ) 압류채권자와 집행력 있는 정본에 의하여 배당을 요구한 채권자 ⅱ) 채무자 및 소유자 ⅲ) 등기부에 기입된 부동산 위의 권리자 ⅳ) 부동산 위의 권리자로서 그 권리를 증명한 사람으로 한다[민사집행법 제90조(경매절차의 이해관계인)]. 이 규정은 제한적 열거규정으로 보고 있으므로 위 조항에 열거된 이해관계인의 범위에 속하지 않는 자는 그 매각절차에 어떠한 이해관계가 있는 사람이라도 매각절차에서 이해관계인으로 취급받지 못하게 된다.

⑤ 부동산에 대한 압류는 채무자에게 강제경매개시결정이 송달된 때 또는 경매개시결정 등기가 된 때에 그 효력이 생기므로 직권으로 그 결정 정본을 채무자에게 송달하여야 한다[민사집행법 제83조(경매개시결정 등) 제4항]. 따라서 따로 압류의 효력이 발생하였는지 여부에 관계없이 경매개시결정의 고지 없이는 유효하게 매각절차를 속행할 수 없고, 채무자가 아닌 이해관계인도 채무자에 대한 경매개시결정 송달의 흠을 매각허가결정에 대한 항고사유로 삼을 수 있다.

11. ③

MEMO

2019년 기출

12 **강제집행에 대한 다음 설명 중 옳은 것은?**

① 어업권은 부동산과 달리 강제경매의 대상이 되지 않는다.
② 무허가 건물에 대하여도 부동산 강제경매가 가능하다.
③ 관할권 없는 법원에 강제경매신청을 한 경우 법원은 직권으로 관할의 유무를 조사한 후 관할권이 없다고 인정되면 신청을 각하한다.
④ 등록된 자동차에 대한 강제집행은 민사집행규칙에 특별한 규정이 없으면 부동산에 대한 강제경매의 규정을 따른다.
⑤ 부동산에 대한 강제집행은 채무자 주소지를 관할하는 지방법원에서 한다.

해설 민사집행규칙 제108조(강제집행의 방법) 제1문

① 광업권, 어업권은 법률상 부동산으로 취급되므로 이들은 강제경매의 대상이 된다(광업법 제10조, 수산업법 제16조 제2항).
② 민사집행법 제81조(첨부서류) 제1항 제2호 단서(다만, 그 부동산이 등기되지 아니한 건물인 경우에는 그 건물이 채무자의 소유임을 증명할 서류, 그 건물의 지번・구조・면적을 증명할 서류 및 그 건물에 관한 건축허가 또는 건축신고를 증명할 서류)의 신설로 미등기 신축건물에 대한 경매가 가능하게 되었다. 그런데 만일 건축허가나 건축신고를 하지 아니한 무허가 건물에 대해서도 부동산 집행을 허용함으로써 이를 위한 보존등기가 가능하게 되면 불법 건축물이 양산되어 건축물 관리의 근본 취지가 크게 훼손될 뿐만 아니라 절차적인 측면에서도 이러한 건물의 경우에는 그 소유권자를 확인하기 어려운 문제가 있으므로, 신설조항은 적법하게 건축허가나 건축신고를 마친 건물이 사용승인을 받지 못한 경우에만 부동산 집행을 위한 보존등기를 할 수 있게 함으로써 경매를 가능하게 한 것이다. 따라서, 여전히 무허가 건물에 대하여는 부동산 강제경매의 대상이 아니다.
③ 관할권 없는 법원에 강제경매신청을 한 경우 법원은 직권으로 관할의 유무를 조사한 후 관할권이 없다고 인정되면 관할지방법원에 이송하여야 하며 신청을 각하하여서는 안된다.
⑤ 부동산에 대한 강제집행은 그 부동산이 있는 곳의 지방법원이 관할한다[민사집행법 제79조(집행법원) 제1항].

12. ④

MEMO

2019년 기출

13 **부동산경매에 있어서 배당요구를 하지 않아도 당연히 배당받을 수 있는 사람들만 모두 고른 것은?**

㉠ 경매개시결정등기 후에 가압류를 한 채권자
㉡ 선행사건의 배당요구 종기까지 이중경매신청을 한 채권자
㉢ 최우선변제권이 있는 임금채권자
㉣ 첫 경매 개시결정등기 전에 등기된 근저당권자
㉤ 집행력 있는 정본을 가진 채권자
㉥ 임차권등기가 첫 경매개시결정등기 전에 등기된 경우 그 임차인

① ㉠, ㉡, ㉤
② ㉠, ㉢, ㉣
③ ㉠, ㉣, ㉤
④ ㉡, ㉢, ㉥
⑤ ㉡, ㉣, ㉥

해설 '배당요구'란 다른 채권자에 의하여 개시된 집행절차에 참가하여 동일한 재산의 매각대금에서 변제를 받으려는 집행법상의 행위로서 다른 채권자의 강제집행절차에 편승한다는 점에서 종속적인 것이다. 배당요구하지 않아도 당연히 배당에 참가할 수 있는 자는

1. 이중경매신청인(㉡)
2. 첫 경매개시결정등기 전에 등기된 가압류채권자
3. 첫 경매개시결정등기 전에 등기된 우선변제권자[ⓐ 저당권(㉣), 전세권, 임차권자(㉥) 등 ⓑ 체납처분에 의한 압류권자]
4. 종전 등기기록상의 권리자가 있고, 배당요구를 하여야 배당을 받을 수 있는 자는 1) 집행력 있는 정본을 가진 채권자(㉤) : 유체동산 집행절차에서는 집행력 있는 정본을 가진 채권자는 자신이 별도의 강제집행을 신청하여야만 하고 배당요구를 할 수 없으나, 부동산 집행절차에 있어서는 별도의 집행신청을 하든가 배당요구를 하든가를 선택할 수 있다. 집행력 있는 정본은 집행권원의 종류에 있어서 판결뿐만 아니라 민사집행법 제56조 각호의 집행권원이 모두 포함되고, 또한 집행권원에 표시된 급부의 내용이 주된 청구이든 대상청구이든 금전의 지급을 내용으로 하는 것이어야 하며, 강제집행에 집행문이 필요한 것은 집행문을 부여받아야 한다. 2) 첫 경매개시결정등기 후에 가압류를 한 채권자(㉠) : 첫 경매개시결정등기 후에 가압류를 한 채권자는 경매신청인에게 대항할 수 없고 집행법원도 가압류사실을 알 수가 없으므로 배당요구의 종기까지 배당요구를 하여야만 배당받을 수 있다. 3) 민법·상법상, 그 밖의 법률에 의한 우선변제청구권이 있는 채권자[예컨대, 최우선변제권이 있는 임금채권자(㉢)] 4) 조세 기타 공과금채권

13. ⑤

MEMO

2019년 기출

14 부동산 경매절차의 진행 순서로 옳은 것은?

㉠ 경매개시결정등기
㉡ 매각허가 결정
㉢ 배당요구 종기 결정
㉣ 배당실시
㉤ 매각대금 완납

① ㉠ → ㉡ → ㉢ → ㉤ → ㉣
② ㉠ → ㉢ → ㉡ → ㉤ → ㉣
③ ㉠ → ㉡ → ㉢ → ㉣ → ㉤
④ ㉡ → ㉠ → ㉢ → ㉤ → ㉣
⑤ ㉡ → ㉢ → ㉠ → ㉤ → ㉣

해설 ㉠ 법원은 신청서와 첨부서류를 검토하여 신청이 적법하다고 인정되면 강제경매 개시결정을 한다. 법원은 경매개시결정을 하면 즉시 그 사유를 등기기록에 기입할 것을 등기관에게 촉탁하고, 등기관은 법원의 촉탁에 따라 경매개시결정의 기입등기를 한다.
㉢ 경매개시결정에 따른 압류의 효력은 채무자에게 그 결정이 송달되거나 개시결정 기입등기가 된 때에 발생하는데, 집행법원은 그 효력이 생긴 때부터 1주 안에 채권자들이 배당요구를 할 수 있는 종기를 결정한다. 이때 배당요구의 종기는 첫 매각 기일 이전의 날짜로 결정된다.
㉡ 법원은 매각결정기일에 매각허가에 관한 이해관계인의 의견을 듣고 직권으로 법이 정한 매각불허가 사유가 있는지 여부를 조사한 다음, 매각허가결정 또는 매각불허가 결정을 선고한다.
㉤ 법원은 매각허가결정이 확정되면 지체없이 직권으로 대금지급기한을 정하여 이를 매수인에게 통지한다. 매수인은 지정된 대금지급기한 안에 언제든지 매각대금을 낼 수 있는데, 매수인이 매각대금을 모두 낸 때에 경매의 목적인 권리를 확정적으로 취득한다.
㉣ 매수인이 매각대금을 모두 납부하면 법원은 배당기일을 정하고 이해관계인과 배당을 요구한 채권자에게 그 기일을 통지하여 배당을 실시한다.

2019년 기출

15 부동산 경매에 대한 다음 설명 중 옳지 않은 것은?

① 매각허가결정이 확정되면 법원은 매수대금의 지급기한을 정하고 이를 매수인과 차순위매수신고인에게 통지하여야 한다.
② 조세와 저당권의 피담보채권 사이의 우선순위는 조세의 압류날짜와 설정등기일의 선후를 따져 정한다.
③ 매수인은 매각대금을 전부 납부한 때에 매각의 목적인 권리를 취득한다.
④ 기일입찰에서 매수신청의 보증금액(재매각이 아닌 경우)은 최저매각가격의 10분의 1로 한다.

14. ② 15. ②

MEMO

⑤ 매수신고가 있은 뒤 경매신청을 취하하는 경우에는 최고가매수신고인 또는 매수인과 「민사집행법」 제114조의 차순위매수신고인의 동의를 받아야 그 효력이 생긴다.

해설 당해세(집행의 목적물에 대하여 부과된 국세, 지방세와 가산금)의 경우는 저당권의 피담보채권보다 선순위이고, 조세(당해세가 아닌 일반조세)와 저당권의 피담보채권 사이의 우선순위는 조세의 법정기일과 설정등기일의 선후를 따져 정한다.
① 민사집행법 제142조(대금의 지급) 제1항
③ 민사집행법 제135조(소유권의 취득시기)
④ 민사집행규칙 제63조(기일입찰에서 매수신청의 보증금액) 제1항
⑤ 민사집행법 제93조(경매신청의 취하) 제2항

2018년 기출

16 부동산경매에 있어서 배당요구를 하지 않아도 당연히 배당받을 수 있는 채권자에 속하지 않는 자는? (다툼이 있는 경우 판례에 따름)

① 배당요구종기까지 경매신청을 한 압류채권자
② 경매 개시결정등기 후에 가압류를 한 채권자
③ 첫 경매 개시결정등기 전에 등기된 가압류채권자
④ 첫 경매 개시결정등기 전에 등기된 우선변제권자
⑤ 첫 경매 개시결정등기 전의 국세체납처분에 의한 압류권자

해설 '배당요구'란 다른 채권자에 의하여 개시된 집행절차에 참가하여 동일한 재산의 매각대금에서 변제를 받으려는 집행법상의 행위로서 다른 채권자의 강제집행절차에 편승한다는 점에서 종속적인 것이다. 배당요구를 하지 않아도 당연히 배당에 참가할 수 있는 자는 배당요구종기까지 경매신청을 한 압류채권자[이중경매신청인(①)], 첫 경매 개시결정등기 전에 등기된 가압류채권자(③), 첫 경매 개시결정등기 전에 등기된 우선변제권자[저당권, 전세권, 임차권자 등(④)/체납처분에 의한 압류권자(⑤)], 종전 등기기록상 권리자이다. 한편 배당요구를 하여야 배당을 받을 수 있는 자는 집행력 있는 정본을 가진 채권자, 첫 경매 개시결정등기 후에 가압류를 한 채권자(②), 민법 · 상법상, 그 밖의 법률에 의한 우선변제청구권이 있는 채권자, 조세 기타 공과금채권자이다. 첫 경매 개시결정등기 후에 가압류를 한 채권자는 경매신청인에게 대항할 수 없고 집행법원도 가압류사실을 알 수가 없으므로 배당요구의 종기까지 배당요구를 하여야만 배당을 받을 수 있다.

16. ②

MEMO

2018년 기출

17 다음은 부동산에 대한 집행에 관한 설명이다. 옳지 않은 것은?

① 부동산에 대한 강제집행은 그 부동산이 있는 곳의 관할 지방법원으로 한다.
② 부동산이 여러 지방법원에 관할구역이 있는 때에는 각 지방법원에 관할권이 있으나, 이 경우 법원이 필요하다고 인정한 때에는 사건을 다른 관할 지방법원으로 이송할 수 있다.
③ 관할권 없는 법원에 강제경매신청을 한 경우 법원은 직권으로 관할의 유무를 조사한 후 관할권이 없다고 인정되면 신청을 각하한다.
④ 강제경매절차는 법관의 감독을 받아 사법보좌관이 업무하며, 강제관리는 지방법원 단독판사가 담당한다.
⑤ 법원은 경매개시결정을 한 뒤에 바로 집행관에게 부동산의 현상, 점유관계, 차임 또는 보증금의 액수, 그 밖의 현황에 관하여 조사하도록 명하여야 한다.

해설 ① 부동산에 대한 강제집행은 그 부동산이 있는 곳의 지방법원이 관할한다(민사집행법 제79조 제1항).
② 부동산이 여러 지방법원에 관할구역이 있는 때에는 각 지방법원에 관할권이 있다. 이 경우 법원이 필요하다고 인정한 때에는 사건을 다른 관할 지방법원으로 이송할 수 있다(동법 제79조 제2항).
③ 관할권 없는 법원에 강제경매신청을 한 경우에는 법원은 직권으로 관할의 유무를 조사한 후 관할권이 없다고 인정되면 관할지방법원에 이송하여야 하며 신청을 각하하여서는 아니된다.
④ 강제경매절차는 법관의 감독을 받아 사법보좌관이 업무하며(법원조직법 제54조 제2항 제2호), 강제관리는 지방법원 단독판사가 담당한다.
⑤ 법원은 경매개시결정을 한 뒤에 바로 집행관에게 부동산의 현상, 점유관계, 차임 또는 보증금의 액수, 그 밖의 현황에 관하여 조사하도록 명하여야 한다(민사집행법 제85조 제1항).

17. ③

MEMO

2018년 기출

18 **부동산경매절차에 있어서의 매수대금지급에 관한 다음 설명 중 옳지 않은 것은?**

① 매각허가결정이 확정되면 법원은 매수대금의 지급기한을 정하고 이를 매수인과 차순위매수신고인에게 통지하여야 한다.

② 채권자가 매수인인 경우에는 매각결정기일이 끝날 때까지 법원에 신고하고 배당받아야 할 금액을 제외한 대금을 배당기일에 낼 수 있다.

③ 매수인은 매각허가결정 확정 후에 법원이 정한 기한까지 매각대금을 지급하여야 한다.

④ 매수인이 경매부동산의 소유권을 취득하는 시기는 매각대금을 다 내고 그에 따른 소유권이전등기가 이루어진 때이다.

⑤ 차순위매수신고인에 대한 매각허가결정이 있은 때에는 매수인은 매수신청의 보증의 반환을 청구할 수 없다.

해설 매수인은 매각대금을 다 낸 때에 매각의 목적인 권리를 취득한다(민사집행법 제135조).
① 매각허가결정이 확정되면 법원은 대금의 지급기한을 정하고 이를 매수인과 차순위매수신고인에게 통지하여야 한다(동법 제142조 제1항).
② 채권자가 매수인인 경우에는 매각결정기일이 끝날 때까지 법원에 신고하고 배당받아야 할 금액을 제외한 대금을 배당기일에 낼 수 있다(동법 제143조 제2항).
③ 매수인은 매각허가결정 확정 후에 법원이 정한 기한까지 매각대금을 지급하여야 한다(동법 제142조 제2항).
⑤ 차순위매수신고인에 대한 매각허가결정이 있은 때에는 매수인은 매수신청의 보증을 돌려줄 것을 요구하지 못한다(동법 제137조 제2항).

2018년 기출

19 **다음 중 부동산 경매절차에서 「민사집행법」 제90조에서 정한 이해관계인이 아닌 자는?**

① 등기부에 기입된 부동산 위의 권리자

② 채무자

③ 부동산 위의 권리자로서 그 권리를 증명한 사람

④ 소유자

⑤ 집행력 있는 정본 없이 배당요구를 한 채권자

해설 「민사집행법」에는 경매절차의 이해관계인을 ⅰ) 압류채권자와 집행력 있는 정본에 의하여 배당을 요구한 채권자, ⅱ) 채무자(②) 및 소유자(④), ⅲ) 등기부에 기입된 부동산 위의 권리자(①), ⅳ) 부동산 위의 권리자로서 그 권리를 증명한 사람(③)으로 규정하고 있다(동법 제90조).

18. ④ 19. ⑤

MEMO

2017년 기출

20 **다음 보기에서 「민사집행법」 제90조에서 제한적으로 열거하고 있는 부동산 강제경매절차의 이해관계인이 아닌 자들만 모은 것은?**

㉮ 가처분권자
㉯ 집행력 있는 정본에 의하여 배당을 요구한 채권자
㉰ 채무자
㉱ 가압류권리자

① ㉮, ㉯
② ㉮, ㉰
③ ㉮, ㉱
④ ㉯, ㉰
⑤ ㉰, ㉱

해설

민사집행법 제90조【경매절차의 이해관계인】
경매절차의 이해관계인은 다음 각 호의 사람으로 한다.
1. 압류채권자와 집행력 있는 정본에 의하여 배당을 요구한 채권자
2. 채무자 및 소유자
3. 등기부에 기입된 부동산 위의 권리자
4. 부동산 위의 권리자로서 그 권리를 증명한 사람

2017년 기출

21 **부동산에 관한 강제집행에서 배당요구에 관한 다음 설명 중 옳지 않은 것은?**

① 임금채권자는 배당요구가 필요한 채권자이다.
② 경매개시결정등기 후에 가압류를 한 채권자는 배당요구가 필요한 채권자이다.
③ 배당요구는 채권의 원인 및 금액을 기재한 서면으로 하여야 하고, 구두신청은 허용되지 않는다.
④ 첫 경매개시결정등기 전의 체납처분에 의한 압류채권자는 배당요구하지 않아도 당연히 배당에 참가할 수 있는 자이다.
⑤ 집행력 있는 정본을 가진 채권자는 배당요구하지 않아도 당연히 배당에 참가할 수 있는 자이다.

해설 집행력 있는 정본을 가진 채권자는 배당요구하여야 배당을 받을 수 있는 자이다. 구체적인 내용은 아래를 참조하면 된다.

1. 배당요구하지 않아도 당연히 배당에 참가할 수 있는 자
   ㉠ 이중경매신청인

20. ③ 21. ⑤

MEMO

㉡ 첫 경매개시결정등기 전에 등기된 가압류채권자
㉢ 첫 경매개시결정등기 전에 등기된 우선변제권자
ⓐ 저당권, 전세권, 임차권자 등
ⓑ 체납처분에 의한 압류권자
㉣ 종전 등기기록상의 권리자

2. 배당요구를 하여야 배당을 받을 수 있는 자(민사집행법 제148조 참조)
㉠ 집행력 있는 정본을 가진 채권자 : 유체동산 집행절차에서는 집행력 있는 정본을 가진 채권자는 자신이 별도의 강제집행을 신청하여야만 하고 배당요구를 할 수 없으나 부동산 집행절차에 있어서는 별도의 집행신청을 하든가 배당요구를 하든가를 선택할 수 있다. 집행력 있는 정본은 집행 권원의 종류에 있어서 판결뿐만 아니라 민사집행법 제56조 각 호의 집행권원이 모두 포함되고, 또한 집행권원에 표시된 급부의 내용이 주된 청구이든 대상청구이든 금전의 지급을 내용으로 하는 것이어야 하며, 강제집행에 집행문이 필요한 것은 집행문을 부여받아야 한다.
㉡ 첫 경매개시결정등기 후에 가압류를 한 채권자 : 첫 경매개시결정등기 후에 가압류를 한 채권자는 경매신청인에게 대항할 수 없고 집행법원도 가압류사실을 알 수가 없으므로 배당요구의 종기까지 배당요구를 하여야만 배당받을 수 있다.
㉢ 민법·상법상, 그 밖의 법률에 의한 우선변제청구권이 있는 채권자
ⓐ 주택임대차보호법이나 상가건물임대차보호법이 적용되는 임차권 중 등기 안 된 임차권자의 임대차보증금채권, 임금채권, 사용인의 우선변제권(상법 제468조) 등과 같이 우선변제청구권은 인정되고 있으나 등기가 되어 있지 않기 때문에 배당요구하지 않으면 그 채권의 존부나 액수를 알 수 없는 채권을 가진 자
ⓑ 저당권, 전세권, 등기된 임차권 등 등기는 되었으나 그 등기가 첫 경매개시결정등기 후에 되었기 때문에 민사집행법 제148조 제4호에 따라 당연히 배당받을 수 있는 채권자에 해당되지 아니하는 채권자
㉣ 조세 기타 체납처분의 예에 따라 징수할 수 있는 공과금채권

2017년 기출

22 **다음은 부동산 경매에 관한 설명이다. 옳지 않은 것은?**

① 부동산에 대한 강제경매는 채무자 주소지가 있는 곳의 지방법원이 관할한다.
② 기일입찰에서 매수신청의 보증금액(재매각이 아닌 경우)은 최저매각가격의 10분의 1로 한다.
③ 매수인은 매각대금을 다 낸 때에 매각의 목적인 권리를 취득한다.
④ 조세(당해세가 아닌 일반조세)와 저당권의 피담보채권 사이의 우선순위는 조세의 법정기일과 설정등기일의 선후를 따져 정한다.
⑤ 매수신고가 있은 뒤 경매신청을 취하하는 경우에는 최고가매수신고인 또는 매수인과 민사집행법 제114조의 차순위매수신고인의 동의를 받아야 그 효력이 생긴다.

22. ①

MEMO

해설 부동산에 대한 강제집행은 그 부동산이 있는 곳의 지방법원이 관할한다(민사집행법 제79조 제1항, 제268조).
② 매수신청인은 대법원규칙이 정하는 바에 따라 집행법원이 정하는 금액과 방법에 맞는 보증을 집행관에게 제공하여야 한다(민사집행법 제113조). 기일입찰에서 매수신청의 보증금액(재매각이 아닌 경우)은 최저매각가격의 10분의 1로 한다. 매수신청의 보증액의 산정기준은 최저매각가격이며 그 액은 최저매각가격의 10분의 1에 해당하는 정액이다(민사집행규칙 제63조).
③ 매수인은 매각대금을 다 낸 때에 매각의 목적인 권리를 취득하므로 등기를 하지 않더라도 소유권을 취득한다(민사집행법 제135조, 민법 제187조).
④ 조세(당해세가 아닌 일반조세)와 저당권, 전세권의 피담보채권(확정일자를 갖춘 임차인의 임차보증금전환채권도 마찬가지) 사이의 우선순위는 조세의 법정기일과 설정등기일(확정일자를 갖춘 임차인의 우선변제권 발생일 포함)의 선후를 따져 정한다.
⑤ 경매신청 후 매각기일에 적법한 매수신고가 있기까지는 경매신청인은 임의로 경매신청을 취하할 수 있다. 경매신청인 외의 다른 채권자의 동의를 받을 필요는 없다. 또한 매수신고가 있은 뒤 경매신청을 취하하는 경우에는 최고가매수신고인 또는 매수인과 민사집행법 제114조의 차순위매수신고인의 동의를 받아야 그 효력이 생긴다(민사집행법 제93조 제2항).

2016년 기출

23 부동산의 공유지분에 대한 강제경매절차에 관한 다음 설명 중 옳지 않은 것은?

① 부동산의 공유지분에 대한 강제경매를 신청할 때에는 공유물인 부동산 전체와 강제집행할 공유지분을 함께 표시하여야 한다.
② 여러 사람의 공유자가 우선매수하겠다는 신고를 한 경우에는 특별한 협의가 없으면 공유지분의 비율에 따라 채무자의 지분을 매수하게 한다.
③ 공유자가 매각기일까지 채무자의 지분을 우선매수하겠다는 신고를 한 때에는 법원은 최고가매수신고인이 매수인으로서 대금지급기일까지 그 의무를 이행하지 아니한 때에는 그 공유자에게 매각을 허가하여야 한다.
④ 공유물지분을 경매하는 경우에는 채권자의 채권을 위하여 채무자의 지분에 대한 경매개시결정이 있음을 등기부에 기입하고 다른 공유자에게 그 경매개시결정이 있다는 것을 통지하여야 한다.
⑤ 공유자가 우선매수권을 행사함에는 일반의 매수신청인과 마찬가지로 최저매각가격의 10분의 1을 보증금액으로 제공하여야 한다.

해설 공유자가 매각기일까지 채무자의 지분을 우선매수하겠다는 신고를 한 때에는 법원은 최고가매수신고가 있더라도 그 공유자에게 매각을 허가하여야 한다(민사집행법 제140조 제2항).

정답 23. ③

MEMO

① 부동산의 공유지분도 독립하여 강제경매의 대상으로 된다. 공유부동산의 지분에 대한 강제경매신청의 경우 채무자인 공유자 이외에 공유자 전원의 성명, 주소 및 채무자가 가지는 지분의 비율을 표시해야 한다. 그 이유는 다른 공유자에게 강제경매개시결정이 있다는 것을 통지하여야 하고 또 최저매각가격은 채무자의 지분에 관하여 정하여지기 때문이다(민사집행법 제139조 참조).

② 민사집행법 제140조에 규정된 공유자 우선매수권 제도는 공유자는 공유물 전체를 이용관리하는 데 있어서 다른 공유자와 협의하여야 하고(민법 제265조), 그 밖의 다른 공유자와 인적인 유대관계를 유지할 필요가 있기 때문에 공유지분의 매각으로 인하여 새로운 사람이 공유자로 되는 것보다는 기존의 공유자에게 우선권을 부여하여 그 공유지분을 매수할 수 있는 기회를 주는 것이 타당하다는 데 입법취지가 있다. 여러 사람의 공유자가 우선매수하겠다는 신고를 한 경우에는 특별한 협의가 없으면 공유지분의 비율에 따라 채무자의 지분을 매수하게 한다(민사집행법 제140조 제3항).

④ 공유물지분을 경매하는 경우에는 채권자의 채권을 위하여 채무자의 지분에 대한 경매개시결정이 있음을 등기부에 기입하고 다른 공유자에게 그 경매개시결정이 있다는 것을 통지하여야 한다(민사집행법 제139조 제1항 본문).

⑤ 공유자는 매각기일까지 민사집행법 제113조에 따른 보증(최저매각가격의 10분의 1, 민사집행규칙 제63조)을 제공하고 최고매수신고가격과 같은 가격으로 채무자의 지분을 우선매수할 것을 신고할 수 있는데, 공유자의 우선매수의 신고는 집행관이 매각기일을 종결한다는 고지를 하기 전까지 할 수 있다(민사집행규칙 제76조 제1항).

2015년 기출

24 부동산강제경매의 매각방법 등에 관한 설명으로 옳지 않은 것은?

① 매각방법은 호가경매(매각기일에 호가에 의한 경매), 기일입찰(매각기일에 입찰 및 개찰하는 방법) 또는 기간입찰(입찰기간 이내에 입찰하게 하여 매각기일에 개찰하는 방법)의 방법에 의한다.

② 부동산의 매각은 집행관이 정한 매각방법에 따른다.

③ 매각허가결정이 확정되어 매수인이 결정되었음에도 불구하고 그자가 대금을 지급하지 아니하고 차순위 매수신고인이 없는 경우에는 법원은 직권으로 부동산의 재매각을 명한다.

④ 재매각절차에서도 종전에 정한 최저매각가격, 그 밖의 매각조건을 적용한다.

⑤ '새 매각'이란 매각을 실시하였으나 매수인이 결정되지 않았기 때문에 다시 기일을 지정하여 실시하는 경매를 말한다.

해설 부동산의 매각은 집행법원이 정한 매각방법에 따른다(민사집행법 제103조 제1항).
① 동법 동조 제2항, ③ 동법 제138조 제1항, ④ 동법 동조 제2항, ⑤ 동법 제119조 참조

24. ②

MEMO

2014년 기출

25 **강제집행절차 관련 배당표에 대한 이의에 관한 설명으로 틀린 것은?**

① 기일에 출석한 채무자는 채권자의 채권 또는 그 채권의 순위에 대하여 이의할 수 있다.

② 기일에 출석한 채권자는 자기의 이해에 관계되는 범위 안에서는 다른 채권자를 상대로 그의 채권 또는 그 채권의 순위에 대하여 이의할 수 있다.

③ 채무자는 법원에 배당표원안이 비치된 이후 배당기일이 끝날 때까지 채권자의 채권 또는 그 채권의 순위에 대하여 서면으로 이의할 수 있다.

④ 기일에 출석하지 아니한 채권자는 배당표와 같이 배당을 실시하는 데 동의한 것으로 본다.

⑤ 기일에 출석하지 아니한 채권자가 다른 채권자가 제기한 이의에 관계된 때에는 그 채권자는 그 이의를 정당하다고 인정한 것으로 본다.

해설 배당표에 대한 이의는 배당기일에 출석한 채무자 및 각 채권자는 배당표의 작성, 확정 및 실시와 다른 채권자의 채권 또는 그 채권의 순위에 관하여 이의할 수 있으며, 이의의 방법으로 채무자는 배당기일에 출석하여 이의를 제기할 수 있을 뿐 아니라 배당표원안이 비치된 이후에는 배당기일이 끝날 때까지 서면으로도 이의할 수 있지만 채권자는 반드시 배당기일에 출석하여 이의를 진술하여야 한다. 또한 이의의 완결로서 채무자나 채권자가 한 이의에 관계되는 상대방 채권자는 이에 대하여 진술하여야 하고, 만약 이의가 정당하다고 인정하거나 다른 방법으로 합의한 때에는 이에 따라 배당표를 경정하여 배당을 실시하여야 한다. 따라서 채권자가 기일에 출석하지 아니하였다면 다른 채권자가 제기한 이의에 관계된 때라도 그 채권자는 그 이의를 정당하다고 인정한 것으로 보는 것은 아니다.

2023년 기출

26 **배당할 금액이 5천만 원이고, 배당에 참가한 채권자로서 등기부에 기입된 날짜나 대항력 갖춘 날짜 등을 기준으로 1순위 甲의 근저당 2,000만 원, 2순위 乙의 당해세 2,000만 원, 3순위 丙의 소액주택임차보증금(서울) 3,000만 원이 있는 경우 배당액을 계산하면?**

	甲	乙	丙
①	2,000만 원	2,000만 원	1,000만 원
②	2,000만 원	1,000만 원	2,000만 원
③	1,000만 원	1,000만 원	3,000만 원
④	1,000만 원	2,000만 원	2,000만 원
⑤	0 원	2,000만 원	3,000만 원

정답 25. ⑤ 26. ⑤

MEMO

해설 ⑤ 부동산 경매에서 각 채권자는 민법, 상법, 그 밖의 법률에 의한 우선순위에 따라 배당순위가 정하여 진다. 매각재산에 조세채권의 법정기일 전에 저당권, 전세권에 의하여 담보되는 채권이 있는 경우의 배당순위는 아래표와 같다. 따라서, 배당한 금액 5천만 원 중 丙이 소액임차보증금채권 3,000만 원을 먼저 배당받고, 乙이 당해세 2,000만원을 다음순위로 배당받는다. 이상의 배당을 하면 남은 잔액은 없으므로 다음순위인 甲에 대한 배당액은 0원이 된다.

① 제1순위	집행비용
② 제2순위	저당물을 제3취득자가 그 부동산의 보존, 개량을 위하여 지출한 필요비, 유익비
③ 제3순위	소액임차보증금채권, 최종 3개월분 임금, 최종 3년간의 퇴직금 및 재해보상금(근로기준법 제38조 제2항, 근로자퇴직급여보장법 제12조 제2항)
④ 제4순위	당해세 : 집행의 목적물에 대하여 부과된 국세, 지방세와 가산금 (국세 : 상속세, 증여세, 종합부동산세 / 지방세 : 취득세, 등록세, 재산세, 자동차세, 도시계획세, 공동시설세, 지방교육세)
⑤ 제5순위	국세 및 지방세의 법정기일 전에 설정 등기된 저당권, 전세권에 의하여 담보되는 채권, 확정일자를 갖춘 주택 또는 상가건물의 임차보증금반환채권, 임차권 등기된 주택 또는 상가건물의 임차보증금반환채권은 저당권부 채권과 동순위로 취급한다.
⑥ 제6순위	근로기준법 제38조 제2항의 임금 등 및 근로자퇴직급여보장법 제12조 제2항의 퇴직금을 제외한 임금 등, 기타 근로관계로 인한 채권
⑦ 제7순위	일반조세채권 : 국세, 지방세 및 이에 관한 체납처분비, 가산금 등의 징수금
⑧ 제8순위	국세 및 지방세의 다음 순위로 징수하는 공과금 중 산업재해보상보험료, 국민건강보험료, 국민연금보험료, 고용보험료
⑨ 제9순위	일반채권

2023년 기출

27 **아파트 경매 관련 다음의 배당 순위(우선순위 순) 중 가장 적절한 것은?**

ㄱ. 일반채권자의 채권
ㄴ. 경매목적물의 재산세
ㄷ. 근저당권
ㄹ. 아파트 임차인의 소액보증금
ㅁ. 집행비용

① ㄴ, ㄹ, ㄷ, ㄱ, ㅁ
② ㅁ, ㄱ, ㄴ, ㄷ, ㄹ
③ ㄴ, ㅁ, ㄹ, ㄷ, ㄱ
④ ㅁ, ㄹ, ㄴ, ㄷ, ㄱ
⑤ ㅁ, ㄴ, ㄹ, ㄷ, ㄱ

27. ⑤

MEMO

해설 모두 맞기. 원래 정답은 ⑤번이었으나 「주택임대차보호법」 제8조 제1항에 따르면 '임차인은 보증금 중 일정액을 다른 담보물권자보다 우선하여 변제받을 권리가 있다'고 규정하고 있고, 임차인이 「주택임대차보호법」 제8조에 따라 우선변제를 받기 위해서는 보증금이 「동법 시행령」 제11조에 정하고 있는 금액 이하여야 한다. 이때 우선변제를 받을 수 있는 보증금 중 일정금액은 「동법 시행령」 제10조에 규정하고 있으며 이를 최우선변제금이라 한다. 그런데 문제에서 'ㄹ. 아파트 임차인의 소액보증금'은 「동법 시행령」 제11조에 따른 우선변제를 받기 위한 보증금의 기준인지 명확하지 않으므로 모두 정답 처리하였다.

2022년 기출

28 **다음 중 배당 시 우선변제를 받는 순서로 가장 적절한 것은? (모두 배당요구 종기 내에 배당참가를 한 것을 전제로 함)**

가. 저당권에 의하여 담보되는 채권
나. 당해세
다. 일반채권
라. 소액주택임대차보증금

① 라 – 나 – 가 – 다
② 나 – 라 – 가 – 다
③ 라 – 가 – 나 – 다
④ 가 – 라 – 나 – 다
⑤ 가 – 나 – 다 – 라

해설 각 채권자는 민법・상법, 그 밖의 법률에 의한 우선순위에 따라 배당순위가 정하여진다. 조세채권과 저당권에 의하여 담보되는 채권은 조세채권의 법정기일과 저당권설정일과의 선후에 따라 우선순위가 결정되고, 조세채권 중 당해세는 그 법정기일 전에 설정된 저당권 등으로 담보된 채권보다 우선하는데 이를 '당해세우선의 원칙'이라 한다. 여기서 '당해세'란 매각부동산 자체에 대하여 부과된 주세와 가산금을 말한다. 예를 들어 경매에 부쳐진 부동산 그 자체에 부과된 재산세는 당해세가 된다. 아래는 각 경우에 따른 배당순위를 기재한 표이다.

1. 매각재산에 조세채권의 법정기일 전에 설정된 저당권, 전세권에 의하여 담보되는 채권이 있는 경우

① 제1순위	집행비용
② 제2순위	저당물을 제3취득자가 그 부동산의 보존, 개량을 위하여 지출한 필요비, 유익비
③ 제3순위	소액임차보증금채권, 최종 3개월분 임금, 최종 3년간의 퇴직금 및 재해보상금(근로기준법 제38조 제2항, 근로자퇴직급여보장법 제12조 제2항)

28. ①

MEMO

④ 제4순위	당해세 : 집행의 목적물에 대하여 부과된 국세, 지방세와 가산금 (국세 : 상속세, 증여세, 종합부동산세 / 지방세 : 취득세, 등록세, 재산세, 자동차세, 도시계획세, 공동시설세, 지방교육세)
⑤ 제5순위	국세 및 지방세의 법정기일 전에 설정 등기된 저당권, 전세권에 의하여 담보되는 채권, 확정일자를 갖춘 주택 또는 상가건물의 임차보증금반환채권, 임차권 등기된 주택 또는 상가건물의 임차보증금반환채권은 저당권부 채권과 동순위로 취급한다.
⑥ 제6순위	근로기준법 제38조 제2항의 임금 등 및 근로자퇴직급여보장법 제12조 제2항의 퇴직금을 제외한 임금 등, 기타 근로관계로 인한 채권
⑦ 제7순위	일반조세채권 : 국세, 지방세 및 이에 관한 체납처분비, 가산금 등의 징수금
⑧ 제8순위	국세 및 지방세의 다음 순위로 징수하는 공과금 중 산업재해보상보험료, 국민건강보험료, 국민연금보험료, 고용보험료
⑨ 제9순위	일반채권

2. 매각재산에 조세채권의 법정기일 후에 설정된 저당권, 전세권에 의하여 담보되는 채권이 있는 경우

① 제1순위	집행비용
② 제2순위	저당물을 제3취득자가 그 부동산의 보존, 개량을 위하여 지출한 필요비, 유익비
③ 제3순위	소액임차보증금채권, 최종 3개월분 임금, 최종 3년간의 퇴직금 및 재해보상금
④ 제4순위	조세 기타 이와 동순위의 징수금(당해세 포함)
⑤ 제5순위	조세 다음 순위의 공과금 중 납부기한이 저당권, 전세권의 설정등기보다 앞서는 구 국민의료보험법상의 의료보험료, 국민건강보험법상의 건강보험료 및 국민연금법상의 연금보험료
⑥ 제6순위	저당권, 전세권에 의하여 담보되는 채권
⑦ 제7순위	임금 기타 근로관계로 인한 채권
⑧ 제8순위	조세 다음 순위의 공과금 중 산업재해보상보험료 기타 구상금 등
⑨ 제9순위	일반채권

3. 매각재산에 저당권 등에 의하여 담보되는 채권이 없는 경우

① 제1순위	집행비용
② 제2순위	저당물을 제3취득자가 그 부동산의 보존, 개량을 위하여 지출한 필요비, 유익비
③ 제3순위	소액임차보증금채권, 최종 3개월분 임금, 최종 3년간의 퇴직금 및 재해보상금
④ 제4순위	임금 기타 근로관계로 인한 채권
⑤ 제5순위	조세 기타 이와 동순위의 징수금(당해세 포함)
⑥ 제6순위	조세 다음 순위의 공과금
⑦ 제7순위	일반채권

MEMO

2013년 기출

29 **부동산에 대한 강제집행과 관련한 다음 사례에서 강제경매신청을 한 채권자 D가 배당받을 수 있는 금액은? (다툼이 있는 경우 판례에 따름)**

강제집행목적 부동산과 관련된 매각대금, 집행비용, 당해세, 소액임차보증금과 A, B, C 및 D의 권리관계를 요약하면 다음과 같다.
○ 강제집행부동산매각대금 : 9,000만 원
○ 집행비용 : 500만 원
○ 당해세 : 400만 원
○ 소액임차보증금 : 1,600만 원(최우선변제요건을 충족한 임차보증금)
• A : 1순위 근저당권자(설정등기일 2013.3.4)의 피담보채권 – 2,500만 원
• B : 가압류채권자(가압류등기일 2013.3.18)의 청구금액 – 2,000만 원
• C : 2순위 근저당권자(설정등기일 2013.4.1)의 피담보채권 – 2,000만 원
• D : 강제경매를 신청한 채권자(강제경매신청일 2013.4.15)의 채권액 – 1,000만 원

① 1,000만 원
② 800만 원
③ 600만 원
④ 400만 원
⑤ 없음

해설 배당순위에 대하여 각 채권자는 민법 및 민사집행법, 상법, 그 밖의 법률에 의한 우선순위에 따라 배당순위가 정해지며 또한 매각재산에 조세채권의 법정기일 전·후로 나뉘어 그 순위가 정해지는 바, 일반적으로 제1순위인 집행비용 및 제3순위인 소액임차보증금의 배당과 제4순위 당해세 배당 이후 나머지 저당권이나 전세권에 의하여 담보되는 채권, 동순위인 가압류채권 및 일반채권과의 순위에 따라 배당이 이루어지게 된다.

29. ④

MEMO

2020년 기출

30 부동산경매와 관련한 다음 설명 중 옳지 않은 것은?

① 경매신청 후 매각기일에 적법한 매수신고가 있기까지는 경매신청인은 임의로 경매신청을 취하할 수 있다.

② 매수신고가 있은 뒤 경매신청을 취하하는 경우에는 최고가매수신고인 또는 매수인과 「민사집행법」 제114조의 차순위매수신고인의 동의를 받아야 그 효력이 생긴다.

③ 채권자가 배당이의를 하는 경우 반드시 배당기일에 출석해서 구두로 이의를 제기한 후 1주일 이내에 배당이의 소를 제기하여야 한다.

④ 낙찰자가 낙찰대금을 완납한 후에도 낙찰자가 동의하면 경매를 취하할 수 있다.

⑤ 최우선변제권이 있는 소액주택임차인도 배당요구 종기까지 배당요구 신청을 하지 않으면 배당을 받을 수 없다.

해설 ④ 매수인이 대금을 납부한 때에는 목적 부동산의 소유권이 매수인에게 이전하기 때문에, 그 후의 취하는 허용되지 아니하고, 배당절차를 속행하면 된다.

① 경매신청 후 매각기일에 적법한 매수신고가 있기까지는 경매신청인은 임의로 경매신청을 취하할 수 있다.

② 매수신고가 있은 뒤 경매신청을 취하하는 경우에는 최고가매수신고인 또는 매수인과 민사집행법 제114조의 차순위매수신고인의 동의를 받아야 그 효력이 생긴다[민사집행법 제93조(경매신청의 취하) 제2항].

③ 민사집행법 제154조(배당이의의 소 등) 제3항

⑤ 민사집행법 제148조에는 배당받을 채권자의 범위를 ⅰ) 배당요구의 종기까지 경매신청을 한 압류채권자 ⅱ) 배당요구 종기까지 배당요구를 한 채권자 ⅲ) 첫 경매개시결정등기 전에 등기된 가압류채권자 ⅳ) 저당권·전세권, 그 밖의 우선변제청구권으로서 첫 경매개시결정등기 전에 등기되었고 매각으로 소멸하는 것을 가진 채권자로 규정하고 있다. 최우선변제권이 있는 소액주택임차인은 ⅱ)의 배당요구 종기까지 배당요구 신청을 하지 않으면 배당을 받을 수 없는 채권자에 해당한다.

정답 30. ④

MEMO

제5절 자동차에 대한 강제집행

2023년 기출

01 다음 중 금전청구채권의 강제집행 대상으로 가장 적절하지 않은 것은?

① 광업권 ② 선박
③ 개인택시 면허권 ④ 어업권
⑤ 자동차

해설 ③ 민사소송법 제584조에 의하여 강제집행의 대상이 되는 재산권은 그 자체가 독립하여 재산적 가치를 가진 것으로서 양도 가능한 것이어야 하며, 금전적 평가에 의하여 환가할 수 있는 것이어야 할 것이다.

자동차운수사업법에 의하면 자동차운송사업을 영위하고자 하는 자는 건설교통부장관의 면허를 받아야 하고(제4조), 그 면허를 받기 위하여는 일정한 면허기준 이상의 자본금・자동차・차고 시설 및 장비 등을 갖추어야 하고(제6조), 결격사유가 있어서는 아니되며(제5조), 자동차운수사업면허의 대여행위는 금지되고 있고(제26조), 또한 자동차운수사업을 양도하고자 하는 경우에는 장관의 인가를 받아야 하며(일정한 경우에는 신고), 그 인가 등을 받으면 자동차운수사업면허는 양수인에게 이전하는 것으로(제28조) 규정하고 있는바, 장관의 인가를 받아 자동차운수사업의 양도가 적법하게 이루어지면 그 면허는 당연히 양수인에게 이전되는 것일 뿐, 자동차운수사업을 떠난 면허 자체는 자동차운수사업을 합법적으로 영위할 수 있는 자격에 불과한 것이므로, 결국 자동차운수사업자의 자동차운수사업면허는 법원이 강제집행의 방법으로 이를 압류하여 환가하기에는 적합하지 아니한 것이라 할 것이다(대법원 1996. 9. 12. 96마1088, 1089 결정).

2016년 기출

02 자동차강제경매의 매각 및 배당절차에 관한 다음 설명 중 옳지 않은 것은?

① 자동차의 매각절차에 있어서 법원은 경우에 따라 감정인의 평가를 거치지 않고도 자동차의 최저매각가격을 결정할 수 있다.
② 자동차의 매각 및 배당절차에는 원칙적으로 부동산강제경매의 규정이 적용된다.
③ 강제경매개시결정이 있은 날부터 1월이 지나기까지 집행관이 자동차를 인도받지 못한 때에는 법원은 집행절차를 취소하여야 한다.
④ 경매에 의하여 자동차를 매수한 자는 대금을 납부한 때에 비로소 자동차의 소유권을 취득한다.
⑤ 자동차의 강제집행절차가 일정한 사유에 의하여 일시 정지된 동안에도 압류채권자나 채무자의 신청이 있으면, 법원은 자동차의 매각을 결정할 수 있다.

01. ③ 02. ③

MEMO

해설 강제경매개시결정이 있은 날부터 2월이 지나기까지 집행관이 자동차를 인도받지 못한 때에는 법원은 집행절차를 취소하여야 한다(민사집행규칙 제116조). 즉, 이 경우에 법원은 경매개시결정을 취소하고 경매신청을 기각하여야 한다.

① 법원은 상당하다고 인정하는 때에는 집행관으로 하여금 거래소에 자동차의 시세를 조회하거나 그 밖의 상당한 방법으로 매각할 자동차를 평가하게 하고, 그 평가액을 참작하여 최저매각가격을 정할 수 있다(민사집행규칙 제121조 제1항). 즉, 자동차의 매각절차에 있어서 법원은 경우에 따라 감정인의 평가를 거치지 않고도 자동차의 최저매각가격을 결정할 수 있다.

② 자동차관리법에 따라 등록된 자동차에 대한 강제집행은 민사집행규칙에 특별한 규정이 없으면 부동산에 대한 강제경매의 규정을 따른다(민사집행규칙 제108조 제1문).

④ 경매에 의하여 자동차를 매수한 자는 대금을 납부한 때에 비로소 자동차의 소유권을 취득한다(민사집행규칙 제108조 제1문, 민사집행법 제135조).

⑤ 자동차의 강제집행절차가 일정한 사유에 의하여 일시 정지된 동안에도 집행관은 인도를 받은 자동차의 가격이 크게 떨어질 염려가 있거나 그 보관에 지나치게 많은 비용이 드는 때에는 압류채권자·채무자 및 저당권자에게 그 사실을 통지하여야 하고, 이 경우 압류채권자 또는 채무자의 신청이 있는 때에는 법원은 자동차를 매각하도록 결정할 수 있다(민사집행규칙 제126조 제2항, 제3항 참조).

2014년 기출

03 자동차에 대한 강제집행에 관한 설명으로 가장 적절하지 않은 것은?

① 자동차집행의 집행법원은 자동차등록원부에 기재된 사용본거지를 관할하는 지방법원이다.

② 법원은 그 관할구역 안에서 집행관이 자동차를 점유하게 되기 전에는 집행관에게 매각을 실시하게 할 수 없다.

③ 법원은 상당하다고 인정하는 때에는 압류채권자의 매수신청에 따라 그에게 자동차의 매각을 허가할 수 있다.

④ 법원은 상당하다고 인정하는 때에는 집행관으로 하여금 거래소의 자동차시세를 조회하는 방법 등으로 매각할 자동차를 평가하게 하고 이를 참작하여 최저매각가격을 정할 수 있다.

⑤ 법원은 집행관에게 입찰 또는 경매 외의 방법으로 자동차의 매각을 실시할 것을 명할 수 없다.

해설 법원은 상당하다고 인정하는 때에는 집행관에게 입찰 또는 경매 외의 방법으로 자동차의 매각을 실시할 것을 명할 수 있다(민사집행규칙 제123조 제1항).

03. ⑤

MEMO

제6절 동산에 대한 강제집행

2019년 기출

01 유체동산 및 자동차 강제집행절차에 대한 다음 설명 중 옳지 않은 것은?

① 유가증권으로서 배서가 금지되지 않은 것은 유체동산집행의 대상이다.
② 유체동산집행의 경우에는 원칙적으로 「민법」·「상법」, 그 밖의 법률에 따라 우선변제청구권이 있는 채권자에 한하여 배당요구를 할 수 있다.
③ 유체동산 강제집행에서 매각대금으로 채권자 모두를 만족시킬 수 없고 매각허가된 날부터 2주 이내에 채권자 사이에 배당협의가 이루어지지 아니한 때에는 집행관은 직접 배당을 하고 채권자들에게 배당금을 교부하여 종결시킨다.
④ 자동차에 대한 강제경매개시결정이 있은 날부터 2월이 지나기까지 집행관이 자동차를 인도받지 못한 때에는 법원은 집행절차를 취소하여야 한다.
⑤ 「자동차관리법」에 따라 등록을 하지 아니한 자동차에 대하여는 유체동산집행방법에 따라 집행한다.

해설 유체동산의 강제집행에서 매각대금으로 채권자 모두를 만족시킬 수 없더라도 매각허가된 날부터 2주 이내에 채권자 사이에 배당협의가 이루어진 경우에는 협의의 내용에 따라 집행관이 배당금을 교부함으로써 배당절차는 끝이 난다. 그러나, 매각대금으로 배당에 참가한 모든 채권자를 만족하게 할 수 없고 매각허가된 날부터 2주 이내에 채권자 사이에 배당협의가 이루어지지 아니한 때에는 매각대금을 공탁하고[민사집행법 제222조(매각대금의 공탁) 제1항], 집행관은 집행절차에 관한 서류를 붙여 그 사유를 법원에 신고하여야 한다(동조 제3항).

① 민사집행법 제189조(채무자가 점유하고 있는 물건의 압류) 제2항 제3호, 아래 관련조문 참조

> 민사집행법 제189조 【채무자가 점유하고 있는 물건의 압류】
> ① 채무자가 점유하고 있는 유체동산의 압류는 집행관이 그 물건을 점유함으로써 한다. 다만, 채권자의 승낙이 있거나 운반이 곤란한 때에는 봉인(封印), 그 밖의 방법으로 압류물임을 명확히 하여 채무자에게 보관시킬 수 있다.
> ② 다음 각호 가운데 어느 하나에 해당하는 물건은 이 법에서 유체동산으로 본다.
> 1. 등기할 수 없는 토지의 정착물로서 독립하여 거래의 객체가 될 수 있는 것
> 2. 토지에서 분리하기 전의 과실로서 1월 이내에 수확할 수 있는 것
> 3. 유가증권으로서 배서가 금지되지 아니한 것
> ③ 집행관은 채무자에게 압류의 사유를 통지하여야 한다.

② 민사집행법 제217조(우선권자의 배당요구)
④ 민사집행규칙 제116조(자동차인도집행불능시의 집행절차취소)

01. ③

MEMO

⑤ 「자동차관리법」에 따라 등록된 자동차에 대한 강제집행은 민사집행규칙에 특별한 규정이 없으면 부동산에 대한 강제경매의 규정을 따른다[민사집행규칙 제108조(강제집행의 방법)]. 그러나, 「자동차관리법」에 따라 등록을 할 수 없거나 등록을 하지 아니한 자동차에 대하여는 유체동산집행방법에 따라 집행한다.

2024년 기출

02 다음 중 유체동산에 대한 강제집행방법으로 집행되는 것은?

① 이륜자동차
② 선박등기법에 따라 등기된 선박
③ 자동차관리법에 따라 등록된 자동차
④ 지명채권
⑤ 건설공제조합의 출자증권

해설 ① 압류의 목적이 되는 유체동산은 민법상의 유체동산뿐만 아니라 일정한 유가증권 등 민사집행법 제189조 제2항의 규정에 따른 물건을 포함하는 것으로 실체법상의 동산의 개념과 반드시 일치하는 것은 아니다. 물건은 동산과 부동산으로 나뉜다. 부동산은 토지와 그의 정착물로서 토지에서 분리되면 경제적 효용을 상실하는 것을 말하며, 부동산 이외의 것은 모두 동산이다. 동산에는 일정한 물리적 외형을 갖는 것과 전기 기타 관리할 수 있는 자연력이 있다. 결국 유체동산에 대한 강제집행방법이 적용되는 동산은 '등록되지 않은 동산 중 일정한 물리적 외형을 갖는 동산'이다. 아래 민사집행법 조문 참조

②③ 선박등기법에 따라 등기된 선박과 자동차관리법에 따라 등록된 자동차는 부동산등기법에 따라 등기된 부동산강제경매규정이 원칙적으로 적용된다.

④ 지명채권은 금전채권에 대한 강제집행방법에 의한다.

⑤ 건설공제조합의 출자증권도 금전채권에 대한 강제집행방법에 의한다. 다만 출자증권에 대한 압류는 집행관이 위 출자증권을 점유함으로써 압류의 효력이 생기고 압류한 출자증권에 대한 현금화는 민사집행법상 특별현금화절차(인도명령, 매각명령 등)에 의하게 된다.

민사집행법 제189조(채무자가 점유하고 있는 물건의 압류) ① 채무자가 점유하고 있는 유체동산의 압류는 집행관이 그 물건을 점유함으로써 한다. 다만, 채권자의 승낙이 있거나 운반이 곤란한 때에는 봉인, 그 밖의 방법으로 압류물임을 명확히 하여 채무자에게 보관시킬 수 있다.
② 다음 각호 가운데 어느 하나에 해당하는 물건은 이 법에서 유체동산으로 본다.
1. 등기할 수 없는 토지의 정착물로서 독립하여 거래의 객체가 될 수 있는 것
2. 토지에서 분리하기 전의 과실로서 1월 이내에 수확할 수 있는 것
3. 유가증권으로서 배서가 금지되지 아니한 것
③ 집행관은 채무자에게 압류의 사유를 통지하여야 한다.

02. ①

MEMO

> 민사집행법 제190조(부부공유 유체동산의 압류) 채무자와 그 배우자의 공유로서 채무자가 점유하거나 그 배우자와 공동으로 점유하고 있는 유체동산은 제189조의 규정에 따라 압류할 수 있다.
>
> 민사집행법 제191조(채무자 외의 사람이 점유하고 있는 물건의 압류) 채권자 또는 물건의 제출을 거부하지 아니하는 제3자가 점유하고 있는 물건은 제189조의 규정을 준용하여 압류할 수 있다.
>
> 민사집행법 제192조(국고금의 압류) 국가에 대한 강제집행은 국고금을 압류함으로써 한다.

2023년 기출

03 다음은 유체동산 강제집행 절차에 관한 설명이다. 가장 적절하지 않은 것은?

① 유체동산 소재지 집행관이 관할한다.

② 유체동산에 대한 강제집행신청서에는 집행력 있는 정본을 붙여야 한다.

③ 대리인에 의한 신청의 경우에는 대리권한을 증명하는 서면(위임장)을 붙여야 한다.

④ 대리인의 경우 변호사가 아니라면 소송의 경우처럼 소송대리 허가를 받아야 한다.

⑤ 유가증권으로서 배서가 금지되지 아니한 것은 압류의 대상이 된다.

해설 ④ 대리인에 의한 신청의 경우에는 대리권한을 증명하는 서면(위임장)을 붙여야 한다. 대리인의 권한에는 제한이 없으므로 변호사 이외의 자도 무방하다. 따라서 대리인의 경우 변호사가 아니라도 소송의 경우처럼 소송대리 허가를 받아야 하는 것은 아니다.

⑤ 압류의 목적이 되는 유체동산은 민법상의 유체동산뿐만 아니라 일정한 유가증권 등 민사집행법 제189조 제2항의 규정에 따른 물건을 포함하는 것으로 실체법상의 동산의 개념과 반드시 일치하는 것은 아니다. 따라서, 유가증권으로서 배서가 금지되지 아니한 것은 압류의 대상이 된다. 단, 배서가 금지된 것일 때에는 법원의 압류명령으로 집행관이 그 증권을 점유하여야 한다(민사집행법 제233조 참조). 이러한 유가증권은 채권 그 밖의 재산권에 대한 집행의 대상이다.

① 유체동산에 대한 압류는 유체동산이 있는 곳의 집행관에게 신청하여야 한다. 즉 유체동산 소재지 집행관이 관할한다.

② 강제집행은 집행문이 있는 판결정본(이하 '집행력 있는 정본'이라 한다)이 있어야 할 수 있다(민사집행법 제28조 제1항). 따라서, 유체동산에 대한 강제집행신청서에는 집행력 있는 정본을 붙여야 한다.

03. ④

MEMO

2022년 기출

04 유체동산 강제집행에 관한 다음 설명 중 가장 적절하지 않은 것은?

① 채무자가 점유하고 있는 유체동산의 압류는 집행관이 그 물건을 점유함으로써 한다.
② 국가에 대한 강제집행은 국고금을 압류함으로써 한다.
③ 압류일과 매각일 사이에는 3주 이상 기간을 두어야 한다.
④ 집행관이 금전을 추심한 때에는 채무자가 지급한 것으로 본다.
⑤ 채무자와 그 배우자의 공유로서 채무자가 점유하거나 그 배우자와 공동으로 점유하고 있는 유체동산은 압류할 수 있다.

해설 집행관은 유체동산을 매각하는 때에는 매각기일의 일시와 장소를 정하여야 한다. 매각기일은 부득이한 사정이 없는 한 압류일로부터 1월 안의 날로 정하여야 한다[민사집행규칙 제145조(호가경매기일의 지정 등) 제1항]. 압류일과 매각일 사이에는 1주일 이상의 기간을 두어야 한다. 다만 압류물을 보관하는데 지나치게 많은 비용이 들거나, 시일이 지나면 그 물건의 값이 크게 내릴 염려가 있는 때에는 그러하지 아니하다[민사집행법 제202조(매각일)].
① 채무자가 점유하고 있는 유체동산의 압류는 집행관이 그 물건을 점유함으로써 한다. 다만, 채권자의 승낙이 있거나 운반이 곤란한 때에는 봉인, 그 밖의 방법으로 압류물임을 명확히 하여 채무자에게 보관시킬 수 있다[민사집행법 제189조(채무자가 점유하고 있는 물건의 압류) 제1항].
② 민사집행법 제192조(국고금의 압류)
④ 집행관이 금전을 추심한 때에는 채무자가 지급한 것으로 본다. 다만, 담보를 제공하거나 공탁을 하여 집행을 벗어날 수 있도록 채무자에게 허가한 때에는 그러하지 아니하다[민사집행법 제201조(압류금전) 제2항].
⑤ 민사집행법 제190조(부부공유 유체동산의 압류)

2021년 기출

05 유체동산 강제집행에 관한 다음 설명 중 적절하지 않은 것은?

① 부부공유 유체동산을 압류한 경우에 그 배우자는 그 목적물에 대한 우선매수권을 행사하거나 자기 공유지분에 대한 매각대금을 지급하여 줄 것을 요구할 수 있다.
② 유체동산에 대한 압류는 유체동산 소재지가 아니라 채무자의 주소지를 관할하는 곳의 집행관에게 신청하여야 한다.
③ 매각할 물건 가운데 값이 비싼 물건이 있는 때에는 집행관은 적당한 감정인에게 이를 평가하게 하여야 한다.
④ 압류한 유체동산은 입찰 또는 호가경매의 방법으로 매각을 실시하여야 한다.
⑤ 유체동산의 압류는 소멸시효 진행을 중단시킨다.

04. ③ 05. ②

MEMO

해설 유체동산에 대한 압류는 유체동산이 있는 곳의 집행관에게 신청하여야 한다.
① 부부공유 유체동산을 압류한 경우에 그 배우자는 그 목적물에 대한 우선매수권을 행사하거나 자기 공유지분에 대한 매각대금을 지급하여 줄 것을 요구할 수 있다(민사집행법 제206조 참조).
③ 매각할 물건 가운데 값이 비싼 물건이 있는 때에는 집행관은 적당한 감정인에게 이를 평가하게 하여야 한다(민사집행법 제200조).
④ 압류한 유체동산은 입찰 또는 호가경매의 방법으로 매각을 실시하여야 한다(민사집행법 제199조).
⑤ 유체동산의 압류는 소멸시효 진행을 중단시킨다(민법 제168조 제2항 참조).

2018년 기출

06 압류한 유체동산의 매각절차에 관한 설명으로 옳지 않은 것은?

① 집행관은 금전을 압류한 경우 반드시 그 금전을 공탁하여 채권자들에게 배당하여야 한다.
② 부부가 공유하는 유체동산을 압류하여 매각하는 경우에 배우자는 매각기일에 출석하여 우선매수할 것을 신고할 수 있다.
③ 금·은붙이는 시장가격 이상의 금액으로 일반 현금화의 규정에 따라 매각하여야 한다.
④ 객관적인 시장거래가격이 있는 유가증권은 집행관이 매각하는 날의 시장가격에 따라 적당한 방법으로 매각할 수 있다.
⑤ 법원은 필요하다고 인정되면 집행관에게 위임하지 않고 다른 사람으로 하여금 압류물을 매각하게 하도록 명할 수 있다.

해설 매각대금으로 배당에 참가한 모든 채권자를 만족시킬 수 있으면 집행관은 채권자들에게 변제금을 교부하고 나머지가 있으면 채무자에게 교부함으로써 배당절차는 끝이 난다. 매각대금으로 채권자를 모두 만족시킬 수 없더라도 매각허가된 날로부터 2주 이내에 채권자 사이에 배당협의가 이루어진 경우에는 협의의 내용에 따라 집행관이 배당금을 교부함으로써 배당절차는 끝이 난다. 매각대금으로 배당에 참가한 모든 채권자를 만족하게 할 수 없고 매각허가된 날로부터 2주 이내에 채권자 사이에 배당협의가 이루어지지 아니한 때에는 매각대금을 공탁하고(민사집행법 제222조 제1항), 집행관은 집행절차에 관한 서류를 붙여 그 사유를 법원에 신고하여야 한다(동조 제3항). 이때부터 배당절차는 법원이 실시하게 된다.
② 부부가 공유하는 유체동산을 압류하여 매각하는 경우에 배우자는 매각기일에 출석하여 우선매수할 것을 신고할 수 있다(동법 제206조 제1항).
③ 금·은붙이는 시장가격 이상의 금액으로 일반 현금화의 규정에 따라 매각하여야 한다. 시장가격 이상의 금액으로 매수하는 사람이 없는 때에는 집행관은 그 시장가격에 따라 적당한 방법으로 매각할 수 있다(동법 제209조).

06. ①

MEMO

④ 집행관이 유가증권을 압류한 때에는 시장가격이 있는 것은 매각하는 날의 시장가격에 따라 적당한 방법으로 매각하고 그 시장가격이 형성되지 아니한 것은 일반 현금화의 규정에 따라 매각하여야 한다(동법 제210조).
⑤ 법원은 필요하다고 인정하면 직권으로 또는 압류채권자, 배당을 요구한 채권자 또는 채무자의 신청에 따라 일반 현금화의 규정에 의하지 아니하고 다른 방법이나 다른 장소에서 압류물을 매각하게 할 수 있다. 또한 집행관에게 위임하지 않고 다른 사람으로 하여금 압류물을 매각하게 하도록 명할 수 있다(동법 제214조 제1항).

2017년 기출

07 다음 중 유체동산에 대한 강제집행방법으로 집행되는 것은?

① 배서가 금지된 어음 · 수표
② 선박등기법에 따라 등기된 선박
③ 부동산등기법에 따라 등기된 부동산
④ 이륜자동차
⑤ 자동차관리법에 따라 등록된 자동차

해설 압류의 목적이 되는 유체동산은 민법상의 유체동산뿐 아니라 일정한 유가증권 등 민사집행법 제189조 제2항의 규정에 따른 물건을 포함하는 것으로 실체법상의 동산의 개념과 반드시 일치하는 것은 아니다. 민사집행법 제189조 제2항에 규정된 물건은 다음과 같다.

1. 등기할 수 없는 토지의 정착물로서 독립하여 거래의 객체가 될 수 있는 것(제1호) : 여기서 말하는 유체동산 집행의 대상이 되는 정착물의 예로는 송신용 철탑, 주유소의 주유기, 미등기입목 등을 들 수 있다.
2. 토지에서 분리하기 전의 과실로서 1월 이내에 수확할 수 있는 것(제2호) : 여기의 과실은 천연과실을 의미하지만 민법상의 천연과실의 범위와는 일치하는 것은 아니다.
3. 유가증권으로서 배서가 금지되지 아니한 것(제3호) : 유가증권 – 어음, 수표, 화물상환증, 창고증권, 선하증권, 지시증권, 국채, 지방채, 공채, 사채, 무기명주권과 상품권, 승차권, 입장권 등의 무기명채권증권(소지인출급식증권) 등

① 단, 배서가 금지된 것일 때에는 법원의 압류명령으로 집행관이 그 증권을 점유하여야 한다(민사집행법 제233조). 이러한 유가증권은 채권 그 밖의 재산권에 대한 집행의 대상이다.
②, ③, ⑤ 선박등기법에 따라 등기된 선박과 자동차관리법에 따라 등록된 자동차는 부동산등기법에 따라 등기된 부동산강제경매규정이 원칙적으로 적용된다.

07. ④

MEMO

2024년 기출

08 채권압류 및 전부명령의 효력발생 시기로 가장 적절한 것은?

① 채권압류 및 전부명령 결정시
② 채권압류 및 전부명령의 채권자 송달시
③ 채권압류 및 전부명령의 제3채무자 송달시
④ 채권압류 및 전부명령의 채무자 송달시
⑤ 채권압류 및 전부명령의 확정시

해설 원래 ⑤번이었으나, 이의제기를 수용하여 모두맞기로 처리함. 이의제기에 대한 첫 번째 검토의견은, 채권압류명령은 ③지문과 같이 제3채무자 송달시 효력을 발생하고(민사집행법 제227조 제3항), 전부명령은 ⑤지문과 같이 확정시에 발생한다. 통상은 채권압류 및 전부명령을 동시에 신청하지만, 그래도 채권압류명령과 전부명령은 각기 별개이므로 (따로 청구할 수도 있으므로) 시험문제가 "전부명령"의 효력발생시점을 물었다면 몰라도 "채권압류 및 전부명령"의 효력발생을 묻다보니 잘못된 출제로 보인다고 하였고, 두 번째 검토의견은, 채권압류명령의 효력은 제3채무자에게 송달된 때에 발생한다(민사집행법 제227조 제3항). "채권압류"와 "전부명령"은 별개이므로 "채권압류 및 전부명령"의 효력은 "전부명령이 확정되면 제3채무자에게 송달된 때" 효력이 발생한다. 따라서 ⑤지문은 잘못 표시한 것이다 라고 하였다. 아래 관련조문 참조

> **민사집행법 제227조(금전채권의 압류)** ① 금전채권을 압류할 때에는 법원은 제3채무자에게 채무자에 대한 지급을 금지하고 채무자에게 채권의 처분과 영수를 금지하여야 한다.
> ② 압류명령은 제3채무자와 채무자에게 송달하여야 한다.
> ③ 압류명령이 제3채무자에게 송달되면 압류의 효력이 생긴다.
> ④ 압류명령의 신청에 관한 재판에 대하여는 즉시항고를 할 수 있다.
>
> **민사집행법 제229조(금전채권의 현금화방법)** ① 압류한 금전채권에 대하여 압류채권자는 추심명령이나 전부명령을 신청할 수 있다.
> ② 추심명령이 있는 때에는 압류채권자는 대위절차 없이 압류채권을 추심할 수 있다.
> ③ 전부명령이 있는 때에는 압류된 채권은 지급에 갈음하여 압류채권자에게 이전된다.
> ④ 추심명령에 대하여는 제227조 제2항 및 제3항의 규정을, 전부명령에 대하여는 제227조 제2항의 규정을 각각 준용한다.
> ⑤ 전부명령이 제3채무자에게 송달될 때까지 그 금전채권에 관하여 다른 채권자가 압류·가압류 또는 배당요구를 한 경우에는 전부명령은 효력을 가지지 아니한다.
> ⑥ 제1항의 신청에 관한 재판에 대하여는 즉시항고를 할 수 있다.
> ⑦ 전부명령은 확정되어야 효력을 가진다.
> ⑧ 전부명령이 있은 뒤에 제49조 제2호 또는 제4호의 서류를 제출한 것을 이유로 전부명령에 대한 즉시항고가 제기된 경우에는 항고법원은 다른 이유

08. 모두 정답

MEMO

로 전부명령을 취소하는 경우를 제외하고는 항고에 관한 재판을 정지하여야 한다.

민사집행법 제231조(전부명령의 효과) 전부명령이 확정된 경우에는 전부명령이 제3채무자에게 송달된 때에 채무자가 채무를 변제한 것으로 본다. 다만, 이전된 채권이 존재하지 아니한 때에는 그러하지 아니하다.

2023년 기출

09 추심명령에 관한 다음 설명 중 가장 적절한 것은?

① 추심명령에 관한 재판에 대하여 즉시항고할 수 있다.
② 금전채권에 대한 추심명령은 확정되어야 그 효력이 생긴다.
③ 추심명령에 의한 추심권의 범위는 집행채권액과 집행비용에 한정되지만, 전부명령은 압류된 채권의 전액에 미친다.
④ 채권자는 추심명령의 대상인 채권의 일부만이 추심된 경우에는 법원에 추심신고를 할 의무가 없다.
⑤ 채권자는 추심명령에 따라 얻은 추심권리를 포기할 수 없다.

해설 ① 민사집행법 제229조(금전채권의 현금화방법) 제6항 참조
② 추심명령은 제3채무자에게 송달되어야 그 효력이 발생하고 추심명령에 대하여 즉시항고가 제기되더라도 이는 추심명령의 효력발생에는 영향을 미치지 아니한다. 추심명령이 확정되지 아니하여도 효력이 생기는 데 이점에서 전부명령과 다르다.
③ 전부명령에 의한 추심권의 범위는 집행채권액과 집행비용에 한정되지만, 추심명령은 압류된 채권의 전액에 미친다.
④ 채권자는 추심한 채권액을 법원에 신고하여야 한다[민사집행법 제236조(추심의 신고) 제1항]. 즉, 채권자는 추심명령의 대상인 채권의 일부만이 추심된 경우에도 법원에 추심신고를 할 의무가 있다.
⑤ 채권자는 추심명령에 따라 얻은 추심권리를 포기할 수 있다. 다만, 기본채권에는 영향이 없다[민사집행법 제240조(추심권의 포기) 제1항]. 아래 표 참조

❑ 추심명령과 전부명령의 비교

구 분	추심명령	전부명령
집행대상	금전 이외의 유체물의 인도나 권리이전의 청구권도 가능	금전채권에 한함.
효력의 범위	제한이 없으며 추심명령의 효력은 압류채권의 전부에 미침.	압류채권자의 채권액 및 집행비용

정답 09. ①

MEMO

압류채권에 대하여 선가압류, 압류, 배당요구가 있을 경우	추심명령 가능	전부명령 불능
채권의 이전 여부	이전이 안 됨.	이전이 됨.
위험의 이전 여부	추심권의 포기가 가능하고 채무자의 타 재산의 집행도 가능하며 집행채권 자체도 전액회수시까지 소멸하지 않음.	전부금액 범위 내에서 채무자의 채무가 소멸되므로 그 이후 위험은 전부채권자가 부담
배당요구의 가부 및 시기	채권자가 추심신고를 하기까지 배당요구 가능	명령의 송달과 동시에 타채권자의 배당 요구 불가능
채권자의 추심 소홀 책임 여부	채권자가 추심할 채권의 행사를 게을리 한 때에는 이로 인한 채무자의 손해를 부담하여야 하고 일정한 경우에는 법원의 허가를 얻어 집행력 있는 배당요구 채권자가 직접 추심 가능	전부채권자는 완전한 자기채권이므로 추심 소홀에 대한 책임을 지지 않음.
집행채권 소멸시기	배당 또는 현실로 만족을 얻었을 때	전부명령의 효력 발생과 동시
효 과	추심신고시까지 제3자의 배당참가가 허용되며 동순위로서 안분배당	제3자가 배당참가가 허용되지 아니하며 피전부채권으로서 채권의 독점적 만족을 얻게 됨.
신고의무의 유무	채권자가 채권을 추심한 때에는 그 사유를 법원에 신고할 의무가 있음.	신고의무 없음.
공탁의무	추심의 신고 전에 다른 압류, 가압류 또는 배당요구가 있는 때에 채권자가 추심한 금액을 지체 없이 공탁하고 그 사유를 법원에 신고하여야 한다.	공탁의무 없음.

2022년 기출

10 채권자 갑이 채무자 을의 제3채무자 병 은행에 대한 예금에 대하여 채권압류 및 추심명령을 한 경우와 관련한 다음 설명 중 가장 적절하지 않은 것은?

① 을의 예금채권 중 185만원은 압류금지채권에 해당한다.
② 원칙적으로 을의 주소지 지방법원이 관할 법원이 된다.
③ 채권압류 및 추심명령은 확정되어야 효력이 발생한다.
④ 채권압류 및 추심명령에 대하여 을이나 병은 즉시항고를 할 수 있다.
⑤ 갑이 병으로부터 을의 예금채권을 추심한 때에는 추심신고를 하여야 한다.

10. ③

MEMO

해설 금전채권에 대한 압류는 압류명령이 제3채무자에게 송달되면 압류의 효력이 생긴다[민사집행법 제227조(금전채권의 압류) 제3항]. 추심명령도 압류명령과 마찬가지로 제3채무자에게 송달하여야 효력이 생긴다[민사집행법 제229조(금전채권의 현금화방법) 제4항].

① 민사집행법 제246조(압류금지채권) 제1항 제4호 단서에서 "「국민기초생활보장법」에 의한 최저생계비를 감안하여 대통령령이 정하는 금액"이란 월 185만원을 말한다[민사집행법 시행령 제3호(압류금지 최저금액)]. 따라서, 을의 예금채권 중 185만원은 압류금지채권에 해당한다.

② 제223조(채권의 압류명령)의 집행법원은 채무자의 보통재판적이 있는 곳의 지방법원으로 한다. 제1항의 지방법원이 없는 경우 집행법원은 압류한 채권의 채무자(제3채무자)의 보통재판적이 있는 곳의 지방법원으로 한다. 다만, 이 경우에 물건의 인도를 목적으로 하는 채권과 물적 담보권 있는 채권에 대한 집행법원은 그 물건이 있는 곳의 지방법원으로 한다. 가압류에서 이전되는 채권압류의 경우에 제223조의 집행법원은 가압류를 명한 법원이 있는 곳을 관할하는 지방법원으로 한다[민사집행법 제224조(집행법원)]. 따라서, 원칙적으로 을의 주소지 지방법원이 관할 법원이 된다.

④ 압류명령의 신청에 관한 재판에 대하여는 즉시항고를 할 수 있다[민사집행법 제227조(금전채권의 압류) 제4항]. 제1항의 신청(추심명령이나 전부명령의 신청)에 관한 재판에 대하여는 즉시항고를 할 수 있다[민사집행법 제229조(금전채권의 현금화방법) 제6항]. 따라서, 채권압류 및 추심명령에 대하여 을이나 병은 즉시항고를 할 수 있다.

⑤ 추심채권자는 채권을 추심한 때에는 추심한 채권액을 법원에 신고하여야 한다[민사집행법 제236조(추심의 신고) 제1항]. 추심신고가 있으면 다른 채권자들에 의한 배당요구는 더 이상 허용되지 않으며[민사집행법 제 제247조(배당요구) 제1항 제2호], 채권자가 추심의 신고를 하기 전에 다른 압류, 가압류 또는 배당요구가 있었을 때에는 채권자는 추심한 금액을 바로 공탁하고 그 사유를 신고하여야 한다(민사집행법 제236조 제2항). 따라서, 갑이 병으로부터 을의 예금채권을 추심한 때에는 추심신고를 하여야 한다.

2021년 기출

11 **채권압류 및 추심명령(또는 전부명령)에 관한 다음 설명 중 적절하지 않은 것은?**

① 피압류채권이 실제로 존재하는지, 채무자에게 귀속하는지 등에 관하여 채무자와 제3채무자를 심문한 후 압류명령을 발하여야 한다.
② 제3채무자가 수인인 경우 제3채무자별로 얼마씩의 전부를 명하는 것인지 전부되는 범위를 특정하지 아니한 전부명령은 무효이다.
③ 전부명령의 신청에 관한 재판에 대하여는 즉시항고를 할 수 있다.
④ 압류명령은 제3채무자에게 송달되면 압류의 효력이 생긴다.
⑤ 채권자가 추심의 신고를 하기 전에 다른 압류, 가압류 또는 배당요구가 있었을 때에는 채권자는 추심한 금액을 바로 공탁하고 그 사유를 신고하여야 한다.

11. ①

MEMO

해설 채권압류명령의 신청이 있으면 집행법원은 신청서와 첨부서류에만 기초하여 신청이 이유 있다고 인정되는 때에는 압류될 채권의 존부나 집행채무자의 귀속여부를 심사하거나 채무자와 제3채무자를 심문하지 아니하고 채권압류명령을 한다(민사집행법 제226조 참조).

② 채무자가 수인이거나 제3채무자가 수인인 경우 또는 채무자가 제3채무자에 대하여 여러 채권을 가지고 있는 경우, 각 채무자나 제3채무자별로 얼마씩의 전부를 명하는 것인지 또는 채무자의 어느 채권에 대하여 얼마씩 전부를 명하는 것인지를 특정하지 아니한 전부명령은 무효이다.

③ 전부명령의 신청에 관한 재판에 대하여는 즉시항고를 할 수 있다(민사집행법 제229조 제6항 참조).

④ 압류명령은 제3채무자에게 송달되면 압류의 효력이 생긴다(민사집행법 제227조 제3항).

⑤ 채권자가 추심의 신고를 하기 전에 다른 압류, 가압류 또는 배당요구가 있었을 때에는 채권자는 추심한 금액을 바로 공탁하고 그 사유를 신고하여야 한다(민사집행법 제236조 제2항).

2023년 기출

12 **다음 중 전부명령의 대상이 될 수 있는 채무자의 제3채무자에 대한 채권으로서 가장 적절하지 않은 것은?**

① 예금청구권
② 유체물인도청구권
③ 보험금청구권
④ 상가임대차보증금반환청구권
⑤ 물품대금청구권

해설 ② 금전채권에 대한 강제집행절차는 압류 → 현금화 → 배당의 과정으로 이루어지는데 여기서 현금화절차는 추심명령, 전부명령이 원칙적인 모습이고 예외적인 특별현금화방법이 있다. 금전채권에 대한 강제집행에 있어서 피압류채권의 적격을 갖추려면 ⅰ) 채권이 집행채무자의 책임재산에 속할 것 ⅱ) 독립된 재산으로서 재산적 가치가 있을 것 ⅲ) 제3채무자에게 대한민국의 재판권이 미칠 것 ⅳ) 양도할 수 있을 것 ⅴ) 법률상의 압류금지채권이 아닐 것을 요한다. 추심명령은 전부명령과 달리 금전채권뿐만 아니라 유체물의 인도・권리이전청구권에 대하여도 인정되고 금전채권 중 권면액이 없는 것도 가능하다. 즉, 유체물인도청구권은 전부명령의 피압류적격이 없다.

12. ②

MEMO

2020년 기출

13 **채권압류 및 전부명령과 관련한 다음 설명 중 옳지 않은 것은?**

① 전부명령이 확정되면 제3채무자에게 송달된 때에 소급(순위)하여 피전부채권이 전부채권자에게 이전하고 그 범위 안에서 집행채권은 변제된 것으로 본다.

② 전부명령이 제3채무자에게 송달될 당시 압류 등의 경합이 있으면 그 전부명령은 무효이나, 후에 경합된 압류 또는 배당요구 등의 효력이 소멸된 경우에는 그 전부명령의 효력이 부활한다.

③ 제3채무자가 수인인 경우 제3채무자별로 얼마씩의 전부를 명하는 것인지 전부되는 범위를 특정하지 아니한 전부명령은 무효이다.

④ 전부명령은 제3채무자뿐만 아니라 채무자에 대하여도 송달되지 아니하면 효력이 없다.

⑤ 당사자 사이에 양도금지의 특약이 있는 채권은 압류채권자의 선의·악의를 불문하고 전부명령이 가능하다.

해설 ② 전부명령이 제3채무자에게 송달될 당시에 압류 등의 경합이 있으면 그 전부명령은 무효[민사집행법 제229조(금전채권의 현금화방법) 제5항 참조]이고, 후에 경합된 압류나 가압류 또는 배당요구 등의 효력이 소멸된다고 하더라도 그 전부명령의 효력이 되살아나는 것은 아니다.

① 전부명령은 확정되어야 효력이 있고(민사집행법 제229조 제7항 참조), 전부명령이 확정된 경우에는 전부명령이 제3채무자에게 송달된 때에 채무자가 채무를 변제한 것으로 본다. 다만, 이전된 채권이 존재하지 아니한 때는 그러하지 아니하다[민사집행법 제231조(전부명령의 효과)].

③ 채무자가 수인이거나 제3채무자가 수인인 경우 또는 채무자가 제3채무자에 대하여 여러 채권을 가지고 있는 경우, 각 채무자나 제3채무자별로 얼마씩의 전부를 명하는 것인지 또는 채무자의 어느 채권에 대하여 얼마씩의 전부를 명하는 것인지를 특정하지 아니한 전부명령은 무효이다.

④ 전부명령은 제3채무자뿐만 아니라 채무자에 대하여도 송달되어야 한다[민사집행법 제229조 제4항, 제227조(금전채권의 압류) 제2항].

⑤ 당사자 사이에 양도금지의 특약이 있음에 불과한 채권에 대한 전부명령은 압류채권자가 양도금지의 특약이 있는 사실에 관하여 선의인지 악의인지를 불문하고 유효하다.

13. ②

MEMO

2024년 기출

14 압류금지채권에 관한 다음 설명 중 가장 적절하지 않은 것은?

① 채권자가 채권압류 및 추심명령에 기하여 채무자의 제3채무자에 대한 예금채권의 추심을 구하는 소를 제기한 경우 추심 대상 채권이 압류금지채권에 해당하지 않는다는 점은 채권자가 증명하여야 한다.

② 상계가 금지되는 채권이라면 설령 압류금지채권에 해당하지 않더라도 전부명령의 대상이 될 수 없다.

③ 원칙적으로 보험가입 당시 예정된 해당 보험의 만기환급금이 보험계약자의 납입보험료 총액을 초과하지 않으면 민사집행법 제246조 제1항 제7호에서 압류금지채권의 하나로 규정하는 '보장성보험'에 해당한다고 보아야 한다.

④ 주식회사의 이사, 대표이사의 보수청구권(퇴직금 등의 청구권을 포함한다)은 특별한 사정이 없는 이상 민사집행법 제246조 제1항 제4호 또는 제5호가 정하는 압류금지채권에 해당한다고 보아야 한다.

⑤ 법원은 당사자가 신청하면 채권자와 채무자의 생활형편, 그 밖의 사정을 고려하여 압류 명령의 전부 또는 일부를 취소하거나 압류금지채권에 대하여 압류명령을 할 수 있다.

해설 ② 압류금지채권과 상계금지채권은 다르다. 압류금지채권은 민사집행법 제246조 등에 의해 규정되고, 상계금지채권은 민법 제497조에 의하여 규정된다. 압류금지채권은 공익적 성격으로 인하여 당연히 상계가 금지되지만, 상계금지채권이라고 해서 모두 압류가 금지되는 것은 아니다. 판례는 "상계가 금지되는 채권이라고 하더라도 압류금지채권에 해당하지 않는 한 강제집행에 의한 전부명령의 대상이 될 수 있다(대결 2017.8.21. 2017마499)"고 판시하였다.

① 채권압류 및 추심명령에 기한 추심의 소에서 피압류채권의 존재는 채권자가 증명하여야 하는 점, 민사집행법 제195조 제3호, 제246조 제1항 제8호, 민사집행법 시행령 제7조의 취지와 형식 등을 종합적으로 고려하여 보면, 채권자가 채권압류 및 추심명령에 기하여 채무자의 제3채무자에 대한 예금채권의 추심을 구하는 소를 제기한 경우 추심 대상 채권이 압류금지채권에 해당하지 않는다는 점, 즉 채무자의 개인별 예금 잔액과 민사집행법 제195조 제3호에 의하여 압류하지 못한 금전의 합계액이 150만 원을 초과한다는 사실은 채권자가 증명하여야 한다(대판 2015.6.11. 2013다40476).

③ '보장성보험'이란 생명, 상해, 질병, 사고 등 피보험자의 생명·신체와 관련하여 발생할 수 있는 경제적 위험에 대비하여 보험사고가 발행하였을 경우 피보험자에게 약속된 보험금을 지급하는 것을 주된 목적으로 한 보험으로, 일반적으로는 만기가 되었을 때 보험회사가 지급하는 돈이 납입 받은 보험료 총액을 초과하지 않는 보험을 말한다. 반면 '저축성보험'은 목돈이나 노후생활자금을 마련하는 것을 주된 목적으로 한 보험으로 피보험자가 생존하여 만기가 되었을 때 지급되는 보험금이 납입보험료에 일정한 이율에 따른 돈이 가산되어 납입보험료의 총액보다 많은 보험이다(대판 2018.12.27. 2015다50286).

④ 민사집행법 제246조 제1항 제4호, 제5호 참조

⑤ 민사집행법 제246조 제5항

14. ②

MEMO

2019년 기출

15 금전채권 압류에 대한 다음 설명 중 옳은 것만 모두 고른 것은?

> ㉠ 당사자가 양도할 수 없는 것으로 특약한 채권은 압류채권자의 선의 · 악의를 불문하고 압류할 수 없다.
> ㉡ 「주택임대차보호법」 제8조, 같은 법 시행령의 규정에 따라 우선변제를 받을 수 있는 소액임차보증금은 「민사집행법」상 압류금지 채권이다.
> ㉢ 채권자는 압류명령신청서에 압류할 채권의 종류와 액수를 밝혀야 한다.
> ㉣ 피압류채권이 실제로 존재하는지, 채무자에게 귀속하는지 등을 반드시 심사하여야 하며, 채무자와 제3채무자를 심문한 후에 압류명령을 발하는 것이 특징이다.

① ㉠, ㉡, ㉣ ② ㉠, ㉢, ㉣
③ ㉠, ㉣ ④ ㉡, ㉢
⑤ ㉡, ㉣

해설 ㉠ 채무자의 채권이 양도할 수 없는 것이면 압류하더라도 현금화할 수 없으므로 피압류적격이 없다. 양도할 수 없는 채권에는 성질상 양도가 불가능한 것과 법률상 양도가 금지된 것이 있다. 전자는 예컨대 조세징수권 등 국가나 지방자치단체와 같은 공권력의 주체만이 행사할 수 있는 공법상의 채권이나, 부양료청구권 등 일신전속적인 권리는 압류의 대상이 되지 아니한다. 그러나, 당사자가 양도할 수 없는 것으로 특약한 채권은 압류채권자의 선의 · 악의를 불문하고 압류할 수 있다. 후자는 동시에 압류금지의 규정을 두는 경우가 많으나, 단순히 양도금지의 규정만을 두고 있는 경우도 있다. 일반적으로 법률상 양도가 금지된 채권은 압류도 할 수 없다고 보고 있다.

㉡ 민사집행법 제246조에는 압류금지채권을 열거하고 있는데, 구체적인 내용은 아래와 같다.

> **민사집행법 제246조 【압류금지채권】**
> ① 다음 각호의 채권은 압류하지 못한다.
> 1. 법령에 규정된 부양료 및 유족부조료(遺族扶助料)
> 2. 채무자가 구호사업이나 제3자의 도움으로 계속 받는 수입
> 3. 병사의 급료
> 4. 급료 · 연금 · 봉급 · 상여금 · 퇴직연금, 그 밖에 이와 비슷한 성질을 가진 급여채권의 2분의 1에 해당하는 금액. 다만, 그 금액이 국민기초생활보장법에 의한 최저생계비를 고려하여 대통령령이 정하는 금액에 미치지 못하는 경우 또는 표준적인 가구의 생계비를 고려하여 대통령령이 정하는 금액을 초과하는 경우에는 각각 당해 대통령령이 정하는 금액으로 한다.
> 5. 퇴직금 그 밖에 이와 비슷한 성질을 가진 급여채권의 2분의 1에 해당하는 금액

15. ④

MEMO

6. 「주택임대차보호법」 제8조, 같은 법 시행령의 규정에 따라 우선변제를 받을 수 있는 금액
7. 생명, 상해, 질병, 사고 등을 원인으로 채무자가 지급받는 보장성보험의 보험금(해약환급 및 만기환급금을 포함한다). 다만, 압류금지의 범위는 생계유지, 치료 및 장애 회복에 소요될 것으로 예상되는 비용 등을 고려하여 대통령령으로 정한다.
8. 채무자의 1월간 생계유지에 필요한 예금(적금・부금・예탁금과 우편대체를 포함한다). 다만, 그 금액은 「국민기초생활 보장법」에 따른 최저생계비, 제195조 제3호에서 정한 금액 등을 고려하여 대통령령으로 정한다.

② 법원은 제1항 제1호부터 제7호까지에 규정된 종류의 금원이 금융기관에 개설된 채무자의 계좌에 이체되는 경우 채무자의 신청에 따라 그에 해당하는 부분의 압류명령을 취소하여야 한다.
③ 법원은 당사자가 신청하면 채권자와 채무자의 생활형편, 그 밖의 사정을 고려하여 압류명령의 전부 또는 일부를 취소하거나 제1항의 압류금지채권에 대하여 압류명령을 할 수 있다.
④ 제3항의 경우에는 제196조 제2항 내지 제5항의 규정을 준용한다.

㉢ 민사집행법 제225조(압류명령의 신청)
㉣ 압류명령은 제3채무자와 채무자를 심문하지 아니하고 한다[민사집행법 제226조(심문의 생략)].

2019년 기출

16 채권의 압류명령과 추심명령, 그리고 전부명령에 대한 다음 설명 중 옳은 것은?

① 금전채권에 대한 압류명령은 채무자에게 송달된 때에 그 효력이 생긴다.
② 금전채권에 대한 추심명령은 확정되어야 그 효력이 생긴다.
③ 금전채권에 대한 전부명령은 제3채무자에게 송달되어야 그 효력이 생긴다.
④ 채권자가 추심의 신고를 하기 전에 다른 압류・가압류 또는 배당요구가 있었을 때에는 채권자는 추심한 금액을 바로 공탁하고 그 사유를 신고하여야 한다.
⑤ 전부명령은 추심명령과 달리 금전채권뿐만 아니라 유체물의 인도・권리이전 청구권에 대하여도 인정되며 금전채권 중 권면액이 없는 것도 가능하다.

해설 ④ 민사집행법 제236조(추심의 신고) 제2항
① 압류명령이 제3채무자에게 송달되면 압류의 효력이 생긴다[민사집행법 제227조(금전채권의 압류)].
② 금전채권에 대한 전부명령은 확정되어야 그 효력이 생긴다[민사집행법 제229조(금전채권의 현금화방법) 제7항].
③ 금전채권에 대한 추심명령은 제3채무자에게 송달되어야 그 효력이 생긴다(민사집행법 제229조 제4항, 제227조 제3항).

16. ④

MEMO

⑤ 유체물의 인도나 권리이전의 청구권에 대하여는 전부명령을 하지 못한다[민사집행법 제245조(전부명령의 제외)]. 그러나, 추심명령은 전부명령과 달리 금전채권뿐만 아니라 유체물의 인도·권리이전청구권에 대하여도 인정되며 금전채권 중 권면액이 없는 것도 가능하다.

2019년 기출

17 금전채권을 대상으로 하는 채권의 전부명령에 대한 설명으로 적절하지 않은 것은?

① 전부명령이 제3채무자에게 송달될 당시에 압류 등의 경합이 있으면 그 전부명령은 무효이지만, 후에 경합된 압류나 가압류 또는 배당요구 등의 효력이 소멸되면 그 전부명령의 효력은 되살아난다.

② 전부명령이 압류의 경합 등으로 인하여 무효가 되는 경우에 그 전부명령의 기초가 되었던 압류명령까지 무효가 되는 것은 아니므로 무효인 전부명령을 얻었던 압류채권자는 위의 압류명령에 기초하여 추심명령을 얻을 수 있다.

③ 유체물의 인도나 권리이전청구권에 대하여는 전부명령을 하지 못한다.

④ 피전부채권이 존재하지 않는 경우에는 전부명령은 실체법상 무효이므로 집행채권 소멸의 효력은 발생하지 않으며, 이 경우 전부채권자는 피전부채권이 존재하지 아니함을 입증하여 다시 집행력 있는 정본을 부여받아 강제집행을 할 수 있다.

⑤ 전부명령이 제3채무자에게 송달되기 전까지 그 금전채권에 관하여 다른 채권자가 압류·가압류 또는 배당요구를 한 때에는 전부명령은 효력을 가지지 않는다.

해설 전부명령이 제3채무자에게 송달될 당시에 압류 등의 경합이 있으면 그 전부명령은 무효이고 후에 경합된 압류나 가압류 또는 배당요구 등의 효력이 소멸된다고 하더라도 그 전부명령의 효력이 되살아나는 것은 아니다. 다만, 다시 전부명령을 신청하는 것은 무방하다.

② 전부명령이 압류의 경합 등으로 인하여 무효가 되는 경우에 그 전부명령의 기초가 되었던 압류명령까지 무효가 되는 것은 아니므로 무효인 전부명령을 얻었던 압류채권자는 위의 압류명령에 기초하여 추심명령을 얻을 수 있다.

③ 민사집행법 제245조(전부명령 제외)

④ 전부명령이 확정된 경우에는 전부명령이 제3채무자에게 송달된 때에 채무자가 채무를 변제한 것으로 본다. 다만, 이전된 채권이 존재하지 아니한 때에는 그러하지 아니하다[민사집행법 제231조(전부명령의 효과)]. 즉, 피전부채권이 존재하지 않는 경우에는 전부명령은 실체법상 무효이므로 집행채권 소멸의 효력은 발생하지 않으며, 이 경우 전부채권자는 피전부채권이 존재하지 아니함을 입증하여 다시 집행력 있는 정본을 부여받아 강제집행을 할 수 있다.

⑤ 민사집행법 제229조(금전채권의 현금화방법) 제5항

17. ①

MEMO

2018년 기출

18 다음은 추심명령과 전부명령에 대한 설명이다. 옳지 않은 것은?

① 추심명령을 얻은 채권에 대하여 그 후에 다시 전부명령을 신청할 수도 있다.
② 추심명령이나 전부명령의 관할법원은 둘 다 압류명령의 집행법원과 동일한 지방법원이다.
③ 채무자에 대한 송달은 전부명령의 효력발생요건이 아니고 추심명령의 효력발생요건이다.
④ 추심명령이나 전부명령의 신청에 관한 재판에 대하여는 둘 다 즉시항고할 수 있다.
⑤ 추심명령은 확정이 되지 않아도 효력이 발생하는 반면 전부명령은 확정이 되어야 효력이 발생한다.

해설 채무자에 대한 송달은 추심명령의 효력발생요건이 아니고 전부명령의 효력발생요건이다(민사집행법 제229조 제4항, 제227조 제2항, 제3항).
① 추심명령과 전부명령을 동시에 신청할 수는 없으나 압류된 채권중 일부에 관하여는 추심명령을, 다른 일부에 관하여는 전부명령을 신청할 수 있고, 전부명령을 신청하면서 그것이 허용되지 않는 경우에 대비하여 예비적으로 추심명령을 신청하는 것도 허용된다. 또 추심명령을 얻은 채권에 대하여 그 후에 다시 전부명령을 신청할 수도 있으나 전부명령을 받은 채권에 대하여는 추심명령을 신청할 여지가 없다. 추심명령과 전부명령의 어떤 것을 신청하는 것인지가 분명하지 않은 경우에는 채권자가 불이익을 입을 위험이 적은 추심명령의 신청으로 볼 것이다.
② 추심명령이나 전부명령의 관할법원은 둘 다 압류명령의 집행법원과 동일한 지방법원이다(동법 제224조 참조).
④ 추심명령이나 전부명령의 신청에 관한 재판에 대하여는 둘 다 즉시항고할 수 있다(동법 제229조 제6항).
⑤ 추심명령은 확정이 되지 않아도 효력이 발생하는 반면 전부명령은 확정이 되어야 효력이 발생한다(동법 제229조 제7항 참조).

2017년 기출

19 다음 중 금전채권에 대한 강제집행 관련 설명으로 옳지 않은 것은?

① 집행의 대상인 금전채권이란 집행채무자가 제3채무자에 대하여 가지는 금전의 지급을 목적으로 하는 채권을 말한다.
② 당사자가 양도할 수 없는 것으로 특약한 채권은 압류채권자의 선의・악의를 불문하고 압류할 수 있다.
③ 추심채권자가 채권을 추심한 때에는 추심한 채권액을 법원에 신고하여야 한다.

18. ③ 19. ⑤

MEMO

④ 전부명령이 제3채무자에게 송달될 때까지 그 금전채권에 관하여 다른 채권자가 압류·가압류 또는 배당요구를 한 때에는 전부명령은 효력을 가지지 않는다.

⑤ 전부명령은 제3채무자에게 송달된 때에 효력이 발생하지만 추심명령은 확정되어야 효력이 발생한다.

해설 추심명령은 제3채무자에게 송달된 때에 효력이 발생하고 추심명령에 대하여 즉시항고가 제기되더라도 이는 추심명령의 효력발생에는 영향을 미치지 아니한다. 추심명령은 확정되지 아니하여도 효력이 생기는데 이 점에서 전부명령과 다르다. 전부명령은 확정되어야 효력이 있고, 전부명령에 대하여는 제3채무자뿐만 아니라 채무자도 즉시항고를 제기할 수 있으므로 채무자에게도 전부명령을 송달하여 즉시항고의 기회를 주어야 하고, 채무자에게 전부명령이 송달되지 않으면 전부명령이 확정되지 않으므로 효력이 발생하지 아니한다.

① 집행의 대상인 금전채권이란 집행채무자가 제3채무자에 대하여 가지는 금전의 지급을 목적으로 하는 채권을 말한다.

② 공법상의 채권이나 일신전속권과 같이 성질상 양도가 금지된 채권과 법률의 규정에 의하여 양도가 금지된 채권과는 달리 당사자가 양도할 수 없는 것으로 특약한 채권은 압류채권자의 선의·악의를 불문하고 압류할 수 있다.

③ 추심채권자가 채권을 추심한 때에는 추심한 채권액을 법원에 신고하여야 한다(민사집행법 제236조 제1항).

④ 전부명령이 제3채무자에게 송달될 때까지 그 금전채권에 관하여 다른 채권자가 압류·가압류 또는 배당요구를 한 때에는 전부명령은 효력을 가지지 않는다(민사집행법 제229조 제5항).

2014년 기출

20 금전채권에 대한 강제집행에 있어 제3채무자의 지위에 관한 설명으로 틀린 것은?

① 제3채무자는 채권이 압류된 경우에는 채무자(압류채권자의 상대방인 채무자를 말한다. 다음 ②항 및 ④항에서도 같다)에 대한 지급이 금지된다.

② 제3채무자는 압류 당시에 채무자에 대하여 주장할 수 있었던 취소, 해제 등의 모든 항변으로 압류채권자에 대항할 수 없다.

③ 압류명령을 송달받은 제3채무자는 그 뒤에 취득한 채권에 의한 상계로 그 명령을 신청한 채권자에게 대항하지 못한다.

④ 채무자와 제3채무자 사이에 채권발생원인인 법률관계를 정당한 이유에 기초하여 소멸, 변경시키는 것은 가능하다.

⑤ 제3채무자는 압류에 관련된 금전채권 전액을 공탁할 수 있다.

20. ②

해설 제3채무자는 집행당사자가 아니다. 그러나 압류명령으로 인하여 채무자에 대하여 지급하는 것이 금지된다(민사집행법 제227조 제1항). 또한 지급이 아니더라도 채권을 소멸시키는 효과를 가진 행위, 예컨대 압류 뒤에 생긴 채권과의 상계, 경개, 면제 등의 행위는 채권자에게 대항할 수 없다. 그러나 이와 달리 채무자와 제3채무자 사이에 채권발생원인인 법률관계를 정당한 이유에 기초하여 소멸, 변경시키는 것은 가능하며, 제3채무자는 압류 당시 채무자에게 대항할 수 있었던 사유로 압류채권자에게 대항할 수 있으므로 압류 당시에 채무자에 대하여 주장할 수 있었던 취소, 해제 등의 모든 항변으로 압류채권자에 대항할 수 있다.

제7절 담보권실행 등을 위한 경매

2020년 기출

01 다음과 같은 담보권실행 경매 사례에서 丙이 배당받을 수 있는 금액으로 옳은 것은?

- 채무자의 부동산에 대하여 甲의 가압류 후에 乙의 1번 저당권 및 丙의 2번 저당권이 설정되어 있던 중 丙이 경매신청을 하였다.
- 甲, 乙, 丙에게 배당할 금액이 7천만원이고, 甲(가압류채권자)의 채권액은 2천만원, 乙(1번 저당권자)의 채권액은 3천만원, 丙(2번 저당권자)의 채권액은 5천만원이다.

① 14,000,000원
② 26,000,000원
③ 30,000,000원
④ 35,000,000원
⑤ 50,000,000원

해설 甲은 7,000만원 × 2/10 = 1,400만원을 배당받게 되고, 乙은 7,000만원 × 3/10 = 2,100만원에 부족분 900만원을 丙으로부터 흡수하여 3,000만원을 배당받게 되며, 丙은 7,000만원 × 5/10 = 3,500만원에서 乙에게 900만원을 빼앗겨 2,600만원을 배당받게 된다.

01. ②

MEMO

2016년 기출

02 다음 중 저당목적물을 매각하여 현금화한 대가로부터 우선변제를 받는 순서로 옳은 것은? (모두 배당요구 종기 내에 배당참가를 한 것을 전제로 함)

> ㉮ 국세 및 지방세의 법정기일 전에 설정등기된 저당권에 의하여 담보되는 채권
> ㉯ 저당목적물에 부과된 재산세
> ㉰ 일반채권
> ㉱ 소액주택임대차보증금

① ㉱ → ㉯ → ㉮ → ㉰
② ㉱ → ㉮ → ㉯ → ㉰
③ ㉱ → ㉮ → ㉰ → ㉯
④ ㉯ → ㉮ → ㉰ → ㉱
⑤ ㉯ → ㉰ → ㉮ → ㉱

해설 매각재산에 조세채권의 법정기일 전에 설정된 저당권, 전세권에 의하여 담보되는 채권이 있는 경우의 배당순위는 다음과 같다.

제1순위 : 집행비용
제2순위 : 저당물의 제3취득자가 그 부동산의 보존, 개량을 위하여 지출한 필요비, 유익비
제3순위 : 소액임차보증금채권, 최종 3개월분 임금, 최종 3년간의 퇴직금 및 재해보상금(근로기준법 제38조 제2항, 근로자퇴직급여보장법 제12조 제2항)
제4순위 : 당해세 – 집행의 목적물에 대하여 부과된 국세, 지방세와 가산금(국세 : 상속세, 증여세, 종합부동산세 / 지방세 – 취득세, 등록세, 재산세, 자동차세, 도시계획세, 공동시설세, 지방교육세)
제5순위 : 국세 및 지방세의 법정기일 전에 설정 등기된 저당권, 전세권에 의하여 담보되는 채권, 확정일자를 갖춘 주택 또는 상가건물의 임차보증금반환채권, 임차권 등기된 주택 또는 상가건물의 임차보증금반환채권은 저당권부 채권과 동순위로 취급한다.
제6순위 : 근로기준법 제38조 제2항의 임금 등 및 근로자퇴직급여보장법 제12조 제2항의 퇴직금을 제외한 임금 등, 기타 근로관계로 인한 채권
제7순위 : 일반조세채권 – 국세, 지방세 및 이에 관한 체납처분비, 가산금 등의 징수금
제8순위 : 국세 및 지방세의 다음 순위로 징수하는 공과금 중 산업재해보상보험료, 국민건강보험료, 국민연금보험료, 고용보험료
제9순위 : 일반채권

02. ①

MEMO

2016년 기출

03 채권자 A가 채무자 B의 부동산에 대하여 보전하고자 하는 채권액을 3,000만 원으로 하여 가압류 집행한 후에 B가 동 부동산을 대상으로 다른 채권자 C앞으로 채권최고액을 3,000만 원으로 한 근저당권을 설정해 준 상태에서 근저당권자인 C가 임의경매를 신청하여 경매결과 배당가능 금액이 3,000만 원이라고 할 경우, A와 C가 배당받을 수 있는 금액은? (대법원판례에 의함)

① A : 3,000만 원
② A : 1,000만 원, C : 2,000만 원
③ A : 1,000만 원, C : 1,000만 원
④ A : 1,500만 원, C : 1,500만 원
⑤ A : 2,000만 원, C : 1,000만 원

해설 가압류의 경합에서 특별한 것은 부동산 가압류가 다른 우선권 있는 1순위자의 권리발생보다 먼저 이루어진 경우 가압류 권리자에게 일정정도의 우선변제권을 부여하는 소위 '흡수배당'이다. 흡수배당이 성립하기 위한 요건으로는 가압류의 기입등기가 1순위 저당권자의 설정등기일 또는 1순위 담보가등기권자의 등기일보다 먼저 이루어져야 한다. 흡수배당의 방법은 가압류권자와 우선변제권이 있는 권리자에 대하여 평등하게 채권액에 비례하여 안분배당 후 선순위의 우선변제권자의 부족액을 후순위의 우선변제권자로부터 흡수하여 배당한다. 본 사안의 경우 가압류권자 A와 가압류 집행 후의 근저당권자 C 간에 채권액에 비례하여 안분배당을 하여야 하므로 A : 1,500만 원, C : 1,500만 원을 배당하면 된다.

2014년 기출

04 다음은 강제경매와 임의경매(담보권 실행을 위한 경매)를 간단히 비교한 표이다. 가장 잘못된 내용이 포함된 것은?

	구분	강제경매	임의경매
①	대금지급절차 및 배당절차	동일	동일
②	집행문부여에 대한 이의의 소 제도	존재	부존재
③	금융기관 송달의 특례인정	불인정	불인정
④	집행권원	필요	불필요
⑤	공신적 효과	전면적 공신력 인정(집행권원상의 실체적 청구권의 하자는 매수인의 소유권취득에 영향 없음)	제한적 공신력 인정(경매개시결정 이전의 담보권의 실체적 하자는 매수인의 소유권취득에 영향 있음)

03. ④ 04. ③

MEMO

해설 금융회사부실자산 등의 효율적 처리 및 한국자산관리공사의 설립에 관한 법률에서는 여러 가지 매각절차상의 특례를 인정하고 있는 바, 그 중 송달특례에 관한 제45조의2는 임의경매절차에만 그 적용이 있고 강제경매절차에는 적용되지 않는다.

2012년 기출

05 다음과 같은 담보권실행 경매 사례에서 C가 배당받을 수 있는 금액은? (다툼이 있는 경우는 판례에 의함)

> ㅇ 채무자의 부동산에 대하여 A의 가압류 후에 B의 1번 저당권 및 C의 2번 저당권이 설정되어 있던 중 C에 의하여 경매신청이 되어 A, B, C 앞으로 배당할 금액은 4,000만 원으로 확인되었다.
> ㅇ A, B, C의 채권액은 다음과 같다.
> - A(가압류채권자)의 채권 : 1,000만 원
> - B(1번 저당권자)의 채권 : 3,000만 원
> - C(2번 저당권자)의 채권 : 6,000만 원

① 0원
② 400만 원
③ 600만 원
④ 2,200만 원
⑤ 2,400만 원

해설 A는 4,000만 원 x 1/10 = 400만 원을 배당받게 되고, B는 4,000만 원 x 3/10 =1,200만 원에 부족분 1,800만 원을 C로부터 흡수하여 3,000만 원을 배당받게 되며, C는 4,000만 원 x 6/10 =2,400만 원에서 B에게 1,800만 원 빼앗겨 600만 원을 배당받게 된다.

05. ③

PART 03 신용관리실무

〉〉〉 신용관리사 기출문제집

Chapter

01 신용정보 총설

제1절 신용정보의 의의

2022년 기출

01 신용정보의 생성요건으로 가장 적절한 것은?

	생성요건		
①	상거래 관련성	공개성	신용판단 가능성
②	민사거래 관련성	기밀성	신용의 명확성
③	상거래 관련성	기밀성	신용판단 가능성
④	민사거래 관련성	기밀성	신용판단 가능성
⑤	상거래 관련성	공개성	신용의 명확성

해설 신용정보법상 "신용정보"란 금융거래 등 상거래에 있어서 거래 상대방의 신용을 판단할 때 필요한 정보로서 일정한 정보를 말한다[신용정보법 제2조(정의) 제1호]. 신용정보의 생성조건으로는 상거래에 필요한 정보일 것(상거래 관련성), 공시·공개되지 않은 정보일 것(기밀성), 신용판단의 자료가 될 수 있을 것(신용판단 가능성)을 요한다.

2022년 기출

02 신용정보의 유형 및 예시로 가장 적절하지 않은 것은?

	신용정보의 유형	예시
①	식별정보	개인사업자의 업종정보
②	신용거래정보	개인채무보증정보
③	신용도판단정보	개인대출정보
④	신용능력정보	재무정보
⑤	공공기록정보	채무불이행자 정보

해설 개인대출정보는 신용거래정보의 예시이다. "신용도판단정보"란 금융거래 등 상거래와 관련하여 신용정보주체의 신용도를 판단할 수 있는 정보를 말하는데, 연체정보, 대위변

01. ③ 02. ③

MEMO

제 · 대지급정보 및 부도정보(관련인정보 포함), 금융질서문란정보 및 관련인정보 등이 그 예이다. 아래 표 참조

식별정보	특정 신용정보주체를 식별할 수 있는 정보로서 식별정보 자체로서의 활용 외에도 신용거래정보, 신용도판단정보, 신용능력정보, 공공정보 등과 결합되는 경우만 신용정보에 해당
신용거래정보	금융거래 등 상거래와 관련하여 신용정보주체의 거래내용을 판단할 수 있는 정보 ※ 개인대출 · 채무보증현황, 기업신용공여현황, 신용카드현금서비스현황, 가계당좌 · 당좌예금 개설 및 해지사실, 신용카드(신용체크카드) 발급 및 해지사실
신용도판단정보	금융거래 등 상거래와 관련하여 신용정보주체의 신용도를 판단할 수 있는 정보 ※ 연체정보, 대위변제 · 대지급정보 및 부도정보(관련인정보 포함), 금융질서문란정보 및 관련인정보
신용능력정보	금융거래 등 상거래에 있어서 신용도 등의 판단을 위한 개인의 재산 · 채무 · 소득 등과 기업 및 법인의 개황, 사업의 내용, 재무에 관한 사항 등 신용정보주체의 신용거래능력을 판단할 수 있는 정보로서 현재는 은행권 내에서만 집중 및 활용되고 있다.
공공정보	금융거래 등 상거래에 있어서 신용정보주체의 식별 · 신용도 및 신용거래능력을 판단할 수 있는 법원 또는 공공기관의 재판 · 결정정보, 조세 또는 공공요금 등의 체납정보, 주민등록 및 법인등록에 관한 정보 및 국외이주신고정보 등 기타 공공기관이 보유하고 있는 정보 ※ 국세 · 지방세 · 관세 · 과태료 · 고용 · 산재보험료의 체납, 법원의 판결에 의해 채무불이행자로 등록된 사실, 개인회생절차가 진행 중인 거래처, 신용회복지원이 확정된 거래처, 파산으로 인한 면책결정을 받은 거래처 등

2021년 기출

03 **「신용정보법」 상 '신용정보주체의 신용도를 판단할 수 있는 정보'만을 고른 것은?**

ㄱ. 개인사업자 · 대표자의 성명 및 개인식별번호
ㄴ. 금융거래 등 상거래와 관련하여 발생한 채무의 불이행정보
ㄷ. 개인의 직업 · 재산 · 채무 · 소득의 총액 및 납세실적 정보
ㄹ. 금융거래 등 상거래에서 다른 사람의 명의를 도용한 사실에 관한 정보
ㅁ. 금융거래 등 상거래의 상대방에게 위조 · 변조하거나 허위인 자료를 제출한 사실에 관한 정보

① ㄱ, ㄷ
② ㄷ, ㄹ
③ ㄹ, ㅁ
④ ㄱ, ㄹ, ㅁ
⑤ ㄴ, ㄹ, ㅁ

정답

03. ⑤

MEMO

해설 신용정보의 이용 및 보호에 관한 법률 제2조(정의)

이 법에서 사용하는 용어의 뜻은 다음과 같다.

1. "신용정보"란 금융거래 등 상거래에서 거래 상대방의 신용을 판단할 때 필요한 정보로서 다음 각 목의 정보를 말한다.
   가. 특정 신용정보주체를 식별할 수 있는 정보(나목부터 마목까지의 어느 하나에 해당하는 정보와 결합되는 경우만 신용정보에 해당한다)
   나. 신용정보주체의 거래내용을 판단할 수 있는 정보
   다. 신용정보주체의 신용도를 판단할 수 있는 정보
   라. 신용정보주체의 신용거래능력을 판단할 수 있는 정보
   마. 가목부터 라목까지의 정보 외에 신용정보주체의 신용을 판단할 때 필요한 정보

1의2. 제1호 가목의 "특정 신용정보주체를 식별할 수 있는 정보"란 다음 각 목의 정보를 말한다.
   가. 살아 있는 개인에 관한 정보로서 다음 각각의 정보
      1) 성명, 주소, 전화번호 및 그 밖에 이와 유사한 정보로서 대통령령으로 정하는 정보
      2) 법령에 따라 특정 개인을 고유하게 식별할 수 있도록 부여된 정보로서 대통령령으로 정하는 정보(이하 "개인식별번호"라 한다)
      3) 개인의 신체 일부의 특징을 컴퓨터 등 정보처리장치에서 처리할 수 있도록 변환한 문자, 번호, 기호 또는 그 밖에 이와 유사한 정보로서 특정 개인을 식별할 수 있는 정보
      4) 1)부터 3)까지와 유사한 정보로서 대통령령으로 정하는 정보
   나. 기업(사업을 경영하는 개인 및 법인과 이들의 단체를 말한다. 이하 같다) 및 법인의 정보로서 다음 각각의 정보
      1) 상호 및 명칭
      2) 본점·영업소 및 주된 사무소의 소재지
      3) 업종 및 목적
      4) 개인사업자(사업을 경영하는 개인을 말한다. 이하 같다)·대표자의 성명 및 개인식별번호(ㄱ)
      5) 법령에 따라 특정 기업 또는 법인을 고유하게 식별하기 위하여 부여된 번호로서 대통령령으로 정하는 정보
      6) 1)부터 5)까지와 유사한 정보로서 대통령령으로 정하는 정보

1의3. 제1호 나목의 "신용정보주체의 거래내용을 판단할 수 있는 정보"란 다음 각 목의 정보를 말한다.
   가. 신용정보제공·이용자에게 신용위험이 따르는 거래로서 다음 각각의 거래의 종류, 기간, 금액, 금리, 한도 등에 관한 정보
      1) 「은행법」 제2조 제7호에 따른 신용공여
      2) 「여신전문금융업법」 제2조 제3호·제10호 및 제13호에 따른 신용카드, 시설대여 및 할부금융 거래
      3) 「자본시장과 금융투자업에 관한 법률」 제34조 제2항, 제72조, 제77조의3 제4항 및 제342조 제1항에 따른 신용공여
      4) 1)부터 3)까지와 유사한 거래로서 대통령령으로 정하는 거래

MEMO

나. 「금융실명거래 및 비밀보장에 관한 법률」 제2조 제3호에 따른 금융거래의 종류, 기간, 금액, 금리 등에 관한 정보
다. 「보험업법」 제2조 제1호에 따른 보험상품의 종류, 기간, 보험료 등 보험계약에 관한 정보 및 보험금의 청구 및 지급에 관한 정보
라. 「자본시장과 금융투자업에 관한 법률」 제3조에 따른 금융투자상품의 종류, 발행·매매 명세, 수수료·보수 등에 관한 정보
마. 「상법」 제46조에 따른 상행위에 따른 상거래의 종류, 기간, 내용, 조건 등에 관한 정보
바. 가목부터 마목까지의 정보와 유사한 정보로서 대통령령으로 정하는 정보

1의4. 제1호 다목의 "신용정보주체의 신용도를 판단할 수 있는 정보"란 다음 각 목의 정보를 말한다.
가. 금융거래 등 상거래와 관련하여 발생한 채무의 불이행, 대위변제, 그 밖에 약정한 사항을 이행하지 아니한 사실과 관련된 정보(ㄴ)
나. 금융거래 등 상거래와 관련하여 신용질서를 문란하게 하는 행위와 관련된 정보로서 다음 각각의 정보
1) 금융거래 등 상거래에서 다른 사람의 명의를 도용한 사실에 관한 정보(ㄹ)
2) 보험사기, 전기통신금융사기를 비롯하여 사기 또는 부정한 방법으로 금융거래 등 상거래를 한 사실에 관한 정보
3) 금융거래 등 상거래의 상대방에게 위조·변조하거나 허위인 자료를 제출한 사실에 관한 정보(ㅁ)
4) 대출금 등을 다른 목적에 유용(流用)하거나 부정한 방법으로 대출·보험계약 등을 체결한 사실에 관한 정보
5) 1)부터 4)까지의 정보와 유사한 정보로서 대통령령으로 정하는 정보
다. 가목 또는 나목에 관한 신용정보주체가 법인인 경우 실제 법인의 경영에 참여하여 법인을 사실상 지배하는 자로서 대통령령으로 정하는 자에 관한 정보
라. 가목부터 다목까지의 정보와 유사한 정보로서 대통령령으로 정하는 정보

1의5. 제1호 라목의 "신용정보주체의 신용거래능력을 판단할 수 있는 정보"란 다음 각 목의 정보를 말한다.
가. 개인의 직업·재산·채무·소득의 총액 및 납세실적(ㄷ)
나. 기업 및 법인의 연혁·목적·영업실태·주식 또는 지분보유 현황 등 기업 및 법인의 개황(槪況), 대표자 및 임원에 관한 사항, 판매명세·수주실적 또는 경영상의 주요 계약 등 사업의 내용, 재무제표(연결재무제표를 작성하는 기업의 경우에는 연결재무제표를 포함한다) 등 재무에 관한 사항과 감사인(「주식회사 등의 외부감사에 관한 법률」 제2조 제7호에 따른 감사인을 말한다)의 감사의견 및 납세실적
다. 가목 및 나목의 정보와 유사한 정보로서 대통령령으로 정하는 정보

1의6. 제1호 마목의 "가목부터 라목까지의 정보 외에 신용정보주체의 신용을 판단할 때 필요한 정보"란 다음 각 목의 정보를 말한다.
가. 신용정보주체가 받은 법원의 재판, 행정처분 등과 관련된 정보로서 대통령령으로 정하는 정보
나. 신용정보주체의 조세, 국가채권 등과 관련된 정보로서 대통령령으로 정하는 정보

MEMO

다. 신용정보주체의 채무조정에 관한 정보로서 대통령령으로 정하는 정보
라. 개인의 신용상태를 평가하기 위하여 정보를 처리함으로써 새로이 만들어지는 정보로서 기호, 숫자 등을 사용하여 점수나 등급 등으로 나타낸 정보(이하 "개인신용평점"이라 한다)
마. 기업 및 법인의 신용을 판단하기 위하여 정보를 처리함으로써 새로이 만들어지는 정보로서 기호, 숫자 등을 사용하여 점수나 등급 등으로 표시한 정보(이하 "기업신용등급"이라 한다). 다만, 「자본시장과 금융투자업에 관한 법률」 제9조 제26항에 따른 신용등급은 제외한다.
바. 기술(「기술의 이전 및 사업화 촉진에 관한 법률」 제2조 제1호에 따른 기술을 말한다. 이하 같다)에 관한 정보
사. 기업 및 법인의 신용을 판단하기 위하여 정보(기업 및 법인의 기술과 관련된 기술성·시장성·사업성 등을 대통령령으로 정하는 바에 따라 평가한 결과를 포함한다)를 처리함으로써 새로이 만들어지는 정보로서 대통령령으로 정하는 정보(이하 "기술신용정보"라 한다). 다만, 「자본시장과 금융투자업에 관한 법률」 제9조 제26항에 따른 신용등급은 제외한다.
아. 그 밖에 제1호의2부터 제1호의5까지의 규정에 따른 정보 및 가목부터 사목까지의 규정에 따른 정보와 유사한 정보로서 대통령령으로 정하는 정보

2020년 기출

04 신용정보와 관련된 다음 설명 중 옳지 않은 것은?

① 성별, 국적 및 그 밖에 이와 비슷한 정보는 식별정보이다.
② 금융거래 등 상거래와 관련하여 발생한 연체, 부도, 대위변제에 관한 정보는 신용거래정보이다.
③ 거짓, 속임수, 그 밖의 부정한 방법에 의한 신용질서 문란행위와 관련된 금액 및 발생·해소의 시기 등에 관한 정보는 신용도판단정보이다.
④ 개인의 직업·재산·채무·소득의 총액 및 납세실적에 관한 정보는 신용능력정보이다.
⑤ 경매개시결정·매각허가결정 등 경매와 관련된 결정에 관한 정보는 공공정보이다.

해설 금융거래 등 상거래와 관련하여 발생한 연체, 부도, 대위변제에 관한 정보는 '신용도판단정보'이다.

04. ②

MEMO

2019년 기출

05 다음 중 「신용정보법」상 신용정보로 옳지 않은 것은?

① 회생 · 간이회생 · 개인회생과 관련된 결정
② 특정 신용정보주체를 식별할 수 있는 정보
③ 국세 · 지방세 · 관세 또는 국가채권의 체납 관련 정보
④ 국가 · 지방자치단체 또는 공공기관의 인터넷 홈페이지 등의 공공매체를 통하여 공시 또는 공개된 정보
⑤ 신용정보주체의 신용거래능력을 판단할 수 있는 정보

해설 신용정보의 이용 및 보호에 관한 법률(이하 '신용정보법') 제2조 제1호 내지 제1호의6에 '신용정보'의 정의규정이 있고, 동법 시행령 제2조 제1항 내지 제17항 각호에 구체적인 상세규정이 있다. 이하에 관련조문을 첨부한다.

신용정보법 제2조 【정의】 이 법에서 사용하는 용어의 뜻은 다음과 같다.

1. "신용정보"란 금융거래 등 상거래에서 거래 상대방의 신용을 판단할 때 필요한 정보로서 다음 각 목의 정보를 말한다.
   가. 특정 신용정보주체를 식별할 수 있는 정보(나목부터 마목까지의 어느 하나에 해당하는 정보와 결합되는 경우만 신용정보에 해당한다)
   나. 신용정보주체의 거래내용을 판단할 수 있는 정보
   다. 신용정보주체의 신용도를 판단할 수 있는 정보
   라. 신용정보주체의 신용거래능력을 판단할 수 있는 정보
   마. 가목부터 라목까지의 정보 외에 신용정보주체의 신용을 판단할 때 필요한 정보

1의2. 제1호 가목의 "특정 신용정보주체를 식별할 수 있는 정보"란 다음 각 목의 정보를 말한다.
   가. 살아 있는 개인에 관한 정보로서 다음 각각의 정보
      1) 성명, 주소, 전화번호 및 그 밖에 이와 유사한 정보로서 대통령령으로 정하는 정보

      > 여기에서 대통령령으로 정하는 정보(시행령 제2조 제1항)
      > 1. 전자우편주소
      > 2. 사회 관계망 서비스(Social Network Service) 주소
      > 3. 그 밖에 제1호 및 제2호의 정보와 유사한 정보로서 금융위원회가 정하여 고시하는 정보

      2) 법령에 따라 특정 개인을 고유하게 식별할 수 있도록 부여된 정보로서 대통령령으로 정하는 정보(이하 "개인식별번호"라 한다)

      > 여기에서 대통령령으로 정하는 정보(시행령 제2조 제2항)
      > 1. 「주민등록법」 제7조의2 제1항에 따른 주민등록번호
      > 2. 「여권법」 제7조 제1항 제1호에 따른 여권번호
      > 3. 「도로교통법」 제80조에 따른 운전면허의 면허번호

정답 05. ④

MEMO

4. 「출입국관리법」 제31조 제5항에 따른 외국인등록번호
5. 「재외동포의 출입국과 법적지위에 관한 법률」 제7조 제1항에 따른 국내거소신고번호

3) 개인의 신체 일부의 특징을 컴퓨터 등 정보처리장치에서 처리할 수 있도록 변환한 문자, 번호, 기호 또는 그 밖에 이와 유사한 정보로서 특정 개인을 식별할 수 있는 정보
4) 1)부터 3)까지와 유사한 정보로서 대통령령으로 정하는 정보

여기에서 대통령령으로 정하는 정보(시행령 제2조 제3항)
1. 「정보통신망 이용촉진 및 정보보호 등에 관한 법률」 제23조의3에 따른 본인확인기관이 특정 개인을 고유하게 식별할 수 있도록 부여한 정보
2. 법 제15조 제1항 전단에 따른 신용정보회사등(이하 "신용정보회사등"이라 한다)이 개인식별번호를 사용하지 않고 특정 개인을 고유하게 식별하거나 동일한 신용정보주체를 구분하기 위해 부여한 정보
3. 그 밖에 제1호 및 제2호의 정보와 유사한 정보로서 금융위원회가 정하여 고시하는 정보

나. 기업(사업을 경영하는 개인 및 법인과 이들의 단체를 말한다. 이하 같다) 및 법인의 정보로서 다음 각각의 정보
1) 상호 및 명칭
2) 본점·영업소 및 주된 사무소의 소재지
3) 업종 및 목적
4) 개인사업자(사업을 경영하는 개인을 말한다. 이하 같다)·대표자의 성명 및 개인식별번호
5) 법령에 따라 특정 기업 또는 법인을 고유하게 식별하기 위하여 부여된 번호로서 대통령령으로 정하는 정보

여기에서 대통령령으로 정하는 정보(시행령 제2조 제4항)
1. 법인등록번호
2. 「부가가치세법 시행령」 제12조 제1항 및 제2항에 따른 등록번호 및 고유번호
3. 그 밖에 제1호 및 제2호의 정보와 유사한 정보로서 금융위원회가 정하여 고시하는 정보

6) 1)부터 5)까지와 유사한 정보로서 대통령령으로 정하는 정보

여기에서 대통령령으로 정하는 정보(시행령 제2조 제5항)
1. 설립연월일
2. 팩시밀리번호
3. 그 밖에 제1호 및 제2호의 정보와 유사한 정보로서 금융위원회가 정하여 고시하는 정보

MEMO

1의3. 제1호 나목의 "신용정보주체의 거래내용을 판단할 수 있는 정보"란 다음 각 목의 정보를 말한다.

가. 신용정보제공・이용자에게 신용위험이 따르는 거래로서 다음 각각의 거래의 종류, 기간, 금액, 금리, 한도 등에 관한 정보

1) 「은행법」 제2조 제7호에 따른 신용공여

2) 「여신전문금융업법」 제2조 제3호・제10호 및 제13호에 따른 신용카드, 시설대여 및 할부금융 거래

3) 「자본시장과 금융투자업에 관한 법률」 제34조 제2항, 제72조, 제77조의3 제4항 및 제342조 제1항에 따른 신용공여

4) 1)부터 3)까지와 유사한 거래로서 <u>대통령령으로 정하는 거래</u>

> **여기에서 대통령령으로 정하는 거래(시행령 제2조 제6항)**
>
> 1. 「상호저축은행법」 제2조 제6호에 따른 신용공여
> 2. 「신용협동조합법」 제2조 제5호에 따른 대출등
> 3. 「새마을금고법」 제28조 제1항 제1호 나목에 따른 대출
> 4. 「대부업 등의 등록 및 금융이용자 보호에 관한 법률」 제6조에 따른 대부계약
> 5. 「보험업법」 제2조 제13호에 따른 신용공여 및 같은 법 제100조 제1항 제1호에 따른 대출등
> 6. 「온라인투자연계금융업 및 이용자 보호에 관한 법률」 제2조 제1호에 따른 연계대출
> 7. 그 밖에 제1호부터 제6호까지의 규정에 따른 거래와 유사한 거래로서 제5조 제2항 각 호 및 제21조 제2항 각 호의 기관이 수행하는 거래

나. 「금융실명거래 및 비밀보장에 관한 법률」 제2조 제3호에 따른 금융거래의 종류, 기간, 금액, 금리 등에 관한 정보

다. 「보험업법」 제2조 제1호에 따른 보험상품의 종류, 기간, 보험료 등 보험계약에 관한 정보 및 보험금의 청구 및 지급에 관한 정보

라. 「자본시장과 금융투자업에 관한 법률」 제3조에 따른 금융투자상품의 종류, 발행・매매 명세, 수수료・보수 등에 관한 정보

마. 「상법」 제46조에 따른 상행위에 따른 상거래의 종류, 기간, 내용, 조건 등에 관한 정보

바. 가목부터 마목까지의 정보와 유사한 정보로서 <u>대통령령으로 정하는 정보</u>

> **여기에서 대통령령으로 정하는 정보(시행령 제2조 제7항)**
>
> 1. 특별법에 따라 설립된 법인 또는 단체로서 다음 각 목의 어느 하나에 해당하는 자(이하 "공제조합등"이라 한다)와 구성원 상호 간에 체결한 공제계약의 종류・기간・공제료 등에 관한 정보 및 공제금의 청구・지급에 관한 정보
>   가. 공제조합
>   나. 공제회
>   다. 그 밖에 가목 및 나목의 법인 또는 단체와 유사한 법인 또는 단체로서 같은 직장・직종에 종사하거나 같은 지역에 거주하

MEMO

는 구성원의 상호부조, 복리증진 등을 목적으로 구성되어 공제사업을 하는 법인 또는 단체
2. 「우체국예금·보험에 관한 법률」에 따른 보험계약의 종류·기간·보험료 등에 관한 정보 및 보험금의 청구·지급에 관한 정보
3. 다음 각 목의 어느 하나에 해당하는 거래의 종류·기간·내용 등에 관한 정보
   가. 「신용보증기금법」 제2조 제2호·제7호 및 제8호에 따른 신용보증, 재보증 및 유동화회사보증
   나. 「기술보증기금법」 제2조 제4호부터 제6호까지 및 제9호에 따른 기술보증, 신용보증, 재보증 및 유동화회사보증
   다. 「지역신용보증재단법」 제2조 제5호 및 제9호에 따른 신용보증 및 재보증
   라. 「무역보험법」 제3조에 따른 무역보험, 같은 법 제3조의2에 따른 공동보험·재보험, 같은 법 제53조 제1항 제2호에 따른 수출신용보증 및 수출용 원자재 수입신용보증
   마. 「주택도시기금법」 제26조 제1항 제2호 및 제4호에 따른 보증
   바. 그 밖에 가목부터 마목까지의 규정에 따른 거래와 유사한 거래로서 금융위원회가 정하여 고시하는 거래
4. 법 제2조 제1호의3 가목 1)부터 4)까지의 규정에 따른 거래와 관련된 계약의 청약 및 승낙에 관한 정보
5. 법 제2조 제1호의3 가목 1)부터 4)까지의 규정에 따른 거래로 발생한 채권이 소멸한 사실 및 그 원인에 관한 정보
6. 법 제2조 제1호의3 각 목, 이 조 제6항 제1호부터 제7호까지의 규정 및 이 항 제3호 각 목에 따른 거래와 관련된 채무의 보증 및 담보에 관한 정보
7. 그 밖에 제1호부터 제6호까지의 규정에 따른 정보와 유사한 정보로서 금융위원회가 정하여 고시하는 정보

1의4. 제1호 다목의 "신용정보주체의 신용도를 판단할 수 있는 정보"란 다음 각 목의 정보를 말한다.
   가. 금융거래 등 상거래와 관련하여 발생한 채무의 불이행, 대위변제, 그 밖에 약정한 사항을 이행하지 아니한 사실과 관련된 정보
   나. 금융거래 등 상거래와 관련하여 신용질서를 문란하게 하는 행위와 관련된 정보로서 다음 각각의 정보
      1) 금융거래 등 상거래에서 다른 사람의 명의를 도용한 사실에 관한 정보
      2) 보험사기, 전기통신금융사기를 비롯하여 사기 또는 부정한 방법으로 금융거래 등 상거래를 한 사실에 관한 정보
      3) 금융거래 등 상거래의 상대방에게 위조·변조하거나 허위인 자료를 제출한 사실에 관한 정보
      4) 대출금 등을 다른 목적에 유용(流用)하거나 부정한 방법으로 대출·보험계약 등을 체결한 사실에 관한 정보
      5) 1)부터 4)까지의 정보와 유사한 정보로서 대통령령으로 정하는 정보

MEMO

여기에서 대통령령으로 정하는 정보(시행령 제2조 제8항)
1. 거짓이나 그 밖의 부정한 방법으로 「채무자 회생 및 파산에 관한 법률」에 따른 회생·간이회생·개인회생·파산·면책 및 복권과 관련된 결정 또는 이와 유사한 판결을 받은 사실에 관한 정보
2. 부정한 목적으로 금융거래 등 상거래를 하려는 타인에게 자신의 개인식별정보를 제공한 사실에 관한 정보
3. 그 밖에 제1호 및 제2호의 정보와 유사한 정보로서 금융위원회가 정하여 고시하는 정보

다. 가목 또는 나목에 관한 신용정보주체가 법인인 경우 실제 법인의 경영에 참여하여 법인을 사실상 지배하는 자로서 대통령령으로 정하는 자에 관한 정보

여기에서 대통령령으로 정하는 자(시행령 제2조 제9항)
1. 「국세기본법」 제39조 제2호에 따른 과점주주(이하 이 항에서 "과점주주"라 한다) 중 최다출자자인 자로서 해당 법인의 경영에 참여하여 법인을 사실상 지배하는 자
2. 과점주주인 동시에 해당 법인의 이사 또는 감사로서 그 법인의 채무에 연대보증을 하고, 해당 법인의 경영에 참여하여 법인을 사실상 지배하는 자
3. 해당 법인의 의결권 있는 발행주식총수 또는 지분총액의 100분의 30 이상을 소유하고 있는 자로서 법인의 경영에 참여하여 법인을 사실상 지배하는 자
4. 해당 법인의 무한책임사원으로서 법인의 경영에 참여하여 법인을 사실상 지배하는 자

라. 가목부터 다목까지의 정보와 유사한 정보로서 대통령령으로 정하는 정보

여기에서 대통령령으로 정하는 정보(시행령 제2조 제10항)
1. 어음 또는 수표를 지급하기로 한 약정을 이행하지 않은 사실에 관한 정보
2. 그 밖에 금융거래 등 상거래와 관련하여 신용정보주체의 신용도를 판단할 수 있는 사실에 관한 정보로서 금융위원회가 정하여 고시하는 정보

1의5. 제1호 라목의 "신용정보주체의 신용거래능력을 판단할 수 있는 정보"란 다음 각 목의 정보를 말한다.
가. 개인의 직업·재산·채무·소득의 총액 및 납세실적
나. 기업 및 법인의 연혁·목적·영업실태·주식 또는 지분보유 현황 등 기업 및 법인의 개황(槪況), 대표자 및 임원에 관한 사항, 판매명세·수주실적 또는 경영상의 주요 계약 등 사업의 내용, 재무제표(연결재무제표를 작성하는 기업의 경우에는 연결재무제표를 포함한다) 등 재무에 관한 사항과 감사인(「주식회사 등의 외부감사에 관한 법률」 제2조 제7호에 따른 감사인을 말한다)의 감사의견 및 납세실적

MEMO

다. 가목 및 나목의 정보와 유사한 정보로서 대통령령으로 정하는 정보

> 여기에서 대통령령으로 정하는 정보(시행령 제2조 제11항)
> 1. 기업(사업을 경영하는 개인 및 법인과 이들의 단체를 말한다. 이하 같다) 및 법인의 영업 관련 정보로서 정부조달 실적 또는 수출·수입액 등에 관한 정보
> 2. 기업 및 법인의 등록 관련 정보로서 설립, 휴업·폐업, 양도·양수, 분할·합병, 주식 또는 지분 변동 등에 관한 정보
> 3. 기업 및 법인 자산의 구매명세·매출처·매입처, 재고자산의 명세·입출내역 및 재고자산·매출채권의 연령에 관한 정보

1의6. 제1호 마목의 "가목부터 라목까지의 정보 외에 신용정보주체의 신용을 판단할 때 필요한 정보"란 다음 각 목의 정보를 말한다.

가. 신용정보주체가 받은 법원의 재판, 행정처분 등과 관련된 정보로서 대통령령으로 정하는 정보

> 여기에서 대통령령으로 정하는 정보(시행령 제2조 제12항)
> 1. 「민법」에 따른 성년후견·한정후견·특정후견과 관련된 심판에 관한 정보
> 2. 「민법」에 따른 실종선고와 관련된 심판에 관한 정보
> 3. 「민사집행법」에 따른 채무불이행자명부의 등재·말소 결정에 관한 정보
> 4. 「민사집행법」에 따른 경매개시결정·경락허가결정 등 경매와 관련된 결정에 관한 정보
> 5. 「근로기준법」 제43조의2 및 제43조의3에 따른 체불사업주에 관한 정보
> 6. 법 또는 다른 법령에 따라 국가 또는 지방자치단체로부터 받은 행정처분 중에서 금융거래 등 상거래와 관련된 처분에 관한 정보
> 7. 그 밖에 제1호부터 제6호까지의 규정에 따른 정보와 유사한 정보로서 금융위원회가 정하여 고시하는 정보

나. 신용정보주체의 조세, 국가채권 등과 관련된 정보로서 대통령령으로 정하는 정보

> 여기에서 대통령령으로 정하는 정보(시행령 제2조 제13항)
> 1. 국세·지방세·관세 또는 국가채권의 체납에 관한 정보
> 2. 벌금·과태료·과징금 또는 추징금 등의 체납에 관한 정보

다. 신용정보주체의 채무조정에 관한 정보로서 대통령령으로 정하는 정보

> 여기에서 대통령령으로 정하는 정보(시행령 제2조 제14항)
> 1. 「채무자 회생 및 파산에 관한 법률」에 따른 회생·간이회생·개인회생과 관련된 결정에 관한 정보
> 2. 「채무자 회생 및 파산에 관한 법률」에 따른 파산·면책·복권과 관련된 결정에 관한 정보

MEMO

3. 「서민의 금융생활 지원에 관한 법률」에 따른 채무조정에 관한 정보
4. 「기업구조조정 촉진법」 제2조 제9호에 따른 채무조정에 관한 정보
5. 「한국자산관리공사 설립 등에 관한 법률」에 따른 한국자산관리공사(이하 "한국자산관리공사"라 한다)의 채무재조정 약정에 관한 정보
6. 그 밖에 제1호부터 제5호까지의 규정에 따른 정보와 유사한 정보로서 금융위원회가 정하여 고시하는 정보

라. 개인의 신용상태를 평가하기 위하여 정보를 처리함으로써 새로이 만들어지는 정보로서 기호, 숫자 등을 사용하여 점수나 등급 등으로 나타낸 정보(이하 "개인신용평점"이라 한다)
마. 기업 및 법인의 신용을 판단하기 위하여 정보를 처리함으로써 새로이 만들어지는 정보로서 기호, 숫자 등을 사용하여 점수나 등급 등으로 표시한 정보(이하 "기업신용등급"이라 한다). 다만, 「자본시장과 금융투자업에 관한 법률」 제9조 제26항에 따른 신용등급은 제외한다.
바. 기술(「기술의 이전 및 사업화 촉진에 관한 법률」 제2조 제1호에 따른 기술을 말한다. 이하 같다)에 관한 정보
사. 기업 및 법인의 신용을 판단하기 위하여 정보(기업 및 법인의 기술과 관련된 기술성·시장성·사업성 등을 대통령령으로 정하는 바에 따라 평가한 결과를 포함한다)를 처리함으로써 새로이 만들어지는 정보로서 대통령령으로 정하는 정보(이하 "기술신용정보"라 한다). 다만, 「자본시장과 금융투자업에 관한 법률」 제9조 제26항에 따른 신용등급은 제외한다.

시행령 제2조 제15항 및 제16항

⑮ 법 제2조 제1호의6 사목 본문에 따른 기업 및 법인의 기술과 관련된 기술성·시장성·사업성 등의 평가는 업종, 규모 등 일정한 기준에 따라 기술을 분류하고 거래내용, 신용거래능력 등 기업 및 법인의 정보를 체계적으로 배열하여 평가하는 것으로 한다.
⑯ 법 제2조 제1호의6 사목 본문에서 "대통령령으로 정하는 정보"란 기업 및 법인인 신용정보주체의 신용을 판단하기 위하여 기술평가(「기술보증기금법」 제28조 제1항 제6호의 기술평가를 말한다)를 하고 신용정보와 해당 기업 및 법인의 기술에 관한 정보를 활용함으로써 그 판단의 결과를 기호, 숫자 등을 사용하여 평점 또는 등급으로 표시한 정보, 그 기술의 가액 또는 평가의견 등(이하 "기술신용정보"라 한다)을 말한다.

아. 그 밖에 제1호의2부터 제1호의5까지의 규정에 따른 정보 및 가목부터 사목까지의 규정에 따른 정보와 유사한 정보로서 대통령령으로 정하는 정보

MEMO

여기에서 대통령령으로 정하는 정보(시행령 제2조 제17항)
1. 「동산·채권 등의 담보에 관한 법률」 등에 따른 담보약정, 동산담보권, 채권담보권 및 지식재산권담보권에 관한 정보
2. 「부동산등기법」에 따른 등기부 및 그 부속서류에 기록되어 있는 사항에 관한 정보
3. 사회보험료·공공요금 또는 수수료 등에 관한 정보
4. 개인의 주민등록 관련 정보로서 출생·사망·이민·부재에 관한 정보 및 주민등록번호·성명의 변경 등에 관한 정보
5. 개인신용평가회사 및 개인사업자신용평가회사의 신용정보 제공기록 또는 신용정보주체의 신용회복 등에 관한 정보로서 금융위원회가 정하여 고시하는 정보
6. 신용정보주체의 신용도 판단에 이용되는 정보를 제3자에게 제공한 신용조회기록
7. 「공장 및 광업재단 저당법」 제2조 제2호 및 제3호에 따른 공장재단 및 광업재단에 관한 정보
8. 「상훈법」에 따라 서훈이 확정된 사람에 대한 정보로서 금융위원회가 정하여 고시하는 정보
9. 그 밖에 제1호부터 제8호까지의 규정에 따른 정보와 유사한 정보로서 금융위원회가 정하여 고시하는 정보

2024년 기출

06 다음 중 '신용정보주체의 신용거래능력을 판단할 수 있는 정보'로 가장 적절하지 않은 것은?

① 개인의 직업 ② 개인의 채무
③ 개인의 납세실적 ④ 개인의 전자우편주소
⑤ 개인의 재산

해설 ④ '신용능력정보'는 금융거래 등 상거래에 있어서 신용도 등의 판단을 위한 개인의 재산·채무·소득 등과 기업 및 법인의 개황, 사업의 내용, 재무에 관한 사항 등 신용정보주체의 신용거래능력을 판단할 수 있는 정보로서 현재는 은행권 내에서만 집중 및 활용되고 있다. 아래 조문 참조

신용정보의 이용 및 보호에 관한 법률(이하 신용정보법) 제2조(정의) 이 법에서 사용하는 용어의 뜻은 다음과 같다.
1의5. 제1호 라목의 "신용정보주체의 신용거래능력을 판단할 수 있는 정보"란 다음 각 목의 정보를 말한다.
가. 개인의 직업·재산·채무·소득의 총액 및 납세실적
나. 기업 및 법인의 연혁·목적·영업실태·주식 또는 지분보유 현황 등

정답

06. ④

MEMO

기업 및 법인의 개황(槪況), 대표자 및 임원에 관한 사항, 판매명세·수주실적 또는 경영상의 주요 계약 등 사업의 내용, 재무제표(연결재무제표를 작성하는 기업의 경우에는 연결재무제표를 포함한다) 등 재무에 관한 사항과 감사인(「주식회사 등의 외부감사에 관한 법률」 제2조 제7호에 따른 감사인을 말한다)의 감사의견 및 납세실적
다. 가목 및 나목의 정보와 유사한 정보로서 대통령령으로 정하는 정보

2018년 기출

07 다음 중 신용거래능력판단정보(신용정보주체의 신용거래능력을 판단할 수 있는 정보)로 옳은 것은?

① 개인의 직업·재산·채무·소득의 총액 및 납세실적
② 금융거래 등 상거래와 관련하여 그 거래의 종류, 기간, 금액 및 한도 등에 관한 사항
③ 금융거래 등 상거래와 관련하여 발생한 연체, 부도, 대위변제 등에 관한 사항
④ 생존하는 개인의 성명, 연락처, 성별, 국적 등에 관한 사항
⑤ 부정한 방법에 의한 신용질서 문란행위와 관련된 금액 및 발생·해소의 시기 등에 관한 사항

해설 앞선 문제 해설 참조

2017년 기출

08 다음 중 「신용정보법」상 신용정보가 아닌 것은?

① 특정 신용정보주체를 식별할 수 있는 정보
② 신용정보주체의 거래내용을 판단할 수 있는 정보
③ 신용정보주체의 신용거래능력을 판단할 수 있는 정보
④ 신용정보주체의 신용도를 판단할 수 있는 정보
⑤ 법령에 따라 공시 또는 공개된 정보

해설 앞선 문제 해설 참조

07. ① 08. ⑤

MEMO

제2절 신용정보업의 이해

2024년 기출

01 다음 중 「신용정보법」에서 정한 '신용정보업'으로 가장 적절하지 않은 것은?

① 개인신용평가업
② 본인신용정보관리업
③ 개인사업자신용평가업
④ 기업신용조회업
⑤ 신용조사업

해설 ② '본인신용정보관리업'이란 개인인 신용정보주체의 신용관리를 지원하기 위하여 일정한 신용정보를 대통령령으로 정하는 방식으로 통합하여 그 신용정보주체에게 제공하는 행위를 영업으로 하는 것을 말한다(신용정보법 제2조 제9호의2). 본인신용정보관리업은 신용정보법에서 정한 신용정보업에 해당하지 않는다. 아래 조문 참조

> 신용정보법 제2조(정의) 이 법에서 사용하는 용어의 뜻은 다음과 같다.
> 4. "신용정보업"이란 다음 각 목의 어느 하나에 해당하는 업(業)을 말한다.
> 가. 개인신용평가업
> 나. 개인사업자신용평가업
> 다. 기업신용조회업
> 라. 신용조사업

2023년 기출

02 「신용정보법」(2020.2.4. 개정)에 따른 용어의 정의에 관한 다음 설명 중 가장 적절하지 않은 것은?

① "신용정보업"이란 개인신용평가업, 개인사업자신용평가업, 기업신용조회업, 신용조사업, 채권추심업에 해당하는 업(業)을 말한다.
② "신용정보집중기관"이란 신용정보를 집중하여 관리·활용하는 자로서 금융위원회로부터 허가받은 자를 말한다.
③ "신용정보제공·이용자"란 고객과의 금융거래 등 상거래를 위하여 본인의 영업과 관련하여 얻거나 만들어 낸 신용정보를 타인에게 제공하거나 타인으로부터 신용정보를 제공받아 본인의 영업에 이용하는 자와 그 밖에 이에 준하는 자로서 대통령령으로 정하는 자를 말한다.
④ "본인신용정보관리업"이란 개인인 신용정보주체의 신용관리를 지원하기 위하여 개인의 신용정보를 대통령령으로 정하는 방식으로 통합하여 그 신용정보주체에게 제공하는 행위를 영업으로 하는 것을 말한다.

01. ② 02. ①

MEMO

⑤ "가명정보"란 가명처리한 개인신용정보를 말하고, "익명처리"란 더 이상 특정 개인인 신용정보주체를 알아볼 수 없도록 개인신용정보를 처리하는 것을 말한다.

해설 ① "신용정보업"이란 개인신용평가업, 개인사업자신용평가업, 기업신용조회업, 신용조사업에 해당하는 업(業)을 말한다(신용정보법 제2조 제4호). "채권추심업"이란 채권자의 위임을 받아 변제하기로 약정한 날까지 채무를 변제하지 아니한 자에 대한 재산조사, 변제의 촉구 또는 채무자로부터 변제금 수령을 통하여 채권자를 대신하여 추심채권을 행사하는 행위를 영업으로 하는 것을 말한다(신용정보법 제2조 제10호). 즉 개정된 신용정보법에서는 채권추심업을 신용정보업과는 별도의 개념으로 정의하고 있다.
② 신용정보법 제2조 제6호
③ 신용정보법 제2조 제7호
④ 신용정보법 제2조 제9의2호
⑤ 신용정보법 제2조 제16호(가명정보) 제17호(익명처리)

2021년 기출

03 다음은 신용정보업 및 채권추심업에 관한 설명이다. (   ) 안에 들어갈 용어로 가장 적절한 것은?

- 신용정보업, 채권추심업을 하려는 자는 (A)으(로)부터 (B)을(를) 받아야 한다.
- 채권추심회사는 그 소속 위임직채권추심인이 되려는 자를 (C)에 (D)하여야 한다.

	A	B	C	D
①	금융감독원	허가	금융감독원	등록
②	금융위원회	등록	금융위원회	허가
③	금융감독원	등록	금융위원회	등록
④	금융위원회	허가	금융위원회	등록
⑤	금융위원회	허가	금융위원회	허가

해설 신용정보업, 본인신용정보관리업 및 채권추심업을 하려는 자는 금융위원회의 허가를 받아야 한다(신용정보의 이용 및 보호에 관한 법률 제4조 제2항). 채권추심회사는 그 소속 위임직채권추심인이 되려는 자를 금융위원회에 등록하여야 한다(동법 제27조 제3항).

03. ④

MEMO

2023년 기출

04 다음 중 채권추심회사가 채권자로부터 채권추심을 위임 받을 수 있는 채권이 아닌 것은?

① 보험 업무에 따른 금전채권
② 특별법에 따라 설립된 조합의 조합원에 대한 보증채권
③ 판결 등에 따라 권원이 인정된 민사채권으로서 대통령령으로 정하는 채권
④ 「상법」에 따른 상행위로 생긴 금전채권
⑤ 고용인에 대한 임금채권

해설 ⑤ 신용정보법 제2조(정의) 제11호 채권추심의 대상이 되는 "채권"이란 「상법」에 따른 상행위로 생긴 금전채권(④), 판결 등에 따라 권원(權原)이 인정된 민사채권으로서 대통령령으로 정하는 채권(③), 특별법에 따라 설립된 조합·공제조합·금고 및 그 중앙회·연합회 등의 조합원·회원 등에 대한 대출·보증, 그 밖의 여신 및 보험 업무에 따른 금전채권(①②) 및 다른 법률에서 채권추심회사에 대한 채권추심의 위탁을 허용한 채권을 말한다.

2019년 기출

05 채권추심회사가 추심할 수 있는 대상채권이 아닌 것을 모두 고른 것은?

㉠ 「민사집행법」의 규정에 따라 집행권원이 인정된 금전채권 이외의 채권
㉡ 가집행선고가 붙어 있는 종국판결(형성판결)
㉢ 확정된 지급명령
㉣ 금전채권에 대하여 채무자가 강제집행을 승낙한 취지가 적혀 있는 금전소비대차공정증서
㉤ 고용인에 대한 퇴직금청구채권
㉥ 「상법」에 따른 상행위로 생긴 금전채권의 보증채권

① ㉡, ㉣, ㉤
② ㉠, ㉥
③ ㉠, ㉡, ㉤
④ ㉢, ㉤, ㉥
⑤ ㉠, ㉣

해설 채권추심의 대상이 되는 "채권"은 신용정보법 제2조(정의) 제11호와 동법 시행령 제2조(정의) 제24항에 규정되어 있다. ㉡ 모든 소송이 강제집행을 수반하는 것이 아니다. 확인판결이나 형성판결은 집행력이 없으므로 강제집행으로 이행하지 아니하고 또 이행판결 중에서도 성질상 강제집행에 적합하지 아니한 것(예컨데 부부의 동거를 명하는 판결)도 있고, 또 그러한 필요가 없는 것(예컨데 채무자가 임의로 이행한 경우, 등기절차를 명하는 판결)도 있다. 따라서, 가집행선고가 붙어 있는 종국판결은 추심대상채권이 될 수 있으나, 강제집행이 가능한 이행판결만이 그 대상이다. 이하에 관련조문을 첨부한다.

04. ⑤ 05. ③

MEMO

신용정보법 제2조 【정의】

11. 채권추심의 대상이 되는 "채권"이란 「상법」에 따른 상행위로 생긴 금전채권(ⓑ), 판결 등에 따라 권원(權原)이 인정된 민사채권으로서 대통령령으로 정하는 채권, 특별법에 따라 설립된 조합·공제조합·금고 및 그 중앙회·연합회 등의 조합원·회원 등에 대한 대출·보증, 그 밖의 여신 및 보험 업무에 따른 금전채권 및 다른 법률에서 신용정보회사에 대한 채권추심의 위탁을 허용한 채권을 말한다.

신용정보법 시행령 제2조 【정의】

㉔ 법 제2조 제11호에서 "대통령령으로 정하는 채권"이란 「민사집행법」 제24조·제26조 또는 제56조에 따라 강제집행을 할 수 있는 금전채권(㉠, ㉤)을 말한다.

민사집행법 제24조 【강제집행과 종국판결】 강제집행은 확정된 종국판결(終局判決)이나 가집행의 선고가 있는 종국판결(㉡)에 기초하여 한다.

민사집행법 제26조 【외국재판의 강제집행】

① 외국법원의 확정판결 또는 이와 동일한 효력이 인정되는 재판(이하 "확정재판등"이라 한다)에 기초한 강제집행은 대한민국 법원에서 집행판결로 그 강제집행을 허가하여야 할 수 있다.
② 집행판결을 청구하는 소(訴)는 채무자의 보통재판적이 있는 곳의 지방법원이 관할하며, 보통재판적이 없는 때에는 민사소송법 제11조의 규정에 따라 채무자에 대한 소를 관할하는 법원이 관할한다.

민사집행법 제56조 【그 밖의 집행권원】

강제집행은 다음 가운데 어느 하나에 기초하여서도 실시할 수 있다.

1. 항고로만 불복할 수 있는 재판
2. 가집행의 선고가 내려진 재판
3. 확정된 지급명령(㉢)
4. 공증인이 일정한 금액의 지급이나 대체물 또는 유가증권의 일정한 수량의 급여를 목적으로 하는 청구에 관하여 작성한 공정증서로서 채무자가 강제집행을 승낙한 취지가 적혀 있는 것(㉣)
5. 소송상 화해, 청구의 인낙(認諾) 등 그 밖에 확정판결과 같은 효력을 가지는 것

2019년 기출

06 다음 중 '채권추심업무'의 정의로 옳은 것은?

① 신용정보를 수집·처리하는 행위, 신용정보주체의 신용도·신용거래능력 등을 나타내는 신용정보를 만들어 내는 행위 및 의뢰인의 조회에 따라 신용정보를 제공하는 행위

06. ⑤

MEMO

② 타인의 의뢰를 받아 신용정보를 조사하고 그 신용정보를 그 의뢰인에게 제공하는 행위
③ 투자자를 보호하기 위하여 금융상품 및 신용공여 등에 대하여 그 원리금이 상환될 가능성과 기업・법인 및 간접투자기구 등의 신용도를 평가하는 행위
④ 신용정보를 입력・저장・가공・편집・검색・삭제・출력하여 정보를 공유하는 행위
⑤ 채권자의 위임을 받아 변제하기로 약정한 날까지 채무를 변제하지 아니한 자에 대한 재산조사, 변제의 촉구 또는 채무자로부터의 변제금 수령을 통하여 채권자를 대신하여 추심채권을 행사하는 행위

해설 ⑤ 신용정보법 제2조 제10호 '채권추심업무'의 정의는 2020.2.4. 개정으로 현재는 ["채권추심업"이란 채권자의 위임을 받아 변제하기로 약정한 날까지 채무를 변제하지 아니한 자에 대한 재산조사, 변제의 촉구 또는 채무자로부터의 변제금 수령을 통하여 채권자를 대신하여 추심채권을 행사하는 행위를 영업으로 하는 것을 말한다.]로 규정되었다.

① 신용정보법 제2조 제8호 '신용조회업무'의 정의는 2020.2.4 개정으로 삭제되었다. 현재는 제8호 '개인신용평가업', 제8호의2 '개인사업자신용평가업', 제8호의3 '기업신용조회업'의 정의가 신설 규정되어 있다.
② 신용정보법 제2조 제9호 '신용조사업무'의 정의는 2020.2.4. 개정으로 현재는 ["신용조사업"이란 제3자의 의뢰를 받아 신용정보를 조사하고, 그 신용정보를 그 의뢰인에게 제공하는 행위를 영업으로 하는 것을 말한다.]로 규정되었다.
③ '신용평가업무'의 정의는 신용정보법 제2조 제12호(2013.5.28. 개정으로 현재는 삭제됨)
④ 신용정보법 제2조 제13호 '처리'의 정의는 2020.2.4. 개정으로 현재는 ["처리"란 신용정보의 수집(조사를 포함한다. 이하 같다), 생성, 연계, 연동, 기록, 저장, 보유, 가공, 편집, 검색, 출력, 정정(訂正), 복구, 이용, 결합, 제공, 공개, 파기(破棄), 그 밖에 이와 유사한 행위를 말한다.]로 규정되었다.

2017년 기출

07 채권추심회사가 채권추심을 수임할 수 있는 채권으로 옳지 않은 것은?

① 「상법」에 따른 상행위로 생긴 금전채권
② 채무자로부터 변제각서를 받은 민사채권
③ 도급업자의 도급계약에 의한 공사대금채권
④ 전기통신사업자의 통신요금채권
⑤ 운송사업자의 운송계약에 의한 운송료채권

정답

07. ②

MEMO

해설 채권추심회사의 추심대상채권은 상법에 따른 상행위로 생긴 금전채권이 대표적이다. 도급업자의 도급계약에 의한 공사대금채권과 전기통신사업자의 통신요금채권 및 운송사업자의 운송계약에 의한 운송료채권는 상행위로 생긴 금전채권의 예에 해당한다. 그러나 민사채권은 판결 등에 따라 권원이 인정된 것으로서 대통령령으로 정하는 채권만 추심대상채권에 해당되므로 채무자로부터 변제각서를 받은 민사채권은 추심대상채권이 아니다.

2024년 기출

08 채권추심업에 관한 다음 설명 중 가장 적절하지 않은 것은?

① 채권추심업이란 채권자의 위임을 받아 "변제하기로 약정한 날짜까지 채무를 변제하지 아니한 자"에 대한 재산조사, 변제의 촉구 또는 채무자로부터의 변제금 수령을 통하여 채권자를 대신하여 추심채권을 행사하는 행위를 말한다.
② 채권추심업을 영위하기 위해서는 금융위원회로부터 허가를 받아야 한다.
③ 채권추심업은 "타인"인 "채권자"의 채권을 위임받아 추심하는 것을 "영업으로" 하여야 한다.
④ 채권추심회사가 채권추심을 수임할 수 있는 대상채권에는 제한이 없다.
⑤ 일반적으로 채권추심업을 영위할 수 있는 자는 「신용정보법」상의 채권추심회사에 한하지만 「자산유동화에 관한 법률」의 자산관리자와 같이 각종 법규에서 특정한 목적을 위하여 추심을 할 수 있는 자를 정한 경우도 있다.

해설 ④ 채권추심회사가 채권추심을 수임할 수 있는 대상채권에는 제한이 있다. 즉, 채권추심의 대상이 되는 "채권"이란 「상법」에 따른 상행위로 생긴 금전채권, 판결 등에 따라 권원이 인정된 민사채권으로서 대통령령으로 정하는 채권, 특별법에 따라 설립된 조합·공제조합·금고 및 그 중앙회·연합회 등의 조합원·회원 등에 대한 대출·보증, 그 밖의 여신 및 보험 업무에 따른 금전채권 및 다른 법률에서 채권추심회사에 대한 채권추심의 위탁을 허용한 채권을 말한다(신용정보법 제2조(정의) 제11호).

①③ "채권추심업"이란 채권자의 위임을 받아 변제하기로 약정한 날까지 채무를 변제하지 아니한 자에 대한 재산조사, 변제의 촉구 또는 채무자로부터의 변제금 수령을 통하여 채권자를 대신하여 추심채권을 행사하는 행위를 영업으로 하는 것을 말한다(신용정보법 제2조 제10호).

② "채권추심회사"란 채권추심업에 대하여 금융위원회로부터 허가를 받은 자를 말한다(신용정보법 제2조 제10호의2).

⑤ 아래 조문 참조

> **자산유동화에 관한 법률 제10조(자산관리의 위탁)** ① 유동화전문회사등(신탁업자는 제외한다)은 자산관리위탁계약에 따라 다음 각 호의 자(이하 "자산관리자"라 한다)에게 유동화자산의 관리를 위탁하여야 한다.
> 1. 자산보유자
> 2. 「신용정보의 이용 및 보호에 관한 법률」 제2조 제5호에 따른 신용정보회

정답 08. ④

MEMO

사 중 같은 조 제10호의 채권추심업 허가를 받은 자
3. 「신용정보의 이용 및 보호에 관한 법률」 제2조 제10호의2에 따른 채권추심회사
4. 그 밖에 자산관리업무를 전문적으로 수행하는 자로서 대통령령으로 정하는 요건을 갖춘 자

② 제1항 제1호 및 제4호에 따른 자산관리자는 「신용정보의 이용 및 보호에 관한 법률」 제4조 및 제5조에도 불구하고 유동화전문회사등이 양도받거나 신탁받은 유동화자산에 대하여 같은 법 제2조 제10호에 따른 채권추심업을 수행할 수 있다. 이 경우 해당 채권추심업의 수행에 관하여는 「신용정보의 이용 및 보호에 관한 법률」 제27조 제1항, 제42조 제1항 및 제43조 제4항을 준용한다.

③ 유동화전문회사등은 자산관리위탁계약의 해지에 따라 자산관리자의 변제수령권한이 소멸되었음을 이유로 유동화자산인 채권의 채무자에게 대항할 수 없다. 다만, 채무자가 자산관리자의 변제수령권한이 소멸되었음을 알았거나 알 수 있었을 경우에는 그러하지 아니하다.

2023년 기출

09 「신용정보법」에 따른 "채권추심"과 가장 거리가 먼 것은?

① 채무자에 대한 소재파악 및 재산조사
② 채권에 대한 변제 요구
③ 채권자를 대리한 법률행위
④ 채무자에 대한 재산조사
⑤ 채무자로부터 변제 수령

해설 ③ 채권자를 대리한 법률행위는 신용정보법상의 채권추심의 개념과는 거리가 멀다. 아래 조문 참조

신용정보법 제2조 【정의】
10. "채권추심업"이란 채권자의 위임을 받아 변제하기로 약정한 날까지 채무를 변제하지 아니한 자에 대한 재산조사, 변제의 촉구 또는 채무자로부터의 변제금 수령을 통하여 채권자를 대신하여 추심채권을 행사하는 행위를 영업으로 하는 것을 말한다.

채권의 공정한 추심에 관한 법률 제2조 【정의】
4. "채권추심"이란 채무자에 대한 소재파악 및 재산조사, 채권에 대한 변제 요구, 채무자로부터 변제 수령 등 채권의 만족을 얻기 위한 일체의 행위를 말한다.

09. ③

MEMO

2021년 기출

10 채권추심회사가 할 수 있는 채권추심행위에 해당되지 않는 것들만 모두 고르면 몇 개인가?

ㄱ. 재산조사
ㄴ. 채무자로부터의 변제금 수령
ㄷ. 변제의 촉구
ㄹ. 채권추심과 관련한 소송행위
ㅁ. 채무자의 소재파악

① 1개
② 2개
③ 3개
④ 4개
⑤ 5개

해설 "채권추심업"이란 채권자의 위임을 받아 변제하기로 약정한 날까지 채무를 변제하지 아니한 자에 대한 재산조사, 변제의 촉구 또는 채무자로부터의 변제금 수령을 통하여 대신하여 추심채권을 행사하는 행위를 영업으로 하는 것을 말한다(신용정보의 이용 및 보호에 관한 법률 제2조 제10호). "채권추심"이란 채무자에 대한 소재파악 및 재산조사, 채권에 대한 변제요구, 채무자로부터 변제 수령 등 채권의 만족을 얻기 위한 일체의 행위를 말한다(채권의 공정한 추심에 관한 법률 제2조 제4호). 변호사가 아닌 채권추심자는 채권추심과 관련한 소송행위를 하여서는 아니된다(동법 제8조의4).

2020년 기출

11 다음 설명 중 (   ) 안에 들어갈 가장 적절한 용어는?

"채권추심업"이란 채권자의 위임을 받아 변제하기로 약정한 날까지 채무를 변제하지 아니한 자에 대한 (   ), (   ) 또는 (   )을(를) 통하여 채권자를 대신하여 추심채권을 행사하는 행위를 영업으로 하는 것을 말한다.

① 재산조사 – 소송제기 – 변제의 촉구
② 변제의 촉구 – 변제금 수령 – 신용평가
③ 상계 – 재산조사 – 변제금 수령
④ 재산조사 – 변제의 촉구 – 변제금 수령
⑤ 소송제기 – 신용평가 – 채무면제

해설 ④ 신용정보법 제2조(정의) 제10호

10. ① 11. ④

MEMO

제3절 신용정보법의 개요

2024년 기출

01 채권추심회사에서 채권추심업무를 할 수 없는 자는?

① 만 19세 이상인 자
② 파산선고를 받고 복권된 자
③ 금고 이상의 실형을 선고받고 집행이 면제된 날부터 3년이 경과된 자
④ 500만 원의 벌금형을 선고 받은 자
⑤ 금고 이상의 형의 집행유예를 선고받고 그 유예기간이 경과되지 않은 자

해설 ⑤ 금고 이상의 형의 집행유예를 선고받고 그 유예기간이 경과되지 않은 자는 채권추심회사에서 채권추심업무를 할 수 없다(신용정보법 제27조 제1항 제5호). 아래 조문 참조

> 신용정보법 제27조(채권추심업 종사자 및 위임직채권추심인 등) ① 채권추심회사는 다음 각 호의 어느 하나에 해당하는 자를 임직원으로 채용하거나 고용하여서는 아니 되며, 위임 또는 그에 준하는 방법으로 채권추심업무를 하여서는 아니 된다.
> 1. 미성년자.(①) 다만, 금융위원회가 정하여 고시하는 업무에 채용하거나 고용하는 경우는 제외한다.
> 2. 피성년후견인 또는 피한정후견인
> 3. 파산선고를 받고 복권되지 아니한 자(②)
> 4. 금고 이상의 실형을 선고받고 그 집행이 끝나거나(집행이 끝난 것으로 보는 경우를 포함한다) 집행이 면제된 날부터 3년이 지나지 아니한 자(③, ④)
> 5. 금고 이상의 형의 집행유예를 선고받고 그 유예기간 중에 있는 자(⑤)
> 6. 이 법 또는 그 밖의 법령에 따라 해임되거나 면직된 후 5년이 지나지 아니한 자
> 7. 이 법 또는 그 밖의 법령에 따라 영업의 허가·인가 등이 취소된 법인이나 회사의 임직원이었던 자(그 취소사유의 발생에 직접 또는 이에 상응하는 책임이 있는 자로서 대통령령으로 정하는 자만 해당한다)로서 그 법인 또는 회사에 대한 취소가 있은 날부터 5년이 지나지 아니한 자
> 8. 제2항 제2호에 따른 위임직채권추심인이었던 자로서 등록이 취소된 지 5년이 지나지 아니한 자
> 9. 재임 또는 재직 중이었더라면 이 법 또는 그 밖의 법령에 따라 해임권고(해임요구를 포함한다) 또는 면직요구의 조치를 받았을 것으로 통보된 퇴임한 임원 또는 퇴직한 직원으로서 그 통보가 있었던 날부터 5년(통보가 있었던 날부터 5년이 퇴임 또는 퇴직한 날부터 7년을 초과한 경우에는 퇴임 또는 퇴직한 날부터 7년으로 한다)이 지나지 아니한 사람

01. ⑤

MEMO

2021년 기출

02 채권추심회사에서 채권추심업무를 할 수 있는 자는?

① 피성년후견인 또는 피한정후견인
② 금고 이상의 실형을 선고받고 그 집행이 끝나거나 집행이 면제된 날부터 3년이 지나지 아니한 자
③ 파산선고를 받고 복권되지 아니한 자
④ 타인에게 제공되거나 공개되어도 신용정보주체에게 불이익을 초래할 우려가 없는 정보를 열람하거나 제공받는 업무에 채용되거나 고용된 미성년자
⑤ 금고 이상의 형의 집행유예를 선고받고 그 유예기간 중에 있는 자

해설 미성년자의 경우에는 신용정보의 이용 및 보호에 관한 법률 제27조 제1항 제1호에 따라 채권추심회사에서 채권추심업무를 할 수 없으나 단서에 금융위원회가 정하여 고시하는 업무인 경우에는 예외적으로 허용하고 있으며 동법 감독규정 제29조 제21호에서는 "금융위원회가 정하여 고시하는 업무"로서 타인에게 제공되거나 공개되어도 신용정보주체에게 불이익을 초래할 우려가 없는 정보를 열람하거나 제공받는 업무를 규정하고 있다. 하단 조문 참조

제27조【채권추심업 종사자 및 위임직채권추심인 등】 ① 채권추심회사는 다음 각 호의 어느 하나에 해당하는 자를 임직원으로 채용하거나 고용하여서는 아니 되며, 위임 또는 그에 준하는 방법으로 채권추심업무를 하여서는 아니 된다.

1. 미성년자. 다만, 금융위원회가 정하여 고시하는 업무에 채용하거나 고용하는 경우는 제외한다.(④)
2. 피성년후견인 또는 피한정후견인(①)
3. 파산선고를 받고 복권되지 아니한 자(③)
4. 금고 이상의 실형을 선고받고 그 집행이 끝나거나(집행이 끝난 것으로 보는 경우를 포함한다) 집행이 면제된 날부터 3년이 지나지 아니한 자(②)
5. 금고 이상의 형의 집행유예를 선고받고 그 유예기간 중에 있는 자(⑤)
6. 이 법 또는 그 밖의 법령에 따라 해임되거나 면직된 후 5년이 지나지 아니한 자
7. 이 법 또는 그 밖의 법령에 따라 영업의 허가·인가 등이 취소된 법인이나 회사의 임직원이었던 자(그 취소사유의 발생에 직접 또는 이에 상응하는 책임이 있는 자로서 대통령령으로 정하는 자만 해당한다)로서 그 법인 또는 회사에 대한 취소가 있은 날부터 5년이 지나지 아니한 자
8. 제2항 제2호에 따른 위임직채권추심인이었던 자로서 등록이 취소된 지 5년이 지나지 아니한 자
9. 재임 또는 재직 중이었더라면 이 법 또는 그 밖의 법령에 따라 해임권고(해임요구를 포함한다) 또는 면직요구의 조치를 받았을 것으로 통보된 퇴임한 임원 또는 퇴직한 직원으로서 그 통보가 있었던 날부터 5년(통보가 있었던 날부터 5년이 퇴임 또는 퇴직한 날부터 7년을 초과한 경우에는 퇴임 또는 퇴직한 날부터 7년으로 한다)이 지나지 아니한 사람

02. ④

MEMO

2024년 기출

03 다음 설명 중 (   )에 들어갈 가장 적절한 숫자와 금액은?

- 신용정보회사등이나 그 밖의 신용정보 이용자(수탁자를 포함한다)가 고의 또는 중대한 과실로 이 법을 위반하여 개인신용정보가 누설되거나 분실·도난·누출·변조 또는 훼손되어 신용정보 주체에게 피해를 입힌 경우에는 해당 신용정보주체에 대하여 그 손해의 (A)배를 넘지 아니하는 범위에서 배상할 책임이 있다(「신용정보법」 제43조 제2항).
- 신용정보주체는 신용정보회사등이나 그로부터 신용정보를 제공받은 자가 이 법의 규정을 위반한 경우에는 신용정보회사 등이나 그로부터 신용정보를 제공받은 자에게 제43조에 따른 손해배상을 청구하는 대신 (B)만원 이하의 범위에서 상당한 금액을 손해액으로 하여 배상을 청구할 수 있다(「신용정보법」 제43조의2 제1항).

	A	B		A	B
①	5	300	②	4	200
③	3	300	④	2	500
⑤	2	300			

① 신용정보법에는 신용정보회사등의 손해배상책임에 관한 조문이 아래와 같이 규정되어 있다.

> **신용정보법 제43조(손해배상의 책임)** ① 신용정보회사등과 그로부터 신용정보를 제공받은 자가 이 법을 위반하여 신용정보주체에게 손해를 가한 경우에는 해당 신용정보주체에 대하여 그 손해를 배상할 책임이 있다. 다만, 신용정보회사등과 그로부터 신용정보를 제공받은 자가 고의 또는 과실이 없음을 증명한 경우에는 그러하지 아니하다.
> ② 신용정보회사등이나 그 밖의 신용정보 이용자(수탁자를 포함한다. 이하 이 조에서 같다)가 고의 또는 중대한 과실로 이 법을 위반하여 개인신용정보가 누설되거나 분실·도난·누출·변조 또는 훼손되어 신용정보주체에게 피해를 입힌 경우에는 해당 신용정보주체에 대하여 그 손해의 5배를 넘지 아니하는 범위에서 배상할 책임이 있다. 다만, 신용정보회사등이나 그 밖의 신용정보 이용자가 고의 또는 중대한 과실이 없음을 증명한 경우에는 그러하지 아니하다.
> ③ 법원은 제2항의 배상액을 정할 때에는 다음 각 호의 사항을 고려하여야 한다.
> 1. 고의 또는 손해 발생의 우려를 인식한 정도
> 2. 위반행위로 인하여 입은 피해 규모
> 3. 위반행위로 인하여 신용정보회사등이나 그 밖의 신용정보 이용자가 취득한 경제적 이익

03. ①

MEMO

4. 위반행위에 따른 벌금 및 과징금
5. 위반행위의 기간・횟수 등
6. 신용정보회사등이나 그 밖의 신용정보 이용자의 재산상태
7. 신용정보회사등이나 그 밖의 신용정보 이용자의 개인신용정보 분실・도난・누출 후 해당 개인신용정보 회수 노력의 정도
8. 신용정보회사등이나 그 밖의 신용정보 이용자의 피해구제 노력의 정도

④ 채권추심회사 또는 위임직채권추심인이 이 법을 위반하여 「채권의 공정한 추심에 관한 법률」에 따른 채무자 또는 관계인에게 손해를 가한 경우에는 그 손해를 배상할 책임이 있다. 다만, 채권추심회사 또는 위임직채권추심인이 자신에게 고의 또는 과실이 없음을 증명한 경우에는 그러하지 아니하다.

⑤ 신용정보회사가 자신에게 책임 있는 사유로 의뢰인에게 손해를 가한 경우에는 그 손해를 배상할 책임이 있다.

⑥ 제17조 제1항에 따라 신용정보의 처리를 위탁받은 자가 이 법을 위반하여 신용정보주체에게 손해를 가한 경우에는 위탁자는 수탁자와 연대하여 그 손해를 배상할 책임이 있다.

⑦ 위임직채권추심인이 이 법 또는 「채권의 공정한 추심에 관한 법률」을 위반하여 「채권의 공정한 추심에 관한 법률」에 따른 채무자 또는 관계인에게 손해를 가한 경우 채권추심회사는 위임직채권추심인과 연대하여 그 손해를 배상할 책임이 있다. 다만, 채권추심회사가 위임직채권추심인 선임 및 관리에 있어서 자신에게 고의 또는 과실이 없음을 증명한 경우에는 그러하지 아니하다.

신용정보법 제43조의2(법정손해배상의 청구) ① 신용정보주체는 신용정보회사등이나 그로부터 신용정보를 제공받은 자가 이 법의 규정을 위반한 경우에는 신용정보회사등이나 그로부터 신용정보를 제공받은 자에게 제43조에 따른 손해배상을 청구하는 대신 300만원 이하의 범위에서 상당한 금액을 손해액으로 하여 배상을 청구할 수 있다. 이 경우 해당 신용정보회사등이나 그로부터 신용정보를 제공받은 자는 고의 또는 과실이 없음을 입증하지 아니하면 책임을 면할 수 없다.

1. 삭제
2. 삭제

② 제1항에 따른 손해배상 청구의 변경 및 법원의 손해액 인정에 관하여는 「개인정보 보호법」 제39조의2 제2항 및 제3항을 준용한다.

③ 삭제

신용정보법 제43조의3(손해배상의 보장) 대통령령으로 정하는 신용정보회사등은 제43조에 따른 손해배상책임의 이행을 위하여 금융위원회가 정하는 기준에 따라 보험 또는 공제에 가입하거나 준비금을 적립하는 등 필요한 조치를 하여야 한다.

MEMO

2021년 기출

04 다음은 「신용정보법」 제43조의2(법정손해배상의 청구)에 관한 내용이다. ( ) 안에 들어갈 금액으로 가장 적절한 것은?

> 신용정보주체는 신용정보회사 등이나 그로부터 신용정보를 제공받은 자가 이 법의 규정을 위반한 경우에는 신용정보회사 등이나 그로부터 신용정보를 제공받은 자에게 제43조(손해배상의 책임)에 따른 손해배상을 청구하는 대신 ( ) 이하의 범위에서 상당한 금액을 손해액으로 하여 배상을 청구할 수 있다. 이 경우 해당 신용정보회사 등이나 그로부터 신용정보를 제공받은 자는 고의 또는 과실이 없음을 입증하지 아니하면 책임을 면할 수 없다.

① 1,000만 원
② 500만 원
③ 300만 원
④ 200만 원
⑤ 100만 원

해설 신용정보법 제43조의2(법정손해배상의 청구)

① 신용정보주체는 신용정보회사 등이나 그로부터 신용정보를 제공받은 자가 이 법의 규정을 위반한 경우에는 신용정보회사 등이나 그로부터 신용정보를 제공받은 자에게 제43조에 따른 손해배상을 청구하는 대신 300만 원 이하의 범위에서 상당한 금액을 손해액으로 하여 배상을 청구할 수 있다. 이 경우 해당 신용정보회사 등이나 그로부터 신용정보를 제공받은 자는 고의 또는 과실이 없음을 입증하지 아니하면 책임을 면할 수 없다.

② 제1항에 따른 손해배상 청구의 변경 및 법원의 손해액 인정에 관하여는 「개인정보 보호법」 제39조의2 제2항 및 제3항을 준용한다.

2021년 기출

05 금융회사 등은 「신용정보법」 제20조 제2항에 따라 개인신용정보의 처리에 대한 기록을 몇 년간 보존하여야 하는가?

① 1년
② 2년
③ 3년
④ 4년
⑤ 5년

해설 신용정보의 이용 및 보호에 관한 법률 제20조(신용정보 관리책임의 명확화 및 업무처리 기록의 보존)

② 신용정보회사 등은 다음 각 호의 구분에 따라 개인신용정보의 처리에 대한 기록을 3년간 보존하여야 한다.

1. 개인신용정보를 수집·이용한 경우

정답 04. ③ 05. ③

MEMO

가. 수집·이용한 날짜
나. 수집·이용한 정보의 항목
다. 수집·이용한 사유와 근거
2. 개인신용정보를 제공하거나 제공받은 경우
가. 제공하거나 제공받은 날짜
나. 제공하거나 제공받은 정보의 항목
다. 제공하거나 제공받은 사유와 근거
3. 개인신용정보를 폐기한 경우
가. 폐기한 날짜
나. 폐기한 정보의 항목
다. 폐기한 사유와 근거
4. 그 밖에 대통령령으로 정하는 사항

2020년 기출

06 다음은 신용정보업 및 채권추심업에 대한 설명이다. ( ) 안에 들어갈 가장 적절한 것은?

- 신용정보업을 하려는 자는 업무의 종류별로 금융위원회 ( )을(를) 받아야 한다.
- 채권추심회사는 그 소속 위임직채권추심인이 되려는 자를 금융위원회에 ( )을(를) 하여야 한다.
- 신용정보를 집중하여 수집·보관함으로써 체계적·종합적으로 관리하고, 신용정보회사등 상호간에 신용정보를 교환·활용하려는 자는 금융위원회로부터 신용정보집중기관으로 ( )을(를) 받아야 한다.

① 인가 – 등록 – 허가
② 승인 – 허가 – 등록
③ 허가 – 등록 – 허가
④ 등록 – 허가 – 인가
⑤ 등록 – 인가 – 허가

해설 ③ 신용정보업, 본인신용정보업 및 채권추심업을 하려는 자는 금융위원회로부터 허가를 받아야 한다[신용정보법 제4조(신용정보업 등의 허가) 제2항]. 채권추심회사는 그 소속 위임직채권추심인이 되려는 자를 금융위원회에 등록하여야 한다[신용정보법 제27조(채권추심업 종사자 및 위임직채권추심인 등) 제3항]. 신용정보를 집중하여 수집·보관함으로써 체계적·종합적으로 관리하고, 신용정보회사등 상호 간에 신용정보를 교환·활용하려는 자는 금융위원회로부터 신용정보집중기관으로 허가를 받아야 한다[신용정보법 제25조(신용정보집중기관) 제1항].

06. ③

MEMO

2024년 기출

07 위임직채권추심인에 관한 다음 설명 중 가장 적절하지 않은 것은?

① 채권추심회사가 위임 또는 그에 준하는 방법으로 채권추심업무를 하도록 한 자를 위임직채권 추심인이라 한다.

② 채권추심회사는 그 소속 위임직채권추심인이 되려는 자를 금융위원회에 등록하여야 한다.

③ 위임직채권추심인이 정당한 사유 없이 1년 이상 계속하여 등록한 영업을 하지 아니한 경우 금융위원회는 업무의 전부 또는 일부의 정지를 명할 수 있다.

④ 채권추심회사는 그 소속 위임직채권추심인이 채권추심업무를 함에 있어 법령을 준수하고 건전한 거래질서를 해하는 일이 없도록 성실히 관리하여야 한다.

⑤ 위임직채권추심인은 소속 채권추심회사 외의 자를 위하여 채권추심업무를 할 수 없다.

해설 ③ 등록취소사유와 업무정지사유의 구별문제로서, 해당지문은 등록취소사유이다. 구체적인 내용은 아래 조문 참조

① 신용정보법 제27조 제2항
② 신용정보법 제27조 제3항
④ 신용정보법 제27조 제9항 본문
⑤ 신용정보법 제27조 제4항

> **신용정보법 제27조(채권추심업 종사자 및 위임직채권추심인 등)** ⑥ 금융위원회는 위임직채권추심인이 다음 각 호의 어느 하나에 해당하면 그 등록을 취소할 수 있다.
> 1. 거짓이나 그 밖의 부정한 방법으로 제3항에 따른 등록을 한 경우
> 2. 제7항에 따른 업무정지명령을 위반하거나 업무정지에 해당하는 행위를 한 자가 그 사유발생일 전 1년 이내에 업무정지처분을 받은 사실이 있는 경우
> 3. 삭제
> 4. 「채권의 공정한 추심에 관한 법률」 제9조 각 호의 어느 하나를 위반하여 채권추심행위를 한 경우
> 5. 등록의 내용이나 조건을 위반한 경우
> 6. 정당한 사유 없이 1년 이상 계속하여 등록한 영업을 하지 아니한 경우
>
> ⑦ 금융위원회는 위임직채권추심인이 다음 각 호의 어느 하나에 해당하면 6개월의 범위에서 기간을 정하여 그 업무의 전부 또는 일부의 정지를 명할 수 있다.
> 1. 제4항을 위반한 경우
> 2. 삭제
> 3. 제40조 제1항 제5호를 위반한 경우

07. ③

MEMO

4. 「채권의 공정한 추심에 관한 법률」 제12조 제2호·제5호를 위반한 경우
5. 그 밖에 법령 또는 소속 채권추심회사의 정관을 위반하여 공익을 심각하게 해치거나 해칠 우려가 있는 경우

2023년 기출

08 위임직채권추심인에 관한 다음 설명 중 가장 적절하지 않은 것은?

① 파산선고를 받은 자로서 복권이 되지 아니한 자는 위임직채권추심인이 될 수 있다.

② 채권추심회사는 그 소속 위임직채권추심인이 되려는 자를 금융위원회에 등록하여야 한다.

③ 금융위원회는 위임직채권추심인이 등록의 내용이나 조건을 위반한 경우 그 등록을 취소할 수 있다.

④ 위임직채권추심인은 소속 채권추심회사 외의 자를 위하여 채권추심업무를 할 수 없다.

⑤ 채권추심회사는 그 소속 위임직채권추심인이 채권추심업무를 함에 있어 법령을 준수하고 건전한 거래질서를 해하는 일이 없도록 성실히 관리하여야 한다.

해설 ① 파산선고를 받은 자로서 복권이 되지 아니한 자는 위임직채권추심인이 될 수 없다. 아래 조문 참조

신용정보법 제27조【채권추심업 종사자 및 위임직채권추심인 등】

① 채권추심회사는 다음 각 호의 어느 하나에 해당하는 자를 임직원으로 채용하거나 고용하여서는 아니 되며, 위임 또는 그에 준하는 방법으로 채권추심업무를 하여서는 아니 된다.
1. 미성년자. 다만, 금융위원회가 정하여 고시하는 업무에 채용하거나 고용하는 경우는 제외한다.
2. 피성년후견인 또는 피한정후견인
3. 파산선고를 받고 복권되지 아니한 자(①)
4. 금고 이상의 실형을 선고받고 그 집행이 끝나거나(집행이 끝난 것으로 보는 경우를 포함한다) 집행이 면제된 날부터 3년이 지나지 아니한 자
5. 금고 이상의 형의 집행유예를 선고받고 그 유예기간 중에 있는 자
6. 이 법 또는 그 밖의 법령에 따라 해임되거나 면직된 후 5년이 지나지 아니한 자
7. 이 법 또는 그 밖의 법령에 따라 영업의 허가·인가 등이 취소된 법인이나 회사의 임직원이었던 자(그 취소사유의 발생에 직접 또는 이에 상응하는 책임이 있는 자로서 대통령령으로 정하는 자만 해당한다)로서 그 법인 또는 회사에 대한 취소가 있은 날부터 5년이 지나지 아니한 자

08. ①

MEMO

8. 제2항제2호에 따른 위임직채권추심인이었던 자로서 등록이 취소된 지 5년이 지나지 아니한 자
9. 재임 또는 재직 중이었더라면 이 법 또는 그 밖의 법령에 따라 해임권고(해임요구를 포함한다) 또는 면직요구의 조치를 받았을 것으로 통보된 퇴임한 임원 또는 퇴직한 직원으로서 그 통보가 있었던 날부터 5년(통보가 있었던 날부터 5년이 퇴임 또는 퇴직한 날부터 7년을 초과한 경우에는 퇴임 또는 퇴직한 날부터 7년으로 한다)이 지나지 아니한 사람

② 채권추심회사는 다음 각 호의 어느 하나에 해당하는 자를 통하여 추심업무를 하여야 한다.
1. 채권추심회사의 임직원
2. 채권추심회사가 위임 또는 그에 준하는 방법으로 채권추심업무를 하도록 한 자(이하 "위임직채권추심인"이라 한다)

③ 채권추심회사는 그 소속 위임직채권추심인이 되려는 자를 금융위원회에 등록하여야 한다.(②)

④ 위임직채권추심인은 소속 채권추심회사 외의 자를 위하여 채권추심업무를 할 수 없다.(④)

⑤ 채권추심회사는 추심채권이 아닌 채권을 추심할 수 없으며 다음 각 호의 어느 하나에 해당하는 위임직채권추심인을 통하여 채권추심업무를 하여서는 아니 된다.
1. 제3항에 따라 등록되지 아니한 위임직채권추심인
2. 다른 채권추심회사의 소속으로 등록된 위임직채권추심인
3. 제7항에 따라 업무정지 중에 있는 위임직채권추심인

⑥ 금융위원회는 위임직채권추심인이 다음 각 호의 어느 하나에 해당하면 그 등록을 취소할 수 있다.
1. 거짓이나 그 밖의 부정한 방법으로 제3항에 따른 등록을 한 경우
2. 제7항에 따른 업무정지명령을 위반하거나 업무정지에 해당하는 행위를 한 자가 그 사유발생일 전 1년 이내에 업무정지처분을 받은 사실이 있는 경우
3. 삭제 〈2020. 2. 4.〉
4. 「채권의 공정한 추심에 관한 법률」 제9조 각 호의 어느 하나를 위반하여 채권추심행위를 한 경우
5. 등록의 내용이나 조건을 위반한 경우(③)
6. 정당한 사유 없이 1년 이상 계속하여 등록한 영업을 하지 아니한 경우

⑦ 금융위원회는 위임직채권추심인이 다음 각 호의 어느 하나에 해당하면 6개월의 범위에서 기간을 정하여 그 업무의 전부 또는 일부의 정지를 명할 수 있다.
1. 제4항을 위반한 경우
2. 삭제 〈2020. 2. 4.〉
3. 제40조 제1항 제5호를 위반한 경우
4. 「채권의 공정한 추심에 관한 법률」 제12조제2호·제5호를 위반한 경우
5. 그 밖에 법령 또는 소속 채권추심회사의 정관을 위반하여 공익을 심각하게 해치거나 해칠 우려가 있는 경우

MEMO

⑧ 채권추심업에 종사하는 임직원이나 위임직채권추심인이 채권추심업무를 하려는 경우에는 채권추심업에 종사함을 나타내는 증표를 지니고 이를 「채권의 공정한 추심에 관한 법률」에 따른 채무자 또는 관계인에게 내보여야 한다.
⑨ 채권추심회사는 그 소속 위임직채권추심인이 채권추심업무를 함에 있어 법령을 준수하고 건전한 거래질서를 해하는 일이 없도록 성실히 관리하여야 한다.(⑤) 이 경우 그 소속 위임직채권추심인이 다음 각 호의 구분에 따른 위반행위를 하지 아니하도록 하여야 한다.
 1. 「채권의 공정한 추심에 관한 법률」 제8조의3 제1항, 제9조, 제10조 제1항, 제11조 제1호 또는 제2호를 위반하는 행위
 2. 「채권의 공정한 추심에 관한 법률」 제8조의3 제2항, 제11조 제3호부터 제5호까지, 제12조, 제13조 또는 제13조의2 제2항을 위반하는 행위
⑩ 위임직채권추심인의 자격요건 및 등록절차는 대통령령으로 정한다.
⑪ 위임직채권추심인이 되고자 하는 자가 등록을 신청한 때에는 총리령으로 정하는 바에 따라 수수료를 내야 한다.

2020년 기출

09 위임직채권추심인에 관한 다음 설명 중 가장 적절하지 않은 것은?

① 채권추심회사가 위임 또는 그에 준하는 방법으로 채권추심업무를 하도록 한 자를 위임직채권추심인이라 한다.
② 위임직채권추심인은 소속 채권추심회사 외의 자를 위하여 채권추심업무를 할 수 없다.
③ 위임직채권추심인이 거짓이나 그 밖의 부정한 방법으로 등록을 한 경우 업무정지를 명할 수 있다.
④ 채권추심회사는 다른 채권추심회사의 소속으로 등록된 위임직채권추심인을 통하여 채권추심업무를 하여서는 아니 된다.
⑤ 채권추심회사는 그 소속 위임직채권추심인이 채권추심업무를 함에 있어 법령을 준수하고 건전한 거래질서를 해하는 일이 없도록 성실히 관리하여야 한다.

해설 ③ 금융위원회는 위임직채권추심인이 거짓이나 그 밖의 부정한 방법으로 등록을 한 경우 그 등록을 취소할 수 있다[신용정보법 제27조(채권추심업 종사자 및 위임직채권추심인 등) 제6항 제1호].
① 신용정보법 제27조 제2항 제2호
② 신용정보법 제27조 제4항
④ 신용정보법 제27조 제5항 제2호
⑤ 신용정보법 제27조 제9항 본문

09. ③

MEMO

2019년 기출

10 「신용정보법」에서 규정한 '위임직채권추심인'에 대한 다음 설명 중 옳지 않은 것은?

① 채권추심회사는 그 소속 위임직채권추심인이 되려는 자를 금융감독원에 등록하여야 한다.
② 채권추심회사가 위임 또는 그에 준하는 방법으로 채권추심업무를 하도록 한 자를 '위임직채권추심인'이라 한다.
③ 위임직채권추심인은 소속 채권추심회사 외의 자를 위하여 채권추심업무를 할 수 없다.
④ 위임직채권추심인이 채권추심업무를 하려는 경우에는 채권추심업에 종사함을 나타내는 증표를 지니고 이를 관계인에게 내보여야 한다.
⑤ 채권추심회사는 업무정지 중에 있는 위임직채권추심인을 통하여 채권추심업무를 하여서는 아니 된다.

해설 채권추심회사는 그 소속 위임직채권추심인이 되려는 자를 금융위원회에 등록하여야 한다[신용정보법 제27조(종사자 및 위임직채권추심인 등) 제3항].
② 신용정보법 제27조 제2항 제2호
③ 신용정보법 제27조 제4항
④ 신용정보법 제27조 제8항 참조
⑤ 신용정보법 제27조 제5항 제3호

2023년 기출

11 다음 중 ( )에 들어갈 법률로 가장 적절한 것은?

「신용정보법」 제3조의2(다른 법률과의 관계) ① 신용정보의 이용 및 보호에 관하여 다른 법률에 특별한 규정이 있는 경우를 제외하고는 (A)에서 정하는 바에 따른다.
② 개인정보의 보호에 관하여 이 법에 특별한 규정이 있는 경우를 제외하고는 (B)에서 정하는 바에 따른다.

	A	B
①	「개인정보 보호법」	「신용정보법」
②	「신용정보법」	「신용정보법」
③	「신용정보법」	「개인정보 보호법」
④	「개인정보 보호법」	「개인정보 보호법」
⑤	「신용정보법」	「정보통신망 이용촉진 및 정보보호 등에 관한 법률」

정답 10. ① 11. ③

MEMO

해설 ③ 특별법은 특별한 경우에 적용할 것을 정한 것이기 때문에 일반법보다 더 구체적인 내용을 담고 있다. 따라서, 법을 적용할 때도 일반법보다 특별법을 먼저 적용해야 하는데, 이를 '특별법우선의 원칙'이라고 한다. 아래 조문은 신용정보의 이용 및 보호에 관하여는 신용정보법이 일반법이고, 개인정보의 보호에 관하여는 개인정보 보호법이 일반법에 해당한다는 의미이다.

> 신용정보법 제3조의2【다른 법률과의 관계】
> ① 신용정보의 이용 및 보호에 관하여 다른 법률에 특별한 규정이 있는 경우를 제외하고는 이 법에서 정하는 바에 따른다.
> ② 개인정보의 보호에 관하여 이 법에 특별한 규정이 있는 경우를 제외하고는 「개인정보 보호법」에서 정하는 바에 따른다.

2019년 기출

12 신용정보주체의 보호에 대한 다음 설명 중 옳지 않은 것은?

① 개인신용정보는 해당 신용정보주체가 신청한 금융거래 등 상거래관계의 설정 및 유지 여부 등을 판단하기 위한 목적으로만 이용하여야 한다.
② 신용정보주체는 개인신용평가회사, 개인사업자신용평가회사에 대하여 본인의 개인신용정보가 조회되는 사실을 통지하여 줄 것을 요청할 수 있다.
③ 신용정보주체는 신용정보회사등에 본인의 신분을 나타내는 증표를 내보이거나 전화, 인터넷 홈페이지의 이용 등의 방법으로 본인임을 확인받아 신용정보회사등이 가지고 있는 본인정보의 제공 또는 열람을 청구할 수 있지만 정정을 청구할 수 없다.
④ 개인인 신용정보주체는 신용정보제공·이용자에 대하여 상품이나 용역을 소개하거나 구매를 권유할 목적으로 본인에게 연락하는 것을 중지하도록 청구할 수 있다.
⑤ 신용정보주체는 금융거래 등 상거래관계가 종료되고 일정한 기간이 경과한 경우 신용정보제공·이용자에게 본인 개인신용정보의 삭제를 요구할 수 있다.

해설 신용정보주체는 신용정보회사등에 본인의 신분을 나타내는 증표를 내보이거나 전화, 인터넷 홈페이지의 이용 등 대통령령으로 정하는 방법으로 본인임을 확인받아 신용정보회사등이 가지고 있는 신용정보주체 본인에 관한 신용정보로서 대통령령으로 정하는 신용정보의 교부 또는 열람을 청구할 수 있다(신용정보법 제38조 제1항). 제1항에 따라 자신의 신용정보를 열람한 신용정보주체는 본인 신용정보가 사실과 다른 경우에는 금융위원회가 정하여 고시하는 바에 따라 정정을 청구할 수 있다(동법 동조 제2항).
① 신용정보법 제33조(개인신용정보의 이용) 제1항 제1호
② 신용정보법 제38조의2(신용조회사실의 통지 요청) 제1항 본문
④ 신용정보법 제37조(개인신용정보 제공 동의 철회권 등) 제2항
⑤ 신용정보법 제38조의 3(개인신용정보의 삭제 요구) 제1항 본문

12. ③

MEMO

2019년 기출

13 **「신용정보법」상 손해배상청구에 대한 다음 설명 중 옳지 않은 것은?**

① 고의 또는 과실로 개인신용정보가 누설되어 신용정보주체에게 피해를 입힌 경우에는 해당 신용정보주체에 대하여 그 손해의 3배를 넘지 아니하는 범위에서 배상할 책임이 있다.

② 신용정보회사등과 그로부터 신용정보를 제공받는 자가 신용정보주체에게 손해를 가한 경우에는 해당 신용정보주체에 대하여 그 손해를 배상할 책임이 있다.

③ 배상액을 정할 때에는 고의 또는 손해 발생의 우려를 인식한 정도, 위반행위로 인하여 입은 피해 규모 등을 고려하여야 한다.

④ 채권추심회사 또는 위임직채권추심인이 채무자 또는 관계인에게 손해를 가한 경우에는 그 손해를 배상할 책임이 있다.

⑤ 신용정보회사가 자신에게 책임 있는 사유로 의뢰인에게 손해를 가한 경우에는 그 손해를 배상할 책임이 있다.

해설 신용정보회사등이나 그 밖의 신용정보 이용자(수탁자를 포함한다)가 고의 또는 중대한 과실로 이 법을 위반하여 개인신용정보가 누설되거나 분실・도난・누출・변조 또는 훼손되어 신용정보주체에게 피해를 입힌 경우에는 해당 신용정보주체에 대하여 그 손해의 5배를 넘지 아니하는 범위에서 배상할 책임이 있다. 다만, 신용정보회사등이나 그 밖의 신용정보 이용자가 고의 또는 중대한 과실이 없음을 증명한 경우에는 그러하지 아니하다[신용정보법 제43조(손해배상의 책임) 제2항].

② 신용정보법 제43조 제1항 본문
③ 신용정보법 제43조 제3항 참조
④ 신용정보법 제43조 제4항 본문
⑤ 신용정보법 제43조 제5항

13. ①

MEMO

2018년 기출

14 다음은 신용정보회사의 금지사항에 대한 설명이다. 금지사항이 아닌 것만 고른 것은?

> ㉠ 신용정보에 관한 조사 의뢰를 강요하는 행위
> ㉡ 금융거래 등 상거래관계 외의 사생활 등을 조사하는 행위
> ㉢ 채권추심회사가 그 업무를 하기 위하여 특정인의 소재 및 연락처를 알아내는 행위
> ㉣ 정보원, 탐정, 그 밖에 이와 비슷한 명칭을 사용하는 행위

① ㉠, ㉡, ㉣ ② ㉢
③ ㉡, ㉣ ④ ㉡
⑤ ㉠, ㉡

해설

신용정보법 제40조【신용정보회사등의 금지사항】
① 신용정보회사등은 다음 각 호의 행위를 하여서는 아니 된다.
1. 의뢰인에게 허위 사실을 알리는 일 - 〈삭제 2020.2.4.〉
2. 신용정보에 관한 조사 의뢰를 강요하는 일 - 〈삭제 2020.2.4.〉
3. 신용정보 조사 대상자에게 조사자료 제공과 답변을 강요하는 일 - 〈삭제 2020.2.4.〉
4. 특정인의 소재 및 연락처(이하 "소재등"이라 한다)를 알아내는 행위. 다만, 채권추심회사가 그 업무를 하기 위하여 특정인의 소재등을 알아내는 경우(㉢) 또는 다른 법령에 따라 특정인의 소재등을 알아내는 것이 허용되는 경우에는 그러하지 아니하다.
5. 정보원, 탐정, 그 밖에 이와 비슷한 명칭을 사용하는 일
6. 〈삭제 2013.5.28.〉
7. 개인신용정보 또는 개인식별정보를 대통령령으로 정하는 전자적 매체나 방식을 이용하여 영리목적의 광고성 정보를 전송하는 행위에 이용하는 일. 다만, 다음 각 목의 어느 하나에 해당하는 경우는 제외한다. - 〈삭제 2020.2.4.〉
   가. 신용정보주체로부터 별도의 동의를 받은 경우
   나. 기존에 체결한 금융거래의 유지 및 관리를 위하여 필요한 경우
   다. 그 밖에 대통령령으로 정하는 경우

② 신용정보회사등이 개인신용정보 또는 개인을 식별하기 위하여 필요한 정보를 이용하여 영리목적의 광고성 정보를 전송하는 경우에 대하여는 「정보통신망 이용촉진 및 정보보호 등에 관한 법률」 제50조를 준용한다. - 〈신설 2020.2.4.〉

14. ②

MEMO

2018년 기출

15 **다음 중 「신용정보법」 상 5년 이하의 징역 또는 5천만원 이하의 벌금에 해당하는 자는?**

① 업무정지 기간에 업무를 한 신용정보회사
② 신용정보집중기관이 아니면서 신용정보공동전산망을 구축한 자
③ 금융위원회의 허가 또는 인가 없이 신용정보업을 한 자
④ 모집업무수탁자가 불법취득신용정보를 모집업무에 이용하였는지 등을 확인하지 아니한 신용정보제공·이용자
⑤ 위임직채권추심인으로 금융위원회에 등록하지 아니하고 채권추심업무를 한 자

신용정보법 제50조【벌칙】
① 업무상 알게 된 타인의 신용정보 및 사생활 등 개인비밀을 업무 목적 외에 누설·이용한 신용정보업관련자(제42조 제1항) 또는 누설된 개인비밀을 취득하여 누설된 것임을 알면서도 그 개인비밀을 타인에게 제공·이용하는 자(제3항)는 10년 이하의 징역 또는 1억원 이하의 벌금에 처한다.
② 다음 각 호의 어느 하나에 해당하는 자는 5년 이하의 징역 또는 5천만원 이하의 벌금에 처한다.
1. 신용정보업 등에 대한 금융위원회의 허가규정(제4조 제1항)을 위반하여 신용정보업, 본인신용정보관리업 또는 채권추심업 허가를 받지 아니하고 신용정보업, 본인신용정보관리업 또는 채권추심업을 한 자(③)
2. 거짓이나 그 밖의 부정한 방법으로 제4조 제2항 또는 제10조 제1항에 따른 허가 또는 인가를 받은 자
3. 수집·조사 및 처리의 제한규정(제16조)을 위반한 자 – 〈삭제 2020.2.4.〉
4. 위탁받은 업무 범위를 초과하여 제공받은 신용정보를 이용한 자(제17조 제6항)
4의2. 정보집합물의 결합 등 규정(제17조의2 제1항)을 위반하여 정보집합물을 결합한 자
5. 권한 없이 신용정보전산시스템의 안전보호 규정(제19조 제1항)에 따른 신용정보전산시스템의 정보를 변경·삭제하거나 그 밖의 방법으로 이용할 수 없게 한 자 또는 권한 없이 신용정보를 검색·복제하거나 그 밖의 방법으로 이용한 자
5의2. 제25조 제1항을 위반하여 신용정보집중기관 허가를 받지 아니하고 신용정보집중기관 업무를 한 자
5의3. 제27조의2를 위반하여 채권추심회사 외의 자에게 채권추심업무를 위탁한 자
6. 개인신용정보의 제공·활용에 대한 동의 규정(제32조 제1항 또는 제2항)을 위반한 자(제34조에 따라 준용하는 경우를 포함한다) 및 그 사정을 알고 개인신용정보를 제공받거나 이용한 자
7. 개인신용정보의 이용 규정(제33조)을 위반한 자(제34조에 따라 준용하는 경우를 포함한다)

15. ③

MEMO

7의2. 가명처리·익명처리에 관한 행위규칙(제40조의2 제6항)을 위반하여 영리 또는 부정한 목적으로 특정 개인을 알아볼 수 있게 가명정보를 처리한 자
8. 신용정보회사등과 신용정보업관련자로부터 제공받은 개인신용정보를 타인에게 제공한 자(제42조 제4항)

③ 다음 각 호의 어느 하나에 해당하는 자는 3년 이하의 징역 또는 3천만원 이하의 벌금에 처한다.
1. 허가 등의 취소와 업무의 정지 규정(제14조 제2항)에 따른 업무정지 기간에 업무를 한 자(①)
1의2. 신용조사회사의 행위규칙(제22조의7 제1항 제1호)을 위반하여 의뢰인에게 허위 사실을 알린 자
1의3. 신용조사회사의 행위규칙(제22조의7 제1항 제2호)을 위반하여 신용정보에 관한 조사 의뢰를 강요한 자
1의4. 신용조사회사의 행위규칙(제22조의7 제1항 제3호)을 위반하여 신용정보 조사 대상자에게 조사자료 제공과 답변을 강요한 자
1의5. 신용조사회사의 행위규칙(제22조의7 제1항 제4호)을 위반하여 금융거래 등 상거래관계 외의 사생활 등을 조사한 자
2. 신용정보집중기관이 아니면서 신용정보집중기관 규정(제25조 제6항)에 따른 공동전산망을 구축한 자(②)
3. 신용정보회사등의 금지사항 규정(제40조 제1항 제4호 본문)을 위반하여 특정인의 소재등을 알아낸 자
3의2. 신용정보회사등의 금지사항 규정(제40조 제1항 제5호)을 위반하여 정보원, 탐정, 그 밖에 이와 비슷한 명칭을 사용한 자
4. 자기의 명의를 빌려주어 타인으로 하여금 채권추심업을 하게 한 채권추심회사(제41조 제1항)
5. 모집업무수탁자의 모집경로 확인 규정(제41조의2 제1항)을 위반하여 모집업무수탁자가 불법취득신용정보를 모집업무에 이용하였는지 등을 확인하지 아니한 자(④)

④ 다음 각 호의 어느 하나에 해당하는 자는 1년 이하의 징역 또는 1천만원 이하의 벌금에 처한다.
1. 대주주의 변경승인 등 규정(제9조 제1항)을 위반하여 금융위원회의 승인 없이 신용정보회사, 본인신용정보관리회사 및 채권추심회사의 주식에 대하여 취득등을 하여 대주주가 된 자
1의2. 대주주의 변경승인 등 규정(제9조 제2항)을 위반하여 승인 신청을 하지 아니한 자
2. 대주주의 변경승인 등 규정(제9조 제3항)에 따른 명령을 위반하여 승인 없이 취득한 주식을 처분하지 아니한 자
3. 일정한 요건을 갖추지 아니한 자에게 신용정보의 처리를 위탁한 자 및 그 위탁을 받은 자(제17조 제2항 위반) – 〈삭제 2020.2.4.〉
4. 신용정보주체에게 불이익을 줄 수 있는 오래된 신용정보를 삭제하지 아니한 신용정보회사(제18조 제2항 위반)
5. 신용정보 업무처리기록의 보존 규정(제20조 제2항)을 위반한 자

MEMO

6. 위임직채권추심인으로 금융위원회에 등록하지 아니하고 채권추심업무를 한 자(제27조 제3항 위반)(⑤)
7. 소속 채권추심회사 외의 자를 위하여 채권추심업무를 한 위임직채권추심인(제27조 제4항 위반)
8. 추심채권이 아닌 채권을 추심하거나 등록되지 아니한 위임직채권추심인, 다른 채권추심회사의 소속으로 등록된 위임직채권추심인 또는 업무정지 중인 위임직채권추심인을 통하여 채권추심업무를 한 자(제27조 제5항 위반)
9. 업무정지 중에 채권추심업무를 한 자(제27조 제7항 위반)

2018년 기출

16 다음은 「신용정보법」상 신용정보회사등과 그 밖의 신용정보 이용자의 손해배상 책임과 관련된 내용이다. ( )에 들어갈 내용으로 적절한 것은?

- 신용정보회사등이나 그 밖의 신용정보 이용자(수탁자를 포함한다)가 고의 또는 중대한 과실로 이 법을 위반하여 개인신용정보가 누설되거나 분실·도난·누출·변조 또는 훼손되어 신용정보주체에게 피해를 입힌 경우에는 해당 신용정보주체에 대하여 그 손해의 ( ) 배를 넘지 아니하는 범위에서 배상할 책임이 있다.
- 신용정보회사등이나 그 밖의 신용정보 이용자가 고의 또는 과실로 이 법의 규정을 위반하고, 개인신용정보가 분실·도난·누출·변조 또는 훼손된 경우 신용정보주체는 구체적 피해액 입증 없이도 ( ) 이하의 범위에서 상당한 금액을 손해액으로 하여 배상을 청구할 수 있다.

① 5 – 500만원
② 3 – 300만원
③ 10 – 1,000만원
④ 5 – 300만원
⑤ 3 – 500만원

신용정보법 제43조【손해배상의 책임】
① 신용정보회사등과 그로부터 신용정보를 제공받은 자가 이 법을 위반하여 신용정보주체에게 손해를 가한 경우에는 해당 신용정보주체에 대하여 그 손해를 배상할 책임이 있다. 다만, 신용정보회사등과 그로부터 신용정보를 제공받은 자가 고의 또는 과실이 없음을 증명한 경우에는 그러하지 아니하다.
② 신용정보회사등이나 그 밖의 신용정보 이용자(수탁자를 포함한다. 이하 이 조에서 같다)가 고의 또는 중대한 과실로 이 법을 위반하여 개인신용정보가 누설되거나 분실·도난·누출·변조 또는 훼손되어 신용정보주체에게 피해를 입힌 경우에는 해당 신용정보주체에 대하여 그 손해의 5배를 넘지 아니하는 범위에서 배상할 책임이 있다. 다만, 신용정보회사등이나 그 밖의 신용

16. ④

MEMO

정보 이용자가 고의 또는 중대한 과실이 없음을 증명한 경우에는 그러하지 아니하다.

③ 법원은 제2항의 배상액을 정할 때에는 다음 각 호의 사항을 고려하여야 한다.
1. 고의 또는 손해 발생의 우려를 인식한 정도
2. 위반행위로 인하여 입은 피해 규모
3. 위반행위로 인하여 신용정보회사등이나 그 밖의 신용정보 이용자가 취득한 경제적 이익
4. 위반행위에 따른 벌금 및 과징금
5. 위반행위의 기간·횟수 등
6. 신용정보회사등이나 그 밖의 신용정보 이용자의 재산상태
7. 신용정보회사등이나 그 밖의 신용정보 이용자의 개인신용정보 분실·도난·누출 후 해당 개인신용정보 회수 노력의 정도
8. 신용정보회사등이나 그 밖의 신용정보 이용자의 피해구제 노력의 정도

④ 채권추심회사 또는 위임직채권추심인이 이 법을 위반하여 「채권의 공정한 추심에 관한 법률」에 따른 채무자 또는 관계인에게 손해를 가한 경우에는 그 손해를 배상할 책임이 있다. 다만, 채권추심회사 또는 위임직채권추심인이 자신에게 고의 또는 과실이 없음을 증명한 경우에는 그러하지 아니하다.

⑤ 신용정보회사가 자신에게 책임 있는 사유로 의뢰인에게 손해를 가한 경우에는 그 손해를 배상할 책임이 있다.

⑥ 제17조 제1항에 따라 신용정보의 처리를 위탁받은 자가 이 법을 위반하여 신용정보주체에게 손해를 가한 경우에는 위탁자는 수탁자와 연대하여 그 손해를 배상할 책임이 있다.

⑦ 위임직채권추심인이 이 법 또는 「채권의 공정한 추심에 관한 법률」을 위반하여 「채권의 공정한 추심에 관한 법률」에 따른 채무자 또는 관계인에게 손해를 가한 경우 채권추심회사는 위임직채권추심인과 연대하여 그 손해를 배상할 책임이 있다. 다만, 채권추심회사가 위임직채권추심인 선임 및 관리에 있어서 자신에게 고의 또는 과실이 없음을 증명한 경우에는 그러하지 아니하다.

신용정보법 제43조의2 【법정손해배상의 청구】

① 신용정보주체는 신용정보회사등이나 그로부터 신용정보를 제공받은 자가 이 법의 규정을 위반한 경우에는 신용정보회사등이나 그로부터 신용정보를 제공받은 자에게 제43조에 따른 손해배상을 청구하는 대신 300만원 이하의 범위에서 상당한 금액을 손해액으로 하여 배상을 청구할 수 있다. 이 경우 해당 신용정보회사등이나 그로부터 신용정보를 제공받은 자는 고의 또는 과실이 없음을 입증하지 아니하면 책임을 면할 수 없다.
1. 신용정보회사등이나 그 밖의 신용정보 이용자가 고의 또는 과실로 이 법의 규정을 위반한 경우 – 〈삭제 2020.2.4.〉
2. 개인신용정보가 분실·도난·누출·변조 또는 훼손된 경우 – 〈삭제 2020.2.4.〉

② 제1항에 따른 손해배상 청구의 변경 및 법원의 손해액 인정에 관하여는 「개인정보 보호법」 제39조의2 제2항 및 제3항을 준용한다.

③ 제43조에 따른 청구를 한 자는 법원이 변론을 종결할 때까지 그 청구를 제1항에 따른 청구로 변경할 수 있다. – 〈삭제 2020.2.4.〉

MEMO

2018년 기출

17 **대출금 1,500만원이 연체되어 (일반)신용정보관리규약에 따라 2015. 5. 20. 연체정보가 등재된 후 2016. 10. 20. 연체대출금 전액이 상환되었다면 연체정보의 기록보존기간으로 적절한 것은?**

① 2016. 10. 20. 상환 즉시 삭제
② 2017. 10. 20.까지 보존
③ 2018. 10. 20.까지 보존
④ 2019. 10. 20.까지 보존
⑤ 2020. 10. 20.까지 보존

해설 일반신용정보관리규약에 따르면 신용도판단정보 중 연체정보는 일정기간 보존하게 되어 있는데, 구체적인 내용은 다음과 같다.

*** 해제사유가 발생한 날로부터 다음 각 호의 기간동안 보존**

1. 등록금액 1천만원을 초과하는 정보의 경우 다음 각 목에 따라 보존
   가. 등록사유가 발생한 날로부터 90일 이내에 해제된 경우 보존기간 없음
   나. 채무를 변제하지 아니한 기간. 다만, 채무를 변제하지 아니한 기간이 1년을 초과하는 경우 1년
2. 등록금액 1천만원 이하인 정보의 경우에는 보존기간 없음. 다만, 해제사유 제19호 다목에 따라 해제된 경우 1년

※ 사안의 경우 대출금이 1천만원을 초과하고 채무를 변제하지 아니한 기간이 1년을 초과한 경우이므로 1년동안 보존하므로 2016. 10. 20.에 연체대출금이 전액상환되었다면 2017. 10. 20.까지 연체정보의 기록을 보존하게 된다.

2017년 기출

18 **다음 중 (　　)에 들어갈 말로 가장 적절한 것은?**

> (　　)란 고객과의 금융거래 등 상거래를 위하여 본인의 영업과 관련하여 얻거나 만들어 낸 신용정보를 타인에게 제공하거나 타인으로부터 신용정보를 제공받아 본인의 영업에 이용하는 자와 그 밖에 이에 준하는 자로서 대통령령으로 정하는 자를 말한다.

① 신용정보주체
② 신용정보회사
③ 신용정보집중기관
④ 신용정보제공·이용자
⑤ 신용정보회사등

해설 지문은 신용정보법 제2조 제7호에 해당하는 내용이다.

① "신용정보주체"란 처리된 신용정보로 알아볼 수 있는 자로서 그 신용정보의 주체가 되는 자를 말한다(동법 제2조 제3호).
② "신용정보회사"란 제4호 각 목의 신용정보업에 대하여 금융위원회의 허가를 받은 자로서 다음 각 목의 어느 하나에 해당하는 자를 말한다.

정답 **17. ②　18. ④**

MEMO

가. 개인신용평가회사 : 개인신용평가업 허가를 받은 자
나. 개인사업자신용평가회사 : 개인사업자신용평가업 허가를 받은 자
다. 기업신용조회회사 : 기업신용조회업 허가를 받은 자
라. 신용조사회사 : 신용조사업 허가를 받은 자

③ "신용정보집중기관"이란 신용정보를 집중하여 관리・활용하는 자로서 제25조 제1항에 따라 금융위원회로부터 허가받은 자를 말한다(동법 제2조 제6호).
⑤ 신용정보회사, 본인신용정보관리회사, 채권추심회사, 신용정보집중기관 및 신용정보제공・이용자를 신용정보회사등이라 한다(신용정보법 제15조 제1항).

2020년 기출

19 다음 중 신용정보업에 종사할 수 없는 사람은?

① 만 20세인 부녀자
② 파산선고를 받고 복권된 자
③ 2014년 3월 30일 징역 8월 집행유예 2년의 선고를 받고 2016년 5월 30일에 신용정보업에 종사하려는 자
④ 2013년 5월 30일 위임직채권추심인 등록이 취소된 후 2016년 5월 30일 다시 위임직채권추심인으로 등록하려는 자
⑤ 벌금형을 선고받고 벌금을 납부하지 않은 자

해설 '신용정보업'이란 개인신용평가업, 개인사업자신용평가업, 개인신용조회업, 신용조사업 중 어느 하나에 해당하는 업을 말한다[신용정보법 제2조(정의) 제4호]. '신용정보회사'란 이러한 신용정보업에 대하여 금융위원회의 허가를 받은 자로서 개인신용평가회사, 개인사업자신용평가회사, 개인신용조회회사, 신용조사회사를 말한다(동조 제5호). 이러한 신용정보회사의 임원 및 임직원의 자격요건은 다음과 같이 규정되어 있다.

> 신용정보법 제22조【신용정보회사 임원의 자격요건 등】
> ① 개인신용평가회사, 개인사업자신용평가회사 및 기업신용조회회사의 임원에 관하여는 「금융회사의 지배구조에 관한 법률」 제5조를 준용한다.
> ② 신용조사회사는 다음 각 호의 어느 하나에 해당하는 사람을 임직원으로 채용하거나 고용하여서는 아니 된다.
> 1. 미성년자. 다만, 금융위원회가 정하여 고시하는 업무에 채용하거나 고용하는 경우는 제외한다.(①)
> 2. 피성년후견인 또는 피한정후견인
> 3. 파산선고를 받고 복권되지 아니한 사람(②)
> 4. 금고 이상의 실형을 선고받고 그 집행이 끝나거나(집행이 끝난 것으로 보는 경우를 포함한다) 집행이 면제된 날부터 3년이 지나지 아니한 사람(⑤)
> 5. 금고 이상의 형의 집행유예를 선고받고 그 유예기간 중에 있는 사람(③)
> 6. 이 법 또는 그 밖의 법령에 따라 해임되거나 면직된 후 5년이 지나지 아

19. ④

MEMO

니한 사람
7. 이 법 또는 그 밖의 법령에 따라 영업의 허가·인가 등이 취소된 법인이나 회사의 임직원이었던 사람(그 취소사유의 발생에 직접 또는 이에 상응하는 책임이 있는 사람으로서 대통령령으로 정하는 사람만 해당한다)으로서 그 법인 또는 회사에 대한 취소가 있은 날부터 5년이 지나지 아니한 사람(④)
8. 재임 또는 재직 중이었더라면 이 법 또는 그 밖의 법령에 따라 해임권고(해임요구를 포함한다) 또는 면직요구의 조치를 받았을 것으로 통보된 퇴임한 임원 또는 퇴직한 직원으로서 그 통보가 있었던 날부터 5년(통보가 있었던 날부터 5년이 퇴임 또는 퇴직한 날부터 7년을 초과한 경우에는 퇴임 또는 퇴직한 날부터 7년으로 한다)이 지나지 아니한 사람

금융회사의 지배구조에 관한 법률 제5조【임원의 자격요건】

① 다음 각 호의 어느 하나에 해당하는 사람은 금융회사의 임원이 되지 못한다.
1. 미성년자·피성년후견인 또는 피한정후견인
2. 파산선고를 받고 복권(復權)되지 아니한 사람
3. 금고 이상의 실형을 선고받고 그 집행이 끝나거나(집행이 끝난 것으로 보는 경우를 포함한다) 집행이 면제된 날부터 5년이 지나지 아니한 사람
4. 금고 이상의 형의 집행유예를 선고받고 그 유예기간 중에 있는 사람
5. 이 법 또는 금융관계법령에 따라 벌금 이상의 형을 선고받고 그 집행이 끝나거나(집행이 끝난 것으로 보는 경우를 포함한다) 집행이 면제된 날부터 5년이 지나지 아니한 사람
6. 다음 각 목의 어느 하나에 해당하는 조치를 받은 금융회사의 임직원 또는 임직원이었던 사람(그 조치를 받게 된 원인에 대하여 직접 또는 이에 상응하는 책임이 있는 사람으로서 대통령령으로 정하는 사람으로 한정한다)으로서 해당 조치가 있었던 날부터 5년이 지나지 아니한 사람
   가. 금융관계법령에 따른 영업의 허가·인가·등록 등의 취소
   나. 「금융산업의 구조개선에 관한 법률」 제10조 제1항에 따른 적기시정조치
   다. 「금융산업의 구조개선에 관한 법률」 제14조 제2항에 따른 행정처분
7. 이 법 또는 금융관계법령에 따라 임직원 제재조치(퇴임 또는 퇴직한 임직원의 경우 해당 조치에 상응하는 통보를 포함한다)를 받은 사람으로서 조치의 종류별로 5년을 초과하지 아니하는 범위에서 대통령령으로 정하는 기간이 지나지 아니한 사람
8. 해당 금융회사의 공익성 및 건전경영과 신용질서를 해칠 우려가 있는 경우로서 대통령령으로 정하는 사람

② 금융회사의 임원으로 선임된 사람이 제1항 제1호부터 제8호까지의 어느 하나에 해당하게 된 경우에는 그 직(職)을 잃는다. 다만, 제1항 제7호에 해당하는 사람으로서 대통령령으로 정하는 경우에는 그 직을 잃지 아니한다.

MEMO

2017년 기출

20 다음 중 신용정보업에 종사할 수 있는 자는?

① 금고 이상의 실형을 선고받고 그 집행이 끝난 날로부터 3년이 지나지 아니한 자
② 금고 이상의 형의 집행유예를 선고받고 그 유예기간 중에 있는 자
③ 법령에 따라 해임되거나 면직된 후 5년이 지난 자
④ 파산선고를 받고 복권되지 아니한 자
⑤ 위임직채권추심인이었던 자로서 등록이 취소된 지 5년이 지나지 아니한 자

해설 신용정보업에 종사할 수 없는 자는 신용정보법 제22조, 제27조에 다음과 같이 규정되어 있다.

신용정보법 제22조【신용정보회사 임원의 자격요건 등】
① 개인신용평가회사, 개인사업자신용평가회사 및 기업신용조회회사의 임원에 관하여는 「금융회사의 지배구조에 관한 법률」 제5조를 준용한다.
② 신용조사회사는 다음 각 호의 어느 하나에 해당하는 사람을 임직원으로 채용하거나 고용하여서는 아니 된다.
1. 미성년자. 다만, 금융위원회가 정하여 고시하는 업무에 채용하거나 고용하는 경우는 제외한다.
2. 피성년후견인 또는 피한정후견인
3. 파산선고를 받고 복권되지 아니한 사람
4. 금고 이상의 실형을 선고받고 그 집행이 끝나거나(집행이 끝난 것으로 보는 경우를 포함한다) 집행이 면제된 날부터 3년이 지나지 아니한 사람
5. 금고 이상의 형의 집행유예를 선고받고 그 유예기간 중에 있는 사람
6. 이 법 또는 그 밖의 법령에 따라 해임되거나 면직된 후 5년이 지나지 아니한 사람
7. 이 법 또는 그 밖의 법령에 따라 영업의 허가·인가 등이 취소된 법인이나 회사의 임직원이었던 사람(그 취소사유의 발생에 직접 또는 이에 상응하는 책임이 있는 사람으로서 대통령령으로 정하는 사람만 해당한다)으로서 그 법인 또는 회사에 대한 취소가 있은 날부터 5년이 지나지 아니한 사람
8. 재임 또는 재직 중이었더라면 이 법 또는 그 밖의 법령에 따라 해임권고(해임요구를 포함한다) 또는 면직요구의 조치를 받았을 것으로 통보된 퇴임한 임원 또는 퇴직한 직원으로서 그 통보가 있었던 날부터 5년(통보가 있었던 날부터 5년이 퇴임 또는 퇴직한 날부터 7년을 초과한 경우에는 퇴임 또는 퇴직한 날부터 7년으로 한다)이 지나지 아니한 사람

신용정보법 제27조【채권추심업 종사자 및 위임직채권추심인 등】
① 채권추심회사는 다음 각 호의 어느 하나에 해당하는 자를 임직원으로 채용하거나 고용하여서는 아니 되며, 위임 또는 그에 준하는 방법으로 채권추심 업무를 하여서는 아니 된다.
1. 미성년자. 다만, 금융위원회가 정하여 고시하는 업무에 채용하거나 고용하는 경우는 제외한다.

정답

20. ③

MEMO

2. 피성년후견인 또는 피한정후견인
3. 파산선고를 받고 복권되지 아니한 자
4. 금고 이상의 실형을 선고받고 그 집행이 끝나거나(집행이 끝난 것으로 보는 경우를 포함한다) 집행이 면제된 날부터 3년이 지나지 아니한 자
5. 금고 이상의 형의 집행유예를 선고받고 그 유예기간 중에 있는 자
6. 이 법 또는 그 밖의 법령에 따라 해임되거나 면직된 후 5년이 지나지 아니한 자
7. 이 법 또는 그 밖의 법령에 따라 영업의 허가·인가 등이 취소된 법인이나 회사의 임직원이었던 자(그 취소사유의 발생에 직접 또는 이에 상응하는 책임이 있는 자로서 대통령령으로 정하는 자만 해당한다)로서 그 법인 또는 회사에 대한 취소가 있은 날부터 5년이 지나지 아니한 자
8. 제2항 제2호에 따른 위임직채권추심인이었던 자로서 등록이 취소된 지 5년이 지나지 아니한 자
9. 재임 또는 재직 중이었더라면 이 법 또는 그 밖의 법령에 따라 해임권고(해임요구를 포함한다) 또는 면직요구의 조치를 받았을 것으로 통보된 퇴임한 임원 또는 퇴직한 직원으로서 그 통보가 있었던 날부터 5년(통보가 있었던 날부터 5년이 퇴임 또는 퇴직한 날부터 7년을 초과한 경우에는 퇴임 또는 퇴직한 날부터 7년으로 한다)이 지나지 아니한 사람

2022년 기출

21 **다음은 신용정보집중기관에 관한 설명이다. ( )에 들어갈 용어로 가장 적절한 것은?**

신용정보의 유통·이용을 촉진하기 위해 (A)은 신용정보집중기관 제도를 두고 있다. 신용정보집중기관은 신용정보를 집중하여 체계적·종합적으로 관리하고 금융기관 등 상호간에 신용정보를 교환·활용하게 하는 기관으로 일정한 인적·물적 요건을 갖추고 (B)에 등록하여야 한다. 신용정보집중기관의 종류로는 종합신용정보집중기관과 개별신용정보집중기관이 있다. 현재 종합신용정보집중기관은 (C)이다.

	A	B	C
①	「신용정보법」	금융감독원	신용정보협회
②	「개인정보보호법」	금융위원회	한국신용정보원
③	「신용정보법」	금융위원회	신용정보협회
④	「신용정보법」	금융위원회	한국신용정보원
⑤	「개인정보보호법」	금융감독원	한국신용정보원

21. ④

MEMO

해설 "신용정보집중기관"이란 신용정보를 집중하여 수집·보관함으로써 체계적·종합적으로 관리하고, 신용정보회사 등 상호 간에 신용정보를 교환·활용하는 자로서 신용정보법이 정한 일정한 요건을 갖추고 금융위원회로부터 허가를 받은 자를 말한다[신용정보법 제2조(정의) 제6호]. 신용정보집중기관의 종류로는 종합신용정보집중기관과 개별신용정보집중기관이 있다. 종합신용정보집중기관은 대통령령이 정하는 금융기관 전체로부터 신용정보를 집중관리·활용하는 기관으로 한국신용정보원이 여기에 해당하고, 개별신용정보집중기관은 종합신용정보집중기관 외의 같은 종류의 사업자가 설립한 협회 등의 협약 등에 따라 신용정보를 집중관리·활용하는 기관으로 생명보험협회, 손해보험협회 등이 여기에 해당한다.

2016년 기출

22 다음 중 「신용정보법」 제44조에 따라 설립된 신용정보협회의 업무가 아닌 것은?

① 신용정보업의 발전을 위한 조사·연구 업무
② 신용정보업 이용자 민원의 상담·처리 업무
③ 채무불이행자에 대한 채무불이행정보 등록 업무
④ 신용정보업 관련 교육업무 및 출판업무
⑤ 신용정보회사의 경영과 관련된 정보의 수집 및 통계의 작성 업무

해설

신용정보법 제44조【신용정보협회】
① 신용정보회사, 본인신용정보관리회사 및 채권추심회사는 신용정보 관련 산업의 건전한 발전을 도모하고 신용정보회사, 본인신용정보관리회사 및 채권추심회사 사이의 업무질서를 유지하기 위하여 신용정보협회를 설립할 수 있다.
② 신용정보협회는 법인으로 한다.
③ 신용정보협회는 정관으로 정하는 바에 따라 다음 각 호의 업무를 한다.
1. 신용정보회사, 본인신용정보관리회사 및 채권추심회사 간의 건전한 업무질서를 유지하기 위한 업무
2. 신용정보 관련 산업의 발전을 위한 조사·연구 업무
3. 신용정보 관련 민원의 상담·처리
3의2. 이 법 및 다른 법령에서 신용정보협회가 할 수 있도록 허용한 업무
4. 그 밖에 대통령령으로 정하는 업무
④ 신용정보협회에 대하여 이 법에서 정한 것을 제외하고는 「민법」 중 사단법인에 관한 규정을 준용한다.

신용정보법 시행령 제36조(신용정보협회의 업무) 법 제44조 제3항 제4호에서 "대통령령으로 정하는 업무"란 다음 각 호의 업무를 말한다.
1. 신용정보회사, 본인신용정보관리회사 및 채권추심회사의 경영과 관련된 정보의 수집 및 통계의 작성 업무
2. 신용정보업, 본인신용정보관리업 및 채권추심업에 대한 광고의 자율심의

22. ③

MEMO

에 관한 업무
3. 신용정보 관련 산업에 관한 교육(제4호에 따른 교육은 제외한다) 및 출판 업무(관련 시설의 운영을 포함한다)
4. 법 또는 다른 법령에서 신용정보협회에 위임·위탁한 업무
5. 신용정보 관련 산업 임직원 등에 대한 교육 및 표준 교재 제작 업무
6. 그 밖에 금융위원회가 정하여 고시하는 업무

2016년 기출

23 **신용정보회사 및 신용정보제공·이용자가 개인신용정보를 타인에게 제공하려는 경우에는 원칙적으로 대통령령으로 정하는 바에 따라 해당 신용정보주체로부터 개인신용정보를 제공할 때마다 미리 개별적으로 동의를 받아야 한다. 다음 중 동의를 받지 않아도 되는 모든 경우를 고른 것은?**

㉮ 신용정보회사가 다른 신용정보회사 또는 신용정보집중기관과 서로 집중관리·활용하기 위하여 제공하는 경우
㉯ 영업양도·분할·합병 등의 이유로 권리·의무의 전부 또는 일부를 이전하면서 그와 관련된 개인신용정보를 제공하는 경우
㉰ 계약의 이행에 필요한 경우로서 신용정보의 처리를 위탁하기 위하여 제공하는 경우
㉱ 법원의 제출명령 또는 법관이 발부한 영장에 따라 제공하는 경우
㉲ 국제협약 등에 따라 외국의 금융감독기구에 금융회사가 가지고 있는 개인신용정보를 제공하는 경우

① ㉮, ㉰, ㉲
② ㉮, ㉯, ㉱
③ ㉰, ㉲
④ ㉮, ㉯, ㉰, ㉱, ㉲
⑤ ㉯, ㉲

신용정보법 제32조【개인신용정보의 제공·활용에 대한 동의】
⑥ 신용정보회사등(제9호의3을 적용하는 경우에는 데이터전문기관을 포함한다)이 개인신용정보를 제공하는 경우로서 다음 각 호의 어느 하나에 해당하는 경우에는 제1항부터 제5항까지를 적용하지 아니한다.
1. 신용정보회사 및 채권추심회사가 다른 신용정보회사 및 채권추심회사 또는 신용정보집중기관과 서로 집중관리·활용하기 위하여 제공하는 경우
2. 제17조 제2항에 따라 신용정보의 처리를 위탁하기 위하여 제공하는 경우
3. 영업양도·분할·합병 등의 이유로 권리·의무의 전부 또는 일부를 이전하면서 그와 관련된 개인신용정보를 제공하는 경우

23. ④

MEMO

4. 채권추심(추심채권을 추심하는 경우만 해당한다), 인가・허가의 목적, 기업의 신용도 판단, 유가증권의 양수 등 대통령령으로 정하는 목적으로 사용하는 자에게 제공하는 경우
5. 법원의 제출명령 또는 법관이 발부한 영장에 따라 제공하는 경우
6. 범죄 때문에 피해자의 생명이나 신체에 심각한 위험 발생이 예상되는 등 긴급한 상황에서 제5호에 따른 법관의 영장을 발부받을 시간적 여유가 없는 경우로서 검사 또는 사법경찰관의 요구에 따라 제공하는 경우. 이 경우 개인신용정보를 제공받은 검사는 지체 없이 법관에게 영장을 청구하여야 하고, 사법경찰관은 검사에게 신청하여 검사의 청구로 영장을 청구하여야 하며, 개인신용정보를 제공받은 때부터 36시간 이내에 영장을 발부받지 못하면 지체 없이 제공받은 개인신용정보를 폐기하여야 한다.
7. 조세에 관한 법률에 따른 질문・검사 또는 조사를 위하여 관할 관서의 장이 서면으로 요구하거나 조세에 관한 법률에 따라 제출의무가 있는 과세자료의 제공을 요구함에 따라 제공하는 경우
8. 국제협약 등에 따라 외국의 금융감독기구에 금융회사가 가지고 있는 개인신용정보를 제공하는 경우
9. 제2조 제1호의4 나목 및 다목의 정보를 개인신용평가회사, 개인사업자신용평가회사, 기업신용등급제공업무・기술신용평가업무를 하는 기업신용조회회사 및 신용정보집중기관에 제공하거나 그로부터 제공받는 경우

9의2. 통계작성, 연구, 공익적 기록보존 등을 위하여 가명정보를 제공하는 경우. 이 경우 통계작성에는 시장조사 등 상업적 목적의 통계작성을 포함하며, 연구에는 산업적 연구를 포함한다.

9의3. 제17조의2 제1항에 따른 정보집합물의 결합 목적으로 데이터전문기관에 개인신용정보를 제공하는 경우

9의4. 다음 각 목의 요소를 고려하여 당초 수집한 목적과 상충되지 아니하는 목적으로 개인신용정보를 제공하는 경우
   가. 양 목적 간의 관련성
   나. 신용정보회사등이 신용정보주체로부터 개인신용정보를 수집한 경위
   다. 해당 개인신용정보의 제공이 신용정보주체에게 미치는 영향
   라. 해당 개인신용정보에 대하여 가명처리를 하는 등 신용정보의 보안대책을 적절히 시행하였는지 여부

10. 이 법 및 다른 법률에 따라 제공하는 경우
11. 제1호부터 제10호까지의 규정에 준하는 경우로서 대통령령으로 정하는 경우

2022년 기출

24 **「신용정보법」에 따른 신용정보회사, 본인신용정보관리회사, 채권추심회사, 신용정보집중기관 및 신용정보제공·이용자가 신용정보를 관리함에 있어서 준수할 사항을 열거한 다음의 내용 중 가장 적절하지 않은 것은?**

① 신용정보관리책임의 명확화
② 신용정보의 정확성 및 최신성 유지
③ 신용정보전산시스템의 안전보호
④ 신용정보 제공·이용의 확대
⑤ 폐업시 보유정보의 폐기

해설 신용정보 제공·이용의 확대는 신용정보법에 따른 신용정보회사 등이 신용정보를 관리함에 있어서 준수할 사항으로 열거된 내용이 아니다.

① 신용정보회사등은 신용정보의 수집·처리·이용 및 보호 등에 대하여 금융위원회가 정하는 신용정보 관리기준을 준수하여야 한다(신용정보법 제20조 제1항 신용정보관리책임의 명확화).
② 신용정보회사등은 신용정보의 정확성과 최신성이 유지될 수 있도록 대통령령으로 정하는 바에 따라 신용정보의 등록·변경 및 관리 등을 하여야 한다(신용정보법 제18조 제1항 신용정보의 정확성 및 최신성 유지).
③ 신용정보회사등은 신용정보전산시스템(제25조 제6항에 따른 신용정보공동전산망을 포함한다)에 대한 제3자의 불법적인 접근, 입력된 정보의 변경·훼손 및 파괴, 그 밖의 위험에 대하여 대통령령으로 정하는 바에 따라 기술적·물리적·관리적 보안대책을 수립·시행하여야 한다(신용정보법 제19조 제1항 신용정보전산시스템의 안전보호).
⑤ 신용정보회사등(신용정보제공·이용자는 제외한다)이 폐업하려는 경우에는 금융위원회가 정하여 고시하는 바에 따라 보유정보를 처분하거나 폐기하여야 한다(신용정보법 제21조 폐업시 보유정보의 처리). 폐업시 보유정보의 처리는 신용정보제공·이용자는 제외한다. 질문은 신용정보법에 따른 신용정보회사, 본인신용정보관리회사, 채권추심회사, 신용정보집중기관 및 신용정보제공·이용자이다. 그래서 해당지문은 폐업시 보유정보의 폐기라고 한 것이다. 해당지문도 복수정답이라는 이의신청이 있었으나 수용되지 않았다.

24. ④

MEMO

2015년 기출

25 **신용정보주체의 신용정보열람 및 정정청구 등에 관한 설명으로 가장 거리가 먼 것은?**

① 신용정보주체는 자신의 신용정보를 확인한 결과 사실과 다르게 등록되어 있음을 발견한 경우에는 금융위원회가 정하여 고시하는 방법에 따라 정정을 청구할 수 있다.

② 신용정보주체는 신용정보회사에 전화, 인터넷 홈페이지의 이용 등 대통령령으로 정하는 방법으로 본인임을 확인받아 신용정보회사가 가지고 있는 본인정보의 제공 또는 열람을 청구할 수 있다.

③ 신용정보주체는 신용정보회사에 본인의 신분을 나타내는 증표를 내보이는 방법으로 본인임을 확인받아 신용정보회사가 가지고 있는 본인정보의 제공 또는 열람을 청구할 수 있다.

④ 신용조회회사는 신용정보주체가 금융위원회가 고시하는 방법에 따라 신용정보 정정청구를 신청하면 즉시 관련 신용정보를 정정한 후에 7일 이내에 정정청구 내용이 사실에 부합하는지 조사하여 청구인에게 그 처리결과를 통지하여야 한다.

⑤ 신용정보주체는 신용정보회사의 신용정보 정정청구 처리결과에 이의가 있으면 법령으로 정하는 바에 따라 금융위원회에 그 시정을 요청할 수 있다.

해설

신용정보법 제38조【신용정보의 열람 및 정정청구 등】

① 신용정보주체는 신용정보회사등에 본인의 신분을 나타내는 증표를 내보이거나 전화, 인터넷 홈페이지의 이용 등 대통령령으로 정하는 방법으로 본인임을 확인받아 신용정보회사등이 가지고 있는 신용정보주체 본인에 관한 신용정보로서 대통령령으로 정하는 신용정보의 교부 또는 열람을 청구할 수 있다.(②,③)

② 제1항에 따라 자신의 신용정보를 열람한 신용정보주체는 본인 신용정보가 사실과 다른 경우에는 금융위원회가 정하여 고시하는 바에 따라 정정을 청구할 수 있다.(①)

③ 제2항에 따라 정정청구를 받은 신용정보회사등은 정정청구에 정당한 사유가 있다고 인정하면 지체 없이 해당 신용정보의 제공·이용을 중단한 후 사실인지를 조사하여 사실과 다르거나 확인할 수 없는 신용정보는 삭제하거나 정정하여야 한다.

④ 제3항에 따라 신용정보를 삭제하거나 정정한 신용정보회사등은 해당 신용정보를 최근 6개월 이내에 제공받은 자와 해당 신용정보주체가 요구하는 자에게 해당 신용정보에서 삭제하거나 정정한 내용을 알려야 한다.

⑤ 신용정보회사등은 제3항 및 제4항에 따른 처리결과를 7일 이내에 해당 신용정보주체에게 알려야 하며,(④) 해당 신용정보주체는 처리결과에 이의가

25. ④

MEMO

있으면 대통령령으로 정하는 바에 따라 금융위원회에 그 시정을 요청할 수 있다. 다만, 개인신용정보에 대한 제45조의3 제1항에 따른 상거래기업 및 법인의 처리에 대하여 이의가 있으면 대통령령으로 정하는 바에 따라 「개인정보 보호법」에 따른 개인정보 보호위원회(이하 "보호위원회"라 한다)에 그 시정을 요청할 수 있다.(⑤)

⑥ 금융위원회 또는 보호위원회는 제5항에 따른 시정을 요청받으면 「금융위원회의 설치 등에 관한 법률」 제24조에 따라 설립된 금융감독원의 원장(이하 "금융감독원장"이라 한다) 또는 보호위원회가 지정한 자로 하여금 그 사실 여부를 조사하게 하고, 조사결과에 따라 신용정보회사등에 대하여 시정을 명하거나 그 밖에 필요한 조치를 할 수 있다. 다만, 필요한 경우 보호위원회는 해당 업무를 직접 수행할 수 있다.

⑦ 제6항에 따라 조사를 하는 자는 그 권한을 표시하는 증표를 지니고 이를 관계인에게 내보여야 한다.

⑧ 신용정보회사등이 제6항에 따른 금융위원회 또는 보호위원회의 시정명령에 따라 시정조치를 한 경우에는 그 결과를 금융위원회 또는 보호위원회에 보고하여야 한다.

2021년 기출

26 위임직채권추심인의 등록을 취소할 수 있는 경우가 아닌 것은?

① 거짓이나 그 밖의 부정한 방법으로 등록을 한 경우

② 업무정지명령을 위반하거나 업무정지에 해당하는 행위를 한 자가 그 사유발생일 전 1년 이내에 업무정지처분을 받은 사실이 있는 경우

③ 소속 채권추심회사의 정관을 위반하여 공익을 심각하게 해치거나 해칠 우려가 있는 경우

④ 등록의 내용이나 조건을 위반한 경우

⑤ 정당한 사유 없이 1년 이상 계속하여 등록한 영업을 하지 아니한 경우

해설 신용정보의 이용 및 보호에 관한 법률 제27조(채권추심업 종사자 및 위임직채권추심인 등)의 등록취소사유와 업무정지사유를 구별하는 문제이다.

제6항 금융위원회는 위임직채권추심인이 다음 각 호의 어느 하나에 해당하면 그 등록을 취소할 수 있다.

1. 거짓이나 그 밖의 부정한 방법으로 제3항에 따른 등록을 한 경우(①)
2. 제7항에 따른 업무정지명령을 위반하거나 업무정지에 해당하는 행위를 한 자가 그 사유발생일 전 1년 이내에 업무정지처분을 받은 사실이 있는 경우(②)
3. 삭제 〈2020. 2. 4.〉
4. 「채권의 공정한 추심에 관한 법률」 제9조 각 호의 어느 하나를 위반하여 채권추심행위를 한 경우

26. ③

MEMO

5. 등록의 내용이나 조건을 위반한 경우(④)
6. 정당한 사유 없이 1년 이상 계속하여 등록한 영업을 하지 아니한 경우(⑤)

제7항 금융위원회는 위임직채권추심인이 다음 각 호의 어느 하나에 해당하면 6개월의 범위에서 기간을 정하여 그 업무의 전부 또는 일부의 정지를 명할 수 있다.
1. 제4항을 위반한 경우
2. 삭제 〈2020. 2. 4.〉
3. 제40조 제1항 제5호를 위반한 경우
4. 「채권의 공정한 추심에 관한 법률」 제12조 제2호・제5호를 위반한 경우
5. 그 밖에 법령 또는 소속 채권추심회사의 정관을 위반하여 공익을 심각하게 해치거나 해칠 우려가 있는 경우(③)

제4절 「채권의 공정한 추심에 관한 법률」(이하 '채권추심법')의 개요

2024년 기출

01 **「채권추심법」상 채권추심자가 채권자로부터 채권추심을 위임받은 경우, 채권추심에 착수하기 전까지 채무자에게 서면으로 통지하여야 할 내용(사항)으로 가장 적절하지 않은 것은?**

① 채권추심자의 성명・명칭 또는 연락처
② 채권자의 성명・명칭, 채무금액
③ 채무불이행 기간 등 채무에 관한 사항
④ 입금계좌번호, 계좌명 등 입금계좌 관련 사항
⑤ 법적조치 관련 사항

해설 ⑤ 법적조치에 관련한 사항은 채무자에게 서면으로 통지할 필요없다. 아래 조문 참조

> **채권의 공정한 추심에 관한 법률(이하 채권추심법) 제6조【수임사실 통보】** ① 채권추심자(제2조 제1호 라목에 규정된 자 및 그 자를 위하여 고용, 도급, 위임 등 원인을 불문하고 채권추심을 하는 자를 말한다. 이하 이 조에서 같다)가 채권자로부터 채권추심을 위임받은 경우에는 채권추심에 착수하기 전까지 다음 각 호에 해당하는 사항을 채무자에게 서면(「전자문서 및 전자거래 기본법」 제2조 제1호의 전자문서를 포함한다)으로 통지하여야 한다. 다만, 채무자가 통지가 필요 없다고 동의한 경우에는 그러하지 아니하다. 〈개정 2012. 6. 1., 2014. 5. 20.〉
> 1. 채권추심자의 성명・명칭 또는 연락처(채권추심자가 법인인 경우에는 채권추심담당자의 성명, 연락처를 포함한다)

01. ⑤

MEMO

> 2. 채권자의 성명·명칭, 채무금액, 채무불이행 기간 등 채무에 관한 사항
> 3. 입금계좌번호, 계좌명 등 입금계좌 관련 사항
>
> ② 제1항에도 불구하고 채무발생의 원인이 된 계약에 기한의 이익에 관한 규정이 있는 경우에는 채무자가 기한의 이익을 상실한 후 즉시 통지하여야 한다.
>
> ③ 제1항에도 불구하고 채무발생의 원인이 된 계약이 계속적인 서비스 공급계약인 경우에는 서비스 이용료 납부지체 등 채무불이행으로 인하여 계약이 해지된 즉시 통지하여야 한다.

2023년 기출

02 채권추심과 관련하여 채권추심자의 금지 행위와 가장 거리가 먼 것은?

① 채권추심을 위하여 다른 사람이나 단체의 명칭을 무단으로 사용하는 행위
② 무효이거나 존재하지 아니한 채권을 추심하는 의사를 표시하는 행위
③ 채권추심에 관한 법률적 권한이나 지위를 표시하는 행위
④ 법원 또는 검찰청에 의한 행위로 오인할 수 있는 말·글 등을 사용하는 행위
⑤ 채권추심에 관한 민사상 법적절차가 진행되고 있지 아니함에도 그러한 절차가 진행되고 있다고 거짓으로 표시하는 행위

해설 ③ 채권추심에 관한 법률적 권한이나 지위를 거짓으로 표시하는 행위가 금지된다. 아래 조문 참조

> **채권의 공정한 추심에 관한 법률 제11조【거짓 표시의 금지 등】**
> 채권추심자는 채권추심과 관련하여 채무자 또는 관계인에게 다음 각 호의 어느 하나에 해당하는 행위를 하여서는 아니 된다.
> 1. 무효이거나 존재하지 아니한 채권을 추심하는 의사를 표시하는 행위(②)
> 2. 법원, 검찰청, 그 밖의 국가기관에 의한 행위로 오인할 수 있는 말·글·음향·영상·물건, 그 밖의 표지를 사용하는 행위(④)
> 3. 채권추심에 관한 법률적 권한이나 지위를 거짓으로 표시하는 행위(③)
> 4. 채권추심에 관한 민사상 또는 형사상 법적인 절차가 진행되고 있지 아니함에도 그러한 절차가 진행되고 있다고 거짓으로 표시하는 행위(⑤)
> 5. 채권추심을 위하여 다른 사람이나 단체의 명칭을 무단으로 사용하는 행위(①)

02. ③

MEMO

2022년 기출

03 다음 설명 중 (   ) 안에 들어갈 법률로 가장 적절한 것은?

(   )은 2009.2.6. 법률 제9418호로 제정되어 2009.8.7.부터 시행되었다. 이 법은 고리사채업자 및 불법대부업자들이 현행 법제의 맹점을 이용하여 채무자와 그 가족들을 과도한 추심행위를 통해 괴롭히는 사례가 빈발하여 사회적으로 문제가 심각해짐에 따라 그 대책으로서 제정된 법이다. 이 법은 채권자의 정당한 권리행사를 보장하면서 채무자의 인간다운 삶과 평온한 생활을 보호함을 목적으로 한다.

① 「대부업법」
② 「신용정보법」
③ 「보증인보호법」
④ 「채권추심법」
⑤ 「채무자 회생 및 파산에 관한 법률」

해설 채권의 공정한 추심에 관한 법률(약칭: 채권추심법)에 대한 설명이다. 이 법은 채권추심자가 권리를 남용하거나 불법적인 방법으로 채권추심하는 것을 방지하여 공정한 채권추심 풍토를 조성하고 채권자의 정당한 권리행사를 보장하면서 채무자의 인간다운 삶과 평온한 생활을 보호함을 목적으로 한다[채권추심법 제1조(목적)].

2022년 기출

04 「채권추심법」상 "채권추심자"가 아닌 자는?

① 대부업의 등록을 하지 아니하고 사실상 대부업을 영위하는 자
② 「상법」에 따른 상행위로 생긴 금전채권을 양도 받은 자
③ 금전이나 그 밖의 경제적 이익을 대가로 받거나 받기로 약속하고 타인의 채권을 추심하는 자
④ 법인에게 금전을 대여한 여신금융기관
⑤ 채권추심을 목적으로 채권의 양수를 가장한 자

해설 채권추심법상 '채무자'란 채무를 변제할 의무가 있거나 채권추심자로부터 채무를 변제할 의무가 있는 것으로 주장되는 자연인(보증인을 포함한다)을 말한다[채권추심법 제2조(정의) 제2호]. 따라서, 여신금융기관이 채권추심법상 채권자에는 해당(채권추심법 제2조 제1호)하나, 법인을 채무자로 하는 것은 동법이 적용되는 채권자의 개념에 포함되지 않는다.

정답 03. ④ 04. ④

MEMO

2022년 기출

05 「채권추심법」상 금지행위와 가장 거리가 먼 것은?

① 채권추심자가 다른 법률에 따라 신용정보나 개인정보를 제공하는 행위
② 채무자가 채무의 존재를 다투는 소를 제기하여 그 소송이 진행 중인 경우 채무불이행정보를 등록하는 행위
③ 동일한 채권에 대하여 동시에 2인 이상의 자에게 채권추심을 위임하는 행위
④ 관계인에게 위계나 위력을 사용하는 행위
⑤ 채권추심회사의 채권추심과 관련한 소송행위

해설 채권추심자는 채권발생이나 채권추심과 관련하여 알게 된 채무자 또는 관계인의 신용정보나 개인정보를 누설하거나 채권추심의 목적 외로 이용하여서는 아니 된다. 채권추심자가 다른 법률에 따라 신용정보나 개인정보를 제공하는 경우는 제1항에 다른 누설 또는 이용으로 보지 아니한다[채권추심법 제10조(개인정보의 누설 금지 등) 참조].

② 채권추심자는 채무자가 채무의 존재를 다투는 소를 제기하여 그 소송이 진행 중인 경우에 「신용정보의 보호 및 이용에 관한 법률」에 따른 신용정보집중기관이나 신용정보업자의 신용정보전산시스템에 해당 채무자를 채무불이행자로 등록하여서는 아니 된다. 이 경우 채무불이행자로 이미 등록된 때에는 채권추심자는 채무의 존재를 다투는 소가 제기되어 소송이 진행 중임을 안 날부터 30일 이내에 채무불이행자 등록을 삭제하여야 한다[채권추심법 제8조(채무불이행정보 등록 금지)].
③ 채권추심자는 동일한 채권에 대하여 동시에 2인 이상의 자에게 채권추심을 위임하여서는 아니 된다[채권추심법 제7조(동일 채권에 관한 복수 채권추심 위임 금지)].
④ 채권추심자는 채권추심과 관련하여 채무자 또는 관계인을 폭행・협박・체포 또는 감금하거나 그에게 위계나 위력을 사용하는 행위를 하여서는 아니 된다[채권추심법 제9조(폭행・협박 등의 금지) 제1호].
⑤ 변호사가 아닌 채권추심자는 채권추심과 관련한 소송행위를 하여서는 아니 된다[채권추심법 제8조의4(소송행위의 금지)].

05. ①

MEMO

2021년 기출

06 「채권추심법」에 관한 다음 설명 중 가장 적절하지 않은 것은?

① 대부업의 등록을 하지 아니하고 사실상 대부업을 영위하는 자도 채권추심자이다.

② '채무자'란 채무를 변제할 의무가 있거나 채권추심자로부터 채무를 변제할 의무가 있는 것으로 주장되는 자연인(보증인을 포함한다) 또는 법인을 말한다.

③ '관계인'이란 채무자와 동거하거나 생계를 같이 하는 자, 채무자의 친족, 채무자가 근무하는 장소에 함께 근무하는 자를 말한다.

④ 채권추심자는 동일한 채권에 대하여 동시에 2인 이상의 자에게 채권추심을 위임하여서는 아니 된다.

⑤ 변호사가 아닌 채권추심자는 채권추심과 관련한 소송행위를 하여서는 아니 된다.

해설 '채무자'란 채무를 변제할 의무가 있거나 채권추심자로부터 채무를 변제할 의무가 있는 것으로 주장되는 자연인(보증인을 포함한다)을 말한다[채권의 공정한 추심에 관한 법률(약칭: 채권추심법) 제2조 제2호].

① '채권추심자'란 다음 각 목의 어느 하나에 해당하는 자를 말한다(채권추심법 제2조 제1호).

가. 「대부업 등의 등록 및 금융이용자 보호에 관한 법률」에 따른 대부업자, 대부중개업자, 대부업의 등록을 하지 아니하고 사실상 대부업을 영위하는 자, 여신금융기관 및 이들로부터 대부계약에 따른 채권을 양도받거나 재양도 받은 자

나. 가목에 규정된 자 외의 금전대여 채권자 및 그로부터 채권을 양도받거나 재양도 받은 자

다. 「상법」에 따른 상행위로 생긴 금전채권을 양도받거나 재양도 받은 자

라. 금전이나 그 밖의 경제적 이익을 대가로 받거나 받기로 약속하고 타인의 채권을 추심하는 자(채권추심을 목적으로 채권의 양수를 가장한 자를 포함한다)

마. 가목부터 라목까지에 규정된 자들을 위하여 고용, 도급, 위임 등 원인을 불문하고 채권추심을 하는 자

③ '관계인'이란 채무자와 동거하거나 생계를 같이 하는 자, 채무자의 친족, 채무자가 근무하는 장소에 함께 근무하는 자를 말한다(채권추심법 제2조 제3호).

④ 채권추심자는 동일한 채권에 대하여 동시에 2인 이상의 자에게 채권추심을 위임하여서는 아니 된다(채권추심법 제7조).

⑤ 변호사가 아닌 채권추심자는 채권추심과 관련한 소송행위를 하여서는 아니 된다(채권추심법 제8조의4).

06. ②

MEMO

2022년 기출

07 **다음 중 「채권추심법」에 위반되지 않는 행위는?**

① 법적인 집행권원이 없으면서도 채무를 변제하지 않을 경우 곧바로 압류·경매 등 강제집행 신청이나 재산관계명시 신청 등을 취하겠다고 언급하는 행위
② 기존 채무자의 채무를 일부 변제하고 있던 채무자의 관계인이 "자신은 더 이상 채무를 변제할 의사가 없다"고 밝혔음에도 불구하고 계속적으로 변제를 요구하는 행위
③ 채권추심에 관한 민사상 또는 형사상 법적인 절차가 진행되고 있지 아니함에도 그러한 절차가 진행되고 있다고 거짓으로 표시하는 행위
④ 강제집행 착수통보서 등과 같이 법적 권한이 있는 것처럼 가장하여 채무자에게 안내문 등을 발송하는 행위
⑤ 사망한 채무자의 상속인이 상속포기를 한 사실을 모르고 채무를 변제하라고 요구하는 행위

해설 사망한 채무자의 상속인이 상속포기를 한 사실을 알면서도 채무를 변제하라고 요구하는 행위가 무효이거나 존재하지 아니한 채권을 추심하는 의사를 표시하는 행위의 사례이다[채권추심법 제11조(거짓 표시의 금지 등) 제1호 참조].

① 법적인 집행권원이 없으면서도 채무를 변제하지 않을 경우 곧바로 압류·경매 등 강제집행 신청이나 재산관계명시 신청 등을 취하겠다고 언급하는 행위는 채무자 또는 관계인에게 위계를 사용하는 행위의 사례이다[채권추심법 제9조(폭행·협박 등의 금지) 제1호 참조].
② 기존 채무자의 채무를 일부 변제하고 있던 채무자의 관계인이 "자신은 더 이상 채무를 변제할 의사가 없다"고 밝혔음에도 불구하고 계속적으로 변제를 요구하는 행위는 채무를 변제할 법률상 의무가 없는 채무자 외의 사람에게 채무자를 대신하여 채무를 변제할 것을 반복적으로 요구함으로써 공포심이나 불안감을 유발하여 사생활 또는 업무의 평온을 심하게 해치는 행위의 사례이다[채권추심법 제9조(폭행·협박 등의 금지) 제6호 참조].
③ 채권추심에 관한 민사상 또는 형사상 법적인 절차가 진행되고 있지 아니함에도 그러한 절차가 진행되고 있다고 거짓으로 표시하는 행위[채권추심법 제11조(거짓 표시의 금지 등) 제4호].
④ 강제집행 착수통보서 등과 같이 법적 권한이 있는 것처럼 가장하여 채무자에게 안내문 등을 발송하는 행위는 법원, 검찰청, 그 밖의 국가기관에 의한 행위로 오인할 수 있는 말·글·음향·영상·물건, 그 밖의 표지를 사용하는 행위의 사례이다[채권추심법 제11조(거짓 표시의 금지 등) 제2호].

07. ⑤

MEMO

2020년 기출

08 다음 A의 행위 중 「채권추심법」에 위반되지 않는 것들을 모두 고른 것은?

㉠ 신용정보회사 채권추심 직원 A가 채무자 B와 연락이 두절되자 B의 소재파악을 위해 B의 오빠 C에게 전화를 하고, 채무 존재여부를 묻는 B의 오빠 C에게 채무사실을 확인시켜 준 행위
㉡ 대부업자인 A가 채무자 B에게, 채무를 변제하지 않으면 B가 숨기고 싶어하는 과거의 행적과 사채를 쓴 사실 등을 남편과 시댁에 알리겠다는 등의 문자메시지를 발송한 경우
㉢ 신용정보회사의 채권추심 직원 A가 이미 획득한 집행권원을 가지고 채무자가 채무를 변제하지 않을 경우 곧바로 압류, 경매 등 강제집행신청이나 재산명시신청 등을 취하겠다고 언급하는 행위
㉣ 신용정보회사의 채권추심 직원 A가 사전 약속을 정하지 않고 채무자 B의 자택에 찾아가 법적조치를 진행할 예정이라는 우편물을 채무자의 배우자 C에게 전달하여 임신중인 배우자 C가 심적 충격을 받은 경우
㉤ 기존에 채무자 B의 채무를 일부 변제하고 있던 채무자 B의 관계인 C가 자신은 더 이상 채무를 변제할 의사가 없다고 밝혔음에도 불구하고 신용정보회사의 채권추심 직원 A가 계속적으로 관계인 C에게 변제를 요구하는 행위
㉥ 신용정보회사의 채권추심 직원 A가 사망한 채무자의 상속인이 상속포기를 한 사실을 알면서도 채무를 변제하라고 요구하는 행위
㉦ 채무자 B가 대부업자 A에게서 대출을 받은 이후 2016년 3월경 법원에 개인회생절차 개시신청만 하고 아직 개시결정을 받지 못한 상황에서 대부업자 A가 위 사실을 안 채무자에게 채무변제를 요구하는 행위

① ㉡, ㉤, ㉥
② ㉢, ㉦
③ ㉠, ㉤, ㉦
④ ㉢, ㉣, ㉤
⑤ ㉤, ㉥

해설 ㉠ "신용정보회사 채권추심 직원 A가 채무자 B와 연락이 두절되자 B의 소재파악을 위해 B의 오빠 C에게 전화를 하고, 채무 존재여부를 묻는 B의 오빠 C에게 채무사실을 확인시켜 준 행위"는 채무자의 소재파악을 위해 관계인에게 연락한 것까지는 허용되나, 비록 채무자의 오빠의 물음에 답한 것이라도 결과적으로 채무자의 채무 내용 또는 신용에 관한 사실을 알게 한 것이므로 허용되지 않는다[채권추심법 제8조의3(관계인에 대한 연락 금지) 참조].
㉡ "대부업자인 A가 채무자 B에게, 채무를 변제하지 않으면 B가 숨기고 싶어하는 과거의 행적과 사채를 쓴 사실 등을 남편과 시댁에 알리겠다는 등의 문자메시지를 발송한 경우"는 채권추심자가 채권발생이나 채권추심과 관련하여 알게 된 채무자의 신용정보나 개인정보를 누설하는 행위로서 허용되지 않는다[채권추심법 제10조(개인정보의

정답

08. ②

MEMO

누설 금지 등) 제1항 참조].

ⓒ "신용정보회사의 채권추심 직원 A가 이미 획득한 집행권원을 가지고 채무자가 채무를 변제하지 않을 경우 곧바로 압류, 경매 등 강제집행신청이나 재산명시신청 등을 취하겠다고 언급하는 행위"는 채권추심자의 정당한 범위 내의 추심행위이다.

ⓔ "신용정보회사의 채권추심 직원 A가 사전 약속을 정하지 않고 채무자 B의 자택에 찾아가 법적조치를 진행할 예정이라는 우편물을 채무자의 배우자 C에게 전달하여 임신 중인 배우자 C가 심적 충격을 받은 경우"는 채권추심자가 채권추심을 위하여 채무자의 소재, 연락처 또는 소재를 알 수 있는 방법 등을 문의하는 경우가 아님에도 불구하고 채무자의 관계인에게 채무자의 채무 내용 또는 신용에 관한 사실을 알게 한 것으로 허용되지 않는다[채권추심법 제8조의3(관계인에 대한 연락금지) 참조].

ⓜ "기존에 채무자 B의 채무를 일부 변제하고 있던 채무자 B의 관계인 C가 자신은 더 이상 채무를 변제할 의사가 없다고 밝혔음에도 불구하고 신용정보회사의 채권추심 직원 A가 계속적으로 관계인 C에게 변제를 요구하는 행위"는 채권추심자가 채무를 변제할 법률상 의무가 없는 채무자 외의 사람에게 채무자를 대신하여 채무를 변제할 것을 요구함으로써 공포심이나 불안감을 유발하여 사생활 또는 업무의 평온을 심하게 해치는 행위[채권추심법 제9조(폭행・협박 등의 금지) 제6호 참조]로 볼 수 있어 허용되지 않는다.

ⓑ "신용정보회사의 채권추심 직원 A가 사망한 채무자의 상속인이 상속포기를 한 사실을 알면서도 채무를 변제하라고 요구하는 행위"는 채권추심자가 채무를 변제할 법률상 의무가 없는 채무자 외의 사람에게 채무자를 대신하여 채무를 변제할 것을 요구함으로써 공포심이나 불안감을 유발하여 사생활 또는 업무의 평온을 심하게 해치는 행위[채권추심법 제9조(폭행・협박 등의 금지) 제6호 참조]로 볼 수 있어 허용되지 않는다.

ⓢ "채무자 B가 대부업자 A에게서 대출을 받은 이후 2016년 3월경 법원에 개인회생절차 개시신청만 하고 아직 개시결정을 받지 못한 상황에서 대부업자 A가 위 사실을 안 채무자에게 채무변제를 요구하는 행위"는 개인회생절차 개시신청만 한 상태라면 이해관계인의 신청이나 직권으로 법원이 중지 또는 금지명령을 내린 경우가 아닌 한 개시결정시까지는 채권추심자가 채무자에게 채무변제를 요구하는 행위가 허용된다[채권추심법 제12조(불공정한 행위의 금지) 참조].

MEMO

2020년 기출

09 「채권추심법」에 관한 다음 설명 중 옳지 않은 것은?

① 채권추심자는 채무자가 채무의 존재를 다투는 소를 제기하여 그 소송이 진행 중인 경우에 「신용정보법」에 따른 신용정보집중기관이나 신용정보회사의 신용정보전산시스템에 해당 채무자를 채무불이행자로 등록하여서는 아니 된다.

② 채무불이행자로 이미 등록된 때에는 채권추심자는 채무의 존재를 다투는 소가 제기되어 소송이 진행 중임을 안 날부터 30일 이내에 채무불이행자 등록을 삭제할 수 있다.

③ 변호사가 아닌 채권추심자는 채권추심과 관련한 소송행위를 하여서는 아니 된다.

④ 채권추심자는 동일한 채권에 대하여 동시에 2인 이상의 자에게 채권추심을 위임하여서는 아니 된다.

⑤ 채권추심자는 채권추심을 위하여 채무자의 소재, 연락처 또는 소재를 알 수 있는 방법 등을 문의하는 경우를 제외하고는 채무와 관련하여 관계인을 방문하거나 관계인에게 말・글・음향・영상 또는 물건을 도달하게 하여서는 아니 된다.

해설 ①② 채권추심자는 채무자가 채무의 존재를 다투는 소를 제기하여 그 소송이 진행 중인 경우에 「신용정보법」에 따른 신용정보집중기관이나 신용정보업자의 신용정보전산시스템에 해당 채무자를 채무불이행자로 등록하여서는 아니 된다. 이 경우 채무불이행자로 이미 등록된 때에는 채권추심자는 채무의 존재를 다투는 소가 제기되어 소송이 진행 중임을 안 날로부터 30일 이내에 채무불이행자 등록을 삭제하여야 한다[채권추심법 제8조(채무불이행정보 등록 금지)].

③ 채권추심법 제8조의4(소송행위의 금지)

④ 채권추심법 제7조(동일 채권에 관한 복수 채권추심 위임 금지)

⑤ 채권추심법 제8조의3(관계인에 대한 연락 금지) 제1항

09. ②

2019년 기출

10 채권추심업무에 대한 다음 설명 중 옳은 것은?

① 채권추심업무를 허가받은 채권추심회사가 업무의 수행을 위하여 특정인의 소재를 탐지하는 행위는 금지된다.

② 채무자의 연락두절 등 소재파악이 곤란하여 채무자의 관계인에게 채무자의 소재 또는 연락처를 문의하는 행위는 금지된다.

③ 채권추심자는 정당한 사유 없이 야간에 채무자나 관계인에게 전화함으로써 공포심이나 불안감을 유발하여 사생활 또는 업무의 평온을 심하게 해치는 행위를 하여서는 아니 된다. 이 때 '야간'이 의미하는 시간대는 오후 9시 이후부터 다음 날 오전 9시까지이다.

④ 채권추심에 관한 민사상 법적절차가 진행되고 있지 아니함에도 그러한 절차가 진행되고 있다고 거짓으로 표시하는 행위는 금지된다.

⑤ 채권추심에 관한 보전처분 신청서를 제출한 후 그 사실을 채무자에게 알리는 행위는 금지된다.

해설 ④ 채권추심법 제11조(거짓 표시의 금지 등) 제4호

① 특정인의 소재 및 연락처(이하 "소재등"이라 한다)를 알아내는 행위는 금지되나, 채권추심회사가 그 업무를 하기 위하여 특정인의 소재등을 알아내는 경우 또는 다른 법령에 따라 특정인의 소재등을 알아내는 것이 허용되는 경우에는 가능하다(신용정보법 제40조 제1항 제4호).

② 채무자의 연락두절 등 소재파악이 곤란한 경우가 아님에도 채무자의 관계인에게 채무자의 소재, 연락처 또는 소재를 알 수 있는 방법 등을 문의하는 행위가 금지되는 것이다[채권추심법 제12조(불공정한 행위의 금지) 제2호 참조].

③ 채권추심자는 채권추심과 관련하여 정당한 사유 없이 반복적으로 또는 야간(오후 9시 이후부터 다음 날 오전 8시까지를 말한다. 이하 같다)에 채무자나 관계인을 방문함으로써 공포심이나 불안감을 유발하여 사생활 또는 업무의 평온을 심하게 해치는 행위 또는 정당한 사유 없이 반복적으로 또는 야간에 전화하는 등 말・글・음향・영상 또는 물건을 채무자나 관계인에게 도달하게 함으로써 공포심이나 불안감을 유발하여 사생활 또는 업무의 평온을 심하게 해치는 행위가 금지된다[채권추심법 제9조(폭행・협박 등의 금지) 제2호, 제3호 참조].

⑤ 채권추심에 관한 민사상 또는 형사상 법적인 절차가 진행되고 있지 아니함에도 그러한 절차가 진행되고 있다고 거짓으로 표시하는 행위가 금지되는 것이지[채권추심법 제11조(거짓 표시의 금지 등) 제4호], 채권추심에 관한 보전처분 신청서를 제출한 후 그 사실을 채무자에게 알리는 행위는 금지되지 아니한다.

10. ④

MEMO

제5절 개인정보 보호법의 개요

2023년 기출

01 개인정보와 가장 거리가 먼 것은?

① 사망했거나 관계 법령(실종선고 등)에 따라 사망한 것으로 보는 자에 관한 정보
② 아이디와 비밀번호 등 식별부호
③ 휴대전화번호 뒤의 4자리
④ 이메일 주소
⑤ 주민등록번호

해설 ① 아래 개인정보보호법 제2조(정의) 제1호, 신용정보법 제2조(정의) 제2호 참조
③ 판례는 휴대전화번호 뒤의 4자리를 개인정보보호법 제2조 제1호에 규정된 개인정보로 인정한다(대전지방법원 논산지원 2013.8.9.선고, 2013고단17 참조).

개인정보보호법 제2조
1. "개인정보"란 살아 있는 개인에 관한 정보로서 다음 각 목의 어느 하나에 해당하는 정보를 말한다.
가. 성명, 주민등록번호 및 영상 등을 통하여 개인을 알아볼 수 있는 정보
나. 해당 정보만으로는 특정 개인을 알아볼 수 없더라도 다른 정보와 쉽게 결합하여 알아볼 수 있는 정보. 이 경우 쉽게 결합할 수 있는지 여부는 다른 정보의 입수 가능성 등 개인을 알아보는 데 소요되는 시간, 비용, 기술 등을 합리적으로 고려하여야 한다.
다. 가목 또는 나목을 제1호의2에 따라 가명처리함으로써 원래의 상태로 복원하기 위한 추가 정보의 사용·결합 없이는 특정 개인을 알아볼 수 없는 정보(이하 "가명정보"라 한다)

신용정보법 제2조
2. "개인신용정보"란 기업 및 법인에 관한 정보를 제외한 살아 있는 개인에 관한 신용정보로서 다음 각 목의 어느 하나에 해당하는 정보를 말한다.
가. 해당 정보의 성명, 주민등록번호 및 영상 등을 통하여 특정 개인을 알아볼 수 있는 정보
나. 해당 정보만으로는 특정 개인을 알아볼 수 없더라도 다른 정보와 쉽게 결합하여 특정 개인을 알아볼 수 있는 정보

01. ①

MEMO

2022년 기출

02 **「신용정보법」과 「개인정보보호법」상 손해배상청구에 관한 다음 설명 중 가장 적절하지 않은 것은?**

① 정보주체는 개인정보처리자의 고의 또는 과실로 인하여 개인정보가 분실·도난·유출·위조·변조 또는 훼손된 경우에는 300만 원 이하의 범위에서 상당한 금액을 손해액으로 하여 배상을 청구할 수 있다.

② 신용정보주체는 신용정보회사 등이나 그로부터 신용정보를 제공받은 자가 「신용정보법」의 규정을 위반한 경우에는 신용정보회사 등이나 그로부터 신용정보를 제공받은 자에게 일반 손해배상을 청구하는 대신 300만 원 이하의 범위에서 상당한 금액을 손해액으로 하여 배상을 청구할 수 있다.

③ 신용정보회사 등이나 그 밖의 신용정보 이용자가 고의 또는 중대한 과실로 이 법을 위반하여 개인신용정보가 누설되거나 분실·도난·누출·변조 또는 훼손되어 신용정보주체에게 피해를 입힌 경우에는 해당 신용정보주체에 대하여 그 손해의 5배를 넘지 아니하는 범위에서 배상할 책임이 있다.

④ 개인정보처리자 또는 신용정보회사 등이나 그 밖의 신용정보이용자가 고의 또는 과실이 없음을 증명한 경우에도 책임을 면할 수 없다.

⑤ 개인정보처리자의 고의 또는 중대한 과실로 인하여 개인정보가 분실·도난·유출·위조·변조 또는 훼손된 경우로서 정보주체에게 손해가 발생한 때에는 법원은 그 손해액의 5배를 넘지 아니하는 범위에서 손해배상액을 정할 수 있다.

해설 개인정보처리자 또는 신용정보회사 등이나 그 밖의 신용정보이용자가 고의 또는 과실 없음을 증명하지 아니하면 책임을 면할 수 없다(개인정보보호법 제39조 제1항 단서, 신용정보법 제43조 제1항 단서 참조). 아래 해당조문 참조

> 신용정보법 제43조【손해배상의 책임】
> ① 신용정보회사등과 그로부터 신용정보를 제공받은 자가 이 법을 위반하여 신용정보주체에게 손해를 가한 경우에는 해당 신용정보주체에 대하여 그 손해를 배상할 책임이 있다. 다만, 신용정보회사등과 그로부터 신용정보를 제공받은 자가 고의 또는 과실이 없음을 증명한 경우에는 그러하지 아니하다.(④)
> ② 신용정보회사등이나 그 밖의 신용정보 이용자(수탁자를 포함한다. 이하 이 조에서 같다)가 고의 또는 중대한 과실로 이 법을 위반하여 개인신용정보가 누설되거나 분실·도난·누출·변조 또는 훼손되어 신용정보주체에게 피해를 입힌 경우에는 해당 신용정보주체에 대하여 그 손해의 5배를 넘지 아니하는 범위에서 배상할 책임이 있다.(③) 다만, 신용정보회사등이나 그 밖의 신용정보 이용자가 고의 또는 중대한 과실이 없음을 증명한 경우에는 그러

02. ④

MEMO

하지 아니하다.

③ 법원은 제2항의 배상액을 정할 때에는 다음 각 호의 사항을 고려하여야 한다.
   1. 고의 또는 손해 발생의 우려를 인식한 정도
   2. 위반행위로 인하여 입은 피해 규모
   3. 위반행위로 인하여 신용정보회사등이나 그 밖의 신용정보 이용자가 취득한 경제적 이익
   4. 위반행위에 따른 벌금 및 과징금
   5. 위반행위의 기간·횟수 등
   6. 신용정보회사등이나 그 밖의 신용정보 이용자의 재산상태
   7. 신용정보회사등이나 그 밖의 신용정보 이용자의 개인신용정보 분실·도난·누출 후 해당 개인신용정보 회수 노력의 정도
   8. 신용정보회사등이나 그 밖의 신용정보 이용자의 피해구제 노력의 정도

④ 채권추심회사 또는 위임직채권추심인이 이 법을 위반하여 「채권의 공정한 추심에 관한 법률」에 따른 채무자 또는 관계인에게 손해를 가한 경우에는 그 손해를 배상할 책임이 있다. 다만, 채권추심회사 또는 위임직채권추심인이 자신에게 고의 또는 과실이 없음을 증명한 경우에는 그러하지 아니하다.

⑤ 신용정보회사가 자신에게 책임 있는 사유로 의뢰인에게 손해를 가한 경우에는 그 손해를 배상할 책임이 있다.

⑥ 제17조 제1항에 따라 신용정보의 처리를 위탁받은 자가 이 법을 위반하여 신용정보주체에게 손해를 가한 경우에는 위탁자는 수탁자와 연대하여 그 손해를 배상할 책임이 있다.

⑦ 위임직채권추심인이 이 법 또는 「채권의 공정한 추심에 관한 법률」을 위반하여 「채권의 공정한 추심에 관한 법률」에 따른 채무자 또는 관계인에게 손해를 가한 경우 채권추심회사는 위임직채권추심인과 연대하여 그 손해를 배상할 책임이 있다. 다만, 채권추심회사가 위임직채권추심인 선임 및 관리에 있어서 자신에게 고의 또는 과실이 없음을 증명한 경우에는 그러하지 아니하다.

신용정보법 제43조의2 【법정손해배상의 청구】

① 신용정보주체는 신용정보회사등이나 그로부터 신용정보를 제공받은 자가 이 법의 규정을 위반한 경우에는 신용정보회사등이나 그로부터 신용정보를 제공받은 자에게 제43조에 따른 손해배상을 청구하는 대신 300만원 이하의 범위에서 상당한 금액을 손해액으로 하여 배상을 청구할 수 있다.(②) 이 경우 해당 신용정보회사등이나 그로부터 신용정보를 제공받은 자는 고의 또는 과실이 없음을 입증하지 아니하면 책임을 면할 수 없다.

② 제1항에 따른 손해배상 청구의 변경 및 법원의 손해액 인정에 관하여는 「개인정보 보호법」 제39조의2 제2항 및 제3항을 준용한다.

개인정보보호법 제39조 【손해배상책임】

① 정보주체는 개인정보처리자가 이 법을 위반한 행위로 손해를 입으면 개인정보처리자에게 손해배상을 청구할 수 있다. 이 경우 그 개인정보처리자는 고의 또는 과실이 없음을 입증하지 아니하면 책임을 면할 수 없다.(④)

MEMO

③ 개인정보처리자의 고의 또는 중대한 과실로 인하여 개인정보가 분실·도난·유출·위조·변조 또는 훼손된 경우로서 정보주체에게 손해가 발생한 때에는 법원은 그 손해액의 5배를 넘지 아니하는 범위에서 손해배상액을 정할 수 있다.(⑤) 다만, 개인정보처리자가 고의 또는 중대한 과실이 없음을 증명한 경우에는 그러하지 아니하다.
④ 법원은 제3항의 배상액을 정할 때에는 다음 각 호의 사항을 고려하여야 한다.
1. 고의 또는 손해 발생의 우려를 인식한 정도
2. 위반행위로 인하여 입은 피해 규모
3. 위법행위로 인하여 개인정보처리자가 취득한 경제적 이익
4. 위반행위에 따른 벌금 및 과징금
5. 위반행위의 기간·횟수 등
6. 개인정보처리자의 재산상태
7. 개인정보처리자가 정보주체의 개인정보 분실·도난·유출 후 해당 개인정보를 회수하기 위하여 노력한 정도
8. 개인정보처리자가 정보주체의 피해구제를 위하여 노력한 정도

개인정보보호법 제39조의2【법정손해배상의 청구】
① 제39조 제1항에도 불구하고 정보주체는 개인정보처리자의 고의 또는 과실로 인하여 개인정보가 분실·도난·유출·위조·변조 또는 훼손된 경우에는 300만원 이하의 범위에서 상당한 금액을 손해액으로 하여 배상을 청구할 수 있다.(①) 이 경우 해당 개인정보처리자는 고의 또는 과실이 없음을 입증하지 아니하면 책임을 면할 수 없다.
② 법원은 제1항에 따른 청구가 있는 경우에 변론 전체의 취지와 증거조사의 결과를 고려하여 제1항의 범위에서 상당한 손해액을 인정할 수 있다.
③ 제39조에 따라 손해배상을 청구한 정보주체는 사실심(事實審)의 변론이 종결되기 전까지 그 청구를 제1항에 따른 청구로 변경할 수 있다.

2021년 기출

03 **「개인정보보호법」상 민감정보는 원칙적으로 처리가 금지된다. 다음 설명 중 민감정보에 해당하지 않는 것은?**

① 노동조합·정당의 가입·탈퇴에 관한 정보
② 건강, 성생활 등에 관한 정보
③ 금융거래 등 상거래와 관련하여 발생한 채무의 불이행정보
④ 유전자검사 등의 결과로 얻어진 유전정보
⑤ 범죄경력에 관한 정보

03. ③

MEMO

해설 금융거래 등 상거래와 관련하여 발생한 채무의 불이행정보는 개인정보보호법상 민감정보에 해당하지 않는다. 개인정보보호법 및 동시행령의 민감정보의 처리제한에 관한 규정은 아래와 같다.

개인정보보호법 제23조 【민감정보의 처리 제한】 ① 개인정보처리자는 사상·신념, 노동조합·정당의 가입·탈퇴(①), 정치적 견해, 건강, 성생활 등에 관한 정보(②), 그밖에 정보주체의 사생활을 현저히 침해할 우려가 있는 개인정보로서 대통령령으로 정하는 정보(이하 "민감정보"라 한다)를 처리하여서는 아니 된다. 다만, 다음 각 호의 어느 하나에 해당하는 경우에는 그러하지 아니하다.

1. 정보주체에게 제15조 제2항 각 호 또는 제17조 제2항 각 호의 사항을 알리고 다른 개인정보의 처리에 대한 동의와 별도로 동의를 받은 경우
2. 법령에서 민감 정보의 처리를 요구하거나 허용하는 경우

② 개인정보처리자가 제1항 각 호에 따라 민감 정보를 처리하는 경우에는 그 민감 정보가 분실·도난·유출·위조·변조 또는 훼손되지 아니하도록 제29조에 따른 안전성 확보에 필요한 조치를 하여야 한다. 〈신설 2016. 3. 29.〉

③ 개인정보처리자는 재화 또는 서비스를 제공하는 과정에서 공개되는 정보에 정보주체의 민감정보가 포함됨으로써 사생활 침해의 위험성이 있다고 판단하는 때에는 재화 또는 서비스의 제공 전에 민감정보의 공개 가능성 및 비공개를 선택하는 방법을 정보주체가 알아보기 쉽게 알려야 한다.

개인정보보호법 시행령 제18조 【민감 정보의 범위】 법 제23조 제1항 각호 외의 부분 본문에서 "대통령령으로 정하는 정보"란 다음 각 호의 어느 하나에 해당하는 정보를 말한다. 다만, 공공기관이 법 제18조 제2항 제5호부터 제9호까지의 규정에 따라 다음 각 호의 어느 하나에 해당하는 정보를 처리하는 경우의 해당 정보는 제외한다.

1. 유전자검사 등의 결과로 얻어진 유전정보(④)
2. 「형의 실효 등에 관한 법률」 제2조 제5호에 따른 범죄경력자료에 해당하는 정보(⑤)
3. 개인의 신체적, 생리적, 행동적 특징에 관한 정보로서 특정 개인을 알아볼 목적으로 일정한 기술적 수단을 통해 생성한 정보
4. 인종이나 민족에 관한 정보

MEMO

2021년 기출

04 다음 설명 중 (   ) 안에 들어갈 법률로 가장 적절한 것은?

데이터 3법은 (A), (B), (C)을 말하며, 특정 개인을 식별할 수 없게 한 정보를 동의 없이 금융·연구 분야에서 활용할 수 있게 하고 온라인상 개인정보 관리 권한 담당 업무를 개인정보보호위원회로 이관하는 등의 내용을 담고 있다.
데이터 3법 시행은 빅데이터 활용을 위한 법적 근거가 마련되었다는 의미를 지닌다. 인공지능(AI), 사물 인터넷(IoT), 모빌리티 등 차세대 먹거리 산업에 데이터를 적극 활용하면서 새로운 '빅블러'(업종 간 경계가 허물어지는 현상) 생태계를 조성할 것으로 전망된다. 또한, 데이터 3법 개정으로 데이터 융합에 따른 다양한 혁신 서비스 발굴이 가능해졌다. 가명 정보와 익명 정보를 많은 기업이 사용할 수 있는 근거가 마련되었다.

	A	B	C
①	신용정보법	은행법	인터넷전문은행법
②	개인정보보호법	은행법	정보통신망 이용촉진 및 정보보호 등에 관한 법률
③	개인정보보호법	신용정보법	정보통신망 이용촉진 및 정보보호 등에 관한 법률
④	신용정보법	개인정보보호법	여신전문금융업법
⑤	개인정보보호법	신용정보법	인터넷전문은행법

해설 데이터3법이란 개인정보 보호법·신용정보법·정보통신망 이용촉진 및 정보보호 등에 관한 법률(약칭: 정보통신망법) 개정안을 일컫는 말로, 이 3법 개정안은 개인정보보호에 관한 법이 소관 부처별로 나뉘어 있어 발생하는 중복 규제를 없애 4차 산업혁명 도래에 맞춰 개인과 기업이 정보를 활용할 수 있는 폭을 넓히기 위해 마련됐다. 빅데이터 3법은 추가 정보의 결합 없이는 개인을 식별할 수 없도록 안전하게 처리된 가명정보의 개념을 도입하는 것이 핵심이다. 데이터 3법의 주요 내용은 다음과 같다(시사상식사전 참조).

1. 개인정보보호법 개정안
   - 개인정보 관련 개념을 개인정보, 가명정보, 익명정보로 구분한 후 가명정보를 통계작성 연구, 공익적 기록보존 목적으로 처리할 수 있도록 허용한다.
   - 가명정보 이용 시 안전장치 및 통제 수단을 마련한다.
   - 행정안전부, 금융위원회, 방송통신위원회 등으로 분산된 개인정보보호 감독기관을 통합하기 위해 개인정보보호위원회로 일원화한다. 개인정보보호위원회는 국무총리 소속 중앙행정기관으로 격상한다.

정답 04. ③

MEMO

2. 신용정보보호법 개정안
   은행, 카드사, 보험사 등 금융 분야에 축적된 방대한 데이터를 분석 및 이용해 금융상품을 개발하고 다른 산업 분야와의 융합을 통해 부가가치를 얻기 위해 마련됐다.
   - 가명조치한 개인신용정보로서 가명정보 개념을 도입해 빅데이터 분석 및 이용의 법적 근거를 명확히 마련한다.
   - 가명정보는 통계작성, 연구, 공익적 기록보존 등을 위해 신용정보 주체의 동의 없이도 이용, 제공할 수 있다.
3. 정보통신망법 개정안
   개인정보 관련 법령이 개인정보보호법, 정보통신망법 등 다수의 법에 중복돼 있고 감독기구도 행정안전부, 방송통신위원회, 개인정보보호위원회 등으로 나눠져 있어 따른 혼란을 해결하기 위해 마련됐다.
   - 정보통신망법에 규정된 개인정보보호 관련 사항을 개인정보보호법으로 이관한다.
   - 온라인상 개인정보보호 관련 규제 및 감독 주체를 방송통신위원회에서 개인정보보호위원회로 변경한다.

2017년 기출

05 「개인정보 보호법」상 정보주체의 권리로 옳지 않은 것은?

① 개인정보의 처리에 관한 정보를 제공받을 권리
② 개인정보의 처리에 따라 개인정보처리자가 얻는 이익에 대해 일정한 대가를 요구할 권리
③ 개인정보의 처리에 관한 동의 여부, 동의 범위 등을 선택하고 결정할 권리
④ 개인정보의 처리 여부를 확인하고 개인정보에 대하여 열람을 요구할 권리
⑤ 개인정보의 처리 정지, 정정·삭제 및 파기를 요구할 권리

개인정보 보호법 제4조【정보주체의 권리】
정보주체는 자신의 개인정보 처리와 관련하여 다음 각 호의 권리를 가진다.
1. 개인정보의 처리에 관한 정보를 제공받을 권리
2. 개인정보의 처리에 관한 동의 여부, 동의 범위 등을 선택하고 결정할 권리
3. 개인정보의 처리 여부를 확인하고 개인정보에 대하여 열람(사본의 발급을 포함한다. 이하 같다)을 요구할 권리
4. 개인정보의 처리 정지, 정정·삭제 및 파기를 요구할 권리
5. 개인정보의 처리로 인하여 발생한 피해를 신속하고 공정한 절차에 따라 구제받을 권리

05. ②

MEMO

2016년 기출

06 공개된 장소에서 범죄의 예방, 시설안전 및 화재 예방 등을 위하여 영상정보처리기기(CCTV)를 설치 · 운영할 수 있는 근거가 되는 법률은?

① 신용정보법
② 채권추심법
③ 공공기관의 정보공개에 관한 법률
④ 개인정보 보호법
⑤ 주민등록법

해설

개인정보 보호법 제25조【고정형 영상정보처리기기의 설치 · 운영 제한】

① 누구든지 다음 각 호의 경우를 제외하고는 공개된 장소에 고정형 영상정보처리기기를 설치 · 운영하여서는 아니 된다.
  1. 법령에서 구체적으로 허용하고 있는 경우
  2. 범죄의 예방 및 수사를 위하여 필요한 경우
  3. 시설의 안전 및 관리, 화재 예방을 위하여 정당한 권한을 가진 자가 설치 · 운영하는 경우
  4. 교통단속을 위하여 정당한 권한을 가진 자가 설치 · 운영하는 경우
  5. 교통정보의 수집 · 분석 및 제공을 위하여 정당한 권한을 가진 자가 설치 · 운영하는 경우
  6. 촬영된 영상정보를 저장하지 아니하는 경우로서 대통령령으로 정하는 경우

② 누구든지 불특정 다수가 이용하는 목욕실, 화장실, 발한실(發汗室), 탈의실 등 개인의 사생활을 현저히 침해할 우려가 있는 장소의 내부를 볼 수 있도록 고정형 영상정보처리기기를 설치 · 운영하여서는 아니 된다. 다만, 교도소, 정신보건 시설 등 법령에 근거하여 사람을 구금하거나 보호하는 시설로서 대통령령으로 정하는 시설에 대하여는 그러하지 아니하다.

③ 제1항 각 호에 따라 고정형 영상정보처리기기를 설치 · 운영하려는 공공기관의 장과 제2항 단서에 따라 고정형 영상정보처리기기를 설치 · 운영하려는 자는 공청회 · 설명회의 개최 등 대통령령으로 정하는 절차를 거쳐 관계 전문가 및 이해관계인의 의견을 수렴하여야 한다.

④ 제1항 각 호에 따라 고정형 영상정보처리기기를 설치 · 운영하는 자(이하 "고정형영상정보처리기기운영자"라 한다)는 정보주체가 쉽게 인식할 수 있도록 다음 각 호의 사항이 포함된 안내판을 설치하는 등 필요한 조치를 하여야 한다. 다만, 「군사기지 및 군사시설 보호법」 제2조 제2호에 따른 군사시설, 「통합방위법」 제2조 제13호에 따른 국가중요시설, 그 밖에 대통령령으로 정하는 시설의 경우에는 그러하지 아니하다.
  1. 설치 목적 및 장소
  2. 촬영 범위 및 시간
  3. 관리책임자의 연락처
  4. 그 밖에 대통령령으로 정하는 사항

⑤ 고정형영상정보처리기기운영자는 고정형 영상정보처리기기의 설치 목적과

06. ④

MEMO

> 다른 목적으로 고정형 영상정보처리기기를 임의로 조작하거나 다른 곳을 비춰서는 아니 되며, 녹음기능은 사용할 수 없다.
> ⑥ 고정형영상정보처리기기운영자는 개인정보가 분실·도난·유출·위조·변조 또는 훼손되지 아니하도록 제29조에 따라 안전성 확보에 필요한 조치를 하여야 한다.
> ⑦ 고정형영상정보처리기기운영자는 대통령령으로 정하는 바에 따라 고정형 영상정보처리기기 운영·관리 방침을 마련하여야 한다. 다만, 제30조에 따른 개인정보 처리방침을 정할 때 고정형 영상정보처리기기 운영·관리에 관한 사항을 포함시킨 경우에는 고정형 영상정보처리기기 운영·관리 방침을 마련하지 아니할 수 있다.
> ⑧ 고정형영상정보처리기기운영자는 고정형 영상정보처리기기의 설치·운영에 관한 사무를 위탁할 수 있다. 다만, 공공기관이 고정형 영상정보처리기기 설치·운영에 관한 사무를 위탁하는 경우에는 대통령령으로 정하는 절차 및 요건에 따라야 한다.

제6절 신용정보의 활용

2016년 기출

01 한국신용정보원의 신용관리규약에 따라 신용도판단정보 등록 대상에서 제외되거나 관련인 등록을 하지 않아도 되는 경우가 아닌 것은?

① 본인소유 부동산을 담보로 한 가계자금대출로서 동 부동산의 소유권 이전에 따른 채무인계절차 미필로 등록대상이 된 매도인
② 본인의 예·적금, 주식 등의 금융자산을 담보로 한 불입액 범위 내의 대출을 연체한 거래처
③ 건설업자가 대출이자를 부담하는 조건으로 아파트 등의 분양계약자에게 실행된 대출금으로서 건설업자가 부도 등으로 인하여 대출이자를 납부하지 않아 등록대상이 된 거래처
④ 「중소기업창업지원법」 및 「기술신용보증기금법」에 의한 투자행위 등으로 인하여 투자대상업체의 관련인이 된 중소기업창업투자회사 및 「여신전문금융업법」에 의해 등록된 신기술사업금융업자 등
⑤ 자본금의 50% 이상을 출자한 정부, 지방자치단체, 금융기관

01. 정답 없음

MEMO

해설 공개된 정답은 ⑤이지만 ⑤ 또한 틀린 지문이다. 일반신용정보관리규약 제15조 제2항 제3호에는 자본금의 30% 이상을 출자한 국가(최근 '정부'에서 표현을 수정함), 지방자치단체, 금융기관으로 규정하고 있는 바, ⑤ 자본금의 50% 이상을 출자한 정부, 지방자치단체, 금융기관은 이에 포함되는 개념이므로 정답이 없다. 이하 조문 참조.

일반신용정보관리규약 제15조【신용도판단정보의 등록 특례】

① 금융기관은 신용정보주체가 다음 각 호의 어느 하나에 해당하는 경우에는 연체정보등을 등록하지 않을 수 있다.

1. 본인소유 부동산을 담보로 한 가계자금대출로서 동 부동산의 소유권 이전에 따른 채무인계절차 미필로 등록대상이 된 매도인
2. 건설업자가 대출이자를 부담하는 조건으로 아파트 등의 분양계약자에게 실행된 대출금으로서 건설업자가 부도 등으로 인하여 대출이자를 납부하지 않아 등록대상이 된 자
3. 본인의 예·적금, 주식 등의 금융자산을 담보로 한 불입액 범위 내의 대출을 연체한 자

② 금융기관은 관련인이 다음 각 호의 어느 하나에 해당하는 경우에는 관련인 정보를 등록할 수 없다.

1. 「중소기업창업 지원법」 및 「기술보증기금법」에 의한 투자행위 등으로 인하여 투자대상업체의 관련인이 된 중소기업창업투자회사 및 「여신전문금융업법」에 의해 등록된 신기술사업금융업자 등
2. 「정부출연·위탁기관 경영혁신 추진계획」에 따른 구조조정 대상기관에 대한 출자법인 등
3. 자본금의 30% 이상을 출자한 국가, 지방자치단체, 금융기관
4. 정책금융기관으로부터 연대보증 면제 및 지원(직접 자금지원 또는 대출에 대한 보증 등)을 받은 관련인이 다음 각 목의 요건을 충족한 경우
   가. 정책금융기관이 해당 지원 건에 대해 등록하는 관련인 정보의 경우, 피관련인의 연체기산일로부터 7개월 이내(보증기관은 대지급발생일로부터 1개월 이내)에 동 기관이 관련인의 책임·투명경영이행약정 준수를 결정한 경우
   나. 보증부대출 취급기관이 해당 지원 건에 대해 등록하는 관련인 정보의 경우, 피관련인의 연체기산일로부터 7개월 이내에 관련인이 동 기관에게 정책금융기관과 체결한 책임·투명경영이행약정을 준수하였음을 증명하는 경우

Chapter 02 신용정보의 관리

제1절 부실채권관리의 개요

제2절 부실채권정보의 관리

2017년 기출

01 다음은 채권관리 시 단계별 정보수집 절차이다. 가장 적절한 것은?

㉮ 연락가능성 파악　㉯ 변제능력 파악　㉰ 이해관계인 파악
㉱ 변제의사 파악　㉲ 변제의사 고취

① ㉮ → ㉱ → ㉯ → ㉲ → ㉰
② ㉱ → ㉯ → ㉲ → ㉮ → ㉰
③ ㉮ → ㉯ → ㉰ → ㉱ → ㉲
④ ㉱ → ㉲ → ㉯ → ㉮ → ㉰
⑤ ㉮ → ㉯ → ㉱ → ㉲ → ㉰

해설 채권관리 단계별 정보수집 절차에 따른 목표와 방법은 다음과 같다.

단계	정보수집 목표	정보수집 방법
1단계 연락가능성 파악	• 변경된 주소, 연락처 정보의 연락가능 여부 확인 • 연락불가사유의 분석, 정보변경내역 확인 • 연락가능정보의 수집	원인서류, 신용분석정보, 정보변경내역
2단계 변제의사 파악	• 변제약속과 위약 여부, 빈도 확인 • 최근 변제사실 및 변제금액의 확인 • 생계형과 사치형, 사업 확장형의 판단	• 최근 변제내역서 및 거래내역서 • 관리이력의 관리내용
3단계 변제능력 파악	• 직장재직 여부 확인 • 임대차 보증금 여부 확인 • 부동산소유 여부 확인 • 타 금융기관에 대한 채무액 확인 • 기타 소유 재산의 확인	• 은행연합회 신용불량정보 • 자동차 등록 원부 • 등기부등본 • 고용보험 가입 여부
4단계 변제의사 고취	• 변제약속 및 상담 후 변제 여부의 확인 • 변제방안의 점검/행불예방을 위한 점검	상담을 통한 원인 분석

01. ①

5단계 이해관계인 파악	• 이해관계인을 통한 소재 파악 • 이해관계인의 대위변제 여부 확인 • 이해관계인의 반응도 점검	• 주민등록 등재상태로 세대주, 동거인 여부 확인 • 유선 및 방문을 통한 추가 정보

제3절 추심정보의 개요

2015년 기출

01 다음 중 신용관리담당자가 채권회수전략을 수립할 때 채무자와 관련하여 우선적으로 고려하여야 할 3대 사항은?

㉠ 변제의사 유무	㉡ 변제능력 유무
㉢ 연락가능 여부	㉣ 금융질서문란 여부
㉤ 주민등록 위장전입 여부	㉥ 가계수표 최종부도 여부

① ㉠, ㉡, ㉢
② ㉠, ㉡, ㉥
③ ㉠, ㉢, ㉣
④ ㉢, ㉣, ㉥
⑤ ㉣, ㉤, ㉥

해설 ㉠ 변제의사 유무 : 변제의사의 유무는 채무변제에 가장 기본적이고 일차적인 주요변수로 채무자를 포함한 변제자의 자유의사를 의미하며 변제의사의 유무에 따라 다양한 회수전략이 수립된다.

㉡ 변제능력 유무 : 변제의사와 무관하게 변제능력 여부는 회수 종료 시까지의 기간에 중요한 영향을 미치며 변제의사에도 영향을 미치는 변수로 변제능력의 유무에 따라 다양한 회수전략이 수립된다.

㉢ 연락가능 여부 : 연락가능 여부는 채무변제에 이르게 하는 방법에 대한 차별적 적용을 의미하는 중요한 변수로 변제의사나 변제능력을 판단하는 방법을 구분할 수 있는 변수로 연락가능 여부에 따라 회수전략의 실행방법의 변화가 나타나 회수전략의 수립에 영향을 미친다.

MEMO

정답 01. ①

MEMO

제4절 추심정보 수집 · 분석 · 활용

2022년 기출

01 다음 중 「일반신용정보관리규약」(2021.12.2.개정)에 따른 신용도판단정보 등록사유가 아닌 것은?

① 5만 원 이상의 신용카드대금을 3개월 이상 연체한 자
② 5만 원 이상의 카드론대금을 3개월 이상 연체한 자
③ 5만 원 이상의 할부금융대금을 3개월 이상 연체한 자
④ 대출원금, 이자 등을 3개월 이상 연체한 자
⑤ 분할상환방식의 개인주택자금대출금을 1개월 이상 연체한 자

해설 분할상환방식의 개인주택자금대출금을 9개월 이상 연체한 자를 등록한다. 「일반신용정보관리규약」(2021.12.2.개정)에 따른 신용도판단정보 등록사유 중 연체정보의 내용은 다음 표 참조

<table>
<tr><th>구분</th><th colspan="2">등록사유</th><th>등록코드</th><th>해제사유(해제코드)</th><th>보존기간</th><th>등록시기</th><th>비고</th></tr>
<tr><td rowspan="3">대출금 연체</td><td>1. 대출원금, 이자 등을 3개월 이상 연체한 자(④)</td><td rowspan="3">연체기산일 현재 남은 대출원금이 5만원 이상(특수채권 제외)으로서 해당 기간 경과시 등록</td><td>0101</td><td rowspan="3">다음 각 호의 어느 하나에 해당하는 경우
1. 다음 각 목의 어느 하나에 해당하는 경우(이하 "채무자 변제"라 한다)(01)
가. 채무자(관련인을 포함한다)가 채무를 변제한 경우(기일경과어음미결제정보, 무보증회사채상환불이행정보, 무담보미수채권정보는 제외한다)</td><td rowspan="3">해제사유가 발생한 날로부터 다음 각 호의 기간 동안 보존
1. 등록금액 1천만원을 초과하는 정보의 경우 다음 각 목에 따라 보존
가. 등록사유가 발생한 날로부터 90일 이내에 해제된 경우 보존기간 없음</td><td rowspan="3">사유 발생일로부터 7영업일 이내</td><td></td></tr>
<tr><td>2. 분할상환방식의 개인주택자금대출금을 9개월 이상 연체한 자(⑤)(다만, 만기 경과시에는 3개월 이후 등록한다)</td><td>0102</td><td></td></tr>
<tr><td>3. 신용보증기금이 보증한 청년창업대출의 대출원금, 이자 등을 6개월 이상 연체한 자(다만, 만기 경과시에는 3개월 이후 등록한다)</td><td>0114</td><td></td></tr>
</table>

정답 01. ⑤

구분	등록기준	등록조건	코드	해제사유	보존기간	등록기한	비고
대출금 연체	4. 학자금 대출 등의 대출원금, 이자 등을 6개월 이상 연체한 자(다만, 만기 경과시에는 3개월 이후 등록한다) – 다음 각 호의 어느 하나에 해당하는 경우 재등록(등록사유발생일은 당초사유발생일로 한다) 1. 대학의 학적 조사결과 졸업 후 24개월이 경과한 자로서 연체가 해소되지 않은 경우 2. 중소기업(「중소기업기본법」 제2조에 해당하는 기업에 한하다. 이하 같다) 재직으로 인한 연체정보 해제자로서 24개월이 경과한 시점에 연체가 해소되지 않은 경우 3. 중소기업 재직으로 인한 연체정보 해제자 중 국민건강보험공단 확인 결과 24개월이 경과하기 전 중소기업을 퇴직한 자로서 연체가 해소되지 않은 경우	연체기산일 현재 남은 대출원금이 5만원 이상(특수채권 제외)으로서 해당 기간 경과시 등록	0115	나. 금융기관이 정한 본인부담액을 정리한 경우(관련인정보에 한한다) 다. 기일경과 어음을 결제한 경우(기일경과어음미결제정보에 한한다) 라. 만기도래 지급제시 무보증회사채를 상환한 경우(무보증회사채상환불이행정보에 한한다) 마. 무담보미수채권을 상환한 경우(무담보미수채권정보에 한한다) 2. 보증인(관련인을 제외한다)이 채무를 변제한 경우(이하 "보증인변제"라 한다)(02) 3. 금융기관이 채권을 법적절차 등에 의해 회수한 경우(이하 "강제회수"라 한다)(03) 4. 금융기관이 채권을 감면, 면제, 포기한 경우(이하 "손실처리"라 한다)(04) 5. 개별 금융기관의 신용회복지원이 있는 경우(신용회복지원의 효력이 미치는 채무에 관련된 정보에 한한다)(06) 6. 채무자변제 및 손실처리(07) 7. 보증인변제 및 손실처리(08) 8. 강제회수 및 손실처리(09) 9. 신용회복위원회의 신용회복지원 확정이 있는 경우(신용회복지원 확정의 효력이 미치는 채무에 관련된 정보에 한한다)(10) 10. 신용회복지원(한마음금융)이 있는 경우(신용회복지원(한마음금융)의 효력이 미치는 채무	나. 채무를 변제하지 아니한 기간. 다만, 채무를 변제하지 아니한 기간이 1년을 초과하는 경우 1년 2. 등록금액 1천만원 이하인 정보의 경우에는 보존기간 없음. 다만, 해제사유 제19호 다목에 따라 해제된 경우 1년		
	5. 농림축산식품부지원 학자금융자사업의 대출원금 또는 교육부지원 무상학자금대여사업의 대출원금 등을 10개월 이상 연체한 자(농림축산식품부 융자의 경우 '10년도, '11년도 대출건 및 2015. 12.31. 이전 발생한 연체) – 다음 각 호의 어느 하나에 해당하는 경우 재등록(등록사유발		0116			사유발생일로부터 7영업일 이내	한국장학재단에 한함

MEMO

MEMO

대출금 연체	생일은 당초사유발생일로 한다) 1. 중소기업 재직으로 인한 연체정보 해제자로서 24개월이 경과한 시점에 연체가 해소되지 않은 경우 2. 중소기업 재직으로 인한 연체정보 해제자 중 국민건강보험공단 확인 결과 24개월이 경과하기 전 중소기업을 퇴직한 자로서 연체가 해소되지 않은 경우		에 관련된 정보에 한한다)(11) 11. 다음 각 목의 어느 하나에 해당하는 경우(12) 가. 회생계획인가결정이 있는 경우(회생계획인가결정의 효력이 미치는 채무에 관련된 정보에 한한다) 나. 변제계획인가결정이 있는 경우(변제계획인가결정의 효력이 미치는 채무에 관련된 정보에 한한다) 12. 소멸시효가 완성된 경우(13) 13. 파산면책결정이 있는 경우(파산면책결정의 효력이 미치는 채권에 관련된 정보에 한한다)(14) 14. 개인의 사망 또는 법인의 청산(15) 15. 채권을 금융기관이 아닌 자에게 양도한 경우(16) 16. 채권을 금융기관에 양도한 경우(17) 17. 다음 각 목의 어느 하나에 해당하는 경우로 하되 해제한 기간은 합산하여 36개월을 초과할 수 없음(등록코드 0115에 한한다)(99) 가. 대학의 학적 조사결과 졸업후 24개월이 경과하지 않은 자 나. 중소기업 재직자(신청자에 한하며, 동 사유로 해제한 기간은 합산하여 24개월을 초과할 수 없음) 18. 중소기업 재직자(신청자에 한하며, 동 사유로 해제한 기간은 합산하여 24개월을 초과할 수 없음)(등록코드 0116 및 0117에 한		
	6. 농림축산식품부 지원 학자금융자사업의 대출원금 등을 6개월 이상 연체한 자(2016.1.1. 이후 발생한 연체. 다만, '10년도, '11년도 대출 건 제외) – 다음 각 호의 어느 하나에 해당하는 경우 재등록(등록사유발생일은 당초사유발생일로 한다) 1. 중소기업 재직으로 인한 연체정보 해제자로서 24개월이 경과한 시점에 연체가 해소되지 않은 경우 2. 중소기업 재직으로 인한 연체정보 해제자 중 국민건강보험공단 확인 결과 24개월이 경과하기 전 중소기업을 퇴직한 자로서 연체가 해소되지 않은 경우	0117			
	6의2. 근로복지공단이 신용보증 또는 융자 결정한 학자금 대출 등의 대출원금, 이	0118			

MEMO

	자 등을 3개월 이상 연체한 자			한다)(99) 19. 다음 각 목의 어느 하나에 해당하는 경우(99) 가. 기타 채무가 소멸되거나 채무의 이행을 재판상 청구할 수 없게 된 경우(보전처분 등으로 채무의 이행을 재판상 청구할 수 없게 된 경우는 제외한다) 나. 채무의 상환을 유예한 경우 다. 등록사유 발생일로부터 7년이 경과한 경우			
	7. 5만원 이상의 카드론대금을 3개월 이상 연체한 자(②)		0103		해제사유가 발생한 날로부터 다음 각 호의 기간동안 보존 1. 등록금액 5백만원을 초과하는 정보의 경우 다음 각 목에 따라 보존 가. 등록사유가 발생한 날로부터 90일 이내에 해제된 경우 보존기간 없음 나. 채무를 변제하지 아니한 기간. 다만, 채무를 변제하지 아니한 기간이 1년을 초과하는 경우 1년 2. 등록금액 5백만원 이하인 정보의 경우에는 보존기간 없음. 다만, 해제사유 제19호 다목에 따라 해제된 경우 1년	사유 발생일로부터 7영업일 이내	
신용카드대금연체	8. 5만원 이상의 신용카드대금을 3개월 이상 연체한 자(①)		0104				
할부금융대금연체	9. 5만원 이상의 할부금융대금을 3개월 이상 연체한 자(③)		0105				
매입외환연체	10. 매입외환 부도대전 미결제액을 취급점의 부도 또는 차기 통지 접수일에 3영업일을 가산한 날로부터 3개월 이상 보유하고 있는 자(추심 후지급 부도 포함)	연체기산일 현재 남은 대출원금이 5만원 이상(특수채권 제외)으로서 해당 기간 경과시 등록	0106		해제사유가 발생한 날로부터 다음 각 호의 기간동안 보존 1. 등록금액 1천만원을 초과하는 정보의 경우 다음 각 목에 따라 보존 가. 등록사유가 발생한 날로부터 90일 이내에 해제된 경우 보존기간 없음 나. 채무를 변제하지 아니한 기간. 다만, 채무를 변제하지 아니한 기간이 1년을 초과하는 경우 1년 2. 등록금액 1천만원 이하인	사유 발생일로부터 7영업일 이내	
외환관련연체	11. 외환 관련 수수료 및 기한부 수입신용장에 의한 이자의 미결제액을 취급점의 부도 또는 차기 통지접수일에 3영업일을 가산한 날로부터 3개월 이상 보유한 자		0107				

MEMO

해외대출금연체	12. 해외대출금을 3개월 이상 연체한 자		0108		정보의 경우에는 보존기간 없음. 다만, 해제사유 제19호 다목에 따라 해제된 경우 1년		
기일경과 어음 미결제	13. 만기일 경과 어음을 1개월 이상 미결제한 자		0109				종금사 및 은행 종금계정 CP에 한함
무보증 회사채 상환 불이행	14. 만기도래하여 지급제시된 무보증회사채에 대하여 상환약정금의 지급을 불이행한 자		0110				
무담보 미수 채권	15. 무담보미수채권을 3개월 이상 보유한 자		0111		보존기간 없음. 다만, 해제사유 제19호 다목에 따라 해제된 경우 1년		증권사 및 한국증권금융에 한함
부실 채권 인수	16. 한국자산관리공사가 인수한 부실채권 차주	연체기산일 현재 남은 대출원금이 5만원 이상(특수채권 제외)으로서 해당 기간 경과시 등록	0112		해제사유가 발생한 날로부터 다음 각 호의 기간동안 보존 1. 등록금액 1천만원을 초과하는 정보의 경우 다음 각 목에 따라 보존 가. 등록사유가 발생한 날로부터 90일 이내에 해제된 경우 보존기간 없음 나. 채무를 변제하지 아니한 기간. 다만, 채무를 변제하지 아니한 기간이 1년을 초과하는 경우 1년 2. 등록금액 1천만원 이하인 정보의 경우에는 보존기간 없음. 다만, 해제사유 제19호 다목에 따라 해제된 경우 1년	사유 발생일로부터 7영업일 이내	국민행복기금으로부터 매입한 채권은 제외
부실 채권 차주	17. 정리금융공사가 인수한 부실채권 차주		0113				

MEMO

2023년 기출

02 다음 중 「일반신용정보관리규약」(2020.11.30. 개정)에 따른 공공기록정보 등록 사유가 아닌 것은?

① 국세를 1년에 3회 이상 체납하고 체납액이 5백만 원 이상인 자
② 신용회복지원협약에 따라 신용회복지원이 확정된 거래처
③ 과태료를 1년에 3회 이상 체납하고 체납액이 3백만 원 이상인 자
④ 법원의 판결에 의하여 채무불이행자로 결정된 경우
⑤ 1년에 3회 이상 관세 등을 체납하고 그 체납액이 5백만 원 이상인 자

해설 ③ 과태료를 1년에 3회 이상 체납하고 체납액이 5백만 원 이상인 자가 「일반신용정보관리규약」(2020.11.30. 개정)에 따른 공공기록정보 등록사유에 해당한다.

2021년 기출

03 다음 중 「일반신용정보관리규약」(2020.11.30.개정)에 따른 공공기록정보 등록 사유가 아닌 것은?

① 법원의 판결에 의하여 채무불이행자명부에 등재된 경우
② 국세를 1년에 3회 이상 체납하고 체납액이 1,000만원인 경우
③ 과태료를 1년에 3회 이상 체납하고 체납액이 1,500만원인 경우
④ 관세를 1년에 3회 이상 체납하고 체납액이 400만원인 경우
⑤ 고용·산재보험료 체납 발생일로부터 1년이 경과하고 체납액이 700만원인 경우

해설 관세를 1년에 3회 이상 체납하고 체납액이 500만 원 이상인 경우에 공공기록정보에 등록된다. 「일반신용정보관리규약」(2020.11.30.개정) 〈별표1〉 신용정보관리기준 5. 공공정보 1) 체납정보 등의 구체적인 내용은 아래 표 참조

구분	등록사유	등록 코드	해제사유	해제 코드	비고
국세 체납	1. 국세 체납 발생일로부터 1년이 경과하고 체납액이 5백만원(2010년 1월 1일부터 2011년 12월 31일까지는 1,000만원) 이상인 자	0601	다음 각 호의 어느 하나에 해당하는 경우 1. 해당등록사유가 해소된 경우 2. 등록사유발생일로부터 7년이 경과한 경우		
	2. 국세를 1년에 3회 이상 체납하고 체납액이 5백만원(2010년 1월 1일부터 2011년 12월 31일까지는 1,000만원) 이상인 자(②)	0602			
	3. 국세 체납 결손처분액이 5백만원(2010년 1월 1일부터 2011년 12월 31일까지는 1,000만원) 이상인 자	0603			

02. ③ 03. ④

MEMO

지방세 체납	4. 지방세 체납발생일로부터 1년이 경과하고 체납액(2016년 1월 1일부터 결손처분하였으나 징수권 소멸시효가 완성되지 아니한 분을 포함)이 5백만원(2010년 1월 1일부터 2011년 12월 31일까지는 1,000만원) 이상인 자	0604			신탁재산에 부과된 지방세를 체납한 경우 신탁등기·등록의 원인이 된 계약의 관련 정보(각 지방자치단체에서 부여하는 관리번호)를 "계좌번호"란에 추가집중
	5. 지방세를 1년에 3회 이상 체납하고 체납액(2016년 1월 1일부터 결손처분하였으나 징수권 소멸시효가 완성되지 아니한 분을 포함)이 5백만원(2010년 1월 1일부터 2011년 12월 31일까지는 1,000만원) 이상인 자	0605			
	6. 지방세 체납 결손처분액이 5백만 원(2010년 1월 1일부터 2011년 12월 31일까지는 1,000만원) 이상인 자	0606			
과태료 체납	7. 과태료 체납 발생일로부터 1년이 경과하고 체납액이 5백만원(2010년 1월 1일부터 2011년 12월 31일까지는 1,000만원) 이상인 자	0611	다음 각 호의 어느 하나에 해당하는 경우 1. 해당등록사유가 해소된 경우 2. 등록사유발생일로부터 7년이 경과한 경우		
	8. 과태료를 1년에 3회 이상 체납하고 체납액이 5백만원(2010년 1월 1일부터 2011년 12월 31일까지는 1,000만원) 이상인 자(③)	0612			
	9. 과태료 체납 결손 처분액이 5백만원(2010년 1월 1일부터 2011년 12월 31일까지는 1,000만원) 이상인 자	0613			
관세 체납	10. 관세등 체납발생일로부터 1년이 경과하고 체납액이 5백만원(2010년 1월 1일부터 2011년 12월 31일까지는 1,000만원) 이상인 자	0701			
	11. 1년에 3회 이상 관세 등을 체납하고 그 체납액이 5백만원(2010년 1월 1일부터 2011년 12월 31일까지는 1,000만원) 이상인 자(④)	0702			
	12. 관세등 체납 결손처분액이 5백만 원(2010년 1월 1일부터 2011년 12월 31일까지는 1,000만원) 이상인 자	0703			

MEMO

구분	등록사유	코드	해제사유		비고
채무불이행자	13 법원의 판결에 의하여 채무불이행자로 결정된 경우(①)	0801	다음 각 호의 어느 하나에 해당하는 경우 1. 해당등록사유가 해소된 경우 2. 등록사유발생일로부터 7년이 경과한 경우	77	
산재·고용보험료·임금체납(불)	14. 고용·산재보험료 체납발생일로부터 1년이 경과하고 체납액이 5백만원 이상인 자	0802			
	15. 고용·산재보험료를 1년에 3회이상 체납하고 체납액이 5백만 원 이상인 자(⑤)	0803			
	16. 고용·산재보험료 체납 결손처분액이 5백만 원 이상인 자	0804			
	17. 3년 이내 임금 등을 체불하여 2회 이상 유죄가 확정된 자로서 체불자료 제공일 이전 1년 이내 체불총액이 2천만 원 이상인 자	0807			
신용회복지원	18. 회생절차가 진행되고 있는 자(「채무자회생 및 파산에 관한 법률」에 따른 보전처분명령이 있는 때를 등록사유발생일로 본다)	1003	다음 각 호의 어느 하나에 해당하는 경우 1. 회생절차가 종결된 경우 2. 회생조건 이행이 완료된 경우(법원의 보고의무 면제를 포함한다) 3. 등록사유발생일로부터 5년이 경과한 경우		- 금융기관이 등록
	19. 신용회복지원협약에 따라 신용회복지원이 확정된 자	1101	다음 각 호의 어느 하나에 해당하는 경우 1. 확정된 신용회복채무를 변제 완료한 경우 2. 확정된 신용회복채무를 2년 이상 변제한 경우 3. 신용회복지원내용이 효력을 상실하여 연체정보 등 또는 금융질서문란정보로 등록될 경우 4. 등록사유발생일로부터 5년이 경과한 경우		- 신용회복위원회가 등록 - 1601이 등록된 경우 금융기관에 제공하지 아니함

MEMO

	20. 파산면책결정을 받은 자(파산면책결정일을 등록사유발생일로 본다)	1201	다음 각 호의 어느 하나에 해당하는 경우 1. 면책채권을 변제한 경우 1의2. 면책 취소 결정이 확정된 경우 2. 등록사유발생일로부터 5년이 경과한 경우		- 법원에서 통보하여 등록 - 16010이 등록된 경우 금융기관에 제공하지 아니함
	21. 개인회생절차의 변제계획인가결정을 받은 자(변제계획인가결정일을 등록사유발생일로 본다)	1301	다음 각 호의 어느 하나에 해당하는 경우 1. 변제계획에 따른 변제를 완료한 경우 1의2. 개인회생절차 폐지결정이 확정된 경우 2. 등록사유발생일로부터 5년이 경과한 경우		- 법원에서 통보하여 등록 - 16010이 등록된 경우 금융기관에 제공하지 아니함
신용회복지원	21의2. 다음 각 목의 어느 하나에 해당하는 자 가. 개인회생절차의 개시결정 전 재산에 대한 보전처분, 중지·금지명령 또는 포괄적 금지명령을 받은 자(위 처분 등이 채권자에게 송달된 날을 등록사유발생일로 본다) 나. 보전처분, 중지·금지명령 또는 포괄적 금지명령 없이 개인회생절차의 개시결정을 받은 자(개시 결정일을 등록사유발생일로 본다)	1311	다음 각 호의 어느 하나에 해당하는 경우 1. 등록사유 중 가목의 경우 다음 각 목의 어느 하나에 해당하는 경우 가. 개인회생절차의 개시결정 전에 신청자가 개시신청을 취하한 경우 나. 개인회생절차 개시신청이 법원에서 기각된 경우 다. 보전처분, 중지·금지명령 또는 포괄적 금지명령의 변경·취소 등으로 인해 해당 처분의 효력이 상실된 경우 라. 개인회생절차의 개시결정을 받은 경우 제2호 각목의 어느 하나에 해당하는 경우	77	- 금융기관이 등록(해당 결정에 대한 사건번호와 그 사건번호를 부여한 법원의 정보를 함께 등록하며, 처분의 변경 등으로 인해 사건번호 및 법원 정보 변경 시 해당 정보 정정) - 16010이 등록된 경우 금융기관에 제공하지 아니함

MEMO

			2. 등록사유 중 나목의 경우 다음 각 목의 어느 하나에 해당하는 경우 가. 개인회생절차의 변제계획 인가여부가 결정된 경우 나. 개인회생절차의 개시결정이 취소된 경우 다. 변제계획인가 전 개인회생절차폐지의 결정을 받은 경우 3. 등록사유발생일로부터 3년이 경과한 경우		
신용회복지원	22. 다음 각 목의 어느 하나에 해당하는 자 가. 한국자산관리공사의 신용회복지원규정에 의해 채무조정이 확정된 자 나. 2년이상 채무 변제로 채무조정사실 해제 후 3개월 이상 채무상환을 불이행한 자	1501	다음 각 호의 어느 하나에 해당하는 경우 1. 확정된 신용회복 채무의 변제를 완료한 경우 2. 확정된 신용회복 채무를 2년이상 변제한 경우 3. 등록사유발생일로부터 5년이 경과한 경우		- 한국자산관리공사가 등록 - 1601이 등록된 경우 금융기관에 제공하지 아니함
	23. 중소기업진흥공단 또는 재창업지원위원회(신용회복위원회)로부터 재창업자금을 지원받은 자, 신용보증기금, 기술보증기금으로부터 재도전 기업주 재기지원보증을 받은 자 또는 지역신용보증재단으로부터 재도전지원 특례보증을 받은 자 - 자금지원을 받은 날을 등록사유발생일로 한다	1601	다음 각 호의 어느 하나에 해당하는 경우 1. 재창업자금 지원·재도전 기업주 재기지원보증 및 재도전지원 특례보증의 약정 위반 등에 따른 실효	77	- 중소기업진흥공단 또는 신용회복위원회, 신용보증기금, 기술보증기금, 지역신용보증재단이 등록 - 정보등록기관 및 신용정보회사에만 제공
			2. 재창업자금 지원·재도전 기업주 재기지원보증 및 재도전지원 특례보증의 목적 달성으로 종료	01	

MEMO

신용회복지원	24. 국민행복기금이 협약금융기관 등으로부터 채권을 매입한 자 및 국민행복기금 보유채권을 한국자산관리공사가 매입한 자 – 채무조정 약정 취소(실효)시 재등록(등록사유발생일은 당초사유발생일로 한다)	1701	다음 각 호의 어느 하나에 해당하는 경우 1. 채무의 변제를 완료한 경우 2. 채무조정 약정을 체결한 경우 3. 등록코드 1101, 1201, 1301의 등록사유가 발생한 경우 4. 한국자산관리공사에 채권을 양도한 경우(국민행복기금이 등록한 경우에 한한다) 5. 등록사유발생일로부터 5년이 경과한 경우	77	국민행복기금, 한국자산관리공사가 등록
	25. 국민행복기금과 채무조정 약정을 체결한 자 및 동 채무조정 약정 채권을 한국자산관리공사가 매입한 자	1702	다음 각 호의 어느 하나에 해당하는 경우 1. 채무조정 약정이 취소(실효)된 경우 2. 채무조정 약정에 따른 변제가 완료된 경우 3. 채무조정 약정에 따라 2년간 변제한 경우 4. 등록코드 1101, 1201, 1301의 등록사유가 발생한 경우 5. 한국자산관리공사에 채권을 양도한 경우(국민행복기금이 등록한 경우에 한한다) 6. 등록사유발생일로부터 5년이 경과한 경우		국민행복기금, 한국자산관리공사가 등록
국외이주신고	26. 「해외이주법」에 의한 해외이주신고확인서상 신고자 – 해외이주비 환전용 해외이주신고확인서에 의거 해외이주비를 환전(또는 송금)하는 날	1401	다음 각 호의 어느 하나에 해당하는 경우 1. 국외이주포기신고서에 의해 국외이주를 포기한 경우 2. 등록사유발생일로부터 1년이 경과한 경우		– 금융기관이 등록(동의서를 징구 받은 고객에 대해서만 한함)

MEMO

2019년 기출

04 **한국신용정보원의 현행 「신용정보관리규약」에 대한 설명이다. 다음 중 ( )에 들어갈 내용으로 적절한 것은?**

금융질서문란정보 중 보험상품과 관련하여 「형법」 제347조의 죄(사기)를 범한 자의 해제사유는 등록사유 발생일로부터 (가)년이 경과한 경우이고, 보존 기간은 해제사유가 발생한 날로부터 (나)년이다.

구 분	(가)	(나)
①	7	5
②	5	7
③	5	5
④	4	5
⑤	6	4

해설 한국신용정보원의 현행 「신용정보관리규약」에 따르면 "신용정보"란 금융거래 등 상거래에서 거래상대방의 신용도와 신용거래능력 등을 판단할 때 필요한 정보로서 「신용정보의 이용 및 보호에 관한 법률」 제2조 제1호에 따른 정보를 말한다[동규약 제2조(정의) 참조]. 이 중 "신용도판단정보"란 금융거래 등 상거래와 관련하여 신용정보주체의 신용도를 판단할 수 있는 정보를 말하는데, 연체정보, 대위변제·대지급정보, 부도정보, 금융질서문란정보, 관련인정보, 미수발생정보, 신용거래의 무담보 미수채권정보가 이에 해당된다. 금융질서문란정보에 대한 상세는 다음 표를 참조.

구분	등록사유	등록코드	해제사유(해제코드)	보존기간	등록시기	비고
식별정보대여	1. 부정한 목적으로 다른 자의 개인식별정보(「신용정보의 이용 및 보호에 관한 법률」 제2조 제1호의2 제가목에서 정하는 정보를 말한다. 이하 이 호에서 같다)를 이용하여 금융거래 등 상거래를 하거나 그 상거래를 하려는 타인에게 자신의 개인식별정보를 제공하여 유죄의 확정판결을 받은 자	0960	다음 각 호의 어느 하나에 해당하는 경우 1. 해당 등록사유와 관련하여 손해를 입은 금융기관이 그 손해가 전부 배상 또는 회복되었다고 판단하여 해제를 요청한 경우(99)	해제사유가 발생한 날로부터 5년	유죄의 확정판결 정보를 입수한 날로부터 7영업일 이내	
위변조·허위자료제출	2. 부정한 목적으로 금융거래 등 상거래와 관련하여 거래상대방에게 위조·변조되거나 허위인 신용정보를 제공하여 유죄의 확정판결을 받은 자	0961				

04. ①

MEMO

대출사기	3. 대출금 등을 용도 외로 유용하거나 대출사기, 전기통신금융사기를 비롯하여 거짓이나 부정한 방법으로 대출을 받는 등으로 인해 유죄의 확정판결을 받은 자	0962	2. 등록사유 발생일로부터 7년이 경과한 경우(99)		
보험사기	4. 보험상품과 관련하여 「형법」 제347조, 제351조(제347조의 상습범만 해당한다) 또는 제352조(제347조의 미수범만 해당한다)의 죄(다른 법률에서 위 각 죄를 범죄의 구성요건으로 규정하는 경우 다른 법률의 그 범죄를 포함한다)를 범하여 유죄의 확정판결을 받은 자	0963			
보험사기(특별법)	5. 「보험사기방지 특별법」 제8조, 제9조, 제10조 또는 제11조의 죄를 범하여 유죄의 확정판결을 받은 자	0964			
신용카드도용	6. 거짓이나 그 밖의 부정한 방법으로 알아낸 타인의 신용카드 정보를 이용한 거래를 하여 유죄의 확정판결을 받은 자	0965			
회생파산사기	7. 거짓이나 그 밖의 부정한 방법으로 법원의 회생절차개시결정・간이회생절차개시결정・개인회생절차개시결정・파산선고 또는 이와 유사한 결정이나 판결을 받음으로써 유죄의 확정판결을 받은 자	0966			
외국환허위보고	8.「외국환거래법」 제20조를 위반하여 허위의 보고를 하거나 거짓으로 자료를 제출하여 행정처분을 받은 자	0967			
신용회복사기	9. 신용회복위원회에 허위의 자료를 제출하거나 허위의 진술을 하고 채무를 조정받았거나 조정된 채무를 이행하는 과정에서 재산의 도피, 은닉 또는 고의의 책임재산 감소행위를 함으로써 유죄의 확정판결을 받은 자	0968			
접근매체양도양수	10.「전자금융거래법」 제6조 제3항 각 호의 어느 하나에 해당하는 행위를 함으로써 유죄의 확정판결을 받은 자 다만, 다음 각 목의 어느 하나에 해당하는 경우는 제외 가. 다른 법률에 특별한 규정이 있는 경우	0969			

MEMO

	나. 같은 법 제18조에 따른 선불전자지급수단이나 전자화폐의 양도 또는 담보제공을 위하여 필요한 경우(같은 법 제6조 제3항 제3호의 행위 및 이를 알선하는 행위는 제외한다)					

2018년 기출

05 (일반)신용정보관리규약에 따른 연체정보 등록사유에 해당하는 자 중 옳지 않은 것은?

① 5만원 이상의 할부금융 대금을 3개월 이상 연체한 자
② 5만원 이상의 카드론 대금을 3개월 이상 연체한 자
③ 5만원 이상의 신용카드 대금을 3개월 이상 연체한 자
④ 분할상환방식의 개인주택자금 대출금을 9개월 이상 연체한 자
⑤ 5만원 이상의 학자금 대출금을 3개월 이상 연체한 자

해설 일반신용정보관리규약상 신용도판단정보 중 연체정보의 등록사유 중, 5만원 이상의 학자금 대출금은 6개월 이상 연체한 경우 연체정보의 등록사유에 해당한다.
④는 금액과 무관하게 등록한다고 설명한 것이 아니라 단지 금액 기준을 명확히 언급하지 않을 뿐이므로 이의제기에 따른 복수정답으로 인정되지 않았다.

2017년 기출

06 「신용정보관리규약」(일반신용정보관리규약)상 3개월 이상 연체한 경우 연체정보로 등록되는 채권이 아닌 것은?

① 카드론 대금
② 신용카드 대금
③ 할부금융 대금
④ 대출원금 또는 이자
⑤ 분할상환방식 개인주택자금대출

해설 일반신용정보관리규약상 신용도판단정보에는 연체정보, 대위변제・대지급정보, 부도정보, 금융질서문란정보, 관련인정보, 미수발생정보, 신용거래의 무담보 미수채권정보가 있다. 이 중 연체정보 가운데 분할상환방식 개인주택자금대출은 9개월 이상 연체한 경우 등록이 되지만 예외적으로 만기 경과 시에는 3개월 이후 등록이 되며, 카드론 대금, 신용카드 대금, 할부금융 대금, 대출원금 또는 이자는 모두 3개월 이상 연체한 경우 등록되는 채권이다. 또한 3개월 이상 연체한 경우에는 금액과 무관하게 등록되는 채권을 묻는 것이 아니라 금액은 별론으로 하고 연체 기간에 관해서만 묻는 문제이다.

05. ⑤ 06. ⑤

MEMO

2017년 기출

07 다음 연체정보 중 해제와 동시에 삭제되지 않는 것은? (단, 기간경과 해제 시 제외)

① 금 600만 원의 대출금 연체정보
② 금 600만 원의 신용카드대금 연체정보
③ 금 600만 원의 어음금 연체정보
④ 금 600만 원의 해외대출금 연체정보
⑤ 한국자산관리공사가 인수한 금 600만 원의 부실채권 차주

해설 일반신용정보관리규약 별표1에는 신용정보관리기준에 관한 구체적인 내용이 규정되어 있는 바, 이는 식별정보, 신용거래정보, 신용거래능력판단정보, 공공정보로 구별된다. 이 중 신용도판단정보의 하나인 연체정보는 대출금연체, 신용카드대금연체, 할부금융대금연체, 매입외환연체, 외환관련연체, 해외대출금연체, 기일경과어음미결제, 무보증회사채상환불이행, 무담보미수채권, 부실채권인수, 부실채권차주로 구분된다. 이들은 해제사유와 보존기간이 정해져 있는데, 신용카드대금 연체정보는 5백만 원 이하일 시 보존기간이 없으므로 6백만 원인 경우는 1년의 보존기간이 있으나 대출금 연체정보, 어음금 연체정보, 해외대출금 연체정보, 한국자산관리공사가 인수한 부실채권 차주의 경우는 1천만 원 이하일 시 보존기간이 없으므로 6백만 원인 경우는 보존기간이 없다.

2016년 기출

08 한국신용정보원의 「신용정보관리규약」에 따른 신용카드대금 연체정보 등록에 관한 다음 내용에서 ( ) 안에 들어갈 가장 적절한 것은?

> 신용카드대금 연체정보의 등록은 (A) 이상의 신용카드대금을 (B) 이상 연체한 거래처를 대상으로 한다.

	A	B
①	5만 원	3개월
②	3만 원	3개월
③	3만 원	6개월
④	5만 원	6개월
⑤	10만 원	3개월

해설 "신용정보"란 금융거래 등 상거래에서 거래상대방의 신용도와 신용거래능력 등을 판단할 때 필요한 정보로서 「신용정보의 이용 및 보호에 관한 법률」 제2조 제1호에 따른 정보를 말한다[신용정보관리규약 제2조(정의) 참조]. 이 중 연체정보는 신용도판단정보에 해당되는데, 신용카드대금 연체정보의 등록은 5만 원 이상의 신용카드대금을 3개월 이상 연체한 거래처를 대상으로 한다(동규약 별표 참조).

정답 07. ② 08. ①

MEMO

2016년 기출

09 한국신용정보원의 「신용정보관리규약」에서 정한 공공정보의 등록사유로 적절하지 않은 것은?

① 국세 체납발생일로부터 1년이 경과하고 체납액이 500만 원 이상인 경우
② 국세를 1년에 3회 이상 체납하고 체납액이 500만 원 이상인 경우
③ 지방세 체납발생일로부터 1년이 경과하고 체납액이 500만 원 이상인 경우
④ 과태료 체납발생일로부터 1년이 경과하고 체납액이 500만 원 이상인 경우
⑤ 법원의 판결에 의하여 채무불이행자로 결정된 자 중 채무금액이 500만 원 이상인 경우

해설 법원의 판결에 의하여 채무불이행자로 결정된 경우라면 채무금액에 상관없이 공공정보로 등록된다(등록코드 0801).
① 국세 체납 발생일로부터 1년이 경과하고 체납액이 500만 원 이상인 경우(등록코드 0601)
② 국세를 1년에 3회 이상 체납하고 체납액이 500만 원 이상인 경우(등록코드 0602)
③ 지방세 체납발생일로부터 1년이 경과하고 체납액이 500만 원 이상인 경우(등록코드 0604)
④ 과태료 체납발생일로부터 1년이 경과하고 체납액이 500만 원 이상인 경우(등록코드 0611)

2024년 기출

10 채권원인 서류 및 채권 관련 서류에 관한 다음 설명 중 가장 적절하지 않은 것은?

① 액면금액과 만기가 기재되지 않은 약속어음도 백지에 대한 보충권과 백지보충을 조건으로 한 어음상의 청구권을 표창하는 유가증권이다.
② 차용증에 서명이나 날인 대신 무인이 있는 경우 그 문서 전체에 관한 진정성립이 추정되지 않는다.
③ 부동산매매계약을 체결할 때에 부동산의 개황, 소유주 관계, 용익물권, 담보물권 현황 등을 알 수 있는 자료는 부동산등기사항전부증명서(부동산등기부등본)이다.
④ 법인의 형태 및 대표자 적격여부, 단독대표인지 공동대표인지, 주소의 일치여부 등을 알 수 있는 자료는 등기사항전부증명서(법인등기부등본)이다.
⑤ 자동차등록원부는 차량의 기종과 연식, 제원, 소유주관계, 담보물권 현황 및 보전처분 관계 정보를 담고 있어 채무자가 보유한 차량의 재산적 가치를 파악할 수 있는 자료로 활용된다.

09. ⑤　10. ②

MEMO

해설 ② 증명하고자 하는 법률적 행위(처분)가 그 문서 자체에 의하여 이루어진 경우의 문서를 '처분문서'라고 하고, 문서가 거증자(증거를 대는 자)가 주장하는 특정인의 의사에 의하여 작성된 것을 '문서의 진정성립'이라고 하는데, 차용증은 사문서로서 처분문서에 해당한다. 사문서는 그것이 진정한 것임을 증명하여야 하지만(민사소송법 제357조(사문서의 진정의 증명)), 사문서는 본인 또는 대리인의 서명이나 날인 또는 무인이 있는 때에는 진정한 것으로 추정한다(민사소송법 제358조(사문서의 진정의 추정)).

2023년 기출

11 채무환경분석정보 및 그와 관련된 서류들에 관한 다음 설명 중 가장 적절하지 않은 것은?

① 채무자 사망 시 상속인 관련 정보는 제적등본·가족관계증명서 등을 통하여 확인할 수 있다.

② 부동산등기사항증명서는 부동산소재지만 알고 있다면 누구나 발급받을 수 있다.

③ 채권·채무관계 등 대통령령으로 정하는 정당한 이해관계가 있는 사람은 주민등록표 등본을 발급받을 수 있다.

④ 부가가치세 납세의무자는 원칙적으로 사업장별로 세무서에 신청하여 사업자등록증을 발급받을 수 있다.

⑤ 주민등록번호 뒤의 7자리 숫자 중 첫 번째 숫자는 남녀를 구분한다.

해설 ③ 서류분석을 통해 행불자를 추적할 때는 이해관계사실확인서로 주민등록표 등본은 열람할 수 없고, 주민등록표 초본만 열람가능하기 때문에 최초 대출당시 주민등록표 등본을 확인하여 가족들의 기본적인 사항을 조회 후 추적해야 한다.

> 주민등록법 제29조【열람 또는 등·초본의 교부】
> ① 주민등록표를 열람하거나 그 등본 또는 초본의 교부를 받으려는 자는 행정안전부령으로 정하는 수수료를 내고 시장·군수 또는 구청장(자치구가 아닌 구의 구청장을 포함한다)이나 읍·면·동장 또는 출장소장(이하 "열람 또는 등·초본교부기관의 장"이라 한다)에게 신청할 수 있다.
> ② 제1항에 따른 주민등록표의 열람이나 등·초본의 교부신청은 본인이나 세대원이 할 수 있다. 다만, 본인이나 세대원의 위임이 있거나 다음 각 호의 어느 하나에 해당하면 그러하지 아니하다.
> 1. 국가나 지방자치단체가 공무상 필요로 하는 경우
> 2. 관계 법령에 따른 소송·비송사건·경매목적 수행상 필요한 경우
> 3. 다른 법령에 주민등록자료를 요청할 수 있는 근거가 있는 경우
> 4. 다른 법령에서 본인이나 세대원이 아닌 자에게 등·초본의 제출을 의무화하고 있는 경우
> 5. 다음 각 목의 어느 하나에 해당하는 자가 신청하는 경우

정답 11. ③

MEMO

가. 세대주의 배우자
나. 세대주의 직계혈족
다. 세대주의 배우자의 직계혈족
라. 세대주의 직계혈족의 배우자
마. 세대원의 배우자(주민등록표 초본에 한정한다)
바. 세대원의 직계혈족(주민등록표 초본에 한정한다)
6. 채권・채무관계 등 대통령령으로 정하는 정당한 이해관계가 있는 사람이 신청하는 경우(주민등록표 초본에 한정한다)
7. 그 밖에 공익상 필요하여 대통령령으로 정하는 경우

2024년 기출

12 **다음 중 부동산등기사항증명서(부동산등기부등본)의 '을'구에 등기할 수 있는 권리가 아닌 것은?**

① 저당권　　② 지상권
③ 전세권　　④ 환매권
⑤ 임차권

해설 ④ 부동산등기법 제3조에는 등기할 수 있는 권리를 명시하고 있다. 아래조문 참조

부동산등기법 제3조(등기할 수 있는 권리 등) 등기는 부동산의 표시와 다음 각 호의 어느 하나에 해당하는 권리의 보존, 이전, 설정, 변경, 처분의 제한 또는 소멸에 대하여 한다.
1. 소유권　　2. 지상권
3. 지역권　　4. 전세권
5. 저당권　　6. 권리질권
7. 채권담보권　　8. 임차권

부동산등기사항증명서(부동산등기부등본)의 구성은 아래 표와 같다.

등기번호란	각 토지 또는 각 건물대지의 지번을 기재
표제부	부동산의 표시와 구조에 관한 사항 → 토지의 경우에는 지번, 지목, 지적이 표기되고 건물에는 지번, 구조, 용도, 면적이 기재된다. 또한 접수일자, 해당 건물의 소재지번 및 건물번호, 건물의 내역, 등기원인 및 기타 사항이 기록되어 있고 토지분할이나 지목의 변경 또는 건물구조의 변경이나 증축 등에 의한 면적변경도 표제부에 기재된다.
갑 구	소유권에 관한 사항이 기재, 특히 중요한 가압류, 가처분, 압류, 가등기 등과 이들 권리의 변경등기, 말소 및 회복등기 등은 모두 갑구에 등재된다.
을 구	소유권 이외의 권리인 저당권, 전세권, 지역권, 지상권, 임차권등기명령 등이 기재된다.

12. ④

MEMO

2022년 기출

13 다음 중 부동산등기사항증명서(부동산등기부등본)의 '갑구'에 기록되는 것이 아닌 것은?

① 매매로 인한 소유권이전등기 시 거래가액
② 공유지분권에 대한 가처분
③ 전세권에 대한 가압류
④ 소유권이전청구권가등기
⑤ 소유권에 대한 가압류

해설 소유권 이외의 권리인 저당권, 전세권, 지역권, 임차권등기명령 등은 부동산등기사항증명서의 '을구'에 기록된다. 따라서 전세권에 대한 가압류도 '을구'에 기록된다. 부동산등기부등본의 구성은 다음 표와 같다.

등기번호란	각 토지 또는 각 건물대지의 지번을 기재
표제부	부동산의 표시와 구조에 관한 사항 → 토지의 경우에는 지번, 지목, 지적이 표기되고 건물에는 지번, 구조, 용도, 면적이 기재된다. 또한 접수일자, 해당 건물의 소재지번 및 건물번호, 건물의 내역, 등기원인 및 기타 사항이 기록되어 있고 토지분할이나 지목의 변경 또는 건물구조의 변경이나 증축 등에 의한 면적변경도 표제부에 기재된다.
갑구	소유권에 관한 사항이 기재, 특히 중요한 가압류, 가처분, 압류, 가등기 등과 이들 권리의 변경등기, 말소 및 회복등기 등은 모두 갑구에 등재된다.
을구	소유권 이외의 권리인 저당권, 전세권, 지역권, 지상권, 임차권등기명령 등이 기재된다.

① 매매로 인한 소유권이전등기 시 거래가액도 부동산등기부등본 갑구에 기록한다. 관련조문은 다음과 같다.

> 부동산등기법 제68조【거래가액의 등기】
> 등기관이 「부동산 거래신고 등에 관한 법률」 제3조 제1항에서 정하는 계약을 등기원인으로 한 소유권이전등기를 하는 경우에는 대법원규칙으로 정하는 바에 따라 거래가액을 기록한다.
>
> 부동산등기규칙 제124조【거래가액과 매매목록】
> ① 법 제68조의 거래가액이란 「부동산 거래신고 등에 관한 법률」 제3조에 따라 신고한 금액을 말한다.

13. ③

MEMO

② 「부동산 거래신고 등에 관한 법률」 제3조 제1항에서 정하는 계약을 등기원인으로 하는 소유권이전등기를 신청하는 경우에는 거래가액을 신청정보의 내용으로 등기소에 제공하고, 시장・군수 또는 구청장으로부터 제공받은 거래계약신고필증정보를 첨부정보로서 등기소에 제공하여야 한다. 이 경우 거래부동산이 2개 이상인 경우 또는 거래부동산이 1개라 하더라도 여러 명의 매도인과 여러 명의 매수인 사이의 매매계약인 경우에는 매매목록도 첨부정보로서 등기소에 제공하여야 한다.

> 부동산등기규칙 제125조【거래가액의 등기방법】
> 등기관이 거래가액을 등기할 때에는 다음 각 호의 구분에 따른 방법으로 한다.
> 1. 매매목록의 제공이 필요 없는 경우 : 등기기록 중 갑구의 권리자 및 기타사항란에 거래가액을 기록하는 방법
> 2. 매매목록이 제공된 경우 : 거래가액과 부동산의 표시를 기록한 매매목록을 전자적으로 작성하여 번호를 부여하고 등기기록 중 갑구의 권리자 및 기타사항란에 그 매매목록의 번호를 기록하는 방법

2021년 기출

14 다음 중 부동산 등기사항전부증명서(등기부등본)의 '갑구'에 기록되는 사항을 모두 고른 것은?

ㄱ. 소유권이전청구권가등기　　ㄴ. 지상권말소등기
ㄷ. 환매등기　　ㄹ. 임차권설정등기
ㅁ. 소유권보존등기　　ㅂ. 전세권이전등기

① ㄱ, ㄴ, ㄷ　　② ㄱ, ㄷ, ㄹ
③ ㄷ, ㄹ, ㅁ　　④ ㄱ, ㄷ, ㅁ
⑤ ㄷ, ㄹ, ㅂ

해설 부동산등기부등본은 등기번호란, 표제부, 갑구, 을구로 구성된다. 등기번호란에는 각 토지 또는 각 건물대지의 지번을, 표제부에는 부동산의 표시와 구조에 관한 사항을, 갑구에는 소유권에 관한 사항(특히 가압류, 가처분, 압류, 가등기 등과 이들 권리의 변경등기, 말소 및 회복등기 등)을, 을구에는 소유권 이외의 권리인 저당권, 전세권, 지역권, 지상권, 임차권등기명령 등이 기재된다. 따라서 소유권이전청구권가등기, 환매등기, 소유권보존등기는 갑구에, 지상권말소등기, 임차권설정등기, 전세권이전등기는 을구에 기재된다.

14. ④

MEMO

2020년 기출

15 부동산등기부상 등기권리 순위에 대한 다음 설명 중 옳은 것은?

① 동일한 부동산등기부상 갑구란의 가처분 등기와 을구란의 저당권 등기의 접수일자가 동일하면 접수번호로 순위를 결정한다.

② 동일한 부동산등기부상 을구란에 지상권이 1순위 등기, 저당권이 2순위 등기인 경우 언제나 저당권 등기가 우선한다.

③ 동일한 부동산등기부상 갑구란에 2018.5.25. 가등기(소유권이전등기 청구권 가등기)가 설정되고, 을구란에 2018.5.30. 저당권이 설정된 경우, 가등기권자가 2018.6.15. 본등기 한 경우 중간처분등기인 저당권은 말소되지 않는다.

④ 가등기의 경우 본등기를 하면 그 본등기의 접수번호에 의하여 순위가 결정된다.

⑤ 동일한 부동산등기부상 2018.1.20. 갑구란의 가압류 등기가, 2018.1.15. 을구란에 저당권이 설정되었다면 가압류 등기가 앞선다.

해설 ① 등기의 순서는 등기기록 중 다른 구에서 한 등기 상호간에는 접수번호에 따른다[부동산등기법 제4조(권리의 순위) 제2항 후단].

② 등기의 순서는 등기기록 중 같은 구에서 한 등기 상호간에는 순위번호에 따른다(부동산등기법 제2항 전단). 따라서 동일한 부동산등기부상 을구란에 지상권이 1순위 등기, 저당권이 2순위 등기인 경우 언제나 지상권 등기가 우선한다.

③ 등기관은 가등기에 의한 본등기를 하였을 때에는 대법원규칙으로 정하는 바에 따라 가등기 이후에 된 등기로서 가등기에 의하여 보전되는 권리는 침해하는 등기를 직권으로 말소하여야 한다[부동산등기법 제92조(가등기에 의하여 보전되는 권리를 침해하는 가등기 이후 등기의 직권말소) 제1항]. 따라서 동일한 부동산등기부상 갑구란에 2018.5.25. 가등기(소유권이전등기 청구권 가등기)가 설정되고, 을구란에 2018.5.30. 저당권이 설정된 경우, 가등기권자가 2018.6.15. 본등기 한 경우 등기관은 중간처분등기인 저당권을 직권으로 말소하여야 한다.

④ 가등기에 의한 본등기를 한 경우 본등기의 순위는 가등기의 순위에 따른다[부동산등기법 제91조(가등기에 의한 본등기의 순위)]. 즉, 가등기의 경우 본등기를 하면 그 가등기의 접수번호에 의하여 순위가 결정된다.

⑤ 같은 부동산에 관하여 등기한 권리의 순위는 법률에 다른 규정이 없으면 등기한 순서에 따른다[부동산등기법 제4조(권리의 순위) 제1항]. 따라서 동일한 부동산등기부상 2018.1.20. 갑구란의 가압류 등기가, 2018.1.15. 을구란에 저당권이 설정되었다면 저당권 설정등기가 앞선다.

15. ①

MEMO

2018년 기출

16 부동산등기부(등기사항증명서)상 등기권리 순위에 대한 설명 중 옳지 않은 것은?

① A 부동산등기부(등기사항증명서)상 2018. 1. 20. 을구란의 근저당 등기가 설정되었고 2018. 1. 25. 갑구란에 가압류가 기입되었다면 근저당 등기가 앞선다.

② B 부동산등기부(등기사항증명서)상 을구란에 저당권이 1순위 등기, 전세권이 2순위 등기인 경우 순위등기가 앞선 저당권이 우선한다.

③ C 부동산등기부(등기사항증명서)상 갑구란에 2018. 5. 25. 소유권이전등기청구권 가등기가 설정되고, 을구란에 2018. 5. 30. 저당권이 설정된 경우, 가등기권자가 2018. 6. 15. 본등기를 한 경우 중간처분등기인 저당권은 직권으로 말소된다.

④ 부기등기 순위는 주등기 순위에 의한다.

⑤ D 부동산등기부(등기사항증명서)상 갑구란의 가처분 등기와 을구란의 저당권 등기의 접수일자가 동일하면 동일순위로 한다.

해설 같은 부동산에 관하여 등기한 권리의 순위는 법률에 다른 규정이 없으면 등기한 순서에 따른다(부동산등기법 제4조 제1항).

① 따라서, A 부동산등기부(등기사항증명서)상 2018. 1. 20. 을구란의 근저당 등기가 설정되었고 2018. 1. 25. 갑구란에 가압류가 기입되었다면 근저당 등기가 앞서고,

② B 부동산등기부(등기사항증명서)상 을구란에 저당권이 1순위 등기, 전세권이 2순위 등기인 경우 순위등기가 앞선 저당권이 우선한다.

⑤ 그리고, 등기의 순서는 등기기록 중 같은 구(區)에서 한 등기 상호간에는 순위번호에 따르고, 다른 구에서 한 등기 상호간에는 접수번호에 따른다(동법 제4조 제2항). 따라서, D 부동산등기부(등기사항증명서)상 갑구란의 가처분 등기와 을구란의 저당권 등기의 접수일자가 동일하면 다른 구에서 한 등기 상호간이므로 접수번호에 따라 순위를 정한다.

③ 가등기에 의한 본등기를 한 경우 본등기의 순위는 가등기의 순위에 따른다(동법 제91조). 그리고, 등기관은 가등기에 의한 본등기를 하였을 때에는 대법원규칙으로 정하는 바에 따라 가등기 이후에 된 등기로서 가등기에 의하여 보전되는 권리를 침해하는 등기를 직권으로 말소하여야 한다(동법 제92조 제1항). 따라서 C 부동산등기부(등기사항증명서)상 갑구란에 2018. 5. 25. 소유권이전등기청구권 가등기가 설정되고, 을구란에 2018. 5. 30. 저당권이 설정된 경우, 가등기권자가 2018. 6. 15. 본등기를 한 경우 중간처분등기인 저당권은 직권으로 말소된다.

④ 부기등기(附記登記)의 순위는 주등기(主登記)의 순위에 따른다. 다만, 같은 주등기에 관한 부기등기 상호간의 순위는 그 등기 순서에 따른다(동법 제5조).

16. ⑤

MEMO

2017년 기출

17 **부동산 등기부와 토지·건축물 관리대장에 관한 다음 설명 중 옳지 않은 것은?**

① 등기부등본은 표제부, 갑구, 을구로 구성되어 있다.
② 임차권은 부동산 등기부의 을구에 기재된다.
③ 토지·건축물 관리대장에도 가압류, 가처분, 경매, 압류, 저당권 등에 관한 내용이 모두 등록된다.
④ 부동산 등기부의 갑구에는 소유권에 관한 사항이 등재된다.
⑤ 부기등기의 순위는 주등기의 순위에 의한다.

해설 '토지관리대장'이란 사람의 생활과 활동에 이용하는 땅, 즉 토지를 관리하기 위해 그 정보를 기재한 서식이다. 이에 기재되는 주요 항목으로는 소재지번, 지분, 취득일, 취득가액, 취득원인, 등기명의인, 저당에 관한 사항이다. '건축물관리대장'이란 건축물의 현황을 파악하고자 상세하게 기록한 문서이다. 이에 기재되는 항목으로는 건물의 소재지, 건물에 정해져 있는 번호, 각 건물에 입주하는 공간별 번호, 건물의 종류와 구조 등으로 요약할 수 있다. 따라서 가압류, 가처분, 경매, 압류, 저당권 등에 관한 내용은 부동산등기부에 기록이 될 사항으로 토지·건축물 관리대장에 이러한 사항이 모두 등록되는 것은 아니다.

① 등기부등본은 표제부, 갑구, 을구로 구성되어 있다.
④ 부동산 등기부의 갑구에는 소유권에 관한 사항이 기재, 특히 중요한 가압류, 가처분, 압류, 가등기 등과 이들 권리의 변경등기, 말소 및 회복등기 등은 모두 갑구에 등재된다.
② 부동산 등기부의 을구에는 소유권 이외의 권리인 저당권, 전세권, 지역권, 지상권, 임차권등기명령 등이 기재된다.
⑤ 독립된 번호 없이 기존의 주등기의 번호를 그대로 사용하여 그 번호의 아래 부기 몇 호라는 번호를 붙여서 행해지는 등기를 '부기등기'라 한다. 따라서 부기등기의 순위는 주등기의 순위에 의한다.

2019년 기출

18 **다음 중 부동산등기사항전부증명서(부동산등기부등본)의 을구에 기재되지 않는 것은?**

① 근저당권
② 전세권
③ 임차권
④ 지상권
⑤ 환매권

 ⑤ 부동산등기법 제3조에 명문으로 등기할 수 있는 권리를 열거하고 있다.
① '근저당권'이란 "그 담보할 채무의 최고액만을 정하고 채무의 확정을 장래에 보류하여 설정한 저당권"을 의미하는데(민법 제357조 제1항 참조), 부동산등기법 제75조 제2항에 근저당권의 등기사항을 정하고 있다. 이하에 관련조문을 첨부한다.

17. ③ 18. ⑤

MEMO

부동산등기법 제3조【등기할 수 있는 권리 등】 등기는 부동산의 표시(表示)와 다음 각 호의 어느 하나에 해당하는 권리의 보존, 이전, 설정, 변경, 처분의 제한 또는 소멸에 대하여 한다.
1. 소유권(所有權)
2. 지상권(地上權)
3. 지역권(地役權)
4. 전세권(傳貰權)
5. 저당권(抵當權)
6. 권리질권(權利質權)
7. 채권담보권(債權擔保權)
8. 임차권(賃借權)

부동산등기법 제75조【저당권의 등기사항】
① 등기관이 저당권설정의 등기를 할 때에는 제48조에서 규정한 사항 외에 다음 각 호의 사항을 기록하여야 한다. 다만, 제3호부터 제8호까지는 등기원인에 그 약정이 있는 경우에만 기록한다.
  1. 채권액
  2. 채무자의 성명 또는 명칭과 주소 또는 사무소 소재지
  3. 변제기(辨濟期)
  4. 이자 및 그 발생기·지급시기
  5. 원본(元本) 또는 이자의 지급장소
  6. 채무불이행(債務不履行)으로 인한 손해배상에 관한 약정
  7. 「민법」 제358조 단서의 약정
  8. 채권의 조건
② 등기관은 제1항의 저당권의 내용이 근저당권(根抵當權)인 경우에는 제48조에서 규정한 사항 외에 다음 각 호의 사항을 기록하여야 한다. 다만, 제3호 및 제4호는 등기원인에 그 약정이 있는 경우에만 기록한다.
  1. 채권의 최고액
  2. 채무자의 성명 또는 명칭과 주소 또는 사무소 소재지
  3. 「민법」 제358조 단서의 약정
  4. 존속기간

부동산등기법 제48조【등기사항】
① 등기관이 갑구 또는 을구에 권리에 관한 등기를 할 때에는 다음 각 호의 사항을 기록하여야 한다.
  1. 순위번호
  2. 등기목적
  3. 접수연월일 및 접수번호
  4. 등기원인 및 그 연월일
  5. 권리자
② 제1항 제5호의 권리자에 관한 사항을 기록할 때에는 권리자의 성명 또는 명칭 외에 주민등록번호 또는 부동산등기용등록번호와 주소 또는 사무소 소재지를 함께 기록하여야 한다.

MEMO

③ 제26조에 따라 법인 아닌 사단이나 재단 명의의 등기를 할 때에는 그 대표자나 관리인의 성명, 주소 및 주민등록번호를 함께 기록하여야 한다.
④ 제1항 제5호의 권리자가 2인 이상인 경우에는 권리자별 지분을 기록하여야 하고 등기할 권리가 합유(合有)인 때에는 그 뜻을 기록하여야 한다.

2017년 기출

19 다음 중 부동산등기사항증명서(부동산등기부등본)의 '을구'에 기재되는 사항을 모두 고른 것은?

㉮ 가등기	㉯ 전세권
㉰ 가압류	㉱ 가처분
㉲ 압류(경매)	㉳ 지상권

① ㉯, ㉳
② ㉮, ㉰, ㉱, ㉲
③ ㉮, ㉯, ㉱, ㉲
④ ㉮, ㉱, ㉲
⑤ ㉰, ㉱, ㉲, ㉳

해설 동산은 누구의 소유인지 그것을 가지고 있는 사람에 의해 쉽게 알 수 있으나 부동산의 경우는 누가 이것을 점유하고 있는지 알기 어렵다. 그래서 국가는 등기부라는 공적 장부를 만들어 놓고 법원등기관으로 하여금 여기에 부동산의 표시와 그 부동산에 관한 권리관계를 기재하도록 하여 일반인에게 널리 공시하고 있는데, 이것이 바로 부동산 등기제도이다. 부동산등기사항증명서(부동산등기부등본)은 표제부, 갑구, 을구로 구성되어 있다. 갑구에는 소유권에 관한 사항이 기재, 특히 중요한 가압류, 가처분, 압류, 가등기 등과 이들 권리의 변경등기, 말소 및 회복등기 등이 등재된다. 을구에는 소유권 이외의 권리인 저당권, 전세권, 지역권, 지상권, 임차권등기명령 등이 기재된다.

19. ①

MEMO

2016년 기출

20 **부동산 등기부등본(부동산 등기사항증명서)에 의하여 정보를 분석할 때 유의사항으로서 가장 적절한 것은?**

① 우리나라 부동산등기는 공신력이 인정되므로 등기부에 기재된 등기사항이 실체관계와 일치하지 않는 경우에는 등기부 기재사항이 우선한다.

② 갑구에는 소유권에 관한 사항으로 소유권의 변동사항과 가압류, 가등기, 가처분 등이 기재되고 압류에 관한 사항은 을구에 기재된다.

③ 가등기에 터잡아 본등기가 이루어지는 경우에 그 순위는 가등기의 순위에 따르는 바 이때 이 본등기에 저촉하는 가등기 이후의 제3자 등기는 등기관이 직권으로 말소한다.

④ 을구에 기재된 근저당권의 채권최고액이란 채무자가 현실로 부담하는 채무액이 아니라 설정등기일 현재 부담하는 채무액을 뜻하는 것이다.

⑤ 갑구나 을구에 기재된 부기등기는 주등기의 순위에 관계없이 접수일자에 따라 그 우열을 가리게 된다.

해설 가등기 후에 제3자에게 소유권이전의 본등기가 된 경우에 가등기권리자는 본등기를 경료하지 아니하고는 가등기 이후의 본등기의 말소를 청구할 수 없다. 이 경우에 가등기권자는 가등기의무자인 전소유자를 상대로 본등기청구권을 행사할 것이고 제3자를 상대로 할 것은 아니다. 가등기권자가 소유권이전의 본등기를 한 경우에는 등기공무원은 부동산등기법 제175조 제1항, 제55조 제2호에 의하여 가등기 이후에 한 제3자의 본등기를 직권말소할 수 있다[대판(전합) 4294민재항675].

① 우리나라 부동산 등기는 공신력이 인정되지 않으므로 등기부에 기재된 등기사항이 실체관계와 일치하지 않은 경우라면 등기부 기재사항을 우선할 수 없다.

② 갑구에는 소유권에 관한 사항, 가압류, 가처분, 압류, 가등기 등과 이들의 권리변경등기, 말소 및 회복등기 등이 기재된다. 예전에는 예고등기에 관한 사항도 갑구에 기재되었으나 2011년 10월 13일부터 시행된 개정 부동산등기법에서는 예고등기제도를 폐지하였다.

④ 을구에는 소유권 이외의 권리인 저당권, 전세권, 지역권, 지상권, 임차권등기명령 등이 기재된다. 을구의 근저당권의 채권최고액이란 채무자가 현실로 부담한 채무가 아니고 앞으로 부담할 최고한도의 채무액이란 뜻이며, 실제 채무액은 그 최고액의 70~80% 정도 되는 것이 일반적인 관행이다.

⑤ 부기등기(附記登記)의 순위는 주등기(主登記)의 순위에 따른다. 다만, 같은 주등기에 관한 부기등기 상호간의 순위는 그 등기 순서에 따른다(부동산등기법 제5조).

20. ③

MEMO

2015년 기출

21 **'등기사항전부증명서-집합건물'(부동산등기부등본)에서 근저당권 설정에 관한 사항이 기재되는 부분은?**

① 표제부(1동의 건물의 표시)
② 표제부(전유부분의 건물의 표시)
③ 표제부(대지권의 목적인 토지의 표시)
④ 갑구
⑤ 을구

해설 부동산등기부등본의 구성은 다음과 같다.

A. 등기번호란 : 각 토지 또는 각 건물대지의 지번을 기재
B. 표제부 : 부동산의 표시와 구조에 관한 사항 → 토지의 경우에는 지번, 지목, 지적이 표기되고, 건물에는 지번, 구조, 용도, 면적이 기재된다. 또한 접수일자, 해당 건물의 소재 지번 및 건물번호, 건물의 내역, 등기원인 및 기타사항이 기록되어 있고 토지분할이나 지목의 변경 또는 건물구조의 변경이나 증축 등에 의한 면적변경도 표제부에 기재된다.
C. 갑구 : 소유권에 관한 사항, 가압류, 가처분, 압류, 가등기 등과 이들 권리의 변경등기, 말소 및 회복등기 등은 모두 갑구에 등재된다. 또한 해당부동산과 관련하여 소송이 진행 중이라는 것을 알려주기 위해 법원에서 등재하는 예고등기는 갑구에 기재된다. 참고로 2011년 10월 12일부터 예고등기는 폐지되었지만 그 이전에 설정되었던 예고등기는 종전법에 따라 여전히 유효하다[부동산등기법 부칙 제3조(예고등기에 관한 경과조치)].
D. 을구 : 소유권 이외의 권리인 저당권, 전세권, 지역권, 지상권, 임차권등기명령 등이 기재된다.

21. ⑤

MEMO

2012년 기출

22 **다음은 부동산 등기부등본의 기재 항목에 관한 예시이다. 가장 잘못된 것은?**

① 건물 표제부

표시번호	접수	소재지번 및 건물번호	건폐율 및 용적률	등기원인 및 기타사항

② 토지 표제부

표시번호	접수	소재지번	지목	면적	등기원인 및 기타사항

③ 갑구(소유권에 관한 사항)

순위번호	등기목적	접수	등기원인	권리자 및 기타사항

④ 을구(소유권 외의 권리에 관한 사항)

순위번호	등기목적	접수	등기원인	권리자 및 기타사항

⑤ 아파트 등 집합건물(구분건물) 표제부

(1동의 건물의 표시)				
표시번호	접수	소재지번 및 건물명칭 및 번호	건물내역	등기원인 및 기타사항

(대지권의 목적인 토지의 표시)				
표시번호	소재지번	지목	면적	등기원인 및 기타사항

(전유부분의 건물의 표시)				
표시번호	접수	건물번호	건물내역	등기원인 및 기타사항

(대지권의 표시)			
표시번호	대지권 종류	대지권비율	등기원인 및 기타사항

해설 건물 표제부에는 지번, 구조, 용도, 면적 등이 기재된다. 또한 접수일자, 해당건물의 소재지번 및 건물번호, 건물의 내역, 등기원인 및 기타사항이 기록되어 있고 토지분할이나 지목의 변경 또는 건물구조의 변경이나 증축 등에 의한 면적변경도 표제부에 기재된다. 건폐율 및 용적률 등은 부동산등기부등본의 기재사항이 아니다.

정답

22. ①

MEMO

2024년 기출

23 신용분석정보 추적단서 중 등기사항전부증명서(법인등기부등본)를 통하여 획득할 수 있는 정보가 아닌 것은?

① 법인의 본점·지점 소재지
② 대표이사의 주소지
③ 법인의 해산 또는 청산
④ 지배인
⑤ 법인의 사업자등록번호

해설 ⑤ 법인의 사업자등록번호는 등기사항전부증명서(법인등기부등본)을 통하여 획득할 수 있는 정보가 아니다. 법인등기부등본을 통해서는 등기번호, 등록번호, 상호, 본점(소재지), 공고방법, 1주의 금액, 발행할 주식의 총수, 발행주식의 총수와 그 종류 및 각각의 수, 목적, 임원에 관한 사항(대표이사의 생년월일, 주소지, 공동대표이사 유무), 기타사항, 지점에 관한 사항(소재지), 지배인에 관한 사항, 주식매수선택권, 회사성립연월일, 등기용지의 개설사유 및 연월일을 알 수 있다.

2021년 기출

24 신용분석정보 추적단서 중 주식회사 법인등기부등본을 통하여 획득할 수 있는 정보가 아닌 것은?

① 대표이사의 생년월일
② 법인의 본·지점 소재지
③ 법인의 사업자등록번호
④ 대표이사의 주소지
⑤ 공동대표이사의 유·무

해설 법인의 사업자등록번호는 법인등기부등본에는 나오지 않고, 사업자등록증을 통하여 획득할 수 있는 정보이다. 법인등기부등본을 통해 획득할 수 있는 정보는 다음과 같다.

1. 등기번호
2. 등록번호
3. 상호
4. 본점 - 소재지(②)
5. 공고방법
6. 1주의 금액
7. 발행할 주식의 총수
8. 발행주식의 총수와 그 종류 및 각각의 수
9. 목적
10. 임원에 관한 사항 - 대표이사의 생년월일(①), 주소지(④), 공동대표이사 유무(⑤)
11. 기타사항
12. 지점에 관한 사항 - 소재지(②)

23. ⑤ 24. ③

MEMO

13. 지배인에 관한 사항
14. 주식매수선택권
15. 회사성립연월일
16. 등기용지의 개설사유 및 연월일

2021년 기출

25 **다음 중 주식회사 등기사항전부증명서를 통해서 확인할 수 있는 내용이 아닌 것은?**

ㄱ. 상호　　ㄴ. 사업자등록번호
ㄷ. 목적　　ㄹ. 본점소재지
ㅁ. 대표권 없는 사내이사의 주소

① 1개　② 2개
③ 3개　④ 4개
⑤ 5개

해설 ㄴ. 사업자등록번호는 주식회사 등기사항전부증명서를 통해서 확인할 수 없고 사업자등록증을 통해 확인할 수 있다.
ㅁ. 대표이사의 성명, 주민등록번호, 주소는 필수적 기재사항인 반면, 대표권 없는 사내이사는 성명과 주민등록번호만 필수적 기재사항이므로 주소는 주식회사 등기사항전부증명서를 통해 확인할 수 없는 내용이다.

2019년 기출

26 **주식회사의 법인등기사항전부증명서(법인등기부등본)에 대한 다음 설명 중 옳지 않은 것은?**

① 1주의 금액과 자본금이 등기된다.
② 법인등록번호는 본점과 지점이 다르게 부여되며 법인의 본점이 다른 등기소의 관할구역 내로 이전하는 경우 법인등록번호는 변경된다.
③ 본점 소재지가 등기된다.
④ 주주는 등기하지 않는다.
⑤ 사내이사, 사외이사, 대표이사, 감사 등 임원은 그 성명과 주민등록번호를 등기하며, 주소지는 대표권이 있는 임원의 경우에만 등기를 한다.

해설 법인등록번호는 본점과 지점이 동일하게 부여되며 법인의 본점이 다른 등기소의 관할구역 내로 이전하는 경우라도 법인등록번호는 변경되지 아니한다. 이하에 관련조문을 첨부한다.

정답 25. ② 26. ②

MEMO

상법 제317조 【설립의 등기】

① 주식회사의 설립등기는 발기인이 회사설립시에 발행한 주식의 총수를 인수한 경우에는 제299조와 제300조의 규정에 의한 절차가 종료한 날로부터, 발기인이 주주를 모집한 경우에는 창립총회가 종결한 날 또는 제314조의 규정에 의한 절차가 종료한 날로부터 2주간내에 이를 하여야 한다.

② 제1항의 설립등기에 있어서는 다음의 사항을 등기하여야 한다.

1. 제289조 제1항 제1호 내지 제4호, 제6호와 제7호에 게기한 사항
2. 자본금의 액(①)
3. 발행주식의 총수, 그 종류와 각종주식의 내용과 수

3의2. 주식의 양도에 관하여 이사회의 승인을 얻도록 정한 때에는 그 규정

3의3. 주식매수선택권을 부여하도록 정한 때에는 그 규정

3의4. 지점의 소재지

4. 회사의 존립기간 또는 해산사유를 정한 때에는 그 기간 또는 사유
5. 삭제 〈2011. 4. 14.〉
6. 주주에게 배당할 이익으로 주식을 소각할 것을 정한 때에는 그 규정
7. 전환주식을 발행하는 경우에는 제347조에 게기한 사항
8. 사내이사, 사외이사, 그 밖에 상무에 종사하지 아니하는 이사, 감사 및 집행임원의 성명과 주민등록번호(④, ⑤)
9. 회사를 대표할 이사 또는 집행임원의 성명·주민등록번호 및 주소(⑤)
10. 둘 이상의 대표이사 또는 대표집행임원이 공동으로 회사를 대표할 것을 정한 경우에는 그 규정
11. 명의개서대리인을 둔 때에는 그 상호 및 본점소재지
12. 감사위원회를 설치한 때에는 감사위원회 위원의 성명 및 주민등록번호(④)

③ 주식회사의 지점 설치 및 이전 시 지점소재지 또는 신지점소재지에서 등기를 할 때에는 제289조 제1항 제1호·제2호·제6호 및 제7호와 이 조 제2항 제4호·제9호 및 제10호에 따른 사항을 등기하여야 한다.

④ 제181조 내지 제183조의 규정은 주식회사의 등기에 준용한다.

상법 제289조 【정관의 작성, 절대적 기재사항】

① 발기인은 정관을 작성하여 다음의 사항을 적고 각 발기인이 기명날인 또는 서명하여야 한다.

1. 목적
2. 상호
3. 회사가 발행할 주식의 총수
4. 액면주식을 발행하는 경우 1주의 금액(①)
5. 회사의 설립 시에 발행하는 주식의 총수
6. 본점의 소재지(③)
7. 회사가 공고를 하는 방법
8. 발기인의 성명·주민등록번호 및 주소
9. 삭제 〈1984.4.10〉

MEMO

2022년 기출

27 **채권원인 서류 및 채권 관련 서류에 관한 다음 설명 중 가장 적절하지 않은 것은?**

① 금전차용계약은 당사자 일방이 금전의 소유권을 상대방에게 이전할 것을 약정하고 상대방은 그와 같은 종류, 품질 및 수량으로 반환할 것을 약정함으로써 그 효력이 생긴다.

② 당좌수표는 은행이 자기를 지급인으로 하여 발행(발행인과 지급인이 모두 은행으로 되어 있음)하는 수표를 말한다.

③ 부동산의 개황, 소유주 관계, 용익물권, 담보물권 현황 등을 알 수 있는 자료는 부동산등기사항 증명서(부동산등기부등본)이다.

④ 법인의 형태 및 대표자 여부, 단독대표인지 공동대표인지, 주소의 일치여부 등을 알 수 있는 자료는 법인등기사항전부증명서(법인등기부등본)이다.

⑤ 자동차 등록원부는 차량의 기종과 연식, 재원, 소유주관계, 담보물권 현황 및 보전처분 관계 정보를 담고 있어 채무자가 보유한 차량의 재산적 가치를 파악할 수 있는 자료로 활용된다.

해설 '당좌수표'는 은행에 당좌예금을 가지고 있는 사람이 은행으로부터 받은 수표용지에 수취인 및 금액, 발행일, 발행인, 서명 등을 기재한 후 은행을 지급인으로 하여 그 금액의 지급을 위탁하는 증권을 말한다. 은행이 자기를 지급인으로 하여 발행(발행인과 지급인이 모두 은행으로 되어 있음)하는 수표는 '자기앞수표'이다. 자기앞수표는 은행이 망하기 전에는 그 지급이 보장되므로 가장 안정성이 높다고 할 수 있다.

① 금전차용계약이란 금전소비대차계약을 말하는데, 소비대차는 당사자 일방이 금전 기타 대체물의 소유권을 상대방에게 이전할 것을 약정하고 상대방은 그와 같은 종류, 품질 및 수량으로 반환할 것을 약정함으로써 효력이 생긴다[민법 제598조(소비대차의 의의)].

③ 부동산등기부등본은 부동산의 개황, 소유주 관계, 용익물권, 담보물권 현황 및 임차권 관계 정보를 취득함으로써 채무자의 재산관계 정보를 파악할 수 있는 자료로 활용된다.

④ 법인등기부등본에서는 법인의 형태 및 대표자 적격 여부, 단독대표인지 공동대표인지, 주소의 일치 여부 등을 확인하여야 한다.

⑤ 자동차등록원부는 차량의 기종과 연식, 재원, 소유주 관계, 담보물권 현황 및 보전처분 관계 정보를 담고 있어 채무자가 보유한 차량의 재산적 가치를 파악할 수 있는 자료로 활용된다.

27. ②

MEMO

2019년 기출

28 계약에 대한 다음 설명 중 가장 적절하지 않은 것은?

① 계약서는 채권·채무의 성립을 증명하는 원인서류이다.
② 계약서가 있으면 계약의 성립 또는 계약의 존재를 주장할 수 있고 입증이 용이하다.
③ 구두만으로 계약을 체결할 수 있다.
④ 계약서 작성에는 특별한 형식이 정해져 있는 것은 아니다.
⑤ 대출계약서 내용을 통하여 채무자의 신상, 보유재산, 소득수준 등 채권추심에 관한 정보를 알 수 있으나 계약 당시의 정보이므로 정보의 활용가치가 없다.

해설 계약서에는 채권 발생의 계약내용뿐만 아니라 채무자의 개인 신상과 함께 재산의 유무, 소득의 유무 등 채권관리에 유용한 각종 정보들이 기재되어 있다. 특히 계약서에 기재되는 내용들은 계약 당시의 채무자의 정확한 정보이므로 정보 활용도가 높다.
④ 계약은 당사자 일방의 청약에 대해 상대방이 승낙함으로써 효력이 발생하며, 일반적으로 특정한 형식을 요구하지는 않는다.
③ 즉, 당사자 간의 의견만 일치하면 구두상으로 계약을 체결할 수 있는 것이다.
① 그런데, 추후 분쟁발생시 처음의 계약사항이 중요한 문제로 대두되게 되는데, 구두상으로만 계약을 체결한 경우에는 이를 증명하기란 쉽지 않은 문제이다. 이러한 상황을 예방하기 위하여 계약의 당사자가 계약의 내용과 쌍방의 권리·의무사항 등을 명시하는 서류를 작성하고 이를 수용하는 절차(서명날인 등)를 거치는 계약서를 작성하게 된다.
② 계약서 작성을 통해 계약내용을 문서화하여 보관하면 분쟁의 발생을 사전에 방지할 수 있고, 분쟁이 발생할 경우 계약내용을 입증할 수 있는 증거를 확보하게 되는 것이다.

2023년 기출

29 다음 중 개인사업자의 사업자등록에 기재되어 있는 사항이 아닌 것은?

① 대표자 ② 개업 연월일
③ 사업장 소재지 ④ 사업의 종류
⑤ 대표자의 주민등록번호

해설 ⑤ 부가세 납세의무자는 사업장별로 각각 세무서에 등록하여야 한다. 또한 등록사업자가 휴업이나 폐업 등 등록사항에 변동이 있을 경우에는 이를 신고하여야 한다. 채권자는 채무자의 사업장에 대한 사업자등록의 정보를 토대로 사업계속의 여부 및 영업에 따른 수입 여부를 추측해 낼 수 있다. 사업자등록증은 단순 채권·채무관계에 따른 이해관계확인서만으로는 그 열람·교부가 불가능한 서류로서 사후관리에 대비하여 채권발생 당시부터 이를 구비해 놓아야 한다. 사업자등록증에 기재되어 있는 사항

28. ⑤ 29. ⑤

MEMO

은 사업자등록번호, 상호, 대표자(생년월일), 개업 연월일, 사업장 소재지, 사업의 종류 등이고, 대표자의 주민등록번호는 기재되어 있지 않다. 사업자등록번호를 통해 사업자 휴폐업 정보조회도 가능하다.

2014년 기출

30 사업자등록증과 관련한 설명으로 가장 적절하지 않은 것은?

① 사업자등록증에 수록된 정보는 누구나 국세청에서 열람할 수 있다.
② 사업자등록증을 통하여 대표자, 개업 연월일, 사업장소재지, 사업의 종류, 등록번호 등을 확인할 수 있다.
③ 부가가치세 납세의무자는 원칙적으로 사업장별로 세무서에 신청하여 사업자등록증을 발급받는다.
④ 사업자등록증명, 휴업사실증명, 폐업사실증명 등은 국세청 홈택스(www.hometax.go.kr)를 통하여 제공받을 수 있는 민원증명이다.
⑤ 사업자가 사업장을 이전하는 경우에는 지체 없이 사업자등록 정정신고를 하여야 한다.

해설 거래처의 상호 및 사업자등록사항에 대하여 열람을 원하는 경우 거래처 관할세무서에 '정보공개청구'를 하여야 한다. 이러한 정보공개제도란 공공기관이 직무상 작성 또는 취득하여 관리하고 있는 정보를 국민의 청구에 의하여 열람・사본・복제 등의 형태로 공개하거나 공공기관이 자발적으로 또는 법령의 규정에 의하여 의무적으로 보유하고 있는 정보를 공표하는 형태로 제공하여 국민의 알권리를 보장하고 국정에 참여토록 함으로써 국민의 권리와 이익을 보호하기 위한 제도를 말하는 바, 사업자등록증에 수록된 정보, 즉 사업자등록번호 등을 누구나 국세청에서 열람할 수 있는 것은 아니다.

2017년 기출

31 사업자등록증과 주민등록번호에 대한 설명으로 가장 적절하지 않은 것은?

① 주민등록번호의 앞 6자리는 생년월일을 의미한다.
② 주민등록번호 뒤의 7자리 숫자 중 첫 번째 숫자는 남녀를 구분한다.
③ 사업자등록증을 통하여 대표자, 개업연월일, 사업장 소재지, 사업의 종류, 등록번호 등을 확인할 수 있다.
④ 사업자가 사업장을 이전하는 경우에는 지체 없이 사업자등록 정정신고를 하여야 한다.
⑤ 「개인정보 보호법」상 개인정보처리자는 예외 없이 주민등록번호를 처리할 수 없다.

30. ① 31. ⑤

MEMO

해설 개인정보 보호법은 제한적 열거규정 형식으로 개인정보처리자가 주민등록번호를 처리할 수 있는 몇 가지 예외를 열거하고 있다.

> **개인정보 보호법 제24조의2 【주민등록번호 처리의 제한】**
> ① 제24조 제1항에도 불구하고 개인정보처리자는 다음 각 호의 어느 하나에 해당하는 경우를 제외하고는 주민등록번호를 처리할 수 없다.
> 1. 법률・대통령령・국회규칙・대법원규칙・헌법재판소규칙・중앙선거관리위원회규칙 및 감사원규칙에서 구체적으로 주민등록번호의 처리를 요구하거나 허용한 경우
> 2. 정보주체 또는 제3자의 급박한 생명, 신체, 재산의 이익을 위하여 명백히 필요하다고 인정되는 경우
> 3. 제1호 및 제2호에 준하여 주민등록번호 처리가 불가피한 경우로서 보호위원회가 고시로 정하는 경우

①, ② 현재 주민등록번호는 총 13자리의 숫자로, 'ⓐⓑⓒⓓⓔⓕ–ⓖⓗⓘⓙⓚⓛⓜ'과 같이 표기하며 각각의 숫자에는 다음과 같은 의미가 있다. 'ⓐⓑⓒⓓⓔⓕ' 여섯 숫자는 생년월일을, 'ⓖ'는 성별을 나타낸다. 'ⓗⓘⓙⓚ'는 출생등록지, 즉 등록기준지의 고유 번호이다. 다만, 주민등록표에서 표기되는 출생등록지 숫자와 실제 출생지는 다를 수도 있기 때문에 주민등록번호 그 자체만으로 본적이나 출생지를 파악할 수 없다. 이 중 'ⓗⓘ'는 출생등록지에 해당하는 지방자치단체의 고유 번호이다. 'ⓙⓚ'은 출생등록을 한 읍・면・동 주민센터 고유 번호로, 주민센터마다 고유한 번호가 행정안전부에 의해 부여되어 있다. 'ⓛ'은 일련번호로, 그 날 주민센터에서 출생신고를 한 순서이다. 'ⓜ'은 주민등록번호에 오류가 없는지 확인하는 검증번호이다.

③ 납세의 의무를 지는 사업자에 관한 정보를 세무관서에 신고하여 등록하는 것을 '사업자 등록'이라 한다. 즉, 사업자는 납세의무를 지게 되는데 사업 사실을 세무서에 알리고 사업자에 관한 정보를 세무관서의 대장에 수록하는 절차를 '사업자 등록'이라 한다. 사업자 등록신청을 하고 나서 받는 서류를 '사업자등록증'이라고 한다. 사업자등록증을 통하여 등록번호, 상호, 대표자성명, 개업연월일, 사업장소재지, 사업자의 주소, 사업의 종류, 교부사유, 공동사업자번호 등을 확인할 수 있다.

④ 사업자 등록 후 사업을 운영하다가 사업 업종을 변경하거나 상호를 변경하는 등 사업 등록에 관한 내용을 정정해야 하는 경우 관할 세무서를 통해 정정 신고를 하여야 하는데, 이때 제출하는 문서를 '사업자 정정 신고서'라고 한다. 사업자 등록 사항이 정정되는 사유는 ⓐ 사업장 상호 변경, ⓑ 법인이나 단체의 대표자 변경, ⓒ 사업 업종 변경, ⓓ 사업장 소재지 이전, ⓔ 상속에 따른 사업자 명의 변경, ⓕ 공동 사업자의 구성원 변경, ⓖ 임대차 계약 내용의 변경, ⓗ 총괄 사업장을 이전하거나 변경하는 경우가 포함된다.

MEMO

2020년 기출

32 **「주민등록법」 시행령에 따른 주민등록초본 발급 및 등본교부를 신청할 수 있는 채권 · 채무관계 등 정당한 이해관계가 있는 자가 아닌 것은?**

① 「민법」 제22조에 따른 부재자의 재산관리인 또는 이해관계인
② 부동산 또는 이에 준하는 것에 관한 권리의 설정 · 변경 · 소멸에 관계되는 자
③ 통신회사로부터 미납된 5만원의 통신요금에 대하여 채권추심을 위탁받은 채권추심회사
④ 기한의 이익이 상실되었거나 변제기가 도래한 경우로 개인 및 법인 등의 채권 · 채무와 관계되는 자
⑤ 30만원의 연체채권을 회수하기 위하여 채무자의 주민등록표초본을 신청하려는 은행

해설 일정한 금융회사와의 채권 · 채무관계에서 채무금액이 50만원(통신요금 관련 채무금액은 3만원) 이하인 경우는 제외한다. 개인의 채권 · 채무관계에서 채무금액 50만원 이하인 경우는 제외한다. 주민등록법 제29조(열람 또는 등 · 초본의 교부) 제2항 제6호에는 "채권 · 채무관계 등 대통령령으로 정하는 정당한 이해관계가 있는 사람이 신청하는 경우"에는 본인이나 세대원이 아니라도 주민등록표 초본에 한하여 교부신청을 할 수 있는데, 주민등록법 시행령 [별표 2]에는 주민등록법 시행령 제47조(주민등록표의 열람 또는 등 · 초본의 교부) 제4항 관련하여 채권 · 채무관계 등 정당한 이해관계가 있는 자의 범위가 기술되어 있다. 그 구체적인 내용은 다음과 같다.

주민등록법 제29조【열람 또는 등 · 초본의 교부】

② 제1항에 따른 주민등록표의 열람이나 등 · 초본의 교부신청은 본인이나 세대원이 할 수 있다. 다만, 본인이나 세대원의 위임이 있거나 다음 각 호의 어느 하나에 해당하면 그러하지 아니하다.
1. 국가나 지방자치단체가 공무상 필요로 하는 경우
2. 관계 법령에 따른 소송 · 비송사건 · 경매목적 수행상 필요한 경우
3. 다른 법령에 주민등록자료를 요청할 수 있는 근거가 있는 경우
4. 다른 법령에서 본인이나 세대원이 아닌 자에게 등 · 초본의 제출을 의무화하고 있는 경우
5. 다음 각 목의 어느 하나에 해당하는 자가 신청하는 경우
가. 세대주의 배우자
나. 세대주의 직계혈족
다. 세대주의 배우자의 직계혈족
라. 세대주의 직계혈족의 배우자
마. 세대원의 배우자(주민등록표 초본에 한정한다)
바. 세대원의 직계혈족(주민등록표 초본에 한정한다)
6. 채권 · 채무관계 등 대통령령으로 정하는 정당한 이해관계가 있는 사람이 신청하는 경우(주민등록표 초본에 한정한다)
7. 그 밖에 공익상 필요하여 대통령령으로 정하는 경우

32. ⑤

MEMO

주민등록법 시행령 제47조【주민등록표의 열람 또는 등·초본의 교부】

④ 법 제29조 제2항 제6호에 따른 채권·채무관계 등 정당한 이해관계가 있는 자의 범위는 별표 2와 같고, 법 제29조 제2항 제7호에서 "그 밖에 공익상 필요한 경우"란 다음 각 호의 어느 하나에 해당하는 경우를 말한다.
1. 시장·군수 또는 구청장이 본인 또는 세대원에게 영향을 미치는 공공목적의 사업수행을 위하여 특히 필요하다고 인정하는 경우
2. 의료·연구 또는 통계 목적의 달성을 위하여 필요한 경우로서 행정안전부장관이 인정하는 경우
3. 본인 및 세대원 외의 자에게 제공하는 것이 명백히 본인 또는 세대원에게 이익이 되는 경우로서 행정안전부장관이 인정하는 경우

주민등록법 시행령 [별표 2] 채권·채무관계 등 정당한 이해관계가 있는 자의 범위(제47조 제4항 관련)

1. 「민법」 제22조에 따른 부재자의 재산관리인 또는 이해관계인(①)
2. 부동산 또는 이에 준하는 것에 관한 권리의 설정·변경·소멸에 관계되는 자(②)
3. 연체대출금 회수와 보증채무의 구상권 행사 등 연체채권의 회수를 위하여 채무자 및 그 보증인에 대한 주민등록표 초본의 열람 또는 교부신청이 필요한 다음의 금융회사 등. 다만, 채권·채무관계에서 채무금액이 50만원(통신요금 관련 채무금액은 3만원) 이하인 경우는 제외한다.(③)
   가. 「건설산업기본법」에 따른 공제조합
   나. 「금융회사부실자산 등의 효율적 처리 및 한국자산관리공사의 설립에 관한 법률」에 따른 한국자산관리공사
   다. 「기술보증기금법」에 따른 기술보증기금
   라. 「농림수산업자 신용보증법」에 따른 농림수산업자 신용보증기금
   마. 「농업협동조합법」에 따른 조합과 농업협동조합중앙회
   바. 「무역보험법」에 따른 한국무역보험공사
   사. 「보험업법」에 따른 보험회사
   아. 「산림조합법」에 따른 산림조합과 산림조합중앙회
   자. 「상호저축은행법」에 따른 상호저축은행
   차. 「새마을금고법」에 따른 새마을금고와 새마을금고중앙회
   카. 「수산업협동조합법」에 따른 조합과 수산업협동조합중앙회
   타. 「신용보증기금법」에 따른 신용보증기금
   파. 「신용정보의 이용 및 보호에 관한 법률」 제2조 제10호의2에 따른 채권추심회사
   하. 「신용협동조합법」에 따른 신용협동조합과 신용협동조합중앙회
   거. 「여신전문금융업법」에 따른 여신전문금융회사와 겸영여신업자
   너. 「예금자보호법」에 따른 예금보험공사와 정리금융기관
   더. 「은행법」 제8조 제1항에 따라 인가받은 은행
   러. 「은행법」 제58조 제1항에 따라 인가를 받은 외국은행의 지점과 대리점
   머. 「자산유동화에 관한 법률」에 따른 유동화전문회사
   버. 「주택도시기금법」에 따른 주택도시보증공사

MEMO

서. 「주택저당채권유동화회사법」에 따른 주택저당채권유동화회사
어. 「중소기업은행법」에 따라 설립된 중소기업은행
저. 「중소기업진흥에 관한 법률」에 따른 중소벤처기업진흥공단
처. 「중소기업협동조합법」에 따른 중소기업협동조합
커. 「지역신용보증재단법」에 따른 지역신용보증재단과 신용보증재단중앙회
터. 「한국산업은행법」에 따라 설립된 한국산업은행
퍼. 「한국수출입은행법」에 따라 설립된 한국수출입은행
허. 「한국정책금융공사법」에 따른 한국정책금융공사
고. 「한국주택금융공사법」에 따른 한국주택금융공사
노. 「서민의 금융생활 지원에 관한 법률」 제3조에 따른 서민금융진흥원과 같은 법 제2조 제6호에 따른 사업수행기관
도. 「소상공인 보호 및 지원에 관한 법률」에 따른 소상공인시장진흥공단

4. 개인 및 법인 등의 채권·채무와 관계되는 자(제3호에 따른 금융회사 등은 제외한다). 다만, 기한의 이익이 상실되었거나 변제기가 도래한 경우로 한정하며, 개인의 채권·채무관계에서 채무금액 50만원 이하인 경우는 제외한다.(④,⑤)

2013년 기출

33 다음 중 주민등록초본에 의하여 확인할 수 있는 사항이 아닌 것은?

① 발급대상자의 인적사항(성명, 주민등록번호)
② 세대구성원의 인적사항(성명, 주민등록번호)
③ 이동주소
④ 세대주 및 관계
⑤ 주소지 전입일 / 변동일 및 변동사유

해설 세대구성원의 인적사항(성명, 주민등록번호)은 주민등록등본을 통해 확인할 수 있는 사항들이다.

2022년 기출

34 다음 중 대상자 본인의 가족관계증명서상 기록사항이 아닌 것은?

① 대상자 본인의 손자녀
② 대상자 본인의 부모
③ 대상자 본인의 배우자
④ 대상자 본인의 자녀
⑤ 대상자 본인의 등록기준지

정답 33. ② 34. ①

MEMO

해설 대상자 본인의 손자녀는 가족관계증명서상 기록사항이 아니다. 가족관계의 등록 등에 관한 법률 제15조(증명서의 종류 및 기록사항)은 다음과 같다.

가족관계의 등록 등에 관한 법률 제15조【증명서의 종류 및 기록사항】

① 등록부등의 기록사항은 다음 각 호의 증명서별로 제2항에 따른 일반증명서와 제3항에 따른 상세증명서로 발급한다. 다만, 외국인의 기록사항에 관하여는 성명·성별·출생연월일·국적 및 외국인등록번호를 기재하여 증명서를 발급하여야 한다.

1. 가족관계증명서
2. 기본증명서
3. 혼인관계증명서
4. 입양관계증명서
5. 친양자입양관계증명서

② 제1항 각 호의 증명서에 대한 일반증명서의 기재사항은 다음 각 호와 같다.

1. 가족관계증명서
   가. 본인의 등록기준지·성명·성별·본·출생연월일 및 주민등록번호
   나. 부모의 성명·성별·본·출생연월일 및 주민등록번호(입양의 경우 양부모를 부모로 기록한다. 다만, 단독입양한 양부가 친생모와 혼인관계에 있는 때에는 양부와 친생모를, 단독입양한 양모가 친생부와 혼인관계에 있는 때에는 양모와 친생부를 각각 부모로 기록한다)
   다. 배우자, 생존한 현재의 혼인 중의 자녀의 성명·성별·본·출생연월일 및 주민등록번호
2. 기본증명서
   가. 본인의 등록기준지·성명·성별·본·출생연월일 및 주민등록번호
   나. 본인의 출생, 사망, 국적상실에 관한 사항
3. 혼인관계증명서
   가. 본인의 등록기준지·성명·성별·본·출생연월일 및 주민등록번호
   나. 배우자의 성명·성별·본·출생연월일 및 주민등록번호
   다. 현재의 혼인에 관한 사항
4. 입양관계증명서
   가. 본인의 등록기준지·성명·성별·본·출생연월일 및 주민등록번호
   나. 친생부모·양부모 또는 양자의 성명·성별·본·출생연월일 및 주민등록번호
   다. 현재의 입양에 관한 사항
5. 친양자입양관계증명서
   가. 본인의 등록기준지·성명·성별·본·출생연월일 및 주민등록번호
   나. 친생부모·양부모 또는 친양자의 성명·성별·본·출생연월일 및 주민등록번호
   다. 현재의 친양자 입양에 관한 사항

③ 제1항 각 호의 증명서에 대한 상세증명서의 기재사항은 제2항에 따른 일반증명서의 기재사항에 다음 각 호의 사항을 추가한 것으로 한다.

1. 가족관계증명서 : 모든 자녀의 성명·성별·본·출생연월일 및 주민등록번호

MEMO

2. 기본증명서 : 국적취득 및 회복 등에 관한 사항
3. 혼인관계증명서 : 혼인 및 이혼에 관한 사항
4. 입양관계증명서 : 입양 및 파양에 관한 사항
5. 친양자입양관계증명서 : 친양자 입양 및 파양에 관한 사항

④ 제1항에도 불구하고 같은 항 각 호의 증명서 중 대법원규칙으로 정하는 증명서에 대해서는 해당 증명서의 상세증명서 기재사항 중 신청인이 대법원규칙으로 정하는 바에 따라 선택한 사항을 기재한 특정증명서를 발급한다.

⑤ 제2항부터 제4항까지의 규정에 따른 일반증명서·상세증명서·특정증명서, 가족관계에 관한 그 밖의 증명서 및 가족관계 기록사항에 관하여 필요한 사항은 대법원규칙으로 정한다.

2019년 기출

35 다음 증명서 중 사망일자가 기재되는 것은?

① 가족관계증명서
② 기본증명서
③ 혼인관계증명서
④ 친양자입양관계증명서
⑤ 입양관계증명서

해설 「민법」이 개정(법률 제7427호 2005.3.31. 공포·시행)되어 2008년 1월 1일부터 「민법」상 호주제가 폐지됨에 따라 호적제도를 대체할 새로운 가족관계 등록제도를 마련하여 국민 개개인별로 출생·혼인·사망 등의 신분 변동사항을 전산정보처리조직에 따라 기록·관리하도록 하는 한편, 그 등록정보를 사용목적에 따른 다양한 증명서 형태로 발급하도록 하고, 가족관계 등록 등의 사무를 국가사무화하여 대법원이 관장하도록 하고, 국적변동사항이 있는 경우 국적업무의 관장기관인 법무부장관이 국적변동자의 등록기준지 시·읍·면의 장에게 이를 직접 통보하여 가족관계등록부에 국민의 국적변동사항을 정확하게 기재할 수 있도록 하는 등 국민의 편의를 도모하기 위해 가족관계의 등록 등에 관한 법률이 제정·시행되었다. 가족관계증명서에는 '가족의 관계'와 '사망여부'만 나오고 구체적인 사망일자는 그 대상자 본인의 기본증명서에만 기재된다.

가족관계의 등록 등에 관한 법률 제15조【증명서의 종류 및 기록사항】

① 등록부등의 기록사항은 다음 각 호의 증명서별로 제2항에 따른 일반증명서와 제3항에 따른 상세증명서로 발급한다. 다만, 외국인의 기록사항에 관하여는 성명·성별·출생연월일·국적 및 외국인등록번호를 기재하여 증명서를 발급하여야 한다.
1. 가족관계증명서
2. 기본증명서
3. 혼인관계증명서
4. 입양관계증명서
5. 친양자입양관계증명서

35. ②

MEMO

② 제1항 각 호의 증명서에 대한 일반증명서의 기재사항은 다음 각 호와 같다.
1. 가족관계증명서
가. 본인의 등록기준지 · 성명 · 성별 · 본 · 출생연월일 및 주민등록번호
나. 부모의 성명 · 성별 · 본 · 출생연월일 및 주민등록번호(입양의 경우 양부모를 부모로 기록한다. 다만, 단독입양한 양부가 친생모와 혼인관계에 있는 때에는 양부와 친생모를, 단독입양한 양모가 친생부와 혼인관계에 있는 때에는 양모와 친생부를 각각 부모로 기록한다)
다. 배우자, 생존한 현재의 혼인 중의 자녀의 성명 · 성별 · 본 · 출생연월일 및 주민등록번호
2. 기본증명서
가. 본인의 등록기준지 · 성명 · 성별 · 본 · 출생연월일 및 주민등록번호
나. 본인의 출생, 사망, 국적상실에 관한 사항
3. 혼인관계증명서
가. 본인의 등록기준지 · 성명 · 성별 · 본 · 출생연월일 및 주민등록번호
나. 배우자의 성명 · 성별 · 본 · 출생연월일 및 주민등록번호
다. 현재의 혼인에 관한 사항
4. 입양관계증명서
가. 본인의 등록기준지 · 성명 · 성별 · 본 · 출생연월일 및 주민등록번호
나. 친생부모 · 양부모 또는 양자의 성명 · 성별 · 본 · 출생연월일 및 주민등록번호
다. 현재의 입양에 관한 사항
5. 친양자입양관계증명서
가. 본인의 등록기준지 · 성명 · 성별 · 본 · 출생연월일 및 주민등록번호
나. 친생부모 · 양부모 또는 친양자의 성명 · 성별 · 본 · 출생연월일 및 주민등록번호
다. 현재의 친양자 입양에 관한 사항
③ 제1항 각 호의 증명서에 대한 상세증명서의 기재사항은 제2항에 따른 일반증명서의 기재사항에 다음 각 호의 사항을 추가한 것으로 한다.
1. 가족관계증명서 : 모든 자녀의 성명 · 성별 · 본 · 출생연월일 및 주민등록번호
2. 기본증명서 : 국적취득 및 회복 등에 관한 사항
3. 혼인관계증명서 : 혼인 및 이혼에 관한 사항
4. 입양관계증명서 : 입양 및 파양에 관한 사항
5. 친양자입양관계증명서 : 친양자 입양 및 파양에 관한 사항
④ 제1항에도 불구하고 같은 항 각 호의 증명서 중 대법원규칙으로 정하는 증명서에 대해서는 해당 증명서의 상세증명서 기재사항 중 신청인이 대법원규칙으로 정하는 바에 따라 선택한 사항을 기재한 특정증명서를 발급한다.
⑤ 제2항부터 제4항까지의 규정에 따른 일반증명서 · 상세증명서 · 특정증명서, 가족관계에 관한 그 밖의 증명서 및 가족관계 기록사항에 관하여 필요한 사항은 대법원규칙으로 정한다.

MEMO

2022년 기출

36 **채무자의 소득 및 재산정보, 대위변제 가능성을 확인하기 위하여 수집하는 자료에 관한 다음 설명 중 가장 적절하지 않은 것은?**

① 수목에 대하여 이해관계 있는 자는 입목등록원부를 열람하거나 그 등본 또는 초본의 발급을 청구할 수 있다.

② 부동산등기사항증명서(부동산등기부등본) 을구란에 기록되어 있는 전세권은 우선변제를 받을 수 있는 권리이다.

③ 법인등기사항증명서(법인등기부등본)에 수인이 공동대표로 등재되어 있는 경우 별도의 규정이 없으면 각자 회사를 대표하는 것이 원칙이나, 만약 공동으로 대표행위를 하도록 규정되어 있는 경우에는 공동대표 전원의 동의와 서명을 받아야 계약이 유효하게 성립된다.

④ 주식회사의 대표자는 특별한 경우를 제외하고는 주식회사의 채무에 대해 연대책임을 부담하지 않는다.

⑤ 채권·채무의 상속과 관련하여 상속인의 범위를 확인하기 위해서 제적부의 열람 및 등·초본, 등록사항별 증명서가 필요한 경우 법원의 보정 명령 등 이해관계를 소명하는 자료가 있더라도 상속인의 위임장이 있어야 위 서류의 교부를 청구할 수 있다.

해설 채권·채무의 상속과 관련하여 상속인의 범위를 확인하기 위해서 제적부의 열람 및 등·초본, 등록사항별 증명서가 필요한 경우 법원의 보정 명령 등 이해관계를 소명하는 자료가 있다면 상속인의 위임장이 없어도 위 서류의 교부를 청구할 수 있다. 아래 가족관계의 등록 등에 관한 법률 제14조 제1항 참조

> 가족관계의 등록 등에 관한 법률 제14조【증명서의 교부 등】
> ① 본인 또는 배우자, 직계혈족(이하 "본인등" 이라 한다)은 제15조에 규정된 등록부등의 기록사항에 관하여 발급할 수 있는 증명서(이하 "등록사항별 증명서"라 한다)의 교부를 청구할 수 있고, 본인등의 대리인이 청구하는 경우에는 본인등의 위임을 받아야 한다. 다만, 다음 각 호의 어느 하나에 해당하는 경우에는 본인등이 아닌 경우에도 교부를 신청할 수 있다.
> 1. 국가 또는 지방자치단체가 직무상 필요에 따라 문서로 신청하는 경우
> 2. 소송·비송·민사집행의 각 절차에서 필요한 경우
> 3. 다른 법령에서 본인등에 관한 증명서를 제출하도록 요구하는 경우
> 4. 그 밖에 대법원규칙으로 정하는 정당한 이해관계가 있는 사람이 신청하는 경우

① 입목에 관한 법률 제10조(입목등록원부의 열람, 등본·초본의 발급)

② 부동산등기사항증명서(부동산등기부등본) 을구란에 기록되어 있는 전세권은 물권에 해당하여 우선변제를 받을 수 있는 권리이다.

③ 법인등기사항증명서(법인등기부등본)에서는 법인의 형태 및 대표자의 적격 여부, 단

36. ⑤

MEMO

독대표인지 공동대표인지, 주소의 일치 여부 등을 확인하여야 한다. 특히 법인등기사항증명서에 수인이 공동대표로 등재되어 있는 경우 별도의 규정이 없으면 각자 회사를 대표하는 것이 원칙이나, 만약 공동으로 대표행위를 하도록 규정되어 있는 경우에는 공동대표 전원의 동의와 서명을 받아야 계약이 유효하게 성립된다.

④ 법인의 대표적 형태인 주식회사에서 원칙적으로 대표이사를 비롯한 주주는 '자신이 출자한 범위 내에서만' 원칙적으로 회사의 채무를 변제할 책임(유한 책임)이 있다. 다만, 금융실무에서는 회사의 대표이사 내지 이사 개인명의의 연대보증을 요구하는 경우가 있는데, 대표이사가 연대보증을 한 경우 책임이 있다. 또한, 상법 제389조 제3항, 제210조에 의하여 회사의 대표이사가 그 업무집행 중 불법행위로 인하여 타인에게 손해를 가한 때에는 대표이사는 회사와 연대하여 배상할 책임이 있다. 이처럼 특별한 경우를 제외하고는 대표이사는 '자신이 출자한 범위 내에서만' 원칙적으로 회사의 채무를 변제할 책임(유한 책임)이 있다.

2012년 기출

37 다음은 서면독촉에 활용되고 있는 '내용증명'에 대한 설명이다. 가장 적절하지 않은 것은?

① 등기취급을 전제로 우체국창구(또는 정보통신망)를 통하여 발송인이 수취인에게 어떤 내용의 문서를 언제 발송하였다는 사실을 우체국이 증명하는 특수취급제도이다.

② 우편물의 배달일자 및 수취인을 배달우체국에서 증명하여 발송인에게 통지하는 제도이다.

③ 내용증명우편물을 발송하고자 하는 자는 내용문서 원본 및 그 등본 2통을 우체국에 제출한다.

④ 내용증명우편물의 내용문서 원본, 그 등본 및 우편물의 봉투에 기재하는 발송인 및 수취인의 성명·주소는 동일하여야 한다.

⑤ 우체국은 내용증명우편물 등본 1통을 내용증명우편물을 발송한 다음날부터 3년간 보관한다.

해설 우편물의 배달일자 및 수취인을 배달우체국에서 증명하여 발송인에게 통지하는 제도가 아니라 우체국에서 당해 우편물의 내용인 문서내용을 등본에 의하여 증명하는 제도(우편법 시행규칙 제46조)로서 우편물의 특수한 취급제도 중 하나라고 할 수 있다.

제5절 정보분석과 회수전략의 수립

37. ②

Chapter

03 채권상담관리

제1절 채권상담 총설

2024년 기출

01 다음 중 신용관리 담당자에게 허용되는 채권관리 행위로서 가장 적절한 것은?

① 채권자가 채권관리를 위하여 근저당권이 설정된 회사의 공장건물에 무단침입하고 건물에 부착되어 있던 자물쇠를 손괴한 행위

② 채권자가 채무자에 대한 채권보전조치를 위하여 상속 부동산의 대위등기 및 가압류 조치를 하기 위하여 부동산 소유자인 채무자의 아버지인 망 A의 주민등록초본을 발급받고자 A가 채무자인 것으로 기재하고 발급받은 행위

③ 수신거부 등이 없고 채무자와의 연락이 잘 됨에도 불구하고 채무자와 일시와 장소를 협의를 하지 않고 채무자가 있는 곳을 방문하는 행위

④ 채권추심업을 허가 받은 신용정보회사가 주민등록법규에 따라 채무자의 주민등록초본을 발급받는 행위

⑤ 변제기간 내에 변제하지 못한 채무자에게 독촉장을 엽서로 변제 요구를 하여 채무자 외의 자가 채무사실을 알 수 있게 하는 행위

해설 ④ 채권추심업을 허가 받은 신용정보회사가 주민등록법규에 따라 채무자의 주민등록초본을 발급받는 행위는 신용관리 담당자에게 허용되는 채권관리행위로서 적절하다. 이와 관련된 주민등록법 조문은 아래 참조

> 주민등록법 제29조(열람 또는 등·초본의 교부) ② 제1항에 따른 주민등록표의 열람이나 등·초본의 교부신청은 본인이나 세대원이 할 수 있다. 다만, 본인이나 세대원의 위임이 있거나 다음 각 호의 어느 하나에 해당하면 그러하지 아니하다.
> 1. 국가나 지방자치단체가 공무상 필요로 하는 경우
> 2. 관계 법령에 따른 소송·비송사건·경매목적 수행상 필요한 경우
> 3. 다른 법령에 주민등록자료를 요청할 수 있는 근거가 있는 경우
> 4. 다른 법령에서 본인이나 세대원이 아닌 자에게 등·초본의 제출을 의무화하고 있는 경우
> 5. 다음 각 목의 어느 하나에 해당하는 자가 신청하는 경우
>   가. 세대주의 배우자
>   나. 세대주의 직계혈족

정답

01. ④

MEMO

다. 세대주의 배우자의 직계혈족
라. 세대주의 직계혈족의 배우자
마. 세대원의 배우자(주민등록표 초본에 한정한다)
바. 세대원의 직계혈족(주민등록표 초본에 한정한다)
6. 채권·채무관계 등 대통령령으로 정하는 정당한 이해관계가 있는 사람이 신청하는 경우(주민등록표 초본에 한정한다)
7. 그 밖에 공익상 필요하여 대통령령으로 정하는 경우

2024년 기출

02 신용관리 담당자의 채권추심활동에 관한 다음 설명 중 가장 적절하지 않은 것은?

① 채무자의 재산 및 소득능력 기타 채무자와 관계되는 정보를 정확히 파악한 후 상담한다.
② 채무자에게 채무변제를 설득하고 최적의 변제방안을 제시한다.
③ 회수가능성에 대한 점검은 입금약속 이행 여부, 보증인 입보 여부, 법적조치 완료 여부, 최근 주소지 변동 유무 등을 판단자료로 활용한다.
④ 채무자의 불만사항에 대한 대응방법을 수립한다.
⑤ 채무자가 변제의사는 있지만 변제능력이 부족한 경우에는 채권회수의 가능성이 희박하므로 채권상담을 보류하는 것이 효과적이다.

해설 ⑤ 변제능력도 없고 변제의사도 없는 채무자를 상대로는 회수가능성이 희박하며 장기적인 관점에서 회수전략이 필요하다고 할 수 있다. 그러나 변제의사는 있지만 변제능력이 없는 채무자에 대해서는 채무자의 경제능력이 회복될 때까지 기다려야 한다. 반면 변제의사는 있지만 변제능력이 부족하다고 판단되면 변제능력이 회복될 때까지 변제를 유예하거나 분할변제의 유도, 채무감면을 통해 회수방안을 모색하는 것이 효과적이다.

2021년 기출

03 신용관리 담당자의 다음 채권추심활동 중 가장 적절하지 않은 것은?

① 채무자에게 채무변제를 설득하고 최적의 변제방안을 제시한다.
② 채무자의 변제의지를 고취시키기 위하여 채무불이행 시 어떠한 불이익이 따르는지를 설명한다.
③ 변제방법을 제시하고 변제조건에 대하여 합의점을 찾는다.
④ 채무자의 경제여건이 호전되어 스스로 채무를 변제하도록 기다린다.
⑤ 채무자의 불만사항에 대한 대응방법을 수립한다.

02. ⑤ 03. ④

MEMO

해설 스티븐 갠(Steven Gan)은 「파란 눈 외국인의 채권추심이야기, 2003」에서 채무자의 다양한 반응들을 묶어 속성별로 1. 스스로 나서서 해결하는 채무자 2. 문제를 제기하면 도망치려고 하는 채무자 3. 폭력을 써서라도 도망치려고 하는 난폭한 채무자 4. 사기꾼으로 분류하였다. 신용관리 담당자는 스스로 나서서 해결하는 채무자를 제외한 나머지 유형의 채무자들을 업무수행과정에서 주로 접하게 되고 이러한 유형들이 채권추심활동의 주된 대상이 된다. 채무자의 경제여건이 호전되어 스스로 채무를 변제하도록 기다리는 것은 신용관리담당자가 해야 할 채권추심활동이라 하기 어렵다.

2020년 기출

04 A는 2016.3.20. B로부터 3,600만원의 물품을 공급받고 그 대금을 2016.3.31.까지 지급하기로 하였는데 변제하지 않았다. 그 후에도 지급하지 않고 행방을 감추자 B는 2019.8.30. 위 물품대금 채권을 추심회사 C에게 의뢰하였다. C는 빚 독촉을 피해 잠적해 있는 A의 소재를 알아내고 A를 찾아가 채무변제를 요구하자, A는 다른 채권자들이 많이 있기 때문에 B에 대한 채무만을 변제하기는 곤란하다고 변명하면서 좀 더 참아 줄 것을 요청하였다. 다음 중 C의 채권상담기법에 대한 설명 중 가장 옳지 않은 것은?

① C가 A를 상대로 채권상담으로 방문상담을 한다면 〈인식 → 탐색 → 설득/타협 → 촉구 → 변제〉 단계로 하면 된다.

② A는 변제의사는 있지만 변제능력이 없거나 부족하다면 C는 B와 합의하여 채무감면 등 적법한 변제방안을 모색할 수 있다.

③ C는 B와 합의하여 A로부터 "2018.10.10.부터 2020.10.10.까지 매월 10.자 150만원씩 금 3,600만원을 변제한다."는 지불각서를 받았다.

④ A는 2018.10.10.부터 2019.5.10.까지 매월 150만원씩 변제를 하였으나 그 후 지급을 중단하였다. B가 A를 상대로 2019.7.경 소를 제기하였고 A가 변론기일에 소멸시효완성을 주장한다면, B는 A가 7개월 동안 1,050만원을 지급한 것은 채무승인에 해당한다고 주장할 수 있다.

⑤ C는 "채무를 변제하지 않으면 당사에서 직접 귀하를 상대로 유체동산 가압류 등 법적조치를 진행할 예정입니다."라고 변제 독촉장을 보내 독촉할 수 있다.

해설 ⑤ 추심회사가 직접 유체동산 가압류 등의 법적조치를 진행할 수 없으므로, 이러한 허위의 사실을 기재하여 변제독촉장을 보내 독촉할 수는 없다. 이는 '채권추심에 관한 법률적 권한이나 지위를 거짓으로 표시하는 행위'[채권의 공정한 추심에 관한 법률 제11조(거짓 표시의 금지 등) 제4호]에 해당하여 2천만원 이하의 과태료를 부과한다[동법 제17조(과태료) 제2항 제5호].

04. ⑤

MEMO

① 회수목적의 방문상담 진행절차는 〈인식 → 탐색 → 설득/타협 → 촉구 → 변제〉 단계로 하면 된다.
② 채권회수는 두가지 요소, 즉 변제의사와 변제능력에 의하여 결정된다. 변제의사는 있지만 변제능력이 없거나 부족하다면 변제능력이 회복될 때까지 변제를 유예하거나 채무감면을 통해 회수방안을 모색하는 것이 효과적이다.
③ 일시에 변제할 능력이 안되는 경우 채무자의 경제상황을 고려하여 분할로 변제하는 방안을 합의하여 그 합의내용을 지불각서 등 서면으로 받아두는 것도 채권회수의 방법이 될 수 있다.
④ 소멸시효의 중단사유는 청구, 압류 또는 가압류·가처분, 승인의 3가지이다(민법 제168조). 시효중단사유로서 승인은 시효이익을 받을 자가 시효의 완성으로 말미암아 권리를 상실하게 될 상대방 또는 그 대리인에 대하여 그 권리가 존재함을 인식하고 있는 뜻을 표시하는 행위로, 특별한 방식을 요하지 않으며, 명시적이건 묵시적이건 상관없다. 이 중 묵시적 승인은 채무자가 그 채무의 존재 및 액수에 대하여 인식하고 있음을 전제로 하여 그 표시를 대하는 상대방으로 하여금 채무자가 그 채무를 인식하고 있음을 그 표시를 통하여 추단하게 할 수 있는 방법으로 행하여지면 족하다(대판 2007.11.29. 2005다64552). 따라서 채무자의 일부변제사실은 소멸시효중단사유인 채무승인에 해당한다고 주장할 수 있다.

2018년 기출

05 A는 2010. 5. 20. B로부터 변제기를 2013. 5. 19.로 정하고 이자 없이 5,000만원을 차용하였다. A는 채권자들의 빚 독촉을 피하여 몇년 간 잠적하여 있다가 B가 A의 소재를 알아 내고 A를 찾아가 채무변제를 요구하자, A는 다른 채권자들이 많이 있기 때문에 B에 대한 채무만을 변제하기는 곤란하다고 변명하면서 좀 더 참아 줄 것을 요청하였다. 다음 중 B의 채권상담 기법에 대한 설명 중 가장 적절하지 않은 것은?

① B는 A로부터 2015. 2. 15. "2016. 12. 30.까지 금 5,000만원을 변제한다"라는 지불각서를 받았다.
② B가 A를 상대로 채권 방문상담을 한다면 "인식 → 탐색 → 설득·타협 → 촉구 → 변제"의 단계로 진행하면 된다.
③ A는 2014. 2.부터 2015. 1.까지 매월 50만원씩 1년 동안 B에게 채무를 변제를 하였으나 그 후 A는 변제를 중단하였다. B가 A를 상대로 소를 제기하고 A가 변론기일에 소멸시효완성을 주장한다면 B는 A가 1년 동안 600만원을 지급한 것이 채무승인에 해당한다고 주장할 수 있다.
④ A가 변제의사는 있지만 변제능력이 없거나 부족하다면 B는 신속히 소를 제기하여 권리를 확정하는 방법보다는 A가 변제능력이 생길 때까지 기다린다.

05. ④

MEMO

⑤ A가 변제의사는 있지만 변제능력이 없거나 부족하다면 B는 채무감면 등 적합한 변제방안을 모색할 수 있다.

해설 채권회수는 두 가지 요소에 의하여 결정된다. 하나는 변제의사이고, 또 하나는 변제능력이다. 이 두 가지 요소를 결합하면 총 4가지의 유형이 있을 수 있는데, 그 중 변제의사는 있지만 변제능력이 없거나 부족한 채무자가 대부분이다. 변제능력이 없는 채무자에 대해서는 채무자의 경제능력이 회복될 때까지 기다려야 한다. 다만, 추후 변제능력이 회복되면 바로 강제집행 등 법적인 조치를 할 수 있는 준비는 해두어야 한다. 따라서 A가 변제의사는 있지만 변제능력이 없거나 부족하다면 A가 변제능력이 생길 때까지 기다리면서 B는 신속히 소를 제기하여 권리를 확정해 두어야 한다.

⑤ 아울러 채무자가 변제능력이 부족하다고 판단되면 변제능력이 회복될 때까지 변제를 유예하거나 채무감면을 통하여 회수방안을 모색하는 것이 효과적이다. 따라서 A가 변제의사는 있지만 변제능력이 없거나 부족하다면 B는 채무감면 등 적합한 변제방안을 모색할 수 있다.

① B는 A로부터 2015. 2. 15. "2016. 12. 30.까지 금 5,000만원을 변제한다"라는 지불각서를 받은 것은 채무자의 변제능력이 부족하여 일정기간 변제기간을 유예한 것으로 타당하다.

② 방문상담은 채무자와 서로 대면하여 상담이 이루어지기 때문에 진지한 상담이 가능하고 채무자의 심리나 사고, 행동의 변화를 즉시 파악할 수 있다는 장점을 가지고 있다. 이러한 방문상담의 효과를 극대화시키기 위해서는 사전에 방문목적, 상담전략 등을 치밀하게 준비하여야 한다. B가 A를 상대로 채권 방문상담을 한다면 "인식 → 탐색 → 설득·타협 → 촉구 → 변제"의 단계로 진행하면 된다.

③ 시효중단사유로서 승인은 시효이익을 받을 자가 시효의 완성으로 말미암아 권리를 상실하게 될 상대방 또는 그 대리인에 대하여 그 권리가 존재함을 인식하고 있다는 뜻을 표시하는 행위이다. 판례에 따르면 채무자의 일부변제는 채무승인에 해당한다(대판 1996.1.23, 95다39854). A는 2014. 2.부터 2015. 1.까지 매월 50만원씩 1년 동안 B에게 채무를 변제를 하였으나 그 후 A는 변제를 중단하였다. 따라서 B가 A를 상대로 소를 제기하고 A가 변론기일에 소멸시효완성을 주장한다면 B는 A가 1년 동안 600만원을 지급한 것이 채무승인에 해당한다고 주장할 수 있다.

MEMO

제2절 채권상담 성공을 위한 준비

2015년 기출

01 신용관리담당자의 채무자 상담기법을 향상시키기 위한 노력으로 가장 적절하지 않은 것은?

① 채무자가 채무를 변제할 수 있는 현실적이고 합리적인 방안을 제시해 줄 수 있도록 미리 준비한다.
② 채무자가 자신의 채무를 갚기 위한 계획과 방법을 제시하는 경우에는 이에 따르며 별도의 조치를 강구하지 않도록 한다.
③ 채무자를 제어할 수 있는 전문성을 갖추고 능숙하게 상담을 이끌어갈 수 있도록 사전준비를 철저히 한다.
④ 채무자의 변명이나 부정확한 답변에 대하여는 정확한 근거자료를 제시하여 대응함으로써 상담에서 유리한 입장을 유지하면서 상환을 설득한다.
⑤ 채무자에 대하여 철저하게 정보를 수집하고 분석하여 이에 따른 회수방안을 수립하는 등 계획적이고 전략적으로 접근한다.

해설 채무자가 자신의 채무를 갚기 위한 계획과 방법을 제시하는 경우에는 객관적 입장에서 채무자의 상황을 관찰하고 냉정하게 변제계획의 실현가능성을 판단하여 약정불이행의 경우에 대비한 조치를 강구하여야 한다.

제3절 채권상담의 실제

2023년 기출

01 채권상담의 방법에 관한 다음 설명 중 가장 적절하지 않은 것은?

① 독촉은 채무를 변제할 것을 최고하는 것으로 주로 변제의지가 전혀 없거나 의도적으로 회피하거나 채무에 대해 무감각한 채무자의 감정을 자극하는 수단으로 많이 사용되는 방법이다.
② 타협은 주로 일정부분 변제의사 및 변제능력이 있는 채무자와의 상담에서 변제조건(기일, 금액, 방법 등)을 조정함으로써 채무자의 채무변제 의지가 행동으로 이어질 수 있도록 유도하는 방법이다.

01. ② / 01. ⑤

MEMO

③ 양보는 신용관리 담당자의 주장이나 요구사항을 조정하여 채무자의 의견을 좇는 것으로 주로 도전적이고 융통적이지 못한 채무자와의 상담에서 많이 사용된다.

④ 보류는 변제의사 및 변제능력이 전무한 채무자의 객관적 상황이 변동될 때까지 일정기간 채권관리를 미루어 두는 것을 말한다.

⑤ 부담은 채무자에게 객관적인 사실들을 잘 설명하고 이해시켜 채무변제의 당위성을 납득시키고 이를 행동에 옮기도록 독려하는 방법이다.

해설 ⑤ 채무자에게 객관적인 사실들을 잘 설명하고 이해시켜 채무변제의 당위성을 납득시키고 이를 행동에 옮기도록 독려하는 방법은 '부담'이 아니라 '설득'에 해당한다.

❑ 채권상담에서 주로 사용되는 방법

1. 채권의 변제를 독촉하는 방법. '독촉'은 채무를 변제할 것을 최고하는 것으로 주로 변제의지가 전혀 없거나 의도적으로 회피하거나 채무에 대해 무감각한 채무자의 감정을 자극하는 수단으로 많이 사용되는 방법이다.
2. 부담을 주는 것. '부담'은 채무자에게 심리적, 정신적으로 부담을 주는 방법이다. 채무를 변제하지 않거나 채권담당자의 요구사항을 받아들이지 않는 채무자에게 그로 인한 불이익을 주지시키거나 채권담당자가 장래에 취할 행동을 예측하게 함으로써 채무자가 심리적으로 부담을 갖도록 하고 채권자의 요구사항을 받아들이도록 하는 것은 부담에 포함된다.
3. 설득하는 방법. '설득'은 채무자에게 객관적인 사실들을 잘 설명하고 이해시켜 채무변제의 당위성을 납득시키고 이를 행동에 옮기도록 독려하는 방법이다.
4. 타협하는 것. '타협'은 채권관리담당자와 채무자가 모두 이익을 추구할 수 있도록 절충점을 찾는 것으로 주로 일정부분 변제의사 및 변제능력이 있는 채무자와의 상담에서 변제조건(기일, 금액, 방법 등)을 조정함으로써 채무자의 채무변제 의지가 행동으로 이어질 수 있도록 유도하는 방법이다.
5. 양보하는 것. '양보'는 신용관리 담당자의 주장이나 요구사항을 조정하여 채무자의 의견을 좇는 것으로 주로 도전적이고 융통적이지 못한 채무자와의 상담에서 많이 사용된다.
6. 보류하는 것. '보류'는 변제의사 및 변제능력이 전무한 채무자의 객관적 상황(경제적 상황 및 심리적 상황)이 변동될 때까지 일정기간 채권관리를 미루어 두는 것을 말한다.

MEMO

2023년 기출

02 채권관리상담 업무에 관한 다음 설명 중 가장 적절하지 않은 것은?

① 전화상담은 우선 통화가능 시간을 고려하여 접근단계, 공감단계, 상담단계, 확인단계로 나누어 진행하는 것이 효과적이다.
② 방문상담은 관련법규에 제한이 없는 한 학력, 연령 또는 직위, 성별 및 시간과 장소에 크게 구애됨이 없이, 채권자의 목적과 의사를 충분히 전달할 수 있는 수단이다.
③ 서면관리실무는 안내장, 통고서, 독촉장 등을 이용하여 서면을 통해 독촉하는 추심행위이다.
④ 방문상담은 채무자와 서로 대면하여 상담이 이루어지기 때문에 진지한 상담이 가능하고 채무자의 심리나 사고, 행동의 변화를 즉시 파악할 수 있다는 장점을 가지고 있다.
⑤ 방문상담은 변제의 독촉은 물론이고 행불추적 및 재산조사, 법적 집행, 추심행위 등이 동시에 이루어질 수 있는 특징이 있다.

해설 ② 관련법규에 제한이 없는 한 학력, 연령 또는 직위, 성별 및 시간과 장소에 크게 구애됨이 없이, 채권자의 목적과 의사를 충분히 전달할 수 있는 수단은 전화상담이다.

2023년 기출

03 다음은 신용관리 담당자의 상담기법에 관한 설명이다. 이에 대한 설명 중 가장 적절한 것은?

> 채무자의 거주지 및 소재지를 방문하여 변제 독촉을 하는 방법으로서, 고객과의 만남을 통해 인간적으로 서로의 입장을 이해할 수 있어 효율성 면에서 시간의 소요는 있지만 회수의 효과가 가장 크다.

① 전화 상담
② 방문 상담
③ 서면관리(최고서 등)
④ 스토리텔링
⑤ 스크립트(Script)

해설 ② 신용관리 담당자의 상담기법에는 전화상담기법, 서면관리기법, 방문상담기법이 있다. 그 중 방문상담기법에 관한 내용이다. 구체적인 내용은 아래 설명 참조.

02. ② 03. ②

MEMO

◎ 방문상담기법 ◎

1. 의 의

채무자의 거주지 및 소재지를 방문하여 변제독촉을 하는 방법으로서, 고객과의 만남을 통해 인간적으로 서로의 입장을 이해할 수 있어 효율성면에서 시간의 소요는 있지만 회수의 효과가 가장 크다. 방문을 통한 고객관리는 채무의 변제독촉 이외에 행불추적 및 추심행위, 재산조사 및 법적 집행 등이 동시에 이루어진다.

2. 관리대상

(1) 상습적인 위약자
(2) 장기 및 상각 채권관리 대상자
(3) 유선통화 회피 및 거부자
(4) 서면(통보서 등) 수취 무반응자
(5) 직장 재직자
(6) 구속수감자 및 사망자
(7) 유선상 연락 불가자
(8) 유선상 본인과 단순 통화 불가자
(9) 직접적인 대면이 필요한 채무자
(10) 변제의사 미약자 및 신빙성 결여자
(11) 주민등록 전출자 및 주소 변경자
(12) 재산 소유자

3. 관리요령

(1) 입금약속의 신빙성 결여자 및 미약자 : 채무자 스스로 불이익을 인지하도록 하여 적극적인 변제의사 고취
(2) 유선통화 및 서면관리 위약자 : 방문관리를 통해 위약에 대한 불이익을 주지시킴.
(3) 유선통화 회피 및 거부자 : 방문상담을 통한 변제의지 고취 및 합리적 방안 제시
(4) 서면(통보서 등) 수취 무반응자 : 향후 법적 조치 의뢰사항 등을 통보
(5) 직장인·사업자·자영업자 : 자택보증금, 유체동산 및 재산 압류 의뢰
(6) 구속 수감자 및 사망자 : 면회를 통한 감정에 호소, 분할납부 등 유도, 사망자 가족을 상대로 상속유무 확인 없이 청구하는 행위 금지
(7) 재산 소유자 : 단기연체자는 서면통고 후 법적 조치, 장기연체자는 감정적인 설득과 법적 조치

MEMO

2018년 기출

04 다음은 신용관리 담당자의 채권회수를 위한 상담과 관련된 설명이다. 가장 적절하지 않은 것은?

① 채무자와의 상담은 주로 채무를 감면받거나 장기간 유예받고자 하는 채무자를 설득하거나 변제의지를 고취시키는 활동이 중심이 된다.
② 상담관리는 그 방법에 따라 서면상담관리, 전화상담관리, 방문상담관리로 분류할 수 있다.
③ 방문상담을 하기 전에 사전준비사항을 점검하고 상담을 통하여 얻고자 하는 목적을 명확히 한다.
④ 전화상담은 채무자 관찰과 심리파악이 용이하고 장시간의 진지한 상담이 가능하다는 장점이 있다.
⑤ 반송우편물은 반송사유를 파악하여 채무자에 대한 정보로 활용한다.

해설 ④ 채무자 관찰과 심리파악이 용이하고 장시간의 진지한 상담이 가능하다는 장점을 가진 상담방법은 방문상담관리이다.
③ 방문상담의 효과를 극대화시키기 위해서는 사전에 방문목적, 상담전략 등을 치밀하게 준비하여야 한다. 즉, 방문상담을 하기 전에 사전준비사항을 점검하고 상담을 통하여 얻고자 하는 목적을 명확히 한다.
⑤ 서면관리실무는 안내장, 통고서, 통보서, 독촉장, 민원서류 및 대외공문, 협조문, 내용증명 등을 이용하여 서면을 통해 독촉하는 추심행위이다. 문서를 반드시 내용증명 등의 등기우편으로 보내야 하는 것은 아니나, 내용증명으로 보내면 채무자에게 송달되지 않으면 반송사유를 기재하여 반송우편물이 오는데, 그 반송사유(폐문부재, 주소불명, 수취인부재, 수취인불명, 이사불명 등)에 따라 채무자에 대한 정보로 활용이 가능하다.

2017년 기출

05 다음 중 채무자에 대한 전화상담 요령으로 가장 적절하지 않은 것은?

① 채무자가 마음을 열 수 있도록 분위기를 조성한다.
② 채무자의 말에 귀를 기울여 믿음을 준다.
③ 채무자의 반론에 대비하여 제도 및 규정에 대한 업무를 숙지한다.
④ 채무자의 채무변제 의지를 고취하고 약속을 반복 확인한다.
⑤ 법적인 강제집행부터 실시한다고 일방적으로 독촉하여 채무자에 대한 기선을 제압한다.

해설 전화는 상대방의 얼굴을 접하지 않고 대화하기 때문에 자칫 실수하기 쉽고, 오해가 발생할 소지가 많으므로 회사 이미지를 제고시킨다는 관점에서 상담방법과 요령에 있어 세심한 주의를 요한다. 채무자의 심리요인을 고려하여 상담하여야 하는 바, 법적인 강제집행부터 실시한다고 일방적으로 독촉하여 채무자에 대한 기선을 제압해서는 안 되고, 파악된 채무자의 이력에 맞는 당사의 법적조치 의뢰, 기타의 불이익 사항을 설명하여 주고 연체 계속 시 원칙적으로 처리한다는 것을 강조하는 것이 바람직하다.

04. ④ 05. ⑤

MEMO

2014년 기출

06 채무이행최고서 발송 등 채권추심을 위한 서면관리와 관련한 설명으로 가장 적절하지 않은 것은?

① '채권추심 수임사실 통보서'는 내용증명으로 발송하여야 한다.
② 문서양식은 회사의 규정양식을 사용한다.
③ 반송우편물은 반송사유를 파악하여 채무자에 대한 정보로 활용한다.
④ 우편물에 의하여 개인정보가 유출되지 않도록 한다.
⑤ 신규로 수임한 건에 대하여는 채권추심에 착수하기 전까지 '채권추심 수임사실 통보서'를 채무자에게 발송한다.

해설 채권추심 수임사실 통보서는 신용정보의 이용 및 보호에 관한 법률 시행규칙에 표준양식이 명시되어 있으며 채권자명, 채권추심회사명, 채무내역, 추심담당자 및 연락처 등이 기재된다. 또한 채무자의 사생활이 침해되지 않도록 해야 하는 바, 엽서로 발송하는 것은 옳지 않은 방법이나 문서를 반드시 내용증명 등의 등기우편으로 보내야 하는 것은 아니다.

2019년 기출

07 채권관리 상담에 있어서는 채무자의 연령대별 특성을 파악하고 그에 따른 상담요령을 익히는 것이 중요하다. 20대 중반에서 30대 초반에 해당하는 채무자의 일반적인 특성에 대한 다음 설명 중 가장 적절하지 않은 것은?

① 법적처리에 별 반응을 보이지 않으며 무성의하거나 책임감이 없는 경우가 많다.
② 신용의 중요성 및 돈의 소중함에 대한 인식이 부족하다.
③ 대부분 경제활동을 하고 있고 과시용 소비자가 많다.
④ 담당자의 설득을 부정적으로 받아들이는 경우가 많고 타 연령대보다 민원제기 가능성이 상대적으로 높다.
⑤ 채무변제 회피 방법을 알고 있는 경우가 많고 자기 위주로 채무를 변제한다.

해설 ①②(복수정답 인정) 20대 초반에 해당하는 채무자의 일반적인 특성이다. 다음은 채권관리 상담에 있어서 연령별 특성과 상담요령을 정리한 표이다.

구 분	일반적인 특성	상담요령
20대 초	– 자존심이 강하고 쉽게 흥분한다. – 책임감이 없고, 신용 개념이 없다.(①②) – 소비성향이 단조롭고 사후처리에 있어서 주변에 의존한다. – 대환 대출이 용이하다.	– 가족적인 분위기로 대화를 시도한다. – 장래에 대한 희망을 고취하고 실행 가능한 약속을 유도한다. – 신용에 대한 개념을 이해시키고 연체 정보 등록 및 법적 조치시 불이익을 주지시킨다.

정답 06. ① 07. ①, ②(복수정답 인정)

MEMO

20대 중~30대 초	– 과시용 소비자가 많다.(③) – 자기위주로 채무를 변제한다.(⑤) – 채무회피방법을 아는 경우가 많다.(⑤) – 가족에 연체사실 통보를 우려한다. – 타 연령대보다 민원제기 가능성이 상대적으로 높고 담당자의 설득을 부정적으로 받아들이는 경우가 많다.(④)	– 기혼자의 경우 배우자의 성향도 파악하여 경제권을 갖고 있는 자를 집중적으로 상담한다. – 사용내역을 보고 회원의 관심분야에 대해 공감대를 형성한다. – 회원정보, 법지식, 금융지식 등을 최대한 준비한다. – 본인 스스로가 해결의사를 가질 수 있도록 유도한다.
30대 중~40대	– 생계형 소비가 주를 이룬다. – 실직이나 사업실패가 많다. – 타 연령대보다 변제의지가 강하다. – 도움변제 가능성이 낮다. – 자녀가 초등학생 내지는 중학생인 경우가 많다.	– 가장인 경우가 많으므로 전화상담시 적절한 예의를 갖추어 상담한다. – 가족과 동시에 상담하여 개인의 문제가 아닌 집안의 문제로 확대한다. – 법적 조치로 심리적 부담을 느끼게 한다.
50대~	– 법적 조치에 민감하다. – 자녀에 대한 체면을 중시한다. – 여성의 경우 전업주부가 많다. – 도덕적 책임의식이 강하다. – 재산에 대한 애착이 상당히 크다. – 나이를 빙자하여 상황을 회피한다.	– 법적 조치로 심리적 부담을 느끼게 한다. – 도덕적 책임감을 강조한다. – 최대한 예의를 지킨다. – 인간적 공감대를 형성한다. – 방문독촉을 통해 주변인을 파악한다.

2017년 기출

08 상담관리에 있어서는 채무자의 연령대별 특성을 파악하고 그에 따른 상담요령을 익히는 것이 중요하다. 다음 중 20대 중반에서 30대 초반에 해당하는 채무자의 일반적인 특성으로서 가장 적절하지 않은 것은?

① 도덕적 책임의식이 강하고 자녀에 대한 체면을 중요시한다.
② 가족에게 연체사실이 통보되는 것을 우려한다.
③ 담당자의 설득을 부정적으로 받아들이는 경우가 많고 타 연령대보다 민원제기 가능성이 상대적으로 높다.
④ 경제활동을 하고 있는 경우가 많고 과시용 소비자가 많다.
⑤ 채무변제 회피 방법을 알고 있는 경우가 많고 자기 위주로 채무를 변제한다.

해설 도덕적 책임의식이 강하고 자녀에 대한 체면을 중요시하는 채무자의 연령대는 50대 이상이다. 채무자의 연령대별 특성과 상담요령은 앞 문제 해설 참조

08. ①

MEMO

2020년 기출

09 다음은 환경별(상황별) 채무자의 일반적인 특성 또는 상담요령을 열거한 것이다. 가장 적절한 것은?

① 이혼이나 별거 등으로 가정불화 중인 채무자에게는 가정상황과 직접 관련된 이야기는 가급적 피하고 상대 입장에 동조하고 친절한 사람이라는 인식을 심어주는 것이 좋다.
② 채무가 과다한 다중채무자에게는 인간적인 접근이 채권회수에 별 도움이 되지 않는다.
③ 채무가 과다하고 채무관계가 복잡한 채무자는 주민등록지와 실제 거주지가 다른 경우가 많고 법적처리에는 과민한 반응을 보인다.
④ 책임회피형 채무자는 가급적 직접 방문하는 것은 바람직하지 않고 먼저 감정을 자극하여서는 아니 된다.
⑤ 채무자가 행방불명인 경우에는 가족에게 채무사실을 상세히 알리고 채무자나 가족이 불이익을 받게 된다는 것을 확실히 하여 대위변제를 유도한다.

해설 ① 옳은 내용이다.
② 채무가 과다한 다중채무자는 법적 조치에 민감하지 않으므로 인간적인 접근이 필요하다.
③ 채무가 과다하고 채무관계가 복잡한 채무자는 주민등록지와 실제 거주지가 다른 경우가 많고 법적처리에는 별 반응을 보이지 않는다.
④ 책임회피형 채무자는 가급적 직접 방문하여 면담을 시도하되 정보를 알고 접근하며, 먼저 감정을 자극하고 나중에 사과하는 방법을 사용하면 의외로 쉽게 해결되는 경우가 많다.
⑤ 채무자가 행방불명인 경우에는 가족이 채무관계를 전혀 모르는 경우가 많으므로, 가족 등이 채무 사실을 미리 알고 면담 및 해결방안 문의시에만 접촉한다.

09. ①

MEMO

2017년 기출

10 다음은 환경별 채무자의 일반적인 특성 또는 상담요령을 설명한 것이다. 가장 적절한 것은?

① 채무가 과다하고 채무관계가 복잡한 채무자는 주민등록지와 실제 거주지가 다른 경우가 많고 법적처리에는 과민한 반응을 보인다.

② 이혼이나 별거 등으로 가정불화 중인 채무자에게는 가정상황과 직접 관련된 이야기는 가급적 피하고 상대 입장에 동조하고 친절한 사람이라는 인식을 심어주는 것이 좋다.

③ 채무자가 행방불명인 경우에는 가족에게 채무사실을 상세히 알리고 채무자나 가족이 불이익을 받게 된다는 것을 확실히 하여 대위변제를 유도한다.

④ 책임회피형 채무자는 가급적 직접 방문하는 것이 바람직하지 않고 먼저 감정을 자극하여서는 아니 된다.

⑤ 채무가 과다하거나 다중채무자에게는 인간적인 접근이 채권회수에 별 도움이 되지 않는다.

해설 이혼이나 별거 등으로 가정불화 중인 채무자는 정상적인 가정생활이 어렵고 신경질적이며, 성향이 극히 예민하고 가정 얘기에 민감하며, 가정적인 언어에 과민반응을 보인다. 따라서 가정 상황과 직접 관련된 이야기는 가급적 피하고, 상대 입장에 동조하고 친절한 사람이라는 인식을 심어주는 것이 좋다.

① 채무가 과다하고 채무관계가 복잡한 채무자는 주민등록지와 실제 거주지가 다른 경우가 많고 법적 처리에는 과민한 반응을 보이지 않는다.

⑤ 따라서 채무가 과다하거나 다중채무자에게는 인간적인 접근이 필요하다.

③ 채무자가 행방불명인 경우에는 가족이 냉담한 반응을 보이며 대화를 회피하고, 가족이 채무관계를 전혀 모르는 경우가 많으며, 대부분 미혼자이고, 단독 세대주였던 경우도 있다. 따라서 채무자가 받게 될 수도 있는 불이익을 이해시키고 채무자를 도와주려 한다는 점을 부각시키고, 가족 등이 채무 사실을 미리 알고 면담 및 해결방안 문의 시에만 접촉한다.

④ 책임회피형 채무자는 먼저 감정을 자극하고 나중에 사과하는 방법을 사용하면 의외로 쉽게 해결되는 경우가 많고, 채무자가 '법대로 하라'고 할 때는 '안 한다'라고 반대로 이야기하는 방법도 있으며, 이 경우 법적 조치를 담당자가 연기해 주고 있음을 느끼게 해 줄 필요가 있다. 따라서 직접 방문하여 면담을 시도하되 정보를 알고 접근하고, 먼저 감정을 자극하고 나중에 사과하는 방법을 사용하는 것도 설득방법의 하나가 될 수 있다.

10. ②

Chapter

04 행불관리

제1절 행불관리 총설

2021년 기출

01 다음 중 채무자에 대한 행불관리의 목적을 설명한 것으로 가장 적절하지 않은 것은?

① 적극적인 상담을 통한 회수 가능성을 증대시킨다.
② 행불 추적은 채권회수율 향상과는 관계 없다.
③ 합리적인 상담을 통한 연체구조를 개선하여 해결방안을 모색할 수 있다.
④ 상담을 통한 새로운 정보를 획득할 수 있다.
⑤ 재행불되는 것을 방지할 수 있다.

해설 행불추적의 근본적인 목적은 채권을 회수하는 것이다. 많은 시간과 노력을 투자하여 채무자를 추적하는데 성공하였지만 채무자로부터 안정적으로 채권을 회수하지 못한다면 행불추적은 아무런 의미를 갖지 못하고 아까운 시간과 노력만 낭비하는 결과를 초래하게 된다. 우선 정확한 추적대상을 선정하고 추적에 대한 활동량을 증대시키면 추적의 성공가능성은 높아진다. 추적 성공량이 높아지면 신용관리담당자가 채권회수를 위한 상담을 진행할 수 있는 대상자가 늘어나게 되고, 상담 진행 건이 많으면 회수액(또는 회수율) 또한 많아지는 것은 당연하다. 채권 회수액이 많아지면 그만큼 개인성과가 높아지고 회사에도 기여하게 되는 것이다. 성과가 높아지면 당연히 신용관리담당자의 업무에 대한 사기가 진작되고 의욕이 증대된다. 의욕이 증대되면 더욱 열심히 업무에 매진하게 되고, 업무량(활동량) 또한 늘어나는 선순환의 과정을 반복하게 된다. 결국 행불 추적은 채권회수율 향상과 밀접한 관련이 있다.

01. ②

MEMO

제2절 행불추적의 방법

2019년 기출

01 행불자 추적 및 회수방법에 대한 다음 설명 중 가장 적절하지 않은 것은?

① 위장전입한 채무자는 대체로 집주인과 이해관계인일 가능성이 높다.
② 주민등록초본상 주소지를 자주 옮기는 행불자는 주민등록초본을 자주 열람하여 주소 변동의 가능성에 대비한다.
③ 위장전입자의 경우 주소지 부동산등기사항전부증명서(부동산등기부등본)상의 소유주와 면담하여 채무자가 거주하지 않는 이유 및 전입배경을 파악한다.
④ 주민등록초본상 직권말소된 경우는 채무자가 거주하지 않고 있는 사실이 인정되므로 집주인 면담은 고려하지 아니하여도 무방하다.
⑤ 계약서 등 채권원인서류상의 주소지와 주민등록초본상의 주소지를 대조하여 변경여부를 점검한다.

해설 ④ 주민등록초본상 직권말소된 경우는 소유주가 직권말소했는지, 타채권자가 직권말소했는지 여부를 파악하고 소유주와 면담을 통해 직권말소 후 일정기간이 지나면 벌금이 부과된다는 사실을 인지시키고 단서를 찾아야 한다. 채무자 상황별 행불추적 방법에 관하여 아래표를 참조.

⑤ 계약서 등 채권원인서류에는 채권자, 채무자 대출금액, 대출기간, 대출일자, 담보 등이 기재되어 있으며 각 정보추적 단서를 활용하여 추적한다. 즉, 원인서류상의 모든 연락처에 연락하여 변경여부를 확인하고, 원인서류상의 모든 주소지와 주민등록초본상의 주소지 변경여부를 확인하며, 채권발생시 담보확보 실익여부를 재확인하며, 재산세 납부증명서상의 부동산이 현재도 채무자 소유인지 소유권 이전이 되었는지를 확인한다. 이와같이 행불추적의 시작은 채권 원인서류에서부터 시작하며 부정사용여부에 대한 판단의 근거를 확보하는 것이다.

구 분	특 징	추적방법
위장전입	자력에 의한 변제능력이 상실되거나 변제의사가 결여된 채무자가 의도적으로 채무독촉회피를 목적으로 주민등록 주소지를 위장전입하는 것이며 대체로 집주인과 채무자는 이해관계인일 가능성이 높다.(①)	① 주소지 부동산등기부등본상의 소유주를 확인하고 소유주와의 면담을 통한 위장전입의 배경 및 채무자가 거주하지 않는 이유 등을 파악한다.(③) ② 주민등록 직권말소 및 불이익을 강조하고 소유주의 반응 등을 파악하여 채무자와 소유주와의 관계를 파악하여 설득 및 추적한다.

정답

01. ④

MEMO

직권말소 및 미퇴거 이사	집주인이나 주변인과의 관계가 단절되어 있는 경우가 많으며, 주민등록에 대한 기본 지식이 없는 채무자로 의도적으로 제3의 장소로 이사하여 채무독촉을 회피하려는 특징이 있다.	① 수시로 주민등록초본을 발급하여 새로운 주소이전 여부를 파악한다.(②) ② 미퇴거 이사자인 경우 가능한 소유주와 많은 대화를 해야 하며 최종 주민등록직권말소 의뢰에 대한 소유주의 반응 및 심리상태를 파악할 줄 알아야 한다. ③ 직권말소자는 소유주가 직권말소했는지, 타 채권자가 직권말소했는지 여부를 파악하고 직권말소 후 일정기간이 지나면 벌금이 부과된다는 사실 등을 소유주와 면담과 정시 인지시키고 단서를 찾는다.(④)
해외 도피 (국외 이주, 이민 등)	고액 다중채무자나 현금 융통 등 불법사용 채무자가 많으며 대부분 장기적인 행불자가 많다.	① 해외도피자의 경우 채무회피가 목적인지 다른 사유인지를 정확히 파악하는 것이 중요하다. ② 이주신고는 신고상태로 국내 잔류 가능성이 있으며 이민말소는 국외 이주한 상태이다. 따라서 이주신고자 및 이주말소자는 신고상태로 국내 잔류 가능성이 있다. ③ 최종 주소지에 방문하여 기존에 사용하던 유체동산은 어디로 이전되었는지를 파악하여 소유권 여부 및 향후 채무자 귀국 등의 일정을 확인한다. 그러나 해외도피자의 가족이라 하더라도 채무변제를 요구할 수는 없다. ④ 외교부에 정식공문 발송 및 이민국 주소를 확보하여 서면독촉을 병행한다. ⑤ 시간이 다소 소요되지만 영사관, 한인회 등을 통하여 주소지 및 연락처에 관하여 협조를 요청할 수도 있다.
구속 및 수감	고의성 행불과 달리 가족과는 연락이 용이한 편이며 채무자는 심리적으로 위축이 되어 있을 경우가 많다.	① 가족을 통하여 수감장소와 사유를 파악하고 기결수인지 미결수인지 그리고 출소일은 언제인지 파악한다. ② 직접 면회를 통하여 채무자를 행불 추적한다. ③ 강한 독촉보다는 감정에 의한 설득이 효과적이다.
사망자	상속자들은 채무자 사망으로 채무가 종결된 것으로 인식하고 무조건 채무상속을 부인하거나 상속포기 했다고 일관하는 경우가 많다.	① 파악되는 상속인부터 내용증명 등으로 채무관계를 인지시킨다. ② 경찰서나 병원을 방문하여 사망원인을 분석한다. ③ 사망원인에 따라 보험가입 여부를 확인하고 가입이 된 경우에 채권보전조치가 필요하며 보험금을 누가 수령했는지도 반드시 파악한다.

MEMO

		④ 연락되는 상속인을 상대로 상속법에 대해 정확히 설명한다. ⑤ 채무자 사망 전에 집행권원을 획득한 경우에는 승계집행문을 부여받은 후 상속인 재산에 대한 강제집행을 위해 상속인 재산파악도 필요하다. ⑥ 선의적으로 미해결시 채권보전조치 및 채무승계소송도 준비해야 한다.
사업장 부도	사업실패로 인해 부도가 발생한 채무자의 특징은 고액다중채무자가 많으며 사업부도 전에 채무회피 목적으로 사해행위 가능성도 배제할 수 없다. 또한 가족들에게 피해를 주지 않기 위해 주민등록을 별개 지역으로 위장전입하는 경우도 많으며 사업장을 제3자의 명의로 이전 또는 폐업하는 경우도 많다.	① 채무자가 지속적으로 사업자등록증상의 명의인인지 여부를 확인한다. ② 사업자등록증 명의로 납부한 세금관계를 조사한다. ③ 사업자등록 주소지의 부동산등기부등본을 발급하여 소유 여부를 확인한다. ④ 사업장 방문 또는 주변인 면담을 통하여 부도원인 및 거래처를 파악하고 총채무 및 타채권자들의 연락처를 파악한다. ⑤ 사업자명의 주민등록초본을 발급하여 주소지의 부동산 소유관계를 조회하고 방문하여 가족관계 및 연락처를 파악한다.
부정사용자 및 법률위반	부정사용자 및 법률위반자는 나이가 어리고 법률위반에 대한 책임의식 등이 부족한 채무자 부류와 법률조항의 오점을 악용하여 전문적으로 사기를 치는 채무자 부류로 나눌 수 있다. 채무자 단독보다는 주변인과 연계하여 부정사용하는 경우가 많으며 채무자 및 실수익자 모두 변제의사가 결여되어 있다.	① 원인서류 재검토하여 채무자와 실수익자 중 법률적으로 책임이 모두에게 있는가, 아니면 실수익자에게 있는가를 확인한다. ② 거주지나 연락처를 파악함과 동시에 부정사용에 대한 형사처벌 등을 인식시켜 선의적 해결을 유도하고 채무자 및 실수익자 재산조사를 병행한다. ③ 악의적인 장기행불이 예상되는 경우에는 신속한 법적조치를 통하여 행불추적하여야 한다.

2018년 기출

02 사업자등록증을 통한 행불추적 방법 중 가장 적절하지 않은 것은?

① 사업자등록증상 사업자의 휴·폐업 여부를 확인하고 방문상담시에는 그 사유를 파악해야 한다.

② 사업장 방문을 통하여 부도원인, 거래처, 총채무 및 다른 채권자들의 연락처 등을 파악하고 부도 전 마지막으로 급여를 지급받은 직원과 면담하여 채무자의 행방을 탐문한다.

02. ⑤

MEMO

③ 사업자등록증 주소지의 부동산등기부(등기사항증명서)등본을 발급받아 소유여부를 확인한다.
④ 사업자등록증 명의가 배우자 또는 이해관계인으로 되어 있으면서 실제로는 채무자가 운영하는 경우가 있기 때문에 거래처 확인을 통하여 사업자 명의자와 실제 운영자를 확인하는 것이 필요하다.
⑤ 탈세의 혐의가 있을 때에는 세무서에 고발한다고 가족이나 주변인들에게 협박하여 탐문한다.

해설 탈세의 혐의가 있을 때에는 채권자도 세무서에 고발할 수 있다는 것을 가족이나 주변인들에게 암시하여 우회적으로 행불 추적하는 방법이 있을 수 있으나, 명시적으로 협박하여 탐문해서는 안된다.
① 부가세 납세의무자는 사업장별로 각각 세무서에 등록을 하여야 하기 때문에 사업자등록증을 추적단서로 활용한다. 채권발생시점과 달리 세무서 등록사업자가 휴업인지 폐업인지를 확인하고 방문추적시 휴·폐업 사유부터 파악하여야 한다.
② 사업장 방문을 통하여 부도원인, 거래처, 총채무 및 다른 채권자들의 연락처 등을 파악하고 부도 전 마지막으로 급여를 지급받은 직원과 면담하여 채무자의 행방을 탐문한다.
③ 사업자등록증 주소지의 부동산등기부(등기사항증명서)등본을 발급받아 소유여부를 확인한다. 아울러 사업자등록증상의 주소지와 채무자 주민등록초본상의 주소지 일치여부를 확인하여 방문추적시 사업장과 자택방문의 사전정보로 활용한다.
④ 사업자등록증 명의가 배우자 또는 이해관계인으로 되어 있으면서 실제로는 채무자가 운영하는 경우가 많기 때문에 이때에는 거래처 확인이 필수적이다.

2018년 기출

03 채권자 A는 채무자 B에게 금 5,000만원을 빌려 주고 변제기에 위 금원을 지급받지 못하였다. B는 위 주소지에 주소만 두고 거주하지 않아 우편물이 송달되지 않는 등 행방을 알 수 없었다. 다음은 행불자에 대한 추적 및 회수방법 등에 대한 설명이다. 가장 적절하지 않은 것은?

① 위장전입한 채무자는 대체로 집주인과 이해관계인일 가능성이 높다.
② 채무자가 거주하였던 집의 집주인 등과의 면담시 채무자의 개인정보 유출에 각별히 유의하여야 한다.
③ 위장전입자의 경우 주소지 부동산등기부(등기사항증명서)등본상의 소유주와 면담하여 채무자가 거주하지 않는 이유 및 전입배경을 파악한다.
④ 주민등록초본상 직권말소된 경우는 채무자가 거주하지 않고 있는 사실이 인정되므로 집주인 면담은 고려하지 않아도 무방하다.
⑤ 수시로 주민등록초본을 발급하여 새로운 주소이전 여부를 파악한다.

03. ④

MEMO

해설 주민등록초본상 직권말소된 경우는 집주인과 면담을 통해 주민등록 직권말소 및 불이익을 강조하고 집주인의 반응(직권말소 승낙여부, 거부사유, 심리상태 등)을 보고 채무자와 집주인과의 관계를 파악하여 설득 및 추적한다.

① 자력에 의한 변제능력이 상실되거나 변제의사가 결여된 채무자가 의도적으로 채무독촉회피를 목적으로 주민등록 주소지를 위장전입하는 것이며 대체로 집주인과 이해관계인일 가능성이 높다.

② 채무자가 거주하였던 집의 집주인 등과의 면담시 집주인은 통상 제3자이므로 채무자의 연체사실이나 개인정보 유출에 각별히 유의하여야 한다.

③ 위장전입자의 경우 주소지 부동산등기부(등기사항증명서)등본상의 소유주와 면담하여 채무자가 거주하지 않는 이유 및 전입배경을 파악한다.

⑤ 장기 행불자인 경우 주민등록 직권말소를 관할 동사무소에 의뢰하여 채무자의 새로운 주소이전 여부를 파악하고, 이후 수시로 주민등록초본을 발급하여 새로운 주소이전 여부를 파악한다.

2017년 기출

04 주소와 관련된 다음 설명 중 옳지 않은 것은?

① 생활의 근거가 되는 곳을 주소로 한다.

② 주소는 동시에 두 곳 이상 있을 수 없다.

③ 법인의 주소는 그 주된 사무소의 소재지에 있는 것으로 한다.

④ 주소를 알 수 없으면 거소를 주소로 본다.

⑤ 어느 행위에 있어서 가주소를 정한 때에는 그 행위에 관하여는 이를 주소로 본다.

해설 주소는 동시에 두 곳 이상 있을 수 있다(민법 제18조 제2항).

① 민법 제18조 제1항, ③ 민법 제36조, ④ 민법 제19조, ⑤ 민법 제21조

04. ②

MEMO

제3절 전략적 행불추적기법

2015년 기출

01 행불(행방불명)된 채무자에 대한 추적 완료 후 재행불 방지를 위한 관리방법으로 가장 거리가 먼 것은?

① 채무자의 감정을 불필요하게 자극하지 않는다.
② 채무자에 대한 정보를 추가로 수집하지 않는다.
③ 채무자가 감당하고 실행할 수 있는 변제방안을 제시한다.
④ 채무자에 대한 적극적인 조언 등으로 '신용관리담당자는 채무자에게 도움을 주는 사람'이라는 인식을 갖도록 신뢰를 쌓는다.
⑤ 관리대상인 채무자의 채무에 대한 변제방법뿐만 아니라 필요한 경우 다른 채무를 해결하는 것에 관한 상담, 직업 알선 등 컨설턴트 역할도 수행한다.

해설 채무자에 대한 정보는 최근 자료로 업데이트하면서 수집을 하여 재행불에 대비하여야 한다.

2014년 기출

02 행방불명된 채무자에 대한 신용관리담당자의 효율적인 행불추적활동 등과 관련한 설명으로 가장 적절하지 않은 것은?

① 회수가능성과 추적성공가능성은 일반적으로 채무자에 관한 기초정보 및 현재까지의 관리상황을 기준으로 판단한다.
② 회수가능성과 추적성공가능성이 높은 채무자를 1순위 그룹으로 선정하여 우선 추적대상으로 한다.
③ 회수가능성과 추적성공가능성이 모두 낮은 채무자에 대한 추적순위는 상대적으로 낮게 책정한다.
④ 회수가능성과 추적성공가능성이 모두 낮은 채무자는 향후 환경변화에 따라 회수가능성이 높아질 가능성도 희박하므로 기초정보의 지속적인 수집·분석 등 추적활동은 불필요하다.
⑤ 추적성공가능성은 낮더라도 회수가능성이 높은 경우에 해당하는 채무자에 대한 추적 우선순위는 추적성공가능성이 높더라도 회수가능성이 거의 없는 채무자에 대한 추적 순위보다 대체로 높다.

해설 회수가능성과 추적성공가능성이 모두 낮은 채무자나 채무자의 환경변동에 따라 회수가능성이 높아질 가능성은 항상 존재하므로 기초정보의 꾸준하고 지속적인 수집과 분석을 통해 추적활동이 필요하다.

01. ② 02. ④

Chapter 05
채무자 신용회복지원제도

제1절 신용회복지원제도

2023년 기출

01 신용회복위원회의 개인채무조정제도에 관한 다음 설명 중 가장 적절하지 않은 것은?

① 신용회복위원회 채무조정제도는 「서민의 금융생활 지원에 관한 법률」에 근거하여 신용회복지원협약을 체결한 금융회사 채무를 조정하는 사적 채무조정제도이다.

② 연체전 채무조정(신속채무조정)은 채무를 정상 이행 중이거나 1개월 미만 단기 연체중인 채무자에 대한 신속한 채무조정 지원으로 연체 장기화를 방지한다.

③ 이자율 채무조정(프리워크아웃)은 1~3개월 미만 단기 연체채무자에 대한 선제적 채무조정을 통해 연체 장기화를 방지한다.

④ 채무조정(개인워크아웃)은 6개월 이상 장기 연체 채무자에 대한 채무조정 프로그램으로 신용회복과 경제적 회생을 지원한다.

⑤ 채무조정제도는 상환기간 연장, 분할상환, 이자율 조정, 상환유예, 채무감면 등의 방법으로 하고, 신청 다음날부터 채권금융회사의 추심활동이 중단된다.

해설 ④ 채무조정을 신청하는 채무자는 채권금융회사 채무 중 어느 하나의 연체기간이 3개월 이상이어야 한다[신용회복지원협약 제4조(신청대상) 제4항].

① 이 협약은 「서민의 금융생활 지원에 관한 법률」(이하 '법'이라 한다) 제75조 제1항에 따라 신용회복위원회(이하 '위원회'라 한다)와 채권금융회사가 개인채무자에 대한 채무조정(이하 '개인채무조정'이라 한다)을 효율적이고 신속하게 지원하는 것을 목적으로 한다[신용회복지원협약 제1조(목적)].

② 신속채무조정을 신청하는 채무자는 채권금융회사 채무 중 어느 하나의 연체일수가 1일 이상 30일 이하이어야 한다. 다만, 연체상태가 아닌 경우에도 다음 각 호 중 어느 하나에 해당하는 채무자는 신속채무조정을 신청할 수 있다(신용회복지원협약 제4조 제2항).

③ 사전채무조정을 신청하는 채무자는 채권금융회사 채무 중 어느 하나의 연체일수가 31일 이상 89일 이하이어야 한다. 다만, 연체일수가 30일 이하인 경우에도 다음 각 호의 요건을 모두 충족하는 채무자는 사전채무조정을 신청할 수 있다(신용회복지원협약 제4조 제3항).

⑤ 아래 조문 참조

01. ④

MEMO

신용회복지원협약 제16조【개인채무조정 방법】

① 개인채무조정은 채권금융회사가 보유한 채권에 대하여 다음 각 호의 방법으로 할 수 있다.
   1. 상환기간 연장
   2. 분할상환
   3. 이자율 조정
   4. 상환유예
   5. 채무감면
   6. 그 밖에 심의위원회가 인정하는 방법

신용회복지원협약 제22조【신청의 효력】

① 제8조 제1항의 접수통지를 받은 채권금융회사는 다음 각 호의 사항을 준수하여야 한다.
   1. 채무관련인에 대하여 채권추심, 가압류·가처분 등의 보전처분이나 강제집행의 신청, 기타 소의 제기 등 일체의 채권행사 및 담보권행사를 하여서는 아니 된다.
   2. 채무관련인에 대하여 개인채무조정 신청 전부터 계속 중인 강제집행, 담보권 실행 및 소송행위 등이 중단되도록 노력하여야 한다.
   3. 개인채무조정 대상 채권의 채무자가 임의변제를 요청하더라도 이를 거절하여야 한다.

② 제1항에도 불구하고 채무관련인이 고의로 재산을 도피·은닉하거나 책임재산을 감소시킬 우려가 있는 경우 채권금융회사는 급여 또는 급여에 준하는 채권을 제외한 채무관련인의 재산에 대하여 가압류·가처분 등의 보전처분을 할 수 있다. 이 때 재산의 도피·은닉, 책임재산의 감소 등에 대하여 채권금융회사가 입증하여야 한다.

③ 채무자가 개인채무조정을 신청한 이후에 개인채무조정에서 제외된 채권금융회사 또는 채권금융회사 이외의 채권자가 채무관련인의 재산에 대하여 경매를 신청한 경우 제1항에도 불구하고 채권금융회사는 동 경매절차에 참가할 수 있다.

④ 제3항에 의하여 채권금융회사가 채권전액 또는 일부를 변제받은 경우 심의위원회는 채무자에 대한 개인채무조정안을 재심의·의결 할 수 있다.

MEMO

2017년 기출

02 **다음은 개인신용회복지원제도(개인워크아웃제도)의 신청과 관련한 설명이다. 적절하지 않은 것은?**

① 금융기관에 대한 총 채무액이 10억 원 이하인 금융채무 불이행자가 신청할 수 있다.
② 원칙적으로 최저생계비 이상의 수입이 있어야 신청할 수 있다.
③ 대출의 무효 또는 취소를 다투거나 분쟁상태에 있는 자는 신청할 수 없다.
④ 재산을 도피하거나 은닉한 자는 신청할 수 없다.
⑤ 어음・수표 부도거래처인 개인사업자로서 동 사유를 해소하지 못한 자는 신청할 수 없다.

해설 출제당시에는 '⑤ 어음・수표 부도거래처인 개인사업자로서 동 사유를 해소하지 못한 자'도 신청부적격자에 포함되었으나, 이후 개정으로 삭제되었다. 2023.4.3.자 개정협약 관련내용은 아래 조문 참조

> 신용회복지원협약 제4조【신청대상】
> ① 개인채무조정을 신청하는 채무자는 다음 각 호의 요건을 모두 충족하여야 한다.
> 1. 총채무액이 15억원 이하로써 담보채무는 10억원 이하, 무담보채무는 5억원 이하인 채무자
> 2. 최저생계비 이상의 수입이 있거나 채무상환이 가능하다고 위원회 정관에 의해 설치된 심의위원회(이하 '심의위원회'라 한다)가 인정하는 채무자
>
> ② 신속채무조정을 신청하는 채무자는 채권금융회사 채무 중 어느 하나의 연체일수가 1일 이상 30일 이하이어야 한다. 다만, 연체상태가 아닌 경우에도 다음 각 호 중 어느 하나에 해당하는 채무자는 신속채무조정을 신청할 수 있다.
> 1. 신청일 현재 최근 6개월 이내 실업자, 무급휴직자, 폐업자
> 2. 신청 전 1개월 이내에 3개월 이상 입원치료가 필요한 질병을 진단받은 채무자
> 3. 신청일 현재 개인신용평점 하위 10%인 채무자
> 4. 신청일 현재 최근 6개월 이내 채권금융회사에 5일 이상 연체한 횟수가 3회 이상인 채무자
> 5. 「재난 및 안전관리 기본법」 제3조에서 정한 '재난' 또는 이에 준하는 긴급상황으로 신속하게 지원할 필요가 있다고 위원장이 인정하는 채무자
>
> ③ 사전채무조정을 신청하는 채무자는 채권금융회사 채무 중 어느 하나의 연체일수가 31일 이상 89일 이하이어야 한다. 다만, 연체일수가 30일 이하인 경우에도 다음 각 호의 요건을 모두 충족하는 채무자는 사전채무조정을 신청할 수 있다.
> 1. 신청 전 1년 이내 누적 연체일수가 30일 이상인 채무자

정답 02. ①, ⑤

MEMO

2. 연간소득이 40백만원 이하인 채무자

④ 채무조정을 신청하는 채무자는 채권금융회사 채무 중 어느 하나의 연체기간이 3개월 이상이어야 한다.

⑤ 다음 각 호의 어느 하나에 해당하는 채무자는 개인채무조정을 신청할 수 없다.

1. 개인채무조정의 효력이 상실된 날부터 3개월 이상 경과하지 아니한 채무자
2. 제9조에 의한 심의위원회의 심의·의결, 제10조에 의한 채권금융회사의 동의 등의 요건을 충족하지 못하여 개인채무조정 신청이 기각된 경우, 기각된 날부터 1년 이상 경과하지 아니한 채무자. 다만, 그 기각 사유를 해소한 자는 그러하지 아니하다.
3. 재산을 도피·은닉하거나 고의로 책임재산의 감소를 초래한 채무자
4. 「신용정보의 이용 및 보호에 관한 법률」에 따라 신용정보집중관리 위원회가 정한 「일반신용정보관리규약」(이하 '「일반신용관리규약」'이라 한다)의 부도정보 및 금융질서문란정보가 등록된 채무자
5. 협약을 체결하지 아니한 채권자에 대한 채무(이하 '협약외채무'라 한다)의 원금이 동 원금과 채권금융회사에 대한 채무원금을 합산한 원금총액의 20/100 이상인 채무자. 다만, 협약을 체결하지 아니한 채권자가 이 협약의 개인채무조정에 준하여 상환조건 변경에 동의한 경우 해당 채무는 제외할 수 있다.
6. 개인채무조정 신청 전 6개월 이내에 발생한 채무의 원금이 원금총액의 30/100 이상인 채무자. 다만, 기존 채무의 상환자금으로 사용한 경우 해당 채무는 제외할 수 있다.
7. 채무부존재확인소송 중인 자 또는 대출의 무효, 취소를 다투거나 분쟁상태에 있는 채무자
8. 고의로 채무이행을 지연할 목적으로 개인채무조정을 신청하는 채무자
9. 채무자의 재산 및 수입에 비추어 개인채무조정 없이 총채무를 정상적으로 변제할 수 있는 채무자

MEMO

제2절 배드뱅크 프로그램

2014년 기출

01 다음은 저신용자에 대한 서민금융제도를 설명한 것이다. 이 중 '미소금융'에 대하여 가장 바르게 설명한 것은?

① 자활의지는 있으나 담보가 없거나 신용이 낮아 제도권 대출이 어려운 사람을 대상으로 창업, 운영자금 등 자활자금을 무담보, 무보증으로 대출해주는 소액금융이다.
② 새마을금고와 연계하여 자활의지가 있는 지역 내 소기업 소상인에 대한 자금지원을 통해 지역서민경제의 활성화를 도모하는 금융이다.
③ 신용등급이 낮고 소득이 적어 은행 이용이 어려운 서민에게 보증지원을 통해 생활안정을 돕고자 신용보증재단중앙회와 6개 금융회사(농협, 새마을금고, 신협, 수협, 저축은행, 산림조합)가 공동으로 만든 서민전용대출이다.
④ 대부업체, 저축은행, 캐피탈 등에서 대출받은 고금리대출을 신용보증재단의 보증을 통해 저금리 대출로 대환해주는 금융이다.
⑤ 신용회복프로그램을 통하여 일정기간 채무를 성실하게 상환한 채무자에게 긴급생활안정자금을 저금리로 대출해주는 금융이다.

해설 미소금융이란 자활의지는 있으나 담보가 없거나 신용이 낮아 제도권 대출이 어려운 사람 등이나 제도권 금융회사를 이용하기 힘든 금융소외계층(저소득자・저신용자)을 대상으로 창업・운영자금 등의 자활자금을 무담보・무보증으로 지원하는 소액대출사업을 뜻한다. 이는 1976년 방글라데시에서 처음 시작된 그라민은행(Grameen Bank)의 무담보 소액대출제도인 '마이크로 크레디트(micro credit)'의 일종으로, 금융소외계층이 사회・경제적으로 자활할 수 있는 기반을 마련하겠다는 정부의 서민 지원사업의 일환으로 2009년 12월 정부 주도로 시작되었다. 특히 기업과 금융기관에서 출연한 기부금과 휴면예금 등의 자금을 재원으로 미소금융재단을 형성하여 운영하며, 대출금 지원대상은 개인신용등급 7등급 이하의 저소득・저신용 계층에 해당하는 자로, 2인 이상이 공동으로 창업하거나 사업자를 등록하여 운영 중인 경우에도 지원 대상에 포함되며, 실제 운영자와 사업자 등록상의 명의자가 다른 경우는 지원 대상에서 제외된다. 또 제조업, 금융・보험업 및 관련 서비스업, 사치성향적 소비나 투기를 조장하는 업종을 창업하려는 지원자 또한 제외된다.

정답 01. ①

MEMO

2014년 기출

02 저(低)신용 가계차주와 관련한 설명으로 가장 적절하지 않은 것은?

① 저신용자가 되면 은행대출 이용이 어려워져 비은행의 고금리 대출시장에 의존할 가능성이 높아진다.

② 저신용으로 하락한 차주는 원리금상환부담이 가중되고 다중채무자로 전락되는 등 상황이 더욱 악화될 우려가 높아진다.

③ 저신용 가계차주의 문제가 심화되면 금융기관의 건전성이 저하되고 정부의 재정 부담이 증가할 수 있다.

④ 2008년 금융위기 이후 경기회복세에 힘입어 저신용자 상태에 머물러 있던 차주들은 대부분 신용을 회복하여 고·중신용자로 상향되었다.

⑤ 저신용 가계차주의 문제를 해소하기 위해서는 서민금융지원정책 강화, 저신용 가계차주의 소득창출 여건 개선 등 정부의 정책적 노력이 강화되어야 한다.

해설 한국은행의 '금융안정보고서'나 '금융위기 이후 저신용 가계차주 현황' 보고서 등에 따른 금융위기 이전(2008년 6월)과 최근(2013년 6월) 개인신용등급의 변화 분석 등에 따르면 2008년 금융위기 이후에 저신용자 상태에 머물러 있던 차주들이 신용을 회복하여 고·중신용자로 상향된 것은 아니다. 즉, 한국은행은 '금융위기 이후 저신용 가계차주 현황'이라는 보고서에서 "최근 가계차주의 신용도는 전반적으로 개선되고 있으나 7~10등급 저신용 차주 증가, 신용회복 부진 및 고금리대출 이용 증가 등 가계부문 취약차주의 신용수준이 다시 악화될 움직임을 보이고 있다"고 밝혔다. 또한 한국은행의 분석에 따르면 금융위기 후 금융권 대출자들 가운데 중신용 차주, 저소득 또는 소득창출 여건 악화 차주, 20대 무직자, 자영업자 차주, 비은행 차주, 고금리 소액 신용대출 차주에서 저신용으로 하락한 비율이 높게 나타났다. 또한 금융위기 후 생계형 자금 목적으로 고금리 소액 신용대출을 받은 차주의 저신용 하락률이 높게 나타났다고 밝혔다. 이에 보고서는 "저신용 가계차주 문제 심화는 금융기관 건전성 저하는 물론 취약계층 지원을 위한 정부의 재정부담 증가를 초래하는 등의 부담요인으로 작용할 수 있다"면서 "따라서 저신용으로 하락하거나 저신용에서 회복된 차주에 대한 정밀분석을 토대로 취약계층의 신용저하 현상을 완화시킬 수 있는 정책방안을 모색해야 한다"고 밝히고 있다.

02. ④

MEMO

제3절 개인회생절차

2024년 기출

01 **「채무자회생 및 파산에 관한 법률」상 '개인회생'에 관한 다음 설명 중 가장 적절하지 않은 것은?**

① 채무자에 대하여 개인회생절차개시결정 후의 원인으로 생긴 재산상의 청구권은 개인회생채권으로 한다.

② 채무자는 개인회생절차개시 결정이 있을 때까지 개인회생채권자목록에 기재된 사항을 수정할 수 있다.

③ 법원은 개인회생절차개시결정 전에 이해관계인의 신청에 의하거나 직권으로 채무자의 재산에 관하여 가압류·가처분 그 밖의 필요한 보전처분을 할 수 있다.

④ 채무자는 개인회생절차의 개시결정이 있기 전에는 개인회생절차개시신청을 취하할 수 있다.

⑤ 채무자가 보전처분 또는 중지명령을 받은 후에는 법원의 허가를 받아야 개인회생절차개시 신청을 취하할 수 있다.

해설 ① 채무자에 대하여 개인회생절차개시결정 전의 원인으로 생긴 재산상의 청구권은 개인회생채권으로 한다(채무자 회생 및 파삼에 관한 법률(이하 '채무자회생법'이라 함) 제581조(개인회생채권) 제1항).
② 채무자회생법 제589조의2(개인회생채권자목록의 수정) 제1항
③ 채무자회생법 제592조(보전처분) 제1항
④⑤ 채무자회생법 제594조(개인회생절차개시신청의 취하)

2024년 기출

02 **「채무자회생 및 파산에 관한 법률」상 후순위파산채권으로 가장 적절하지 않은 것은?**

① 파산선고 후의 이자

② 파산선고 후의 불이행으로 인한 손해배상액 및 위약금

③ 파산절차 참가비용

④ 벌금·과료·형사소송비용·추징금 및 과태료

⑤ 「주택임대차보호법」상 최우선변제금

01. ① 02. ⑤

MEMO

해설 ⑤ 파산재단에 속하는 재산에 대하여 일반의 우선권이 있는 파산채권은 다른 채권에 우선한다(채무자회생법 제441조(우선권 있는 파산채권)). 「주택임대차보호법」상 최우선변제금은 일반의 우선권이 있는 파산채권이므로 다른 채권에 우선한다.

①②③④ 후순위파산채권은 아래 조문 참조

> **채무자회생법 제446조(후순위파산채권)** ① 다음 각호의 청구권은 다른 파산채권보다 후순위파산채권으로 한다.
> 1. 파산선고 후의 이자(①)
> 2. 파산선고 후의 불이행으로 인한 손해배상액 및 위약금(②)
> 3. 파산절차참가비용(③)
> 4. 벌금・과료・형사소송비용・추징금 및 과태료(④)
> 5. 기한이 파산선고 후에 도래하는 이자없는 채권의 경우 파산선고가 있은 때부터 그 기한에 이르기까지의 법정이율에 의한 원리의 합계액이 채권액이 될 계산에 의하여 산출되는 이자의 액에 상당하는 부분
> 6. 기한이 불확정한 이자없는 채권의 경우 그 채권액과 파산선고 당시의 평가액과의 차액에 상당하는 부분
> 7. 채권액 및 존속기간이 확정된 정기금채권인 경우 각 정기금에 관하여 제5호의 규정에 준하여 산출되는 이자의 액의 합계액에 상당하는 부분과 각 정기금에 관하여 같은 호의 규정에 준하여 산출되는 원본의 액의 합계액이 법정이율에 의하여 그 정기금에 상당하는 이자가 생길 원본액을 초과하는 때에는 그 초과액에 상당하는 부분
>
> ② 채무자가 채권자와 파산절차에서 다른 채권보다 후순위로 하기로 정한 채권은 그 정한 바에 따라 다른 채권보다 후순위로 한다.

2024년 기출

03 **「채무자회생 및 파산에 관한 법률」상 면책을 받은 채무자는 파산절차에 의한 배당을 제외하고는 파산채권자에 대한 채무 전부에 관하여 그 책임이 면제된다. 다음 중 책임이 면제되는 청구권만을 고른 것은?**

ㄱ. 고의로 가한 불법행위로 인한 손해배상
ㄴ. 중대한 과실로 타인의 생명 또는 신체를 침해한 불법행위로 인하여 발생한 손해배상
ㄷ. 근로자의 임금・퇴직금 및 재해보상금
ㄹ. 근로자의 임치금 및 신원보증금
ㅁ. 양육자 또는 부양의무자로서 부담하여야 하는 비용

① ㄱ, ㄴ　② ㄷ, ㄹ
③ ㄹ, ㅁ　④ ㄴ, ㄹ, ㅁ
⑤ 없음

03. ⑤

MEMO

해설 ⑤ 보기의 청구권의 경우는 모두 파산채권자에 대한 책임이 면제되지 아니하는 예외에 해당한다. 아래 조문 참조

> **채무자회생법 제566조(면책의 효력)** 면책을 받은 채무자는 파산절차에 의한 배당을 제외하고는 파산채권자에 대한 채무의 전부에 관하여 그 책임이 면제된다. 다만, 다음 각호의 청구권에 대하여는 책임이 면제되지 아니한다.
> 1. 조세
> 2. 벌금·과료·형사소송비용·추징금 및 과태료
> 3. 채무자가 고의로 가한 불법행위로 인한 손해배상(ㄱ)
> 4. 채무자가 중대한 과실로 타인의 생명 또는 신체를 침해한 불법행위로 인하여 발생한 손해배상(ㄴ)
> 5. 채무자의 근로자의 임금·퇴직금 및 재해보상금(ㄷ)
> 6. 채무자의 근로자의 임치금 및 신원보증금(ㄹ)
> 7. 채무자가 악의로 채권자목록에 기재하지 아니한 청구권. 다만, 채권자가 파산선고가 있음을 안 때에는 그러하지 아니하다.
> 8. 채무자가 양육자 또는 부양의무자로서 부담하여야 하는 비용(ㅁ)
> 9. 삭제

2023년 기출

04 개인회생절차와 개인파산 절차에 관한 다음 설명 중 가장 적절하지 않은 것은?

① 개인회생 채권은 15억 원 이하로 제한이 있지만, 개인파산은 원칙적으로 무담보채무이든 담보채무이든 채무액에 제한이 없다.

② 개인회생의 경우 원칙적으로 최저생계비 이상의 지속적인 소득이 있는 자가 대상이 되지만, 개인파산은 최저생계비 이하인 저소득자도 대상이 될 수 있다.

③ 개인회생은 개인회생개시결정 당시 채무자의 재산만으로 변제하는 것이 기본원칙이지만, 개인파산은 채무자가 자신의 재산은 유지하면서 장래 수입만으로 변제하는 것이 기본원칙이다.

④ 개인회생은 채무 원금 일부를 변제조건으로 하고 나머지는 면책받을 수 있다.

⑤ 개인회생은 법인에게는 적용되지 않는다.

해설 ③ 개인파산은 개인파산개시결정 당시 채무자의 재산만으로 변제하는 것이 기본원칙이지만, 개인회생은 채무자가 자신의 재산은 유지하면서 장래 수입만으로 변제하는 것이 기본원칙이다.

정답 04. ③

MEMO

① 채무자 회생 및 파산에 관한 법률 제579조 제1호의 일부개정[2021. 4. 20.시행]으로 개인회생절차 신청이 가능한 개인채무자의 채무한도액이 무담보채무 5억 원에서 10억 원으로, 담보채무 10억 원에서 15억 원으로 증액되었다. 증액된 구간의 개인채무자의 경우도 개인회생절차의 이용이 가능하다. 따라서, 개인회생 채권은 15억 원 이하로 제한이 있지만, 개인파산은 원칙적으로 무담보채무이든 담보채무이든 채무액에 제한이 없다.

②④ 개인회생의 경우 원칙적으로 최저생계비 이상의 지속적인 소득이 있는 자가 대상이 되어 이자등 나머지는 면책하고 최저생계비를 제외하고 자신의 소득을 고려하여 원금 일부를 3년거치 분할상환하지만, 개인파산은 지급불능상태에 빠진 채무자의 모든 재산을 금전으로 환가하여 채권자에게 공평하게 배당하는 절차이므로 최저생계비 이하인 저소득자라도 대상이 될 수 있다.

⑤ 법인의 경우는 별도의 법인회생절차가 있다. 따라서, 개인회생은 법인에게는 적용되지 않는다.

2023년 기출

05 채무자 A는 채권자 B, C, D로부터 금 3억 원의 채무를 부담하고 있었는데, 2022. 9. 27.경 서울회생법원에 개인회생신청을 하여 2022. 10. 25. 개인회생절차개시의 결정을 받았다. 위와 같은 사례에 관한 다음 설명 중 가장 적절하지 않은 것은?

① 채권자 B가 개인회생절차개시의 결정 전에 A소유 부동산에 강제경매를 신청하였다면, 위 강제경매는 중지된다.

② 채권자 C는 채무자 A를 상대로 대여금 7,000만 원을 달라는 소송을 할 수 없다.

③ 채권자 D는 개인회생채권자목록상 채권액이 다르면 이의기간 안에 서면으로 이의를 신청할 수 있다.

④ 변제계획인가 후 채무자 A가 인가된 변제계획을 이행할 수 없음이 명백할 때 원칙적으로 서울회생법원은 개인회생절차폐지의 결정을 한다.

⑤ 면책을 받은 채무자 A는 변제계획에 따라 변제한 것을 제외하고 개인회생채권자에 대한 채무에 관하여 그 책임이 면제되지만, 불법추심으로 벌금형을 선고 받고 아직 벌금을 납부하지 않았다면 위 벌금은 면책되지 않는다.

해설 ② 개인회생절차개시의 결정이 있는 때에는 개인회생채권을 변제받거나 변제를 요구하는 일체의 행위가 금지된다. 다만, 소송행위는 제외한다[채무자 회생 및 파산에 관한 법률 제600조(다른 절차의 중지 등) 제1항 제3호]. 따라서, 채권자 C는 채무자 A를 상대로 대여금 7,000만 원을 달라는 소송을 할 수 있다.

05. ②

MEMO

① 법원은 개인회생절차개시의 신청이 있는 경우 필요하다고 인정하는 때에는 이해관계인의 신청에 의하거나 직권으로 개인회생절차의 개시신청에 대한 결정시까지 개인회생채권에 기하여 채무자의 업무 및 재산에 대하여 한 강제집행・가압류 또는 가처분의 중지 또는 금지를 명할 수 있다[채무자 회생 및 파산에 관한 법률 제593조(중지명령) 제1항 제3호]. 따라서, 채권자 B가 개인회생절차개시의 결정 전에 A소유 부동산에 강제경매를 신청하였다면, 위 강제경매는 중지된다.
③ 개인회생채권자목록의 내용에 관하여 이의가 있는 개인회생채권자는 제589조의2 제4항 또는 제596조 제2항 제1호에 따른 이의기간 안에 서면으로 이의를 신청할 수 있다[채무자 회생 및 파산에 관한 법률 제604조(개인회생채권조사확정재판) 제1항 제1문]. 따라서, 채권자 D는 개인회생채권자목록상 채권액이 다르면 이의기간 안에 서면으로 이의를 신청할 수 있다.
④ 법원은 채무자가 인가된 변제계획을 이행할 수 없음이 명백할 때에는 이해관계인의 신청에 의하거나 직권으로 개인회생절차폐지의 결정을 하여야 한다[채무자 회생 및 파산에 관한 법률 제621조(변제계획인가 후 개인회생절차의 폐지) 제1항 제2호 본문]. 따라서, 변제계획인가 후 채무자 A가 인가된 변제계획을 이행할 수 없음이 명백할 때 원칙적으로 서울회생법원은 개인회생절차폐지의 결정을 한다.
⑤ 면책을 받은 채무자는 변제계획에 따라 변제한 것을 제외하고 개인회생채권자에 대한 채무에 관하여 그 책임이 면제된다. 다만, 벌금・과료・형사소송비용・추징금 및 과태료에 관하여는 책임이 면제되지 아니한다[채무자 회생 및 파산에 관한 법률 제625조(면책결정의 효력) 제2항 제3호]. 따라서, 면책을 받은 채무자 A는 변제계획에 따라 변제한 것을 제외하고 개인회생채권자에 대한 채무에 관하여 그 책임이 면제되지만, 불법추심으로 벌금형을 선고 받고 아직 벌금을 납부하지 않았다면 위 벌금은 면책되지 않는다.

2022년 기출

06 다음 중 개인회생절차개시 결정이 있는 때 각종 절차 또는 행위가 중지 또는 금지되지 않는 것은?

① 「국세징수법」 또는 「지방세징수법」에 의한 체납처분
② 채무자에 대한 회생절차 또는 파산절차
③ 개인회생채권(채권자 목록에 기재된 채권)에 기하여 개인회생재단에 속하는 재산에 대하여 한 강제집행・가압류 또는 가처분
④ 개인회생채권(채권자 목록에 기재된 채권)을 변제받거나 변제를 요구하는 일체의 행위
⑤ 소송행위

06. ⑤

MEMO

해설 개인회생절차개시 결정이 있어도 소송행위는 중지 또는 금지되지 않는다. 다음 조문 참조

> **채무자 회생 및 파산에 관한 법률 제593조 【중지명령】**
> ① 법원은 개인회생절차개시의 신청이 있는 경우 필요하다고 인정하는 때에는 이해관계인의 신청에 의하거나 직권으로 개인회생절차의 개시신청에 대한 결정시까지 다음 각호의 절차 또는 행위의 중지 또는 금지를 명할 수 있다.
> 1. 채무자에 대한 회생절차 또는 파산절차(②)
> 2. 개인회생채권에 기하여 채무자의 업무 및 재산에 대하여 한 강제집행·가압류 또는 가처분(③)
> 3. 채무자의 업무 및 재산에 대한 담보권의 설정 또는 담보권의 실행 등을 위한 경매
> 4. 개인회생채권을 변제받거나 변제를 요구하는 일체의 행위(④). 다만, 소송행위를 제외한다(⑤).
> 5. 「국세징수법」 또는 「지방세징수법」에 의한 체납처분(①), 국세징수의 예(국세 또는 지방세 체납처분의 예를 포함한다. 이하 같다)에 의한 체납처분 또는 조세채무담보를 위하여 제공된 물건의 처분. 이 경우 징수의 권한을 가진 자의 의견을 들어야 한다.
>
> ② 제1항 제5호의 규정에 의한 처분의 중지기간 중에는 시효는 진행하지 아니한다.
> ③ 개인회생절차개시의 신청이 기각되면 제1항의 규정에 의하여 중지된 절차는 속행된다.
> ④ 법원은 상당한 이유가 있는 때에는 이해관계인의 신청에 의하거나 직권으로 제1항의 규정에 의한 중지 또는 금지명령을 취소하거나 변경할 수 있다. 이 경우 법원은 담보를 제공하게 할 수 있다.
> ⑤ 제45조 내지 제47조는 개인회생절차에 관하여 준용한다.

2020년 기출

07 다음 설명 중 ( ) 안에 들어갈 가장 적절한 것은?

> 채무자 C에 대한 개인회생절차에서 채권자 A가 채권자 B의 채권에 이의가 있는 경우 A는 B뿐만 아니라 C도 피신청인으로 삼아 ( )을(를) 제기(신청)하여야 한다.

① 면책확인의 소
② 개인회생절차개시재판에 대한 즉시항고
③ 개인회생절차폐지결정에 대한 즉시항고
④ 채권조사확정재판
⑤ 개인회생 절차상 부인의 소

07. ④

MEMO

해설 다음의 조문을 참조한다.

> 채무자 회생 및 파산에 관한 법률 제604조【개인회생채권조사확정재판】
> ① 개인회생채권자목록의 내용에 관하여 이의가 있는 개인회생채권자는 제589조의2 제4항 또는 제596조 제2항 제1호에 따른 이의기간 안에 서면으로 이의를 신청할 수 있다. 채무자가 이의내용을 인정하는 때에는 법원의 허가를 받아 개인회생채권자목록을 변경할 수 있다. 이 경우 법원은 조사확정재판신청에 대한 결정을 하지 아니할 수 있다.
> ② 개인회생절차개시 당시 이미 소송이 계속 중인 권리에 대하여 이의가 있는 경우에는 별도로 조사확정재판을 신청할 수 없고 이미 계속 중인 소송의 내용을 개인회생채권조사확정의 소로 변경하여야 한다.
> ③ 제1항의 경우 개인회생채권자가 자신의 개인회생채권의 내용에 관하여 개인회생채권조사확정재판을 신청하는 경우에는 채무자를 상대방으로 하고, 다른 개인회생채권자의 채권내용에 관하여 개인회생채권조사확정재판을 신청하는 경우에는 채무자와 다른 개인회생채권자를 상대방으로 하여야 한다.
> ④ 개인회생채권조사확정재판을 신청하는 자는 법원이 정하는 절차의 비용을 미리 납부하여야 한다. 법원은 비용을 미리 납부하지 아니하는 때에는 신청을 각하하여야 한다.
> ⑤ 법원은 이해관계인을 심문한 후 개인회생채권조사확정재판을 하여야 하며, 이 결정에서 이의가 있는 회생채권의 존부 또는 그 내용을 정한다.
> ⑥ 법원은 제5항의 규정에 의한 결정이 있는 때에는 결정서를 당사자에게 송달하여야 한다.

2020년 기출

08 **「채무자 회생 및 파산에 관한 법률」에 대한 다음 설명 중 옳지 않은 것은?**

① 사업의 계속에 현저한 지장을 초래하지 아니하고는 변제기에 있는 채무를 변제할 수 없는 경우 채무자는 법원에 회생절차개시의 신청을 할 수 있다.

② 채무자에게 파산의 원인인 사실이 생길 염려가 있는 경우 채무자는 법원에 회생절차개시의 신청을 할 수 있다.

③ 급여・연금 그 밖에 이와 유사한 정기적이고 확실한 수입을 얻을 가능성이 있는 개인채무자는 법원에 회생절차개시의 신청을 할 수 있다.

④ 부동산임대소득・사업소득・농업소득・임업소득 그 밖에 이와 유사한 수입을 장래에 계속적으로 또는 반복하여 얻을 가능성이 있는 개인채무자는 법원에 회생절차개시의 신청을 할 수 없다.

⑤ 파산재단에 속하는 재산액이 5억원 미만이라고 인정되는 때에는 법원은 파산선고와 동시에 간이파산의 결정을 하여야 한다.

08. ④

MEMO

해설 개인채무자는 법원에 개인회생절차의 개시를 신청할 수 있다[채무자 회생 및 파산에 관한 법률 제588조(개인회생절차개시의 신청권자)]. 여기서 '개인채무자'라 함은 파산의 원인인 사실이 있거나 그러한 사실이 생길 염려가 있는 자(②)로서 개인회생절차개시의 신청 당시 가. 유치권・질권・저당권・양도담보권・가등기담보권・「동산・채권 등의 담보에 관한 법률」에 따른 담보권・전세권 또는 우선특권으로 담보된 개인회생채권은 10억원 나. 가목 외의 개인회생채권은 5억원 이하의 채무를 부담하는 급여소득자 또는 영업소득자를 말한다. 여기서 '급여소득자'라 함은 급여・연금 그 밖에 이와 유사한 정기적이고 확실한 수입을 얻을 가능성이 있는 개인을 말하고(③), '영업소득자'라 함은 부동산임대소득・사업소득・농업소득・임업소득 그 밖에 유사한 수입을 장래에 계속적으로 또는 반복적으로 얻을 가능성이 있는 개인을 말한다(④)[채무자 회생 및 파산에 관한 법률 제579조(용어의 정의) 제1호 내지 제3호 참조]. 사업의 계속에 현저한 지장을 초래하지 아니하고는 변제기에 있는 채무를 변제할 수 없는 경우(①) 혹은 채무자에게 파산의 원인인 사실이 생길 염려가 있는 경우(②) 채무자는 법원에 회생절차개시의 신청을 할 수 있다[채무자 회생 및 파산에 관한 법률 제34조(회생절차개시의 신청) 제1항]. ⑤ 채무자 회생 및 파산에 관한 법률 제549조(간이파산의 요건) 제1항

2019년 기출

09 현행 「채무자 회생 및 파산에 관한 법률」상 원칙적인 개인회생에 대한 변제 기간으로 옳은 것은?

① 변제개시일로부터 5년
② 개인회생절차개시의 신청일로부터 3년
③ 변제개시일로부터 3년
④ 개인회생절차개시 결정일로부터 3년
⑤ 개인회생절차개시 결정일로부터 5년

해설 변제계획에서 정하는 변제기간은 변제개시일부터 3년을 초과하여서는 아니된다. 다만, 제614조 제1항 제4호의 요건을 충족하기 위하여 필요한 경우 등 특별한 사정이 있는 때에는 변제개시일부터 5년을 초과하지 아니하는 범위에서 변제기간을 정할 수 있다[채무자 회생 및 파산에 관한 법률 제611조(변제계획의 내용) 제5항].

09. ③

MEMO

2021년 기출

10 다음 설명 중 ( ) 안에 들어갈 금액으로 가장 적절한 것은?

'개인채무자'라 함은 파산의 원인인 사실이 있거나 그러한 사실이 생길 염려가 있는 자로서 개인회생절차개시의 신청 당시 다음 각 목의 금액 이하의 채무를 부담하는 급여소득자 또는 영업소득자를 말한다.

가. 유치권・질권・저당권・양도담보권・가등기담보권・「동산・채권 등의 담보에 관한 법률」에 따른 담보권・전세권 또는 우선특권으로 담보된 개인회생채권은 (A)

나. 가목 외의 개인회생채권은 (B)

	A	B
①	10억 원	1억 원
②	5억 원	2억 원
③	5억 원	5억 원
④	10억 원	5억 원
⑤	10억 원	10억 원

해설 원래 ④번이 정답이었으나 시험 출제 후 「채무자 회생 및 파산에 관한 법률」이 2021. 4. 20. 개정되어 개인회생채무 범위가 담보채권 15억 원, 무담보채권 10억 원으로 변경되었으므로 정답 없음으로 처리되었다.

구체적인 개정이유는 다음과 같다. 우선특권 등으로 담보된 개인회생채권 10억 원 이하, 그 외의 개인회생채권 5억 원 이하의 개인채무자의 금액기준은 현행법이 제정・시행된 2006년 4월 1일 정해졌고, 이보다 앞서 개인채무자의 회생을 규정했던 「개인채무자회생법」(2006년 4월 1일 폐지)이 제정・시행된 2004년 9월 23일부터 같은 기준이 적용되었다. 이러한 개인채무자의 금액기준이 정해진 이후 15년 이상이 경과됨에 따라 화폐가치 감소분 등을 감안하여 이를 현실화할 필요가 있다는 주장이 제기되고 있는바, 한도액을 상향하면 그동안 채무액이 개인회생 한도액을 초과하여 일반회생을 신청하였으나 채권자들로부터 필요한 만큼의 동의를 얻지 못하여 회생절차를 밟지 못한 채무자 또는 개인회생의 채무 한도액이 낮은 탓에 아예 도산절차를 신청하지 못하고 있는 채무자의 상당수가 개인회생 절차를 밟을 수 있을 것으로 예상된다. 이에 개인채무자의 금액기준을 우선특권 등으로 담보된 개인회생채권의 경우 현행 10억 원 이하에서 15억 원 이하로, 그 외의 개인회생채권의 경우 현행 5억 원 이하에서 10억 원 이하로 상향하려는 것이다.

10. 정답 없음

MEMO

2018년 기출

11 **다음은 채무자가 「채무자 회생 및 파산에 관한 법률」에 의한 개인회생절차에 따라 변제를 완료하고 면책을 받았을 때의 효력을 설명한 것이다. 가장 적절한 것은?**

① 면책의 효력은 법원의 면책결정이 있는 날로부터 즉시 발생한다.
② 채무자의 보증인, 그 밖에 채무자와 더불어 채무를 부담하는 자의 변제책임도 면제된다.
③ 개인회생채권자 목록에 기재되지 아니한 청구권에 관하여는 책임이 면제되지 아니한다.
④ 채무자의 면책결정이 확정된 이후에 보증인이 채권자에게 채무를 변제한 경우 보증인은 채무자를 상대로 구상권을 행사할 수 있다.
⑤ 벌금·과료·형사소송비용·추징금 및 과태료 등은 면책대상이 될 수 있는 채무이다.

해설 ③ 채무자 회생 및 파산에 관한 법률 제625조 제2항 제1호
① 면책의 결정은 확정된 후가 아니면 그 효력이 생기지 아니한다(동법 제625조 제1항).
② 면책은 개인회생채권자가 채무자의 보증인 그 밖에 채무자와 더불어 채무를 부담하는 자에 대하여 가지는 권리와 개인회생채권자를 위하여 제공한 담보에 영향을 미치지 아니한다(동법 제625조 제3항).
④ '면책'이란 채무에 관하여 책임이 면제된다는 것을 의미하는 것으로 채무의 소멸과는 다른 개념이다. 이와 같은 경우를 '자연채무'라고 하는데, 자연채무의 효력에 관하여는 일반적으로 채무자가 이를 임의로 이행한다면 이는 유효한 채무의 변제가 되어 부당이득으로 돌려달라고 할 수 없게 되고, 또 상계의 자동채권으로 하거나, 경개 또는 준소비대차의 기초로 삼을 수 있다고 하며, 보증이나 담보도 유효하게 성립한다고 본다. 따라서, 채무자의 면책결정이 확정된 이후에 보증인이 채권자에게 채무를 변제한 경우 이는 유효한 변제이나 보증인은 면책결정이 확정된 채무자를 상대로 구상권을 행사할 수 없다.
⑤ 벌금·과료·형사소송비용·추징금 및 과태료 등은 면책대상이 될 수 없는 채무이다(동법 제625조 제2항 제3호).

2017년 기출

12 **다음은 「채무자회생 및 파산에 관한 법률」에 규정된 개인회생절차 개시 신청의 기각사유를 설명한 것이다. 옳지 않은 것은?**

① 채무자가 개인회생 개시결정일 전 5년 이내에 면책(파산절차에 의한 면책 포함)을 받은 사실이 있는 때
② 채무자가 구비서류를 제출하지 아니하거나 허위로 작성하여 제출하거나 또는 법원이 정한 제출기한을 준수하지 아니한 때

11. ③ 12. ①

MEMO

③ 채무자가 절차의 비용을 납부하지 아니한 때
④ 채무자가 변제계획안의 제출기한을 준수하지 아니한 때
⑤ 채무자가 신청권자의 자격을 갖추지 아니한 때

해설 법원은 다음의 어느 하나에 해당하는 때에는 개인회생절차개시의 신청을 기각할 수 있다(채무자의 회생 및 파산에 관한 법률 제595조).
㉠ 채무자가 신청권자의 자격을 갖추지 아니한 때
㉡ 채무자가 제589조 제2항 각 호의 어느 하나에 해당하는 서류를 제출하지 아니하거나 허위로 작성하여 제출하거나 또는 법원이 정한 제출기한을 준수하지 아니한 때
㉢ 채무자가 절차의 비용을 납부하지 아니한 때
㉣ 채무자가 변제계획안의 제출기한을 준수하지 아니한 때
㉤ 채무자가 신청일 전 5년 이내에 면책(파산절차에 의한 면책을 포함한다)을 받은 사실이 있는 때
㉥ 개인회생절차에 의함이 채권자 일반의 이익에 적합하지 아니한 때
㉦ 그 밖에 신청이 성실하지 아니하거나 상당한 이유 없이 절차를 지연시키는 때

제4절 개인(소비자)파산제도

2023년 기출

01 **「채무자회생 및 파산에 관한 법률」상 간이파산에 관한 다음 설명 중 가장 적절하지 않은 것은?**

① 파산재단에 속하는 재산액이 5억 원 미만이라고 인정되는 때에는 법원은 파산선고와 동시에 간이파산의 결정을 한다.
② 파산절차 중 파산재단에 속하는 재산액이 5억 원 미만임이 발견된 때에는 법원은 이해관계인의 신청에 의하거나 직권으로 간이파산의 결정을 할 수 있다.
③ 간이파산절차의 경우 제1회 채권자집회의 기일과 채권조사의 기일은 원칙적으로 병합할 수 없다.
④ 간이파산절차의 경우 제1회 채권자집회의 결의와 채권조사 및 계산보고를 위한 채권자집회의 결의를 제외하고는 법원의 결정으로 채권자집회의 결의에 갈음한다.
⑤ 간이파산의 경우에는 감사위원을 두지 아니한다.

01. ③

MEMO

해설 ③ 간이파산절차의 경우 제1회 채권자집회의 기일과 채권조사의 기일은 부득이한 사유가 있는 때를 제외하고는 이를 병합하여야 한다(채무자 회생 및 파산에 관한 법률 제552조).
① 채무자 회생 및 파산에 관한 법률 제549조(간이파산의 요건) 제1항
② 채무자 회생 및 파산에 관한 법률 제550조(파산절차 중의 간이파산결정) 제1항
④ 채무자 회생 및 파산에 관한 법률 제554조(채권자집회의 결의에 갈음하는 결정)
⑤ 채무자 회생 및 파산에 관한 법률 제553조(감사위원의 불설치)

2022년 기출

02 「채무자회생 및 파산에 관한 법률」상 개인파산에 관한 다음 설명 중 가장 적절하지 않은 것은?

① 파산신청은 은행대출, 신용카드 사용, 사채 등 원인을 불문하고 총 채무액이 무담보채무의 경우에는 10억 원, 담보부채무의 경우에는 15억 원 이하인 개인채무자가 한다.
② 신청인이 소재불명인 때에는 법원은 파산신청을 기각할 수 있다.
③ 법원은 파산재단으로 파산절차의 비용을 충당하기에 부족하다고 인정되는 때에는 파산선고와 동시에 파산폐지의 결정을 하여야 한다.
④ 채무자가 절차의 비용을 예납하지 아니한 때에는 면책신청의 기각사유에 해당한다.
⑤ 채무자가 양육자 또는 부양의무자로서 부담하여야 하는 비용은 면책되지 않는다.

해설 개인채무자는 법원에 개인회생절차의 개시를 신청할 수 있다[채무자 회생 및 파산에 관한 법률 제588조(개인회생절차개시의 신청권자)]. 여기서 '개인채무자'란 파산의 원인인 사실이 있거나 그러한 사실이 생길 염려가 있는 자로서 개인회생절차개시의 신청 당시 유치권・질권・저당권・양도담보권・가등기담보권・동산・채권 등의 담보에 관한 법률에 따른 담보권・전세권 또는 우선특권으로 담보된 개인회생채권은 15억원, 그 외의 개인회생채권은 10억원 이하의 채무를 부담하는 급여소득자 또는 영업소득자를 말한다. 그러나 채권자 또는 채무자는 상기 금액제한 없이 파산신청을 할 수 있다[채무자 회생 및 파산에 관한 법률 제294조(파산신청권자) 제1항 참조].
② 채무자 회생 및 파산에 관한 법률 제309조(기각사유) 제1항 제4호
③ 채무자 회생 및 파산에 관한 법률 제317조(파산선고와 동시에 하는 파산폐지) 제1항
④ 채무자 회생 및 파산에 관한 법률 제559조(면책신청의 기각사유) 제1항 제3호
⑤ 채무자 회생 및 파산에 관한 법률 제566조(면책의 효력) 제8호

02. ①

MEMO

2021년 기출

03 **면책을 받은 채무자는 파산절차에 의한 배당을 제외하고는 파산채권자에 대한 채무의 전부에 관하여 그 책임이 면제된다. 다음의 파산채권 중 책임이 면제되는 청구권은?**

① 채무자의 벌금·과료·형사소송비용·추징금 및 과태료
② 채무자가 양육자 또는 부양의무자로서 부담하여야 하는 비용
③ 채무자의 근로자의 임금·퇴직금 및 재해보상금
④ 채무자가 과실로 가한 불법행위로 인한 손해배상
⑤ 채무자의 조세

해설 면책을 받은 채무자는 파산절차에 의한 배당을 제외하고는 파산채권자에 대한 채무의 전부에 관하여 그 책임이 면제된다. 다만, 다음 각 호의 청구권에 대하여는 책임이 면제되지 아니한다(채무자 회생 및 파산에 관한 법률 제566조).

1. 조세(⑤)
2. 벌금·과료·형사소송비용·추징금 및 과태료(①)
3. 채무자가 고의로 가한 불법행위로 인한 손해배상(④)
4. 채무자가 중대한 과실로 타인의 생명 또는 신체를 침해한 불법행위로 인하여 발생한 손해배상
5. 채무자의 근로자의 임금·퇴직금 및 재해보상금(③)
6. 채무자의 근로자의 임치금 및 신원보증금
7. 채무자가 악의로 채권자목록에 기재하지 아니한 청구권. 다만, 채권자가 파산선고가 있음을 안 때에는 그러하지 아니하다.
8. 채무자가 양육자 또는 부양의무자로서 부담하여야 하는 비용(②)

2020년 기출

04 **개인파산에 관한 다음 설명 중 가장 적절하지 않은 것은?**

① 상속재산에 대하여 파산선고가 있는 때에는 상속인의 채권자는 그 파산재단에 대하여 파산채권자로서 그 권리를 행사할 수 있다.
② 파산관재인은 관리위원회의 의견을 들어 법원이 선임하고, 법인도 파산관재인이 될 수 있다.
③ 파산재단에 속하는 재산상에 존재하는 유치권·질권·저당권·「동산·채권 등의 담보에 관한 법률」에 따른 담보권 또는 전세권을 가진 자는 그 목적인 재산에 관하여 별제권을 가진다.
④ 채무자에 대하여 파산선고 전의 원인으로 생긴 재산상의 청구권은 파산채권으로 한다.
⑤ 채권자 또는 채무자는 파산신청을 할 수 있고, 채권자가 파산신청을 하는 때에는 그 채권의 존재 및 파산의 원인인 사실을 소명하여야 한다.

03. ④ 04. ①

MEMO

해설 ① 상속재산에 대하여 파산선고가 있는 때에는 상속인의 채권자는 그 파산재단에 대하여 파산채권자로서 그 권리를 행사할 수 없다[채무자 회생 및 파산에 관한 법률 제438조(상속인의 채권자)]. 즉, 상속재산에 대하여 파산선고가 있는 때에는 피상속인의 채권자만 그 파산재단에 대하여 파산채권자로서 그 권리를 행사할 수 있을 뿐, 상속인의 채권자는 그 파산재단에 대하여 파산채권자로서 그 권리를 행사할 수 없다.
② 채무자 회생 및 파산에 관한 법률 제355조(파산관재인의 선임) 제1항, 제2항 전단
③ 채무자 회생 및 파산에 관한 법률 제411조(별제권자)
④ 채무자 회생 및 파산에 관한 법률 제423조(파산채권)
⑤ 채무자 회생 및 파산에 관한 법률 제294조(파산신청권자)

2019년 기출

05 면책을 받은 채무자는 파산절차에 의한 배당을 제외하고는 파산채권자에 대한 채무의 전부에 관하여 그 책임이 면제된다. 다음의 파산채권 중 책임이 면제되는 청구권은?

① 채무자의 벌금·과료·형사소송비용·추징금 및 과태료
② 채무자가 과실로 가한 불법행위로 인한 손해배상
③ 채무자의 근로자의 임금·퇴직금 및 재해보상금
④ 채무자가 양육자 또는 부양의무자로서 부담하여야 하는 비용
⑤ 채무자의 조세

해설 채무자가 고의로 가한 불법행위로 인한 손해배상이나 채무자가 중대한 과실로 타인의 생명 또는 신체를 침해한 불법행위로 인하여 발생한 손해배상청구권에 대하여는 책임이 면제되지 아니하나, 채무자가 과실로 가한 불법행위로 인한 손해배상청구권에 대하여는 책임이 면제될 수 있다. 이하 관련조문을 첨부한다.

채무자 회생 및 파산에 관한 법률 제566조【면책의 효력】
면책을 받은 채무자는 파산절차에 의한 배당을 제외하고는 파산채권자에 대한 채무의 전부에 관하여 그 책임이 면제된다. 다만, 다음 각호의 청구권에 대하여는 책임이 면제되지 아니한다.
1. 조세(⑤)
2. 벌금·과료·형사소송비용·추징금 및 과태료(①)
3. 채무자가 고의로 가한 불법행위로 인한 손해배상(②)
4. 채무자가 중대한 과실로 타인의 생명 또는 신체를 침해한 불법행위로 인하여 발생한 손해배상(②)
5. 채무자의 근로자의 임금·퇴직금 및 재해보상금(③)
6. 채무자의 근로자의 임치금 및 신원보증금
7. 채무자가 악의로 채권자목록에 기재하지 아니한 청구권. 다만, 채권자가 파산선고가 있음을 안 때에는 그러하지 아니하다.
8. 채무자가 양육자 또는 부양의무자로서 부담하여야 하는 비용(④)

05. ②

MEMO

2018년 기출

06 **다음은 「채무자 회생 및 파산에 관한 법률」에 의한 개인(소비자)파산절차에 관한 설명이다. 옳지 않은 것은?**

① 채권자도 신청할 수 있으나, 채무자가 신청하는 자기파산이 대부분이다.
② 관할법원은 원칙적으로 채무자의 주소지를 관할하는 지방법원 본원의 관할에 전속한다.
③ 파산신청은 관할법원에 일정사항을 기재한 서면으로 한다.
④ 파산재단이 파산절차비용에 충당하기에 부족하다고 인정되면 파산법원은 채무자에 대하여 파산선고를 함과 동시에 파산폐지결정을 한다.
⑤ 면책은 파산채권자가 채무자의 보증인에 대하여 가지는 권리에 영향을 미친다.

해설 면책은 파산채권자가 채무자의 보증인 그 밖에 채무자와 더불어 채무를 부담하는 자에 대하여 가지는 권리와 파산채권자를 위하여 제공한 담보에 영향을 미치지 아니한다(채무자 회생 및 파산에 관한 법률 제567조).

① 채권자도 신청할 수 있으나, 채무자가 신청하는 자기파산이 대부분이다(동법 제294조 제1항 참조).
② 파산사건은 원칙적으로 채무자의 보통재판적이 있는 곳을 관할하는 회생법원의 관할에 전속한다(동법 제3조 제1호). 2017년 3월 1일에 서울회생법원이 설치되면서 개정(2016/12/27)된 조문이다. 이전에는 "관할법원은 원칙적으로 채무자의 주소지를 관할하는 지방법원 본원의 관할에 전속한다."고 규정하였는데, 서울을 제외한 다른 지역은 아직도 지방법원 본원의 관할에 속한다.
③ 파산신청은 관할법원에 일정사항을 기재한 서면으로 한다(동법 제302조 제1항).
④ 파산재단이 파산절차비용에 충당하기에 부족하다고 인정되면 파산법원은 채무자에 대하여 파산선고를 함과 동시에 파산폐지결정을 한다(동법 제317조 제1항).

06. ⑤

MEMO

2018년 기출

07 채무자가 개인(소비자) 파산선고를 받은 경우 그 지위에 관한 설명 중 옳지 않은 것은?

① 사법상의 불이익으로서 민법상 후견인, 유언집행자가 될 수 없다.
② 합명회사, 합자회사 사원의 퇴사원인이 되고, 주식회사, 유한회사의 이사인 경우 위임관계가 종료되어 당연 퇴임하게 된다.
③ 공무원, 변호사, 공증인, 공인회계사, 공인노무사, 세무사, 변리사 등이 될 수 없거나, 그 직을 계속 수행할 수 없다.
④ 대통령, 국회의원, 지방자치단체장의 선거권 및 피선거권도 상실된다.
⑤ 파산을 선고받은 채무자가 전부 면책을 받지 못하거나 면책결정이 취소된 경우 또는 면책신청이 각하되거나 기각된 경우에 한하여 채무자의 신원증명업무를 관장하는 등록기준지 시・구・읍・면장에게 파산선고 사실이 통지되어 신원조회 시 파산선고 사실이 나타나게 된다.

해설 개인채무자가 파산선고를 받더라도 선거권과 피선거권을 상실하는 것은 아니다.
① 사법상의 불이익으로서 민법상 후견인, 유언집행자, 수탁자가 될 수 없다. 다만 권리능력, 행위능력 및 소송능력은 제한받지 않는다.
② 합명회사, 합자회사 사원의 퇴사원인이 되고, 주식회사, 유한회사의 이사인 경우 위임관계가 파산선고로 종료되어 당연 퇴임하게 된다.
③ 국가/지방공무원법, 변호사법, 공인회계사법, 공인노무사법, 세무사법, 변리사법 등 개별 법률에 결격사유규정이 있어, 공무원, 변호사, 공증인, 공인회계사, 공인노무사, 세무사, 변리사 등이 될 수 없거나, 그 직을 계속 수행할 수 없다.
⑤ 파산선고 사실은 신원증명사항의 하나로 되어 있다(행정안전부예규 제756호). 따라서 파산법하의 실무는 채무자에 대한 파산선고가 확정되면 지체없이 법원사무관 등이 파산선고 결정등본을 첨부하여 신원증명업무를 관장하는 등록기준지 시・구・읍・면장에게 파산선고 확정통지를 하였다. 실무상 등록기준지에 파산선고 확정 통지 후 면책결정이 확정되면 복권을 위해 불과 몇 개월 만에 다시 등록기준지에 면책결정 확정통보를 반복하여 왔다. 그런데 파산선고로 인한 각종 법률상 제한은 파산선고가 있었다는 사실이 아니라 파산선고 후 복권되지 아니한 자에게만 가해지는 것이고, 면책은 당연복권사유라는 점을 참작하여 파산선고가 확정되더라도 면책신청이 각하・기각되거나 면책불허가결정이 내려지거나 면책취소의 결정이 확정된 때에 한하여 통보하는 것으로 개인파산예규를 개정하였다(개인파산예규 제6조).

07. ④

Chapter 06 신용관리 관련 법규 및 제도

제1절 대부업 등의 등록 및 금융이용자 보호에 관한 법률(이하 '대부업법')과 이자제한법

2024년 기출

01 다음 설명 중 (   )에 들어갈 가장 적절한 이자율은?

- 상행위로 인한 채무의 법정이율은 연 (A)분(푼)으로 한다(「상법」 제54조).
- 대부업자가 개인이나 「중소기업기본법」 제2조 제2항에 따른 소기업에 해당하는 법인에 대부를 하는 경우 그 이자율은 연 100분의 27.9 이하의 범위에서 대통령령으로 정하는 연 (B)을 초과할 수 없다(「대부업법」 제8조 제1항, 같은 법 시행령 제5조 제1항).
- 이자 있는 채권의 이율은 다른 법률의 규정이나 당사자의 약정이 없으면 연 (C)푼으로 한다(「민법」 제379조).

	A	B	C
①	6	100분의 20	5
②	5	100분의 10	5
③	4	100분의 25	3
④	3	100분의 30	2
⑤	2	100분의 35	1

해설 ① 민법과 상법상 이율은 거의 변동이 없으나, 특별법에 해당하는 대부업법이나 이자제한법 등은 경제상황에 따라 빈번하게 개정이 되어왔고, 개정이 용이하게 하기 위해 법에는 어느 정도의 기준만을 정하고 구체적인 이율은 대통령령으로 위임하는 방식을 취하고 있다.

01. ①

MEMO

2023년 기출

02 **다음은 채권추심 관련 사례이다. 이에 관한 설명으로 가장 적절하지 않은 것은?**

> A는 2022. 9.경부터 2022. 12. 20.경까지 사이에 B로부터 소개받은 피해자 C에게 수회에 걸쳐 합계 8,000만 원 상당을 대부해 주면서 제한이자를 초과하여 이자를 수취하여 오던 중 피해자가 경기부진 등으로 원금과 이자를 제때 지급하지 못하며 미루자 2022. 12. 27. 13 : 49경 불상지에서 A의 휴대전화를 이용하여 C에게 "3,000만 원 다 안 되면 이모집 D(C의 딸) 싹 다 뿌리고 가만두지 않을거야 두고 봅시다"라는 내용의 문자메시지를 전송한 것을 비롯하여 그 무렵부터 2022. 12. 31. 13:49경까지 총 90회에 걸쳐 반복적으로 채무자인 C에게 문자메시지를 도달하게 하였다.

① A가 정당한 사유 없이 반복적으로 전화하는 등 말・글을 채무자 C에게 도달하게 함으로써 공포심이나 불안감을 유발하여 사생활 또는 업무의 평온을 심하게 해치는 행위를 하였다면 채권추심법 위반이 될 수 있다.
② A가 채무자 C에게 휴대전화 문자메시지 등을 보내어 협박을 하였다면 채권추심법 위반이 될 수 있다.
③ A가 채무자 C로부터 제한이자를 초과하여 이자를 수취한 것은 대부업법 위반죄가 성립될 수 있다.
④ A가 대부업체 회사(법인)의 직원이고 A의 불법행위가 밝혀졌다면 양벌규정에 따라 대부업체 법인도 징역 또는 벌금형을 처벌받을 수 있다.
⑤ 채권자 A는 변호사가 아닌 자에게 위 채권추심과 관련한 소송행위를 하도록 위임하여서는 안 된다.

해설 ④ 법인의 대표자나 법인 또는 개인의 대리인, 사용인, 그 밖의 종업원이 그 법인 또는 개인의 업무에 관하여 제19조의 위반행위를 하면 그 행위자를 벌하는 외에 그 법인 또는 개인에게도 해당 조문의 벌금형을 과(科)한다. 다만, 법인 또는 개인이 그 위반행위를 방지하기 위하여 해당 업무에 관하여 상당한 주의와 감독을 게을리하지 아니한 경우에는 그러하지 아니하다[대부업법 제20조(양벌규정)]. 따라서, A가 대부업체 회사(법인)의 직원이고 A의 불법행위가 밝혀졌다면 양벌규정에 따라 대부업체 법인도 벌금형을 처벌받을 수 있다.

①② 정당한 사유 없이 반복적으로 또는 야간에 전화하는 등 말・글・음향・영상 또는 물건을 채무자나 관계인에게 도달하게 함으로써 공포심이나 불안감을 유발하여 사생활 또는 업무의 평온을 심하게 해치는 행위는 금지된다(채권추심법 제9조 제3호). 따라서, A가 정당한 사유 없이 반복적으로 전화하는 등 말・글을 채무자 C에게 도달하게 함으로써 공포심이나 불안감을 유발하여 사생활 또는 업무의 평온을 심하게 해치는 행위를 하였다면 채권추심법 위반이 될 수 있다. 또한 A가 채무자 C에게 휴대전화 문자메시지 등을 보내어 협박을 하였다면 채권추심법 위반이 될 수 있다.

02. ④

MEMO

③ 대부업법 제8조에 따른 이자율을 초과하여 이자를 받은 자는 3년 이하의 징역 또는 3천만원 이하의 벌금에 처한다[대부업법 제19조(벌칙) 제2항 제3호]. 따라서 A가 채무자 C로부터 제한이자를 초과하여 이자를 수취한 것은 대부업법 위반죄가 성립될 수 있다.

⑤ 변호사가 아닌 채권추심자(채권추심법 제2조 제1호 라목에 규정된 자로서 채권추심을 업으로 하는 자 및 그 자를 위하여 고용, 도급, 위임 등 원인을 불문하고 채권추심을 하는 자로 한정한다)는 채권추심과 관련한 소송행위를 하여서는 아니 된다[채권추심법 제8조의4(소송행위의 금지)]. 따라서, 채권자 A는 변호사가 아닌 자에게 위 채권추심과 관련한 소송행위를 하도록 위임하여서는 안 된다.

2020년 기출

03 「대부업법」에 관한 다음 설명 중 옳지 않은 것은?

① 대부업자 또는 여신금융기관이 대부중개업자등에게 대부중개를 위탁하면서 상당한 주의를 하였고 이들이 대부중개를 하면서 거래상대방에게 손해를 입히는 것을 막기 위하여 노력한 경우에도 그 손해를 배상할 책임이 있다.

② 미등록대부업자가 대부를 하는 경우의 이자율은 연 20%를 초과해서는 아니 된다.

③ 대부업자는 대부중개업의 등록 또는 등록갱신을 하지 아니하고 사실상 대부중개업을 하는 자로부터 대부중개를 받은 거래상대방에게 대부하여서는 아니 된다.

④ 대부중개업자 및 대출모집인과 미등록대부중개업자는 수수료, 사례금, 착수금 등 그 명칭이 무엇이든 대부중개와 관련하여 받는 대가를 대부를 받는 거래상대방으로부터 받아서는 아니 된다.

⑤ 대부업자는 대부업의 등록 또는 등록갱신을 하지 아니하고 사실상 대부업을 하는 자로부터 대부계약에 따른 채권을 양도받아 이를 추심하는 행위를 하여서는 아니 된다.

해설 ① 대부업자 또는 여신금융기관은 대부중개업자등이 그 위탁받은 대부중개를 하면서 이 법을 위반하여 거래상대방에게 손해를 발생시킨 경우에는 그 손해를 배상할 책임이 있다. 다만, 대부업자 또는 여신금융기관이 대부중개업자등에게 대부중개를 위탁하면서 상당한 주의를 하였고 이들이 대부중개를 하면서 거래상대방에게 손해를 입히는 것을 막기 위하여 노력한 경우에는 그러하지 아니하다[대부업 등의 등록 및 금융이용자 보호에 관한 법률(이하 대부업법) 제11조의3(대부중개를 위탁한 대부업자 또는 여신금융기관의 배상책임) 제1항].

② 대부업법 제11조(미등록대부업자의 이자율 제한) 제1항 참조

③ 대부업법 제9조의4(미등록대부업자로부터의 채권양수・추심 금지 등) 제2항

④ 대부업법 제11조의2(중개의 제한 등) 제2항

⑤ 대부업법 제9조의4(미등록대부업자로부터의 채권양수・추심 금지 등) 제1항

정답 03. ①

MEMO

2019년 기출

04 **대부업자의 이자율 제한에 대한 다음 설명 중 옳은 것은?**

① 대부업자가 개인이나 「중소기업기본법」 제2조 제2항에 따른 소기업(小企業)에 해당하는 법인에 대부를 하는 경우 그 이자율은 연 100분의 30 이하의 범위에서 대통령령으로 정하는 율을 초과할 수 없다.

② 위 ①항에서 대통령령으로 정하는 율이란 현재 25%이다.

③ 이자율을 산정할 때 사례금, 할인금, 수수료, 공제금, 연체이자, 체당금(替當金) 등은 이자로 보지 않는다.

④ 채무자가 대부업자에게 법률에 따른 이자율을 초과하는 이자를 지급한 경우 그 초과 지급된 이자 상당금액은 원본(元本)에 충당되고, 원본에 충당되고 남은 금액이 있으면 그 반환을 청구할 수 있다.

⑤ 대부업자가 선이자를 사전에 공제하는 경우에는 그 공제액을 포함하여 이자율을 산정한다.

해설 대부업법 제8조(대부업자의 이자율 제한) 제5항

① 대부업자가 개인이나 「중소기업기본법」 제2조 제2항에 따른 소기업(小企業)에 해당하는 법인에 대부를 하는 경우 그 이자율은 연 100분의 27.9 이하의 범위에서 대통령령으로 정하는 율을 초과할 수 없다(대부업법 제8조 제1항).

② 위 ①항에서 대통령령으로 정하는 율이란 현재 연20%이다(대부업법 시행령 제5조 제2항).

③ 이자율을 산정할 때 사례금, 할인금, 수수료, 공제금, 연체이자, 체당금(替當金) 등 그 명칭이 무엇이든 대부와 관련하여 대부업자가 받는 것은 모두 이자로 본다. 다만, 해당 거래의 체결과 변제에 관한 부대비용으로서 대통령령으로 정한 사항[담보권 설정비용, 신용조회비용(신용정보법에 따른 개인신용평가회사, 개인사업자신용평가회사 또는 기업신용조회회사에 거래상대방의 신용을 조회하는 경우만 해당한다)]은 그러하지 아니하다(대부업법 제8조 제2항).

⑤ 대부업자가 선이자를 사전에 공제하는 경우에는 그 공제액을 제외하고 채무자가 실제로 받은 금액을 원본으로 하여 이자율을 산정한다(대부업법 제8조 제6항).

04. ④

MEMO

2018년 기출

05 **대부업자가 개인이나 「중소기업기본법」에 따른 소기업(小企業)에 해당하는 법인에 대부를 하는 경우 그 이자율은 연 100분의 27.9 이하의 범위에서 대통령령으로 정하는 율을 초과할 수 없다. 이와 관련하여 현행 "대통령령으로 정하는 율"에 해당하는 것은?**

① 연 44%
② 연 30%
③ 연 25%
④ 연 27.9%
⑤ 연 24%

해설 2016년 3월 3일 개정된 「대부업법」 제8조 제1항은 "대부업자가 개인이나 「중소기업기본법」 제2조 제2항에 따른 소기업(小企業)에 해당하는 법인에 대부를 하는 경우 그 이자율은 연 100분의 27.9 이하의 범위에서 대통령령으로 정하는 율을 초과할 수 없다."고 규정하고, 이에 따라 2017년 8월 29일 개정된 「동법 시행령」 제5조 제2항은 "법 제8조 제1항에서 '대통령령으로 정하는 율'이란 연 100분의 27.9를 말한다."고 규정하였으나, 금융이용자의 금리부담을 완화하기 위하여 2017년 11월 7일에 다시 "연 100분의 24"로 낮추고, 2021년 4월 6일에 다시 "연 20퍼센트"로 낮추는 개정을 하고 2022년 8월 23일부터 시행했다.

2017년 기출

06 **최고이자율에 대한 다음 설명 중 옳지 않은 것은?**

① 대부업 등록을 마친 대부업자 – 연 100분의 24
② 미등록 대부업자 – 연 100분의 24
③ 「이자제한법」에 따라 대통령령으로 정한 금전대차 – 연 100분의 24
④ 「대부업법」에 따른 여신금융기관 – 연 100분의 25
⑤ 「이자제한법」상 대차원금이 10만 원 미만 – 최고이자율 제한 없음

해설 등록대부업자와 여신금융기관은 대부업법이 적용되어 연 100분의 20을 최고이자율로 하고(대부업법 제8조 제1항, 동법 시행령 제5조 제2항, 제3항), 미등록대부업자와 일반 개인 간의 금전대차의 경우는 이자제한법이 적용되어 연 100분의 20을 최고이자율로 한다(이자제한법 제2조 제1항, 동법 시행령). 이자제한법상 대차원금이 10만 원 미만인 경우에는 최고이자율의 제한이 없다(이자제한법 제2조 제5항).

05. ⑤ 06. ④

MEMO

제2절 예금자보호법

2015년 기출

01 '예금자보호제도'에 관한 설명으로 틀린 것은?

① 원금과 소정이자를 합하여 1인당 5천만 원까지만 보호된다.
② 보험사고발생 금융기관이 타 금융기관으로 계약이전 될 경우에는 1인당 보호한도금액 이하인 예금은 계약이전대상에 포함된다.
③ 보호금액의 한도는 금융기관의 지점별로 계산한다.
④ 파산한 금융기관의 예금자가 해당 금융기관에 대출이 있는 경우에는 예금에서 대출금을 먼저 상환(상계)시키고 남은 예금을 기준으로 보호한다.
⑤ 보호한도금액을 초과한 나머지 예금은 파산한 금융기관이 선순위채권을 변제하고 남는 재산이 있는 경우 이를 다른 채권자들과 함께 채권액에 비례하여 분배받을 수 있다.

해설 보호금액의 한도는 예금의 종류별 또는 지점별 보호금액이 아니라 동일한 금융기관 내에서 예금자 1인이 보호받을 수 있는 총금액이다.

① 1997년 말 IMF사태 이후 금융산업 구조조정에 따른 사회적 충격을 최소화하고 금융거래의 안정성 유지를 위하여 2000년 말까지 한시적으로 예금 전액을 보장하였으나 2001년부터 예금부분보호제도로 전환되어 2001년 1월 1일 이후 부보금융기관이 보험사고(영업정지, 인가취소 등)가 발생하여 파산할 경우, 보험금지급공고일 기준의 원금과 소정의 이자를 합하여 1인당 최고 5천만 원(세전)까지 예금을 보호하고 있다. 또한 2015년 2월 26일부터는 예금보호대상 금융상품으로 운용되는 확정기여형 퇴직연금제도 또는 개인형 퇴직연금제도의 적립금을 합하여 가입자 1인당 최고 5천만 원(세전)까지 다른 예금과 별도로 보호하고 있다.
② 보험사고(영업정지 등) 발생 금융기관이 타 금융기관으로 계약 이전될 경우에는 통상적으로 영업 정지일을 기준으로 원금과 약정이자를 합하여 1인당 5천만 원 이하인 예금은 계약이전 대상에 포함되어 5천만 원 이하 예금자는 기존 계약조건대로 계약인수금융기관과 계속 거래할 수 있다.
④ 예금의 지급이 정지되거나 파산한 금융기관의 예금자가 해당 금융기관에 대출이 있는 경우에는 예금에서 대출금을 먼저 상환(상계)시키고 남은 예금을 기준으로 보호한다.
⑤ 예금보험공사로부터 보호받지 못한 나머지 예금은 파산한 금융기관이 선순위채권을 변제하고 남는 재산이 있는 경우 이를 다른 채권자들과 함께 채권액에 비례하여 분배받음으로써 그 전부 또는 일부를 돌려받을 수 있다.

01. ③

MEMO

제3절 자산유동화에 관한 법률

2021년 기출

01 자산유동화에 관한 다음 설명 중 가장 적절하지 않은 것은?

① 유동화전문회사는 무한회사로 한다.
② 유동화전문회사의 회계처리는 금융위원회가 정하는 회계처리기준에 의한다.
③ 유동화전문회사는 유동화증권의 발행 및 상환을 한다.
④ 유동화전문회사라 함은 자산유동화업무를 영위하는 회사를 말한다.
⑤ 유동화전문회사는 본점 외의 영업소를 설치할 수 없다.

해설 유동화전문회사는 주식회사 또는 유한회사로 한다[자산유동화에 관한 법률(약칭: 자산유동화법) 제17조 제1항].
② 유동화전문회사는 금융위원회가 정하여 고시하는 회계처리기준에 따라 그 회계를 처리하여야 한다(자산유동화법 제22조 제2항).
③ 유동화전문회사는 자산유동화계획에 따라 다음 각 호의 업무를 수행한다(자산유동화법 제22조 제1항). 1. 유동화자산의 양수・양도 또는 다른 신탁업자에 대한 위탁 2. 유동화자산의 관리・운용 및 처분 3. 유동화증권의 발행 및 상환 4. 자산유동화계획의 수행에 필요한 계약의 체결 5. 유동화증권의 상환 등에 필요한 자금의 일시적인 차입 6. 여유자금의 투자 7. 그 밖에 제1호부터 제6호까지에서 규정한 업무에 부수하는 업무
④ 유동화전문회사라 함은 제17조(회사의 형태) 및 제20조(겸업 등의 제한)에 따라 설립되어 자산유동화업무를 영위하는 회사를 말한다(자산유동화법 제2조 제5호).
⑤ 유동화전문회사는 본점 외의 영업소를 설치할 수 없으며, 직원을 고용할 수 없다(자산유동화법 제20조 제2항).

2018년 기출

02 다음은 유동화전문회사에 대한 설명이다. 옳지 않은 것은?

① 유동화전문회사의 회계는 금융감독원이 정하는 회계처리기준에 의해 처리하여야 한다.
② 유동화전문회사는 본점 외의 영업소를 설치할 수 없다.
③ 유동화전문회사는 직원을 고용할 수 없다.
④ 유동화전문회사는 자산유동화계획의 수행에 필요한 계약을 체결할 수 있다.
⑤ 유동화전문회사는 금융기관에서 발생한 부실채권을 매각하기 위해 일시적으로 설립된 특수목적회사(Special Purpose Company)로 채권매각과 원리금 상환이 끝나면 자동으로 없어지는 일종의 페이퍼 컴퍼니이다.

01. ① 02. ①

MEMO

해설 '유동화전문회사'라 함은 「자산유동화에 관한 법률」에 의하여 설립되어 자산유동화 업무를 영위하는 회사를 말한다(동법 제2조 제5호). 유동화전문회사는 금융위원회가 정하여 고시하는 회계처리기준에 따라 그 회계를 처리하여야 한다(동법 제22조 제2항).

② 유동화전문회사는 본점 외의 영업소를 설치할 수 없다(동법 제20조 제2항 전단).

③ 유동화전문회사는 직원을 고용할 수 없다(동법 제20조 제2항 후단).

④ 유동화전문회사는 자산유동화계획의 수행에 필요한 계약을 체결할 수 있다(동법 제22조 제1항 제4호).

⑤ 유동화전문회사는 금융기관에서 발생한 부실채권을 매각하기 위해 일시적으로 설립된 특수목적회사로 채권매각과 원리금 상환이 끝나면 자동으로 없어지는 일종의 페이퍼 컴퍼니이다. 금융기관 거래기업이 부실하게 되어 대출금 등 여신을 회수할 수 없게 되면 이 부실채권을 인수, 국내외의 적당한 투자자들을 물색해 팔아넘기는 중개기관 역할을 한다. 유동화전문회사는 외부평가기관을 동원, 부실채권을 현재가치로 환산해 이에 해당하는 자산유동화증권(ABS)을 발행하는 등 부실채권 매각을 위한 다양한 방법을 동원한다. 유동화전문회사가 발행하는 자산유동화증권은 주간사와 인수사를 거쳐 기관 및 일반투자자들에게 판매된다. 투자자들은 만기 때까지 채권에 표시된 금리만큼의 이자를 받고 만기에 원금을 되돌려 받는다. 이 과정에서 유동화전문회사는 자산관리와 자산매각 등을 통해 투자원리금을 상환하기 위한 자금을 마련하고 이 작업이 끝나면 자동 해산된다.

2017년 기출

03 자산유동화에 관한 다음 설명 중 옳지 않은 것은?

① 유동화전문회사는 주식회사 또는 유한회사로 한다.

② 유동화전문회사는 유동화자산의 관리·운용 및 처분업무를 담당한다.

③ 유동화전문회사는 금융위원회가 정하여 고시하는 회계처리기준에 따라 그 회계를 처리하여야 한다.

④ 유동화전문회사는 본점 외의 영업소를 설치할 수 있다.

⑤ 유동화전문회사가 아닌 자는 그 상호 또는 업무를 표시함에 있어서 유동화전문회사임을 나타내는 명칭을 사용하여서는 아니 된다.

해설 유동화전문회사는 본점 외의 영업소를 설치할 수 없으며, 직원을 고용할 수 없다(자산유동화에 관한 법률 제20조 제2항).

① 동법 제17조 제1항, ② 동법 제22조 제1항 제2호, ③ 동법 제22조 제2항, ⑤ 동법 제21조

정답 03. ④

MEMO

2016년 기출

04 다음 중 「자산유동화에 관한 법률」 제10조 제1항 제3호에서 대통령령으로 정하는 자산관리자의 요건 중 자본금 규모로 옳은 것은?

① 5억 원 미만
② 5억 원 이상 10억 원 미만
③ 10억 원 이상
④ 10억 원 이상 15억 원 미만
⑤ 15억 원 이상

해설

자산유동화에 관한 법률 제10조【자산관리의 위탁】

① 유동화전문회사등(신탁업자는 제외한다)은 자산관리위탁계약에 따라 다음 각 호의 자(이하 "자산관리자"라 한다)에게 유동화자산의 관리를 위탁하여야 한다.
   1. 자산보유자
   2. 「신용정보의 이용 및 보호에 관한 법률」 제2조 제5호에 따른 신용정보회사 중 같은 조 제10호의 채권추심업 허가를 받은 자
   3. 「신용정보의 이용 및 보호에 관한 법률」 제2조 제10호의2에 따른 채권추심회사
   4. 그 밖에 자산관리업무를 전문적으로 수행하는 자로서 대통령령으로 정하는 요건을 갖춘 자

② 제1항 제1호 및 제4호에 따른 자산관리자는 「신용정보의 이용 및 보호에 관한 법률」 제4조 및 제5조에도 불구하고 유동화전문회사등이 양도받거나 신탁받은 유동화자산에 대하여 같은 법 제2조 제10호에 따른 채권추심업을 수행할 수 있다. 이 경우 해당 채권추심업의 수행에 관하여는 「신용정보의 이용 및 보호에 관한 법률」 제27조 제1항, 제42조 제1항 및 제43조 제4항을 준용한다.

③ 유동화전문회사등은 자산관리위탁계약의 해지에 따라 자산관리자의 변제수령권한이 소멸되었음을 이유로 유동화자산인 채권의 채무자에게 대항할 수 없다. 다만, 채무자가 자산관리자의 변제수령권한이 소멸되었음을 알았거나 알 수 있었을 경우에는 그러하지 아니하다.

자산유동화에 관한 법률 시행령 제5조【자산관리자】

법 제10조 제1항 제4호에서 "대통령령으로 정하는 요건을 갖춘 자"란 다음 각 호의 요건을 모두 갖춘 법인을 말한다.
1. 자본금이 10억원 이상일 것
2. 다음 각목의 전문인력이 5인 이상 포함된 20인 이상의 관리인력을 갖출 것
   가. 변호사, 공인회계사 또는 감정평가사 2인 이상
   나. 채권관리, 유가증권발행 등 금융위원회가 정하는 업무를 수행한 경력이 있는 자 1인 이상
3. 임직원이 「신용정보의 이용 및 보호에 관한 법률」 제27조 제1항 각 호의 사유에 해당하지 아니할 것
4. 최대출자자가 외국인인 경우 그 외국인이 자산관리업무를 전문적으로 영위하거나 겸영하는 자일 것. 다만, 당해 외국인(법인에 한한다)이 최대출자자로 되어 있는 법인이 자산관리업무를 영위하는 경우에는 그러하지 아니하다.

04. ③

MEMO

제4절 여신전문금융업법

2024년 기출

01 다음 설명 중 (　　)에 들어갈 내용으로 가장 적절한 것은?

신용카드업자는 신용카드회원이나 직불카드회원으로부터 그 카드의 분실·도난 등의 통지를 받은 때부터 그 회원에 대하여 그 카드의 사용에 따른 책임을 진다(「여신전문금융업법」 제16조 제1항). 신용카드업자는 통지 (A)에 생긴 신용카드의 사용에 대하여 대통령령으로 정하는 기간의 범위에서 책임을 진다(「여신전문금융업법」 제16조 제2항). 여기서 "대통령령으로 정하는 기간"이란 분실·도난 등의 통지를 받은 날부터 (B)일 전까지의 기간을 말한다(「여신전문금융업법 시행령」 제6조의9제1항).

	A	B
①	전	30
②	후	60
③	전	60
④	후	90
⑤	후	30

해설 ③ 아래 여신전문금융업법 관련조문 참조

여신전문금융업법 제16조(신용카드회원등에 대한 책임) ① 신용카드업자는 신용카드회원이나 직불카드회원으로부터 그 카드의 분실·도난 등의 통지를 받은 때부터 그 회원에 대하여 그 카드의 사용에 따른 책임을 진다.
② 신용카드업자는 제1항에 따른 통지 전에 생긴 신용카드의 사용에 대하여 대통령령으로 정하는 기간의 범위에서 책임을 진다.
③ 제2항에도 불구하고 신용카드업자는 신용카드의 분실·도난 등에 대하여 그 책임의 전부 또는 일부를 신용카드회원이 지도록 할 수 있다는 취지의 계약을 체결한 경우에는 그 신용카드회원에 대하여 그 계약내용에 따른 책임을 지도록 할 수 있다. 다만, 저항할 수 없는 폭력이나 자기 또는 친족의 생명·신체에 대한 위해(危害) 때문에 비밀번호를 누설(漏泄)한 경우 등 신용카드회원의 고의(故意) 또는 과실(過失)이 없는 경우에는 그러하지 아니하다.
④ 신용카드업자는 제1항에 따른 통지를 받은 경우에는 즉시 통지의 접수자, 접수번호, 그 밖에 접수사실을 확인할 수 있는 사항을 그 통지인에게 알려야 한다.
⑤ 신용카드업자는 신용카드회원등에 대하여 다음 각 호에 따른 신용카드등의 사용으로 생기는 책임을 진다.

01. ③

MEMO

1. 위조(僞造)되거나 변조(變造)된 신용카드등의 사용
2. 해킹, 전산장애, 내부자정보유출 등 부정한 방법으로 얻은 신용카드등의 정보를 이용한 신용카드등의 사용
3. 다른 사람의 명의를 도용(盜用)하여 발급받은 신용카드등의 사용(신용카드회원등의 고의 또는 중대한 과실이 있는 경우는 제외한다)

⑥ 제5항에도 불구하고 신용카드업자가 제5항제1호 및 제2호에 따른 신용카드등의 사용에 대하여 그 신용카드회원등의 고의 또는 중대한 과실을 증명하면 그 책임의 전부 또는 일부를 신용카드회원등이 지도록 할 수 있다는 취지의 계약을 신용카드회원등과 체결한 경우에는 그 신용카드회원등이 그 계약내용에 따른 책임을 지도록 할 수 있다.

⑦ 제3항 및 제6항에 따른 계약은 서면 또는 전자문서로 한 경우에만 효력이 있으며, 신용카드회원등의 중대한 과실은 계약서에 적혀 있는 것만 해당한다.

⑧ 신용카드업자는 제1항・제2항・제5항 및 제17조에 따른 책임을 이행하기 위하여 보험이나 공제(共濟)에 가입하거나 준비금을 적립하는 등 필요한 조치를 하여야 한다.

⑨ 제5항 제3호, 제6항 및 제7항에 따른 신용카드회원등의 고의 또는 중대한 과실의 범위는 대통령령으로 정한다.

⑩ 신용카드회원이 서면, 전화, 전자문서 등으로 신용카드의 이용금액에 대하여 이의를 제기할 경우 신용카드업자는 이에 대한 조사를 마칠 때까지 그 신용카드회원으로부터 그 금액을 받을 수 없다.

여신전문금융업법 시행령 제6조의9(신용카드회원등에 대한 책임) ①법 제16조 제2항에서 "대통령령으로 정하는 기간"이란 같은 조 제1항에 따른 분실・도난 등의 통지를 받은 날부터 60일 전까지의 기간을 말한다.

② 법 제16조 제9항에 따른 고의 또는 중대한 과실의 범위는 다음 각 호와 같다.

1. 고의 또는 중대한 과실로 비밀번호를 누설하는 경우
2. 신용카드나 직불카드를 양도 또는 담보의 목적으로 제공하는 경우
3. 「전자금융거래법」 제9조 제2항 제1호 및 같은 법 시행령 제8조 각 호의 어느 하나에 해당하는 경우. 이 경우 "금융회사 또는 전자금융업자"는 "신용카드업자"로, "이용자"는 "신용카드회원등"으로 본다.

MEMO

2023년 기출

02 「여신전문금융업법」에 관한 다음 내용 중 ( )에 들어갈 가장 적절한 것은? (단, 순서는 상관없음)

"여신전문금융업(與信專門金融業)"이란 ( ), ( ), ( ) 또는 ( )을 말한다.

① 금융투자업	보험업	신용카드업	할부금융업
② 대부업	신용카드업	시설대여업	신용평가업
③ 신용카드업	시설대여업	할부금융업	신기술사업금융업
④ 투자매매업	투자자문업	시설대여업	할부금융업
⑤ 신용카드업	금융투자업	할부금융업	혁신금융서비스업

해설 ③ 여신전문금융업법 제1조(목적)

2015년 기출

03 아래의 여신을 금융기관의 자산건전성 기준에 따라 분류하는 경우에 속하게 되는 것은?

부도업체에 대한 은행의 여신 중 담보처분 등에 의하여 회수가 예상되는 가액에 해당하는 여신

① 정상(여신) ② 요주의(여신)
③ 고정(여신) ④ 회수의문(여신)
⑤ 추정손실(여신)

해설 1. 자산건전성 분류 제도 도입 배경
1999년 말 미래채무상환능력기준(FLC)에 의한 자산건전성 분류 제도가 도입되기 이전까지 우리나라 은행의 건전성 분류는 감독 당국이 제시한 자산건전성 분류 기준 중 차주의 과거 금융거래실적에 중점을 두고 이루어졌다. 즉, 앞으로의 채무상환능력보다는 과거의 금융거래실적을 기준으로 자산건전성을 분류한 결과 거시경기 변동 또는 차주의 사업 변화 등에 따른 부실화 징후를 조기에 발견하지 못하고 부실화가 상당히 진전된 이후에 사후적으로 부실을 인식함으로써 부실채권 발생의 사전예방기능이 미흡하였을 뿐만 아니라 부실화에 대비한 충당금 적립기능도 제대로 작동되지 않음으로써 차주기업이 부실화될 경우 일시에 거액의 충당금을 적립하게 되고 이로 인해 은행의 건전성이 급격하게 악화되는 결과를 초래하였다. 이에 따라 IMF와의 합의하에 1999년 12월 말부터 차주의 과거 원리금 상환실적뿐만 아니라 미래 채무상환능력을 충분히 반영하여 자산건전성을 분류하는 소위 Forward Looking Criteria에 의한 자산건전성 분류 기준을 마련하여 시행하게 되었다.

02. ③ 03. ③

MEMO

2. 금융기관이 보유하고 있는 자산의 건전성을 분류하는 목적
   보유자산의 부실화 정도를 평가하여 이에 대한 적정 수준의 충당금을 적립하고 추가 담보 징구, 채권의 조기회수 등 필요한 조치를 강구함으로써 부실자산의 발생을 사전에 예방하는 한편, 이미 발생한 부실자산의 조기정상화를 촉진함으로써 은행 자산운용의 건전화를 도모하는 데 있다.
3. 자산건전성 분류단계별 정의 및 특징은 다음과 같다.
   ㉠ 정상 : 경영내용, 재무상태 및 미래현금흐름 등을 감안할 때 채무상환능력이 양호하여 채권회수에 문제가 없는 것으로 판단되는 거래처(정상거래처)에 대한 자산
   ㉡ 요주의 : 다음 각 호의 1에 해당하는 자산
      ⓐ 경영내용, 재무상태 및 미래현금흐름 등을 감안할 때 채권회수에 즉각적인 위험이 발생하지는 않았으나 향후 채무상환능력의 저하를 초래할 수 있는 잠재적인 요인이 존재하는 것으로 판단되는 거래처(요주의거래처)에 대한 자산
      ⓑ 1월 이상 3월 미만 연체대출금을 보유하고 있는 거래처에 대한 자산
   ㉢ 고정 : 다음 각 호의 1에 해당하는 자산
      ⓐ 경영내용, 재무상태 및 미래현금흐름 등을 감안할 때 채무상환능력의 저하를 초래할 수 있는 요인이 현재화되어 채권회수에 상당한 위험이 발생한 것으로 판단되는 거래처(고정거래처)에 대한 자산
      ⓑ 3월 이상 연체대출금을 보유하고 있는 거래처에 대한 자산 중 회수예상가액 해당부분
      ⓒ 최종부도 발생, 청산 · 파산절차 진행 또는 폐업 등의 사유로 채권회수에 심각한 위험이 존재하는 것으로 판단되는 거래처에 대한 자산 중 회수예상가액 해당부분
      ⓓ "회수의문거래처" 및 "추정손실거래처"에 대한 자산 중 회수예상가액 해당부분
   ㉣ 회수의문 : 다음 각 호의 1에 해당하는 자산
      ⓐ 경영내용, 재무상태 및 미래현금흐름 등을 감안할 때 채무상환능력이 현저히 악화되어 채권회수에 심각한 위험이 발생한 것으로 판단되는 거래처(회수의문거래처)에 대한 자산 중 회수예상가액 초과부분
      ⓑ 3월 이상 12월 미만 연체대출금을 보유하고 있는 거래처에 대한 자산 중 회수예상가액 초과부분
   ㉤ 추정손실 : 다음 각 호의 1에 해당하는 자산
      ⓐ 경영내용, 재무상태 및 미래현금흐름 등을 감안할 때 채무상환능력의 심각한 악화로 회수불능이 확실하여 손실처리가 불가피한 것으로 판단되는 거래처(추정손실거래처)에 대한 자산 중 회수예상가액 초과부분
      ⓑ 12월 이상 연체대출금을 보유하고 있는 거래처에 대한 자산 중 회수예상가액 초과부분
      ⓒ 최종부도 발생, 청산 · 파산절차 진행 또는 폐업 등의 사유로 채권회수에 심각한 위험이 존재하는 것으로 판단되는 거래처에 대한 자산 중 회수예상가액 초과부분

MEMO

제5절 기타 관련제도

2015년 기출

01 '크레디트 뷰로(CB ; Credit Bureau)'에 관한 설명으로 가장 거리가 먼 것은?

① CB가 제공하는 정보의 이용으로 금융기관은 효율적 의사결정에 도움을 받고 여신심사비용을 절감할 수 있다.

② CB는 축적된 정보를 기관 및 개인에게 신용보고서(Credit Report), 신용점수(Credit Score) 등의 형태로 제공한다.

③ CB는 투자자 보호를 위하여 금융상품 및 신용공여 등에 대하여 그 원리금이 상환될 가능성을 평가한다.

④ CB는 신용공여기관 및 공공기관 등으로부터 신용정보를 수집하거나 축적하여 이를 분석, 가공한 후 다시 이들 기관 등에 제공하는 서비스를 수행한다.

⑤ CB가 제공하는 서비스는 단순 보고서 형태에서 통계 기반의 정보 분석 및 신용거래 의사결정을 지원하는 솔루션 서비스로 발전하고 있다.

해설 '개인신용평가기관(CB ; Credit Bureau)'이라는 명칭은 1860년 미국 뉴욕의 신용공여기관들이 고객에 대한 신용정보를 교환하기 위해 브루클린(Brooklyn)에 설립한 신용조사국에서 유래되어 오늘에 이르고 있다. 이것은 미국의 소비자신용보고회사(Consumer Credit Reporting Agency)를 일컫는 개념으로 수많은 신용공여자와 정보 공유 네트워크를 통해 최신의 정확한 소비자 DB를 구축하고 있다. CB의 서비스 대상은 개인식별정보, 신용거래정보, 공공기록정보, 조회기록정보 등 소비자신용정보로서 이를 기관 및 개인에게 신용보고서 및 신용점수 등의 형태로 제공하면 이를 바탕으로 기관이나 개인이 원리금 상환 가능성을 판단하게 된다.

2014년 기출

02 「국가채권관리법」(시행 2014.2.14)에서 규정하고 있는 사항으로 가장 보기 어려운 것은?

① 각 중앙관서의 장은 한국자산관리공사 또는 신용정보회사에 일정한 국가채권 체납액 회수업무를 위탁할 수 있다.

② 위 ①항의 회수업무는 체납자의 주소 또는 거소 확인, 재산조사, 안내문 발송, 전화・방문 상담 등을 말한다.

③ 위 ①항의 업무를 수탁받은 기관은 위탁받은 업무를 다른 신용정보회사에게 다시 위탁할 수 있다.

01. ③ 02. ③

MEMO

④ 각 중앙관서의 장은 체납액의 회수 등을 위하여 신용정보집중기관 등이 일정한 고액체납자의 인적사항, 체납액 등에 관한 자료를 요구한 경우 그 자료를 제공할 수 있다.
⑤ 각 중앙관서의 장은 체납자의 은닉재산을 신고한 자에게 1억 원의 범위에서 포상금을 지급할 수 있다.

해설 「국가채권관리법」 제14조의2 제2항에 따라 체납액 회수업무를 위탁받은 자(이하 '수탁기관'이라 한다)는 위탁받은 업무를 제3자에게 다시 위탁할 수 없다.
출제당시는 ①③번은 맞는 지문이었으나, 2020.8.5. 개정시행된 동법에 따르면 "제14조의2 제1항 중 '「신용정보의 이용 및 보호에 관한 법률」 제4조 제1항 제3호의 업무를 허가받은 신용정보회사'를 '「신용정보의 이용 및 보호에 관한 법률」 제2조 제10호의2에 따른 채권추심회사'로 한다."고 하였으므로, 신용정보회사를 채권추심회사로 변경하여 이해하시기 바랍니다.

2022년 기출

03 다음 중 「서민의 금융생활 지원에 관한 법률」 상 신용회복지원 내용으로 가장 적절하지 않은 것은?

① 상환기간 연장
② 분할상환
③ 무담보채무일 경우 이자 및 원금 전액 감면
④ 담보채무는 연체이자만 감면
⑤ 변제기 유예

해설 서민의 금융생활 지원에 관한 법률 제73조(채무조정의 방법) 채무조정은 채권금융회사가 보유한 채권에 대하여 다음 각호의 방법으로 할 수 있다.
1. 상환기간 연장(①)
2. 분할상환(②)
3. 이자율 조정
4. 상환 유예(⑤)
5. 채무감면(③④) ← 여기서 채무감면은 무담보 채무의 경우 이자의 감면, 담보채무의 경우 연체이자의 감면을 말하고, 원금 전액 감면을 말하는 것은 아니다.
6. 그 밖에 이에 준하는 방법으로서 대통령령으로 정하는 방법

03. ③

MEMO

2022년 기출

04 다음 설명 중 (   ) 안에 들어갈 법률로 가장 적절한 것은?

(   )은/는 실지명의(實地名義)에 의한 금융거래를 실시하고 그 비밀을 보장하여 금융거래의 정상화를 꾀함으로써 경제정의를 실현하고 국민경제의 건전한 발전을 도모함을 목적으로 한다.

① 「금융실명거래 및 비밀보장에 관한 법률」
② 「부동산 실권리자명의 등기에 관한 법률」
③ 「예금자보호법」
④ 「금융거래정보의 보고 및 이용 등에 관한 법률」
⑤ 「유사수신행위의 규제에 관한 법률」

해설 금융실명거래 및 비밀보장에 관한 법률(약칭: 금융실명법) 제1조(목적)의 내용이다. 금융실명제는 1993년 8월 12일 대통령긴급재정경제명령을 제정하여 실시해 오고 있었으나, 그 동안의 실시과정에서 실명확인에 따른 금융거래시의 불편과 세무조사에 대한 불안감 등 일부 문제점이 나타난 바, 이를 해소하는 동시에 중소기업출자금 등에 대한 자금출처 실명제를 항구적인 제도로 정착하기 위하여 대통령긴급재정경제명령을 법률로 대체입법하려고 1997년 12월 31일 제정・시행되었다.

2023년 기출

05 다음 설명 중 (   ) 안에 들어갈 용어로 가장 적절한 것은?

(A)은 금융회사등이 보유하는 부실자산의 효율적 정리를 촉진하고 부실징후기업의 경영정상화 노력을 지원하기 위하여 필요한 사항을 규정하며, (B)를 설립하여 부실자산의 정리와 개인채무자 및 기업의 정상화를 지원하고 국가기관 등의 재산에 대한 관리・처분・개발 등 업무를 수행하게 함으로써 금융회사등의 건전성을 제고하고 경제주체들의 재기를 도모하며 공공자산의 가치를 제고하여 금융산업 및 국가경제의 발전에 이바지함을 목적으로 한다.

	A	B
①	「예금자보호법」	예금보험공사
②	「한국주택금융공사법」	한국주택금융공사
③	「한국자산관리공사 설립 등에 관한 법률」	한국자산관리공사
④	「금융위원회의 설치 등에 관한 법률」	금융위원회
⑤	「서민의 금융생활 지원에 관한 법률」	신용회복위원회

해설 ③ 「한국자산관리공사 설립 등에 관한 법률」 제1조(목적)

04. ①   05. ③

Chapter 07 부실채권관리기법

제1절 총설

2016년 기출

01 A는 B에게 금 5,000만 원을 대여하고 그 금원을 지급받지 못해 B에 대하여 법적 조치를 하려고 한다. 다음 설명 중 가장 적절하지 않은 것은?

① B가 C에게 받을 공사대금채권이 존재하면 A는 B를 채무자, C를 제3채무자로 하고 채권가압류를 신청할 수 있다.

② A가 B에 대하여 지급명령을 신청하고 B가 일정한 기간 내에 이의신청을 하지 않으면 집행권원을 획득할 수 있다.

③ 위 ①에서 A가 채권가압류를 신청하고 ②와 같이 집행권원을 획득했다면 A는 가압류로부터 본압류로 이전하는 채권압류 및 추심명령(또는 전부명령)을 신청하여 채권을 회수할 수 있다.

④ A가 B에 대하여 집행권원을 획득하고 1년이 경과되어도 채무자 B가 채무를 변제하지 않는 경우 A는 재산명시신청을 할 필요 없이 바로 채무불이행자명부등재신청을 할 수 있다.

⑤ A가 B에 대하여 집행권원을 획득하고 B의 재산을 조사한 바, B의 부동산에 저당권자 C가 경매신청을 하여 경매개시결정이 부동산 등기부등본(부동산 등기사항증명서)상에 기입되었다면 A는 배당요구종기일까지 위 집행권원을 가지고 배당요구를 할 수 없다.

해설 부동산강제경매절차에서 '배당요구'란 다른 채권자에 의하여 개시된 집행절차에 참가하여 동일한 재산의 매각대금에서 변제를 받으려는 집행법상의 행위로서 다른 채권자의 강제집행절차에 편승한다는 점에서 종속적인 것이다. 집행력 있는 정본을 가진 채권자는 경매개시결정이 채무자에게 송달되거나 경매개시결정의 기입등기가 되어 압류의 효력이 발생한 때부터 배당요구종기까지 배당요구신청을 할 수 있다. 따라서 A가 B에 대하여 집행권원을 획득하고 B의 재산을 조사한 바, B의 부동산에 저당권자 C가 경매신청을 하여 경매개시결정이 부동산 등기부등본(부동산 등기사항증명서)상에 기입되었다면 A는 배당요구종기일까지 위 집행권원을 가지고 배당요구를 할 수 있다.

①, ②, ③ 채권자는 채무자가 제3채무자로부터 받을 채권에 대한 가압류신청을 할 수 있고, 집행권원을 얻기 위해 채무자에 대한 지급명령신청을 하여 동 결정정본이 채무

01. ⑤

MEMO

자에게 송달된 날로부터 2주 내에 채무자의 이의가 없으면 확정된다(민사소송법 제470조 제1항). 집행권원을 획득한 채권자는 가압류를 본압류로 이전하는 채권압류 및 추심명령(또는 전부명령)을 신청하여 채권을 회수할 수 있다.

④ '채무불이행자명부'라 함은 채무를 일정기간 내에 이행하지 아니하거나 재산명시절차에서 감치 또는 처벌대상이 되는 행위를 한 채무자에 관한 일정사항을 법원의 재판에 의하여 등재한 후 일반인의 열람에 제공하기 위해 법원에 비치하는 장부를 말한다. 신청요건은 ⓐ 금전의 지급을 명한 집행권원이 확정된 후 또는 집행권원을 작성한 후 6개월 이내에 채무를 이행하지 아니한 때. 다만, 가집행의 선고가 붙은 판결 또는 가집행의 선고가 붙어 집행력을 가지는 집행권원의 경우는 제외한다(민사집행법 제70조 제1항 제1호). ⓑ 채무자가 재산명시절차에서 감치나 처벌에 해당되는 사유 가운데 어느 하나에 해당하는 때(민사집행법 제70조 제1항 제2호), ⓒ 강제집행이 용이하지 않아야 한다. 등재신청에 정당한 이유가 없거나 쉽게 강제집행할 수 있다고 인정할 만한 명백한 사유가 있는 때에는 법원은 결정으로 이를 기각하여야 한다(민사집행법 제71조 제2항). 따라서 A가 B에 대하여 집행권원을 획득하고 1년이 경과되어도 채무자 B가 채무를 변제하지 않는 경우 A는 재산명시신청을 할 필요 없이 바로 채무불이행자명부등재신청을 할 수 있다.

제2절 구체적 회수기법

제3절 대손처리

2014년 기출

01 다음은 은행이 보유하고 있는 대출채권을 제3자에게 양도하여 유동성을 확보하는 행위가 은행에 미치는 효과 등에 관한 설명이다. 가장 적절하지 않은 것은?

① 대출채권의 매각으로 인한 유동성 확보 효과는 대출채권이 정상여신인 경우에도 그러하다.
② 매각한 대출금에 상당하는 대손충당금을 설정하여야 한다.
③ 부실대출금을 매각함으로써 BIS(국제결제은행)자기자본비율을 개선할 수 있다.
④ 부실대출금을 매각함으로써 부실채권회수를 위한 인력을 감축할 수 있다.
⑤ 자금조달비용을 절감할 수 있다.

01. ②

MEMO

해설 대손충당금이란 당기말 현재의 차기 이후에 대손될 가능성에 대비하기 위하여 설정하는 평가성 충당금을 말하며, 기업회계기준에서는 회수가 불확실한 채권에 대하여 합리적이고 객관적인 기준에 따라 산출한 대손 추산액을 대손충당금으로 설정하도록 하고 있다. 매출채권에 대한 대손상각비는 판매비 및 일반관리비로 처리하고 기타채권에 대하여 향후 대손처리를 하려면 소멸시효완성이 되어야 하고 관련 구비서류를 갖추어야 한다. 은행은 부실대출금을 매각하면 대출금에 대한 대손충당금의 설정이 불필요하게 되어 B/S의 슬림화를 기할 수 있는 부수적 효과를 얻을 수 있는 바, 이에 매각한 대출금에 대하여 대손충당금을 설정하여야 하는 것은 아니다. 반면, 대출채권이 부실여신인 경우뿐만 아니라 정상여신인 경우에도 은행은 대출채권의 양도대가가 들어옴으로써 장래가치가 현가화되어 유동성이 확보되는 효과를 볼 수 있으므로 대출채권의 매각으로 인한 유동성 확보 효과는 대출채권이 정상여신인 경우에도 그러하다.

2013년 기출

02 다음은 금융기관 대출금의 건전성 등과 관련한 설명이다. 가장 적절하지 않은 것은?

① 금융기관은 대출금의 건전성을 정상, 요주의, 고정, 회수의문, 추정손실의 다섯 단계로 구분한다.

② 거래처의 채무상환능력이 양호하여 대출금의 이자납입과 원금상환이 정상적으로 이루어지고 있는 경우에는 정상으로 분류한다.

③ 요주의로 분류된 대출금은 주의가 필요한 대출금으로 짧은 기간(보통 1개월 이상 3개월 미만) 연체되어 있는 경우이다.

④ 고정으로 분류된 대출금은 3개월 이상 연체된 대출금으로 채권회수에 상당한 위험이 발생한 것으로 판단되나 담보물 처분 등에 의한 회수예상가액 해당부분 대출금이다.

⑤ 금융기관이 적립해야 하는 대손충당금은 요주의 및 고정으로 분류된 대출금을 제외한 회수의문 및 추정손실로 분류된 대출금 해당액이다.

해설 대손충당금이란 당기말 현재의 차기 이후에 대손될 가능성에 대비하기 위하여 설정하는 평가성 충당금이다. 기업회계기준에서는 회수가 불확실한 채권에 대하여 합리적이고 객관적인 기준에 따라 산출한 대손추산액을 대손충당금으로 설정하도록 하고 있으며, 매출채권에 대한 대손상각비는 판매비 및 일반관리비로 처리하고 기타채권에 대하여 향후 대손처리를 하려면 소멸시효완성이 되어야 한다. 대손처리 시에는 관련 구비서류를 갖추어야 한다.

02. ⑤

PART 04 고객관리 및 민원예방

〉〉〉 신용관리사 기출문제집

Chapter

01 신용관리담당자의 자세와 역할

제1절 신용관리담당자

2021년 기출

01 신용관리 담당자의 자세로 가장 적절하지 않은 것은?

① 채무자는 약속 불이행자라는 선입견을 버리고 소중한 고객이라는 인식의 전환이 필요하다.

② 법률의 제한범위나 상식을 벗어날 경우 본인은 물론 회사에도 막대한 손실을 초래할 수 있으므로 고도의 업무지식과 전문성을 갖춰 법령에 근거한 추심활동을 진행해야 한다.

③ 현재의 연체자라 하여 미래의 고객이 될 수 있는 가능성을 저버리는 것은 어리석은 행동이라 할 수 있다.

④ 신용관리 담당자로서의 지식이나 능력, 나아가 의욕면에서 향상을 꾀하여 연체고객의 특성과 경제적 환경변화에 적극 대응함으로써 업무실적을 크게 향상시킬 수 있다.

⑤ 신용관리 담당자는 신용관리상담에서 단지 채권회수를 궁극적 목적으로 추구하여야 하고, 채무자의 채무회생을 전제로 채권회수에 나서야 하는 것은 아니다.

해설 신용관리 담당자는 신용관리상담에서 채권회수를 궁극적 목적으로 추구하여야 하지만, 채무자의 현황파악과 신속한 대응이 필수적이므로 채무자의 채무회생을 전제로 채권회수를 하는 방안까지도 종합적으로 고려해야 한다.

01. ⑤

MEMO

2024년 기출

02 신용관리 담당자가 갖추어야 할 직업윤리 및 태도에 관한 다음 설명 중 가장 적절하지 않은 것은?

① 신용관리 담당자는 합리적이고 공정한 수단에 의한 정보수집 및 분석, 정보의 활용 및 축적이 채권회수를 위한 첩경임을 인식하여야 한다.
② 신용관리 담당자의 주관적 판단보다는 객관적인 입장에서 고객의 상황을 관찰하고 냉정하게 판단해야 한다.
③ 채무자에게 겸양의 태도로 대하고 그가 처한 상황에 관심을 나타내어 자발적인 변제의사를 이끌어 낸다.
④ 일관성 있는 채권관리를 위해 동일한 방법을 반복적으로 사용한다.
⑤ 정중한 언어사용과 적절한 행동으로 채무자와의 우호적인 관계를 지속적으로 유지한다.

해설 ④ 동일한 방법을 반복적으로 사용할 경우 채무자에게 면역성만 길러주게 되어 회수의 효과는 반감된다.

2021년 기출

03 신용관리 담당자가 갖추어야 할 직업윤리 및 태도에 관한 다음 설명 중 가장 적절하지 않은 것은?

① 관련 법령을 준수하고 공정하고 합리적으로 업무를 처리한다.
② 업무상 취득한 정보를 외부에 누설하거나 사적인 이익을 위하여 사용하지 않는다.
③ 불법·부당한 채권추심활동을 하지 않는다.
④ 일관성 있는 채권관리를 위하여 동일한 방법을 반복적으로 사용한다.
⑤ 채무자가 납득하도록 충분하게 설명할 수 있는 능력과 자세를 갖춘다.

해설 채무자에게 동일한 방법을 반복적으로 사용할 경우 고객에게 면역성만 길러주게 되어 회수의 효과는 반감된다.

02. ④ 03. ④

MEMO

2023년 기출

04 다음 설명에 가장 부합하는 신용관리담당자의 역할은?

채권회수와 관련된 민사소송법 등 법적처리절차와 법적조치 등 풍부한 법률적 지식을 습득해야 한다.

① 재정조언자
② 법률전문가
③ 협상전문가
④ 정보관리자
⑤ 심리전문가

해설 ③ 구체적인 내용은 아래표 참조

❑ 신용관리담당자의 역할

재정조언자	채무자의 경제적인 능력과 자산 등을 고려하여 채무자에게 가장 유리한 상환조건과 계획을 제시하고 고객에게 신용회복방안을 제시할 수 있는 금융전문가가 되어야 한다.
법률전문가	채권회수와 관련된 민사소송법 등 법적 처리절차와 법적 조치 등 풍부한 법률적 지식을 습득해야 한다.
심리전문가	개인의 행동특성, 성향 및 성격 등을 객관적으로 분석하여 그에 따라 적절히 대응하면서 적극적 대화를 유도하는 과학적인 추심활동이 필요하다.
협상전문가	목표를 달성하기 위해 협상전략을 수립하고 해결점을 모색해야 한다. 또한 고객의 유형 및 상황에 따른 설득기법 및 상담기법 등을 숙지해야 한다.
정보관리자	합리적이고 공정한 수단에 의한 정보수집 및 분석, 정보의 활용 및 축적이 채권회수를 위한 가장 중요한 첩경임을 인식해야 한다.
최고실력자	타 기관 채무에 우선해서 변제받기 위한 경쟁력이 절대적으로 필요하다.

04. ②

MEMO

2020년 기출

05 다음은 신용관리담당자의 역할에 대한 설명이다. 가장 적절한 역할은?

- 합리적이고 공정한 수단에 의하여 채권회수를 위하여 필요한 정보를 수집·분석·축적하고 활용한다.
- 관리대장, 증빙서류 등에 대한 철저한 관리와 정확하고 신속한 업무처리가 요청된다.

① 재정조언자
② 법률전문가
③ 협상전문가
④ 정보관리자
⑤ 심리전문가

해설 신용관리담당자의 역할에 대한 구체적인 내용은 다음 표 참조

재정조언자	채무자의 경제적인 능력과 자산 등을 고려하여 채무자에게 가장 유리한 상환조건과 계획을 제시하고 고객에게 신용회복방안을 제시할 수 있는 금융전문가가 되어야 한다. 투자상담사×
법률전문가	채권회수와 관련된 민사소송법 등 법적 처리절차와 법적 조치 등 풍부한 법률적 지식을 습득해야 한다. 법률행위의 대리인의 역할×
심리전문가	개인의 행동특성, 성향 및 성격 등을 객관적으로 분석하여 그에 따라 적절히 대응하면서 적극적 대화를 유도하는 과학적인 추심활동이 필요하다.
협상전문가	목표를 달성하기 위해 협상전략을 수립하고 해결점을 모색해야 한다. 또한 고객의 유형 및 상황에 따른 설득기법 및 상담기법 등을 숙지해야 한다.
정보관리자	합리적이고 공정한 수단에 의한 정보수집 및 분석, 정보의 활용 및 축적이 채권회수를 위한 가장 중요한 첩경임을 인식해야 한다.
최고실력자	타기관 채무에 우선해서 변제받기 위한 경쟁력이 절대적으로 필요하다.

2019년 기출

06 신용관리 담당자가 갖추어야 할 직업윤리 및 태도에 대한 다음 설명 중 가장 적절하지 않은 것은?

① 일관성 있는 채권관리를 위하여 동일한 방법을 반복적으로 사용한다.
② 연체자도 최초에는 중요한 고객이었음을 염두에 둔다.
③ 불법·부당한 채권추심활동을 하지 않는다.
④ 관련 법령을 준수하고 공정하고 합리적으로 업무를 처리한다.
⑤ 채무자가 납득하도록 충분하게 설명할 수 있는 능력과 자세를 갖춘다.

정답 05. ④ 06. ①

MEMO

해설 채무자에게 동일한 방법을 반복적으로 사용할 경우 고객에게 면역성만 길러주게 되어 회수의 효과는 반감된다. 즉, 기간이 길어질수록 점점 더 강도 있는 회수 방법이나 수단을 사용하여 위기의식을 갖도록 하는 기교가 필요하다.

② 기존 회사에서 신규 고객을 확보하는 비용은 기존 고객관리에 드는 비용보다 높다고 볼 때, 연체자도 최초에는 중요한 고객이었음을 염두에 두고, 현재의 연체자라 하여 미래의 고객이 될 수 있는 가능성을 저버리는 것은 어리석은 행동이라고 할 수 있다.

③④ 법률의 제한범위나 상식을 벗어날 경우 본인은 물론 회사에도 막대한 손실을 초래할 수 있으므로 고도의 업무지식과 전문성을 갖춰 법률에 근거한 추심활동을 진행해야 한다.

⑤ 채무자가 납득하도록 충분하게 설명할 수 있는 능력과 자세를 가져야 하며, 적합한 방법을 제시하였음에도 불구하고 약속 불이행시에는 구체적인 법적 조치를 통한 회수 방법을 강구하여야 한다.

2018년 기출

07 다음은 신용관리 담당자의 마음가짐에 대한 설명이다. 가장 옳지 않은 것은?

① 채무자에게 관행이나 약관 등에 대하여 충분히 설명하고 자진 변제하도록 유도한다.
② 연체자도 최초에는 중요한 고객이었음을 염두에 둔다.
③ 채무변제를 하지 못하는 사유를 정확히 파악하는 능력을 갖추도록 노력한다.
④ 채무자의 채무변제를 도울 수 있는 다양한 방안을 생각한다.
⑤ 회수를 위한 노력과 더불어 추후에도 불량고객으로 되리라는 것을 염두에 둔다.

해설 신용관리 담당자는 다음과 같은 마음가짐을 가져야 한다.

(1) 늘 감사하는 마음으로 응대한다.
(2) 연체자도 최초에는 중요한 고객이었음을 염두에 둔다(②).
(3) 채무변제를 못하는 사유를 정확히 파악하는 능력을 갖추려고 노력한다(③).
(4) 역지사지, 고객 배려의 따뜻한 마음으로 응대한다.
(5) 회수를 위한 노력과 더불어 추후 정상고객으로 회복하게 되리라는 것을 염두에 둔다(⑤).
(6) 채무자에게 관행이나 약관 등을 충분히 설명하고 자진 변제하도록 유도한다(①).
(7) 원활한 변제를 위해 채무자에게 어떠한 도움을 줄 수 있는가를 생각한다(④).
(8) 성의를 가지고 응대한다.

07. ⑤

MEMO

제2절 신용관리담당자의 요건

2012년 기출

01 관리자에게 요구되는 능력에 관한 설명으로서 가장 적절하지 않은 것은?

① 일반적으로 관리자에게 요구되는 능력의 유형은 '전문적 능력', '인간관계 능력', '개념화 능력'으로 분류된다.

② '개념화 능력'이란 여러 가지 구체적이고 복잡한 정보, 사건, 현상들을 추상화하여 일정한 개념의 틀에 따라 빠르게 이해하고 무엇이 필요한지를 꿰뚫어 보고 대응할 수 있는 능력을 말한다.

③ 하부관리자에게는 '인간관계 능력'이 중요한 반면, 최고관리자에게는 '전문적 능력'이 중요하다.

④ '인간관계 능력'은 대인적인 접촉활동이 많은 직위에 특히 중요시되는 능력이다.

⑤ '전문적 능력'은 특정의 임무수행을 위하여 그 임무에 필요한 지식이나 방법, 테크닉, 장비 등을 사용할 수 있는 능력을 말하며 이는 경험이나 교육, 훈련 등에 의해서 얻어진다.

해설 하부관리자에게는 '전문적인 능력'이 중요한 반면, 최고관리자에게는 '인간관계 능력'이 중요하다.

2022년 기출

02 신용관리 담당자의 업무능력 향상방법에 대한 다음 설명 중 가장 적절하지 않은 것은?

① 역할연기를 통해 말의 속도, 억양의 조절, 적절한 용어의 구사, 질문시기의 선택 등 상담능력을 향상시킬 수 있다.

② 스토리텔링(Story telling) 기법에서 하나의 스토리에는 가급적 여러 가지의 메시지가 담기도록 하는 것이 좋다.

③ 스크립트(Script)를 작성할 때에는 질문할 내용과 순서를 충분히 생각한 후에 작성한다.

④ 스토리텔링은 채무자의 지성과 감성을 자극할 수 있어야 효과적이다.

⑤ 고객과 대화를 원활히 진행하기 위해 사전에 작성한 대화 대본을 스크립트(Script)라 한다.

01. ③ 02. ②

MEMO

해설 '스토리텔링'이란 고객이 염려하거나 부담스러워하는 사안에 직면하여 고객의 마음을 읽고 쉬운 이야기를 통해 부드럽게 해결책을 제시하는 방법이다. 스토리텔링은 신용관리담당자와의 대화 내용을 정확히 기억할 수 있도록 도와준다. 과거에 일어났던 사건들에 대한 스토리는 자신과 다른 이들의 과거 경험으로부터 많은 것을 배울 수 있도록 이끌어 주는 생생하고 기억에 남을 만한 수단이 될 수 있다. 따라서 하나의 스토리에는 가급적 하나의 메시지만을 담도록 하고, 전화로 상담할 때에는 길고 상세한 내용을 담은 스토리를 전달하는 것은 좋지 않다. 스토리텔링은 메시지, 갈등, 등장인물, 플롯(구성)의 요소를 갖추는 것이 바람직하며, 스토리 전개에서 갈등이 뚜렷할수록 스토리의 역동성이 높아진다. 훌륭한 스토리는 청중의 지성과 감성을 자극할 수 있어야 한다. 즉, 스토리는 신용관리를 위한 고객과의 상담에 있어 깊은 공감과 함께 유익한 정보와 지식을 제공하며, 남들이 쉽게 예상할 수 있는 이야기보다는 오히려 자신만의 스토리나 단순한 과거의 사례도 스토리를 상황에 맞추어 어떻게 전개하는가에 따라서 교육적인 효과를 얻을 수 있다. 또한 불완전한 사례, 즉 실수나 실패에 대한 경험들도 듣는 고객들이 스스로 그 문제의 원인을 찾고 더 나은 대안을 고민해 보도록 하며, 동시에 부정적인 결과에 의한 고통과 좌절감을 통해 감정을 이끌어 낼 수 있으므로 스토리 자원으로 활용될 수 있다.

2022년 기출

03 역할연기에 관한 다음 설명 중 가장 적절하지 않은 것은?

① '언제, 누가, 무엇을, 어떻게 실시할까'라는 계획을 상세하게 세워서 실시해 가지 않으면 의욕만으로는 결코 오래 지속하지 못한다.
② 역할연기는 지위에 따라 차별화하여 실시하는 것이 중요하다.
③ 역할연기 교육 훈련 중에서 가장 중요한 것은 지속적으로 훈련하는 것이다.
④ 연기자나 관찰자 모두가 신중하게 임함과 동시에 교정해야 할 점은 교정하도록 엄격히 지적하는 것이 필요하다.
⑤ 가르치는 자는 단지 가르치는 자로서가 아니라 '함께 배우고 공부한다'라는 자세로 임해야 한다.

해설 역할연기는 연령, 성별, 지위를 생각하지 않고 각 구성원이 동등한 입장에서 실시하는 것이 중요하다. 다음 [역할연기의 포인트] 참조.

(1) "언제, 누가, 무엇을, 어떻게 실시할까"라는 계획을 세워서 실시해 가지 않으면 의욕만으로 결코 오래 지속하지 못한다.(①)
(2) 역할연기 훈련 중에서 가장 중요한 일은 지속적으로 하는 것이다.(③)
(3) 역할연기는 연기자와 관찰자가 있어야 하므로 혼자서 할 수 있는 방법이 아니다. 역할연기는 전원이 참가하여 주체적으로 운영함으로써 함께 배우도록 하여야 한다.(⑤)
(4) 역할연기는 연령, 성별, 지위를 생각하지 않고 각 구성원이 동등한 입장에서 실시하는 것이 중요하다.(②)
(5) 역할연기는 재미있는 교육훈련 방식이므로, 장난스러운 분위기가 되지 않도록 진지하게 해야 한다. 연기자나 관찰자 모두가 실천적 능력을 향상시킬 수 있도록 신중하게 임함과 동시에 교정해야 할 점은 교정하도록 엄격히 지적하는 것이 필요하다.(④)

03. ②

MEMO

2019년 기출

04 역할연기법(Role Playing)에 대한 다음 설명 중 가장 적절하지 않은 것은?

① 연기자 간에 토론을 활발하게 전개함으로써 채권과 관련된 학술적인 지식을 향상시킬 수 있다.
② 역할연기법은 채권회수 담당직원이 직접 상황을 재연함으로써 연체 독촉 기술의 향상을 위하여 행해지는 능력개발 기법이다.
③ 역할연기법은 전원이 참가하여 주체적으로 운영함으로써 함께 배우도록 한다.
④ 역할연기법은 역할연기를 통하여 연체고객의 다양한 환경과 특성에 따른 신속하고 적절한 상황별 대응능력을 향상시켜 준다.
⑤ 역할연기를 통하여 문제해결을 시도한다면 연기자뿐만 아니라 관찰자의 능력도 향상된다.

해설 모의실전을 통해 채권회수에 관한 살아있는 지식(비정형적 업무)을 얻을 수 있다.
② 역할연기법의 개념
③ 역할연기는 연기자와 관찰자가 있어야 하므로 혼자서 할 수 있는 방법이 아니다. 역할연기는 전원이 참가하여 주체적으로 운영함으로써 함께 배우도록 한다.
④ 역할연기법의 목적중 하나
⑤ 역할연기는 연기자나 관찰자 모두가 실천적인 능력을 향상시킬 수 있도록 신중하게 임함과 동시에 교정해야 할 점은 교정하도록 엄격히 지적하는 것이 필요하다.

2017년 기출

05 역할연기법(Role Playing)에 대한 다음 설명 중 가장 적절하지 않은 것은?

① 역할연기는 재미있는 교육훈련 방식이므로 연기자나 관찰자 모두가 신중하게 임하는 것은 바람직하지 않다.
② 역할연기를 통하여 문제해결을 시도한다면 연기자뿐만 아니라 관찰자의 능력도 향상된다.
③ 역할연기법은 미리 설정된 역할을 통하여 모의실전을 경험하는 것이다.
④ 역할연기법은 역할연기를 통하여 연체고객의 다양한 환경과 특성에 따른 신속하고 적절한 상황별 대응능력을 향상시켜 준다.
⑤ 역할연기법은 채권회수 담당직원이 직접 상황을 재연함으로써 채무자의 습성 및 상황에 대한 이해, 연체 독촉 기술의 향상을 위하여 행해지는 능력개발기법이다.

04. ① 05. ①

MEMO

해설 역할연기법은 미리 설정된 역할을 통해 모의실전을 경험함으로써 다양한 연체고객의 환경과 특성을 이해하는 한편, 적정하고 신속한 설득방법이나 행동 및 대안을 제시할 수 있도록 신용관리담당자의 실천력을 향상시키는 능력개발기법이다. 역할연기는 재미있는 교육훈련 방식이므로 장난스러운 분위기가 되지 않도록 진지하게 해야 한다. 연기자나 관찰자 모두가 실천적 능력을 향상시킬 수 있도록 신중하게 임함과 동시에 교정해야 할 점은 교정하도록 엄격히 지적하는 것이 필요하다.

2024년 기출

06 신용관리 담당자의 업무능력 향상 방법에 관한 다음 설명 중 가장 적절하지 않은 것은?

① 역할연기 학습을 통하여 습득한 지식을 실무에 적용할 수 있는 능력을 향상시킨다.

② 고객과의 대화를 원활히 진행하기 위해 사전에 작성한 대화대본은 질문할 내용과 순서를 충분히 생각한 후에 작성하고, 상대방과의 상담 포인트를 명확히 한다.

③ 스크립트(Script)를 작성하여 채권추심 관련 상담업무에 활용함으로써 상담의 목적과 방향성을 명확히 하고 응대의 수준을 일정하게 유지하며 일관성 있게 업무를 수행한다.

④ 고객과의 상담에서 훌륭한 스토리를 사용하여 깊은 공감을 일으키고 유익한 정보를 제공하도록 노력한다.

⑤ 실수 또는 실패에 대한 사례들은 스토리의 자원으로 활용도가 낮기 때문에 활용하지 않는 것이 바람직하다.

해설 ⑤ 불완전한 사례, 즉 실수나 실패에 대한 경험들도 듣는 고객들이 스스로 그 문제의 원인을 찾고 더 나은 대안을 고민해 보도록 하며, 동시에 부정적인 결과에 의한 고통과 좌절감을 통해 감정을 이끌어 낼 수 있으므로 스토리 자원으로 활용할 수 있다.

06. ⑤

MEMO

2021년 기출

07 신용관리 담당자의 업무능력 향상방법에 대한 다음 설명 중 가장 적절하지 않은 것은?

① 스토리텔링(Story telling) 기법은 채무자의 지성과 감성을 자극할 수 있어야 효과적이다.
② 스크립트(Script)는 고객과 대화를 원활히 진행하기 위해 사전에 작성한 대화대본을 말한다.
③ 스크립트(Script)는 구체적인 내용을 담을 수 있도록 길고 상세하게 작성한다.
④ 스토리텔링(Story telling) 기법은 고객이 염려하거나 부담스러워하는 사안에 직면하여 고객의 마음을 읽고 쉬운 이야기를 통해 부드럽게 해결책을 제시하는 방법이다.
⑤ 역할연기(Role playing) 기법은 연체고객의 다양한 환경과 특성에 따른 신속하고 적절한 상황별 대응능력을 향상시켜 준다.

해설 스크립트의 작성 목적은 상담의 최종목적과 방향성을 명확히 하여 무리 없는 대화를 이끌고 응대 수준을 항상 일정한 수준으로 유지하면서 일관성 있는 업무를 수행하려고 함에 있다. 따라서 스크립트는 가급적 단순하고 짧아야 한다. 구체적인 스크립트 작성 시 유의사항은 다음과 같다.

1. 상담의 포인트를 명확히 해야 한다.
2. 가급적 단순하고 짧아야 한다.
3. 전체의 흐름 중에 "클라이맥스"를 눈에 띄게 작성해야 한다.
4. 회화체를 사용한다.
5. 내용구성에 체계가 있어야 한다.
6. 흐름이 자연스러워야 한다.
7. 질문할 내용과 순서를 충분히 생각한 후 작성한다.
8. 세부사항은 반드시 점검한다.

정답 07. ③

MEMO

2019년 기출

08 신용관리 담당자의 업무능력 향상방법에 대한 다음 설명 중 가장 적절하지 않은 것은?

① 역할연기(Role playing)를 통해 연체자의 입장을 이해함으로써 효과적인 채권회수 및 독촉기법을 습득할 수 있다.

② 고객과 대화를 원활히 진행하기 위해 사전에 작성한 대화 대본을 스크립트(Script)라 한다.

③ 스크립트(Script)를 작성할 때에는 질문할 내용과 순서를 충분히 생각한 후에 작성한다.

④ 스토리텔링(Story telling) 기법은 고객이 염려하거나 부담스러워하는 사안에 직면하여 고객의 마음을 읽고 쉬운 이야기를 통해 부드럽게 해결책을 제시하는 방법이다.

⑤ 스토리텔링(Story telling) 기법에서 하나의 스토리에는 가급적 여러 가지의 메시지가 담기도록 하는 것이 좋다.

해설 스토리텔링은 신용관리 담당자와의 대화 내용을 정확하게 기억할 수 있도록 도와준다. 과거에 일어났던 사건들에 대한 스토리는 자신과 다른 이들의 과거 경험으로부터 많은 것을 배울 수 있도록 이끌어 주는 생생하고 기억에 남을 만한 수단이 될 수 있다. 따라서 하나의 스토리에는 가급적 하나의 메시지만을 담도록 하고, 전화로 상담할 때에는 길고 상세한 내용을 담은 스토리를 전달하는 것은 좋지 않다.

① 역할연기의 목적
② 스크립트의 개념
③ 스크립트 작성시 유의사항
④ 스토리텔링 기법의 개념

2022년 기출

09 다음 설명 중 (　　) 안에 들어갈 내용으로 가장 적절한 것은?

> (　　)은/는 고객과 대화를 원활히 진행하기 위해 사전에 작성한 대화대본을 말한다. 신용관리 담당자는 이것을 작성하여 채권추심관련 상담업무에 활용함으로써 상담의 목적과 방향성을 명확히 하고 응대의 수준을 일정하게 유지하며 일관성 있게 업무를 수행할 수 있다.

① 응대기록표　　② 화법
③ 스토리텔링 대본　　④ 스크립트(Script)
⑤ 역할연기 대본

08. ⑤　09. ④

MEMO

해설 스크립트(Script)란 고객과 대화를 원활히 진행하기 위해 사전에 작성한 대화대본이다. 이는 상담의 최종목적과 방향성을 명확히 하고, 무리 없는 대화를 이끌 수 있게 하며 응대 수준을 항상 일정 수준으로 유지하면서 일관성 있는 업무를 수행할 수 있게 해준다.

2014년 기출

10 스토리텔링에서 갖추어야 할 스토리의 특성으로 가장 적절하지 않은 것은?

① 단순성(가장 단순한 메시지가 호소력을 발휘한다.)
② 감성적 특성(이론적이고 논리적인 것에만 집착하는 메시지는 호소력이 떨어진다.)
③ 구체성(추상적인 이야기는 듣는 사람의 흥미를 끌기 어렵다.)
④ 신뢰성(자기에게 불리한 이야기라도 솔직하게 털어놓으면 메시지에 대한 믿음이 높아진다.)
⑤ 예측성(남들이 쉽게 예상할 수 있는 이야기를 들어서 호소하면 메시지 전달이 용이하다.)

해설 스토리텔링은 고객이 염려하거나 부담스러워하는 사안에 직면하여 고객의 마음을 읽고 쉬운 이야기를 통해 부드럽게 해결책을 제시하는 방법으로 호소력 있는 단순한 메시지, 감성적이고 구체적인 스토리, 불완전한 사례, 즉 실수나 실패에 대한 경험 등 자기에게 불리한 이야기라도 솔직하게 털어놓으면 메시지에 대한 믿음이 높아질 수 있는 신뢰성을 그 특성으로 하고 있다. 남들이 쉽게 예상할 수 있는 이야기보다는 오히려 자신만의 스토리나 단순한 과거의 사례라도 스토리를 상황에 맞추어 어떻게 전개하는가에 따라서 교육적인 효과를 얻을 수 있다.

2017년 기출

11 미국의 심리학자 다니엘 골먼은 감성지수(지능)를 다섯 가지 차원으로 나누어 사람에 따라 대응반응이 다르게 나타나는 것으로 보았다. 이와 관련한 다음 설명 중 가장 적절하지 않은 것은?

① 자기인식 – 특정 대상에 대한 자신의 감정을 정확하게 인식하는 것
② 감정조절 – 감정을 상황에 맞게 잘 다루는 능력
③ 자기동기부여 – 어려운 상황에서도 낙관적인 태도를 유지할 수 있는 능력
④ 감정이입 – 자기감정을 이해할 줄 아는 능력
⑤ 사회적 기술 – 타인의 감정에 적절히 반응하여 인간관계를 원활히 할 수 있는 능력

10. ⑤ 11. ④

해설 감성지수는 지능지수(IQ)와 대조되는 개념으로 자신의 감정을 적절히 조절, 원만한 인간관계를 구축할 수 있는 '마음의 지능지수'를 뜻한다. 이는 미국의 심리학자 다니엘 골먼의 저서 「감성지수(Emotional Intelligence)」에서 유래되었지만 타임즈가 이 책을 특집으로 소개하면서 'EQ'라는 용어를 처음으로 사용하여 기업과 학계에 널리 알려지기 시작했다. 특히 감성지수는 지능만을 검사하는 지능지수와는 달리 조직에서 상사나 동료, 부하직원들 간에 얼마나 원만한 관계를 유지하고 있으며, 개인이 팀워크에 어느 정도 공헌하는가를 평가하고 있어 기업인들의 많은 관심을 끌고 있다. 다니엘 골먼이 감성지수를 다섯 가지 차원으로 나누었는데, 그 중 '감정이입'은 다른 사람의 감정을 이해할 줄 아는 능력을 의미한다.

2024년 기출

12 **예절에 관한 다음 설명 중 가장 적절하지 않은 것은?**

① 인사는 상대방을 위한 것이 아닌 나 자신을 위한 것임을 명심하고 내가 먼저 한다는 중요하다.

② 엘리베이터 안이나 복도 또는 계단에서 인사하는 경우나 자주 대할 때에는 가벼운 목례를 하는 것이 일반적이다.

③ 명함을 받으면 그 자리에서 상대방의 근무처, 직위, 성명 등을 확인하여 대화없도록 한다.

④ 인사는 시선을 상대방의 눈에 맞춘 다음 인사말을 밝고 분명하게 하는 것이 바람직하다.

⑤ 교육이나 회의 진행 중에 누군가 들어오면 반드시 일어서서 눈을 맞추며 인사한다.

해설 ⑤ 교육 또는 회의를 하는 경우나 중요한 상담을 하고 있는 경우, 양손에 무거운 짐을 들고 있거나 위험한 작업이나 복잡한 계산을 하고 있는 경우에는 인사를 생략해도 좋다. 즉, 도저히 인사를 할 수 없는 경우에는 하지 않는 것이 좋다. 오히려 인사하느라 일의 안정성을 잃는 것 보다는 열심히 일에 몰두하는 것이 상대방을 편하게 할 수 있기 때문이다.

12. ⑤

MEMO

2023년 기출

13 명함 교환 예절에 관한 다음 설명 중 가장 적절하지 않은 것은?

① 동시에 주고받을 때는 오른손으로 주고 왼손으로 받는 것이 좋다.
② 명함을 건넬 때는 일반적으로 아랫사람이 먼저 건네는 것이 기본이다.
③ 앉아서 대화를 나누다가 명함을 교환할 때는 일어서서 건네는 것이 좋다.
④ 명함을 건넬 시 본인의 이름이 본인 쪽에서 바르게 보이게끔 하는 것이 좋다.
⑤ 명함 뒷면에 만난 날짜・장소・이유 등을 메모해 놓는다.

해설 ④ 명함을 상대에게 건넬 때 상대를 향해 오른손으로 명함을 내밀고 왼손은 오른손을 살짝 받치듯이 하며, 목례보다 조금 깊게 인사를 한다. 이때 자신의 이름이 상대방 쪽에서 바르게 보이게끔 하는 것이 좋다.

2022년 기출

14 예절에 관한 다음 설명 중 가장 적절하지 않은 것은?

① 얼굴 표정은 상대방에게 호감을 주느냐 못 주느냐의 중요한 요소로 작용한다.
② 화장실에서도 상대방의 눈을 보며 큰 목소리로 반드시 인사한다.
③ 목소리는 자신의 인격과 지식, 성품, 자세를 반영하는 의사표현의 중요한 도구임과 동시에 상대방이 대화에 임하는 자세와 태도를 상상할 수 있도록 만드는 요소이기도 하다.
④ 명함은 자신의 증명서와 같으므로 타인의 것을 포함하여 자신의 명함을 전달할 때도 겸손하고 공손함이 깃들어 있는 좋은 예절로 교환한다.
⑤ 용모나 옷차림은 개성을 표현하는 것 이상으로 중요하지만 직장 생활에서는 주위나 상대를 고려해야 하며 누구에게나 호감을 주는 용모나 옷차림이 되도록 신경을 쓰도록 한다.

해설 화장실에서는 인사하지 않으며, 단 눈이 마주칠 경우에는 목례를 하는 것이 좋다. 양손에 무거운 짐을 들고 있거나 교육 또는 회의를 하는 경우나 중요한 상담을 하고 있을 경우, 위험한 작업이나 복잡한 계산을 하고 있는 경우에는 인사를 생략해도 좋다. 즉, 도저히 인사를 할 수 없는 경우에는 하지 않아도 좋다. 오히려 인사하느라 일의 안정성을 잃는 것보다는 열심히 일에 몰두하는 것이 상대방을 편하게 할 수 있기 때문이다.

13. ④ 14. ②

MEMO

2021년 기출

15 예절에 관한 다음 설명 중 가장 적절하지 않은 것은?

① 대화의 주도권은 상대방에게 있어야 하므로 상대방의 반응에 따라 인사한다.

② 상사나 동료와 처음 만났을 때는 정중하면서도 밝고 명랑하게 인사를 하고, 다시 만나게 될 때는 밝은 표정과 함께 목례를 하는 것이 좋다.

③ 명함을 교환할 때는 우선 서로 간에 인사말과 악수를 나눈 후 자연스럽게 명함을 꺼내어 상대에게 건네는 것이 좋으나 상황에 따라 대화가 끝난 후에 전달할 수도 있다.

④ 직장예절은 직장인으로서의 자기관리와 대인관계를 통하여 공동의 목표성취를 위한 방향으로 운영되도록 하기 위한 것이다.

⑤ 근무 중 자리를 뜰 때는 반드시 상사나 동료에게 알려야 하며, 알리지 않고 자리를 비우는 것은 업무의 흐름에 혼란을 가중시키는 행위이다.

해설 인사는 받는 사람에게는 물론, 하는 사람에게도 기쁨을 주고 보람을 주는 기본적인 예절이다. 인사는 상대방을 위한 것이 아닌, 나 자신을 위한 것임을 명심하고 내가 먼저 인사한다는 자세가 중요하다. 인사는 내가 먼저하고 눈을 마주치며 밝게 그리고 말을 곁들여서 상대방에게 맞는 인사를 하는 것이 중요하다.

2020년 기출

16 예절에 대한 다음 설명 중 가장 적절한 것은?

① 중요한 상담을 하고 있을 경우나 위험한 작업을 하고 있는 경우에도 목례로 인사를 해야 한다.

② 악수를 할 때 장갑을 꼈을 때는 언제나 벗는 것이 매너이다.

③ 통화 지명인이 부재중일 때 상대가 전언을 의뢰할 경우 전언의 정확한 전달을 위해서는 메모보다는 잘 기억했다가 담당자에게 전달한다.

④ 화장실에서는 인사하지 않는다. 다만 눈이 마주칠 경우에는 목례를 하는 것이 좋다.

⑤ 상대를 향해 오른손으로 명함을 내밀고 왼손은 오른손을 살짝 받치듯이 하며, 목례보다 좀 더 깊게 인사를 하고, 이때 자신의 이름이 본인 쪽에서 바르게 보이게끔 하는 것이 좋다.

15. ① 16. ④

MEMO

해설 ① 중요한 상담을 하고 있을 경우나 위험한 작업을 하고 있는 경우에는 인사를 생략해도 좋다.
② 악수를 할 때 장갑을 꼈을 때는 일반적으로 벗는 것이 매너이나 추운 날 바깥에서라면 관계없다.
③ 통화 지명인이 부재중일 때 상대가 전언을 의뢰할 경우 전언의 정확한 전달을 위해서는 메모를 할 필요가 있다.
⑤ 상대를 향해 오른손으로 명함을 내밀고 왼손은 오른손을 살짝 받치듯이 하며, 목례보다 좀 더 깊게 인사를 하고, 이때 자신의 이름이 상대방 쪽에서 바르게 보이게끔 하는 것이 좋다.

2018년 기출

17 다음 중 신용관리 담당자가 갖추어야 할 기본예절로 가장 옳지 않은 것은?

① 명함은 일반적으로 방문한 사람이 먼저 건네는 것이 예의이다.
② 엘리베이터 안내인이 없는 경우에는 자신이 먼저 타 버튼을 조작하고 손님이나 상사를 안내한다.
③ 고객과 상사를 소개할 경우에는 고객에게 상사를 소개한 후 상사에게 고객을 소개한다.
④ 인사는 상대방을 위한 것이므로 상대방의 기분과 반응을 살핀 후에 한다는 자세가 중요하다.
⑤ 미소 짓는 표정은 상대방에게 좋은 이미지를 심어주고 상대방을 편안하고 즐겁게 해줄 수 있다.

해설 인사는 상대방을 위한 것이 아닌, 나 자신을 위한 것임을 명심하고 내가 먼저 한다는 자세가 중요하다.
① 명함을 건넬 때는 일반적으로 아랫사람이 먼저 건네는 것이 기본이며, 상대가 다수인 경우 지위가 높은 사람부터 명함을 교환한다. 또한 방문을 했을 경우에는 방문한 사람이 먼저 건네는 것이 예의이다.
② 엘리베이터 안내인이 있는 경우에는 손님이나 상사가 먼저 타고 내리며, 안내인이 없는 경우에는 자신이 먼저 타 버튼을 조작하고 손님이나 상사를 안내한다.
③ 고객에게 상사를 소개할 경우에는 고객에게 상사를 먼저 소개한 후 상사에게 고객을 소개하고 고객에게 좌석에 앉을 것을 권유한다. 고객, 상사, 담당자 모두가 초면인 경우에는 상사가 먼저 고객에게 자기소개를 한 후 담당자는 상사로부터 소개받기를 기다리고 담당자는 상사와 같이 고객에게 앉을 것을 권유한다.
⑤ 미소를 지으면 자기 자신이 즐거워지고(마인드컨트롤), 상대방을 편안하고 즐겁게 해주며(감정이입), 조깅을 한 것만큼 건강증진의 효과가 있다. 또한 업무능률의 신바람(상승) 효과를 불러오고, 상대방에게 좋은 이미지(호감)를 심어준다.

17. ④

MEMO

2019년 기출

18 신용관리 담당자의 직장예절에 대한 다음 설명 중 가장 적절하지 않은 것은?

① 고객과 상사가 초면인 경우 담당자가 소개할 때에는 상사에게 고객을 먼저 소개한다.

② 인사는 상대방을 위한 것이 아닌 나 자신을 위한 것이다.

③ 엘리베이터 안이나 복도 또는 계단에서 인사하는 경우나 자주 대할 때에는 가벼운 인사 즉 목례를 하는 것이 좋다.

④ 고객면담시 감정을 상하게 하는 말은 긍정적으로 바꿔 사용한다.

⑤ 양손에 무거운 짐을 들고 있거나 교육 또는 회의를 하는 경우나 중요한 상담을 하고 있을 경우에는 인사를 생략해도 좋다.

해설 고객에게 상사를 소개할 때 고객에게 상사를 먼저 소개한 후 상사에게 다시 고객을 소개하고 고객에게 좌석에 앉을 것을 권한다. 한편 고객·상사·담당자가 모두 초면인 경우 상사가 먼저 고객에게 자기소개를 하고, 담당자는 상사로부터 소개를 받기를 기다리고, 상사와 같이 고객에게 앉을 것을 권유한다. 남녀를 소개할 때는 항상 남자를 여자에게 먼저 소개한다.

② 인사는 받는 사람에게는 물론, 하는 사람에게도 기쁨을 주고 보람을 주는 기본적인 예절인바, 인사는 상대방을 위한 것이 아닌 나 자신을 위한 것임을 명심하고 내가 먼저한다는 자세가 중요하다.

③⑤ 인사는 때와 장소에 맞게 해야하는데, 엘리베이터 안이나 복도 또는 계단에서 인사하는 경우나 자주 대할 때에는 가벼운 인사 즉 목례를 하는 것이 좋다. 그러나 화장실에서는 인사하지 않으며, 단 눈이 마주칠 경우에는 목례를 하는 것이 좋고, 양손에 무거운 짐을 들고 있거나 교육 또는 회의를 하는 경우나 중요한 상담을 하고 있을 경우, 위험한 작업이나 복잡한 계산을 하고 있는 경우에는 인사를 생략해도 좋다. 즉, 도저히 인사를 할 수 없는 경우에는 하지 않아도 좋다. 오히려 인사하느라 일의 안정성을 잃는 것보다는 열심히 일에 몰두하는 것이 상대방을 편하게 할 수 있기 때문이다.

④ 고객면담시 응대화법의 원칙 – 첫째 부정형은 긍정형으로, 둘째 명령형은 의뢰형으로, 셋째 기분 좋은 말을 한마디 덧붙여하고(플러스 화법), 넷째 정중함을 더욱 느낄 수 있도록 양해의 말을 한다(쿠션언어의 사용).

2018년 기출

19 인사에 대한 다음 설명 중 가장 적절하지 않은 것은?

① 인사는 상대방을 위한 것이다.

② 인사란 만남의 첫걸음이며 마음가짐의 외적 표현이다.

③ 인사란 인간관계가 시작되는 신호이다.

④ 인사는 상대방에 대한 존경심과 친절을 나타내는 형식이다.

⑤ 상대방이 느낄 수 있는 첫번째 감동이다.

18. ① 19. ①

MEMO

해설 인사는 받는 사람에게는 물론, 하는 사람에게도 기쁨을 주고 보람을 주는 기본적인 예절이다. 인사는 상대방을 위한 것이 아닌, 나 자신을 위한 것임을 명심하고 내가 먼저 한다는 자세가 중요하다.

②,③ 인사시 시선은 상대방의 눈에 맞춘 다음, 인사말을 밝고 분명하게 하는 것이 바람직하다. 인사는 만남의 첫걸음이며, 마음가짐의 외적 표현으로 인간관계가 시작되는 신호이다.

④,⑤ 인사는 상대방에 대한 존경심과 친절을 나타내는 형식이며 상대방이 느낄 수 있는 첫 감동이다. 인사는 내가 먼저 하고 눈을 마주치며 밝게 그리고 말을 곁들여서 상대방에게 맞는 인사를 하는 것이 중요하다. 엘리베이터 안이나 복도 또는 계단에서 인사하는 경우나 자주 대할 때에는 가벼운 인사, 즉 목례를 하는 것이 일반적이다. 화장실에서는 인사하지 않으며, 단 눈이 마주칠 경우에는 목례를 하는 것이 좋고, 양손에 무거운 짐을 들고 있거나 교육 또는 회의를 하는 경우나 중요한 상담을 하고 있을 경우, 위험한 작업이나 복잡한 계산을 하고 있는 경우에는 인사를 생략해도 좋다. 즉, 도저히 인사를 할 수 없는 경우에는 하지 않아도 좋다. 오히려 인사하느라 일의 안정성을 잃는 것보다는 열심히 일에 몰두하는 것이 상대방을 편하게 할 수 있기 때문이다.

2017년 기출

20 신용관리담당자의 직장예절에 대한 다음 설명 중 가장 적절하지 않은 것은?

① 직장은 각자 다른 사람들이 모여 공동의 목표 아래 서로 협력하여 조직적으로 일하는 곳이다.

② 각자 맡은 업무를 원활하게 수행하고 통제하기 위하여 직위에 따라 횡적 · 종적인 관계를 맺어 질서 있는 생활을 영위하는 곳이다.

③ 직장에는 나름대로의 특유한 규범이 있으며 공동의 목표를 갖는다. 따라서 각 조직원들의 특이성을 적절하게 조화시켜야 한다.

④ 모든 직장은 그 직장을 선택한 구성원들의 경제적 가치를 제공하는 중요한 수단일 뿐이다.

⑤ 바람직한 직장생활은 올바른 직업관이 정립될 때 이루어질 수 있다.

해설 직업을 특정한 가치를 얻어내는 수단으로만 여겨서는 안 된다. 직업은 인생의 목적을 성취시켜주는 수단이기도 하지만 그 자체가 인생의 목적이라고도 할 수 있다. 즉, 직장은 경제적인 수단일 뿐만 아니라 일을 통한 자아발견 및 자아실현의 공간이다.

20. ④

MEMO

2019년 기출

21 **신용관리 담당자의 부정행위에 대한 다음 설명 중 가장 적절하지 않은 것은?**

① 채권추심업무를 수행하기 위하여 채무자의 소재를 탐지하는 행위
② 고의 또는 자의로 최선을 다하지 않아 회사에 손실을 발생시키는 업무태만 행위
③ 횡령, 유용, 회사물품의 절도 및 무단반출, 사내정보 유출 행위
④ 채무자의 신용정보를 유출하는 행위
⑤ 직무 및 직위를 이용하여 사적 이익을 추구하거나 거래처에 피해를 주는 행위

해설 채무자에 대한 소재파악은 채무자와 연락이 장기간 이루어지지 아니하거나 채무자가 행방불명 상태인 경우에 한하여 실시할 수 있다.
②③④⑤ 신용관리 담당자의 부정행위는 넓은 의미로는 직장인으로서 기업의 목적인 이윤동기에 배치되는 행위나 맡은 바 임무와 역할에 최선을 다하지 않는 불성실한 일체의 행위인데, 구체적으로는 규범에 위배되며 사심을 가지고 부당하게 처리하는 행위, 직무 및 직위를 이용하여 사적 이익을 추구하거나 거래선 폐해 등의 행위, 횡령, 유용, 회사물품의 절도 및 무단 방출, 사내정보 유출 등의 범법행위, 고의 또는 자의로 최선을 다하지 않아 회사에 손실을 발생시키는 업무태만, 업무해태 행위 등이 있다.

2018년 기출

22 **다음 중 신용관리 담당자의 부정행위와 가장 거리가 먼 것은?**

① 상급 직원의 명령을 어기고 업무규정을 우선적으로 적용하여 처리하는 행위
② 규범에 반하거나 사심을 가지고 부당하게 처리하는 행위
③ 직무 및 직위를 이용하여 사적 이익을 추구하거나 거래처에 피해를 입히는 행위
④ 횡령, 유용, 회사물품의 절도 및 무단반출 행위
⑤ 채무자에 대한 신용정보를 유출하는 행위

해설 상급 직원의 명령이 부당하다면 회사와 고객의 이익을 위해 업무규정을 우선적으로 적용하여 처리하는 것이 바람직하다.
신용관리 담당자의 부정행위는 다음과 같이 분류할 수 있다.
(1) 광의의 부정행위
① 직장인으로서 기업의 목적인 이윤동기에 배치되는 행위
② 맡은 바 임무와 역할에 최선을 다하지 않는 불성실한 일체의 행위

21. ① **22.** ①

MEMO

(2) 협의의 부정행위
① 규범에 위배되며 사심을 가지고 부당하게 처리하는 행위
② 직무 및 직위를 이용하여 사적 이익을 추구하거나 거래처 폐해 등의 행위
③ 횡령, 유용, 회사물품의 절도 및 무단반출, 사내정보 유출 등의 범법행위
④ 고의 또는 자의로 최선을 다하지 않아 회사에 손실을 발생시키는 업무태만, 업무 해태 행위

2017년 기출

23 신용관리담당자의 부정행위에 대한 다음 설명 중 가장 거리가 먼 것은?

① 규범에 위배되며 사심을 가지고 부당하게 처리하는 행위
② 직무 및 직위를 이용하여 사적 이익을 추구하는 행위
③ 횡령, 유용, 회사물품의 절도 및 무단반출, 사내정보 유출 행위
④ 고의로 최선을 다하지 않아 회사에 손실을 발생시키는 업무태만 행위
⑤ 상급 직원의 명령을 어기고 업무규정을 우선적으로 적용하여 처리하는 행위

해설 상급 직원의 명령에 무조건 따라야 하는 것은 아니고, 상급 직원의 명령이 불법, 부당한 경우는 적법, 정당한 업무규정을 우선적으로 적용하여 처리하는 행위가 바람직하다.

2014년 기출

24 우수직원의 특징에 해당하는 것으로 가장 보기 어려운 것은?

① 주어진 일을 시키는 대로만 한다.
② 상사의 지시와 의도의 진의를 파악하여 일을 한다.
③ 상황의 변화에 따라 임기응변과 적절한 조치를 취한다.
④ 창의적인 연구자세로 업무를 수행한다.
⑤ 조직 전체와 자신과의 연계를 생각하며 목표와 계획을 가지고 있다.

해설 프로근성이 확실하고 실적이 우수한 신용관리 담당직원은 긍정적 사고의 소유자이며 정서적인 안정감을 가지고 서두르지 않기 때문에 채무자에 대한 응대 및 변제요구에 있어 매우 설득력이 있고 감동적으로 한다. 또한 주어진 일을 시키는 대로만 하는 것이 아니라 보다 적극적인 자세 및 준비된 자세로 업무를 대하므로 채무자 방문을 두려워하지 않으며, 기본정보 외에 지도 검색, 법률자료 등 상담자료를 철저히 준비한다. 따라서 좀 더 창의적인 연구자세로 업무를 수행하게 되며, 상사의 지시와 의도의 진의를 파악하여 일을 하고, 상황의 변화에 따라 임기응변과 적절한 조치를 취하는 것이 특징이다.

23. ⑤ 24. ①

MEMO

2018년 기출

25 다음의 ( )에 들어갈 내용으로 적절한 것은?

- ( )은(는) 마케팅의 효율성을 높이기 위해 쌍방향성의 전기통신장치를 체계적으로 활용하는 다이렉트 마케팅 분야이다.
- ( )은(는) 고객을 직접 대면하지 않고서도 그와 유사한 효과를 얻을 수 있는 장점이 있다.

① 텔레마케팅(Telemarketing) ② 스토리텔링
③ 메타커뮤니케이션 ④ 교차대화
⑤ 교류대화

해설 '텔레마케팅'은 마케팅의 목표 달성과 효율성을 높이기 위하여 고객의 정보를 바탕으로 쌍방향성의 전기통신장치를 체계적으로 활용하는 다이렉트 마케팅의 한 분야이다. 고객과 직접 대면하지 않고서도 그와 유사한 효과를 올릴 수 있는 장점이 있고, 높은 보급률, 낮은 코스트, 쌍방향성, 높은 생산성, 즉시성, 융통성, 타 매체와의 연계성이 있다.

② '스토리텔링'은 고객이 염려하거나 부담스러워하는 사안에 직면하여 고객의 마음을 읽고 쉬운 이야기를 통해 부드럽게 해결책을 제시하는 방법이다.

③ 말이 아닌 시선, 동작, 몸짓, 태도 따위의 비언어적 의사전달을 통틀어 '메타커뮤니케이션(metacommunication)'이라 한다. 일상생활에서 언어에 의한 커뮤니케이션보다 메타커뮤니케이션을 통한 의사소통의 비중이 훨씬 크다고 한다. 따라서 원만한 대인관계를 유지하기 위하여 말에 앞서 표정관리가 더욱 중요하다고 하므로, 표정훈련을 통해 자연스러운 미소를 만들어야 한다. 시선은 상대방의 눈에 맞추고 대화하는 것이 바람직하며 뚫어지게 쳐다본다는 느낌을 주는 것은 좋지 않다.

④ '교차대화'는 서로의 기대와 다른 자아상태로 대화가 이어진다면 원만한 대화가 이루어지지 않으며 대화가 논쟁이 되고 끝내 단절된다. 따라서 원칙적으로 교차대화는 하지 않는다. 대화의 흐름을 멈추게 하고 커뮤니케이션의 활성화를 저해하고 고객과의 관계에도 악영향을 주게 되므로 피하는 것이 좋다.

⑤ '교류대화'는 이른바 '상보대화'를 지칭하는 것으로 보이는바, 대화가 서로 기대했던 자극과 반응으로 이어진다면 원만한 대화가 이루어지며 이를 상보대화라고 한다. 상보대화를 성립시키려면 상대가 말하려는 의도나 말하는 내용을 잘 파악하여 대화의 방향을 맞춰야 한다. 상대의 말을 솔직하게 수용하고 솔직하게 되돌려 준다. 즉, 상대의 말을 곡해한다든지 과소평가하면 상보대화가 되기 어렵다. 또한 상대의 말을 긍정하며 반복해 본다.

25. ①

MEMO

2018년 기출

26 **신용관리 담당자의 태도 및 직업윤리에 관한 다음 설명 중 가장 적절하지 않은 것은?**

① 채권추심업무 수행을 위하여 채무자의 소재를 탐지하는 행위는 신용관리 담당자의 대표적인 부정(不正)행위이다.
② 감정은 의도와 상관없이 얼굴표정에 나타나게 되나 꾸준한 노력과 훈련으로 온화한 얼굴표정과 미소 짓는 습관이 몸에 배도록 할 수 있다.
③ 전문용어를 많이 쓰고 외래어를 남발하거나 자기 이야기만 하는 일방적인 대화는 바람직하지 않다.
④ 말하기는 언어적 요소뿐만 아니라 말하는 사람의 제스처, 표정, 시선 맞추기 같은 비언어적 요소도 중요하다.
⑤ 법령을 준수하고 공정하고 합리적인 기준에 따라 투명하게 직무를 수행한다.

해설 채권추심 목적달성을 위해 필요한 최소한의 범위 안에서 채무자에 대한 소재파악을 실시하여야 하며, 이 과정에서 합리적이고 공정한 수단을 사용하여야 한다(신용정보법 제15조 제1항). 따라서 채권추심업무 수행을 위하여 채무자의 소재를 탐지하는 행위는 신용관리 담당자의 정당한 행위이다.

②④ 말하기는 언어적 요소뿐만 아니라 말하는 사람의 제스처, 표정, 시선 맞추기 같은 비언어적 요소도 중요하다. 말이 아닌 시선, 동작, 몸짓, 태도 따위의 비언어적 의사전달을 통틀어 '메타커뮤니케이션(metacommunication)'이라 한다. 일상생활에서 언어에 의한 커뮤니케이션보다 메타커뮤니케이션을 통한 의사소통의 비중이 훨씬 크다고 한다. 따라서 감정은 의도와 상관없이 얼굴표정에 나타나게 되나 꾸준한 노력과 훈련으로 온화한 얼굴표정과 미소 짓는 습관이 몸에 배도록 할 수 있다.

③ 상보대화가 이루어지기 위해서는 전문용어를 많이 쓰고 외래어를 남발하거나 자기 이야기만 하는 일방적인 대화는 바람직하지 않다.

⑤ 신용관리 담당자는 법령을 준수하고 공정하고 합리적인 기준에 따라 투명하게 직무를 수행한다.

2020년 기출

27 **텔레마케팅에 대한 다음 설명 중 가장 적절한 것은?**

① 외부로부터 걸려오는 전화를 받아서 상담하는 것을 아웃(OUT)바운드 텔레마케팅이라 하며, 상대방이 전화를 걸어 전화를 받는 주체가 된다.
② 텔레마케팅은 즉시성과 융통성이 있다.
③ 인(IN)바운드 텔레마케팅은 판매촉진, 대금회수, 계약갱신 등의 다소 적극성을 띠는 업무에서 운영된다.

26. ① **27.** ②

MEMO

④ 텔레마케팅은 쌍방향성과 높은 코스트가 특성이다.
⑤ 카드사, 보험사 등의 판매에 대한 A/S나 서비스의 목적을 위해서는 인(IN) 바운드 텔레마케팅보다 아웃(OUT)바운드 텔레마케팅이 더 적합하다.

해설 ② 텔레마케팅은 마케팅 목표 달성과 효율성을 높이기 위하여 고객의 정보를 바탕으로 쌍방향성의 전기통신장치를 체계적으로 활용하는 다이렉트 마케팅의 한 분야이다. 그 발전 배경에는 업무생산성과 효율성의 재고(기업측의 요구), 고객서비스의 향상(고객측의 요구)이 있다. 정보화사회의 변화에 부응하는 전화매체는 고객을 직접 대면하지 않고서도 그와 유사한 효과를 올릴 수 있는 장점이 있고, 또한 높은 보급률, 낮은 코스트, 쌍방향성, 높은 생산성, 즉시성, 융통성, 타매체와의 연계성이 있다. 이는 인바운드 텔레마케팅과 아웃바운드 텔레마케팅으로 분류할 수 있는데, 전자는 외부에서 걸려오는 전화를 받아서 상담하는 것으로 상대방이 전화를 걸어 전화를 받는 주체가 된다. 114, 카드사, 보험사 등 판매에 대한 서비스의 목적으로 운영된다. 후자는 내부에서 외부로 전화를 걸어 상담하는 것을 말하는데, 전화거는 주체가 된다. 판매촉진, 대금회수, 계약갱신 등의 다소 적극성을 띠는 업무에서 운영된다.

2017년 기출

28 **다음은 텔레마케팅에서의 인(IN)바운드 상담 순서를 설명한 것이다. (   )에 들어갈 가장 적절한 용어는?**

첫인사 → 발신자 파악/전화 건 이유 → (   ) → 입금약속 → (   ) → 끝인사

① 반론 극복 - 고객 분석
② 반론 극복 - 변제 독촉
③ 고객 분석 - 반론 극복
④ 수신자 확인 - 반론 극복
⑤ 수신자 확인 - 고객 분석

해설 텔레마케팅은 마케팅 목표 달성과 효율성을 높이기 위하여 고객의 정보를 바탕으로 쌍방향성의 전기통신장치를 체계적으로 활용하는 다이렉트 마케팅의 한 분야이다. 텔레마케터의 분류는 다음과 같다.
1. 인 바운드 : 외부에서 걸려오는 전화를 받아서 상담하는 것을 말한다. 상대방이 전화를 걸어 전화를 받는 주체가 된다. 114, 카드사, 보험사 등 판매에 대한 서비스의 목적으로 운영된다.
2. 아웃 바운드 : 내부에서 외부로 전화를 걸어 상담하는 것을 말한다. 전화를 거는 주체가 된다. 판매 촉진, 대금 회수, 계약 갱신 등의 다소 적극성을 띠는 업무에서 운영된다.
3. 고객상담 흐름도
㉠ 인 바운드 : 첫인사 → 발신자 파악/전화 건 이유 → 고객 분석 → 입금 약속 → 반론 극복 → 끝인사

28. ③

MEMO

㉡ 아웃 바운드 : 첫인사 → 수신자 확인/통화 가능 여부/용무 확인 → 고객 분석 → 입금 약속 → 반론 극복 → 끝인사

㉢ 단계별 구체적 내용(인 바운드, 아웃 바운드 공통) : 인사말·소속·성명 → 전화 건 고객의 용건 확인/전화한 목적에 대한 설명 → 지불 능력 및 의사 파악/납부 주체자 파악 → 납부일자·금액·방법(완납 여부)/약속 재다짐, 불이익 설명 → 논리적 설명/고객 입장에 선 동감표현 → 상황별 적합한 인사

2021년 기출

29 신용관리 담당자의 상담기법에 관한 다음 설명 중 가장 적절하지 않은 것은?

① 전화를 통한 채권관리는 가장 많이 사용되는 방법으로서 채무자의 성별, 연령, 직위 등에 상관없이 신용관리 담당자의 목적과 의사를 전달할 수 있는 매우 중요한 수단이다.

② 안내장, 독촉장, 내용증명 등을 통한 회수방법은 인간적으로 서로의 입장을 이해할 수 있어 효율성면에서 시간의 소요는 있지만 회수의 효과가 매우 크다.

③ 최고에 의한 시효중단은 6월 내 재판상 청구 등을 하지 아니하면 시효중단 효력이 없다.

④ 방문상담기법은 채무자의 거주지 및 소재지를 방문하여 변제 독촉을 하는 방법으로서, 채무의 변제 독촉 외에 행불추적 및 추심행위, 재산조사 등이 동시에 이루어질 수도 있다.

⑤ 전화상담관리는 서면 및 방문상담관리에 비하여 상대적으로 시간과 장소에 제한을 덜 받는다는 장점이 있다.

해설 방문상담기법은 채무자의 거주지 및 소재지를 방문하여 변제독촉을 하는 방법으로서, 고객과의 만남을 통해 인간적으로 서로의 입장을 이해할 수 있어 효율성면에서 시간의 소요는 있지만 회수의 효과가 매우 크다. 반면에 서면독촉은 증빙자료로 활용할 수 있고 채권의 소멸시효를 중단시키는 효력이 있을 수 있다. 또한 서면독촉은 채무자에게 연체 사실 통보 등 상황을 알리며 변제의지를 고취시키는 효과가 있다. 그러나 서면통지서 내용 및 발송에는 채무자의 사생활을 침해할 가능성이 있기 때문에 유의하여 결정하여야 한다.

③ 최고는 6월내에 재판상의 청구, 파산절차참가, 화해를 위한 소환, 임의출석, 압류 또는 가압류, 가처분을 하지 아니하면 시효중단의 효력이 없다(민법 제174조).

29. ②

MEMO

2020년 기출

30 신용관리 담당자의 상담기법에 대한 다음 설명 중 가장 적절하지 않은 것은?

① 전화상담기법	채무자와 최초의 통화인 경우에는 앞으로 회수를 용이하게 하기 위하여 연체로 인한 불이익을 위협적으로 통고하는데 중점을 둔다.
② 심리대응화법	주어진 상황이 애매모호하여 어떻게 하는 것이 올바른 것인지 알 수 없어 결정을 못 내리는 고객에게는 유사한 상황에서 다른 사람들은 어떠한 선택을 하였는지 알려주며 결정하도록 유도한다.
③ 방문상담기법	행불추적, 변제독촉, 재산조사 등이 동시에 이루어질 수 있다.
④ 서면관리기법	서면독촉은 채무자에게 연체사실 통보 등 상황을 알리며 변제의지를 고취시키는 효과가 있다.
⑤ 고객반대시 응대화법	고객의 반대의견에 대항적 태도나 불쾌한 내색을 보이지 않는다.

해설 ① 전화상담시 채무자와 최초의 통화인 경우 "형편이 어려우신 줄은 이해가 됩니다.", "제 마음같아서는 그렇게 해드리고 싶습니다만~" 등 고객의 입장을 이해하는 감성적인 전화응대가 필요하다. 극단적인 방법은 최대한 마지막에 사용한다.

2020년 기출

31 채권관리방법에 대한 다음 설명 중 가장 적절한 것은?

① 독촉문서의 양식은 채권담당자가 임의로 작성하여 사용한다.
② 채무자가 전화를 걸어 온 경우에는 변제할 가능성이 비교적 높은 고객으로 판단하여 채무자의 입장을 모두 수용한다.
③ 서면통지서 발송은 채무자를 직접 방문하는 활동이 아니므로 채무자에게 폭행, 협박, 위계 또는 위력을 행사할 가능성이 없다.
④ '배달증명'은 등기취급을 전제로 우체국창구 또는 정보통신망을 통하여 발송인이 수취인에게 어떤 내용의 문서를 언제 발송하였다는 사실을 우체국이 증명하는 특수취급제도를 말한다.
⑤ 전화는 고객접점의 제1선이며 보이지 않는 고객과의 만남임을 명심하고 목소리 하나로 의사가 전달되기 때문에 더욱 세심하고 친절하게 받아야 한다.

30. ① 31. ⑤

MEMO

해설 ⑤ 전화응대의 특성
① 독촉문서의 양식은 회사에서 정한 양식으로 사용한다.
② 채무자가 전화를 걸어 온 경우에는 변제할 가능성이 비교적 높은 고객으로 고객의 입장에서 최대한 들어주고 전화건 용건을 확인하고, 연체한 내용(원금, 이자 등)을 명확히 설명하고 최대한 입금에 대한 약속을 받아낸다.
③ 서면통지서 발송은 채무자를 직접 방문하는 활동이 아니지만 채무자에게 협박이나 위계를 행사할 가능성은 존재한다.
④ 등기취급을 전제로 우체국창구 또는 정보통신망을 통하여 발송인이 수취인에게 어떤 내용의 문서를 언제 발송하였다는 사실을 우체국이 증명하는 특수취급제도는 '내용증명'이고, '배달증명'은 등기우편물의 배달일자 및 수취인을 배달 우체국에서 증명하여 발송인에게 통지해 주는 것으로, 내용증명을 보내고 나서 집배원이 수취인으로부터 받았다는 사인을 받고, 그것을 발송인에게 보내주는 방법으로 한다. 이로써 상대방이 해당 문서를 받았다는 것까지 입증되는 것이다.

2024년 기출

32 전화응대에 관한 다음 설명 중 가장 적절하지 않은 것은?

① 전화는 고객과 회사를 연결시켜 주는 중요한 의사소통 수단이다.
② 전화통화 시에는 고객과 직접 대면하지 못함에 따라 예절에 어긋날 수 있는 소지가 많음에 유의하여야 한다.
③ 전화응대 태도는 회사의 인상을 결정짓는 요소이다.
④ 고객의 변명이나 하소연은 끝까지 듣지 말고 중도에 차단한다.
⑤ 마무리 인사를 하고 전화통화가 끝나면 상대방이 수화기를 내려놓는 것을 확인한 후에 조용히 수화기를 내려놓는다.

해설 ④ 연체고객도 서비스를 받을 자격이 있다. 따라서 고객의 변명이나 하소연은 끝까지 들어준다. 기본적으로 이성적으로 응대하되, 처음과 마지막은 감성적으로 응대한다. 약속은 복창하고 메모하며 확인한다. 감사전화가 필요하다. 극단적인 방법은 마지막이다.

32. ④

MEMO

2022년 기출

33 **전화상담 예절에 관한 다음 설명 중 가장 적절하지 않은 것은?**

① 전화 상담자의 대화진행 기술이나 언어의 선택방법에 의해 회수율이 좌우된다.
② 전화응대는 고객과 직접 대면을 통한 대화가 아니고 우리의 표정이나 현재의 상황을 전혀 알 수가 없기 때문에 오해나 실수가 생긴다 하더라도 회사의 신뢰성과 이미지에 영향을 미치지 않는다.
③ 전화 목소리는 첫인상을 심어 주는 중요한 요소이고, 억양(Tone)은 듣는 이에게 강한 인상을 남길 수 있다.
④ 먼저 전화를 했다고 해서 자신의 용건만 전할 수는 없고, 상대방의 당부와 별도의 용건도 있을 수 있으므로 항상 메모할 준비를 한다.
⑤ 불만 고객을 대할 때는 제일 먼저 완곡한 표현을 사용하여 고객의 불만을 진정시킨 다음 고객의 불만에 공감을 표시하고, 상황에 대해 사과하며 고객의 감정을 건드리지 않고 끝까지 경청한다.

해설 전화는 목소리만으로 상대방과 나누는 대화이다. 따라서 고객은 우리의 표정이나 현재의 상황을 전혀 알 수 없기 때문에 자칫하면 오해나 실수가 생겨 회사의 신뢰성과 이미지에 영향을 미치게 된다. 그러므로 우리는 친절한 전화응대로 우리 회사 전체 이미지를 높일 수 있도록 해야 한다.

2018년 기출

34 **다음은 신용관리 담당자의 연체관리를 위한 전화응대 방법을 설명한 것이다. 가장 적절하지 않은 것은?**

① 고객의 변명이나 하소연도 가능한 경청하여 들어준다.
② 처음 연락될 때에는 가능한 강력하고 극단적인 방법으로 기선을 제압하여야 한다.
③ 처음과 마지막은 감성적으로 응대한다.
④ 약속은 복창하고, 메모하며, 확인한다.
⑤ 감사전화는 고객과의 유대를 깊게 하여 연체 반복을 예방하는 효과가 있다.

해설 신용관리 담당자의 연체관리를 위한 전화응대 방법은 다음과 같다.
(1) 연체고객도 서비스를 받을 자격이 있다.
(2) 고객의 변명이나 하소연은 끝까지 들어준다(①).
(3) 기본적으로 이성적으로 응대하되, 처음과 마지막은 감성적으로 응대한다(③).
(4) 약속은 복창하고 메모하며 확인한다(④).
(5) 감사전화가 필요하다(⑤).
(6) 극단적인 방법은 마지막이다(②).

33. ② **34. ②**

MEMO

2022년 기출

35 다음 설명 중 항의전화에 대한 응대 요령으로 가장 적절하지 않은 것은?

① 고객의 항의 내용을 끝까지 잘 들으면서 적당한 대꾸와 맞장구를 하여 고객의 기분을 풀어준다.

② 우선 사실을 확인하고 변명보다는 정중히 사과한다.

③ 고객이 납득하지 않을 때에는 다른 사람이 나서서 해결해 본다.

④ 항의 전화를 받을 때 큰 소리로 다투지 않는다.

⑤ 항의의 원인을 즉시 알 수 없을 때에는 혼자서 적당히 판단하여 해결한다.

해설 항의의 원인을 즉시 알 수 없을 때에는 혼자서 적당히 판단하지 말고, 책임자나 담당자와 의논한다.

2019년 기출

36 항의 전화에 대한 응대 요령으로 가장 적절하지 않은 것은?

① 성의 있고 신속히 해결할 수 있는 방안을 제시한다.

② 항의의 원인을 즉시 알 수 없을 때에는 혼자서 적당히 판단하여 해결한다.

③ 고객이 납득하지 않을 때에는 다른 사람이 나서서 해결해 본다.

④ 항의 전화 응대 시에는 고객의 감정을 폭발시키지 않도록 한다.

⑤ 우선 사실을 확인하고, 변명하기보다는 정중히 사과한다.

해설 항의의 원인을 즉시 알 수 없을 때에는 혼자서 적당히 판단하지 말고, 책임자나 담당자와 의논한다. 이하는 항의전화 응대요령에 대한 정리이다.

❑ **항의전화 응대요령**

(1) 고객의 항의내용을 끝까지 잘 들으면서 적당한 대꾸와 맞장구를 하여 고객의 기분을 풀어준다. 이때 고객을 의심하거나 반박하지 않는다.
(2) 우선 사실을 확인하고, 변명보다는 정중히 사과한다.(⑤) 이때는 가급적 사무착오나 설명부족 등 그 내용을 명확히 하여 사과한다. 항의의 원인을 즉시 알 수 없을 때는 혼자서 적당히 판단하지 말고, 책임자나 담당자와 의논한다.
(3) 성의 있고 신속히 해결할 수 있는 방안을 제시한다.(①)
(4) 고객이 납득하면 한번 더 사과하면서, 문제가 있으면 연락하시라는 말과 함께 감사함을 표한다.
(5) 고객이 납득하지 않을 때는 다른 사람이 나서서 해결해 본다.(③)
(6) 항의 전화를 받을 때 감정을 폭발시키거나, 큰소리로 다투지 않는다.(④)

35. ⑤ 36. ②

MEMO

2017년 기출

37 **신용관리담당자가 갖추어야 할 직업윤리 및 태도에 대한 다음 설명 중 가장 적절하지 않은 것은?**

① 관련 법령을 준수하고 공정하고 합리적으로 업무를 처리한다.
② 모든 업무를 항상 채무자의 편에 서서 수행한다.
③ 불법·부당한 채권추심 행위를 하지 않는다.
④ 업무상 취득한 정보를 외부에 누설하지 않는다.
⑤ 지속적인 자기계발을 위하여 노력한다.

해설 신용관리담당자는 채무자 입장에서 생각하고 이야기를 경청하여 상대방을 이해하려는 마음을 가지고 업무를 처리해야 하며, 결코 언쟁을 야기하여서는 안 된다. 채무자의 제반 사항(나이, 성별, 가족사항, 경제상황 등)을 면밀히 검토하여 상환기간과 방법 등을 적절하게 제시하여야 한다. 채무자가 납득하도록 충분하게 설명할 수 있는 능력과 자세를 가져야 하며, 적합한 방법을 제시하였음에도 불구하고 약속 불이행 시에는 구체적인 법적 조치를 통한 회수방법을 강구하여야 한다. 따라서 모든 업무를 항상 채무자의 편에 서서 수행해야 하는 것은 아니다.

2017년 기출

38 **다음 중 고객 항의전화에 대한 응대 요령으로 가장 적절하지 않은 것은?**

① 고객의 항의 내용을 끝까지 잘 들으면서 적당한 대꾸와 맞장구로 고객의 기분을 풀어 준다.
② 우선 항의 내용을 확인하고 변명보다는 정중히 사과한다.
③ 고객이 납득하지 않을 때는 다른 사람이 해결을 시도해 본다.
④ 항의 전화를 받을 때 큰 소리로 다투지 않는다.
⑤ 항의의 원인을 즉시 알 수 없을 때는 혼자서 판단하여 해결한다.

해설 고객 항의전화를 받을 경우 응대요령은 다음과 같다. 우선 고객의 항의 내용을 끝까지 잘 들으면서 적당한 대꾸와 맞장구를 하여 고객의 기분을 풀어준다. 이때 고객을 의심하거나 반박하지 않는다. 우선 사실을 확인하고, 변명보다는 정중히 사과한다. 이때는 가급적 사무 착오나 설명 부족 등 그 내용을 명확히 하여 사과한다. 항의의 원인을 즉시 알 수 없을 때는 혼자서 적당히 판단하지 말고, 책임자나 담당자와 의논한다. 성의 있고 신속히 해결할 수 있는 방안을 제시한다. 고객이 납득하면 한 번 더 사과하면서, 문제가 있으면 연락하시라는 말과 함께 감사함을 표한다. 고객이 납득하지 않을 때는 다른 사람이 나서서 해결해 본다. 항의 전화를 받을 때 감정을 폭발시키거나 큰소리로 다투지 않는다.

37. ② 38. ⑤

MEMO

2019년 기출

39 서면을 통한 독촉의 효과 및 필요성에 대한 다음 설명 중 가장 적절하지 않은 것은?

① 채권의 소멸시효를 중단시킬 수도 있다.
② 증빙자료로 활용할 수 있다.
③ 채무자에게 변제의지를 고취시킨다.
④ 연체사실을 통보하고 인식(인지)시킨다.
⑤ 서면통지 방법은 채무자의 사생활을 침해할 가능성이 전혀 없다.

해설 신용관리 담당자의 상담기법에는 전화상담기법, 서면관리기법, 방문상담기법이 있는데, 이 중 서면관리기법은 안내장, 통고서・통보서, 독촉장, 민원서류, 대외공문 및 협조문, 내용증명이나 휴대폰(문자・음성메세지) 등을 통한 회수방법으로 서면을 통한 추심행위이다. 내용증명 등 봉함된 우편이 아닌 엽서의 형태로 독촉을 할 경우 채무자 외의 제3자도 내용을 볼 수 있어 사생활을 침해할 가능성이 있다. 따라서, 「채권의 공정한 추심에 관한 법률」 제12조(불공정한 행위의 금지) 제5호에 '엽서에 의한 채무변제 요구 등 채무자 외의 자가 채무사실을 알 수 있게 하는 행위'를 금지하고 있다.
①②③④는 서면관리기법의 필요성에 관한 내용들이다.

2017년 기출

40 다음은 서면독촉(최고)의 효과 및 필요성에 대한 설명이다. 가장 적절하지 않은 것은?

① 동시 쌍방향 의사소통이 가능하다.
② 연체사실을 통보할 수 있다.
③ 채무자에게 변제의지를 고취시킨다.
④ 증빙자료로 활용할 수 있다.
⑤ 채권의 소멸시효를 중단시킬 수 있다.

해설 동시 쌍방향 의사소통이 가능한 것은 전화나 대면독촉의 효과이다. 서면독촉의 효과는 증빙자료로도 활용할 수 있고 채권의 소멸시효를 중단시키는 효력이 있을 수 있다. 또한 서면독촉은 채무자에게 연체사실 통보 등 상황을 알리며 변제의지를 고취시키는 효과가 있다. 그러나 서면통지서 내용 및 발송에는 채무자의 사생활을 침해할 가능성이 있기 때문에 유의하여 결정하여야 한다. 서면독촉의 필요성은 ⓐ 연체사실을 통보하고 교육시킨다. ⓑ 채무자에게 변제의지를 고취시킨다. ⓒ 증빙자료를 활용할 수 있다. ⓓ 채권의 소멸시효를 중단시키는 효력이 있다. ⓔ 반송되어 온 경우에는 반송사유를 파악하여 행불추적의 단서로 활용될 수 있다. ⓕ 상사채권의 소멸시효 : 연체 후 5년이 경과하면 소멸시효의 완성으로 채권자가 해당 채권에 대하여 권리행사를 할 수 없다. 따라서 채권자의 계속적인 권리행사를 위해서는 시효중단 및 시효연장의 조치를 취해야 한다(독촉장의 발송은 최고에 의한 시효중단으로 1회에 한하여 6개월간 중단됨).

39. ⑤ 40. ①

MEMO

2022년 기출

41 다음 설명 중 (   ) 안에 들어갈 내용으로 가장 적절한 것은?

신용관리 담당자의 추심업무는 채권자와 채무자의 중간 지대에서 일어나는 업무이다. 이들과의 상호관계에서 부정적·비호의적인 태도를 지니고 있다면 이를 바람직한 방향으로 변화시킬 수 있어야 한다. 언어, 문서, 영상 등의 메시지를 이용한 논리적인 주장과 사실을 제시하는 (   )은 채무자의 변제의지를 고취시키는데 효과적이다.

① 공포유발　　② 참여제도의 활용
③ 인지부조화의 유발　　④ 감정이입
⑤ 설득

해설 설득화법은 고객을 관리자의 의도대로 행동하도록 만드는 것으로, 상대방의 심리를 자극하는 적절한 설득화법을 사용함으로써 고객의 변제의사를 고취하고 자발적인 변제를 유도하는 역할을 한다. 이러한 설득화법에는 ⅰ) 장기연체자에 대한 법적조치를 의뢰하겠다는 것처럼 고객이 변제의사를 느끼도록 사용하는 화법(경고성 설득), ⅱ) 고객에게 고객의 이익을 제공하는 방식으로 설득하는 화법(유인 설득), ⅲ) 동정심을 가미해서 연체자의 감정에 호소하는 방식으로 설득하는 화법(감정 설득), ⅳ) 연체로 인한 신용정보상의 불이익 사례 등을 설명하는 방식으로 설득하는 화법(교육 설득), ⅴ) 고객의 정보를 취합하여 현재 또는 미래의 채무자가 겪을 수 있는 불이익을 예로 들어 변제를 이끌어내는 화법(가상현실법), ⅵ) 고객의 심리적 변화나 불이익 사례 등을 설명하는 방식으로 설득하는 화법(심리 설득)이 있다.

2021년 기출

42 다음의 '고객반대시 대응화법'으로 가장 적절한 것은?

- 고객 : 신용거래정보(연체정보) 등재한다고 언제 나한테 통지서를 보냈어요?
- 담당자 : 통지서는 전산시스템에 의해 자동으로 발송되기 때문에 미수령에 따른 책임은 우편물 관리 소홀이나 주소변경 미통보로 인한 고객님의 과실입니다.

① 실례법　　② 간접부정법
③ 직접부정법　　④ 묵살법
⑤ 질문법

해설 보기는 고객의 반대에 정면으로 반격하는 화법으로 직접부정법에 해당한다. 고객반대시 대응화법에 대해 정리한 다음 표 참조.

41. ⑤　42. ③

MEMO

질문법	고객의 반대를 역으로 이용하여 질문하는 방법
실례법	연체금을 변제하지 않았을 때 연체자가 받게 되는 불이익의 실례를 들어 설명하는 방법으로 회수에 유효한 수단이 됨.
간접부정법	고객의 입장을 고려하여 정면에서 부정하지 않고 기분을 맞춰준 후 변제를 하도록 유인하는 방법
직접부정법	고객의 반대에 정면으로 반격하는 화법으로 고객의 성격에 따라 역효과가 날 수 있으므로 신중한 판단이 필요함.
묵살법	고객이 회수에 도움이 되지 않는 이야기를 계속할 때 다른 화제로 전환하는 방법

2020년 기출

43 **고객반대시 대응화법 중 다음의 대화에 해당하는 화법으로 가장 적절한 것은?**

- 고객 : 다음달까지 시간를 주시면 안되겠습니까?
- 담당자 : 안됩니다. 비슷한 경우의 고객 분도 몇 번씩 입금 약속을 어겨 결국 급여를 가압류 당했습니다.

① 직접부정법　② 실례법
③ 질문법　④ 간접부정법
⑤ 묵살법

해설 ①② 복수정답인정. 문제의 대화에서 담당자는 비슷한 경우의 다른 고객을 실례로 들어 변제를 유도하고 있으므로 실례법이 정답이라고 할 수 있는데, 담당자가 실례를 들기 전에 "안됩니다"라고 부정했으므로 고객의 말에 정면으로 반격하는 화법인 직접부정법으로 볼 여지도 있다. 고객 반대시 대응 화법은 앞 문제 해설 표 참조

43. ①, ②

MEMO

2018년 기출

44 고객 반대시 대응화법 중 다음의 대화에 해당하는 화법으로 가장 적절한 것은?

> 고객이 회수에 도움이 되지 않는 이야기를 계속할 때 다른 화제로 전환하는 방법
> • 고객 : 연체를 정리해야 하는데 돈이 없어요.
> • 신용관리 담당자 : 얼마 전 뉴스를 보셨어요?...

① 질문법 ② 실례법
③ 간접부정법 ④ 직접부정법
⑤ 묵살법

해설 고객 반대시 대응화법은 앞선 문제 해설 표 참조.

2016년 기출

45 연체 고객의 변제의사를 고취하고 자발적인 변제를 유도하기 위해서는 유효적절한 설득화법을 사용하여야 한다. 다음 중 설득화법의 여러 종류를 설명한 것으로서 가장 적절하지 않은 것은?

① 장기 연체자에 대한 법적 조치를 의뢰하겠다는 설득화법은 가상현실법에 해당한다.
② 고객에게 고객의 이익을 제공하는 방식으로 설득하는 것은 유인설득 화법이다.
③ 동정심을 가미해서 연체자의 감정에 호소하는 방식으로 설득하는 것은 감정설득 화법이다.
④ 연체로 인한 신용정보상 불이익 사례 등을 설명하는 방식으로 설득하는 것은 교육설득 화법이다.
⑤ 고객의 심리적 변화나 성향에 부응하여 고객 스스로 자기 자신을 설득하게 하는 것은 심리설득 화법이다.

해설 설득화법이란 고객을 관리자의 의도대로 행동하도록 만드는 것으로 상대방의 심리를 자극하는 적절한 설득화법을 사용함으로써 고객의 변제의사를 고취하고 자발적인 변제를 유도하는 역할을 한다. 설득화법의 종류에는 경고성 설득화법, 유인설득 화법, 감정설득 화법, 교육설득 화법, 가상현실법, 심리설득 화법이 있다. 장기 연체자에 대한 법적 조치를 의뢰하겠다는 설득화법은 경고성 설득화법에 해당한다. 가상현실법은 고객의 정보를 취합하여 현재 또는 미래의 채무자가 겪을 수 있는 불이익을 예로 들어 변제를 이끌어 내는 화법이다.

44. ⑤ 45. ①

MEMO

2015년 기출

46 다음은 예시문을 효과적인 대화기법을 활용하여 수정한 것이다. 수정이 가장 부적절하게 된 것은?

	효과적인 대화기법	수정 전 예시문	수정 후 예시문
①	부정적 용어를 긍정적 용어로 바꿈	"목소리를 들으니 성격이 매우 철저하신 것 같군요."	"목소리를 들으니 성격이 매우 깐깐하신 것 같군요."
②	'나 전달법' 사용	"일 처리가 왜 이렇게 늦나?"	"일 처리가 늦으니 내가 걱정이 되는구먼."
③	쿠션(Cushion)언어 사용	"다시 한 번 말씀해주시겠습니까?"	"죄송합니다만 다시 한 번 말씀해주시겠습니까?"
④	명령형을 의뢰형으로 바꿈	"잠시 기다리세요."	"잠시 기다려주시겠습니까?"
⑤	부정적 의미를 긍정적 의미로 표현	"자금이 부족하시다면~"	"자금이 필요하시다면~"

해설 부정적 용어를 긍정적 용어로 바꿈 : "목소리를 들으니 성격이 매우 깐깐하신 것 같군요." → "목소리를 들으니 성격이 매우 철저하신 것 같군요."

2023년 기출

47 설득의 심리학에 관한 다음 내용 중 ( )안에 들어갈 가장 적절한 것은?

(A)(미국 애리조나 주립대학 심리학 교수)은/는 그의 저서 "Influence : Science and Practice"(우리나라 번역서명 "설득의 심리학")에서 상대의 마음을 사로잡는 6가지 법칙을 설명하였다. (B)은 먼저 호의를 베풀어 상대방을 빚진 상태로 만들면 상대방은 받은 게 있으니 뭔가 보답해야 할 것 같은 심리적 부담감을 유발한다는 법칙이다.

	A	B
①	Robert B. Cialdini	상호성의 법칙
②	Alvin Toffler	사회적증거의 법칙
③	Robert B. Cialdini	일관성의 법칙
④	Alvin Toffler	상호성의 법칙
⑤	Robert B. Cialdini	일관성의 법칙

정답 46. ① 47. ①

MEMO

해설 ① 로버트 치알디니의 "설득의 심리학"에서는 상대의 마음을 사로잡는 6가지 법칙(상호성의 법칙, 권위의 법칙, 호감의 법칙, 희귀성의 법칙, 일관성의 법칙, 사회적 증거의 법칙)을 설명하였다. 간단히 정리하면 사람들은 받은 것을 돌려주려 하고(Reciprocity 상호성), 부족하면 더 간절하게 원하게 되며(Scaricity 희귀성), 답을 모를때 전문성과 경험을 가진 사람(authority 권위)이나 또는 유사한 사람들 혹은 다수의 의견(Consensus 사회적 증거)을 따르게 되며 자신이 공개적이거나 자발적으로 밝힌 의견에 맞춰 행동하려고 하고(Consistency 일관성), 자기가 좋아하는 사람의 요청을 잘 거절하지 못하는(Liking 호감) 심리적 특성을 가지고 있다는 것이다. 개정판에서는 연대감의 법칙(함께라는 강력한 동반자)을 추가하였다.

2019년 기출

48 까다로운 유형의 고객에 대한 다음 설명 중 가장 적절하지 않은 것은?

① 까다로운 고객과 상담할 경우에는 신용관리 담당자는 순간적으로 당황하거나 함께 흥분할 수 있으므로 특별한 주의를 요한다.
② 까다로운 고객은 대체로 짜증 섞인 말투 및 강한 어조로 말하는 편이다.
③ 까다로운 고객과 상담할 경우에는 통화목적의 핵심만 강조하여 오히려 고객이 심리적인 부담감을 느끼도록 한다.
④ 까다로운 고객과 상담할 경우에는 상대의 말을 중단시키지 말고 부드러운 어조로 말한다.
⑤ 까다로운 고객은 대체적으로 성격이 급하거나 흥분을 잘한다.

해설 고객유형별 응대기법

1. 까다로운 유형
   (1) 성격 : 대체적으로 급하거나, 흥분을 잘하거나(⑤), 두뇌회전이 빠르며 따지기 좋아하는 성격으로 신용관리 담당자가 순간적으로 당황하거나 함께 흥분할 수 있으니 특별히 주의를 요하며(①), 통화목적의 핵심만 강조하고 부드러운 분위기를 유지하며 강한 부담감은 주지 않는다(③).
   (2) 목소리 : 대체적으로 쉰 목소리나 짜증 섞이거나 귀찮은 목소리, 또는 목소리 톤이 높은 편으로(②) 상대의 말을 중단시키지 말고 대화도중 묻는 것부터 부드럽게 말한다(④).
2. 난처한 유형
   (1) 성격 : 대체적으로 느긋하고 결단성이 없거나, 임기 응변적인 성격으로 자칫 신용관리 담당자가 고객에게 끌려 가지 않도록 주의하여야 하며, 고객의 상황을 구체적으로 알려주며 조용하게 응대하고, 상대의 의견을 충분히 듣고 권고한다(단, 취조형 고객은 각별히 주의한다).
   (2) 목소리 : 대체적으로 울리는 목소리이거나, 우는 목소리, 부드러운 목소리로 차분히 요점을 간략하게 설명하여 확실한 반응을 얻으면서 말하고 결정단계는 박력 있게 밀고 나간다.

48. ③

MEMO

3. 원만한 유형
   (1) 성격 : 대체적으로 상대하기 쉬운 고객이지만 만만하게 여기면 '사람 우습게 보는데?' 하며 꽁하는 마음을 먹을 지도 모르기 때문에 공과 사를 분명히 하여 공손하게 대화를 이끌고 예의를 벗어나는 일이 없도록 한다.
   (2) 목소리 : 맑고 깨끗한 목소리이거나, 분명한 목소리로 예절 바른 첫인상이 중요하고, 재질문은 금물이며, 자세하고 분명하게 말한다.

2017년 기출

49 고객유형별 응대기법 중 까다로운 유형에 관한 설명으로 가장 적절하지 않은 것은?

① 까다로운 고객과 상담할 경우 통화 목적의 핵심만 강조하고 강한 분위기를 유지하며 강한 부담감을 주어 박력 있게 밀고 나간다.
② 까다로운 고객은 대체적으로 쉰 목소리나 짜증 섞이거나 귀찮은 목소리 또는 톤이 높은 편이다.
③ 까다로운 고객과 상담할 경우 신용관리담당자는 순간적으로 당황하거나 함께 흥분할 수 있으므로 특별히 주의를 요한다.
④ 까다로운 고객과 상담할 경우 상대의 말을 중단시키지 말고 대화 도중 묻는 것부터 부드럽게 말한다.
⑤ 까다로운 고객은 대체적으로 급하거나 흥분을 잘하거나 두뇌회전이 빠르며 따지기 좋아하는 성격이다.

해설 까다로운 고객과 상담할 경우 통화 목적의 핵심만 강조하고 강한 분위기를 유지하며 강한 부담감을 주어 박력 있게 밀고 나간다는 것은 난처한 유형에 대한 설명이다. 고객유형별 응대기법에 대한 구체적인 내용은 앞 문제 해설 참조

49. ①

Chapter 02 고객만족(CS)

제1절 고객에 대한 이해

2024년 기출

01 고객의 불만을 고객의 신뢰로 바꾸기 위한 노력으로 가장 적절하지 않은 것은?

① 고객의 타당한 불만에 대하여 자사의 실수나 잘못을 인정하고 진실한 사과와 보상을 등으로 투명하게 불만을 처리한다.
② 고객의 불만에 대하여 사실과 감정을 구분하여 듣되, 고객이 잘못 알고 있는 부분은 도중이라도 끼어들어 상세히 설명한다.
③ 고객 불만 처리시 고객이 원한다면 무엇이든 응한다는 마음의 자세를 갖는 것은 처리에 있어서는 내용을 파악 후 그에 맞는 조치를 내어 고객의 동의를 얻어 처리한다.
④ 고객의 불만을 검토하여 새로운 제품 및 서비스 아이디어를 발굴하는 기회로 삼는다.
⑤ 고객의 불만이 무엇인지 적극적으로 경청한다.

해설 ② 고객의 불만에 대하여 사실과 감정을 구분하여 들으면서 고객의 불만내용을 요약하여 다시 한 번 말하면서 확인시키고, 고객이 잘못 알고 있는 부분이 있더라도 도중에 끼어들지 말고 고객의 말이 어느 정도 마무리 되는 상황에 상대방으로부터 동의를 구한 후 설명하여 고객의 부정적인 감정을 긍정적인 감정으로 바꾸도록 한다.

2024년 기출

02 불만고객에 관한 다음 설명 중 가장 적절하지 않은 것은?

① 고객의 불만요인을 찾아 시정하면 회사의 서비스가 개선되어 고객만족 요인으로 전환될 수 있다.
② 고객은 만족한 사실보다는 불만족한 사실을 오래 기억하는 경향이 있다.
③ 고객의 불만을 잘 해결하는 경우 고객의 충성도를 높이는 기회가 될 수 있다.
④ 사소한 아이디어 하나, 경쟁사가 제공하지 않는 서비스 하나가 고객에게 큰 감동을 줄 수 있다.

01. ② 02. ⑤

MEMO

⑤ 일반적으로 고객은 불만을 자기 마음속에만 품고 있어 고객의 불만사항은 제3자에게 잘 알려지지 않는다.

해설 ⑤ 불만을 가진 고객은 그 불만사항을 주변 사람, 인터넷 등을 통해 전파하게 된다. 따라서 불만을 가진 고객이 그 불만사항을 주변 사람 등에게 토로하는 횟수가 불만이 해결된 고객이 만족한 결과를 주변 사람에게 이야기하는 횟수보다 많으며, 불만고객에 대한 대응을 잘못하면 그 고객은 다시 찾아오지 않게 될 가능성이 높아진다.

2023년 기출

03 고객의 성향 및 욕구에 관한 다음 설명 중 가장 적절하지 않은 것은?

① 고객은 언제나 환영받기를 원하는 환영기대심리가 있으므로 밝은 미소로 맞이해야 한다.
② 고객은 불만족한 사실보다는 만족한 사실을 훨씬 크게 기억하는 경우가 많다.
③ 고객은 서비스 직원보다 우월하다는 심리를 갖고 있기 때문에 서비스직원은 직업의식을 가지고 고객의 자존심을 인정하고 자신을 낮추는 겸손한 자세가 필요하다.
④ 고객은 각자 자신의 가치 기준을 가지고 자기 위주로 모든 상황을 판단하는 심리(자기 본위적 심리)를 가지고 있다.
⑤ 고객은 중요한 사람으로 인식되고 기억해 주기를 바라는 존중 기대심리가 있다.

해설 ② 고객은 만족한 사실을 기억하기보다는 불만족한 사실을 훨씬 크게 기억하는 경우가 더 많다.

2023년 기출

04 불만고객에 관한 다음 설명 중 가장 적절하지 않은 것은?

① 고객의 불만을 잘 해결하는 경우 고객의 충성도를 높이는 기회가 될 수 있다.
② 고객 불만 관리의 핵심은 사후에 불만요인을 빠르게 제거하는 것이다.
③ 스칸디나비아항공의 CEO였던 얀 칼슨은 "100번의 고객 접점에서 99번 만족시켰더라도 고객이 한번 불만을 느끼면 고객의 종합만족도는 0이 된다. 고객과 접하는 최초의 15초에서 100−1=0이다"라고 주장하면서 고객접점관리를 강조한 바 있다.

03. ② 04. ②

MEMO

④ 사소한 아이디어 하나 또는 경쟁사가 제공하지 않는 서비스 하나가 고객에게 큰 감동을 줄 수 있다.

⑤ 'MOT(Moment of Truth)'를 제대로 관리하기 위해서는 현장 직원들에게 고객의 불만과 문제를 해결할 수 있도록 권한을 위임해 줄 필요가 있다.

해설 ② 고객의 사전기대 및 의도와 종업원(회사, 주인)의 목적이나 행동이 서로 다르기 때문에 고객은 불만을 갖게 되고 그 정도가 심하면 화를 내게 된다. 따라서, 고객 불만 관리의 핵심은 사후에 불만요인을 빠르게 제거하는 것이 아니라 사전에 고객의 불만 요인을 찾아 시정하는 것이다. 이렇게 하면 회사의 서비스가 개선되어 고객만족의 요인으로 전환될 수 있다. 따라서 회사는 고객의 불만이 무엇인지 듣고 이를 시정하여 고객만족의 기회로 삼아 개선 발전해 가는 것이 중요하다.

2022년 기출

05 다음 설명 중 효과적인 불만처리 내용으로 가장 적절하지 않은 것은?

① 흥분하지 말고 스스로 마음의 평안부터 찾는다.

② 대충 말로만 사과하는 것이 아니라 고객이 진심으로 느낄 수 있도록 적극적으로 사과한다.

③ 고객의 불만이 무엇인지 적극적으로 경청한다.

④ 고객의 불만에 대하여 사실과 감정을 구분하여 듣되, 고객이 잘못 알고 있는 부분은 이야기 도중이라도 끼어들어 상세히 설명한다.

⑤ 일방적인 처리보다는 어떻게 처리하는 것이 좋은지에 대한 동의를 구한다.

해설 고객의 불만에 대하여 사실과 감정을 요약하여 다시 한 번 말하면서 확인시키되, 이야기 중간에 끼어들거나 고객의 주장에 허점을 규명하고 변명할 근거를 찾아 제시하는 등의 행동은 하지 말아야 한다. 다음은 [효과적인 불만처리 6단계]이다.

(1) 마음을 진정시킨다. – 흥분하지 말고 스스로 마음의 평안부터 찾는다.(①)

(2) 사과한다. – 대충 말로만 사과하는 것이 아니라 고객이 진심으로 느낄 수 있도록 적극적으로 사과한다.(②)

(3) 내용을 파악한다. – 고객의 불만이 무엇인지 적극적으로 경청한다.(③) 잘 듣고 있다는 신호를 보낸다.

(4) 사실과 감정을 요약한다. – 고객의 불만내용을 요약하여 다시 한 번 말하면서 확인시킨다. 공감 표현을 꼭 한다.

(5) 조치에 대한 동의를 구한다. – 일방적인 처리 결과보다는 어떻게 처리하는 것이 좋은지 조치에 대한 동의를 구한다.(⑤)

(6) 신속하게 처리한다. – 빠른 동작으로 처리한다.

05. ④

MEMO

2021년 기출

06 고객의 불만을 고객의 신뢰로 바꾸기 위한 노력으로서 가장 적절하지 않은 것은?

① 고객의 타당한 불만에 대하여 회사의 실수나 잘못을 인정하고 진실한 사과와 보상을 위한 행동 등으로 불만을 처리한다.
② 고객의 불만과 문제제기로 인한 피해를 최소화하기 위해 고객과의 소통은 진정성보다는 형식적인 관계를 유지한다.
③ 고객과 논쟁에서 이겨도 고객이 떠나면 회사에 그 실익이 없으므로 고객과는 가능한 한 논쟁하지 않도록 한다.
④ 우리 회사에 대한 고객의 부정적인 감정을 긍정적인 감정으로 바꾸도록 노력하여야 한다.
⑤ 고객의 불만을 검토하여 새로운 제품 및 서비스 아이디어를 발굴하는 기회로 삼는다.

해설 고객의 불만과 문제제기로 인한 피해를 최소화하기 위해 형식적인 관계만 유지할 것이 아니라, 진정성 있게 고객과 소통하여야 한다.
효과적인 불만처리를 위한 6단계 : 우선 마음을 진정시킨다.>대충 말로만 사과하는 것이 아니라 고객이 진심으로 느낄 수 있도록 적극적으로 사과한다.>고객의 불만이 무엇인지를 적극적으로 경청한다.>고객의 불만 내용을 요약하여 다시 한 번 말하면서 확인시킨다.>일방적인 처리 결과보다는 어떻게 처리하는 것이 좋은지 조치에 대한 동의를 구한다.>신속하게 처리한다.

2022년 기출

07 고객의 성향 및 욕구에 관한 다음 설명 중 가장 적절하지 않은 것은?

① 고객은 자기가 안고 있는 문제해결에만 관심이 있으므로 자기중심적인 특성을 가진다.
② 고객은 회사의 서비스를 이용하는 회사의 가장 중요한 자산이다.
③ 고객은 상대적으로 중요도가 낮은 업무를 수행하는 제1선 종사자와 접촉한다.
④ 고객서비스도 제품과 마찬가지로 하나의 상품이다.
⑤ 고객은 불만족한 사실을 기억하기보다는 만족한 사실을 훨씬 크게 기억하는 경우가 많다.

해설 고객은 만족한 사실을 기억하기보다는 불만족한 사실을 훨씬 크게 기억하는 경우가 더 많다. 불만을 가진 고객은 그 불만사항을 주변 사람, 인터넷 등을 통해 전파하게 된다. 따라서 불만을 가진 고객이 그 불만사항을 주변 사람 등에게 토로하는 횟수가 불만이 해결된 고객이 만족한 결과를 주변 사람에게 이야기하는 횟수보다 많으며, 불만고객에 대한 대응을 잘못하면 그 고객은 다시 찾아오지 않게 될 가능성이 높아진다. 회사의 입장

06. ② 07. ⑤

MEMO

에서 고객의 불만을 방치하면 회사의 이미지에 나쁜 영향을 준다. 이에 고객의 불만요인을 찾아 시정하면 회사의 서비스가 개선되어 고객만족 요인으로 전환될 수 있다. 따라서 회사는 고객의 불만이 무엇인지 듣고 이를 시정하여 고객만족의 기회로 삼아 개선 발전해 가는 것이 중요하다.

2022년 기출

08 불만고객에 관한 다음 설명 중 가장 적절하지 않은 것은?

① 고객의 사전기대와 회사의 목적이나 행동이 서로 다르기 때문에 고객은 불만을 갖게 되고 그 정도가 심하면 화를 낸다.
② 고객은 만족한 사실을 기억하기보다는 불만족한 사실을 훨씬 크게 기억하는 경우가 많다.
③ 불만을 제기하는 고객에게 감사하라는 의미는 그만큼 우리 회사에 관심이 있다는 뜻이다.
④ 불만고객 응대 시 고객의 이야기를 의심하거나 책임을 전가·회피해서는 안 된다.
⑤ 고객 불만의 신속한 처리를 위하여 어떻게 처리하는 것이 좋은지에 대한 고객의 동의를 구할 필요는 없다.

해설 불만고객에 대해 일방적인 처리를 하는 것보다 어떻게 처리하는 것이 좋은지에 대한 고객의 동의를 구하는 것이 좋다. 다음은 [불만고객 응대방법]에 대한 내용이다.

기억사항	주의사항(하지 말아야 할 사항)
• 고객을 위한 마음 씀씀이가 최고의 서비스이다. • 아무리 바빠도 간단한 눈인사만은 잊지 않는다. • 회사의 서비스 수준은 일부의 무관심한 직원에 의해 결정됨을 명심한다. • 불만을 제기하는 고객에게 감사하라. 그만큼 우리 회사에 관심이 있다는 뜻이다. •고객과 절대로 다투지 않는다. • 고객의 부정적인 감정을 긍정적인 감정으로 바꾼다. • 자기의 기준으로 고객을 평가하지 않는다. • 고객이 원한다면 무엇이든 응한다는 마음의 자세를 갖는다.	• 적절하지 않는 표정을 짓는다. • 기다리게 한다. • 하찮게 여긴다. • 책임을 전가·회피한다. • 고객의 이야기를 의심한다. • 목소리를 같이 높인다. • 이야기 중간에 끼어든다. • 고객의 주장에 허점을 규명하고 변명할 근거를 찾아 제시한다.

08. ⑤

MEMO

2021년 기출

09 고객에 관한 다음 설명 중 가장 적절하지 않은 것은?

① 고객은 자기중심적이고, 자기가 안고 있는 문제의 해결에만 관심이 있다.
② 고객은 일반적으로 제1선 사원(Frontline People)과 접촉한다.
③ 회사가 제공하는 서비스 등이 기대에 미치지 못하면 고객은 아주 큰 불만을 가지고 머릿속 보고카드에 자세히 기록한다.
④ 고객의 사전기대와 직원의 목적이나 행동이 서로 다르기 때문에 고객은 불만을 갖게 되고, 그 정도가 심하면 화를 낸다.
⑤ 고객은 불만족한 사실을 기억하기보다는 만족한 사실을 훨씬 크게 기억하는 경우가 많다.

해설 고객은 만족한 사실을 기억하기보다는 불만족한 사실을 훨씬 크게 기억하는 경우가 더 많다.

2020년 기출

10 고객에 대한 다음 설명 중 가장 적절하지 않은 것은?

① 고객의 개념변화는 생산자 중심의 고객 존재 인식에서 고객의 기대에 맞는 서비스나 제품 제공으로 변화했다.
② '너'전달법은 '나'전달법보다는 위협감이나 방어적인 태도를 덜 일으키지만, 고객 때문에 자신에게 좋지 않은 감정이 생겼다는 이야기를 반복하게 되면 고객을 공격하는 셈이 된다. 그러므로 고객의 감정을 존중하는 적극적 경청의 자세로 돌아와야 한다.
③ MOT(Moment of Truth)의 대부분은 상대적으로 중요도가 낮은 업무로 여기는 제1선 종사자의 태도에서 나온다.
④ 고객은 기대(생각)했던 것보다 잘한다(좋다)고 느끼면 만족하고, 반대의 경우 불만족스러워 하거나 그저 그렇다고 느끼게 된다.
⑤ 기업 경영의 주요 요소도 상품의 품질에서 고객의 만족으로 변화하는 추세다.

해설 ② '나'전달법을 사용한 다음에는 다시 적극적 경청의 자세를 취하도록 한다. '너'전달법보다는 위협감이나 방어적인 태도를 덜 일으키지만, 고객 때문에 자신에게 좋지 않은 감정이 생겼다는 이야기를 반복하게 되면 고객을 공격하는 셈이 된다. 그러므로 고객의 감정을 존종하는 적극적 경청의 자세로 돌아와야 한다.
③ MOT(Moment of Truth)의 대부분은 상대적으로 중요도가 낮은 업무로 여기는 제1선 종사자의 태도에서 나온다. 즉, 제1선 종업원만이 MOT를 관리할 수 있는 유일한 관리자이다. 따라서 관리자는 MOT를 직접 취급하고 있는 제1선 종업원을 신뢰하고 지원할 수밖에 없다.

09. ⑤ 10. ②

MEMO

④ 고객만족은 고객의 '사전기대'가 기준이 되기 때문에 고객은 기대(생각)했던 것보다 잘한다(좋다)고 느끼면 만족하고, 반대의 경우 불만족스러워 하거나 그저 그렇다고 느끼게 된다.

①⑤ 고객 개념은 수요가 공급을 초과하는 단계에서는 생산자 중심 사고로 고객 존재를 인식하였으나(고객지향), 수요와 공급이 맞춰지면서 여러 가지 사고와 행동을 고객에게 맞추는 단계(고객제일)를 거쳐, 공급이 수요를 초과하게 되자 고객의 기대에 맞는 서비스나 상품을 제공하게 되었고(고객만족), 고객이 기대한 것 이상을 제공함으로써 고객의 마음을 사로잡는 방향(고객감동)으로 변화하고 있다. 이러한 내용을 표로 정리하면 다음과 같다.

구분	도입기	성숙기
수요공급 측면	수요>공급	수요<공급
경영사고 방식	상품의 품질	고객만족
경영의 실천	기업이익 우선	고객이익 우선
시장의 주도권	기업	고객
기업과 고객의 관계	기업이 고객을 선택	고객이 기업을 선택

2023년 기출

11 **불만고객의 민원 응대요령에 관한 다음 설명 중 가장 적절하지 않은 것은?**

① 민원인의 요구사항을 들어줄 수 없는 경우 대안적 해결방안을 적극적으로 찾아 지원할 수 있도록 노력한다.

② 전화로 처리 불가능한 민원을 제기하며 언성을 높이는 경우, 전화로 처리 가능한 민원에 대하여 설명하고, 전화로 접수·처리 불가능한 민원은 서면으로 제출하거나 방문하도록 유도한다.

③ 민원인이 전화로 구체적 요구사항 없이 하소연을 하는 경우, 민원인의 말을 끊지 말고 성실하게 경청하고, 예의바르게 응대한다.

④ 전화 상담 도중 폭언을 하는 경우, 폭언(고성, 욕설, 협박 등)을 중단할 것을 요청하고, 계속 같은 행동을 하면 즉시 전화를 끊고 응대를 하지 않는다.

⑤ 민원인이 찾아와 상담 중 목소리가 높아지는 등 민원인과의 마찰 또는 갈등이 발생할 우려가 있을 경우, 신속하게 부서장 또는 상급자가 적극적으로 개입하여 민원인을 진정시키고, 마찰이 커지지 않도록 노력한다.

해설 ④ 전화 상담 도중 폭언을 하는 경우, 폭언(고성, 욕설, 협박 등)을 중단할 것을 요청하고, 계속 같은 행동을 하면 즉시 전화를 끊고 응대를 하지 않는 것 보다 폭언 등의 행동은 문제해결에 도움이 되지 않음을 알리는 등(진정시키고) 대화를 유도하는 것이 바람직하다. 만약 폭언을 중단할 것을 수차례 요청(약 3회 정도)을 해도 폭언 등을 지속할 경우 민원응대가 불가능함을 설명하고 전화를 끊는다.

11. ④

MEMO

2020년 기출

12 불만고객에 대한 응대방법(자세) 중 가장 적절하지 않은 것은?

① 사소한 불만이라고 생각되더라도 결코 고객불만을 하찮게 여기지 않는다.
② 불만을 제기하는 고객은 그만큼 우리 회사에 관심이 있다는 뜻이므로 정중하게 응대하고 고객에게 감사하는 마음을 갖는다.
③ 고객의 사전기대와 직원의 목적이나 행동이 서로 다르기 때문에 고객은 불만을 갖게 되고, 그 정도가 심하면 화를 낸다.
④ 고객이 원하면 무엇이든 그에 맞추어 행동하고 처리하여 불만이 전혀 없도록 한다.
⑤ 구체적이고 겉으로 들어난 클레임이나 불만이건, 잠재된 불만이건 모두 중요하며 신속히 해결해야 한다.

해설 고객의 사전기대 및 의도와 종업원(회사, 주인)의 목적이나 행동이 서로 다르기 때문에 고객은 불만을 갖게 되고 그 정도가 심하면 화를 내게 된다(③). 불만을 제기하는 고객은 그만큼 우리 회사에 관심이 있다는 뜻이므로 그 고객에게 감사하는 마음을 가져야 한다(②). 고객이 제기하는 불만이 사소하다고 생각되더라도 결코 하찮게 여겨서는 안된다(①). 상당히 분명하고, 구체적이고, 겉으로 드러난 문제(클레임)뿐만 아니라 왠지 만족스럽지 않지만 드러나지 않고 대수롭지 않게 생각하는 사항(불만)이라도 모두 중요하며 신속하게 해결하여 고객을 기다리게 해서는 안된다(⑤). 고객이 원한다면 무엇이든 응한다는 마음의 자세를 가져야 하지만, 고객이 원하는 무엇이든 그에 맞추어 행동하고 처리하더라도 불만이 전혀 없도록 할 수는 없다. 불만고객에게 불평을 털어놓을 기회를 주는 것만으로 만족하는 경우도 많이 있다(④).

2019년 기출

13 클레임과 불만에 대한 다음 설명 중 가장 적절하지 않은 것은?

① 클레임은 상당히 분명하고 구체적이고 겉으로 드러난 문제이다.
② 불만은 왠지 만족스럽지 않지만 드러나지 않고 대수롭지 않게 생각하는 사항이다.
③ 클레임 대응을 잘못하면 고객을 잃게 된다.
④ 겉으로 드러난 불만은 클레임으로 발전할 가능성이 크다.
⑤ 불만을 가진 고객은 불만을 표출하는 것만으로는 만족하지 못하므로 금전적인 보상을 하여야 한다.

12. ④ 13. ⑤

MEMO

해설 클레임과 불만에 관하여

1. 차이
   (1) 클레임 : 상당히 분명하고, 구체적이고, 겉으로 드러난 문제(①)
   (2) 불만 : 왠지 만족스럽지 않지만 드러나지 않고 대수롭지 않게 생각하는 사항(②)
2. 모습
   (1) 클레임 : 대응을 잘못하면 고객이 떨어져 나가고 불만으로 이동된다.(③)
   (2) 겉으로 드러난 불만 : 클레임으로 발전할 가능성이 높다.(④)
   (3) 잠재된 불만 : 여러 번 반복되면 겉으로 드러난 불만으로 발전한다.
3. 해결방안
   (1) 미국 휴렛팩커드사의 고객불만조사결과에 따르면 '불만을 표출하였으나 해결 안된 자'(19%)가 '불만이 있으나 이를 표출하지 아니한 자'(9%)보다 재구매율이 2배 이상 높게 나타났다.
   (2) 누군가에게 쌓였던 불평을 늘어놓고 나면 가슴이 후련해지는데, 불만고객에게 불평을 털어놓을 기회를 주는 것만으로 고객유치에 도움이 되는 것을 알 수 있다.(⑤)

2019년 기출

14 다음 중 고객에 대한 설명으로 옳은 것은?

① 고객서비스는 제공됨과 동시에 소멸되는 특징을 가지고 있다.
② 종업원은 고객이 아니다.
③ 채무자는 고객에 포함되지 않는다.
④ 고객은 언제나 합리적으로 해결한다.
⑤ 고객서비스는 생산과 소비가 별개로 발생되는 특징을 가지고 있다.

해설 고객서비스는 제품과 마찬가지로 하나의 상품으로 서비스품질의 만족을 위하여 고객에게 계속적으로 제공하는 모든 활동이다. 고객서비스는 보이지 않고(무정형), 생산과 소비가 별개로 발생하며(동시성, 비분리성)(⑤), 사람에게 의존하고(인간주체), 제공하는 동시에 소멸되며(소멸성)(①), 모든 사람에게 동일한 형태로 제공되지 않는다(이질성).

②③ 나 이외는 모두가 고객이다. 즉 내부고객(종업원, 타부서, 동료, 상사)의 만족이 외부고객(구매고객, 각종단체, 기관, 주주)의 만족으로 이어진다. 신용정보업의 외부고객은 둘로 나누어 진다. 채권을 조기에 회수하고 많이 회수하는 것을 요구하는 채권위임사가 하나이고 다른 하나는 채무를 천천히 그리고 되도록 본인에게 유리한 쪽으로 변제하려는 채무자이다.

④ 고객은 자기중심적이다. 즉 고객은 자기가 안고 있는 문제해결에만 관심이 있다.

14. ①

MEMO

2018년 기출

15 고객의 성향에 대한 다음 설명 중 가장 적절하지 않은 것은?

① 고객은 자기중심적이다.
② 고객은 보이지 않는 보고카드를 가지고 있다.
③ 고객은 불만을 회사에게 말한다.
④ 고객은 제1선 사원과 접촉한다.
⑤ 고객은 회사의 가장 중요한 자산이다.

해설 고객만족을 위해서는 고객의 성향에 대한 이해가 우선되어야 하는바, 고객은 다음과 같은 성향을 갖는다.

1. 고객은 자기중심적이다(The customer is self-centered)(①). 고객은 자기가 안고 있는 문제해결에만 관심이 있다.
2. 고객은 보이지 않는 보고카드(Invisible Report Card)를 가지고 있다(②).
3. 고객은 불만을 회사에 말하지 않는다(③).
4. 고객은 제1선 사원(Frontline People)과 접촉한다(④).
5. 고객은 회사의 가장 중요한 자산이다(⑤).

2016년 기출

16 다음 중 매슬로우의 욕구 5단계와 가장 거리가 먼 것은?

① 생리적 욕구
② 미래지향적 욕구
③ 사회적 교류의 욕구
④ 자기존중의 욕구
⑤ 자기실현의 욕구

해설 '욕구 5단계설'이란 에이브러햄 매슬로우(Abraham H. Maslow)가 개발한 인간 동기 욕구의 5단계에 관한 학설로서 동기욕구를 생리적 → 안전–안정 → 사회적 교류 → 자기존중 → 자기실현의 욕구로 나누고 아래 단계의 욕구가 충족되면 다음 단계의 욕구가 생긴다고 한다. 따라서 미래지향적 욕구는 이에 포함되지 않는다.

15. ③ 16. ②

MEMO

제2절 고객 유형별 응대 방법

2024년 기출

01 다음에서 설명한 용어로 가장 적절한 것은?

(　　) 이론에 의하면 사람의 자아상태의 특성에 따라 부모(P), 성인(A), 어린이(C) 상태 유형으로 분류하고, 다시 부모의 자아상태는 「엄격한 부모 마음(CP)」, 「보호적인 마음(NP)」, 어린이의 자아상태는 「자유로운 어린이 마음(FC)」, 「순응하는 어린이 마음(AC)」을 가진 자로 나누어 보고 있다. 신용관리 담당자는 자신의 자아상태를 파악해 보고 지나치게 높은 자아는 낮추고 부족한 자아는 높여 성공적인 상담이 되도록 노력하여야 한다.

① MOT(Moment of Truth)
② VOC(Voice of Customer)
③ TA(Transactional Analysis)
④ CS(Customer Satisfaction)
⑤ T/M(Telemarketing)

해설 ③ 'TA(Transactional Analysis)'란 우리나라에서 교류분석 또는 대화분석이라고 번역되고 있다. 미국의 정신의학자 에릭 번이 개발한 TA이론에 의하면 사람의 자아상태의 특성에 따라 부모(P), 성인(A), 어린이(C)상태 유형으로 분류하고, 다시 부모의 자아상태는 「엄격한 부모 마음(CP)」, 「보호적인 마음(NP)」, 어린이의 자아상태는 「자유로운 어린이 마음(FC)」, 「순응하는 어린이 마음((AC)」을 가진 자로 나누어 보고 있다. 신용관리 담당자는 자신의 자아상태를 파악해 보고 자신에게 상대적으로 높은 자아는 낮추고 부족한 자아는 높여 성공적인 상담이 되도록 노력하여야 한다. 또한 나와 대화하고 있는 고객의 자아상태를 빨리 파악하는 스킬을 갖춰 원만한 대화와 생산적인 상담 결과를 도출할 수 있어야 한다.

2023년 기출

02 TA(Transactional Analysis : 교류분석)에 관한 다음 설명 중 가장 적절하지 않은 것은?

① TA 대화 분석은 긍정 심리 이론이다.
② TA 대화 분석의 기본적 사상은 자기 이해이다.
③ TA 대화 분석을 통해 여러 가지 '감정'들에 대한 이해를 높일 수 있다.
④ TA 대화 분석에서 대화란 어떤 사람의 한 가지 자아상태에서 보내지는 자극에 대해 그 자극을 받은 사람의 한 가지 자아상태에서 반응이 되돌아오는 것이다.

01. ③　02. ②

MEMO

⑤ 에릭 번(Eric Berne)이 개발한 TA이론에 의하면 사람의 자아상태의 특성에 따라 그 유형을 부모(P), 성인(A), 어린이(C)의 자아상태로 분류하였다.

해설 ② TA 대화 분석의 기본적 사상은 자기 이해와 타인 이해를 바탕으로 한 조직관계 이해이다.

2021년 기출

03 **다음에서 설명하고 있는 용어로 가장 적절한 것은?**

> 정신의학자 에릭 번(Eric Berne)이 개발한 이론으로 사람의 자아 상태를 특성에 따라 부모(P), 성인(A), 어린이(C)로 분류하고, 다시 부모의 자아 상태는 「엄격한 부모 마음(CP)」과 「보호적인 부모 마음(NP)」으로, 어린이 자아 상태는 「자유로운 어린이 마음(FC)」과 「순응하는 어린이 마음(AC)」으로 나눈다.

① MOT(Moment of Truth)
② 아웃(OUT)바운드
③ TA(Transactional Analysis)
④ T/M(Telemarketing)
⑤ VOC(Voice of Customer)

해설 'TA'란 Transactional Analysis의 약자로 우리나라에서는 교류분석 또는 대화분석이라고 번역되고 있다. 미국의 정신의학자 에릭 번이 개발한 TA이론에 의하면 사람의 자아상태의 특성에 따라 그 유형을 부모(P ; Parent), 성인(A ; Adult), 어린이(C ; Child)의 자아 상태로 분류하고 다시 부모의 자아 상태는 엄격한 부모 마음(CP ; Critical Parent)과 보호적인 부모 마음(NP ; Nurturing Parent), 어린이 자아 상태는 자유로운 어린이 마음(FC ; Free Child)과 순응하는 어린이 마음(AC ; Adapted Child)을 가진 사람으로 유형을 나누어 보고 있다.

① 'MOT(Moment of Truth)'란 고객이 조직의 일면과 접촉하여 그 서비스 품질에 관하여 무엇인가 인상을 얻을 수 있는 사건을 모두 말한다. 제품을 구성하는 하나하나의 원자와 마찬가지로 서비스라는 상품을 구성하는 가장 기본적인 요소이다. IT 기술 발달로 MOT는 다양하게 확대되고 있는 실정이다.
② '아웃(OUT)바운드'는 내부에서 외부로 전화를 걸어 상담하는 것을 말한다. 텔레마케터가 전화를 거는 주체가 된다. 판매촉진, 대금회수, 계약갱신 등의 다소 적극성을 띠는 업무에서 운영된다.
④ 'T/M(Telemarketing)'이란 마케팅 목표 달성과 효율성을 높이기 위하여 고객의 정보를 바탕으로 쌍방향성의 전기통신장치를 체계적으로 활용하는 다이렉트 마케팅의 한 분야이다.
⑤ 'VOC(Voice of Customer)'란 고객의 소리를 통합, 기업활동에 활용할 수 있도록 설계해주는 시스템이다. VOC 시스템으로 기업 내 모든 고객정보가 하나의 시스템으로 통합되어 전 부서에 Feed-back되고 활용될 때 고객만족형 상품 및 서비스가 개발되고 실천될 수 있다.

정답 03. ③

MEMO

2018년 기출

04 **다음은 TA이론에 따른 신용관리 담당자의 특징이다. 가장 적절하지 않은 것은?**

① AC가 높은 신용관리 담당자 : CP나 FC의 고객과의 상담에서는 상담을 리드한다.

② CP가 높은 신용관리 담당자 : 고객의 상황을 이해하려고 하기보다 연체되는 고객의 잘못을 지적하는 편이다.

③ NP가 높은 신용관리 담당자 :"힘드셨겠어요.", "제가 좀 도와드리고 싶네요." 등 상대방의 상황이나 어려움에 동감하는 말투를 자주 사용한다.

④ A가 높은 신용관리 담당자 : 다른 신용관리 담당자보다 정확한 업무지식을 가지고 있는 편으로 실제 고객과의 상담시 조치하게 될 절차에 관한 이야기를 많이 하는 편이다.

⑤ FC가 높은 신용관리 담당자 : 개인적인 기분에 따라 상담하는 태도가 많이 다른 경우가 많다.

해설 'TA'란 Transactional Analysis의 약자로 우리나라에서는 교류분석 또는 대화분석이라고 번역되고 있다. 미국의 정신의학자 에릭 번이 개발한 TA이론에 의하면 사람의 자아상태의 특성에 따라 그 유형을 부모(P ; Parent), 성인(A ; Adult), 어린이(C ; Child)의 자아상태로 분류하고 다시 부모의 자아상태는 엄격한 부모 마음(CP ; Critical Parent)과 보호적인 부모 마음(NP ; Nurturing Parent), 어린이 자아상태는 자유로운 어린이 마음(FC ; Free Child)과 순응하는 어린이 마음(AC ; Adapted Child)을 가진 사람으로 유형을 나누어 보고 있다. TA이론에 따른 신용관리 담당자의 특징과 주의사항은 다음 표와 같다.

구분	특 징	주의사항
CP높은 담당자	고객의 상황을 이해하려고 하기보다는 연체되는 고객의 잘못을 지적하고 연체납입을 강요하는 편이다.(②)	지나치게 고압적인 방법을 사용하지 않도록 주의하며 고객의 태도나 상황에 관계 없이 항상 경어를 사용하도록 조심한다.
NP높은 담당자	고객에게 전화를 걸어 연체독촉을 위한 상담의 시간보다 고객의 이야기를 들어주는데 시간을 많이 할애하는 편이다.(③)	고객의 입장에서 지나치게 수용적인 입장을 가진다면 고객의 상황을 많이 약화시킬 수 있으므로 객관적인 입장을 가지려고 노력한다. 불가능한 부분을 억지로 고객을 위해 희생하거나 혜택을 주려 노력하지 않도록 주의한다. 지나치게 관용적인 태도는 고객의 습관적인 연체를 불러일으키기 쉬운 부분이기 때문에 취하지 않도록 한다.

04. ①

MEMO

A높은 담당자	고객의 연체에 대해서 체계적인 데이터를 갖고 연체가 지속될수록 얼마의 수수료가 늘어나는지 등의 설명을 하는 신용관리 담당자가 많다.(④)	고객이 신용관리 담당자가 지나치게 냉정하고 차갑다고 느낄 수 있다. 따라서 고객의 상황에 따라 적극적으로 경청하고 적절히 맞장구를 치는 태도가 필요하다.
FC높은 담당자	개인적인 기분에 따라 상담하는 태도가 크게 다른 경우가 많다.(⑤)	고객과 기분 좋게 통화를 하는 것, 즉 주관적인 생각보다는 고객에 대한 객관적인 사실을 알아낼 수 있도록 상담에 집중하는 태도가 필요하다.
AC높은 담당자	연체상황이 힘든 고객에게 고객의 연체사실을 알리는 것조차 난처하게 생각한다. 따라서 고객과의 상담에서 상담을 리드하기 어렵다.(①)	외향적인 고객과 상담시 신용관리담당자가 오히려 고객에게 이끌려 상담을 효과 없이 끝내게 되는 경우가 많다. 따라서 상담하기 전에 고객과의 과거 상담기록과 상황 등을 꼼꼼하게 점검한 후 상담에 임하고 전달해야 할 부분에 대하여서는 좀더 큰 목소리로 명확하고 자신감 있게 이야기할 수 있도록 준비하여야 한다. 우물쭈물 하지 말고 "NO"라고 해야 할 것은 분명하게 "NO"라고 이야기할 수 있도록 노력한다.

2017년 기출

05 **다음 내용은 교류분석(TA) 이론에 따른 고객특성과 이에 따른 상담전략을 기술한 것이다. 이와 관련되는 고객유형은?**

- 고객특성 : 친절하고 인정미가 있는 장점이 있고, 잔소리가 많고 간섭이 지나치다는 단점이 있다.
- 상담전략 : 고객의 이야기를 경청하고 공감의 맞장구를 쳐준다. 불가능한 부분을 억지로 고객을 위해 희생하거나 혜택을 주려고 노력하지 않도록 주의한다.

① CP(엄격한 부모 마음)
② NP(보호적인 부모 마음)
③ A(성인의 마음)
④ FC(자유로운 어린이의 마음)
⑤ AC(순응하는 어린이의 마음)

해설 NP(보호적인 부모 마음)을 가진 고객유형의 특성과 상담전략에 대한 내용이다. 다음은 TA유형별 고객의 특징과 상담전략을 정리하였다.

05. ②

MEMO

구분	특징	상담전략
CP고객	고객의 자존심이 상하면 화를 내고 일방적으로 전화를 끊는 경우가 많다.	자존심이 상하면 화를 내고 항의하는 경우가 많으므로 경어를 사용하고 사적인 부분에 대한 언급을 삼가는 것이 좋다.
NP고객	부드러운 톤으로 대화하고, 자신의 잘못으로 담당자가 이러한 독촉전화를 하게 만들어 미안해한다.	고객의 힘든 상황에 대해 충분히 공감하고 이해하고 있다는 표현을 하며, 상담 종료 직전에 상담을 통해 약속한 부분을 다시 한 번 요약 정리하는 것이 필요하다. 고객의 입장에서 지나치게 수용적이고 관용적이기보다는 객관적인 입장을 견지하도록 노력한다.
A고객	고객이 먼저 해결방안에 대해 생각하고 있는 경우가 많다.	고객이 생각한 해결방안에 대한 장점 및 단점에 대한 정보를 제공한다. 가급적 요점만 간단히 말하고, 객관적이고 수치화된 데이터를 제시하면서 이야기한다.
FC고객	감정적으로 흥분하는 경우가 많다.	기분이 나쁘지 않도록 상담하며 다른 유형의 고객에 비해 약속을 잘 지키지 않는 경우가 많으므로 고객을 지나치게 신뢰하지 말고 입금 약속에 대해 고객이 직접 다시 한 번 언급할 수 있도록 유도한다.
AC고객	자신이 언급한 상황에 대해서는 약속을 잘 지키는 경향이 있다.	고객이 현재 상황에 대하여 비관하거나 채무상환을 포기하려는 마음을 갖지 않도록 용기를 주어 스스로 약속을 할 수 있도록 유도한다.

2017년 기출

06 다음 중 교류분석(TA) 이론에 따른 「자유로운 어린이의 마음(FC)」의 자아상태인 고객에 대한 상담요령(전략)으로 가장 적절한 것은?

① 자존심이 상하면 화를 내고 항의하는 경우가 많으므로 경어의 사용과 사적인 부분에 대한 언급을 하지 않는다.

② 가급적 요점만 간단히 말하고 객관적이고 수치화된 데이터를 제시하면서 이야기한다.

③ 고객이 현재 상황에 대하여 비관하거나 채무상환을 포기하려는 마음을 갖지 않도록 용기를 주어 스스로 약속을 할 수 있도록 유도한다.

④ 다른 유형의 고객에 비해 약속을 잘 지키지 않는 경우가 많으므로 고객을 지나치게 신뢰하지 말고 입금 약속에 대해 고객이 직접 다시 한 번 언급할 수 있도록 유도한다.

⑤ 고객의 입장에서 지나치게 수용적이고 관용적이기보다는 객관적인 입장을 견지하도록 노력한다.

해설 TA유형별 고객의 특징과 상담전략은 앞 문제 해설 참조

06. ④

MEMO

2016년 기출

07 다음과 같이 대화하는 TA 특성의 고객에 대한 상담전략으로 가장 적절한 것은?

> 제가 연체를요? 제가 기억력이 좋지 않아서 깜빡했네요. 하지만 걱정하지 마세요. 내일이면 일이 해결될 것 같아서 돈이 많이 생길 거예요. 그때 돈도 갚고 담당자에게 밥도 살게요. 상담원 이름이 뭐라고 했죠?

① 감정적으로 많이 흥분하는 경우가 많으니 기분 나쁘지 않도록 상담을 한다. 신용관리담당자가 관리를 소홀하게 하면 이를 악용하는 고객도 많으니 주의해야 한다.

② 이런 고객은 자신이 언급한 상황이나 생각을 잘 이야기하지 않는 경우가 대부분이지만 고객 스스로 약속한 것은 잘 지키는 경우가 많으므로 고객 스스로 약속할 수 있도록 유도한다.

③ 고객의 걱정이 많으므로 힘든 상황에 대해 충분히 공감하고 이해를 하며, "개인적으로 도와드리고 싶지만 일단 연체를 하시면 제가 도와드릴 방법이 없으니 해결방안을 같이 고민해 드리겠습니다."라는 식의 상담태도가 적절하다.

④ 고객은 자존심이 상하면 화를 내고 일방적으로 전화를 끊는 경우가 많으므로 단기연체 고객의 경우에는 "잊으셨을까봐 안내차 전화를 드립니다."라는 식의 상담방법이 적절하다.

⑤ 고객이 먼저 해결방안에 대해 생각하고 있는 경우가 많으므로 고객이 생각한 해결방안에 대한 장점 및 단점을 분석하여 정보를 제공한다.

해설 공개된 정답은 ①이었으나 지문이 모호한 관계로 모든 답을 정답으로 인정했다. 시행처는 'C고객에 대한 상담전략을 묻는 문제로 ①이 정답이지만 문제에 나타난 대화만으로는 해석에 따라 다른 TA특성을 가진 고객으로 판단할 수 있는 여지가 있으므로 모두 정답으로 인정한다.'라고 설명했다. 더 자세한 설명은 신용정보협회 홈페이지에서 확인 가능하다.

① FC고객은 자기중심적인 생각을 가지고 말하며 비교적 감탄사를 많이 쓰는 편이다. 이들의 특성은 감정적으로 많이 흥분하는 경우가 많으니 기분 나쁘지 않도록 상담을 한다. 신용관리담당자가 관리를 소홀하게 하면 이를 악용하는 고객도 많으니 주의해야 한다.

② AC고객은 자신이 언급한 상황이나 생각을 잘 이야기하지 않는 경우가 대부분이지만 고객 스스로 약속한 것은 잘 지키는 경우가 많으므로 고객 스스로 약속할 수 있도록 유도한다.

③ NP고객은 걱정이 많으므로 힘든 상황에 대해 충분히 공감하고 이해를 하며, "개인적으로 도와드리고 싶지만 일단 연체를 하시면 제가 도와드릴 방법이 없으니 해결방안을 같이 고민해 드리겠습니다."라는 식의 상담태도가 적절하다.

07. 모두 정답

MEMO

④ CP객은 자존심이 상하면 화를 내고 일방적으로 전화를 끊는 경우가 많으므로 단기연체 고객의 경우에는 "잊으셨을까봐 안내차 전화를 드립니다."라는 식의 상담방법이 적절하다.
⑤ A고객은 고객이 먼저 해결방안에 대해 생각하고 있는 경우가 많으므로 고객이 생각한 해결방안에 대한 장점 및 단점을 분석하여 정보를 제공한다.

2022년 기출

08 **다음과 같이 서로 기대했던 자극과 반응이 원만히 이어진 대화로 가장 적절한 것은?**

- 담당자 : "언제쯤 연체 해결이 가능하십니까?"
- 고　객 : "내일 오후쯤 가능하겠네요"

① 상보대화　② 교차대화
③ 이면대화　④ 일방대화
⑤ 쌍방대화

해설 대화가 서로 기대했던 자극과 반응으로 이어진다면 원만한 대화가 이루어지며 이를 상보대화라 할 수 있다. 예를 들어 신용관리 담당자가 "언제쯤 연체 해결이 가능하십니까?"라고 물을 때, 고객이 "내일 오후쯤 가능하겠네요."라고 대답하는 것이 이에 해당한다.
[대화분석패턴과 활용]에 대한 상세는 다음표 참조.

구분	대인교류패턴	대화분석의 활용
상보대화	대화가 서로 기대했던 자극과 반응으로 이어진다면 원만한 대화가 이루어지며 이를 상보대화라고 한다.	상보대화를 성립시키려면 상대가 말하려는 의도나 말하는 내용을 잘 파악하여 대화의 방향을 맞춰야 한다. 상대의 말을 솔직하게 수용하고 솔직하게 되돌려 준다. 즉, 상대의 말을 곡해한다든지 과소평가하면 상보대화가 되기 어렵다. 또한 상대의 말을 긍정하며 반복해 본다.
교차대화	서로의 기대와 다른 자아상태로 대화가 이어진다면 원만한 대화가 이루어지지 않으며 이를 교차대화라고 한다. 따라서 대화가 논쟁이 되고 끝내 단절된다.	원칙적으로 교차대화는 하지 않는다. 대화의 흐름을 멈추게 하고 커뮤니케이션의 활성화를 저해하고 고객과의 관계에도 악영향을 주게 되므로 피하는 것이 좋다.
이면대화	본심의 욕구, 의도 혹은 사건의 진상 등은 이면에 숨겨져 있고 표면적으로는 그것과 다른 형태의 대화가 이루어진다. 이처럼 표면의 메시지와 이면의 메시지가 다른 대화의 형태를 이면대화라고 한다.	상담능력을 향상하려면 담당자는 이면대화를 피해야 한다. 이면대화는 오해할 가능성이 크고 상대방이 담당자의 의도를 이해하기 어렵기 때문이다.

08. ①

MEMO

2020년 기출

09 다음은 대화의 형태에 대한 설명이다. 가장 적절한 대화는?

▪ 신용담당자 : "자꾸 연체를 하시면 고객님에게 불리합니다."
(자꾸 연체하면 담보에 대해 압류조치를 하게 됩니다.)
▪ 고 객 : "네, 그래서 저도 어떻게든 해보려구요."
(압류가 될 때까지 연체하지는 않을 거에요.)

① 이면대화
② 교차대화
③ 상보대화
④ 교류대화
⑤ 메타커뮤니케이션

해설 모두 정답처리함. 원래는 지문의 대화는 본심의 욕구, 의도를 이면에 숨기고 표면적으로 그것과 다른 형태의 대화가 이루어지는 것으로 '이면대화'에 해당한다고 보아 ①이 정답이었으나, 신용담당자의 "고객님에게 불리합니다."라는 말을 고객이 압류조치를 할 것이라고 해석하지 않을 수도 있어 해석에 따라 이면대화인지가 불분명하므로 문제의 정답이 명확하지 않다고 하여 모두 정답처리하였다.

2024년 기출

10 고객과 생산적인 대화를 위한 방법으로 다음 설명 중 가장 적절하지 않은 것은?

① 대화자간에 대화가 서로 기대했던 자극과 반응으로 이어지면 원만한 대화가 이루어지며 이를 '상보대화'라 한다.
② '나'전달법은 고객의 행동에 대한 나의 생각이나 감정을 표현하는 방법으로서 고객으로 하여금 내가 고객을 위하고 있다는 생각이 들게 하는 것이 바람직하다.
③ '너 전달법'은 상대방에게 책임을 추궁하듯이 말하는 화법으로 자칫하면 듣는 이에게 적대감을 일으키거나 감정적으로 격앙될 소지가 있는 화법이다.
④ '너 전달법'에서 고객은 나의 느낌을 수용하고 자발적으로 자신의 문제를 해결하고자 하는 의도를 지니게 된다.
⑤ 신용관리 담당자는 연체 중인 채무자의 감정반응을 잘 포착하여 대응할 수 있도록 자신의 감성지수(EQ : Emotional Quotients)를 향상시키는 노력이 필요하다.

해설 ④ '나 전달법'에서 고객은 나의 느낌을 수용하고 자발적으로 자신의 문제를 해결하고자 하는 의도를 지니게 된다. 아래 '나' 전달법과 '너'전달법 관련 내용 참조

09. 모두 정답 10. ④

MEMO

구 분	'나' 전달법	'너' 전달법
정 의	나를 주어로 하여 고객의 행동에 대한 자신의 생각이나 감정을 표현하는 방식	너를 주어로 하여 고객의 행동을 표현하는 대화방식
예	의사표현 : 연체금액은 많은데 계속 연체가 되고 있어서 걱정입니다.	의사표현 : 왜 연체금액 해결을 못하세요?
결 과	① 고객에게 나의 입장과 감정을 전달함으로써 상호이해를 도울 수 있다. ② 고객에게 개방적이고 솔직하다는 느낌을 전달하게 된다. ③ 고객은 나의 느낌을 수용하고 자발적으로 자신의 문제를 해결하고자 하는 의도를 지니게 된다.	① 상대에게 문제가 있다고 표현함으로써 상호관계를 파괴하게 된다. ② 고객에게 일방적으로 강요, 공격, 비난하는 느낌을 전달하게 된다. ③ 고객은 변명하려 하거나 반감, 저항, 공격성을 보이게 된다.

2018년 기출

11 다음은 고객과 생산적인 대화방법을 설명한 것이다. 가장 적절한 것은?

> "연체 금액이 많은데 연체가 계속되고 있어서 걱정됩니다. 고객님"
> "지난 번에도 약속한 날짜에 입금되지 않았고, 이번에도 입금되지 않았습니다. 어려우신지는 알지만 3일 이내에 입금되지 않으면 부득이 담보물을 임의처분할 예정임을 알려드립니다."
> "며칠째 전화를 계속 받지 않으시어 다른 일이 있는지 걱정했습니다."

① "너 전달법(You-Message)"
② 스토리텔링
③ "나 전달법(I-Message)"
④ 교차대화
⑤ 교류대화

대화가 서로 기대했던 자극과 반응으로 이어진다면 원만한 대화가 이어지며 이를 '상보대화'라 한다. 상보대화를 하면 고객과 생산적인 대화를 할 수 있는데, 상보대화를 위한 기본스킬로서 '나' 전달법과 '너' 전달법이 있는데, 구체적인 내용은 다음 표와 같다.

구분	'나' 전달법	'너' 전달법
정의	나를 주어로 하여 고객의 행동에 대한 자신의 생각이나 감정을 표현하는 방식	너를 주어로 하여 고객의 행동을 표현하는 대화방식
예	• 의사표현 : 연체금액은 많은데 계속 연체가 되고 있어서 걱정입니다.	• 의사표현 : 왜 연체금액 해결을 못하세요?

11. ③

MEMO

결과	① 고객에게 나의 입장과 감정을 전달함으로써 상호이해를 도울 수 있다. ② 고객에게 개방적이고 솔직하다는 느낌을 전달하게 된다. ③ 고객은 나의 느낌을 수용하고 자발적으로 자신의 문제를 해결하고자 하는 의도를 지니게 된다.	① 상대에게 문제가 있다고 표현함으로써 상호관계를 파괴하게 된다. ② 고객에게 일방적으로 강요, 공격, 비난하는 느낌을 전달하게 된다. ③ 고객은 변명하려 하거나 반감, 저항, 공격성을 보이게 된다.

문제의 사례는 상보대화의 기본스킬 중 '나' 전달법의 예시이다.

제3절 CS와 MOT

2024년 기출

01 고객만족(CS)에 관한 다음 설명 중 가장 적절하지 않은 것은?

① 고객만족은 상품이나 서비스에 대한 고객의 사전기대보다 사용실감이 크거나 높은 것을 말한다.
② CS(고객만족)경영은 시장 내에서 공급이 수요를 초과(공급 〉 수요)할 때 더욱 중요해진다.
③ 내부고객의 만족과 외부고객의 만족은 상호 반비례 관계이다.
④ 고객만족도를 결정하는 10가지 요소는 신뢰성, 접근성, 신용도, 기본자질, 안전성, 태도, 대화방법, 편의성, 고객 이해도, 신속한 대응이다.
⑤ 고객을 만족시키기 위해서는 기본적으로 고객을 충분히 이해하는 것이 선행되어야 한다.

해설 ③ 내부고객, 외부고객 모두 만족할 수 있는 경영시스템이 필요하다. 직원(내부고객)만족은 고객만족 정책의 일부분이므로 고객만족 서비스 과정 설계에서 고려되어야 한다. 내부고객의 만족과 외부고객의 만족은 상호 비례한다고 할 수 있다.

2022년 기출

02 고객만족의 원칙에 관한 다음 설명 중 가장 적절하지 않은 것은?

① 고객만족은 회사와 고객 간의 신뢰감이 연속되는 상태이다.
② 고객만족은 미리 알 수도, 조절할 수도 없는 과정이다.
③ 고객도 사람이고 직원도 사람이기 때문에 고객과 만나는 시점에서부터 심리적인 만족을 통해서 지속적인 관계를 유지해야 한다.

정답 01. ③ 02. ⑤

MEMO

④ 서비스란 일회성의 프로그램이 아니며, 서비스의 방법과 기술은 변한다.
⑤ 자신의 일에 숙달된 전문가는 언제나 고객을 만족시킨다.

해설 자신의 일에 숙달된 전문가라도 고객을 만족시키기란 어려운 일이다. 아래 [고객만족(CS)의 기본원칙] 참조.

(1) 고객만족이란 고객과의 관계로부터 시작된다.–고객도 사람이고 직원도 사람이기 때문에 고객과 만나는 시점에서부터 심리적인 만족을 통해서 지속적인 관계를 유지해야 한다.(③)
(2) 서비스도 상품이다.
(3) 서비스란 일회성의 프로그램이 아니다.(④)
(4) 서비스의 방법과 기술은 변한다.(④)
(5) 고객서비스는 미소로 하는 것만을 말하지 않는다.
(6) 아무리 훌륭한 서비스라도 규정을 벗어나서는 안 된다.
(7) 연체자도 고객이다.
(8) 고객만족은 회사와 고객 간의 신뢰감이 연속되는 상태이다.(①)
(9) 고객만족은 미리 알 수도, 조절할 수도, 신뢰할 수도 없는 과정이다.(②)
(10) 자신의 일에 숙달된 전문가라도 고객을 만족시키기란 어려운 일이다.(⑤)

2020년 기출

03 고객만족에 대한 다음 설명 중 가장 적절한 것은?

① 사전기대보다 사용실감이 더 크면 불만족하고 거래중지로 이어진다.
② 사용실감보다 사전기대가 크면 만족하고 재이용한다.
③ 고객만족은 미리 알 수도, 조절할 수도, 신뢰할 수도 있는 과정이다.
④ 자신의 일에 숙달된 전문가도 고객을 만족시키기란 어려운 일이다.
⑤ 기대가 높을 경우 느끼는 만족도 높다.

해설 고객만족은 고객의 '사전기대'가 기준이 되기 때문에 고객마다 그 기준이 다르며 고객이라 하더라도 때와 장소에 따라 기준이 변할 수 있다. 따라서 고객에 따라, 시대에 따라 서비스의 방법과 기술은 변하며 그렇기 때문에 고객만족이란 미리 알 수도, 조절할 수도, 신뢰할 수도 없는 과정이다(③). 따라서 자신의 일에 숙달된 전문가도 고객을 만족시키기란 어려운 일이다(④). 고객만족이란 상품이나 서비스에 대한 고객의 사전기대(Expectation)보다 사용실감(Perception)이 크거나 높은 것을 말한다. 사전기대보다 사용실감이 더 낮으면 불만족하고 거래중지로 이어진다(①). 즉, 사용실감보다 사전기대가 낮아야 만족하고 재이용한다(②). 기대가 높을 경우 느끼는 만족도 낮다(⑤).

03. ④

MEMO

2018년 기출

04 다음에서 설명하고 있는 용어로 적절한 것은

- 고정된 개념이 아닌 언제나 변화하는 변형된 개념이다.
- 상품이나 서비스에 대한 고객의 사전기대보다 사용실감이 크거나 높은 것을 말한다.
- 신뢰성, 접근성, 안전성, 신용도, 편의성, 직원의 기본자질과 태도 등에 의해 결정된다.

① TA(Transactional Analysis : 교류분석)이론
② 역할연기법
③ 고객만족(Customer Satisfaction)
④ 감성지수(Emotional Quotients)
⑤ MOT(Moment of Truth)

해설 '고객만족'은 고정된 개념이 아닌 언제나 변화하는 변형의 개념(Transformational Concept)이다. 고객의 '사전기대'가 기준이 되기 때문에 고객마다 그 기준이 다르며 고객이라 하더라도 때와 장소에 따라 기준이 변할 수 있다. 따라서 고객에 따라, 시대에 따라 서비스의 방법과 기술은 변하며 그렇기 때문에 고객만족이란 미리 알 수도, 조절할 수도, 신뢰할 수도 없는 과정이다. 고객만족은 상품이나 서비스에 대한 고객의 사전기대(Expection)보다 사용실감(Perception)이 크거나 높은 것을 말한다. 고객은 기대(생각)했던 것보다 잘한다(좋다)고 느끼면 만족하고 반대의 경우 불만족스러워 하거나 그저 그렇다고 느낀다. 고객만족을 결정하는 10가지 요소는 (1) 신뢰성, (2) 접근성, (3) 신용도, (4) 기본자질, (5) 안전성, (6) 태도, (7) 대화방법, (8) 편의성, (9) 고객 이해도, (10) 신속한 대응 이다.

2017년 기출

05 고객서비스의 특징에 대한 다음 설명 중 가장 적절하지 않은 것은?

① 생산과 소비가 별개로 발생한다(분리성).
② 보이지 않는다(무형성).
③ 사람에 의존한다(인간주체).
④ 제공하는 동시에 소멸한다(소멸성).
⑤ 모든 사람에게 동일한 형태로 제공되지 않는다(이질성).

해설 고객서비스는 제품과 마찬가지로 하나의 상품으로 서비스 품질의 만족을 위하여 고객에게 계속적으로 제공하는 모든 활동이다. 고객서비스는 보이지 않고(무형성), 생산과 소비가 동시에 발생하며(동시성, 비분리성), 사람에 의존하고(인간주체), 제공하는 동시에 소멸되며(소멸성), 모든 사람에게 동일한 형태로 제공되지 않는다(이질성).

04. ③ 05. ①

MEMO

2017년 기출

06 고객만족경영의 표준단계에 대한 설명 중 가장 적절하지 않은 것은?

① 내 고객이 누구인지를 규명한다.
② 고객이 무엇을 얼마나 원하는가를 파악하여 무조건 받아들인다.
③ 경쟁사와 고객의 동향을 보고 차별화 방침을 정한다.
④ 고객의 욕구를 해소하기 위한 회사의 조직이나 고객에 접근하는 방식 및 태도를 변경한다.
⑤ 고객의 소리에 대하여 지속적이고 반복적인 피드백을 한다.

해설 고객만족경영(Customer Satisfation Management)이란 제품과 서비스에 대해 고객에게 만족을 주기 위해 만족도를 측정하고, 그 결과에 따라서 제품과 서비스, 사내풍토를 조직적이고 지속적으로 개선·개혁해 가는 것을 중점과제로 삼는 경영을 말한다. 고객이 무엇을 얼마나 원하는가를 파악하여야 하나 이를 무조건 받아들여야 하는 것은 아니다.

2023년 기출

07 역피라미드형 조직과 피라미드형 조직의 가장 상위 단계에 해당하는 것으로 가장 적절한 것은?

	역피라미드형 조직	피라미드형 조직
①	최고경영자	고객
②	고객	제1선 사원
③	고객	최고경영자
④	제1선 사원	고객
⑤	고객	고객

해설 ③에 관한 다음 표 참조

❑ MOT와 CS 조직

피라미드형 기존조직	역피라미드형 CS조직
• 고객은 경영의 요소가 아니므로 회사의 조직도에 포함되지 않는다. • 관리자는 최고경영진과 접하는 기회가 많아 스스로 상위직급으로 착각하여 행동하기 쉽다. • 표준에 의해 관리하고 종업원을 복종시킨다. 종업원은 할당된 일을 수행하기 위한 존재이다. 제1선 사원은 권한이 없어 보고 후 승인을 받아야 고객업무 처리가 가능하다. → 고객 대응이 늦다. • 성과를 평가기준에 따라 측정한다.	• 고객은 경영의 가장 중요한 요소이다. • 고객을 접하는 제1선 사원에게 실질적인 권한을 부여한다. • 관리자는 제1선 사원을, 최고경영자는 관리자를 지원해야 한다. 종업원은 결정적인 순간(MOT)을 관리하는 존재이다.→ 고객 대응이 신속하다. • 성과를 고객만족의 정도로 측정한다.

정답 06. ② 07. ③

MEMO

2019년 기출

08 역피라미드형 조직 구조상 상위에서 하위의 순서로 올바르게 나열한 것은?

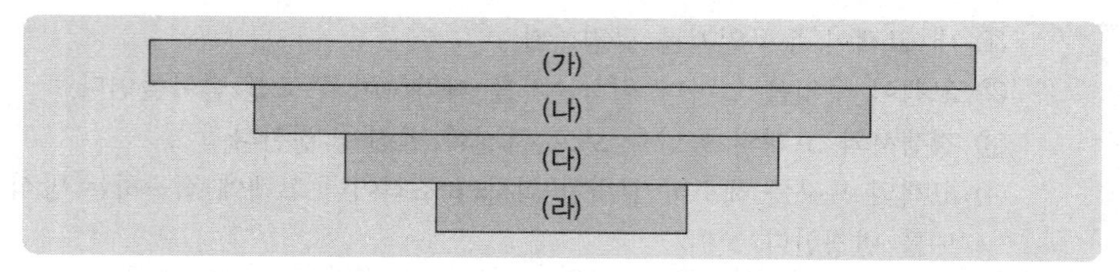

구 분	(가)	(나)	(다)	(라)
①	최고경영자	관리자	제1선 사원	고객
②	고객	제1선 사원	관리자	최고경영자
③	최고경영자	고객	제1선 사원	관리자
④	고객	최고경영자	관리자	제1선 사원
⑤	고객	관리자	최고경영자	제1선 사원

해설 피라미드형 조직 구조는 최고경영자를 중심으로 관리자는 종업원을 복종시키며, 고객은 경영의 요소가 아니어서 회사의 조직도에 포함되지 않는다. 따라서, 고객대응이 늦고, 성과를 평가기준에 따라 측정한다. 그러나 역피라미드형 조직 구조는 고객이 경영의 가장 중요한 요소이고 이러한 고객을 접하는 제1선 사원에게 실질적인 권한을 부여하며, 관리자는 제1선 사원을 최고경영자는 관리자를 지원해야 한다. 즉 종업원은 결정적인 순간(MOT)을 관리하는 존재이다. 따라서, 고객대응이 신속하고, 성과를 고객만족의 정도로 측정한다.

2017년 기출

09 피라미드형 CS조직에 대한 다음 설명 중 가장 적절한 것은?

① 고객은 경영의 가장 중요한 요소이다.
② 고객을 접하는 제1선 사원에게 실질적인 권한을 부여한다.
③ 고객은 경영의 요소가 아니므로 회사의 조직도에 포함되지 않는다.
④ 고객대응이 신속하다.
⑤ 관리자는 제1선 사원을 지원하고, 최고경영자는 관리자를 지원해야 한다.

해설 ③은 피라미드형 CS조직에 대한 설명이고, ①, ②, ④, ⑤는 역피라미드형 CS조직에 대한 설명이다.

정답 08. ② 09. ③

MEMO

❑ MOT와 CS조직

피라미드형 기존조직	역피라미드형 CS조직
• 고객은 경영의 요소가 아니므로 회사의 조직도에 포함되지 않는다. • 관리자는 최고경영진과 접하는 기회가 많아 스스로 상위직급으로 착각하여 행동하기 쉽다. • 표준에 의해 관리하고 종업원을 복종시킨다. 종업원은 할당된 일을 수행하기 위한 존재이다. 제1선 사원은 권한이 없어 보고 후 승인을 받아야 고객업무 처리가 가능하다. → 고객 대응이 늦다. • 성과를 평가기준에 따라 측정한다.	• 고객은 경영의 가장 중요한 요소이다. • 고객을 접하는 제1선 사원에게 실질적인 권한을 부여한다. • 관리자는 제1선 사원을, 최고경영자는 관리자를 지원해야 한다. 종업원은 결정적인 순간(MOT)을 관리하는 존재이다. → 고객 대응이 신속하다. • 성과를 고객만족의 정도로 측정한다.

2021년 기출

10 **MOT(Moment of Truth)에 관한 다음 설명 중 가장 적절하지 않은 것은?**

① 고객과 만나는 여러 접점 중에서 한번 0점이나 마이너스 점수를 얻게 되면 그 결과는 전체적으로 제로(Zero)이거나 마이너스(Minus)가 되어 많은 노력으로도 만회하기 어렵다.

② 회사의 서비스 수준은 교육시스템이나 제1선 접점사원의 서비스 수준보다 간부나 관리자에 의해 결정된다.

③ I/T기술 발달에 따라 기존의 대면 접촉에 의한 MOT에서 e-mail이나 인터넷 등으로 다양한 MOT 경로가 발생하였다.

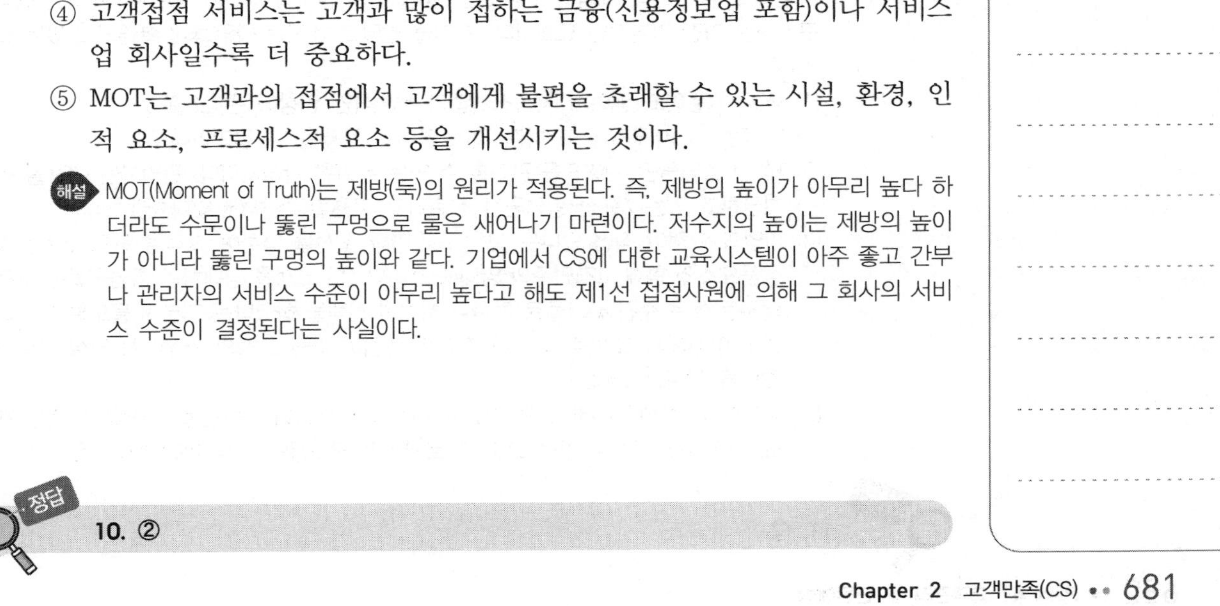

④ 고객접점 서비스는 고객과 많이 접하는 금융(신용정보업 포함)이나 서비스업 회사일수록 더 중요하다.

⑤ MOT는 고객과의 접점에서 고객에게 불편을 초래할 수 있는 시설, 환경, 인적 요소, 프로세스적 요소 등을 개선시키는 것이다.

해설 MOT(Moment of Truth)는 제방(둑)의 원리가 적용된다. 즉, 제방의 높이가 아무리 높다 하더라도 수문이나 뚫린 구멍으로 물은 새어나기 마련이다. 저수지의 높이는 제방의 높이가 아니라 뚫린 구멍의 높이와 같다. 기업에서 CS에 대한 교육시스템이 아주 좋고 간부나 관리자의 서비스 수준이 아무리 높다고 해도 제1선 접점사원에 의해 그 회사의 서비스 수준이 결정된다는 사실이다.

정답

10. ②

MEMO

2019년 기출

11 **고객관리와 관련하여 MOT(Moment of Truth, 고객접점관리)에 대한 다음 설명 중 가장 적절하지 않은 것은?**

① MOT는 고객과 만나는 접점마다 고객을 만족시켜야 한다는 뜻이다.
② 신속한 고객대응을 위하여 조직을 피라미드형으로 유지한다.
③ MOT는 고객이 조직과 접촉할 때 좋은 인상을 가지도록 관리하는 것이다.
④ MOT를 통하여 서비스를 혁신시킬 수 있다.
⑤ MOT의 중요성과 함께 현장 직원의 중요성도 함께 강조되어야 한다.

해설 신속한 고객대응을 위하여 조직을 역피라미드형으로 유지하여야 한다.

피라미드형 기존조직	역피라미드형 CS조직
- 고객은 경영의 요소가 아니므로 회사의 조직도에 포함되지 않는다. - 관리자는 최고 경영진과 접하는 기회가 많아 스스로 상위직급으로 착각하여 행동하기 쉽다. - 표준에 의해 관리하고 종업원을 복종시킨다. 종업원은 할당된 일을 수행하기 위한 존재이다. 제1선 사원은 권한이 없어 보고 후 승인을 받아야 고객업무 처리가 가능하다. → 고객 대응이 늦다. - 성과를 평가기준에 따라 측정한다.	- 고객은 경영의 가장 중요한 요소이다. - 고객을 접하는 제1선 사원에게 실질적인 권한을 부여한다. - 관리자는 제1선 사원을, 최고경영자는 관리자를 지원해야 한다. 종업원은 결정적인 순간(MOT)을 관리하는 존재이다. → 고객 대응이 신속하다. - 성과를 고객만족의 정도로 측정한다.

❑ MOT(Moment of Truth, 고객접점관리)의 개념
고객이 조직의 일면과 접촉하여 그 서비스 품질에 관하여 무엇인가 인상을 얻을 수 있는 사건을 모두 말한다. 제품을 구성하는 하나하나의 원자와 마찬가지로 서비스라는 상품을 구성하는 가장 기본적인 요소이다. IT 기술 발달로 MOT는 다양하게 확대되고 있는 실정이다.

(1) MOT가 쌓이고 쌓여서 서비스기업의 전체적인 인상이 된다.(③)
(2) MOT는 그 자체가 좋고 나쁜 것이 아니며 문제는 그 결과이다.
(3) 제1선 종업원만이 MOT를 관리할 수 있는 유일한 관리자이다. 관리자는 MOT를 직접 취급하고 있는 제1선 종업원을 신뢰하고 지원할 수 밖에 없다.(⑤)
(4) 기업과 고객이 직접 만나는 짧은 순간마다 최선을 다하여 고객을 만족시키는 것은 상품요소와 함께 고객만족의 양대 요소이다.(①) 고객을 상대하는 종업원들은 고객을 대하는 짧은 순간에 그들로 하여금 최선의 선택을 하였다는 기분이 들도록 만들어야 하며 이점에서 고객을 대할 때 자신의 관점이 아닌 고객의 관점에서 진실의 순간을 찾도록 하여야 한다.
(5) 고객과의 접점에서 서비스의 혁신을 이루려면 고객에게 불편을 초래할 수 있는 제요소(시설, 환경, 업무, 인적 요소, 프로세스적 요소)를 개선시켜야 한다.(④)

정답 11. ②

MEMO

2018년 기출

12 고객관리와 관련하여 MOT(Moment of Truth)에 대한 다음 설명 중 가장 적절하지 않은 것은?

① I/T 기술의 발달로 MOT는 다양하게 확대되고 있는 실정이다.
② MOT 경영은 관리자에게만 실질적인 권한을 부여한다.
③ MOT 서비스 수준은 "제방(둑)원리"(저수지 물의 높이는 제방의 높이가 아니라 뚫린 구멍의 높이와 같다)가 적용된다.
④ 고객접점 서비스는 고객과 많이 접하는 서비스업인 경우 더욱 중요하다.
⑤ 간부나 관리자의 서비스 수준이 아무리 높다고 해도 제1선 접점사원에 의해 그 회사의 서비스 수준이 결정된다.

해설 'MOT(Moment of Truth)'란 고객이 조직의 일면과 접촉하여 그 서비스 품질에 관하여 무엇인가 인상을 얻을 수 있는 사건 모두를 말한다. 이는 '진실의 순간', '평가의 순간'으로 칭하며 어떤 일에 있어서 가장 중요한 결정적인 순간을 말한다. 제품을 구성하는 하나하나의 원자와 마찬가지로 서비스라는 상품을 구성하는 가장 기본적인 요소이다. 제1선 종업원만이 MOT를 관리할 수 있는 유일한 관리자이다.

⑤ 즉, 간부나 관리자의 서비스 수준이 아무리 높다고 해도 제1선 접점사원에 의해 그 회사의 서비스 수준이 결정된다. 따라서 관리자는 MOT를 직접 취급하고 있는 제1선 종업원을 신뢰하고 지원할 수밖에 없다.
① 기존에는 대면접촉에 의한 MOT에서 I/T기술 발달에 따른 e-mail이나 인터넷 발달 등으로 다양한 MOT경로가 발생하였다.
③ MOT 서비스 수준은 "제방(둑)원리"(저수지 물의 높이는 제방의 높이가 아니라 뚫린 구멍의 높이와 같다)가 적용된다. 즉 제방의 높이가 아무리 높다 하더라도 수문이나 뚫린 구멍으로 물은 새어나가기 마련이다.
④ 고객접점 서비스는 고객과 많이 접하는 서비스업인 경우 더욱 중요하다.

2017년 기출

13 고객관리와 관련하여 MOT(Moment of Truth, 고객접점관리)에 대한 다음 설명 중 가장 적절하지 않은 것은?

① MOT는 고객과 만나는 접점마다 고객을 만족시켜야 한다는 뜻이다.
② MOT는 서비스 혁신 방법이다.
③ MOT는 고객이 조직의 일면과 접촉하여 그 서비스 품질에 관하여 무엇인가 인상을 얻을 수 있는 사건 모두를 말한다.
④ MOT는 고객과의 접점에서 고객에게 불편을 초래할 수 있는 시설, 환경, 인적 요소, 프로세스적 요소 등을 개선시키는 것이다.
⑤ MOT는 관리자에게만 실질적인 권한을 부여하는 것이다.

12. ② 13. ⑤

MEMO

해설 MOT(Moment of Truth, 고객접점관리)란 고객이 조직의 일면과 접촉하여 그 서비스 품질에 관하여 무엇인가 인상을 얻을 수 있는 사건 모두를 말한다. 이는 '진실의 순간', '평가의 순간'으로 칭하며, 어떤 일에 있어서 가장 중요한 결정적인 순간을 말한다. 제1선 종업원만이 MOT를 관리할 수 있는 유일한 관리자이다. 관리자는 MOT를 직접 취급하고 있는 제1선 종업원을 신뢰하고 지원할 수밖에 없다. 따라서 MOT는 관리자에게만 실질적인 권한을 부여하는 것이 아니다.

2023년 기출

14 고객만족관리에 관한 다음 설명 중 가장 적절하지 않은 것은?

① CS평가시스템은 고객만족에 기여한 외부 경영활동의 과정과 결과를 회사관점에서 평가하는 기법이다.

② CS평가시스템은 고객이 만족한 정도를 측정함은 물론이며 평소 업무 과정에서 고객만족을 위해 노력한 내부활동에 대해서도 평가할 수 있다.

③ VOC(Voice of Customer)시스템은 고객의 소리를 통합 기업활동에 활용할 수 있도록 설계해 주는 시스템이다.

④ CRM(Customer Relationship Management)이란 고객관리에 필수적인 요소들을 고객중심으로 정리·통합하여 고객활동을 개선함으로써 고객과의 장기적인 관계를 구축하고 기업의 경영성과를 개선하기 위한 새로운 경영방식이다.

⑤ CRM(Customer Relationship Management)의 궁극적인 목적은 고객 개개인에게 지속적으로 최적의 상품 솔루션을 제공함으로써 고객과 기업 모두에게 윈윈관계를 달성하는 데 있다.

해설 ① CS평가시스템은 고객만족에 기여한 내부 경영활동의 과정과 결과를 고객관점에서 평가하는 기법이다.

2019년 기출

15 고객만족에 대한 용어 설명 중 가장 적절하지 않은 것은?

① CS(고객만족)란 내가 제공하는 서비스에 대해 고객이 기대 이상으로 만족을 느끼는 것을 말한다.

② CSM(고객만족경영)이란 제품과 서비스에 대해 고객에게 만족을 주기 위해 만족도를 측정하고, 그 결과에 따라서 제품과 서비스, 사내풍토를 지속적으로 개선해 가는 것을 중점과제로 삼는 경영을 말한다.

14. ① 15. ④

MEMO

③ CRM(고객관계관리)이란 고객관리에 필수적인 요소를 고객중심으로 정리・통합하여 고객활동을 개선함으로써 고객과의 장기적인 관계를 구축하고 기업의 경영성과를 개선하기 위한 새로운 경영 방식이다.

④ CS평가시스템이란 고객만족에 기여한 내부 경영활동의 과정과 결과를 회사의 관점에서 평가하는 기법을 말한다.

⑤ VOC(Voice of Customer)시스템이란 고객의 소리를 통합하여 기업활동에 활용할 수 있도록 설계해 주는 시스템을 말한다.

해설 CS평가시스템은 고객만족에 기여한 내부경영 활동의 과정과 결론을 고객관점에서 평가하는 기법이다.

① CS(고객만족)란 내가 제공하는 서비스에 대해 고객이 기대 이상으로 만족을 느끼는 것을 말한다. 즉, 고객만족은 고객의 사전기대가 기준이 되는데, 사전기대(Expection)보다 사용실감(Perception)이 높은 것을 말한다.

② CSM(고객만족경영)이란 제품과 서비스에 대해 고객에게 만족을 주기 위해 만족도를 측정하고, 그 결과에 따라서 제품과 서비스, 사내풍토를 지속적으로 개선해 가는 것을 중점과제로 삼는 경영을 말한다. CS는 도입하는 과정에서부터 고객의 NEEDS수집–측정–개선의 전 과정까지의 통합적인 관리가 필요하다.

③ CRM(고객관계관리)이란 고객관리에 필수적인 요소를 고객중심으로 정리・통합하여 고객활동을 개선함으로써 고객과의 장기적인 관계를 구축하고 기업의 경영성과를 개선하기 위한 새로운 경영 방식이다. 종전의 CS에 의한 일률적인 평가시스템으로는 다양화, 개성화된 고객 요구를 충족시키기에 역부족을 인식하고 고객 요구를 수용하는 차원을 넘어서 개별 고객의 문제를 실시간 내지 사전적으로 해결하는 단계로 발전시킨 경영 활동이며 1:1관계를 형성하는 개인화된 마케팅이다.

⑤ VOC(Voice of Customer)시스템이란 고객의 소리를 통합하여 기업활동에 활용할 수 있도록 설계해 주는 시스템을 말한다. VOC시스템으로 기업 내 모든 고객정보가 하나의 시스템으로 통합되어 전 부서에 Feed–back되고 활용될 때 고객만족형 상품 및 서비스가 개발되고 실천될 수 있다.

2018년 기출

16 다음에서 설명하고 있는 용어로 적절한 것은?

고객 및 상품에 대한 정보가 기업내에 흩어져 있으면 그것은 죽은 정보이다. 기업내 모든 고객정보가 하나의 시스템으로 통합되어 전 부서에 피드백되고 활용될 때, 고객만족형 상품 및 서비스가 개발되고 실천될 수 있다.

① MOT(Moment of Truth)
② 아웃(OUT)바운드
③ CD(Customer Delight)
④ T/M(Telemarketing)
⑤ VOC(Voice of Customer)

16. ⑤

MEMO

해설 'VOC(Voice of Customer) 시스템'은 고객의 소리를 통합, 기업활동에 활용할 수 있도록 설계해 주는 시스템이다. 고객 및 상품에 대한 정보가 기업 내에 흩어져 있으면 그것은 죽은 정보이다. 기업내 모든 고객정보가 하나의 시스템으로 통합되어 전 부서에 피드백 되고 활용될 때, 고객 만족형 상품 및 서비스가 개발되고 실천될 수 있다. VOC 시스템의 구성은 다음 표와 같다.

VOC 채널	고객이 쉽게 의견을 제공할 수 있는 창구(상담, A/S, 고객엽서, PC통신)를 개설하여 고객의 소리를 수집한다.
VOC 시스템	고객정보 축적 · 통합 · 분석을 통해 체계적으로 고객의 소리를 분석한다.
VOC 활용	분석된 고객의 정보를 바탕으로 각 부문에 신속한 피드백을 통해 문제를 해결한다.

2017년 기출

17 **다음 중 VOC(Voice of Customer) 채널과 가장 거리가 먼 것은?**

① 상담
② A/S
③ 고객엽서
④ PC통신
⑤ 고객수요 및 불만예측

해설 VOC(Voice of Customer) 시스템이란 고객의 소리를 통합, 기업활동에 활용할 수 있도록 설계해주는 시스템이다. 고객이 쉽게 의견을 제공할 수 있는 창구(상담, A/S, 고객엽서, PC통신)를 개설하여 고객의 소리를 수집한다(VOC 채널). 고객정보 축적 · 통합 · 분석을 통해 체계적으로 고객의 소리를 분석한다(VOC 시스템). 분석된 고객의 정보를 바탕으로 각 부문에 신속한 피드백을 통한 문제를 해결한다(VOC 활용). 따라서 고객수요 및 불만예측은 VOC 시스템의 내용이다.

정답 17. ⑤

Chapter

03 채권추심업무 가이드라인

제1절 서설

제2절 채권추심표준업무 방법서

제3절 채권추심업무 가이드라인

2024년 기출

01 「채권추심 가이드라인」에 관한 다음 설명 중 가장 적절하지 않은 것은?

① 「채권추심 가이드라인」을 준수하는 것만으로 감독당국 및 사법당국의 제재 대상이 되지 아니함을 보장하지 않는다.

② 금융회사등은 채권의 추심 및 매각과 관련하여 리스크에 노출될 수 있음을 인지하고, 내부 통제 기준을 마련하는 등 리스크를 관리하여야 한다.

③ 채권추심행위는 채무자(보증인 제외)가 채권자로부터 경제적 이익을 향유하였음에도 불구하고 약정한 기일 내에 채무를 변제하지 아니함에 따라 이루어지는 것이므로 채무자는 본인의 채무를 변제하여야 하는 법적인 책임이 있다.

④ 금융회사등이 적법하게 채권을 추심하는 경우 채무자는 이에 대하여 신의에 좇아 성실하게 응하여야 한다.

⑤ 채권추심회사는 채권자와 채권추심위임계약이 종결되면 종결 이전에 발생한 불법·부당행위가 확인되어도 책임이 없다.

해설 ⑤ 금융회사는 채권을 매각하더라도 채권매각 이전에 발생하는 불법·부당행위에 대하여 책임이 있으며, 채권추심회사는 채권자와 채권추심위임계약이 종결되더라도 종결 이전에 발생하는 불법·부당행위에 대하여 책임이 있음을 유의하여야 한다(가이드라인 제5조(성격) 제4항 후단).

① 가이드라인 제5조(성격) 제3항 전단

② 가이드라인 제6조(리스크 관리) 제1항

01. ⑤

MEMO

③ 가이드라인 제4조(채무자의 책무) 제1문 후단
④ 가이드라인 제4조(채무자의 책무) 제2문

2023년 기출

02 **「채권추심 및 대출채권 매각 가이드라인」에 관한 다음 설명 중 가장 적절하지 않은 것은?**

① 가이드라인은 금융규제 운영규정에 따른 행정지도로 강제성이나 법적구속력을 가지지 않는다.
② 가이드라인에서는 사회통념상 문제가 될 소지가 있는 불법・부당한 채권추심 행위에 대한 사례를 나열하고 있으나, 이러한 사례가 반드시 관련법규에 위반된다고 단정할 수 없다.
③ 가이드라인을 준수하였다면 금융감독 및 사법당국의 제재조치가 없음을 보장한다.
④ 채권추심 과정에서 발생하는 개별적 행위의 법위반 여부는 최종적으로 사법당국에서 판단하는 사항이다.
⑤ 채권추심회사는 채권자와 채권추심위임계약이 종결되더라도 종결 이전에 발생하는 불법・부당행위에 대하여 책임이 있다.

해설 ③ 이 가이드라인을 준수하는 것만으로 감독당국 및 사법당국의 제재대상이 되지 아니함을 보장하지는 아니하며, 채권추심 과정에서 발생하는 개별적 행위의 법위반 여부는 최종적으로 사법당국에서 판단하는 사항이다[채권추심 및 대출채권 매각 가이드라인 제5조(성격) 제3항]. 이하 조문참조

> **채권추심 및 대출채권 매각 가이드라인 제5조【성격】**
> ① 이 가이드라인은 「금융규제 운영규정」 제2조 제4호에 따른 금융행정지도로 강제성이나 법적 구속력을 가지지 아니한다.
> ② 이 가이드라인에서는 사회통념상 문제가 될 소지가 있는 불법・부당한 채권추심 행위에 대한 사례를 나열하고 있으나, 이러한 사례가 반드시 관련법규에 위반된다고 단정할 수 없다.
> ③ 이 가이드라인을 준수하는 것만으로 감독당국 및 사법당국의 제재대상이 되지 아니함을 보장하지는 아니하며, 채권추심 과정에서 발생하는 개별적 행위의 법위반 여부는 최종적으로 사법당국에서 판단하는 사항이다.
> ④ 금융회사는 채권을 매각하더라도 채권매각 이전에 발생하는 불법・부당행위에 대하여 책임이 있으며, 채권추심회사는 채권자와 채권추심위임계약이 종결되더라도 종결 이전에 발생하는 불법・부당행위에 대하여 책임이 있음을 유의하여야 한다.

02. ③

2023년 기출

03 **「채권추심 및 대출채권 매각 가이드라인」에 따른 불법채권추심 대응요령에 관한 다음 설명 중 가장 적절하지 않은 것은?**

① 채권추심자가 방문 등으로 최초 접촉 시 신분 확인에 대하여 이를 제시하지 못하거나 신원이 의심스러운 경우 소속회사나 관련 협회(예 : 신용정보협회)에 재직여부 등을 확인한다.

② 채권추심자는 법률담당관, 법원집행관, 소송대리인 등으로 허위 기재한 명함을 사용하여서는 안 된다.

③ 채권추심자는 정당한 사유 없이 가족을 제외한 제3자에게 채무사실을 직접 알리거나 확인시켜주는 행위를 할 수 없다.

④ 채권추심회사는 압류·경매 또는 채무불이행정보 등록 등의 조치를 직접 취할 수 없으며 법적절차를 직접 진행하겠다고 채무자에게 안내할 수도 없다.

⑤ 채권추심자가 자신의 자금으로 채무를 변제한 후 채무자에게 이자를 요구하는 행위를 하여서는 안 된다.

해설 ③ 채권추심자는 정당한 사유 없이 가족을 포함한 제3자에게 채무사실을 직접 알리거나 확인시켜주는 행위를 할 수 없다. 아래 「채권추심 및 대출채권 매각 가이드라인」〈별표3〉 참조

〈별표3〉 불법채권추심 대응요령

채권추심 과정에서 아래와 같은 사실이 발생하는 경우 담당부서(전화번호 :) 로 연락하시면 도움을 드리도록 하겠습니다.

1. 채권추심자의 신분이 의심스러운 경우
   - 채권추심자가 방문, 전화 등으로 최초 접촉 시 신분 확인이 가능한 증표(사원증 또는 신용정보업종사원증)를 제시하여 줄 것을 요구하고, 이를 제시하지 못하거나 사진 미부착·훼손 등 신원이 의심스러운 경우 소속회사나 관련 협회(예 : 신용정보협회, www.cica.or.kr)에 재직여부 등을 확인하시기 바랍니다.
   - 채권추심자는 검찰·법원 등 사법당국을 사칭하거나 법무사, 법원집행관, 법원집행관대리 등 사실과 다른 직함을 사용할 수 없습니다.
     (예시) 채권추심자가 법률담당관, 법원집행관, 소송대리인 등으로 허위 기재한 명함을 사용하거나 그 명의로 독촉장을 발송
2. 추심채권이 추심제한 요건에 해당하는 경우
   - 본인의 채무가 추심제한 요건에 해당하는지 확인하고 추심제한 대상인 경우 채권추심자에게 서면으로 추심중단을 요청(전화요청 시 통화내용녹음)하고 이를 확인할 수 있는 증빙자료를 제시하여 주시기 바랍니다.
     채권자가 채무확인서를 발급하여 줄 것을 채권추심자에게 요청하면 소멸시효 완성여부에 대하여 확인하실 수 있습니다. 채권추심자가 채무확인서를 제시하지 못하는 경우 채권추심을 즉시 중단할 것을 요청할 수 있습니다.

03. ③

MEMO

〈채권추심 제한대상〉
- 판결 등에 따라 권원이 인정되지 아니한 민사채권
- 채무자가 소멸시효 완성에 따라 추심중단을 요청하는 경우
- 소멸시효가 완성된 대출채권
- 채무부존재 소송을 제기하는 경우
- 채무자가 신용회복위원회의 신용회복지원 신청사실을 통지받은 경우
- 개인회생절차개시 또는 파산·회생에 따라 면책된 채권
- 중증환자 등으로 사회적 생활부조를 필요로 하는 경우
- 채무자 사망 후 상속인이 상속포기하거나 한정승인하는 경우

3. 가족 등 제3자에게 채무사실을 알리는 경우
   - 채권추심자는 정당한 사유 없이 가족을 포함한 제3자에게 채무사실을 직접 알리거나 확인시켜주는 행위를 할 수 없습니다.
4. 가족에게 연락하여 채무변제를 요구하는 경우
   - 채권추심자는 채무자의 가족·친지에게 연락하여 대위변제하여 줄 것을 요구할 수 없습니다.
   - 또한, 가족 등 제3자가 대위변제 의사를 표시하였다고 하여 제3자의 의사에 반하여 변제를 요구할 수 없습니다.
     (예시) 아들을 평생 빚쟁이로 살지 아니하도록 하기 위하여 부모가 대신 상환하도록 대위변제를 강요하는 행위
5. 채권추심회사 명의로 압류·경매 등 법적조치를 하겠다고 하는 경우
   - 채권추심회사는 압류·경매 또는 채무불이행정보 등록 등의 조치를 직접 취할 수 없으며 법적절차를 직접 진행하겠다고 채무자에게 안내할 수 없습니다. 다만, 채권자 또는 채권자협의회에 의하여 법적조치가 진행될 수 있다고 안내하는 행위는 가능합니다.
6. 채권추심자가 채무대납 등을 제의하는 경우
   - 채권추심자는 채무를 대납하겠다고 제안하거나 대부업자, 사채업자 등을 통하여 자금을 마련하도록 권유할 수 없습니다.
     (예시) 채권추심자가 자신의 자금으로 채무를 변제한 후 채무자에게 이자를 요구하는 행위
7. 채권자 또는 채권추심회사 명의의 계좌 이외의 계좌로 입금을 요구하는 경우
   - 채권추심자가 현금을 수령하거나 본인의 계좌로 입금을 요구하는 것은 금지되어 있습니다.

MEMO

2024년 기출

04 **「채권추심 가이드라인」에서 정한 채권추심업무 처리절차에 관한 다음 설명 중 가장 적절하지 않은 것은?**

① 변제독촉장, 변제최고장, 채무정리 최종촉구 통고서 등의 우편물을 발송하여 채무상환을 요구하고, 채무불이행 시 불이익(연체정보 등록에 따른 금융거래 제한 등)에 대해 안내할 수 있다.
② 우편물과 별도로 전화나 문자메시지를 통하여 채무상환을 요구하고, 채무불이행 시 불이익에 대해 안내할 수 있다.
③ 우편물, 전화 또는 문자메시지 등을 통한 채무상환 요구에도 불구하고 변제가 이루어지지 아니하거나 채무자와 연락이 닿지 아니하는 경우에는 우편물, 전화 또는 문자메시지 등을 통하여 방문추심에 대해 사전에 협의한 후 채무상환 요구, 소재파악 또는 재산조사를 위하여 자택, 근무지 또는 기타 소재지를 방문할 수 있다고 안내할 수 있다.
④ 상당기간 채무변제가 이루어지지 아니하는 경우 우편물, 전화 또는 문자메시지 등을 통하여 강제회수에 대한 법적조치(가압류신청, 지급명령신청, 강제경매신청 등) 예고통보를 할 수 없다.
⑤ 채권자 또는 채권자협의회에 의하여 법원에 재산관계명시 또는 채무불이행자명부등재를 신청할 수 있다.

해설 ④ 상당기간 채무변제가 이루어지지 아니하는 경우 우편물, 전화 또는 문자메시지 등을 통하여 강제회수에 대한 법적조치(가압류신청, 지급명령신청, 강제경매신청 등) 예고통보를 할 수 있다. 아래 채권추심 및 대출채권 매각 가이드라인 〈별표2〉 참조

〈별표2〉 채권추심업무 처리절차 안내문
추심채권의 세부명세 통지 이후 다음과 같은 채권추심 행위가 이루어질 수 있음을 알려드리며, 당사의 채권추심 업무진행과 관련하여 문의사항이 있는 경우 언제든지 당사 담당부서(전화번호 : 0000-0000) 및 담당자에게 연락하시면 친절히 안내해 드리겠습니다.
① 변제독촉장, 변제최고장, 채무정리 최종촉구 통고서 등의 우편물을 발송하여 채무상환을 요구하고, 채무불이행 시 불이익(연체정보 등록에 따른 금융거래 제한 등)에 대해 안내할 수 있습니다.
② 우편물과 별도로 전화나 문자메시지를 통하여 채무상환을 요구하고, 채무불이행 시 불이익에 대해 안내할 수 있습니다.
③ 우편물, 전화 또는 문자메시지 등을 통한 채무상환 요구에도 불구하고 변제가 이루어지지 아니하거나 귀하와 연락이 닿지 아니하는 경우에는 우편물, 전화 또는 문자메시지 등을 통하여 방문추심에 대해 사전에 협의한 후 채무상환 요구, 소재파악 또는 재산조사를 위하여 자택, 근무지 또는 기타 소재지를 방문할 수 있습니다.

04. ④

MEMO

④ 상당기간 채무변제가 이루어지지 아니하는 경우 우편물, 전화 또는 문자메시지 등을 통하여 채권자 또는 채권자협의회에 의한 채무금액 강제회수에 대한 법적조치(가압류신청, 지급명령신청, 강제경매신청 등) 예고통보를 할 수 있으며, 그럼에도 불구하고 변제가 이루어지지 아니하는 경우에는 법원으로부터 집행권원을 부여받아 강제집행을 통해 채권을 회수할 수 있습니다. 그 밖에도 채권자 또는 채권자협의회에 의하여 법원에 재산관계명시 또는 채무불이행등록을 신청할 수 있습니다.

2023년 기출

05 **「채권추심 및 대출채권 매각 가이드라인」에 따른 추심채권의 세부명세 통지 및 채권추심업무처리절차 안내문 통지에 관한 다음 설명 중 가장 적절하지 않은 것은?**

① 변제독촉장, 변제최고장, 채무정리 최종촉구 통고서 등의 우편물을 발송하여 채무상환을 요구하고, 채무불이행 시 불이익(연체정보 등록에 따른 금융거래 제한 등)에 대하여 안내를 한다.

② "우편물과 별도로 전화나 문자메시지를 통하여 채무상환을 요구하고, 채무불이행 시 불이익에 대해 안내할 수 있다"라고 안내를 한다.

③ "우편물, 전화 또는 문자메시지 등을 통한 채무상환 요구에도 불구하고 변제가 이루어지지 아니하거나 연락이 닿지 아니하는 경우에는 우편물, 전화 또는 문자메시지 등을 통하여 방문추심에 대해 사전에 협의한 후 채무상환 요구, 소재파악 또는 재산조사를 위하여 자택, 근무지 또는 기타 소재지를 방문할 수 있다"라고 안내한다.

④ "상당기간 채무변제가 이루어지지 아니하는 경우 우편물, 전화 또는 문자메시지 등을 통하여 채권자에 의한 채무금액 강제회수에 대한 법적조치(가압류신청, 지급명령신청, 강제경매신청 등) 예고통보를 할 수 있다"라고 안내한다.

⑤ 채권추심단계에서는 채권자에 의하여 법원에 재산관계명시 또는 채무불이행등록을 신청할 수 없으므로 이에 대한 안내를 할 필요가 없다.

해설 ⑤ "채권추심단계에서 예고통보에도 불구하고 변제가 이루어지지 아니하는 경우에는 법원으로부터 집행권원을 부여받아 강제집행을 통해 채권을 회수할 수 있다. 그 밖에도 채권자에 의하여 법원에 재산관계명시 또는 채무불이행등록을 신청할 수 있다"라고 안내한다. 아래 「채권추심 및 대출채권 매각 가이드라인」〈별표2〉 참조

05. ⑤

MEMO

〈별표2〉 채권추심업무 처리절차 안내문
추심채권의 세부명세 통지 이후 다음과 같은 채권추심 행위가 이루어질 수 있음을 알려드리며, 당사의 채권추심 업무진행과 관련하여 문의사항이 있는 경우 언제든지 당사 담당부서(전화번호 :) 및 담당자에게 연락하시면 친절히 안내해 드리겠습니다.
① 변제독촉장, 변제최고장, 채무정리 최종촉구 통고서 등의 우편물을 발송하여 채무상환을 요구하고, 채무불이행 시 불이익(연체정보 등록에 따른 금융거래 제한 등)에 대해 안내할 수 있습니다.
② 우편물과 별도로 전화나 문자메시지를 통하여 채무상환을 요구하고, 채무불이행 시 불이익에 대해 안내할 수 있습니다.
③ 우편물, 전화 또는 문자메시지 등을 통한 채무상환 요구에도 불구하고 변제가 이루어지지 아니하거나 귀하와 연락이 닿지 아니하는 경우에는 우편물, 전화 또는 문자메시지 등을 통하여 방문추심에 대해 사전에 협의한 후 채무상환 요구, 소재파악 또는 재산조사를 위하여 자택, 근무지 또는 기타 소재지를 방문할 수 있습니다.
④ 상당기간 채무변제가 이루어지지 아니하는 경우 우편물, 전화 또는 문자메시지 등을 통하여 채권자 또는 채권자협의회에 의한 채무금액 강제회수에 대한 법적조치(가압류신청, 지급명령신청, 강제경매신청 등) 예고통보를 할 수 있으며, 그럼에도 불구하고 변제가 이루어지지 아니하는 경우에는 법원으로부터 집행권원을 부여받아 강제집행을 통해 채권을 회수할 수 있습니다. 그 밖에도 채권자 또는 채권자협의회에 의하여 법원에 재산관계명시 또는 채무불이행등록을 신청할 수 있습니다.

2023년 기출

06 **소멸시효 완성채권 추심 관련 금융소비자 유의사항에 관한 다음 설명 중 가장 적절하지 않은 것은?**

① 소멸시효는 채권자가 권리를 행사할 수 있음에도 불구하고 권리를 행사하지 아니한 사실상태가 일정기간 계속되는 경우 그 권리의 소멸을 인정하는 제도이다.
② 3년(통신채권 등) 또는 5년(대출채권 등) 이상 채권자로부터 연락(유선, 우편, 소제기 등)을 받지 못하였다면, 소멸시효가 완성되었을 가능성이 크므로 소멸시효 완성 여부를 확인할 필요가 있다.
③ 소멸시효 완성 사실이 확인되는 경우, 변제할 의사가 없다면 채권자 등에게 구두 또는 서면으로 소멸시효 완성 사실을 주장하고 채무상환을 거절할 수 있다.
④ 채무자가 채무를 일부 변제하거나, 변제하겠다는 각서 및 확인서 등을 작성해 주어도 소멸시효가 완성된 이상 위와 같은 각서 등은 소멸시효 완성에 아무런 영향이 미치지 않는다.

06. ④

MEMO

⑤ 법원으로부터 지급명령 등을 받은 경우에도 변제할 의사가 없다면 채권매각통지서를 받은 경우와 마찬가지로 채권자·채무액은 물론 소멸시효 완성 여부를 꼼꼼히 따져볼 필요가 있다.

해설 ④ 채무자가 채무를 일부 변제하거나, 변제하겠다는 각서 및 확인서 등을 작성하는 경우, 작성일로부터 소멸시효 기간이 재산정될 수 있으므로 유의하여야 한다. 아래 「채권추심 및 대출채권 매각 가이드라인」〈별표4〉 참조

〈별표4〉 소멸시효 완성채권 추심 관련 금융소비자 유의사항

1. 채권매각통지서 또는 수임사실통보서 등에 기재된 채권 매입기관, 채권추심인 및 채무사실 등이 정확한지 확인하여야 합니다.
   ◦ 필요시 채무확인서 등 관련자료를 요청하여 기초 채무사실을 꼼꼼히 확인하여야 합니다.
2. 소멸시효는 「민법」 제162조 및 「상법」 제64조 등에 따라 채권자가 권리를 행사할 수 있음에도 불구하고 권리를 행사하지 아니한 사실상태가 일정기간 계속되는 경우 그 권리의 소멸을 인정하는 제도입니다.
   ◦ 3년(통신채권 등) 또는 5년(대출채권 등) 이상 채권자로부터 연락(유선, 우편, 소제기 등)을 받지 못하였다면, 소멸시효가 완성되었을 가능성이 크므로 소멸시효 완성 여부를 확인할 필요가 있습니다.
3. 소멸시효 완성 사실이 확인되는 경우, 변제할 의사가 없다면 채권자 등에게 구두 또는 서면으로 소멸시효 완성사실을 주장하고 채무상환을 거절할 수 있습니다.
   ◦ 채무자가 채무를 일부 변제하거나, 변제하겠다는 각서 및 확인서 등을 작성하는 경우, 작성일로부터 소멸시효 기간이 재산정될 수 있으므로 유의하여야 합니다.
4. 법원으로부터 지급명령을 받은 경우에도 변제할 의사가 없다면 채권매각통지서를 받은 경우와 마찬가지로 채권자, 채무액은 물론 소멸시효 완성 여부를 꼼꼼히 따져볼 필요가 있습니다.
   ◦ 소멸시효 완성 사실이 확인되는 경우, 변제할 의사가 없다면 지급명령을 받은 날로부터 2주 이내에 지급명령을 한 법원에 이의신청을 하여야 합니다.
5. 채권자, 채권 매입기관 또는 채권추심인 등이 일부만 갚으면 원금을 감면하여 주겠다고 회유하는 경우, 완성된 소멸시효를 부활시키고자 하는 의도가 있을 수 있으므로, 변제할 의사가 없다면 채권자, 채무금액 및 소멸시효 완성여부 등을 신중히 확인할 필요가 있습니다.
   ◦ 소액이라도 변제하는 경우 소멸시효가 부활할 수 있으므로, 소멸시효완성 사실이 확인되는 경우, 소멸시효 완성을 주장하고 상환하지 아니할 수 있습니다.

MEMO

2023년 기출

07 다음 중 변제 독촉장 금지 문구로 가장 거리가 먼 것은?

① 채권추심회사가 직접 가압류 등 법적조치를 취할 것이라는 내용
② 위법행위가 없음에도 채무 미변제 시 형사범죄에 해당된다는 내용
③ 채무 미변제 시 기본적인 가재도구를 압류할 것이라는 내용
④ 신용카드로 구입하는 물품을 매각하여 변제하도록 강요하는 내용
⑤ 채무자가 책임이 있는 비용을 부담하여야 한다는 내용

해설 ⑤ 채무자가 책임이 없는 비용을 부담하여야 한다는 내용이 변제독촉장 금지 문구에 해당한다. 아래「채권추심 및 대출채권 매각 가이드라인」〈별표12〉 참조

〈별표12〉 변제 독촉장 금지문구(예시)

1. 채권추심회사가 직접 가압류 등 법적조치를 취할 것이라는 내용
   ○ 채무를 변제하지 아니하는 경우 당사에서 직접 귀하를 상대로 유체동산 압류 등 법적조치를 진행할 예정입니다.
2. 위법행위가 없음에도 채무 미변제 시 형사범죄에 해당된다는 내용
   ○ 채무를 변제하지 아니하는 것은 사기죄에 해당되며, 통보해 드리는 날짜까지 입금이 되지 아니하는 경우 고소장을 접수할 예정입니다.
3. 채무 미변제 시 기본적인 가재도구를 압류할 것이라는 내용
   ○ 귀하가 채무를 변제하지 아니하는 경우 의복, 침구, 부엌기구 등 기본적인 가재도구까지 압류될 것입니다.
4. 신용카드로 구입하는 물품을 매각하여 변제하도록 강요하는 내용
   ○ 신용카드로 구입하는 물품을 매각하여서라도 무조건 변제하시기 바랍니다.
5. 채무자가 책임이 없는 비용을 부담하여야 한다는 내용
   ○ 통신비, 형사고소 비용 등 귀하의 채무와 관련된 모든 비용은 귀하가 부담하셔야 합니다.
6. 채무 미변제 시 가족과 떨어져야 한다는 내용
   ○ 채무를 변제하지 아니하는 경우 귀하는 가족과 함께 살지 못하게 될 것입니다.

07. ⑤

MEMO

2024년 기출

08 채권추심 관련 금지행위에 관한 다음 행위 중 (　　)에 들어갈 숫자로 가장 적절한 것은?

> 「채권추심법」 제9조 제2호에 따라 정당한 사유 없이 반복적으로 또는 야간[오후 (A 부터 다음 날 오전 (B)시까지]에 방문하는 행위

	A	B
①	9	10
②	8	10
③	7	8
④	9	8
⑤	8	9

해설 ④ 아래 조문 참조

채권추심법 제9조(폭행 · 협박 등의 금지) 채권추심자는 채권추심과 관련하여 다음 각 호의 어느 하나에 해당하는 행위를 하여서는 아니 된다.

1. 채무자 또는 관계인을 폭행 · 협박 · 체포 또는 감금하거나 그에게 위계나 위력을 사용하는 행위
2. 정당한 사유 없이 반복적으로 또는 야간(오후 9시 이후부터 다음 날 오전 8시까지를 말한다. 이하 같다)에 채무자나 관계인을 방문함으로써 공포심이나 불안감을 유발하여 사생활 또는 업무의 평온을 심하게 해치는 행위
3. 정당한 사유 없이 반복적으로 또는 야간에 전화하는 등 말 · 글 · 음향 · 영상 또는 물건을 채무자나 관계인에게 도달하게 함으로써 공포심이나 불안감을 유발하여 사생활 또는 업무의 평온을 심하게 해치는 행위
4. 채무자 외의 사람(제2조 제2호에도 불구하고 보증인을 포함한다)에게 채무에 관한 거짓 사실을 알리는 행위
5. 채무자 또는 관계인에게 금전의 차용이나 그 밖의 이와 유사한 방법으로 채무의 변제자금을 마련할 것을 강요함으로써 공포심이나 불안감을 유발하여 사생활 또는 업무의 평온을 심하게 해치는 행위
6. 채무를 변제할 법률상 의무가 없는 채무자 외의 사람에게 채무자를 대신하여 채무를 변제할 것을 요구함으로써 공포심이나 불안감을 유발하여 사생활 또는 업무의 평온을 심하게 해치는 행위
7. 채무자의 직장이나 거주지 등 채무자의 사생활 또는 업무와 관련된 장소에서 다수인이 모여 있는 가운데 채무자 외의 사람에게 채무자의 채무금액, 채무불이행 기간 등 채무에 관한 사항을 공연히 알리는 행위

08. ④

MEMO

2021년 기출

09 다음은 「채권추심 및 대출채권 매각 가이드라인」에 관한 내용이다. ( ) 안에 들어갈 가장 적절한 시간은?

> 금융회사등은 채권추심업무 수행 시 「채권추심법」 제9조 제2호에 따라 정당한 사유 없이 반복적으로 또는 야간( )에 방문하는 행위를 하여서는 아니 된다.

① 오후 10시 이후부터 다음날 오전 6시까지
② 오후 10시 이후부터 다음날 오전 7시까지
③ 오후 10시 이후부터 다음날 오전 8시까지
④ 오후 9시 이후부터 다음날 오전 8시까지
⑤ 오후 9시 이후부터 다음날 오전 9시까지

해설 채권추심자는 채권추심과 관련하여 정당한 사유 없이 반복적으로 또는 야간(오후 9시 이후부터 다음날 오전 8시까지를 말한다)에 채무자나 관계인을 방문함으로써 공포심이나 불안감을 유발하여 사생활 또는 업무의 평온을 심하게 해치는 행위를 하여서는 아니 된다(채권의 공정한 추심에 관한 법률 제9조 제2호). 금융회사 등은 채권추심업무 수행 시 채권추심법 제9조 제2호에 따라 정당한 사유 없이 반복적으로 또는 야간(오후 9시 이후부터 다음날 오전 8시까지)에 방문하는 행위를 하여서는 아니 된다(채권추심 및 대출채권 매각 가이드라인 제31조 제2호).

2024년 기출

10 「채권추심 가이드라인」상 채권추심과 관련하여 채권추심자의 금지행위로 가장 적절하지 않은 것은?

① 법적인 집행권원이 없으면서도 채무를 변제하지 아니하는 경우 곧바로 압류 · 경매 등 강제
집행신청이나 재산관계명시신청 등을 취하겠다고 언급하는 행위
② 오후 늦게 채무자의 집을 방문하여 채무자 또는 관계인의 퇴거 요구에도 불구하고 오후 9시가 넘도록 떠나지 아니하는 행위
③ 주채무자가 채무상환계획에 따라 정상적으로 변제를 하고 있음에도 불구하고 보증인에게 주채무자가 변제를 하고 있지 아니하니 채무를 변제하라고 요구하는 행위
④ 법률상 압류가 금지되는 동산임에도 불구하고 생활에 필요한 의복 · 침구 · 부엌기구 등을 매각하여 변제하도록 강요하는 행위
⑤ 채권추심에 관한 민사상 또는 형사상 법적인 절차가 진행되고 있다는 사실을 알리는 행위

09. ④ 10. ⑤

MEMO

해설 ⑤ 채권추심에 관한 민사상 또는 형사상 법적인 절차가 진행되고 있다고 **거짓으로** 표시하는 행위가 금지된다(채권추심법 제11조(거짓 표시의 금지 등) 제4호, 채권추심 및 대출채권 매각 가이드라인 제31조(채권추심 관련 금지행위) 제11호 참조). 따라서, 채권추심에 관한 민사상 또는 형사상 법적인 절차가 진행되고 있다는 사실을 알리는 행위는 「채권추심 가이드라인」상 채권추심과 관련한 채권추심자의 금지행위에 해당하지 않는다.

①②③④는 채권추심 및 대출채권 매각 가이드라인 〈별표17〉 채권추심 금지행위 사례 참조

2024년 기출

11 다음 중 불법 · 부당 채권추심행위가 아닌 것은?

① 채무자가 집 안에 없다는 사실을 알면서도 밖에서 장시간 서성거리며 가족에게 불안감을 주는 행위

② 채무자의 채무사실을 알고 있는 채무자의 관계인에게 채무자가 채무를 잘 변제하도록 설득하여 줄 것을 강요하는 행위

③ 채무자가 채무를 변제하였다는 증거를 제시하였음에도 사실관계 확인 없이 추심을 지속하는 행위

④ 채권자가 채권자 명의로 가압류 · 가처분 등의 채권보전조치를 취할 수 있다고 말하는 행위

⑤ 채무자가 실제 근무하고 있다는 사실을 알면서도 채권추심 사실을 직장 동료에게 알릴 목적으로 직장 동료에게 채권추심회사 소속임을 밝히고 채무자가 근무하는지 여부를 문의하는 행위

해설 ④ 채권자가 채권자 명의로 가압류 · 가처분 등의 채권보전조치를 취할 수 있다고 말하는 행위는 적법 · 정당한 채권추심행위이고, 채권추심회사가 채권추심회사 명의로 가압류 · 가처분 등의 채권보전조치를 취할 수 있다고 말하는 행위가 불법 · 부당 채권추심행위이다.

11. ④

MEMO

2021년 기출

12 **다음 중 「채권추심법」 및 「채권추심 및 대출채권 매각 가이드라인」에 따른 금지 행위로 가장 적절하지 않은 것은?**

① 법적인 집행권원이 없으면서도 채무를 변제하지 않을 경우 곧바로 압류・경매 등 강제집행신청이나 재산관계명시신청 등을 하겠다고 언급하는 행위
② 기존에 채무자의 채무를 일부 변제하고 있던 채무자의 관계인이 자신은 더 이상 채무를 변제할 의사가 없다고 밝혔음에도 불구하고 계속적으로 변제를 요구하는 행위
③ 채권추심에 관한 민사상 또는 형사상 법적인 절차가 진행되고 있지 아니함에도 그러한 절차가 진행되고 있다고 거짓으로 표시하는 행위
④ 채권추심회사가 자신의 명의로 강제집행이나 재산관계명시신청 등을 할 수 있다고 말하는 행위
⑤ 사망한 채무자의 상속인이 상속포기를 한 사실을 모르고 채무를 변제하라고 요구하는 행위

해설 사망한 채무자의 상속인이 상속포기를 한 사실을 알면서도 채무를 변제하라고 요구하는 행위는 무효이거나 존재하지 아니한 채권을 추심하는 의사를 표시하는 행위(채권의 공정한 추심에 관한 법률 제11조 제1호)로서 채권추심 및 대출채권 매각 가이드라인의 금지 행위에 해당된다.

2021년 기출

13 **「채권추심 및 대출채권 매각 가이드라인」에 관한 다음 내용 중 ( ) 안에 들어갈 가장 적절한 것은?**

금융회사등은 광고물 제작・사용 시 본사의 (A)절차를 거쳐야 하며, 금융회사등임직원이 별도의 광고물을 제작・사용하여서는 아니 된다. 또한, 광고물 제작・사용 시 '해결', '(B)' 등 (C) 이미지를 주는 용어를 사용하여서는 아니 된다.

	A	B	C
①	사전 승인	연체채권	법률적
②	사후 승인	떼인 돈	부정적
③	사전 승인	연체채권	강제집행
④	사후 승인	연체채권	법률적
⑤	사전 승인	떼인 돈	부정적

12. ⑤ 13. ⑤

MEMO

해설 「채권추심 및 대출채권 매각 가이드라인」 제14조에서는 광고 및 홍보물 등 제작·사용 시 유의사항을 다음과 같이 규정하고 있다.

제1항 채권추심회사는 광고 또는 홍보 시 추심의 대상이 되는 채권의 종류 등을 명시하여야 하고, 광고의 명의 및 연락처는 채권추심회사의 명의와 연락처를 사용하여야 하며, 채권추심업 종사자의 개인 연락처 등을 사용하여서는 아니 된다.

제2항 금융회사 등은 광고물 제작·사용 시 본사의 사전 승인절차를 거쳐야 하며, 금융회사등임직원이 별도의 광고물을 제작·사용하여서는 아니 된다. 또한, 광고물 제작·사용 시'해결', '떼인 돈' 등 부정적 이미지를 주는 용어를 사용하여서는 아니 된다.

제3항 채권추심회사는 채권의 회수 가능성, 수임수수료, 채권추심회사의 업무 범위 및 실적 등에 대하여 사실과 현저하게 다른 내용을 표시하여서는 아니 된다.

2021년 기출

14 「채권추심 및 대출채권 매각 가이드라인」에 관한 다음 내용 중 ( ) 안에 들어갈 가장 적절한 것은?

> 채권추심행위는 채무자(보증인 제외)가 채권자로부터 (A)(을)를 향유하였음에도 불구하고 약정한 기일 내에 채무를 (B)하지 아니함에 따라 이루어지는 것이므로 채무자는 본인의 채무를 (B)하여야 하는 법적인 (C)(이)가 있으며, 고의적으로 채무(B)(을)를 회피하여서는 아니 된다.

	A	B	C
①	권리	인수	책임
②	경제적 이익	양도	소멸
③	권리	변제	소멸
④	경제적 이익	변제	책임
⑤	권리	양도	책임

해설 「채권추심 및 대출채권 매각 가이드라인」 제4조(채무자의 책무) 이 가이드라인은 주로 금융회사 등의 채권추심과 관련되는 금지사항 또는 준수사항에 대하여 기준을 제시하고 있으나, 채권추심행위는 채무자(보증인 제외)가 채권자로부터 경제적 이익을 향유하였음에도 불구하고 약정한 기일 내에 채무를 변제하지 아니함에 따라 이루어지는 것이므로 채무자는 본인의 채무를 변제하여야 하는 법적인 책임이 있으며, 고의적으로 채무변제를 회피하여서는 아니 된다. 금융회사 등이 적법하게 채권을 추심하는 경우 채무자는 이에 대하여 신의에 좇아 성실하게 응하여야 한다.

정답 14. ④

MEMO

2021년 기출

15 **다음 중 채권추심회사의 변제 독촉장 금지문구(예시)로 가장 적절하지 않은 것은?**

① "채무를 변제하지 않을 경우 당사에서 직접 귀하를 상대로 유체동산 압류 등 법적조치를 진행할 예정입니다."

② "채무를 변제하지 않는 것은 사기죄에 해당되며, 통보해 드리는 날짜까지 입금이 되지 않을 경우 고소장을 접수할 예정입니다."

③ "귀하가 채무를 변제하지 않을 경우 의복, 침구, 부엌기구 등 기본적인 가재도구까지도 압류될 것입니다."

④ "만일 아래 기한 내에 채무가 변제되지 않거나 귀하의 연락이 없을 경우에는 채권자가 법적회수절차를 진행할 예정입니다."

⑤ "신용카드로 구입하는 물품을 매각하여서라도 무조건 변제하시기 바랍니다."

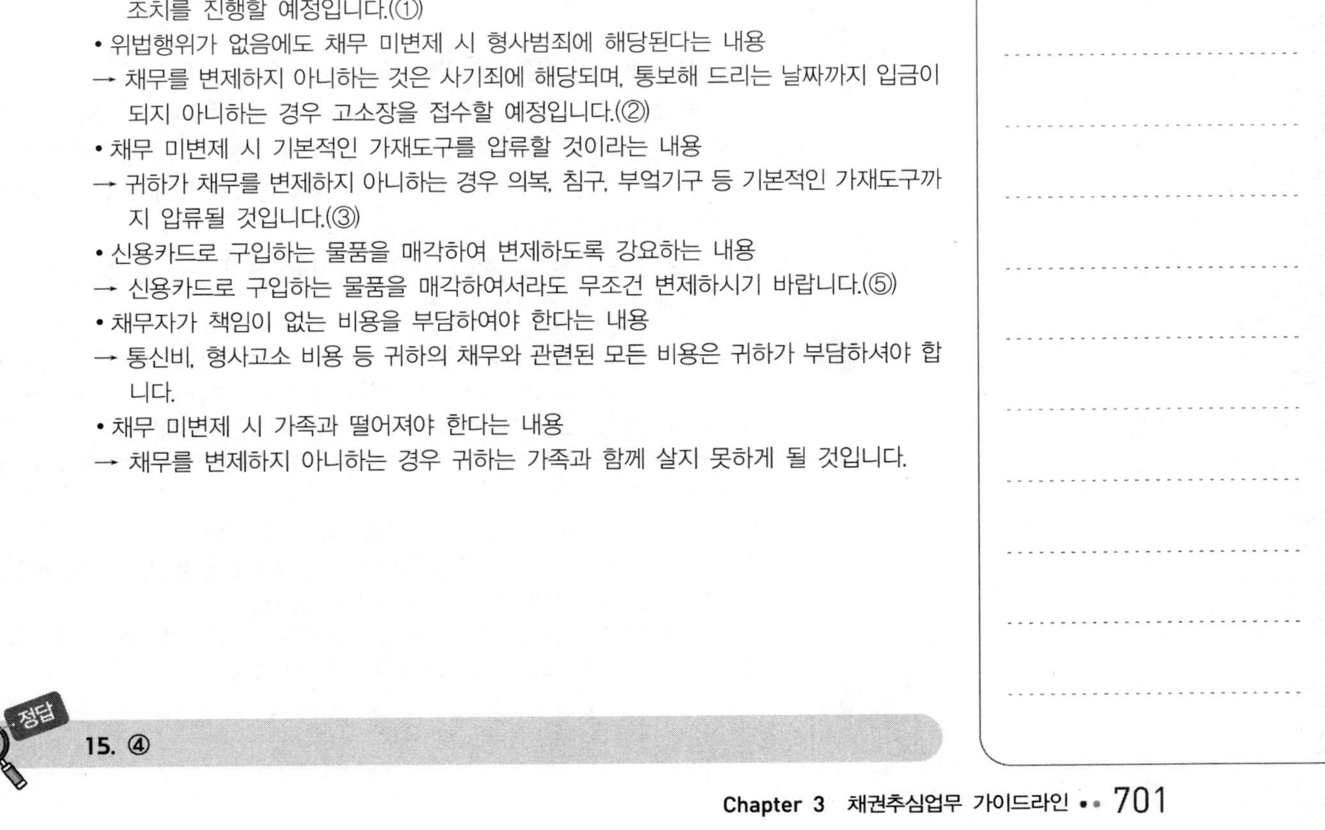

해설 "만일 아래 기한 내에 채무자 변제되지 않거나 귀하의 연락이 없을 경우에는 채권자가 법적회수절차를 진행할 예정입니다."는 문구는 채권추심회사가 변제독촉장에 기재할 합리적이고 공정한 문구에 해당한다. 「채권추심 및 대출채권 매각 가이드라인」〈별표12〉 변제 독촉장 금지문구(예시)는 다음과 같다.

- 채권추심회사가 직접 가압류 등 법적조치를 취할 것이라는 내용
  → 채무를 변제하지 아니하는 경우 당사에서 직접 귀하를 상대로 유체동산 압류 등 법적조치를 진행할 예정입니다.(①)
- 위법행위가 없음에도 채무 미변제 시 형사범죄에 해당된다는 내용
  → 채무를 변제하지 아니하는 것은 사기죄에 해당되며, 통보해 드리는 날짜까지 입금이 되지 아니하는 경우 고소장을 접수할 예정입니다.(②)
- 채무 미변제 시 기본적인 가재도구를 압류할 것이라는 내용
  → 귀하가 채무를 변제하지 아니하는 경우 의복, 침구, 부엌기구 등 기본적인 가재도구까지 압류될 것입니다.(③)
- 신용카드로 구입하는 물품을 매각하여 변제하도록 강요하는 내용
  → 신용카드로 구입하는 물품을 매각하여서라도 무조건 변제하시기 바랍니다.(⑤)
- 채무자가 책임이 없는 비용을 부담하여야 한다는 내용
  → 통신비, 형사고소 비용 등 귀하의 채무와 관련된 모든 비용은 귀하가 부담하셔야 합니다.
- 채무 미변제 시 가족과 떨어져야 한다는 내용
  → 채무를 변제하지 아니하는 경우 귀하는 가족과 함께 살지 못하게 될 것입니다.

15. ④

MEMO

2021년 기출

16 다음 중 채권추심 관련 준수사항으로 가장 적절하지 않은 것은?

① 채무자에 대한 소재파악은 채무자가 행방불명 상태인 경우에 한하여 실시한다.
② 채권추심회사는 채권자 또는 감독당국의 요청이 있을 시 채권추심 활동의 진행사항을 보고하여야 한다.
③ 채권추심회사등은 민원을 제기했다는 이유만으로 민원인에게 불이익을 주어서는 아니 된다.
④ 채권추심회사등은 채권추심 종사원 등의 추심활동 상황을 수시로 확인하여 불법 · 부당한 추심행위가 있는지 여부를 파악하고, 올바른 추심 활동이 이루어질 수 있도록 관리 · 감독하여야 한다.
⑤ 채권금융회사등은 채권양도 시 채무자에게 채권양도 사실에 대한 통지를 철저히 하여 채무자가 위 양도 사실을 알 수 있도록 하여야 한다.

해설 채무자에 대한 소재파악은 채무자와 연락이 장기간 이루어지지 아니하거나 채무자가 행방불명 상태인 경우에 한하여 실시한다(채권추심 및 대출채권 매각 가이드라인 제24조 제1항).

2021년 기출

17 다음 중 채권추심회사가 채권추심을 중지하여야 하는 사유로 가장 적절하지 않은 것은?

① 채무자가 성년후견개시심판을 받아 결정된 경우
② 채무자가 중증환자 등으로 사회적 생활부조를 필요로 하는 경우
③ 채무자의 국민행복기금 채무조정 신청 접수 사실을 확인하는 경우
④ 채무자가 원금, 이자, 비용, 변제기 등 채무의 상세내역이 포함된 채무확인서를 요청하였음에도 제시하지 못하는 경우
⑤ 채무자로부터 신용회복위원회의 신용회복지원 신청 사실을 통지받고 전산상으로 사실관계가 확인되는 경우

해설 「채권추심 및 대출채권 매각 가이드라인」 제8조(추심 관련 내부통제) 제16항 금융회사등은 다음 각 호의 어느 하나의 사유가 발생하는 경우 채권추심을 중지하여야 한다.
1. 채무자의 국민행복기금 채무조정 신청 접수 사실을 확인하는 경우 (국민행복기금 신용지원협약 제13조 제1항 및 운영세칙 제7조에 따라 채무자의 신용지원 여부 확정시까지)(③)
2. 채무자가 채무존재사실을 부인하여 소송을 제기하는 경우
3. 채무자로부터 신용회복위원회의 신용회복지원 신청 사실을 통지받고 전산상으로 사실관계가 확인되는 경우(신용회복지원협약 제7조)(⑤)
4. 채무자에 관한 개인회생절차 개시결정 또는 중지명령 사실을 확인하는 경우(「채무자 회생 및 파산에 관한 법률」 제600조 제1항 및 제593조 제1항)

16. ① 17. ①

MEMO

5. 채무자가 사망하여 그 상속인의 상속포기나 한정승인 사실을 확인하는 경우
6. 채무자가 중증환자 등으로 사회적 생활부조를 필요로 하는 경우(②)
7. 채무자가 소멸시효 완성에 따라 추심중단을 요청하는 경우
8. 채무자가 원금, 이자, 비용, 변제기, 채권의 발생연월일, 소멸시효 기간(단, 금융회사의 대출채권인 경우 해당 채권의 소멸시효 완성 여부) 등 채무의 상세내역이 포함된 채무확인서를 요청하였음에도 제시하지 못하는 경우(④)
9. 「신용정보의 이용 및 보호에 관한 법률」 제39조의2 제1항을 위반하여 채권자변동정보가 종합신용정보집중기관에 제공되지 아니한 경우

2021년 기출

18 **「채권추심 및 대출채권 매각 가이드라인」에 관한 다음 내용 중 (   ) 안에 들어갈 가장 적절한 것은?**

> 금융회사등은 금융회사등임직원으로 하여금 채권추심과 관련된 교육을 이수하도록 하거나 (   ) 자격증을 취득하도록 하는 등 금융회사등임직원의 자질향상을 위하여 노력하여야 한다.

① 신용상담사
② 신용분석사
③ 신용관리사
④ 마이데이터관리사
⑤ 금융투자분석사

해설 「채권추심 및 대출채권 매각 가이드라인」에 있는 '금융회사 등 임직원의 관리 및 교육'에 관한 다음 조문 참고.

제11조(금융회사 등 임직원의 관리 및 교육) ① 금융회사 등은 금융회사 등 임직원으로 하여금 채권추심과 관련된 교육을 이수하도록 하거나 신용관리사 자격증을 취득하도록 하는 등 금융회사 등 임직원의 자질향상을 위하여 노력하여야 한다.
② 채권추심회사는 신용정보법, 채권추심법 및 대부업법 등 관련법규 위반행위로 인하여 해임・면직된 채권추심업 종사자에 대한 정보를 기록・유지하여야 한다.
③ 금융회사 등은 퇴직(사임)한 금융회사 등 임직원이 재직(재임)중이었다면 해임・면직에 해당하는 조치를 받았을 것으로 인정되는 경우 해당 조치의 내용을 인사기록부 등에 기록・유지하여야 한다.
④ 채권추심회사는 소속 위임직 채권 추심인이 등록취소, 업무정지 등의 처분을 받는 경우 즉시 추심업무를 중지시키는 등 필요한 조치를 하여야 한다.
⑤ 채권추심회사는 채권 추심업 종사자를 채용(등록)하는 경우, 관련 법규 및 이 가이드라인 내용에 대하여 교육을 실시하여야 하며, 정기(반기 1회) 또는 수시로 기존 채권추심업종사자를 대상으로 민원예방에 대한 교육을 실시하여야 한다. 채권추심회사는 필요 시 소속 협회를 통하여 통합하여 교육을 실시할 수 있다.
⑥ 채권추심회사가 제5항에 따른 교육을 실시하는 경우, 교육일시, 장소, 참석자 등에 대한 내용을 기록・유지하여야 한다.

18. ③

MEMO

2020년 기출

19 **다음 설명 중 ( ) 안에 들어갈 가장 적절한 것은?**

> 금융소비자 및 그 밖의 이해관계인 사이에 발생하는 금융 관련 분쟁의 조정에 관한 사항을 심의·의결하기 위하여 ( )에 ( )를 둔다.

① 금융감독원 – 금융분쟁조정위원회
② 금융감독원 – 소비자분쟁조정위원회
③ 금융위원회 – 금융분쟁조정위원회
④ 한국신용정보원 – 금융분쟁조정위원회
⑤ 소비자보호원 – 소비자분쟁조정위원회

해설 「금융위원회의 설치 등에 관한 법률」 제38조 각 호의 기관(이하 "조정대상기관"이라 한다), 금융소비자 및 그 밖의 이해관계인 사이에 발생하는 금융 관련 분쟁의 조정에 관한 사항을 심의·의결하기 위하여 금융감독원에 금융분쟁조정위원회를 둔다[금융소비자 보호에 관한 법률 제33조(분쟁조정기구)]. 「금융위원회의 설치 등에 관한 법률」 제3장 제5절 금융분쟁의 조정 내의 규정(제51조 내지 제57조)은 「금융소비자 보호에 관한 법률」이 2020.3.24.에 제정(2021.3.25. 시행)되면서 삭제되었다.

2022년 기출

20 **금융회사의 평판리스크를 감안하여 사회적 취약계층에 대한 배려 및 금융소비자 보호 관점에서 '채권추심 및 대출채권 매각 가이드라인'에 따라 압류를 제한하고 있는데, 다음 설명 중 가장 적절하지 않은 것은?**

① 채무원금이 「민사집행법」 제195조 제3호에 따른 1개월간의 생계비(185만원) 이하인 경우 유체동산(TV, 냉장고, 휴대폰 등 가전제품 포함) 압류를 제한한다.
② 채무원금이 「국민기초생활보장법」에 따라 보건복지부장관이 정하는 4인 가구 최저생계비 이상인 경우에도 연체 채무자가 영구 임대주택에 거주하거나, 기초수급자, 중증환자·장애인, 65세 이상 고령자 등 취약계층에 해당되는 경우에는 원칙적으로 유체동산의 압류를 제한한다.
③ 채무자의 예금(적금, 부금, 예탁금과 우편대체를 포함한다)은 어느 정도 능력이 증명되기 때문에 압류 제한이 없다.
④ 생명, 상해, 질병, 사고 등을 원인으로 채무자가 지급받는 보장성보험의 보험금(해약환급 및 만기환급금을 포함한다)은 압류 제한이 있다.

19. ① 20. ③

MEMO

⑤ 유체동산을 압류하는 과정에서 집행 장소에 임산부, 중증환자, 장애인, 70세 이상 고령자, 어린이, 심신박약자 등의 노약자가 채무자와 함께 살고 있는 경우 압류과정에서 심리적 쇼크를 받지 아니 하도록 업무처리에 주의하여야 한다.

해설 채무자의 1개월간 생계유지에 필요한 예금(민사집행법 제246조 제1항 제8호 및 민사집행법 시행령 제7조에 따라 개인별 잔액이 185만원 이하인 예금, 적금·부금·예탁금과 우편대체를 포함한다)은 압류를 제한한다.(아래 채권추심 및 대출채권 매각 가이드라인 별표 13 압류관련 가이드라인 참조, 금융감독원 업무자료에는 2023년 4월 26일에 등록된 자료가 가장 최근자료로서 아직 금액수정(150만원>185만원)이 안된 것으로 보이지만 그대로 수록함)

〈별표 13〉 압류관련 가이드라인

1. 운영원칙
   금융회사의 평판리스크를 감안하여 사회적 취약계층에 대한 배려 및 금융소비자 보호 관점에서 압류를 제한
2. 운영방안
   (1) (소액채무자 압류 제한) 채무원금이 월 생계비* 이하인 경우 유체동산(TV, 냉장고, 휴대폰 등 가전제품 포함) 압류를 제한
   * 「민사집행법」 제195조 제3호에 따른 1개월간의 생계비(150만원)
   (2) (취약계층 압류 금지) 채무원금이 「국민기초생활보장법」에 따라 보건복지부장관이 정하는 4인 가구 최저생계비 이상인 경우에도 연체 채무자가 영구 임대주택에 거주하거나, 기초수급자, 중증환자·장애인, 65세 이상 고령자 등 취약계층에 해당되는 경우에는 원칙적으로 유체동산의 압류를 제한
   (3) (집행 시 유의사항) 유체동산을 압류하는 과정에서 집행 장소에 임산부, 중증환자, 장애인, 70세 이상 고령자, 어린이, 심신박약자 등의 노약자가 채무자와 함께 살고 있는 경우 노약자가 압류과정에서 심리적 쇼크를 받지 아니하도록 업무처리에 주의
   (4) (예금에 대한 압류 제한) 채무자의 1개월간 생계유지에 필요한 예금*(적금·부금·예탁금과 우편대체를 포함한다)은 압류 제한
   * 「민사집행법」 제246조 제1항 제8호 및 「민사집행법 시행령」 제7조에 따라 개인별 잔액이 150만원 이하인 예금
   (5) (보험에 대한 압류 제한) 생명, 상해, 질병, 사고 등을 원인으로 채무자가 지급받는 보장성보험의 보험금*(해약환급 및 만기환급금을 포함한다)은 압류 제한
   * 「민사집행법」 제246조 제1항 제7호 및 「민사집행법 시행령」 제6조 제1항 제1호 내지 제4호에 따라 만기환급금 중 150만원 이하인 금액 등
   (6) (생계급여 입금계좌 압류금지) 「국민기초생활보장법」 제27조의2 제1항에 따라 지정된 급여수급계좌의 예금에 대한 압류 금지

MEMO

2020년 기출

21 **「채권추심 및 대출채권 매각 가이드라인」에 대한 다음 설명 중 가장 적절하지 않은 것은?**

① 채무자의 3개월간 생계유지에 필요한 예금(적금・부금・예탁금과 우편대체를 포함한다)은 압류금지채권이다.

② 유체동산을 압류하는 과정에서 집행 장소에 임산부, 중증환자, 장애인, 70세 이상 고령자, 어린이, 심신박약자 등의 노약자가 채무자와 함께 살고 있는 경우 노약자가 압류과정에서 심리적 쇼크를 받지 아니하도록 업무처리에 주의하여야 한다.

③ 채무원금이 「국민기초생활보장법」에 따라 보건복지부장관이 정하는 4인 가구 최저생계비 이상인 경우에도 연체 채무자가 영구 임대주택에 거주하거나, 기초수급자, 중증환자・장애인, 65세 이상 고령자 등 취약계층에 해당되는 경우에는 원칙적으로 유체동산의 압류를 제한한다.

④ 생명, 상해, 질병, 사고 등을 원인으로 채무자가 지급받는 보장성보험의 보험금(해약환급 및 만기환급금을 포함한다)은 압류금지채권이다.

⑤ 「국민기초생활보장법」에 따라 지정된 급여수급계좌의 예금에 대한 압류는 금지된다.

해설 「채권추심 및 대출채권 매각 가이드라인」의 〈별표 13〉 압류관련 가이드라인의 내용을 묻는 문제로, 그 구체적인 내용은 다음과 같다. 민사집행법 시행령 제7조(압류금지 예금 등의 범위)상 압류금지금액은 185만원으로 상향조정되었으나 2023년 4월 26일에 등록된 상기 가이드라인에는 여전히 '150만원'으로 되어 있다.

1. 운영원칙
   금융회사의 평판리스크를 감안하여 사회적 취약계층에 대한 배려 및 금융소비자 보호 관점에서 압류를 제한
2. 운영방안
   (1) (소액채무자 압류 제한) 채무원금이 월 생계비* 이하인 경우 유체동산(TV, 냉장고, 휴대폰 등 가전제품 포함) 압류를 제한
   * 「민사집행법」 제195조 제3호에 따른 1개월간의 생계비(150만원)
   (2) (취약계층 압류 금지) 채무원금이 「국민기초생활보장법」에 따라 보건복지부장관이 정하는 4인 가구 최저생계비 이상인 경우에도 연체 채무자가 영구 임대주택에 거주하거나, 기초수급자, 중증환자・장애인, 65세 이상 고령자 등 취약계층에 해당되는 경우에는 원칙적으로 유체동산의 압류를 제한(③)

정답 21. ①

MEMO

(3) (집행 시 유의사항) 유체동산을 압류하는 과정에서 집행 장소에 임산부, 중증환자, 장애인, 70세 이상 고령자, 어린이, 심신박약자 등의 노약자가 채무자와 함께 살고 있는 경우 노약자가 압류과정에서 심리적 쇼크를 받지 아니하도록 업무처리에 주의(②)

(4) (예금에 대한 압류 제한) 채무자의 1개월간 생계유지에 필요한 예금*(적금·부금·예탁금과 우편대체를 포함한다)은 압류 제한(①)

* 「민사집행법」 제246조 제1항 제8호 및 「민사집행법 시행령」 제7조에 따라 개인별 잔액이 150만원 이하인 예금

(5) (보험에 대한 압류 제한) 생명, 상해, 질병, 사고 등을 원인으로 채무자가 지급받는 보장성보험의 보험금*(해약환급 및 만기환급금을 포함한다)은 압류 제한(④)

* 「민사집행법」 제246조 제1항 제7호 및 「민사집행법 시행령」 제6조 제1항 제1호 내지 제4호에 따라 만기환급금 중 150만원 이하인 금액 등

(6) (생계급여 입금계좌 압류금지) 「국민기초생활보장법」 제27조의2 제1항에 따라 지정된 급여수급계좌의 예금에 대한 압류 금지(⑤)

2022년 기출

22 채무자의 부모 또는 가족 등 제3자가 채무상환을 촉구하는 서류를 받고 대위변제 의사를 밝히며 상세한 문의를 해 온 경우의 응대로서 가장 적절한 것은?

① 서류상 내용대로 납입 또는 이행하면 된다고 설명하여 주는 행위
② 사용내역을 알려주는 행위
③ 사용금액을 알려주는 행위
④ 연체사실을 알려주는 행위
⑤ 연체금액을 알려주는 행위

해설 채권추심자는 정당한 사유없이 부모 또는 가족 등 제3자에게 채무사실을 직접 알리거나 확인시켜주는 행위는 할 수 없다. 사용내역, 사용금액, 연체사실, 연체금액 등은 이러한 채무사실의 내용에 해당하므로 이를 직접 알려주는 행위는 부적절하다. 다만, 예컨대 채무자의 주소지로 변제독촉하는 내용증명을 보냈는데, 채무자의 부모 또는 가족 등 제3자가 채무자에게 전달하는 과정에서 서류상으로 알게 된 내용대로 납입 또는 이행하면 된다고 설명하여 주는 행위는 적절하다.

정답 22. ①

MEMO

2020년 기출

23 **「채권추심 및 대출채권 매각 가이드라인」에 따른 불법채권추심에 대한 다음 설명 중 가장 적절하지 않은 것은?**

① 채권추심자가 법률담당관, 법원집행관, 소송대리인 등으로 허위 기재한 명함을 사용하거나 그 명의로 독촉장을 발송할 수 없다.
② 채권추심자는 정당한 사유 없이 가족을 포함한 제3자에게 채무사실을 직접 알리거나 확인시켜주는 행위를 할 수 없다.
③ 가족 등 제3자가 대위변제 의사를 표시하였다고 하여 제3자의 의사에 반하여 변제를 요구할 수 없다.
④ 채권추심회사는 압류, 경매 또는 채무불이행정보 등록 등의 조치를 직접 취할 수 없으며 법적절차를 직접 진행하겠다고 채무자에게 안내할 수 없다.
⑤ 채권추심자가 자신의 자금으로 채무를 대납한 후 채권추심자는 채무자에게 이자를 요구할 수 있다.

해설 ⑤ 채권추심자는 자신의 자금으로 채무를 대납한 경우 변제와 동시에 채권자의 승낙을 얻어 채권자를 대위할 수 있다[민법 제480조(변제자의 임의대위) 제1항 참조]. 따라서 채무를 대위변제한 자라도 채권자의 승낙없이 채무원금이 아닌 이자부분을 채무자에게 요구할 수는 없다.
① 채권추심자가 법률담당관, 법원집행관, 소송대리인 등으로 허위 기재한 명함을 사용하거나 그 명의로 독촉장을 발송하는 것은 '위계'에 해당하여 금지된다.
② 채권추심자는 채무자의 소재파악 등 정당한 사유 없이 가족을 포함한 제3자에게 채무사실을 직접 알리거나 확인시켜주는 행위를 할 수 없다.
③ 채무자의 채무부담사실을 알게된 가족 등 제3자가 대위변제 의사를 표시하고 대위변제하는 것은 무방하나, 대위의사를 표시한 제3자의 의사에 반하여 변제를 요구할 수 없다.
④ 변호사나 법무사가 아닌 채권추심회사는 압류, 경매 또는 채무불이행정보 등록 등의 조치를 직접 취할 수 없으며 법적절차를 직접 진행하겠다고 채무자에게 안내할 수 없다.

23. ⑤

MEMO

2024년 기출

24 **「채권추심 가이드라인」의 추심 관련 내부통제에 관한 다음 설명 중 가장 적절하지 않은 것은?**

① 금융회사등은 금융회사등임직원이 관련 법규 및 내규를 준수하도록 지도하여야 한다.

② 금융회사등은 채권관련 원인서류, 채권추심 위임계약 서류, 채무자 관련 개인신용정보 등을 철저히 보관·관리하여 정보의 오·남용에 따른 피해를 방지하여야 한다.

③ 채권추심회사는 채권자와 채권추심 위임계약기간 종료 후 채권추심업 종사자가 채무감면을 약속하거나 채무변제금액을 수령하여 분쟁이 발생하는 경우 채무자에게 책임을 전가할 수 있다.

④ 금융회사등은 금융회사등임직원을 대상으로 유인물 배포, 사내 집합교육 등의 방법을 통하여 불법적인 재산조회방법을 전파하거나 종용하여서는 아니 된다.

⑤ 채권추심회사 및 위임직채권추심인은 채권추심과 관련한 소송행위를 하여서는 아니 된다.

해설 ③ 아래 가이드라인 참조

> **제8조(추심 관련 내부통제)** ① 금융회사등은 이 가이드라인에서 정하는 채권추심업무 관련 불법·부당행위 금지내용 등의 준수 여부에 대하여 내부통제를 실시하여야 한다.
> ② 금융회사등은 금융회사등임직원이 관련법규 및 내규를 준수하도록 지도하여야 한다.(①)
> ③ 금융회사등은 금융회사등임직원에 대한 내부통제 및 지속적인 모니터링 체계를 갖추어야 하며, 금융회사등임직원이 채권추심 과정에서 관련법규 또는 내규를 위반하는 경우 제재 등 신속하고 적절한 조치를 취하여야 한다.
> ④ 금융회사등은 채권관련 원인서류, 채권추심 위임계약 서류, 채무자 관련 개인신용정보 등을 철저히 보관·관리하여 정보의 오·남용에 따른 피해를 방지하여야 한다.(②)
> ⑤ 금융회사등 상호간 또는 금융회사등과 금융회사등임직원 양 당사자간 해결하여야 하는 사항을 채무자의 책임으로 전가하여서는 아니 된다.
> ⑥ 채권추심회사는 채권자와 채권추심 위임계약기간 종료 후 채권추심업 종사자가 채무감면을 약속하거나 채무변제금액을 수령하여 분쟁이 발생하는 경우 채무자에게 책임을 전가하여서는 아니 된다.(③)
> ⑦ 채권추심회사는 채권추심업 종사자와 계약 체결 시 〈별표1〉에 따라 준법서약서를 작성하도록 하고, 채권추심업 종사자가 이 서약서에 기재된 사항을 위반하는 경우 필요한 조치를 즉시 취하여야 한다.
> ⑧ 금융회사등은 금융회사등임직원을 대상으로 유인물 배포, 사내 집합교육

24. ③

MEMO

등의 방법을 통하여 불법적인 재산조회방법을 전파하거나 종용하여서는 아니 된다.(④)

⑨ 채권추심회사 및 대부업법 제3조 제2항 제2호에 해당하는 대부업자는 변제촉구 등 추심업무에 착수하는 경우, 착수 3영업일 전(1일에 통지하는 경우 4일부터 착수 가능)에 착수 사실 및 〈별표2~5〉의 안내사항을 채무자의 이메일, 우편, 또는 이동전화번호(LMS 등)로 통지하여야 하며, 이 안내사항이 홈페이지에도 공시되어 있음을 알려야 한다. 다만, 기한의 이익 상실 또는 계약의 해지 이전에는 통지 없이 연체사실에 대하여 안내할 수 있다.

⑩ 제9항에 해당하지 아니하는 금융회사는 기한의 이익 상실 이후 추심하고자 하는 경우 제9항에 따른 통지를 하고 추심에 착수하여야 한다. 다만, 「민사집행법」 제276조 및 제300조에 따라 보전처분을 위하여 가압류 및 가처분을 하는 경우에는 통지를 생략할 수 있다.

⑪ 금융회사가 제10항에 따라 통지하는 경우, 해당 채권을 위임받은 채권추심회사는 통지를 생략하고 추심에 착수할 수 있다.

⑫ 금융회사등은 각사의 상황에 따라 〈별표2~5〉의 양식을 변경하여 사용할 수 있다.

⑬ 채무자가 「변호사법」에 따른 변호사・법무법인・법무법인(유한) 또는 법무조합을 채권추심에 응하기 위한 대리인으로 선임하고 이를 서면으로 통지하는 경우, 대부업자는 채권추심법 제8조의2에 따라 채무와 관련하여 채무자를 방문하거나 채무자에게 말・글・음향・영상 또는 물건을 도달하게 하여서는 아니 된다.

⑭ 채권추심회사 및 위임직채권추심인은 채권추심법 제8조의4에 따라 채권추심과 관련한 소송행위를 하여서는 아니 된다.(⑤)

⑮ 채권추심회사는 채무자가 복수의 연체계좌 보유 시 연체계좌별로 달리 관리할 필요성이 없는 한 복수의 채권추심업 종사자에게 연체계좌별로 분리 배정하여서는 아니 된다.

⑯ 금융회사등은 다음 각 호의 어느 하나의 사유가 발생하는 경우 채권추심을 중지하여야 한다.

1. 채무자의 국민행복기금 채무조정 신청 접수 사실을 확인하는 경우 (국민행복기금 신용지원협약 제13조 제1항 및 운영세칙 제7조에 따라 채무자의 신용지원 여부 확정시까지)
2. 채무자가 채무존재사실을 부인하여 소송을 제기하는 경우
3. 채무자로부터 신용회복위원회의 신용회복지원 신청 사실을 통지받고 전산상으로 사실관계가 확인되는 경우(신용회복지원협약 제7조)
4. 채무자에 관한 개인회생절차 개시결정 또는 중지명령 사실을 확인하는 경우(「채무자 회생 및 파산에 관한 법률」 제600조 제1항 및 제593조 제1항)
5. 채무자가 사망하여 그 상속인의 상속포기나 한정승인 사실을 확인하는 경우
6. 채무자가 중증환자 등으로 사회적 생활부조를 필요로 하는 경우
7. 채무자가 소멸시효 완성에 따라 추심중단을 요청하는 경우
8. 채무자가 원금, 이자, 비용, 변제기, 채권의 발생연월일, 소멸시효 기간(단, 금융회사의 대출채권인 경우 해당 채권의 소멸시효 완성 여부) 등

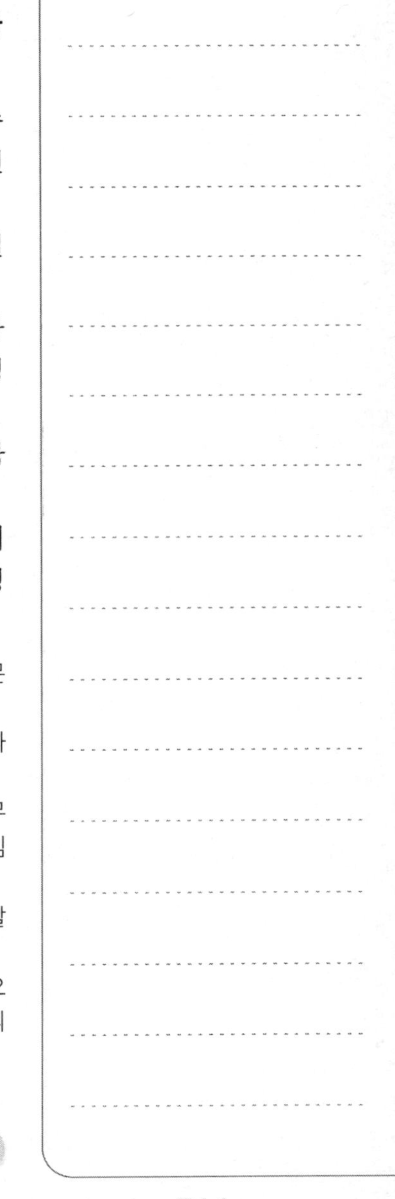

채무의 상세내역이 포함된 채무확인서를 요청하였음에도 제시하지 못하는 경우
⑰ 채권추심회사는 신용정보법 제41조 제1항에 따라 소속 사업장 또는 지점이 아닌 프랜차이즈 형태로 제3자와 계약을 맺어 채권추심회사 명의로 채권추심업을 하게 하여서는 아니 된다.

2020년 기출

25 **「채권추심 및 대출채권 매각 가이드라인」에 따른 추심 관련 내부통제에 대한 다음 설명 중 가장 적절한 것은?**

① 채권추심회사 및 대부업자는 변제촉구 등 추심업무에 착수하는 경우, 착수 3영업일 전에 착수 사실 및 안내사항을 채무자의 이메일, 우편, 또는 이동전화번호(LMS 등)로 통지하여야 한다.
② 금융회사등 상호간 또는 금융회사등과 금융회사등임직원 양 당사자간 해결하여야 하는 사항을 채무자의 책임으로 전가할 수 있다.
③ 채권추심회사는 채권자와 채권추심 위임계약기간 종료 후 채권추심업 종사자가 채무감면을 약속하거나 채무변제금액을 수령하여 분쟁이 발생하는 경우 채무자에게 책임을 전가할 수 있다.
④ 보전처분을 위하여 가압류 및 가처분을 하는 경우에도 위 ③항의 통지를 하여야 한다.
⑤ 채권추심회사는 채무자가 복수의 연체계좌 보유 시 연체계좌별로 달리 관리할 필요성이 없는 한 복수의 채권추심업 종사자에게 연체계좌별로 분리 배정할 수 있다.

해설 ① 「채권추심 및 대출채권 매각 가이드라인」 제8조(추심 관련 내부통제) 제9항 본문 참조
② 금융회사등 상호간 또는 금융회사등과 금융회사등임직원 양 당사자간 해결하여야 하는 사항을 채무자의 책임으로 전가하여서는 아니 된다(동조 제5항).
③ 채권추심회사는 채권자와 채권추심 위임계약기간 종료 후 채권추심업 종사자가 채무감면을 약속하거나 채무변제금액을 수령하여 분쟁이 발생하는 경우 채무자에게 책임을 전가하여서는 아니 된다(동조 제6항).
④ 보전처분을 위하여 가압류 및 가처분을 하는 경우에는 제9항에 따른 통지를 생략할 수 있다(동조 제10항 단서).
⑤ 채권추심회사는 채무자가 복수의 연체계좌 보유 시 연체계좌별로 달리 관리할 필요성이 없는 한 복수의 채권추심업 종사자에게 연체계좌별로 분리 배정하여서는 아니 된다(동조 제15항).

25. ①

MEMO

2024년 기출

26 리스크 관리에 관한 다음 설명 중 (　　)에 들어갈 내용으로 가장 적절한 것은?

> 금융회사등은 채권의 추심 및 매각과 관련하여 다음 리스크에 노출될 수 있음을 인지하고, 내부통제 기준을 마련하는 등 리스크를 관리하여야 한다(「채권추심 가이드라인」 제6조 제1항).
> (A)는 부정적인 여론 등에 따라 금융회사등의 수익 및 자본이 감소하는 위험을 말한다.
> (B)는 법규 및 규정 등을 위반함에 따라 금융회사등의 수익 및 자본이 감소하는 위험을 말한다.

	A	B
①	컴플라이언스리스크	평판리스크
②	운영리스크	전략리스크
③	평판리스크	컴플라이언스리스크
④	전략리스크	운영리스크
⑤	컴플라이언스리스크	전략리스크

해설 ③ 아래 가이드라인 참조

> **채권추심 및 대출채권 매각 가이드라인 제6조(리스크 관리)** ① 금융회사등은 채권의 추심 및 매각과 관련하여 다음 각 호의 리스크에 노출될 수 있음을 인지하고, 내부통제 기준을 마련하는 등 리스크를 관리하여야 한다.
> 1. 운영리스크는 내부통제 실패 등에 따라 금융회사등의 수익 및 자본이 감소하는 위험을 말한다.
> 2. 평판리스크는 부정적인 여론 등에 따라 금융회사등의 수익 및 자본이 감소하는 위험을 말한다.
> 3. 컴플라이언스리스크는 법규 및 규정 등을 위반함에 따라 금융회사등의 수익 및 자본이 감소하는 위험을 말한다.
> 4. 전략리스크는 금융회사의 전략 수립 및 실행 실패 등에 따라 금융회사등의 수익 및 자본이 감소하는 위험을 말한다.
>
> ② 금융회사등은 IT, 법률, 회계, 감사 등 각 분야의 가용한 인력을 활용하여 채권 추심 및 매각 절차에서 발생하는 리스크를 관리하여야 한다.

26. ③

MEMO

2020년 기출

27 「채권추심 및 대출채권 매각 가이드라인」에 따른 금융회사등은 채권의 추심 및 매각과 관련하여 리스크에 노출될 수 있음을 인지하고, 내부통제 기준을 마련하는 등 리스크를 적절히 관리하여야 한다. “법규 및 규정 등을 위반함에 따라 금융회사등의 수익 및 자본이 감소할 위험”을 말하는 리스크 유형은?

① 평판리스크 ② 컴플라이언스리스크
③ 전략리스크 ④ 운영리스크
⑤ 회계리스크

해설 「채권추심 및 대출채권 매각 가이드라인」 제6조(리스크 관리) 구체적인 내용은 아래 참조

> 제6조【리스크 관리】
> ① 금융회사등은 채권의 추심 및 매각과 관련하여 다음 각 호의 리스크에 노출될 수 있음을 인지하고, 내부통제 기준을 마련하는 등 리스크를 관리하여야 한다.
> 1. 운영리스크는 내부통제 실패 등에 따라 금융회사등의 수익 및 자본이 감소하는 위험을 말한다.
> 2. 평판리스크는 부정적인 여론 등에 따라 금융회사등의 수익 및 자본이 감소하는 위험을 말한다.
> 3. 컴플라이언스리스크는 법규 및 규정 등을 위반함에 따라 금융회사등의 수익 및 자본이 감소하는 위험을 말한다.
> 4. 전략리스크는 금융회사의 전략 수립 및 실행 실패 등에 따라 금융회사등의 수익 및 자본이 감소하는 위험을 말한다.
>
> ② 금융회사등은 IT, 법률, 회계, 감사 등 각 분야의 가용한 인력을 활용하여 채권 추심 및 매각 절차에서 발생하는 리스크를 관리하여야 한다.

2022년 기출

28 채권추심 단계에서의 준수사항으로 가장 적절하지 않은 것은?

① 채권추심회사가 채권추심을 할 때에는 채권추심회사의 명의로 채무자에게 연락하거나 우편물을 발송하여야 한다.

② 채권추심회사 등은 변제촉구 등을 위한 서면통지서가 반송된 경우에는 그 사유를 파악하여 필요한 조치를 취하여야 하며, 채무자가 명백히 거주하지 않음에도 불구하고 반복적으로 발송하여 실거주자에게 불편을 초래하지 않아야 한다.

③ 채무자에 대한 소재파악은 장기간에 걸쳐 채무자와 연락이 이루어지지 않거나 채무자가 행방불명 상태인 경우에 한하여 실시한다.

27. ② 28. ⑤

MEMO

④ 채권추심회사 등은 재산조사를 실시함에 있어 채권추심의 목적 달성에 필요한 범위에서 합리적이고 공정한 수단을 사용하여야 하며, 조사 실시내역을 기록・유지하여야 한다.

⑤ 채권금융회사 등은 소멸시효가 완성된 대출채권을 직접 추심하거나 채권추심회사에 위임할 수 있다.

해설 금융회사는 소멸시효가 완성된 대출채권을 직접 추심하거나 그 추심을 채권추심회사에 위임할 수 없다[채권추심 및 대출채권 매각 가이드라인 제9조(소멸시효 완성채권) 제1항].
① 채권추심 및 대출채권 매각 가이드라인 제27조(채무변제 촉구) 제8항 전단
② 채권추심 및 대출채권 매각 가이드라인 제27조(채무변제 촉구) 제9항 제1문
③ 채권추심 및 대출채권 매각 가이드라인 제24조(채무자 소재 파악) 제1항
④ 채권추심 및 대출채권 매각 가이드라인 제26조(재산조사) 제1항

2020년 기출

29 **「채권추심 및 대출채권 매각 가이드라인」에 따른 소멸시효 완성채권에 대한 다음 설명 중 가장 적절하지 않은 것은?**

① 금융회사는 소멸시효가 완성된 대출채권을 직접 추심하거나 그 추심을 채권추심회사에 위임할 수 없다.

② 채권자, 채권 매입기관 또는 채권추심인 등이 일부만 갚으면 원금을 감면하여 주겠다고 회유하는 경우, 완성된 소멸시효를 부활시키고자 하는 의도가 있을 수 있으므로, 변제할 의사가 없다면 채권자, 채무금액 및 소멸시효 완성여부 등을 신중히 확인할 필요가 있다.

③ 금융회사는 채권과 관련된 소송을 진행한 후에 당해 채권의 소멸시효가 완성되었는지 여부를 확인하여야 한다.

④ 3년(통신채권 등) 또는 5년(대출채권 등) 이상 채권자로부터 연락(유선, 우편, 소제기 등)을 받지 못하였다면, 소멸시효가 완성되었을 가능성이 크므로 소멸시효 완성 여부를 확인할 필요가 있다.

⑤ 소멸시효 완성 사실이 확인되는 경우, 변제할 의사가 없다면 채권자 등에게 구두 또는 서면으로 소멸시효 완성사실을 주장하고 채무상환을 거절할 수 있다.

해설 「채권추심 및 대출채권 매각 가이드라인」 제9조(소멸시효 완성채권) 및 〈별표 4〉 소멸시효 완성채권 추심 관련 금융소비자 유의사항 참조

29. ③

MEMO

제9조 【소멸시효 완성채권】
① 금융회사는 소멸시효가 완성된 대출채권을 직접 추심하거나 그 추심을 채권추심회사에 위임할 수 없다.(①)
② 금융회사는 소멸시효가 완성된 채권을 매각할 수 없다.
③ 금융회사는 채권과 관련된 소송을 진행하기 전에 미리 당해 채권의 소멸시효가 완성되었는지 여부를 확인하여야 한다.(③) 다만, 금융협회는 소멸시효 완성여부를 확인하기 곤란한 채권에 대한 소송 기준을 마련하여 홈페이지에 공시할 수 있다.
④ 금융회사는 소멸시효가 임박한 채권의 소멸시효를 연장하기 위하여 그 이유를 서면으로 작성하여야 한다.

〈별표 4〉 소멸시효 완성채권 추심 관련 금융소비자 유의사항
1 채권매각통지서 또는 수임사실통보서 등에 기재된 채권 매입기관, 채권추심인 및 채무사실 등이 정확한지 확인하여야 합니다.
- 필요시 채무확인서 등 관련자료를 요청하여 기초 채무사실을 꼼꼼히 확인하여야 합니다.

2 소멸시효는 「민법」 제162조 및 「상법」 제64조 등에 따라 채권자가 권리를 행사할 수 있음에도 불구하고 권리를 행사하지 아니한 사실상태가 일정기간 계속되는 경우 그 권리의 소멸을 인정하는 제도입니다.
- 3년(통신채권 등) 또는 5년(대출채권 등) 이상 채권자로부터 연락(유선, 우편, 소제기 등)을 받지 못하였다면, 소멸시효가 완성되었을 가능성이 크므로 소멸시효 완성 여부를 확인할 필요가 있습니다.(④)

3 소멸시효 완성 사실이 확인되는 경우, 변제할 의사가 없다면 채권자 등에게 구두 또는 서면으로 소멸시효 완성사실을 주장하고 채무상환을 거절할 수 있습니다.(⑤)
- 채무자가 채무를 일부 변제하거나, 변제하겠다는 각서 및 확인서 등을 작성하는 경우, 작성일로부터 소멸시효 기간이 재산정될 수 있으므로 유의하여야 합니다.

4 법원으로부터 지급명령을 받은 경우에도 변제할 의사가 없다면 채권매각통지서를 받은 경우와 마찬가지로 채권자, 채무액은 물론 소멸시효 완성 여부를 꼼꼼히 따져볼 필요가 있습니다.
- 소멸시효 완성 사실이 확인되는 경우, 변제할 의사가 없다면 지급명령을 받은 날로부터 2주 이내에 지급명령을 한 법원에 이의신청을 하여야 합니다.

5 채권자, 채권 매입기관 또는 채권추심인 등이 일부만 갚으면 원금을 감면하여 주겠다고 회유하는 경우, 완성된 소멸시효를 부활시키고자 하는 의도가 있을 수 있으므로, 변제할 의사가 없다면 채권자, 채무금액 및 소멸시효 완성여부 등을 신중히 확인할 필요가 있습니다.(②)
- 소액이라도 변제하는 경우 소멸시효가 부활할 수 있으므로, 소멸시효 완성 사실이 확인되는 경우, 소멸시효 완성을 주장하고 상환하지 아니할 수 있습니다.

MEMO

2020년 기출

30 **「채권추심 및 대출채권 매각 가이드라인」에 따라 금융회사는 채권의 매각과 관련되는 모든 중요한 사항에 대하여 명확한 용어를 사용하여 채권매각계약서를 작성하여야 하는데, 작성시 유의할 사항 중 가장 적절하지 않은 것은?**

① 금융회사는 채권의 재매각으로 인하여 발생하는 리스크를 관리하기 위하여 재매각이 불가한 기관 및 기간을 매각계약서에 명확히 기재하여야 한다.

② 금융회사는 채권 매각 시 매입기관이 재매입 기관에 대하여 실사(due diligence)하도록 의무화하는 내용을 매각계약서에 명시하여야 한다.

③ 금융회사는 매입기관이 매입채권을 추심하는 경우 불법행위가 발생하지 아니하도록 하는 내용을 매각계약서에 포함하되, 불법추심행위가 적발되는 경우 향후 매각계약 시 부정적인 영향을 미칠 수 있다는 사실은 명시할 필요가 없다.

④ 금융회사는 채권의 특징에 따라 표준 계약서 양식을 사용하는 등 일관성 있는 계약서가 작성되도록 하여야 한다.

⑤ 채권 추심 관련 매입기관의 법규 및 규정 준수의무는 채권의 매각과 관련되는 중요한 사항이다.

해설 「채권추심 및 대출채권 매각 가이드라인」 제18조(매각계약서) 참조

제18조【매각계약서】

① 금융회사는 채권의 매각과 관련되는 모든 중요한 사항에 대하여 명확한 용어를 사용하여 채권매각계약서를 작성하여야 한다.

② 제1항의 중요한 사항은 다음 각 호를 포함한다.

1. 채무자 신용정보의 보호 관련 의무와 책임
2. 채권 추심 관련 매입기관의 법규 및 규정 준수의무(⑤)
3. 원리금 산정 및 채무액 확인에 필요한 제반 채권원인서류 제공시기

③ 금융회사는 채권의 재매각으로 인하여 발생하는 리스크를 관리하기 위하여 재매각이 불가한 기관 및 기간(예 : 3개월)을 매각계약서에 명확히 기재하여야 한다.(①)

④ 금융회사는 채권 매각 시 매입기관이 재매입 기관에 대하여 실사(due diligence)하도록 의무화하는 내용을 매각계약서에 명시하여야 한다.(②)

⑤ 금융회사는 매입기관이 매입채권을 추심하는 경우 불법행위가 발생하지 아니하도록 하는 내용을 매각계약서에 포함하고, 불법추심행위가 적발되는 경우 향후 매각계약 시 부정적인 영향을 미칠 수 있다는 사실을 명시하여야 한다.(③)

⑥ 금융회사는 채권의 특징(예 : 담보/무담보 등)에 따라 표준 계약서 양식을 사용하는 등 일관성 있는 계약서가 작성되도록 하여야 한다.(④)

30. ③

MEMO

2020년 기출

31 **「채권추심 및 대출채권 매각 가이드라인」에 따른 채무자의 소재파악에 대한 다음 설명 중 가장 적절하지 않은 것은?**

① 채무자에 대한 소재파악은 채무자와 연락이 장기간 이루어지지 아니하거나 채무자가 행방불명 상태인 경우에 한하여 실시한다.

② 금융회사등임직원은 채무자의 소재나 연락처를 알고 있음에도 불구하고 소재파악을 가장하여 채무자의 관계인이나 주변사람들에게 연락하는 행위를 하여서는 아니 된다.

③ 금융회사등은 채권추심 목적 달성을 위해 필요한 최소한의 범위에서 합리적이고 공정한 수단을 사용하여 채무자에 대한 소재파악을 실시하여야 한다.

④ 금융회사등임직원은 채권추심을 위하여 채무자의 소재를 알고 있어도 채무와 관련하여 관계인을 방문하거나 관계인에게 말·글·음향·영상 또는 물건을 도달하게 할 수 있다.

⑤ 채무자의 소재파악을 위하여 「신용정보법」 또는 기타 법령에서 허용하는 범위 이외의 방법으로 채무자의 개인신용정보를 이용하거나 제3자에게 제공하여서는 아니 된다.

해설 「채권추심 및 대출채권 매각 가이드라인」 제24조(채무자 소재 파악) 참조

> 제24조【채무자 소재 파악】
> ① 채무자에 대한 소재파악은 채무자와 연락이 장기간 이루어지지 아니하거나 채무자가 행방불명 상태인 경우에 한하여 실시한다.(①)
> ② 금융회사등임직원은 채권추심법 제12조 제2호에 따라 채무자의 소재나 연락처를 알고 있음에도 불구하고 소재파악을 가장하여 채무자의 관계인이나 주변사람에게 연락하는 행위를 하여서는 아니 된다.(②)
> ③ 금융회사등은 신용정보법 제15조 제1항에 따라 채권추심 목적 달성을 위하여 필요한 최소한의 범위에서 합리적이고 공정한 수단을 사용하여 채무자에 대한 소재파악을 실시하여야 한다.(③)
> ④ 금융회사등임직원은 채권추심법 제8조의3 제1항에 따라 채권추심을 위하여 채무자의 소재, 연락처 또는 소재를 알 수 있는 방법 등을 문의하는 경우를 제외하고는 채무와 관련하여 관계인을 방문하거나 관계인에게 말·글·음향·영상 또는 물건을 도달하게 하여서는 아니 된다.(④)
> ⑤ 금융회사임직원은 소재를 알 수 있는 방법 등을 문의하기 위하여 관계인을 방문하거나 관계인에게 말·글·음향·영상 또는 물건을 도달하게 하는 경우, 채권추심법 제8조의3 제2항에 따라 다음 각 호의 사항을 관계인에게 밝혀야 하며, 관계인이 채무자의 채무 내용 또는 신용에 관한 사실을 알게 하여서는 아니 된다.
> 1. 금융회사등 및 해당 금융회사등임직원의 성명·명칭·연락처
> 2. 채권자의 성명·명칭
> 3. 방문 또는 말·글·음향·영상·물건을 도달하게 하는 목적

31. ④

MEMO

⑥ 채권추심업 종사자는 채무자에 대한 신용정보를 수집·조사하는 경우, 신용정보법 제27조 제8항에 따라 신용정보업 종사원증(신용정보업에 종사함을 나타내는 증표)을 제시하여야 한다. 또한, 신용정보법 제40조 제5호에 따라 정보원, 탐정, 그 밖에 이와 비슷한 명칭을 사용하여서는 아니 된다.
⑦ 금융회사등이 채무자의 소재파악을 위하여 주민등록정보를 이용하고자 하는 경우에는 「주민등록법」 등 관련법규에서 정하는 절차에 따라야 한다. 주민등록초본 교부를 위한 이해관계사실확인서는 금융회사등에서 발급하여야 하며, 금융회사등임직원이 개인적으로 작성하여서는 아니 된다. 아울러, 금융회사등은 이해관계사실확인서를 발급하는 경우에 그 발급내역을 이해관계사실확인서 발급대장에 기록·유지하여야 하며, 주민등록초본 교부와 관련하여 부당한 업무처리 등으로 인한 민원이 발생하지 아니하도록 유의하여야 한다.
⑧ 금융회사등은 「주민등록법」 제30조 제5항에 따라 채권추심을 위하여 신청·취득하는 주민등록초본이나 주민등록전산정보자료를 신청한 목적 외의 용도로 이용하여서는 아니 된다. 또한, 채무자의 소재파악을 위하여 신용정보법 또는 기타 법령에서 허용하는 범위 이외의 방법으로 채무자의 개인신용정보를 이용하거나 제3자에게 제공하여서는 아니 된다.(⑤)

2020년 기출

32 **「채권추심 및 대출채권 매각 가이드라인」에 따른 채권추심과 민원처리에 대한 다음 설명 중 가장 적절하지 않은 것은?**

① 금융회사등은 민원이 발생한 경우 금융회사등임직원의 추심행위를 즉각 중단하는 등 신속하게 민원이 해결될 수 있도록 노력해야 한다.
② 금융회사등은 민원관련 교육자료 작성 및 교육일정 수립, 민원예방 교육 및 민원발생 사례연수 실시, 민원에 대한 조사·점검, 민원발생 행위자에 대한 제재조치 등의 역할을 수행하는 민원처리 담당자를 지정하여야 한다.
③ 금융회사등은 민원을 제기했다는 이유만으로 민원인에게 불이익을 부여하거나 부여할 것이라는 의사표시를 하여서는 아니 된다.
④ 금융회사등은 민원처리 과정에서 민원인에 대한 인격과 권리를 존중하여야 한다.
⑤ 민원인에게 적절한 해명을 하거나 변명을 하고 때로는 적극적으로 반론을 제기하여 민원의 부당함을 이해시킨다.

해설 ⑤ 민원인에게 변명하려 하거나 적극적으로 반론을 제기하지 말고 성의를 보이며 최선의 방안을 제시하는 것이 원활한 민원처리의 태도이다. 그 밖의 지문은 「채권추심 및 대출채권 매각 가이드라인」 제30조(채권추심 민원처리) 참조

32. ⑤

MEMO

제30조【채권추심 민원처리】
① 금융회사등은 민원이 발생하는 경우 금융회사등임직원의 추심행위를 즉각 중단하는 등 신속하게 민원이 해결되도록 노력하여야 한다.(①)
② 금융회사등은 다음 각 호의 역할을 수행하는 민원처리 담당자를 지정하여야 한다.(②)
1. 민원관련 교육자료 작성 및 교육일정 수립
2. 민원예방 교육 및 민원발생 사례연수 실시
3. 민원에 대한 조사·점검
4. 민원발생 행위자에 대한 제재조치 등
③ 금융회사등은 민원을 제기하였다는 이유만으로 민원인에게 불이익을 부여하거나 부여할 것이라는 의사표시를 하여서는 아니 된다.(③)
④ 금융회사등은 민원처리 과정에서 민원인의 인격과 권리를 존중하여야 한다.(④)

2024년 기출

33 **「채권추심 가이드라인」의 채권추심 사후관리에 관한 다음 설명 중 가장 적절하지 않은 것은?**

① 금융회사등은 금융회사등임직원이 불법·부당한 추심행위를 하는지 여부를 수시로 확인하고 적법한 추심 활동이 이루어지도록 관리·감독하여야 한다.
② 채권추심회사는 전화 녹음시스템을 구축하여 채권추심업 종사자의 채권추심 내역을 녹음하고, 녹음기록을 일정기간 보존하여야 한다.
③ 채권추심회사는 추심기록부의 세부적인 작성 기준을 마련하고 채권추심업 종사자가 추심활동 내역을 동 기록부에 작성하도록 하여야 한다.
④ 채무자의 개인정보가 외부로 유출되지 아니하도록 서면으로 보고하는 경우 등기우편으로 보내고, 저장 매체로 보고하는 경우 비밀번호를 지정하는 등 정보유출 소지를 사전에 차단하여야 한다.
⑤ 금융회사등은 의뢰인의 주소와 성명, 의뢰받은 업무 내용 및 의뢰받은 날짜 등의 기록을 5년간 보존하여야 한다.

해설 ⑤ 금융회사등은 의뢰인의 주소와 성명, 의뢰받은 업무 내용 및 의뢰받은 날짜 등의 기록을 3년간 보존하여야 한다. 아래 「채권추심 및 대출채권 매각 가이드라인」 제29조 참조

가이드라인 제29조(채권추심 사후관리) ① 금융회사등은 채권추심과정에서 발생하는 채무자에 대한 소재파악 및 재산조사, 추심업무 착수 전 안내사항 통지, 채권에 대한 변제 요구, 변제금 수령 등 일체의 추심활동이 전산으로 기

33. ⑤

MEMO

록·관리 될 수 있도록 전산시스템을 구축하여야 한다.
② 금융회사등은 금융회사등임직원이 불법·부당한 추심행위를 하는지 여부를 수시로 확인하고 적법한 추심 활동이 이루어지도록 관리·감독하여야 한다.(①)
③ 채권추심회사는 전화 녹음시스템을 구축하여 채권추심업 종사자의 채권추심 내역을 녹음하고, 녹음기록을 일정기간 보존하여야 한다.(②)
④ 채권추심회사는 추심기록부의 세부적인 작성 기준을 마련하고 채권추심업 종사자가 추심활동 내역을 동 기록부에 작성하도록 하여야 한다.(③)
⑤ 채권추심회사는 채권자 또는 감독당국이 요청하는 경우 〈별표16〉에 따라 채권추심 활동의 진행사항을 보고하여야 한다. 이때, 채무자의 개인정보가 외부로 유출되지 아니하도록 서면으로 보고하는 경우 등기우편으로 보내고, 저장 매체로 보고하는 경우 비밀번호를 지정하는 등 정보유출 소지를 사전에 차단하여야 한다.(④)
⑥ 금융회사등은 신용정보법 제20조 제2항에 따라 다음 각 호의 기록을 3년간 보존하여야 한다.(⑤)
1. 의뢰인의 주소와 성명 또는 정보제공·교환기관의 주소와 이름
2. 의뢰받은 업무 내용 및 의뢰받은 날짜
3. 의뢰받은 업무의 처리내용 또는 제공한 신용정보의 내용과 날짜

2020년 기출

34 **「채권추심 및 대출채권 매각 가이드라인」에 따른 채권추심 사후관리에 대한 다음 설명 중 가장 적절한 것은?**

① 금융회사등은 금융회사등임직원의 불법, 부당한 추심행위에 대한 관리·감독이 불필요하다.
② 채권추심회사는 전화 녹음시스템을 구축하여 채권추심업 종사자의 채권추심 내역을 녹음할 수 없다.
③ 금융회사등은 채권추심과정에서 발생하는 일체의 추심활동이 전산으로 기록·관리 될 수 있도록 전산시스템을 구축하여야 한다.
④ 채권추심회사는 추심기록부의 세부적인 작성 기준을 마련하여야 하지만 채권추심업 종사자가 추심활동 내역까지 추심기록부에 작성할 필요는 없다.
⑤ 채권추심회사는 감독당국이 요청하는 경우에만 채권추심 활동의 진행사항을 보고하여야 한다.

해설 「채권추심 및 대출채권 매각 가이드라인」 제29조(채권추심 사후관리) 참조

34. ③

MEMO

제29조【채권추심 사후관리】
① 금융회사등은 채권추심과정에서 발생하는 채무자에 대한 소재파악 및 재산조사, 추심업무 착수 전 안내사항 통지, 채권에 대한 변제 요구, 변제금 수령 등 일체의 추심활동이 전산으로 기록·관리 될 수 있도록 전산시스템을 구축하여야 한다.(③)
② 금융회사등은 금융회사등임직원이 불법·부당한 추심행위를 하는지 여부를 수시로 확인하고 적법한 추심 활동이 이루어지도록 관리·감독하여야 한다.(①)
③ 채권추심회사는 전화 녹음시스템을 구축하여 채권추심업 종사자의 채권추심 내역을 녹음하고, 녹음기록을 일정기간 보존하여야 한다.(②)
④ 채권추심회사는 추심기록부의 세부적인 작성 기준을 마련하고 채권추심업 종사자가 추심활동 내역을 동 기록부에 작성하도록 하여야 한다.(④)
⑤ 채권추심회사는 채권자 또는 감독당국이 요청하는 경우 〈별표 16〉에 따라 채권추심 활동의 진행사항을 보고하여야 한다.(⑤) 이때, 채무자의 개인정보가 외부로 유출되지 아니하도록 서면으로 보고하는 경우 등기우편으로 보내고, 저장 매체로 보고하는 경우 비밀번호를 지정하는 등 정보유출 소지를 사전에 차단하여야 한다.
⑥ 금융회사등은 신용정보법 제20조 제2항에 따라 다음 각 호의 기록을 3년간 보존하여야 한다.
1. 의뢰인의 주소와 성명 또는 정보제공·교환기관의 주소와 이름
2. 의뢰받은 업무 내용 및 의뢰받은 날짜
3. 의뢰받은 업무의 처리내용 또는 제공한 신용정보의 내용과 날짜

2019년 기출

35 **채권추심 단계에서의 준수사항으로 가장 적절하지 않은 것은?**

① 채권추심회사가 채권추심을 할 때에는 채권추심회사의 명의로 채무자에게 연락하거나 우편물을 발송하여야 한다.
② 채권추심회사등은 변제촉구 등을 위한 서면통지서가 반송된 경우에는 그 사유를 파악하여 필요한 조치를 취하여야 하며, 채무자가 명백히 거주하지 않음에도 불구하고 반복적으로 발송하여 실거주자에게 불편을 초래하지 않아야 한다.
③ 채무자에 대한 소재파악은 장기간에 걸쳐 채무자와 연락이 이루어지지 않거나 채무자가 행방불명 상태인 경우에 한하여 실시한다.
④ 채권추심회사는 채무자로 하여금 수임채권에 대한 채무 변제금을 원칙적으로 채권추심회사 명의의 계좌로 입금토록 안내하여야 한다.
⑤ 채권추심회사등은 재산조사를 실시함에 있어 채권추심의 목적 달성에 필요한 범위에서 합리적이고 공정한 수단을 사용하여야 하며, 조사 실시내역을 기록·유지하여야 한다.

35. ④

MEMO

해설 채권추심회사는 수임채권에 대한 변제금을 채권자 명의의 계좌로 입금하도록 채무자에게 안내하여야 한다. 다만, 채권추심 위임계약 등 채권자와 서면으로 합의하는 경우에 한하여 채권추심회사 명의의 계좌로 입금하도록 안내할 수 있다[채권추심 및 대출채권 매각 가이드라인 제28조(채무변제 수령) 제1항].

① 채권추심회사는 채권추심회사의 명의로 채무자에게 연락하거나 우편물을 발송하여야 하며, 법원·검찰·경찰 소속 직원 등으로 가장하는 행위를 하여서는 아니 된다[동 가이드라인 제27조(채무변제 촉구) 제8항].

② 금융회사등(금융회사 및 채권추심회사를 말한다)은 변제촉구 등을 위한 서면통지서가 반송되는 경우 그 사유를 파악하여 필요한 조치를 취하여야 하며, 채무자가 명백히 거주하지 아니함에도 불구하고 반복적으로 발송하여 실거주자에게 불편을 초래하여서는 아니 된다. 또한, 전자우편(E-mail)이나 이동전화 문자서비스를 통하여 변제를 촉구하는 경우 채무자가 알려준 전자우편 주소나 이동전화번호를 이용하여야 하며, 새로이 파악한 전자우편 주소나 이동전화번호를 이용하는 경우에는 채무자(또는 채무자로부터 권한을 위임받은 자)가 사용하는지 여부를 사전 확인한 후 변제를 촉구하는 내용을 발송하여야 한다(동 가이드라인 제27조 제9항).

③ 채무자에 대한 소재파악은 채무자와 연락이 장기간 이루어지지 아니하거나 채무자가 행방불명 상태인 경우에 한하여 실시한다[동 가이드라인 제24조(채무자 소재 파악) 제1항].

⑤ 금융회사등은 재산조사 시 신용정보법 제15조 제1항에 따라 채권추심의 목적 달성에 필요한 최소한의 범위에서 합리적이고 공정한 수단을 사용하여야 하며, 조사 실시내역을 기록·유지하여야 한다[동 가이드라인 제26조(재산조사) 제1항].

2019년 기출

36 **「채권추심 및 대출채권 매각 가이드라인」(2018년 4월 시행) 내용에 대한 다음 설명 중 가장 적절하지 않은 것은?**

① 채권추심회사는 채무자의 신용정보 등을 수집하는 경우 채권추심 목적으로만 사용하여야 하며, 추심완료 시 불필요한 정보를 파기하여야 한다.
② 채권추심회사는 광고 또는 홍보 시 추심의 대상이 되는 채권의 종류 등을 명시하여야 한다.
③ 금융회사는 계약에서 정한 기한 내에 원리금 산정 및 채무잔액 확인에 필요한 제반 채권원인서류를 매입기관에 제공하여야 한다.
④ 금융회사는 채권 매각 시 채무자 보호를 위하여 채무자에게 매입기관 현황 및 소멸시효 여부 등에 대하여 통지하여야 한다.
⑤ 금융위원회의 허가를 받은 채권추심회사 외의 기관 및 개인에게 채권추심업무를 위임할 수 있다.

36. ⑤

MEMO

해설 금융회사는 신용정보법 제27조의2에 따라 금융위원회의 허가를 받은 채권추심회사 외의 기관 및 개인에게 채권추심업무를 위임할 수 없다[채권추심 및 대출채권 매각 가이드라인 제23조(수임계약) 제3항].
① 동 가이드라인 제13조(신용정보등의 보호) 제3항
② 동 가이드라인 제14조(광고 및 홍보물) 제1항 전단
③ 동 가이드라인 제19조(채권 매각) 제4항
④ 동 가이드라인 제20조(매각통지)

2019년 기출

37 **「채권추심 및 대출채권 매각 가이드라인」(2018년 4월 시행) 내용에 대한 다음 설명 중 가장 적절하지 않은 것은?**

① 채권추심회사는 채권추심업 종사자의 재직 또는 위임기간 중의 불법추심행위와 관련하여 발생하는 불법추심정보에 대하여 소속 협회에 집중하여야 한다.
② 불법추심정보란 불법추심행위로 인하여 과태료 처분을 받거나 벌금 이상의 형을 선고받는 자 등 판결 또는 결정 등을 통하여 무죄 또는 혐의 없음 등이 확정되는 경우를 말한다.
③ 불법추심정보의 집중・활용 범위는 관련 채권추심업 종사자의 성명, 불법추심행위의 내용, 과태료 또는 형사처분 등으로 한다.
④ 채권추심회사는 채권추심업 종사자의 불법추심정보에 대하여 사유가 발생하는 날로부터 10영업일 내에 집중기관에 통보하여야 한다.
⑤ 집중기관은 불법추심정보의 효율적인 집중・활용을 위하여 필요 시 전산시스템을 개발하여 운영할 수 있다.

해설 불법추심정보란 불법추심행위로 인하여 과태료 처분을 받거나 벌금 이상의 형을 선고받는 자, 금고 이상의 형의 집행유예나 선고유예를 받고 그 유예기간 중에 있는 자, 기소유예 또는 기소중지 처분을 받는 자 등 채권추심업 종사자에 대한 정보를 말한다. 다만, 판결 또는 결정 등을 통하여 무죄 또는 혐의 없음 등이 확정되는 경우를 제외한다. 이하 관련조문 참조

> 「채권추심 및 대출채권 매각 가이드라인」 제32조 【불법추심정보 집중・활용】
> ① 채권추심회사는 채권추심업 종사자의 재직 또는 위임기간 중의 불법추심행위와 관련하여 발생하는 불법추심정보에 대하여 소속 협회에 집중하여야 한다.(①)
> ② 제1항에 따른 불법추심정보란 불법추심행위로 인하여 과태료 처분을 받거나 벌금 이상의 형을 선고받는 자, 금고 이상의 형의 집행유예나 선고유예를 받고 그 유예기간 중에 있는 자, 기소유예 또는 기소중지 처분을 받는 자

37. ②

MEMO

등 채권추심업 종사자에 대한 정보를 말한다. 다만, 판결 또는 결정 등을 통하여 무죄 또는 혐의 없음 등이 확정되는 경우를 제외한다.(②)
③ 제2항에 따른 불법추심정보의 집중·활용 범위는 관련 채권추심업 종사자의 성명, 불법추심행위의 내용, 과태료 또는 형사처분 등으로 한다.(③)
④ 채권추심회사는 채권추심업 종사자의 불법추심정보에 대하여 사유가 발생하는 날로부터 10영업일 내에 집중기관에 통보하여야 한다.(④)
⑤ 제1항에 따라 집중하는 불법추심정보는 집중기관인 협회와 소속 채권추심회사에서 활용할 수 있다.
⑥ 채권추심회사는 채권추심업 종사자와 고용 또는 위임에 관한 계약을 체결하는 경우 소속 집중기관에 불법추심정보의 집중 여부를 조회한 후 계약 체결 여부를 결정한다. 다만, 재직 또는 위임기간 중에 있는 채권추심업 종사자에 대한 불법추심정보를 취득하는 경우에는 사안의 경중에 따라 관련 법률 및 내부통제기준에 의거하여 고용 또는 위임 계약 해지, 징계 등 합당한 조치를 취하여야 한다.
⑦ 집중기관은 불법추심정보의 효율적인 집중·활용을 위하여 필요 시 전산시스템을 개발하여 운영할 수 있다.(⑤)
⑧ 채권추심회사는 불법추심정보를 집중·활용하기 위하여 채권추심업 종사자로부터 개인정보의 수집·이용 및 제공에 관한 동의서를 〈별표18〉과 같이 징구하여 보관하고, 동 동의서에 불법추심정보의 수집·이용의 목적, 항목, 보유기간, 제3자에 대한 제공 동의 등 필요한 사항이 누락되지 아니하도록 하여야 한다.

2018년 기출

38 **「채권추심 및 대출채권 매각 가이드라인」(2017년 「채권추심 가이드라인」은 「채권추심 및 대출채권 매각 가이드라인」으로 변경)의 목적과 성격 등에 관한 다음 설명 중 가장 적절하지 않은 것은?**

① 금융회사등이 채권추심 과정에서 준수하여야 할 내부통제기준을 업무단계별로 제시하였다.
② 금융회사등의 채권 매각 프로세스를 규율함으로써 불법·불공정한 채권추심 행위를 사전에 예방함을 목적으로 한다.
③ 채권추심 및 대출채권 매각 가이드라인은 「금융규제 운영규정」에 따른 행정지도로 강제성이나 법적 구속력을 가지지 않는다.
④ 사회통념상 문제가 될 소지가 있는 불법·부당한 채권추심 행위에 대한 사례를 나열하고 있으나, 이러한 사례가 반드시 관련법규에 위반된다고 단정할 수 없다.

38. ⑤

MEMO

⑤ 채권추심회사는 채권자와 채권추심위임계약이 종결되면 종결 이전에 발생한 불법·부당행위에 대하여 책임이 없다.

해설 금융감독원은 2018년 5월에 기존의 「채권추심 가이드라인」을 「채권추심 및 대출채권 매각 가이드라인」으로 변경하였다.

①② 동 가이드라인은 금융회사등이 채권추심 과정에서 준수하여야 하는 내부통제기준을 업무단계별로 제시하고 금융회사등의 채권 매각 프로세스를 규율함으로써 불법·불공정한 채권추심행위를 사전에 예방함을 목적으로 한다(제1조).

③ 이 가이드라인은 「금융규제 운영규정」 제2조 제4호에 따른 금융행정지도로 강제성이나 법적 구속력을 가지지 아니한다(제5조 제1항).

④ 따라서 사회통념상 문제가 될 소지가 있는 불법·부당한 채권추심 행위에 대한 사례를 나열하고 있으나, 이러한 사례가 반드시 관련법규에 위반된다고 단정할 수 없다(동조 제2항). 이 가이드라인을 준수하는 것만으로 감독당국 및 사법당국의 제재대상이 되지 아니함을 보장하지 아니하며, 채권추심 과정에서 발생하는 개별적 행위의 법위반 여부는 최종적으로 사법당국에서 판단하는 사항이다(동조 제3항).

⑤ 금융회사는 채권을 매각하더라도 채권매각 이전에 발생하는 불법·부당행위에 대하여 책임이 있으며, 채권추심회사는 채권자와 채권추심위임계약이 종결되더라도 종결 이전에 발생하는 불법·부당행위에 대하여 책임이 있음을 유의하여야 한다(동조 제4항).

2017년 기출

39 **"채권추심업무 가이드라인"에 대한 다음 설명 중 가장 적절하지 않은 것은?**

① 폭행 : 채무자나 관계인에 대하여 직·간접적으로 육체적·정신적인 고통을 가하는 일체의 행위

② 협박 : 상대방의 반항을 불가능하게 하거나 곤란하게 할 정도는 아니더라도 상대방이 현실로 공포감을 느낄 수 있을 정도의 해악을 고지하는 행위

③ 위계 : 채권추심을 위하여 채무자에게 오인, 착각, 부지(不知)를 일으키도록 계략을 사용하는 행위

④ 위력 : 채무자의 의사를 따르는 유형적, 무형적인 힘을 사용하는 행위

⑤ 체포 : 사람의 신체에 대하여 직접적·현실적인 구속을 가하여 그 신체활동의 자유를 박탈하는 행위

해설 채무자의 의사에 따르는 힘을 사용하는 것은 위력에 해당하지 아니한다.

1. '폭행'이란 채무자나 관계인에 대하여 직·간접적으로 육체적·정신적인 고통을 가하는 일체의 행위를 말한다.
2. '협박'이란 상대방의 반항을 불가능하게 하거나 곤란하게 할 정도는 아니더라도 상대방이 현실로 공포감을 느낄 수 있을 정도의 해악을 고지하는 것을 말한다. 다만, 해악의 고지가 합법적인 권리행사로서 사회통념상 용인될 정도의 것인 경우에는 협박으로 보기 어려울 것이다.

39. ④

MEMO

3. '체포'란 사람의 신체에 대하여 직접적・현실적인 구속을 가하여 그 신체활동의 자유를 박탈하는 행위를 말한다.
4. '감금'이란 유형력이든 무형력이든 불문하고 사람을 일정한 장소 밖으로 나가지 못하게 하여 신체활동의 자유를 장소적으로 제한하는 것을 말한다.
5. '위계'를 사용하는 행위는 채권추심을 위하여 채무자에게 오인, 착각, 부지(不知)를 일으키도록 계략을 사용하는 행위를 말한다.
6. '위력의 사용'이란 채무자 의사의 자유를 제압・혼란하게 할 만한 일체의 힘을 사용하는 행위를 말한다. 이러한 힘의 사용에는 유형력・무형력을 불문하고, 폭행・협박뿐만 아니라 사회적・경제적・정치적인 지위나 권세를 이용하는 것도 포함된다.

2018년 기출

40 다음의 채권추심 금지행위 중 "협박"에 해당하는 설명으로 가장 적절한 것은?

① 채무자를 괴롭힐 목적으로 계속적 또는 반복적으로 전화벨을 울리게 하는 행위
② 채무자에게 폭언을 수차례 반복하는 행위
③ 비밀을 폭로하겠다고 하여 채무자에게 공포심을 일으키는 행위
④ 채무자의 의사를 제압함에 충분한 다수인이 채무자의 거주지, 직장 등을 방문하여 공포 분위기를 조성하는 행위
⑤ 법적으로 허용되지 않거나 조치가 불가능한 가상의 법적 조치를 취할 예정임을 언급하는 행위

해설 「채권추심법」 제9조 제1호는 '채무자 또는 관계인을 폭행・협박・체포 또는 감금하거나 그에게 위계나 위력을 사용하는 행위'를 금지하고 있다. 그 위반시 제재내용과 관련사례는 다음과 같다.

위반시 제재내용	관련사례	
5년 이하의 징역 또는 5천만원 이하의 벌금, 채권추심업 허가 취소 가능	폭행	• 구타 행위, 뺨을 때리는 행위 • 돌을 던지는 행위, 얼굴에 침을 뱉는 행위 • 거짓 소식을 전하여 채무자를 기절시키거나 심한 충격을 받게 하는 행위 • 고함을 질러 채무자를 놀라게 하는 행위 • 채무자에게 폭언을 수차례 반복하는 행위(②) • 채무자를 괴롭힐 목적으로 계속적 또는 반복적으로 전화벨을 울리게 하는 행위(①) • 채무자의 손이나 옷을 세차게 잡아당기는 행위 • 채무자를 때릴 듯이 손발이나 물건을 휘두르거나 던지는 행위 등
	협박	• '당신 부모한테 채무사실을 알리기 전에 빨리 빚 갚아라' 라고 압력을 가하는 방법 등으로 채무사실을 채무자의 관계인 또는 제3자에게 알리거나 공표하겠다고 하여 채무자에게 공포심을 유발하는 행위

40. ③

		• '빚 빨리 안 갚으면 평생 후회하게 해주겠다'고 음성녹음을 남기는 행위 • '채무를 갚지 않으면 아이들 학교 못 다니게 하겠다', '아이들 등·하교길 조심하라'고 언급하는 행위 • 독촉장 발송시 채무자에게 공포심을 일으키는 문구나 단어를 사용하는 행위 • 위험한 물건을 휴대하여 채무자를 위협하는 행위 • 비밀을 폭로하겠다고 하여 채무자에게 공포심을 일으키는 행위(③)
	체포	• 채무자가 움직이지 못하도록 수족을 포박하는 행위 • 경찰관을 사칭하여 연행하는 행위
	감금	• 사무실이나 집 밖으로 나가지 못하도록 문 앞을 가로막는 행위 • 승용차에 태워 내리지 못하도록 속도를 내어 달리는 행위 • 상대방으로 하여금 공포심을 유발시켜 집 밖으로 나오지 못하도록 하는 행위
	위계를 사용하는 행위	• 전화 연락시 채무자의 관계인, 경찰서, 법원, 변호사, 법무사 등으로 발신번호를 위장하여 연락하는 행위 • 법적으로 허용되지 않거나 조치가 불가능한 가상의 법적 조치를 취할 예정임을 언급하는 행위(⑤) – 채무자의 관계인(특히, 친족)에게 가압류 또는 가처분을 하겠다고 언급하는 행위 – 채무자의 정당한 항변(소멸시효 등)에 대해 이유 없다고 언급하는 행위 • 채무 미변제시 형사처벌 대상, 재산 몰수, 상속인에게 자동적 포괄승계 등 그 결과를 오도하는 표현을 사용하는 행위 • 잔존채무액 등을 속여서 채무이행의무가 있는 것처럼 가장하는 행위 • 법적인 집행권원이 없으면서도 채무를 변제하지 않을 경우 곧바로 압류·경매 등 강제집행신청이나 재산관계명시신청 등을 취하겠다고 언급하는 행위 – 확정된 종국판결, 가집행 선고가 있는 종국판결, 확정된 지급명령, 가압류명령, 가처분명령, 집행증서 등
	위력을 사용하는 행위	• 채무자의 사업장 출입을 방해하는 행위 • 채무자의 의사를 제압함에 충분한 다수인이 채무자의 거주지, 직장 등을 방문하여 공포 분위기를 조성하는 행위(④) • 채무자의 근무 장소에서 고함을 지르고 난동을 부리는 행위 • 정당한 사유 없이 근무처를 방문하여 장시간 머물면서 불안감을 조성하는 행위

MEMO

MEMO

2017년 기출

41 다음의 채권추심 금지행위 중 '협박'과 관련된 내용을 나열한 것은?

> ㉮ 채무자에게 폭언을 수차 반복하는 행위
> ㉯ 비밀을 폭로하겠다고 하여 채무자에게 공포심을 일으키는 행위
> ㉰ 독촉장 발송 시 채무자에게 공포심을 일으키는 문구나 단어를 사용하는 행위
> ㉱ 채무자에게 사전 통지 없이 근무처를 방문하여 장시간 머물면서 불안감을 조성하는 행위

① ㉮, ㉯
② ㉮, ㉰
③ ㉯, ㉱
④ ㉯, ㉰
⑤ ㉮, ㉱

해설 채권추심 금지행위 중 '협박'이란 상대방의 반항을 불가능하게 하거나 곤란하게 할 정도는 아니더라도 상대방이 현실로 공포감을 느낄 수 있을 정도의 해악을 고지하는 것을 말한다. 관련사례는 다음과 같다.

1. '당신 부모한테 채무사실을 알리기 전에 빨리 빚 갚아라'라고 압력을 가하는 방법 등으로 채무사실을 채무자의 관계인 또는 제3자에게 알리거나 공표하겠다고 하여 채무자에게 공포심을 유발하는 행위
2. '빚 빨리 안 갚으면 평생 후회하게 해주겠다'고 음성녹음을 남기는 행위
3. '채무를 갚지 않으면 아이들 학교 못 다니게 하겠다', '아이들 등 · 하교길 조심하라'고 언급하는 행위
4. 독촉장 발송 시 채무자에게 공포심을 일으키는 문구나 단어를 사용하는 행위
5. 위험한 물건을 휴대하여 채무자를 위협하는 행위
6. 비밀을 폭로하겠다고 하여 채무자에게 공포심을 일으키는 행위

㉮ 채무자에게 폭언을 수차 반복하는 행위는 '폭행'과 관련한 사례
㉱ 채무자에게 사전 통지 없이 근무처를 방문하여 장시간 머물면서 불안감을 조성하는 행위는 '위력의 사용'과 관련한 사례

2016년 기출

42 채권추심업무 가이드라인 내용 중 (　) 안에 들어갈 용어로서 가장 적절한 것은?

> 채권금융회사 및 채권추심회사는 채권추심업무를 직접 수행하는 채권추심업 종사자 등에 대해서는 본인 담당 채권에 대해서만 관련 정보를 (　A　)할 수 있도록 (　B　)을(를) 갖추어야 하며, 관련정보를 PC로 (　C　)하거나 화면 Capture 또는 출력하는 등의 방법을 이용할 수 없도록 하여야 한다.

41. ④　42. ⑤

MEMO

	A	B	C
①	접근	내부관리규정	Upload
②	제공	교육시스템	Download
③	수집	내부관리규정	제공
④	활용	교육시스템	유출
⑤	접근	시스템	Download

해설 2018년 5월에 기존의 「채권추심업무 가이드라인」은 「채권추심 및 대출채권 매각 가이드라인」으로 변경되었는데, 변경된 가이드라인에 따르면 "채권추심회사는 채권추심업무를 직접 수행하는 채권추심업 종사자가 자신의 담당 채권에 한하여 관련 정보에 접근할 수 있도록 시스템을 갖추어야 하며, 관련정보를 PC로 Download하거나 화면 Capture 또는 출력하는 등의 방법으로 이용할 수 없도록 하여야 한다."고 규정하고 있다.[「채권추심 및 대출채권 매각 가이드라인」 제13조(신용정보등의 보호) 제7항 참조]

2022년 기출

43 채권추심 시 광고 및 홍보물에 관한 다음 설명 중 가장 적절하지 않은 것은?

① 채권추심회사는 광고 또는 홍보 시 채권추심의 대상이 되는 채권의 종류 등을 명시하여야 한다.
② 금융회사 등은 광고물 제작·사용 시 본사의 사후 승인절차를 거쳐야 한다.
③ 광고의 명의 및 연락처는 채권추심회사의 명의와 연락처를 사용하여야 한다.
④ 광고물 제작·사용 시 '해결', '떼인 돈' 등 부정적 이미지를 주는 용어를 사용하여서는 아니 된다.
⑤ 채권추심회사는 채권회수의 확실성, 수임수수료, 채권추심회사의 업무 범위·실적 등에 대해 현저하게 사실과 다른 내용을 표시하여서는 아니 된다.

해설 금융회사등은 광고물 제작·사용 시 본사의 사전 승인절차를 거쳐야 하며, 금융회사등 임직원이 별도의 광고물을 제작·사용하여서는 아니 된다. 다음 [채권추심 및 대출채권 매각 가이드라인] 참조

> **제14조【광고 및 홍보물】**
> ① 채권추심회사는 광고 또는 홍보 시 추심의 대상이 되는 채권의 종류 등을 명시하여야 하고, 광고의 명의 및 연락처는 채권추심회사의 명의와 연락처를 사용하여야 하며, 채권추심업 종사자의 개인 연락처 등을 사용하여서는 아니 된다.
> ② 금융회사등은 광고물 제작·사용 시 본사의 사전 승인절차를 거쳐야 하며, 금융회사등 임직원이 별도의 광고물을 제작·사용하여서는 아니 된다. 또한, 광고물 제작·사용 시 '해결', '떼인 돈' 등 부정적 이미지를 주는 용어를 사용하여서는 아니 된다.
> ③ 채권추심회사는 채권의 회수 가능성, 수임수수료, 채권추심회사의 업무 범위 및 실적 등에 대하여 사실과 현저하게 다른 내용을 표시하여서는 아니 된다.

43. ②

MEMO

2024년 기출

44 「채권추심 가이드라인」의 채권추심 제한대상인 것만을 고른 것은?

ㄱ. 판결 등에 따라 권원이 인정되지 아니한 민사채권의 경우
ㄴ. 채무부존재 소송을 제기하는 경우
ㄷ. 채무자가 신용회복위원회의 신용회복지원 신청사실을 통지받은 경우
ㄹ. 개인회생절차개시 또는 파산·회생에 따라 면책된 채권인 경우
ㅁ. 채무자 사망 후 상속인이 상속포기한 경우

① ㄱ, ㄴ
② ㄷ, ㄹ
③ ㄹ, ㅁ
④ ㄴ, ㄹ, ㅁ
⑤ ㄱ, ㄴ, ㄷ, ㄹ, ㅁ

해설 ⑤ ㄱ. 채권추심의 대상이 되는 채권은 상법에 따른 상행위로 생긴 금전채권, **판결 등에 따라 권원이 인정된 민사채권**, 특별법에 따라 설립된 조합·공제조합·금고 및 그 중앙회·연합회 등의 조합원·회원 등에 대한 대출·보증, 그 밖의 여신 및 보험업무에 따른 금전채권 등이다. 또 다른 법률에서 채권추심회사에 대한 채권추심의 위탁을 허용한 채권도 대상이 된다. ㄴ. ㄷ. ㄹ. ㅁ.은 아래 「채권추심 및 대출채권 매각 가이드라인」 제8조 제16항 참조

가이드라인 제8조(추심 관련 내부통제) ⑯ 금융회사등은 다음 각 호의 어느 하나의 사유가 발생하는 경우 채권추심을 중지하여야 한다.

1. 채무자의 국민행복기금 채무조정 신청 접수 사실을 확인하는 경우 (국민행복기금 신용지원협약 제13조 제1항 및 운영세칙 제7조에 따라 채무자의 신용지원 여부 확정시까지)
2. 채무자가 채무존재사실을 부인하여 소송을 제기하는 경우(ㄴ)
3. 채무자로부터 신용회복위원회의 신용회복지원 신청 사실을 통지받고 전산상으로 사실관계가 확인되는 경우(신용회복지원협약 제7조)(ㄷ)
4. 채무자에 관한 개인회생절차 개시결정 또는 중지명령 사실을 확인하는 경우(「채무자 회생 및 파산에 관한 법률」 제600조 제1항 및 제593조 제1항)(ㄹ)
5. 채무자가 사망하여 그 상속인의 상속포기나 한정승인 사실을 확인하는 경우(ㅁ)
6. 채무자가 중증환자 등으로 사회적 생활부조를 필요로 하는 경우
7. 채무자가 소멸시효 완성에 따라 추심중단을 요청하는 경우
8. 채무자가 원금, 이자, 비용, 변제기, 채권의 발생연월일, 소멸시효 기간(단, 금융회사의 대출채권인 경우 해당 채권의 소멸시효 완성 여부) 등 채무의 상세내역이 포함된 채무확인서를 요청하였음에도 제시하지 못하는 경우

44. ⑤

MEMO

2017년 기출

45 **다음 중 「신용정보법」 제2조에 따라 채권추심이 허용된 민사채권으로 옳지 않은 것은?**

① 확정된 종국판결에 의한 채권
② 가집행의 선고가 있는 종국판결에 의한 채권
③ 확정된 지급명령에 의한 채권
④ 차용증을 인증한 사서증서에 기초한 채권
⑤ 소송상 화해에 의한 채권

해설 채권추심의 대상이 되는 '채권'이란 상법에 따른 상행위로 생긴 금전채권, 판결 등에 따라 권원(權原)이 인정된 민사채권으로서 대통령령으로 정하는 채권, 특별법에 따라 설립된 조합·공제조합·금고 및 그 중앙회·연합회 등의 조합원·회원 등에 대한 대출·보증, 그 밖의 여신 및 보험 업무에 따른 금전채권 및 다른 법률에서 채권추심회사에 대한 채권추심의 위탁을 허용한 채권을 말한다(신용정보의 이용 및 보호에 관한 법률 제2조 제11호). 법 제2조 제11호에서 '대통령령으로 정하는 채권'이란 민사집행법 제24조[확정된 종국판결(①) 가집행의 선고가 있는 종국판결(②)]·제26조 또는 제56조[항고로만 불복할 수 있는 재판, 가집행의 선고가 내려진 재판, 확정된 지급명령(③), 공증인이 일정한 금액의 지급이나 대체물 또는 유가증권의 일정한 수량의 급여를 목적으로 하는 청구에 관하여 작성한 공정증서로서 채무자가 강제집행을 승낙한 취지가 적혀 있는 것, 소송상 화해, 청구의 인낙(認諾) 등 그 밖에 확정판결과 같은 효력을 가지는 것(⑤)]에 따라 강제집행을 할 수 있는 금전채권을 말한다.

2017년 기출

46 **"채권추심업무 가이드라인"에 대한 다음 설명 중 가장 적절하지 않은 것은?**

① 채권추심회사는 채권추심 수임 시 대상채권이 「신용정보법」에서 채권추심이 허용된 채권인지 여부를 사전에 철저히 확인한 후 수임하여야 한다.
② 채권자는 동일한 채권을 동시에 복수의 채권추심회사에 추심을 위임하는 행위를 하여서는 아니 된다.
③ 채무자의 소재나 연락처를 알고 있음에도 불구하고 소재파악을 가장하여 채무자의 관계인이나 주변사람들에게 연락하는 행위를 하여서는 아니 된다.
④ 채권추심회사가 채권추심을 할 때에는 채권추심회사의 명의로 채무자에게 연락하거나 우편물을 발송하여야 한다.
⑤ 채권추심 목적 달성을 위해 최대한의 범위 안에서 채무자에 대한 소재파악을 실시하여야 한다.

45. ④ 46. ⑤

MEMO

해설 금융회사등은 신용정보법 제15조 제1항에 따라 채권추심 목적 달성을 위하여 필요한 최소한의 범위에서 합리적이고 공정한 수단을 사용하여 채무자에 대한 소재파악을 실시하여야 한다.[「채권추심 및 대출채권 매각 가이드라인」 제24조(채무자 소재 파악) 제3항]

① 채권추심회사는 채권추심 수임 시 대상채권이 신용정보법 제2조 제11호에서 추심을 허용하는 다음 각 호의 어느 하나에 해당하는지 여부를 사전에 철저히 확인하고 수임하여야 한다.[「채권추심 및 대출채권 매각 가이드라인」 제22조(수임대상채권) 제1항]
② 채권자는 채권추심법 제7조에 따라 동일한 채권에 대하여 동시에 2인 이상의 자에게 추심을 위임하여서는 아니 된다.[「채권추심 및 대출채권 매각 가이드라인」 제23조(수임계약) 제1항]
③ 금융회사등임직원은 채권추심법 제12조 제2호에 따라 채무자의 소재나 연락처를 알고 있음에도 불구하고 소재파악을 가장하여 채무자의 관계인이나 주변사람에게 연락하는 행위를 하여서는 아니 된다.[「채권추심 및 대출채권 매각 가이드라인」 제24조(채무자 소재 파악) 제2항]
④ 채권추심회사는 채권추심회사의 명의로 채무자에게 연락하거나 우편물을 발송하여야 하며, 법원·검찰·경찰 소속 직원 등으로 가장하는 행위를 하여서는 아니 된다.[「채권추심 및 대출채권 매각 가이드라인」 제27조(채무변제 촉구) 제8항]

2018년 기출

47 다음의 ( )에 들어갈 내용으로 적절한 것은?

채권추심회사는 채무자에 대한 수임사실을 통보한 경우 그 통보내역을 기록·유지하여야 한다. 위 내용에도 불구하고 채무자가 수임사실 통지가 필요 없다고 동의한 경우 채권추심회사는 서면(「전자문서 및 전자거래기본법」 제2조 제1호의 전자문서를 포함한다)이나 음성녹음 등 채무자의 의사를 확인할 수 있는 근거자료를 확보하여야 하며, 이를 해당 채권추심 종료 후 ( ) 동안 보관하여야 한다.

① 6개월
② 1년
③ 2년
④ 3년
⑤ 5년

해설 「채권추심 및 대출채권 매각 가이드라인」 제25조는 '수임사실 통지'에 대하여 다음과 같이 규정하고 있다.

47. ④

MEMO

제25조【수임사실 통지】

① 채권추심회사는 채권추심법 제6조에 따라 채권추심에 착수하기 전까지 수임사실을 서면으로 채무자에게 통지하여야 한다. 이때, 서면에는 「전자문서 및 전자거래 기본법」 제2조 제1호의 전자문서(정보처리시스템에 의하여 전자적 형태로 작성, 송신·수신 또는 저장된 정보)가 포함된다.

② 채권추심회사는 우편으로 수임사실을 통지하는 경우 우편배송에 소요되는 기간(3영업일 내외)을 감안하여 사전에 통지서를 발송하여야 한다. 다만, 채권추심법 제6조 제2항 내지 제3항에 따라 채무발생의 원인이 되는 계약에 기한의 이익에 관한 규정이 있는 경우에는 채무자가 기한의 이익을 상실한 후에, 채무발생의 원인이 되는 계약이 계속적인 서비스 공급 계약인 경우에는 서비스 이용료 납부지체 등 채무불이행으로 인하여 계약이 해지된 즉시 통지하여야 한다.

③ 채권추심회사는 수임사실 통지시 채권추심법 제6조에 따라 다음 각 호의 사항을 포함하여 〈별표10〉과 같이 통지하여야 한다.

1. 채권추심회사의 명칭 및 연락처(채권추심업 종사자의 성명, 연락처를 포함하되, 채권추심업 종사자가 별도로 지정되지 아니한 경우에는 채무자가 연락할 수 있는 대표담당자를 지정하여 그 성명과 연락처를 기재)
2. 채권자의 성명·명칭, 채무금액, 채무불이행 기간 등 채무에 관한 사항
3. 입금계좌번호, 계좌명 등 입금계좌 관련 사항(입금계좌는 원칙적으로 채권자 명의의 계좌를 기재하되, 채권자와 서면 등으로 합의하는 경우 채권추심회사 명의의 계좌를 기재할 수 있으며, 이 경우 채권추심위임계약 등 합의에 관한 명확한 근거자료를 확보하여야 한다. 또한, 변제금을 채권추심업 종사자의 개인 계좌로 입금하거나 현금으로 납부할 수 없음을 명기하여야 한다.)

④ 채권추심회사는 채무자에 대한 수임사실을 통보하는 경우 그 통보내역을 기록·유지하여야 한다.

⑤ 제1항에도 불구하고 채무자가 수임사실 통지가 필요 없다고 동의하는 경우 채권추심회사는 서면(「전자문서 및 전자거래 기본법」 제2조 제1호의 전자문서를 포함한다)이나 음성녹음 등 채무자의 의사를 확인할 수 있는 근거자료를 확보하여야 하며, 이를 해당 채권추심 종료 후 3년 동안 보관하여야 한다.

⑥ 채권추심회사는 수임사실을 우편으로 통보하는 경우, 「우편법」 제1조의2에 따라 통상우편물의 발송 등 제3자에 의한 발송방법을 이용하여야 하며, 전자문서로 통보하는 경우에는 전송 오류나 해킹 등이 발생하지 아니하도록 주의하여야 한다. 채권추심회사가 수임사실을 통보하였음에도 불구하고 채무자로부터 수령한 사실이 없다는 이의가 제기되는 경우 기존의 수임사실 통보사항(통보한 일자 및 방법, 내용 등)을 즉시 채무자에게 발송하여야 한다.

MEMO

2018년 기출

48 **다음은 「채권추심법」 제6조 제1항의 내용이다. ( )에 들어갈 내용으로 가장 적절한 것은?**

> 채권추심자가 채권자로부터 채권추심을 위임받은 경우에는 채권추심에 착수하기 전까지 다음 각 호에 해당하는 사항을 채무자에게 서면으로 통지하여야 한다. 다만, 채무자가 통지가 필요 없다고 동의한 경우에는 그러하지 아니하다.
> 1. 채권추심자의 성명·명칭 또는 연락처(채권추심자가 법인인 경우에는 채권추심담당자의 성명, 연락처를 포함한다)
> 2. 채권자의 성명·명칭, 채무금액, ( ) 등 채무에 관한 사항
> 3. 입금계좌번호, 계좌명 등 입금계좌 관련 사항

① 추심수수료율
② 방문예정일자
③ 소멸시효 완성여부
④ 연체이율
⑤ 채무불이행 기간

해설 「채권추심법」 제6조에는 '수임사실 통보'에 관하여 규정하는데, 구체적인 내용은 다음과 같다.

> 제6조【수임사실 통보】
> ① 채권추심자(제2조 제1호 라목에 규정된 자 및 그 자를 위하여 고용, 도급, 위임 등 원인을 불문하고 채권추심을 하는 자를 말한다. 이하 이 조에서 같다)가 채권자로부터 채권추심을 위임받은 경우에는 채권추심에 착수하기 전까지 다음 각 호에 해당하는 사항을 채무자에게 서면(「전자문서 및 전자거래 기본법」 제2조 제1호의 전자문서를 포함한다)으로 통지하여야 한다. 다만, 채무자가 통지가 필요 없다고 동의한 경우에는 그러하지 아니하다.
> 1. 채권추심자의 성명·명칭 또는 연락처(채권추심자가 법인인 경우에는 채권추심담당자의 성명, 연락처를 포함한다)
> 2. 채권자의 성명·명칭, 채무금액, 채무불이행 기간 등 채무에 관한 사항
> 3. 입금계좌번호, 계좌명 등 입금계좌 관련 사항
>
> ② 제1항에도 불구하고 채무발생의 원인이 된 계약에 기한의 이익에 관한 규정이 있는 경우에는 채무자가 기한의 이익을 상실한 후 즉시 통지하여야 한다.
> ③ 제1항에도 불구하고 채무발생의 원인이 된 계약이 계속적인 서비스 공급 계약인 경우에는 서비스 이용료 납부지체 등 채무불이행으로 인하여 계약이 해지된 즉시 통지하여야 한다.

48. ⑤

2018년 기출

49 **다음 중 채무변제 촉구에 관한 설명으로 가장 적절하지 않은 것은?**

① 금융회사등은 채무자에 대한 변제촉구시 관계법규에서 정하는 기준에 따라 합리적이고 공정한 방법을 사용하여야 하며, 그 과정에서 불법·부당한 행위나 민원이 발생하지 않도록 유의하여야 한다.
② 충분한 입증자료를 확보하지 못할 경우 채권추심에 착수할 수 없다.
③ 채무의 상세내역이 포함된 채무확인서를 제시하지 못할 경우 채권추심을 즉시 중단하여야 한다.
④ 금융회사등의 임직원은 채무변제 촉구를 위하여 채무자나 관계인을 방문하고자 하는 경우에는 전화, 우편, 문자메시지 등으로 채무자와 일시와 장소를 협의하여야 한다. 수신거부 등 채무자와의 연락이 되지 않을 경우에도 마찬가지이다.
⑤ 채권추심회사가 채권추심을 할 때에는 채권추심회사의 명의로 채무자에게 연락하거나 우편물을 발송하여야 하며, 법원·검찰·경찰 소속 직원 등으로 가장하거나 오인할 수 있는 행위를 하여서는 아니 된다.

해설 「채권추심 및 대출채권 매각 가이드라인」 제27조는 '채무변제 촉구'에 대하여 다음과 같이 규정하고 있다.

> 제27조【채무변제 촉구】
> ① 금융회사등은 채무자에 대한 변제촉구시 관계법규에서 정하는 기준에 따라 합리적이고 공정한 방법을 사용하여야 하며, 그 과정에서 불법·부당한 행위나 민원이 발생하지 아니하도록 유의하여야 한다.(①)
> ② 금융회사등은 채무자와 접촉하기 전에 채권의 부실 발생 시점, 추심대상 금액, 부실발생 이후 일부 상환금액 및 시점 등 추심대상 채권에 대한 충분한 입증자료를 갖추어야 하며, 충분한 입증자료를 확보하지 못하는 경우에는 채권추심에 착수할 수 없다.(②)
> ③ 금융회사는 채무자가 요청하는 경우 채권추심법 제5조 제1항에 따라 서면 등으로 채무확인서를 제시하여야 하고, 채권추심회사는 채권자가 발급하는 채무확인서를 제시하여야 한다. 채무확인서에는 원금, 이자, 비용, 변제기, 채권의 발생연월일, 소멸시효 기간(금융회사의 채권인 경우 해당 채권의 소멸시효 완성 여부) 등 채무의 상세내역이 포함되어야 한다. 채무의 상세내역이 포함된 채무확인서를 제시하지 못하는 경우 채권추심을 즉시 중단하여야 한다.(③)
> ④ 금융회사등임직원은 채무변제 촉구를 위하여 채무자를 방문하고자 하는 경우 일시와 장소를 채무자와 전화, 우편, 문자메시지 등으로 협의하여야 한다. 다만, 수신거부 등 채무자와 연락이 닿지 아니하거나 채무자가 고의적으로 2회 이상 방문을 거부하는 경우에는 협의 없이 방문할 수 있다.(④)

49. ④

MEMO

⑤ 금융회사등임직원은 제4항에 따른 방문시 신용정보법 제27조 제8항에 따른 종사원증 등 신분을 나타내는 신분증을 제시하여야 하며 언행과 복장 등에 관한 기본적인 예의를 갖추어야 한다.
⑥ 금융회사등임직원은 전화를 이용하여 변제촉구를 하는 경우, 전화 상대방에 대한 본인 확인을 철저히 하여야 하며, 채무자의 정보유출 등으로 인한 민원이 발생하지 아니하도록 주의하여야 한다.
⑦ 금융회사등은 채무자에게 독촉장, 협조문 등 서면으로 변제를 촉구하는 일체의 행위를 하는 경우 〈별표11〉에 따라 회사에서 공식적으로 제작하는 서식, 문구 등을 사용하여야 하며, 〈별표12〉의 문구가 포함되지 아니하도록 유의하여야 한다. 또한, 채무자 외의 자가 그 내용을 알지 못하도록 밀봉하여 발송하여야 하며, 봉투 겉면에 발신인과 수신인에 관한 표시 외에 혐오감을 주는 지나친 원색(예 : 붉은색)을 사용하거나 그 내용을 짐작할 수 있는 표시를 하여서는 아니 된다. 아울러, 금융회사등임직원이 임의로 서식, 문구 등을 수정하여 개별적으로 발송하지 아니하도록 내부통제 체제를 운영하여야 한다.
⑧ 채권추심회사는 채권추심회사의 명의로 채무자에게 연락하거나 우편물을 발송하여야 하며, 법원·검찰·경찰 소속 직원 등으로 가장하는 행위를 하여서는 아니 된다.(⑤)
⑨ 금융회사등은 변제촉구 등을 위한 서면통지서가 반송되는 경우 그 사유를 파악하여 필요한 조치를 취하여야 하며, 채무자가 명백히 거주하지 아니함에도 불구하고 반복적으로 발송하여 실거주자에게 불편을 초래하여서는 아니 된다. 또한, 전자우편(E-mail)이나 이동전화 문자서비스를 통하여 변제를 촉구하는 경우 채무자가 알려준 전자우편주소나 이동전화번호를 이용하여야 하며, 새로이 파악한 전자우편 주소나 이동전화번호를 이용하는 경우에는 채무자(또는 채무자로부터 권한을 위임받은 자)가 사용하는지 여부를 사전 확인한 후 변제를 촉구하는 내용을 발송하여야 한다.
⑩ 금융회사등은 채무변제를 위하여 유체동산(TV, 냉장고, 휴대폰 등 가전제품 포함) 압류절차를 진행하는 경우 〈별표13〉에 따라 다음 각 호의 사항을 준수하여야 한다.
1. 압류 가능한 최저 채무액기준을 설정하여 무분별한 압류를 방지
2. 사회적 취약계층에 대한 압류를 지양
3. 유체동산 압류와 관련한 내부통제 강화

MEMO

2017년 기출

50 다음 중 채권추심회사의 변제 독촉장 금지문구(예시)가 아닌 것은?

① "채무를 변제하지 않을 경우 당사에서 직접 귀하를 상대로 유체동산 압류 등 법적조치를 진행할 예정입니다."

② "채무를 변제하지 않는 것은 사기죄에 해당되며, 통보해드리는 날짜까지 입금이 되지 않을 경우 고소장을 접수할 예정입니다."

③ "귀하가 채무를 변제하지 않을 경우 의복, 침구, 부엌기구 등 기본적인 가재도구까지도 압류될 것입니다."

④ "만일 아래 기한 내에 채무가 변제되지 않거나 귀하의 연락이 없을 경우에는 채권자인 ㈜○○에서 법적회수절차를 진행할 예정입니다."

⑤ "통신비, 형사고소비용 등 귀하의 채무와 관련된 모든 비용은 귀하가 부담하여야 합니다."

해설 "만일 아래 기한 내에 채무가 변제되지 않거나 귀하의 연락이 없을 경우에는 채권자인 ㈜○○에서 법적회수절차를 진행할 예정입니다."는 채권추심회사의 변제독촉장의 정당한 문구에 해당한다. 채권추심회사등은 독촉장, 협조문 등 그 명칭이나 방식에 관계없이 채무자에게 변제를 촉구하는 일체의 행위를 서면으로 할 경우에는 회사에서 공식적으로 제작한 서식, 문구 등을 사용하여야 한다. 변제 독촉장의 금지문구에 대한 예시는 다음과 같다.

❑ 변제 독촉장 금지문구(예시)

1. 채권추심회사가 직접 가압류 등 법적조치를 취할 것이라는 내용 : "채무를 변제하지 않을 경우 당사에서 직접 귀하를 상대로 유체동산 압류 등 법적조치를 진행할 예정입니다."
2. 위법행위가 없음에도 채무 미변제 시 형사범죄에 해당된다는 내용 : "채무를 변제하지 않는 것은 사기죄에 해당되며, 통보해 드리는 날짜까지 입금이 되지 않을 경우 고소장을 접수할 예정입니다."
3. 채무 미변제 시 기본적인 가재도구를 압류할 것이라는 내용 : "귀하가 채무를 변제하지 않을 경우 의복, 침구, 부엌기구 등 기본적인 가재도구까지도 압류될 것입니다."
4. 신용카드로 구입한 물품을 매각하여 변제하도록 강요하는 내용 : "신용카드로 구입한 물품을 매각하여서라도 무조건 변제하시기 바랍니다."
5. 채무자가 책임이 없는 비용을 부담해야 한다는 내용 : "통신비, 형사고소 비용 등 귀하의 채무와 관련된 모든 비용은 귀하가 부담하셔야 합니다."
6. 채무 미변제 시 가족과 떨어져야 한다는 내용 : "채무를 변제하지 않을 경우 귀하는 가족과 함께 살지 못하게 될 것입니다."

50. ④

MEMO

2018년 기출

51 다음 중 채권추심회사가 채권추심을 중지하여야 하는 사유가 아닌 것은?

① 채무자가 채무존재사실을 부인하여 소송을 제기하는 경우
② 채무자가 한정후견 개시 심판을 받아 결정된 경우
③ 채무자에 관한 개인회생절차 개시결정 또는 중지명령 사실을 확인하는 경우
④ 채무자가 사망하여 그 상속인의 상속포기나 한정승인 사실을 확인하는 경우
⑤ 채무자가 채권소멸시효 완성에 따라 추심중단을 요청하는 경우

해설 「채권추심 및 대출채권 매각 가이드라인」 제8조는 '추심관련 내부통제'에 대하여 규정하는데, "채무자가 한정후견 개시 심판을 받아 결정된 경우"는 채권추심회사가 채권추심을 중지하여야 하는 사유에 해당되지 않는다. 동조 제16항에는 '채권추심을 중지하여야 하는 사유'와 관련하여 다음과 같이 규정하고 있다.

> 제8조【추심관련 내부통제】
> ⑯ 금융회사등은 다음 각 호의 어느 하나의 사유가 발생하는 경우 채권추심을 중지하여야 한다.
> 1. 채무자의 국민행복기금 채무조정 신청 접수 사실을 확인하는 경우(국민행복기금신용지원협약 제13조 제1항 및 운영세칙 제7조에 따라 채무자의 신용지원 여부 확정시까지)
> 2. 채무자가 채무존재사실을 부인하여 소송을 제기하는 경우(①)
> 3. 채무자로부터 신용회복위원회의 신용회복지원 신청 사실을 통지받고 전산상으로 사실관계가 확인되는 경우(신용회복지원협약 제7조)
> 4. 채무자에 관한 개인회생절차 개시결정 또는 중지명령 사실을 확인하는 경우(「채무자 회생 및 파산에 관한 법률」 제600조 제1항 및 제593조 제1항)(③)
> 5. 채무자가 사망하여 그 상속인의 상속포기나 한정승인 사실을 확인하는 경우(④)
> 6. 채무자가 중증환자 등으로 사회적 생활부조를 필요로 하는 경우
> 7. 채무자가 소멸시효 완성에 따라 추심중단을 요청하는 경우(⑤)
> 8. 채무자가 원금, 이자, 비용, 변제기, 채권의 발생연월일, 소멸시효 기간(단, 금융회사의 대출채권인 경우 해당 채권의 소멸시효 완성 여부) 등 채무의 상세내역이 포함된 채무확인서를 요청하였음에도 제시하지 못하는 경우
> 9. 「신용정보의 이용 및 보호에 관한 법률」 제39조의2 제1항을 위반하여 채권자변동정보가 종합신용정보집중기관에 제공되지 아니한 경우

51. ②

Chapter

04 민원예방

제1절 민원의 이해

2024년 기출

01 민원에 관한 다음 설명 중 가장 적절하지 않은 것은?

① 소비자의 의식수준이 지속적으로 높아지고 있으므로 민원의 예방을 위해서는 업무수행과정에서 법률과 규정을 준수하고 정확한 업무지식을 보유해야 할 필요성이 증대되고 있다.

② 민원인에 대하여 즉각적이고 구체적인 해결방안을 제시하여 문제 해결의 의지를 보이고 감사의 표시도 잊지 않는다.

③ 채권추심회사의 채권추심과 관련된 민원이 발생될 경우 수임사(채권추심회사)와 채권관리 담당자가 전담하여 민원을 해결하게 되므로 위임사(채권자)는 별다른 불이익을 받지 않는다.

④ 적절한 응대어를 구사하고, 요약・정리하고 확인하면서 민원내용을 적극적으로 청취한다.

⑤ 채무자는 고객이라는 생각으로 채무자가 회사와 나의 수익의 원천이라는 인식의 전환이 필요하다.

해설 ③ 채권추심회사의 채권추심과 관련된 민원이 발생될 경우 위임사(채권자)는 감독기관의 위임사 평가 및 위임사 내부 평가에 반영되고, 위임사(채권자)의 이미지를 훼손시키는 불이익을 받는다. 아래 [민원이 미치는 영향] 참조

❑ **민원이 미치는 영향**

(1) 위임사(채권자)
- ① 감독기관의 위임사 평가 및 위임사 내부 평가에 반영된다.
- ② 위임사(채권자)의 이미지를 훼손시킨다.

(2) 수임사(정보사)
- ① 수임관계의 존속을 위협받는다.
- ② 수임사(신용정보사)의 이미지가 훼손된다.
- ③ 업무 수임 범위의 축소 등 재량권이 축소(업무 통제)된다.
- ④ 감독기관의 중점 감독・검사 대상이 된다.

(3) 신용관리 담당자
- ① 민원처리에 시간과 인력이 소요된다.
- ② 담당자의 과실에 의한 민원발생시 불이익이 초래된다.

01. ③

MEMO

2023년 기출

02 금융회사등의 민원처리에 관한 내용으로 가장 적절하지 않은 것은?

① 악성 민원사항의 신청이 있는 때에는 그 접수를 보류하거나 거부할 수 있고, 접수된 민원서류를 되돌려 보낸다.

② 민원사무를 처리하는 담당자는 민원사무를 신속·공정·친절하게 처리하여야 한다.

③ 금융회사등은 민원 처리와 관련하여 알게 된 민원사항의 내용과 민원인의 신상정보 등이 누설되어 민원인의 권익이 침해되지 아니하도록 노력하여야 한다.

④ 민원인은 해당 민원사무의 처리가 종결되기 전에는 그 신청의 내용을 보완하거나 변경 또는 취하할 수 있다.

⑤ 금융회사등은 민원인이 신청한 민원사항에 대한 처리결과를 민원인에게 문서로 통지하는 것이 바람직하다.

해설 ① 악성 민원이라고 하더라도 민원사항의 신청이 있는 때에는 다른 특별한 사항이 있는 경우를 제외하고는 그 접수를 보류하거나 거부할 수 없으며, 접수된 민원서류를 부당하게 되돌려 보내서는 안 된다.

2021년 기출

03 다음 중 채권추심업무 관련 민원예방의 과제로서 가장 적절한 것은?

① 법적절차 등 업무에 관한 전문지식 습득은 고객에 대한 서비스 향상에 전혀 영향을 미치지 않는다.

② 채무자는 고객이라는 생각으로 채무자가 회사와 나의 수익의 원천이라는 인식의 전환이 필요하다.

③ 채무자에 대한 회수기법은 언제나 누구에게나 일관되게 적용한다.

④ 고객의 사회적 지위나 경제적 수준에 따라 대응의 수준을 달리할 필요는 없다.

⑤ 채무자와 상담시 신용관리 담당자 개인의 생각이나 의견은 일체 배제하고 회사의 입장만 이야기한다.

02. ① 03. ②

MEMO

해설 채권추심업무 관련 민원예방의 과제는 다음과 같다.

1. 고객에 대한 인식의 전환
   (1) 채무자는 고객이라는 생각으로 채무자가 회사와 나의 수익의 원천이라는 인식의 전환이 필요하다.(②)
   (2) 고객의 지적, 경제적 수준에 맞게 적절한 대응을 한다.(④)
   (3) 인격을 존중하는 기본자세를 준수한다.
2. 고객 응대의 기본자세
   (1) 고객 응대시 기본예절을 준수(최초 인사, 끝 인사 등)한다.
   (2) 공감대를 형성하는 진지한 언어를 선택하여 사용하고 공감적 경청을 한다.
3. 전문지식의 함양
   (1) 법적 절차 등 업무에 관한 전문지식을 습득한다.(①)
   (2) 채무자별로 적절한 회수기법 적용능력을 키운다.(③)
4. "신용관리업은 서비스업이다" 라는 의식 공유
   (1) 담당자의 전문지식 습득이 서비스 향상의 기본이다.
   (2) 담당자 개인의 생각이나 행동에 회사의 기본방침이 포함되어 있어야 한다.(⑤)

2020년 기출

04 민원발생을 예방하기 위한 채권추심 방법 중 가장 적절하지 않은 것은?

① 채권 D/M, 법원 서류 등을 근거로 하여 제3자가 연체 사실을 인지하고 담당자에게 문의한다 하더라도 서류상 내용대로 납입 또는 이행하시면 된다는 정도만 설명하여야 한다.

② 채무자 및 보증인에게 유도되어 욕설이나 폭언에 맞대응할 경우 담당자에게 "폭행죄", "협박죄", "명예훼손죄" 등이 성립될 수 있으므로 감정적 대응은 삼가하여야 한다.

③ 군입대, 이민, 행방불명 등 채무자와의 직접 접촉이 어렵다는 것이 객관적으로 증명되더라도, 제3자에게 채무자 및 보증인의 신용정보에 대한 직접적인 고지는 법적으로 안된다.

④ 채무자나 보증인과 연락되지 않아 부득이하게 주거지로 직접 방문하는 경우 동의 없이 출입하면 주거침입죄가 성립될 수 있으므로, 사전 동의가 없다면 문이 열려 있더라도 들어가서는 안된다.

⑤ 채무자, 보증인의 자택 및 회사로 전화하여 제3자에게 "oo신용정보입니다"라고 소속을 밝히는 경우 채무자의 채무에 대한 사항을 암시하는 것이라고 볼 수 없어 문제가 되지 않는다.

04. ⑤

MEMO

해설 ⑤ 채무자, 보증인의 자택 및 회사로 전화하여 제3자에게 "ㅇㅇ신용정보입니다"라고 소속을 밝히는 경우 채무자의 채무에 대한 사항을 암시하는 것이라고 볼 수 있어 문제가 될 수 있다. 따라서 민원발생을 사전에 근절하기 위해서는 일단 채권자 명의로 소속을 밝힌 후 본인 여부가 확인되면 추심위임 여부 및 "ㅇㅇ신용정보입니다"라고 하는 것이 바람직하다.

① 채권 D/M, 법원 서류 등을 근거로 하여 제3자가 연체 사실을 인지하고 담당자에게 문의한다 하더라도 서류상 내용대로 납입 또는 이행하시면 된다는 정도만 설명하여야 한다. 이때 제3자가 대위변제 의사를 밝히며 사용내역 또는 사용금액을 요청하더라도 본인이 아닌 제3자에게 연체사실, 금액, 사용내역 등의 신용정보를 알려주는 것은 신용정보의 이용 및 보호에 관한 법률에 위반된다.

② 채무자 및 보증인에게 유도되어 욕설이나 폭언에 맞대응할 경우 담당자에게 "폭행죄", "협박죄", "명예훼손죄" 등이 성립될 수 있으므로 감정적 대응은 삼가하여야 한다. 사회통념상 그 내용이 지나쳐 상대방이 공포심을 느낄 정도의 욕설이나 폭언 등은 언어 폭력으로 협박죄에 해당될 수 있다. 또한 고함을 질러 놀라게 하거나 야간에 계속적인 소음, 반복적인 전화를 거는 경우, 형사고소를 하지 않고도 형사고소를 했다고 거짓 내용으로 채무자 및 보증인을 경악케 하는 경우 등은 모두 폭행죄에 해당할 수 있다.

③ 군입대, 이민, 행방불명 등 채무자와의 직접 접촉이 어렵다는 것이 객관적으로 증명되더라도, 제3자에게 채무자 및 보증인의 신용정보에 대한 직접적인 고지는 법적으로 안된다. 신용정보의 이용 및 보호에 관한 법률 제42조(업무 목적 외 누설금지 등) 제1항에도 "~ 업무상 알게된 타인의 신용정보 및 사생활 등 개인적 비밀을 업무 목적 외에 누설하거나 이용하여서는 아니 된다."고 규정하고 있다.

④ 채무자나 보증인과 연락되지 않아 부득이하게 주거지로 직접 방문하는 경우 동의 없이 출입하면 주거침입죄가 성립될 수 있으므로, 사전 동의가 없다면 문이 열려 있더라도 들어가서는 안된다. 주거침입죄(형법 제319조)는 사람의 주거지 등에 침입함으로써 성립되는 범죄로 만일 거주지의 생활자인 본인의 사전 동의 없이 또는 의사에 반하여 임의로 해당 거주지를 출입할 경우에는 주거침입죄가 성립된다. 따라서 사전 동의가 없다면 문이 열려 있더라도 들어가서는 안된다.

2019년 기출

05 민원예방 과제로 가장 적절하지 않은 것은?

① 채무자별로 적절한 회수기법의 적용능력 향상
② 법적 절차 업무에 관한 지식만 습득
③ 고객 응대시 기본 예절 준수
④ 채무자는 고객이라는 생각으로 채무자가 회사와 나의 수익의 원천이라는 인식의 전환이 필요
⑤ 고객의 지적・경제적 수준에 맞는 적절한 대응능력 향상

05. ②

MEMO

해설 법적 절차 업무뿐만 아니라 다양한 분야의 업무에 관한 전문지식을 습득하여야 한다. 이하 '민원예방 과제' 정리 참조

1. 고객에 대한 인식의 전환
   (1) 채무자는 고객이라는 생각으로 채무자가 회사와 나의 수익의 원천이라는 인식의 전환이 필요하다.(④)
   (2) 고객의 지적, 경제적 수준에 맞게 적절한 대응을 한다.(⑤)
   (3) 인격을 존중하는 기본자세를 준수한다.
2. 고객 응대의 기본자세
   (1) 고객 응대시 기본예절을 준수(최초 인사, 끝 인사 등)한다.(③)
   (2) 공감대를 형성하는 진지한 언어를 선택하여 사용하고 공감적 경청을 한다.
3. 전문지식의 함양
   (1) 법적 절차 등 업무에 관한 전문지식을 습득한다.(②)
   (2) 채무자별로 적절한 회수기법 적용능력을 키운다.(①)
4. "신용관리업은 서비스업이다"라는 의식 공유
   (1) 담당자의 전문지식 습득이 서비스 향상의 기본이다.
   (2) 담당자 개인의 생각이나 행동에 회사의 기본방침이 포함되어 있어야 한다.

2024년 기출

06 채권추심업무 수행 시 민원예방을 위한 노력으로 가장 적절하지 않은 것은?

① 신용정보의 수집・조사 및 채권추심시에는 신용정보업에 종사함을 나타내는 증표를 지니고 관계인에게 이를 내보여야 한다.

② 관련 법규 및 내규를 준수하고 사회규범과 윤리에 따라 행동하여야 하며 추심대상자의 인격과 권리를 존중하여야 한다.

③ 업무상 알게 된 타인의 신용정보 및 사생활 등 개인적 비밀을 업무목적 외에 누설하거나 이용하여서는 아니 된다.

④ 채무자에게 변제를 촉구하는 행위를 서면으로 할 경우에는 회사에서 공식적으로 제작한 서식, 문구 등을 사용하여야 한다.

⑤ 채무자의 주소지를 방문할 때에는 우발적 사고 예방을 위해 2명 이상이 한 조를 구성하여 행동하여야 한다.

해설 ⑤ 실태조사를 위한 채무자의 주소지를 방문할 때에는 우발적 사고 예방을 위해 2인1조도 좋다.

06. ⑤

MEMO

2017년 기출

07 채권추심업무 수행 시 민원예방 관련 준수사항에 대한 다음 설명 중 가장 적절하지 않은 것은?

① 신용정보의 수집, 조사, 채권추심 시 증표(직원 신분증)를 패용한다.
② 전문적인 업무지식을 갖추고 업무를 정확히 처리한다.
③ 변제를 독촉하는 과정에서 감정관리를 잘하여야 한다.
④ 채무자 주소지를 방문할 때에는 우발적 사고 예방을 위해 2명 이상이 한 조를 구성하여 행동하여야 한다.
⑤ 정보원, 탐정, 기타 이와 유사한 명칭을 사용하지 않는다.

해설 채무자 주소지를 방문할 때에는 우발적 사고 예방을 위해 2명 이상이 한 조를 구성하여 행동할 수도 있으나 반드시 2명 이상이 조를 이루어 행동할 필요는 없고, 당시 상황을 고려하여 판단한다.

2021년 기출

08 채권추심업무 과정에서 발생하는 민원의 영향에 관한 다음 설명 중 가장 적절한 것은?

① 위임사(채권자)의 이미지가 훼손되지 않는다.
② 수임사(채권추심회사)의 이미지가 훼손된다.
③ 위임사와 수임사 간의 결속력은 강화된다.
④ 민원의 처리를 위해 신용관리 담당자의 시간적인 비용은 소요되지 않는다.
⑤ 수임사의 수임업무 범위 및 업무재량권 등이 축소될 가능성은 없다.

해설 채권추심업무 과정에서 발생하는 민원의 영향은 당사자 별로 다음과 같다.

1. 위임사(채권자)
   (1) 감독기관의 위임사 평가 및 위임사 내부 평가에 반영된다.
   (2) 위임사(채권자)의 이미지를 훼손시킨다.(①)
2. 수임사(정보사)
   (1) 수임관계의 존속을 위협 받는다.(③)
   (2) 수임사(신용정보사)의 이미지가 훼손된다.(②)
   (3) 업무 수임 범위의 축소 등 재량권이 축소(업무 통제)된다.(⑤)
   (4) 감독기관의 중점 감독·검사 대상이 된다.
3. 신용관리 담당자
   (1) 민원처리에 시간과 인력이 소요된다.(④)
   (2) 담당자의 과실에 의한 민원발생 시 불이익이 초래된다.

07. ④ 08. ②

MEMO

2018년 기출

09 신용정보업에서 발생하는 민원의 영향에 대한 다음 설명 중 가장 적절하지 않은 것은?

① 위임사(채권자)의 이미지가 훼손된다.
② 수임사(채권추심회사)의 이미지가 훼손된다.
③ 위임사와 수임사간의 결속력은 강화된다.
④ 민원의 처리를 위해 신용관리 담당자의 시간적인 비용이 소요된다.
⑤ 수임사의 수임업무 범위 및 업무재량권 등이 축소될 가능성이 있다.

해설 '민원'이란 "주민이 행정기관에 대하여 어떤 행정 처리를 요구하는 일"이라고 사전은 정의하고 있고, 일반적으로는 "고객의 불만" 또는 "금융분쟁 조정 요청" 등으로 정의할 수 있으며, 국민이 행정기관에 대해 어떤 행정 처리를 요구하거나 "국민의 청원"인 민원(Civil application, civil affairs)과는 구별된다. 신용카드와 관련하여서는 부당한 추심행위에 대한 구제 요청이나 명의도용, 신용카드 부정발급, 대환 대출, 보증인 부당입보, 금융제도에 대한 이해부족으로 인한 민원이 많이 발생하고 있다. 최근에는 신용관리에 관련한 민원이 경제적 어려움에 대한 선처를 호소하는 경우나 기타 악의에 의한 채무회피성 민원이 늘고 있는 추세이다. 민원이 미치는 영향은 다음과 같다.

(1) 위임사(채권자)
① 감독기관의 위임사 평가 및 위임사 내부 평가에 반영된다.
② 위임사(채권자)의 이미지를 훼손시킨다.

(2) 수임사(정보사)
① 수임관계의 존속을 위협받는다.
② 수임사(채권추심회사)의 이미지가 훼손된다.
③ 업무 수임 범위의 축소 등 재량권이 축소(업무 통제)된다.
④ 감독기관의 중점 감독・검사 대상이 된다.

(3) 신용관리 담당자
① 민원처리에 시간과 인력이 소요된다.
② 담당자의 과실에 의한 민원발생시 불이익이 초래된다.

09. ③

MEMO

제2절 민원의 해결방안

2022년 기출

01 다음과 같은 민원해결의 기본 상황으로 가장 적절한 것은?

- 이해합니다.
- 잘 알겠습니다.
- 그러니까, ~ 하라는 말씀이시군요.

① 적극적 청취
② 문제 파악
③ 동감
④ 해결 방안제시
⑤ 반론 극복

해설 '이해합니다.' '잘 알겠습니다.'와 같은 적절한 응대어 구사와 '그러니까, ~ 하라는 말씀이시군요.'와 같이 내용을 요약, 정리하여 확인하는 것은 적극적 청취라고 할 수 있다

② 문제 파악은 '그러셨군요. 그 점에 대해 좀 더 자세히 알 수 있을까요?'와 같은 적절한 질문을 통하여 고객의 상황을 정확히 파악하는 것인데 문제에서는 질문이 없으므로 문제파악이라고 할 수 없다.

③ 동감은 '고객님의 기분이 어떠신지 충분히 이해가 됩니다.', '불편을 드려서 정말 죄송합니다.'와 같이 고객에게 감정을 이입하는 것인데 문제에서는 적극적인 청취 외에 동감하는 내용은 없다.

상세는 아래표 참조

❑ 민원(Complain) 해결의 기본

상 황	내용 및 유의점
적극적 청취	• 적절한 응대어 구사(예 이해합니다. 잘 알겠습니다.) • 내용을 요약, 정리하여 확인(예 그러니까, ~ 하라는 말씀이시군요.)
문제 파악	• 적절한 질문을 통해 고객의 상황을 정확히 파악할 수 있도록 고객에게 도움을 요청 예 그러셨군요. 그 점에 대해 좀 더 자세히 알 수 있을까요? 고객님! 몇 가지 세부적인 사항을 확인해도 되겠습니까?
동감	• 감정이입(예 고객님의 기분이 어떠신지 충분히 이해가 됩니다.) • 적극적으로 도우려는 자세를 보임(예 고객님! 저희도 정말 중요한 문제라고 생각됩니다.)
해결방안 제시	• 변명하려 하지 말고 최선의 방안을 제시(예 네, 가장 빠른 최선의 해결 방법은 ~이라고 생각됩니다.) • 성의를 보임(ONE-STOP SERVICE)(예 고객님! 감사합니다. 즉시 알아보도록 하겠습니다.)

01. ①

MEMO

반론극복	예 그러셨군요. 무슨 말씀인지 이해가 갑니다. 그러나 ~
감사의 표시	예 전화 주셔서 감사합니다. 가능한 빠른 시일 내에 문제를 해결하도록 하겠습니다.

2018년 기출

02 다음 중 민원예방의 과제로서 가장 적절한 것은?

① 법적절차 등 업무에 관한 전문지식 습득은 고객에 대한 서비스 향상에 큰 영향을 미치지 않는다.

② 채무자와 상담시 신용관리 담당자 개인의 생각이나 의견은 일체 배제하고 회사의 입장만 이야기한다.

③ 고객의 지적·경제적 수준에 따라 대응의 수준을 달리 한다.

④ 채무자에 대한 회수기법은 언제나 누구에게나 일관되게 적용한다.

⑤ 채무자는 고객이며 수익의 원천이라는 인식이 요구된다.

해설 민원 처리의 기본 원칙은 예방이 최우선이며 이를 위한 담당자의 인식의 전환 및 교육이 병행되어야 한다. 민원 예방을 위한 최우선적인 예방책은 담당자 자신이 담당한 업무에 대해 고객이 불편함을 느끼지 않도록 그 업무를 신속하고 정확하게 처리하는 것이다. 민원예방의 과제는 다음과 같이 분설할 수 있다.

1. 고객에 대한 인식의 전환
   (1) 채무자는 고객이라는 생각으로 채무자가 회사와 나의 수익의 원천이라는 인식의 전환이 필요하다.
   (2) 고객의 지적, 경제적 수준에 맞게 적절한 대응을 한다.
   (3) 인격을 존중하는 기본자세를 준수한다.
2. 고객 응대의 기본자세
   (1) 고객 응대시 기본예절을 준수(최초 인사, 끝 인사 등)한다.
   (2) 공감대를 형성하는 진지한 언어를 선택하여 사용하고 공감적 경청을 한다.
3. 전문지식의 함양
   (1) 법적 절차 등 업무에 관한 전문지식을 습득한다.
   (2) 채무자별로 적절한 회수기법 적용능력을 키운다.
4. "신용관리업은 서비스업이다"라는 의식 공유
   (1) 담당자의 전문지식 습득이 서비스 향상의 기본이다.
   (2) 담당자 개인의 생각이나 행동에 회사의 기본방침이 포함되어 있어야 한다.

02. ③, ⑤(복수정답 인정)

MEMO

2023년 기출

03 **채권추심업무 수행 시 민원 예방 및 민원처리를 위하여 준수해야 할 사항으로 가장 적절하지 않은 것은?**

① 금융회사등은 민원이 발생하는 경우 금융회사등 임직원의 추심행위를 즉각 중단하는 등 신속하게 민원이 해결되도록 노력하여야 한다.

② 민원 예방을 위한 최우선적인 예방책은 담당자 자신이 담당한 업무에 대해 고객이 불편함을 느끼지 않도록 그 업무를 신속하고 정확하게 처리하는 것이다.

③ 금융회사등은 민원을 제기하였다는 이유만으로 민원인에게 불이익을 부여하거나 부여할 것이라는 의사표시를 하여서는 아니 된다.

④ 금융회사등은 민원관련 교육자료 작성 및 교육일정 수립, 민원예방 교육 및 민원발생 사례연수 실시 등의 역할을 수행하는 민원처리 담당자를 지정하여야 한다.

⑤ 민원인에게 적절한 해명을 하거나 변명을 하고 때로는 적극적으로 반론을 제기하여 민원의 부당함을 이해시킨다.

해설 ⑤ 민원인에게 해명이나 변명하거나 적극적으로 반론을 제기하여 민원의 부당함을 이해시키기 보다는 변명을 하지 말고 최선의 방안을 제시하여 반론을 극복하려고 해야 한다. 아래 조문 및 표 참조

채권추심 및 대출채권 매각 가이드라인 제30조 【채권추심 민원처리】
① 금융회사등은 민원이 발생하는 경우 금융회사등임직원의 추심행위를 즉각 중단하는 등 신속하게 민원이 해결되도록 노력하여야 한다. ② 금융회사등은 다음 각 호의 역할을 수행하는 민원처리 담당자를 지정하여야 한다. 1. 민원관련 교육자료 작성 및 교육일정 수립 2. 민원예방 교육 및 민원발생 사례연수 실시 3. 민원에 대한 조사·점검 4. 민원발생 행위자에 대한 제재조치 등 ③ 금융회사등은 민원을 제기하였다는 이유만으로 민원인에게 불이익을 부여하거나 부여할 것이라는 의사표시를 하여서는 아니 된다. ④ 금융회사등은 민원처리 과정에서 민원인의 인격과 권리를 존중하여야 한다.

03. ⑤

MEMO

❑ 민원(Complain) 해결의 기본

상 황	내용 및 유의점
적극적 청취	• 적절한 응대어 구사(이해합니다. 잘 알겠습니다.) • 내용을 요약, 정리하여 확인(그러니까, ~하라는 말씀이시군요.)
문제 파악	• 적절한 질문을 통해 고객의 상황을 정확히 파악할 수 있도록 고객에게 도움을 요청 그러셨군요. 그 점에 대해 좀더 자세히 알 수 있을까요? 고객님! 몇 가지 세부적인 사항을 확인해도 되겠습니까?
동 감	• 감정이입(고객님의 기분이 어떠신지 충분히 이해가 됩니다.) • 적극적으로 도우려는 자세를 보임(고객님! 저희도 정말 중요한 문제라고 생각됩니다.)
해결방안 제시	• 변명하려 하지 말고 최선의 방안을 제시(네, 가장 빠른 최선의 해결 방법은 ~이라고 생각됩니다.) • 성의를 보임(ONE-STOP SERVICE)(고객님! 감사합니다. 즉시 알아보도록 하겠습니다.)
반론극복	그러셨군요. 무슨 말씀인지 이해가 갑니다. 그러나 ~
감사의 표시	전화 주셔서 감사합니다. 가능한 빠른 시일 내에 문제를 해결하도록 하겠습니다.

2022년 기출

04 다음 중 채권추심업무 수행 시 민원 예방 및 민원처리를 위하여 준수해야 할 사항으로 가장 적절하지 않은 것은?

① 민원 예방을 위한 최우선적인 예방책은 담당자 자신이 담당한 업무에 대해 고객이 불편함을 느끼지 않도록 그 업무를 신속하고 정확하게 처리하는 것이다.
② 독촉 시 일시적으로 감정이 폭발하거나 채무자로부터 여러 가지 형태의 유혹을 받을 수 있으므로 신용관리담당자로서의 품위를 잃지 않도록 항상 유의하여야 한다.
③ 상담 시 감정적이지 않도록 하고, 지시적・권위적인 강요나 무례한 언사를 사용하여서는 아니 된다.
④ 금융회사 등은 민원이 발생하는 경우 추심행위를 중단하지 않고 신속하게 민원이 해결되도록 노력하여야 한다.
⑤ 금융회사 등은 민원을 제기하였다는 이유만으로 민원인에게 불이익을 부여하거나 부여할 것이라는 의사표시를 하여서는 아니 된다.

해설 금융회사 등은 민원이 발생하는 경우 추심행위를 중단하고 신속하게 민원이 해결되도록 노력하여야 한다.

04. ④

MEMO

제3절 민원처리 절차

2012년 기출

01 다음 중 금융분쟁조정위원회에 관한 설명으로서 가장 적절한 것은?

① 한국소비자원에 설치된 기구이다.
② 예금자 등 금융수요자는 분쟁조정을 신청할 수 있으나 금융기관은 신청할 수 없다.
③ 조정신청 사건의 처리절차가 진행 중이면 일방당사자가 소를 제기하더라도 법원은 이를 각하한다.
④ 금융분쟁조정위원회의 조정안은 조정당사자가 조정안을 수락한 경우에는 재판상의 화해와 동일한 효력이 있다.
⑤ 설립 근거법은 「소비자기본법」이다.

해설 금융분쟁조정위원회의 조정안은 조정당사자가 조정안을 수락한 경우에는 재판상의 화해와 동일한 효력이 있다.
① 금융감독원에 설치된 기구이다.
② 금융관련분쟁 조정신청은 예금자 등 금융수요자 및 이해관계인은 물론 금융기관 등도 신청할 수 있다.
③ 조정신청사건의 처리절차 진행 중에 일방당사자가 소를 제기하는 경우에는 그 조정의 처리를 중지하여야 한다.
⑤ 설립 근거법은 「금융위원회의 설치 등에 관한 법률」이다.

01. ④

MEMO

제4절 금융거래 시 유의사항

2023년 기출

01 금융거래 시 유의사항에 관한 다음 설명 중 가장 적절하지 않은 것은?

① 통장을 개설할 경우, 「금융실명거래 및 비밀보장에 관한 법률」에 의하여 예금 거래는 반드시 본인의 실명으로 하여야 한다.

② 대출금을 승계(근저당권이 설정된 채무)하는 조건으로 부동산을 매수할 경우, 소유권이전등기 전에 근저당권이 설정된 금융기관을 방문하여 채무자 명의를 변경하거나 채무자의 잔존 채무금액이 확인된 부채증명서를 받아두는 것이 안전하다.

③ 신용카드업자는 분실・도난 등의 통지 전에 생긴 신용카드의 사용에 대하여 기간과 상관없이 모두 책임을 진다.

④ 연대보증은 보통의 보증과 달리 최고・검색의 항변권 및 분별의 이익이 없으며 또한, 채권자는 어느 연대보증인에 대해서도 주채무의 전액을 청구할 수 있는 제도이기 때문에 이를 정확하게 알고 연대보증을 하여야 한다.

⑤ 전화 또는 문자를 통한 대출광고는 대출빙자형 보이스피싱일 수 있으므로 이러한 연락을 받은 경우 반드시 금융회사의 실제 존재여부를 우선 확인한 후, 대출을 권유하는 자가 금융회사 직원인지 또는 정식 등록된 대출모집인인지 여부를 확인하여야 한다.

해설 ③ 신용카드 분실・도난시 신고접수일로부터 60일 전 이후(현금인출 및 현금서비스는 신고시점 이후) 발생한 제3자의 신용카드 부정 사용금에 대하여는 카드의 대여, 양도 등 회원의 고의 또는 중대한 과실로 인하여 위・변조가 발생하였을 경우 등을 제외하고는 보상이 가능하다[여신전문금융업법 제16조(신용카드회원등에 대한 책임) 동 시행령 제6조의9(신용카드회원등에 대한 책임), 전자금융거래법 제9조(금융회사 또는 전자금융업자의 책임), 동 시행령 제8조(고의나 중대한 과실의 범위) 참조].

01. ③

MEMO

2018년 기출

02 다음은 금융거래시 유의사항이다. 가장 적절하지 않은 것은?

① 신용카드를 분실하거나 도난 당한 경우에는 이를 아는 즉시 카드사(또는 거래은행)에 신고한다.

② 스팸메일 또는 문자메시지 등 불특정다수인에게 특별히 유리한 조건을 제시하며 접근하는 대출광고는 대출사기일 가능성이 있다.

③ 연체, 대위변제, 대지급, 부도 등에 의한 신용도 판단정보 등록사유로 등록된 자는 여권이나 비자 발급시에 제약을 받는다.

④ 자신의 소득수준에 비하여 과도한 채무를 보유하면 신용도 산정에 불리하게 작용할 수 있다.

⑤ 백화점, 통신회사 등 비금융권 채무를 연체하는 경우에도 신용등급에 영향을 미칠 수 있다.

해설 '연체자'란 연체, 대위변제, 대지급, 부도 등에 의한 신용거래정보가 등록된 자와 금융질서문란자로 등록된 자를 말한다. 연체자는 일정한 불이익을 받는데, 비자는 우리나라가 발급하는 것이 아니라 가고자 하는 나라에서 입국허가를 받는 것으로 비자 발급은 나라마다 제약을 받는 경우도 있다. 그러나 연체자는 기본적으로 여권 발급시 신용불량 정보를 확인하지는 않으므로 여권을 발급받을 수 있다. 즉, 여권을 발급받기 위해서는 접수시 먼저 경찰청 신원조사를 하게 되는데 신원조사 결과 '적합'이 되는 경우라면 연체자라도 여권발급이 가능하다. 참고로 여권법에는 여권의 발급 또는 재발급을 거부할 수 있는 사유를 다음과 같이 규정하고 있다.

> 여권법 제12조【여권의 발급 등의 거부·제한】
> ① 외교부장관은 다음 각 호의 어느 하나에 해당하는 사람에 대하여는 여권의 발급 또는 재발급을 거부할 수 있다.
> 1. 장기 2년 이상의 형(刑)에 해당하는 죄로 인하여 기소(起訴)되어 있는 사람 또는 장기 3년 이상의 형에 해당하는 죄로 인하여 기소중지 또는 수사중지(피의자중지로 한정한다)되거나 체포영장·구속영장이 발부된 사람 중 국외에 있는 사람
> 2. 제24조부터 제26조까지에 규정된 죄를 범하여 형을 선고받고 그 집행이 종료되지 아니하거나 집행을 받지 아니하기로 확정되지 아니한 사람
> 3. 제2호 외의 죄를 범하여 금고 이상의 형을 선고받고 그 집행이 종료되지 아니하거나 그 집행을 받지 아니하기로 확정되지 아니한 사람
> 4. 국외에서 대한민국의 안전보장·질서유지나 통일·외교정책에 중대한 침해를 일으킬 우려가 있는 경우로서 다음 각 목의 어느 하나에 해당하는 사람
>   가. 출국할 경우 테러 등으로 생명이나 신체의 안전이 침해될 위험이 큰 사람
>   나. 「보안관찰법」 제4조에 따라 보안관찰처분을 받고 그 기간 중에 있으면서 같은 법 제22조에 따라 경고를 받은 사람

02. ③

MEMO

② 외교부장관은 제1항 제4호에 해당하는 사람인지의 여부를 판단하려고 할 때에는 미리 법무부장관과 협의하고 제18조에 따른 여권정책협의회의 심의를 거쳐야 한다.
③ 외교부장관은 다음 각 호의 어느 하나에 해당하는 사람에 대해서는 대통령령으로 정하는 바에 따라 그 사실이 있는 날부터 1년 이상 3년 이하의 기간 동안 여권의 발급 또는 재발급을 제한할 수 있다.
1. 제1항 제2호에서 규정하는 죄를 범하여 그 형의 집행을 종료하거나 그 형의 집행을 받지 아니하기로 확정된 사람
2. 외국에서 위법한 행위 등으로 국위(國威)를 크게 손상시키는 행위로서 대통령령으로 정하는 행위를 하여 그 사실이 재외공관 또는 관계 행정기관으로부터 통보된 사람
④ 외교부장관은 제1항이나 제3항에 따라 여권의 발급 또는 재발급이 거부되거나 제한된 사람에 대하여 긴급한 인도적 사유 등 대통령령으로 정하는 사유가 있는 경우에는 해당 사유에 따른 여행목적에만 사용할 수 있는 여권을 발급할 수 있다.

더불어 연체자의 불이익의 구체적인 내용은 다음과 같다.
(1) 금융거래상 불이익
① 대출시 자격제한을 받게 된다.
② 기존 대출금을 상환해야 한다.
③ 각종 신용카드 사용에 제약을 받거나 금지된다.
④ 각종 신용카드 발급시 제약을 받게 된다
⑤ 가계, 당좌예금 개설 금지 및 해지 처리된다.
⑥ 연대보증인 자격이 상실된다.
⑦ 신용카드 가맹점 신청시 제약을 받을 수 있다.
⑧ 금융거래시 대출이자 부담이 커지게 된다.
⑨ 배우자의 신용거래정보 보유로 본인의 신용거래에 제약을 받을 수 있다.
(2) 생활에 있어서의 불편
① 회사 취직시 제약을 받을 수 있다.
② 각종 생활용품의 신용 구매시 제약을 받게 된다.
③ 본적지 및 거주지의 관공서에 비치된 채무불이행자 명부에 등재될 수 있다.
④ 비자 발급시 제약을 받을 수 있다.
(3) 기타 재산상의 불이익
① 급여 및 퇴직금에 대해서 가압류될 수 있다.
② 모든 재산상의 법적인 권리에 대하여 불이익을 받을 수 있다.

MEMO

2015년 기출

03 다음과 같이 은행에 담보 설정된 부동산을 거래하는 경우 거래당사자의 유의사항에 관한 설명으로 가장 거리가 먼 것은?

- A는 M은행에 담보로 제공된 본인 소유 K주택을 B에게 매각한다.
- B는 K주택 매입과 동시에 A가 K주택을 담보로 M은행에서 받은 주택담보대출금 채무를 인수한다.

① B는 매매계약을 체결하기 전에 A의 동의를 받아 M은행에서 채무확인서(피담보채무확인서)를 발급받아서 A의 채무현황(채무성격, 범위 등)을 확인한다.

② B는 매매대금 잔금지급 및 부동산소유권이전등기신청 시에 A의 동의를 받아 M은행에서 채무확인서(피담보채무확인서)를 발급받아 A의 추가 채무 발생 여부를 확인한다.

③ A의 주택담보대출의 상환채무를 B가 인수하는 경우 별도의 약정이 없으면 M은행으로부터 받은 A의 다른 대출금도 B가 포괄적으로 인수하게 된다.

④ M은행은 통상적으로 채무를 인수하는 B에 대한 신용조사 및 심사를 거쳐 채무인수의 승낙 여부를 결정하게 되므로 B의 신용상태가 나쁜 경우에는 채무인수가 어려울 수 있다.

⑤ A는 채무인수절차가 완료된 후에 부동산등기사항증명서(부동산등기부등본)상에 주택담보대출의 채무자가 A에서 B로 변경되었는지 확인한다.

해설 B가 매매계약 시와 잔금 및 등기신청 시에 인수할 채무를 조사하는 이유는 A의 채무를 포괄적으로 인수하는 것이 아니라 채무인수계약에 포함된 범위의 채무만 인수하려는 것이다.

① 매매계약 체결 시 매수인(채무인수인)이 인수할 채무를 파악하는 적절한 방법이다.
② 매매계약 체결과 잔금 지급 및 부동산소유권이전등기신청 시까지 시간적 간격이 있으므로 그 사이에 추가 채무가 발생했는지 확인할 적절한 방법이다.
④ 채무인수로 채무자가 변경될 경우 채권자인 M은행의 입장에서는 채무자의 변제능력에 변화가 생기는 것이고, 신용조사결과 B의 변제능력이 A보다 좋지 않다면 채무인수에 승낙을 하지 않을 것이다.
⑤ 채무인수절차가 완료되면 채무자 변경은 물론 담보설정자의 명의도 부동산등기사항증명서에 변경되었을 것이므로 A는 이를 확인해야 한다.

03. ③

MEMO

2021년 기출

04 연체, 대위변제, 대지급, 부도 등에 의한 신용거래정보가 등록된 자와 금융질서 문란자로 등록된 자의 불이익으로 가장 적절하지 않은 것은?

① 가계당좌예금 개설이 불가능하고 기존에 개설된 가계당좌예금이 해지될 수 있다.
② 금융거래 시 대출이자의 부담이 커지게 된다.
③ 대출 시 자격에 제한을 받을 수 있다.
④ 신용카드 가맹점 신청 시 제약을 받을 수 있다.
⑤ 여권 발급 시 또는 비자 발급 시에 제약을 받는다.

해설 "연체자"란 연체, 대위변제, 대지급, 부도 등에 의한 신용거래정보가 등록된 자와 금융질서문란자로 등록된 자를 말한다. 연체, 대위변제, 대지급, 부도 등에 의한 신용거래정보가 등록된 자와 금융질서 문란자로 등록된 자라도 여권 발급 시 또는 비자 발급 시에 제약을 받는 것은 아니다. 연체자 등에 대한 불이익은 금융거래상 불이익, 생활에 있어서의 편, 기타 재산상 불편이 있다. 구체적인 내용은 다음과 같다.

1. 금융거래상 불이익
   (1) 대출시 자격제한을 받게 된다.(③)
   (2) 기존 대출금을 상환해야 한다.
   (3) 각종 신용카드 사용에 제약을 받거나 금지된다.
   (4) 각종 신용카드 발급 시 제약을 받게 된다.
   (5) 가계, 당좌예금 개설 금지 및 해지 처리된다.(①)
   (6) 연대보증인 자격이 상실된다.
   (7) 신용카드 가맹점 신청 시 제약을 받을 수 있다.(④)
   (8) 금융거래 시 대출이자 부담이 커지게 된다.(②)
   (9) 배우자의 신용거래정보 보유로 본인의 신용거래에 제약을 받을 수 있다.
2. 생활에 있어서의 불편
   (1) 회사 취직 시 제약을 받을 수 있다.
   (2) 각종 생활용품의 신용 구매 시 제약을 받게 된다.
   (3) 본적지 및 거주지의 관공서에 비치된 채무불이행자 명부에 등재될 수 있다.
   (4) 비자 발급 시 제약을 받을 수 있다.
3. 기타 재산상의 불이익
   (1) 급여 및 퇴직금에 대해서 가압류될 수 있다.
   (2) 모든 재산상의 법적인 권리에 대하여 불이익을 받을 수 있다.

04. ⑤

MEMO

2015년 기출

05 **개인신용등급관리 등과 관련한 설명으로 가장 옳지 않은 것은?**

① 신용카드 이용대금을 장기간 연체할 경우 신용등급 평가에 부정적인 영향을 미친다.

② 대출금을 연체한 정보는 신용등급 평가에 부정적인 영향을 미친다.

③ 소액의 통신요금을 단기간 반복하여 연체할 경우 신용등급 평가에 부정적인 영향을 미친다.

④ 연체기간이 길수록 신용등급 평가에 부정적인 영향을 미치므로 연체상환 시에는 연체기간이 오래된 것부터 상환하는 것이 좋다.

⑤ 신용카드를 사용하지 않으면 신용등급 향상에 긍정적인 영향을 준다.

해설 신용거래가 거의 없는 금융소비자의 경우, 개인신용등급 평가 근거 부족으로 높은 신용등급을 받기 어렵다. 개인신용등급을 잘 받기 위해서는 연체 없이 대출거래, 신용(체크)카드 이용 등 신용거래실적을 꾸준히 쌓아갈 필요가 있다.

05. ⑤

Chapter

05 신용정보업의 현황 및 전망

제1절 부실채권 시장

2015년 기출

01 '채무자의 도덕적 해이'로 보기 가장 어려운 것은?

① 상환능력에 비해 과도한 부채 부담으로 곧 연체가 발생될 상황임에도 채무를 줄이려는 노력 없이 오히려 추가 차입을 계속하는 경우
② 사회여론이 채무자에게 유리한 상황을 이용하여 상환 여력이 있음에도 과도한 채무 감경 요구를 하는 경우
③ 상환능력이 있음에도 채무자 구제제도 신청을 위해 자발적으로 채무불이행을 일으키는 경우
④ 채권추심자의 과실 또는 법령 위반을 유도하여 민원을 제기하고 채무 감면을 요구하는 경우
⑤ 채무 관련 법령이나 제도를 잘 모르고 민원을 제기하는 경우

해설 채무자의 법적인 무지에 기인한 행동이므로 채무자의 도덕적 해이에 해당하는 경우로 보기 어렵다.

제2절 신용정보업의 전망

01. ⑤

Chapter

06 금융 · 경제상식

제1절 재무제표

2017년 기출

01 모회사와 자회사를 단일기업으로 간주하여 작성한 재무제표로서, 법률적으로는 독립되어 있지만 상호출자나 지분취득 등을 통하여 경제적으로 얽혀 있는 기업들의 정확한 실적을 알 수 있는 재무제표는?

① 연결재무제표
② 개별재무제표
③ 결합재무제표
④ 별도재무제표
⑤ 추정재무제표

해설 '재무제표'란 일정기간(사업년도) 동안의 경영성적과 특정시점의 재무상태를 나타내는 보고서를 말한다. 연말에 결산을 해서 만드는 서류라는 의미에서 결산서라고 한다. 재무제표에는 재무상태표, 손익계산서, 이익잉여금처분계산서, 현금흐름표가 있는데, 재무상태표는 재무상태, 손익계산서는 경영성적, 이익잉여금처분계산서는 이익처분 내용, 현금흐름표는 현금의 흐름을 알 수 있다. '연결재무제표'란 지배 · 종속 관계에 있는 2개 이상의 회사를 단일실체로 보아 각 회사의 재무제표를 종합하여 작성하는 재무보고서를 말한다.

② '개별재무제표'란 통상의 재무제표를 말하는 것으로 연결재무제표와 구별하기 위해 사용하는 용어이다.

③ '결합재무제표'란 재벌총수가 경영을 지배하고 있는 모든 계열사를 하나의 기업으로 보고 작성한 재무제표이다. 수출 대행과 원자재 납품 등 계열사 간에 이루어지는 내부거래를 상계하여 작성하기 때문에 매출액과 순이익 등 그룹 경영지표가 전보다 크게 줄어들며, 상호 지급보증 등 계열사 간의 지원관계를 한눈에 파악할 수 있다.

④ '별도재무제표'란 지배회사가 자신의 개별재무제표 작성 시 종속/관계회사 지분을 지분법이 아닌 원가법이나 공정가치로 평가하여 작성하는 재무제표를 말한다.

⑤ '추정재무제표'란 제3자가 기업 분석을 위해 장래의 재무 상태를 추정하여 작성하는 재무제표를 말한다. 재무제표를 추정하는 과정을 통해 기업의 성장여력과 기업의 미래지향적 경제 지표를 살펴볼 수 있다.

01. ①

MEMO

2016년 기출

02 용어에 대한 다음 설명 중 가장 적절한 것은?

① 직불카드 : 예금계좌 잔액 범위 내에서 사용할 수 있고 예금 잔액이 없어도 일정금액 범위 내에서는 마이너스 대출 방식으로 신용공여가 가능하기 때문에 신용카드처럼 사용할 수 있는 카드를 말한다.

② 손익계산서 : 일정 시점을 기준으로 기업의 재정상태를 열람할 수 있게 나타낸 재무제표이다. 모든 자산을 차변(왼쪽)에, 모든 부채와 자본은 대변(오른쪽)에 기재하는 방식의 회계보고서를 말한다.

③ 치킨 게임 : 누군가 이득을 얻으면 그만큼 다른 누군가는 손실을 보는 상황을 이것이라 부른다. 한정된 시장에서 경쟁이 매우 치열한 상황에 나타나는 현상을 말한다.

④ 사내이사 : 회사 경영진에 속하지 않는 이사를 말한다. 평소에는 자기 직업에 종사하다 분기 1회 정도 열리는 이사회에 참석해 기업 경영활동을 감시하는 역할을 담당한다.

⑤ 내부자거래 : 상장기업 주요 주주나 임직원이 미공개 정보를 활용해 부당 차익을 누리는 행위를 말한다.

해설 ① '직불카드'는 예금한도 잔액에서 즉시 돈이 빠져나가는 카드이다. 예금계좌 잔액 범위 내에서 사용할 수 있고, 예금 잔액이 없어도 일정금액 범위 내에서는 마이너스 대출 방식으로 신용공여가 가능하기 때문에 신용카드처럼 사용할 수 있는 카드는 '체크카드'이다.

② '손익계산서'는 기업의 경영성과를 밝히기 위하여 일정기간 내에 발생한 모든 수익과 비용을 대비시켜 당해 기간의 순이익을 계산・확정하는 보고서이고, 일정 시점을 기준으로 기업의 재정상태를 열람할 수 있게 나타낸 재무제표로서, 모든 자산을 차변(왼쪽)에, 모든 부채와 자본은 대변(오른쪽)에 기재하는 방식의 회계보고서는 '대차대조표'이다.

③ '치킨 게임'이란 두 명의 경기자들(players) 중 어느 한쪽이 포기하면 다른 쪽이 이득을 보게 되며, 각자의 최적 선택(Optimal Choice)이 다른 쪽 경기자의 행위에 의존하는 게임을 말한다. 우리말로 '겁쟁이게임'으로 자주 번역된다. 누군가 이득을 얻으면 그만큼 다른 누군가는 손실을 보는 상황을 부르는 용어로서, 한정된 시장에서 경쟁이 매우 치열한 상황에 나타나는 현상은 '제로섬게임'에 대한 설명이다.

④ '사내이사'는 회사 내부에서 일을 보는 상근직 이사다. 회사 경영진에 속하지 않는 이사로서, 평소에는 자기 직업에 종사하다 분기 1회 정도 열리는 이사회에 참석해 기업 경영활동을 감시하는 역할을 담당하는 자는 '사외이사'이다.

02. ⑤

MEMO

2015년 기출

03 기업이 단기부채를 상환할 수 있는 능력을 보여주는 재무비율인 유동비율의 계산식은?

① (순이익/매출액)×100
② (타인자본/자기자본)×100
③ (유동자산/유동부채)×100
④ (영업이익/이자비용)×100
⑤ (고정자산/자기자본)×100

해설 '유동비율'이란 유동부채에 대한 유동자산의 비율로서 이 비율이 높을수록 기업의 지급능력은 양호하다고 할 수 있으며, 일반적으로 200% 이상이면 건전한 상태라고 보고 있다. 그러나 유동비율의 표준비율이 절대적인 것은 아니므로 기업을 적절히 평가하기 위해서는 업종, 기업 규모, 경기 동향, 영업활동의 계절성, 조업도, 유동자산의 질적 구성 내용 및 유동부채의 상환기한 등의 실질적인 내용을 검토하여야 한다. 또한 기업의 유동성이 크면 클수록 반드시 좋은 것은 아니다. 유동성이 필요 이상으로 크다는 것은 이 부분만큼을 다른 곳에 투자하여 수익을 올릴 수 있는 기회를 상실하고 있다는 것을 의미하기 때문이다.

2014년 기출

04 회계용어로서 '가수금(Suspense Receipts)'의 개념을 가장 바르게 설명한 것은?

① 현금을 수취하였으나 이것을 처리할 과목 또는 금액이 미확정된 일시적인 수입액을 말한다.
② 현금으로 반환하여야 할 영업상 또는 영업 외의 예수금액을 말한다.
③ 회계기간의 수익에 대응되어 계속적으로 발생하는 비용으로서 이미 제공받은 용역에 대한 대가를 아직 지급하지 않은 것을 말한다.
④ 일정기간 계속적으로 기업이 외부에 용역을 제공하기로 한 경우 그 용역제공에 앞서 미리 대가를 수취하였을 때 이를 처리하기 위한 회계상의 부채를 말한다.
⑤ 상품, 원재료, 수주공사에 대한 대금의 전부 또는 일부를 선수하였을 때 발생하였다가 후일에 물품을 인도하거나 공사를 완료함으로써 소멸되는 부채를 말한다.

해설 실제 현금의 수입은 있었지만 거래의 내용이 불분명하거나 거래가 완전히 종결되지 않아 계정과목이나 금액이 미확정인 경우에 현금의 수입을 일시적인 채무로 표시하는 계정과목을 가수금이라 한다. 즉, 가수금이란 현금의 수입은 있었으나 처리할 계정이 미확인이거나 계정은 알 수 있으나 금액이 미확정일 경우에 이것이 확정될 때까지 일시적으로 수입을 처리하는 가계정이다. 따라서 이와 같은 계정은 일시적 성격을 갖는 계정과목이기 때문에 늦어도 결산기말까지는 그 내역을 명확히 조사하여 확정된 계정과목으로 대체시켜 주어야 하고 과목 또는 금액이 확정되면 적당한 과목으로 대체해야 한다.

03. ③ 04. ①

MEMO

제2절 예금

2013년 기출

01 다음 중 입출금이 자유로운 예금(예금주의 지급청구가 있으면 금융기관이 언제든지 지급해야 하는 예금)이 아닌 것은?

① 보통예금 ② 당좌예금
③ 기업자유예금 ④ 자유적금
⑤ 별단예금

해설 적금(積金)은 은행 예금 상품의 하나로, 일정기간을 계약하고 정기적 또는 비정기적으로 금액을 불입하여 계약기간이 만료된 후 이를 이자와 함께 일괄적으로 돌려받는 것이다. 불입 방식에 따라 정기적금과 자유적금으로 나뉘는데, 입출금이 자유로운 예금이 아니다.

제3절 보험

2019년 기출

01 보험계약의 관계자에 대한 다음 설명 중 가장 적절하지 않은것은?

① 보험계약자 : 보험자와 계약을 체결하는 사람으로 실질적으로 계약과 관련된 권리와 의무를 지니고 있는 자이다.
② 보험자 : 계약에 따라 지급사유가 발생했을 때 보험금을 지급하여야 할 의무가 있는 보험회사를 말한다.
③ 보험수익자 : 인보험계약에서 보험금지급청구권을 갖는 자를 말한다.
④ 피보험자(보험대상자) : 보험금 지급사유 발생을 일으키는 사람이고, 모든 보험계약자가 피보험자가 된다.
⑤ 보험납입자 : 보험자에게 일정한 주기마다 요금을 납입하여야 하는 사람이다.

해설 피보험자(보험대상자)는 보험금 지급사유(보험사고) 발생을 일으키는 사람이지만, 모든 보험계약자가 피보험자는 아니다. 손해보험계약에서 보험계약자와 피보험자가 다른 경우를 '타인을 위한 손해보험'이라고 하고, 인보험계약에서 보험계약자와 피보험자가 다른 경우를 '타인의 인보험'이라고 한다. 이하에는 보험계약의 의의, 종류, 관계자를 정리하였다.

01. ④ / 01. ④

MEMO

1. **보험계약의 의의**
보험계약은 당사자의 일방이 약정한 보험료를 지급하고 상대방이 피보험자의 재산 또는 생명 신체에 관하여 불확정한 사고가 생길 경우에 일정한 보험금액 기타의 급여를 지급할 것을 약정함으로써 효력이 생긴다(상법 제638조).

2. **보험계약의 종류**
상법은 보험계약에 대하여 통칙을 먼저 규율하고, 이후 손해보험계약과 인보험계약으로 나누어 규율하고 있다.

(1) 손해보험계약 : 당사자 일방(보험자)이 우연한 일정한 사고(보험사고)에 의하여 생길 수 있는 피보험자의 재산상 손해를 보상할 것을 약정하고, 상대방(보험계약자)이 이에 대하여 보험료를 지급할 것을 약정함으로써 효력이 생기는 보험계약이다(상법 제665조, 제638조).

(2) 인보험계약 : 보험자가 피보험자의 생명 또는 신체에 관하여 보험사고가 생길 경우에 계약의 정하는 바에 따라 보험금액 기타의 급여를 할 것을 약정하고, 보험계약자가 이에 대하여 보험료를 지급할 것을 약정함으로써 효력이 생기는 보험계약을 말한다(상법 제638조, 제727조).

3. **보험계약의 관계자**

(1) 보험계약의 직접 당사자

① 보험자 : 보험계약의 직접 당사자로서 보험사고가 발생한 때에 보험금액을 지급할 의무를 지는 자, 즉 보험회사를 말한다.

② 보험계약자 : 보험계약의 직접 당사자로서 보험자와 보험계약을 체결하는 자, 즉 실질적으로 계약과 관련된 권리와 의무를 지니고 있는 자이다.

(2) 보험계약의 직접의 당사자 이외의 자

① 피보험자 : 손해보험와 인보험에 따라 그 의미를 달리한다. 즉, 손해보험에서는 피보험이익의 주체로서 손해의 보상을 받을 권리를 갖는 자를 의미하고, 인보험에서는 생명 또는 신체에 관하여 보험이 붙여진 자를 의미한다. 따라서, 손해보험의 경우 피보험자는 보험금청구권을 가지나, 인보험의 경우 피보험자는 보험의 목적에 불과하여 보험계약에 의하여 아무런 권리를 취득하지 못한다.

② 보험수익자 : 인보험계약에 있어서 보험자로부터 보험금을 받을 자로 지정된 자, 즉 보험금지급청구권을 갖는 자이다(상법 제733조, 제734조).

제4절 신용평가

제5절 금융시장과 금리

2021년 기출

01 금리에 관한 다음 설명 중 가장 적절하지 않은 것은?

① 1,000만원에 대해 2020년 4월 5일까지만 이자를 납입한 상태에서 2020년 6월 10일 연체대출금을 상환할 경우에 2020년 6월 9일까지 연체이자를 계산하면 양편넣기라고 하고 2020년 6월 10일까지 연체이자를 계산하면 한편넣기라고 한다.

② 「민법」상의 법정이율은 원칙으로 연 5%이고, 「상법」상 상행위로 인한 채무의 경우에는 연 6%이다.

③ 고정금리대출이란 채무의 이행을 완료할 때까지 은행이 그 이자율을 변경할 수 없음을 원칙으로 하는 대출을 말한다.

④ 변동금리대출이란 채무의 이행을 완료할 때까지 은행이 그 이자율을 수시로 변경할 수 있는 대출을 말한다.

⑤ 이자를 계산하기 위해서는 3가지 요소가 확정되어 있어야 한다. 3가지 요소란 원금, 이자율, 기간을 말한다.

해설 장기이자 계산방식에서 원금상환이 있었던 경우 상환한 날 원금에 대하여 이자를 계산하지 않는 방식을 '한편 넣기', 상환한 날 상환직전까지 원금에 대하여 이자를 계산한 방식을 '양편 넣기'라고 한다. 상환하는 날의 이자를 불포함하면 '한편 넣기', 상환하는 날의 이자까지 포함하면 '양편 넣기'이다. 기존에 우리나라 은행 및 금융기관은 양편 넣기를 관행적으로 적용하였으나, 1990년 이후 한국은행은 금융기관에 대출 이자를 계산할 때 대출일이나 상환일 둘 중 하루만 계산하라고 지시하고 모든 금융기관이 이에 따라 한편 넣기로 정리되었다.

② 「민법」상의 법정이율은 원칙으로 연 5%이고(민법 제379조 참조), 「상법」상 상행위로 인한 채무의 경우에는 연 6%이다(상법 제54조 참조).

③, ④ 이율(금리)의 종류는 기준에 따라 고정금리대출/ 변동금리대출, 단리/복리, 실질금리/명목금리, 표면금리/실효금리, 수익률/할인률 등으로 나눌 수 있는데, 이 중 '고정금리대출'이란 채무의 이행을 완료할 때까지 은행이 그 이자율을 변경할 수 없음을 원칙으로 하는 대출을 말하고, '변동금리대출'이란 채무의 이행을 완료할 때까지 은행이 그 이자율을 수시로 변경할 수 있는 대출을 말한다.

⑤ 이자를 계산하기 위해서는 3가지 요소가 확정되어 있어야 한다. 3가지 요소란 원금, 이자율, 기간을 말한다.

01. ①

MEMO

2019년 기출

02 다음 설명 중 가장 적절하지 않은 것은?

① 콜금리란 은행·보험·증권업자 간에 이루어지는 초단기 대차에 적용되는 금리를 말한다.

② 환매조건부채권매매란 일정한 기간이 경과한 후 정해진 가격으로 환매매거래를 하기로 하는 조건으로 이루어지는 채권매매를 말한다.

③ 양도성예금증서(CD)는 예금이자가 미리 계산되어 할인식으로 발행되며, 증서의 교부만으로는 제3자에게 자유로운 양도가 불가능하다.

④ 무수익여신(NPL)이란 일반적으로 원리금이 3개월 이상 연체된 여신, 또는 부도업체 등에 대한 여신, 채무상환능력 악화 여신 등으로 실제 이자수익을 기대할 수 없는 여신을 말한다.

⑤ 파생금융상품이란 기초금융자산(underlying asset)의 장래 가치변동에 따른 위험을 회피하기 위해 고안된 금융상품을 말한다.

해설 양도성예금증서(CD : Certificate of Deposit)란 은행이 발행하고 금융시장에서 자유로운 매매가 가능한 무기명의 정기예금증서를 말한다. 이는 예금이자가 미리 계산되어 할인식으로 발행되며, 증서의 교부만으로 제3자에게 자유로운 양도가 가능하다.

① 금융기관끼리 영업활동 과정에서 남거나 모자라는 자금을 30일 이내의 초단기로 빌려주고 받는 것을 '콜'이라 부르며, 이때, 은행·보험·증권업자 간에 이루어지는 초단기 대차에 적용되는 금리가 바로 '콜금리'이다. 금융기관들이 공동 출자한 한국자금중개주식회사가 중개거래업무를 담당하고 있다. 콜을 빌려주는 입장에서는 콜론(call loan), 빌리는 쪽에서는 콜머니(call money)라 한다. 콜금리라 함은 통상 콜 중개기관의 론금리를 가리킨다.

② 환매조건부채권매매(RP : Repurchase agreement)란 일정한 기간이 경과한 후 정해진 가격으로 환매매거래를 하기로 하는 조건으로 이루어지는 채권매매를 말한다. RP 거래는 채권매매 형태로 이루어지나 실제로는 단기자금의 조달과 운용 수단으로 이용되고 있어 단기자금 대차거래의 성격을 지니고 있다. 채권 이외에 주식 및 부동산 등도 환매조건부매매의 대상이 될 수 있으나, 전통적으로 RP라고 할 때에는 채권을 담보로 단기자금을 거래하는 것을 말한다.

④ 무수익여신(NPL : Non Performing Loan)이란 수익이 발생하지 않는 부실대출금과 부실지급보증금액을 합친 금액이다. 일반적으로 3개월 이상 연체된 여신, 또는 부도업체 등에 대한 여신, 채무상환능력 악화 여신 등 이자를 계상하지 않는 여신으로 실제 이자수익을 기대할 수 없는 여신이다.

⑤ 파생금융상품(financial derivatives)이란 기초자산(underlying asset)의 가치 변동에 따른 위험을 회피하기 위해 고안된 금융상품이다. 거래기법에 따라 선물, 옵션, 스왑으로 구분되고, 기초자산에 따라 통화, 금리, 주식, 신용관련 상품으로 분류된다.

02. ③

MEMO

2017년 기출

03 용어에 대한 다음 설명 중 가장 적절하지 않은 것은?

① 고정금리 : 대출을 받거나 예금을 가입할 때 정해지는 것이 아니라 이자지급 시점이나 만기 때 정해지는 금리
② 할부금융 : 일시불로 구입하기에 가격 부담이 큰 제품을 구입하고자 할 때, 필요한 자금을 일시에 융자받고 장기간에 걸쳐 조금씩 분할 상환하는 방식의 금융 형태
③ 환매조건부 채권매매 : 일정한 기간이 경과한 후 정해진 가격으로 환매방식으로 이루어지는 채권매매
④ 현금서비스 : 신용카드회원이 은행창구나 현금인출기를 통하여 현금이용한도 범위 내에서 현금을 제공받고 후불 결제하는 거래
⑤ 외화예금 : 우리나라 사람이나 국내에 거주하는 외국인이 외화로 맡겨놓는 예금

해설 '고정금리' 또는 '확정금리'는 실세금리가 변동하더라도 대출을 받거나 예금할 때 정해진 금리가 만기 때까지 바뀌지 않는 금리이다. 대출 고정금리는 보통 초우량기업에 대한 우대금리에 신용도 등에 따른 가산금리를 합하여 결정된다. 그러나 기존 대출에 대한 고정금리는 우대금리가 바뀌는 특별한 경우에 오르거나 내리기도 한다. 대출을 받거나 예금을 가입할 때 정해지는 것이 아니라 이자지급 시점이나 만기 때 정해지는 금리는 '변동금리'이다.

제6절 가계부채

2020년 기출

01 다음 설명 중 ( ) 안에 들어갈 가장 적절한 용어는?

( )는 투기억제를 위해 국토교통부장관이 특정 지역을 국토이용관리법상 거래규제지역으로 지정하는 제도를 말한다. 투기가 나타나거나 우려되는 지역을 대상으로 하며 각 지역에서 일정 면적 이상의 토지를 거래하려면 계약 전에 시도지사의 허가를 받아야 한다.

① 지구단위계획제도
② 개발제한구역제
③ 토지거래허가제
④ 담보인정비율제도
⑤ 용도지구제도

03. ① / 01. ③

MEMO

해설 ③ '토지거래허가제'란 토지의 투기방지와 합리적 지가 형성을 위해 일정기간 동안(5년 이내) 토지거래 계약을 허가받도록 하는 제도를 말한다. 1978년 「국토이용관리법」의 개정으로 도입되어 한동안 「국토의 계획 및 이용에 관한 법률」에 규정되었으나, 현재는 2017년 1월 20일 시행된 「부동산 거래신고 등에 관한 법률」에 근거를 두고 있다.

① '지구단위계획'이란 도시・군계획 수립 대상지역의 일부에 대하여 토지 이용을 합리화하고 그 기능을 증진시키며 미관을 개선하고 양호한 환경을 확보하며, 그 지역을 체계적・계획적으로 관리하기 위하여 수립하는 도시・군관리계획을 말한다[국토의 계획 및 이용에 관한 법률 제2조(정의) 제5호].

② '개발제한구역'(Green Belt)은 도시의 무질서한 확산을 방지하고 도시주변의 자연환경을 보전하여 도시민의 건전한 생활환경 확보를 목적으로 도시 주변에 설정하는 용도구역의 하나이다[국토의 계획 및 이용에 관한 법률 제38조(개발제한구역의 지정) 참조].

④ '담보인정비율'(LTV : Loan To Value ratio)이란 자산의 담보가치 대비 대출금액 비율을 의미하는 것으로 금융기관은 대출채권에서 부도가 발생하는 경우 담보자산을 처분하여 대출채권 상환에 충당하며, 이 때 대출채권 상환에 부족분이 발생하지 않도록 일정의 담보인정비율 이내에서 담보대출을 취급하고 있다.

⑤ '용도지구'란 토지의 이용 및 건축물의 용도・건폐율・높이 등에 대한 용도지역의 제한을 강화하거나 완화하여 적용함으로써 용도지역의 기능을 증진시키고 경관・안전 등을 도모하기 위하여 도시・군관리계획으로 결정하는 지역을 말한다[국토의 계획 및 이용에 관한 법률 제2조 (정의) 제16호].

2022년 기출

02 다음 설명 중 (   ) 안에 들어갈 용어로 가장 적절한 것은?

(   )은/는 차주의 금융부채 원리금 상환액이 소득에서 차지하는 비율을 의미하는 것으로 담보대출을 취급하는 하나의 기준이다. '해당 주택담보대출 연간 원리금상환액'과 '기타부채의 연간 이자상환액'을 더한 금액을 연소득으로 나누어 산정한다.

① 담보인정비율(LTV : Loan To Value ratio)
② 총부채상환비율(DTI : Debt To Income ratio)
③ 임대업이자상환비율(RTI : Rent To Interest)
④ 자산대비부채비율(DTA : Debt To Asset ratio)
⑤ 소득대비대출비율(LTI : Loan To Income)

해설 '총부채상환비율'이란 차주의 금융부채 원리금 상환액이 소득에서 차지하는 비율로서 담보대출을 취급하는 하나의 기준이다. 대출채권의 원리금 상환은 1차적으로 차주의 소득에 의해 이루어져야 하므로 금융기관은 주택담보대출 취급시 차주의 소득에 근거한 채

02. ②

MEMO

무상환능력을 반영하기 위하여 총부채상환비율을 고려한다. 일반적으로 가계 주택담보 대출에 대해 총부채상환비율을 다음과 같이 산정하고 있다. DTI=(해당 주택담보대출 연간 원리금상환액+기타 부채의 연간 이자상환액)÷연소득

① '담보인정비율'이란 주택가격에 비해 주택담보 대출금액이 어느 정도 차지하는지를 나타내는 비율이다. 은행의 주택담보대출 취급 및 한도를 산정하는 기준의 하나이다. 즉, 담보인정비율은 부동산 등을 담보로 대출하는 경우 부동산 감정가액의 일정비율 이내에서 대출하게 하여 리스크를 관리하는 제도이다. 주택담보인정비율을 산정하는 산식은 「(주택담보대출금액+선순위채권+임차보증금 및 최우선변제 소액임차보증금)÷담보가치」이다. LTV가 낮을수록 주택가격이 하락하는 경우에도 은행의 손실발생 위험이 줄어들게 되므로 은행의 건전성을 제고하는 효과가 있다.

③ '임대업이자상환비율'이란 부동산 임대업자의 상환 능력을 심사하는 지표이다. 정부가 2017년 11월 26일 내놓은 '금융회사 여신심사 선진화 방안'에 따라 처음 소개한 개념으로 2018년 3월 실시됐다. 즉 부동산임대업 대출 희망자의 연간 임대소득을 연간 이자비용으로 나눈 비율을 가리킨다. 연간 이자비용에는 해당 대출 이자비용, 관련 건물의 기존 대출이자가 포함된다. 이자 산정의 기준이 되는 금리의 상승에 대비한 '스트레스 금리(최저 1%포인트)'도 가산된다. 이 비율은 주택의 경우 1.25배, 비주택의 경우 1.5배가 최소 요건이다. (한경 경제용어사전) 산식은 「연간 임대소득 ÷ 대상 임대업 대출의 연간 이자비용(합산)×100」이다.

④ '자산대비부채비율'은 부채/자산비율이라고도 하는데, 보통 DTA가 기준치(100%) 이하면 부채 대비 자산이 충분한 수준으로 보고 있다.

⑤ '소득대비대출비율'이란 개인사업자의 가계·사업 대출을 영업이익·근로소득으로 나눈 것을 말한다. 개인사업자가 1억원을 초과하는 대출을 요청할 때 심사하는 기준으로 개인사업을 하는 자영업자가 개인 자격으로 하는 대출과 사업자 자격으로 하는 대출을 합산함으로써 이중대출, 과도한 대출을 받지 못하게 하려는 취지이다.

2019년 기출

03 다음에 해당하는 용어로 가장 적절한 것은?

- 주택담보대출 원리금이 소득의 일정 비율 이하가 되게 대출금액을 제한하는 것을 의미한다. 금융회사는 대출자의 소득이 충분한지, 즉 돈을 갚을 능력이 되는지 따져 일정 수준을 넘지 않는 수준까지만 대출해 준다.
- (주택담보대출금액+선순위채권+임차보증금 및 최우선변제 소액임차보증금)÷연 소득

① 담보인정비율(LTV : Loan To Value ratio)
② 총부채상환비율(DTI : Debt To Income ratio)
③ 임대업이자상환비율(RTI : Rent To Interest)
④ 자산대비부채비율(DTA : Debt To Asset ratio)

03. 모두 정답

MEMO

⑤ 소득대비대출비율(LTI : Loan To Income)

해설 모든 지문을 복수정답으로 인정한 문제이다.
원래는 ②만 정답이었는데, 문제의 지문은 총부채상환비율에 대한 내용이 명확하나 예시로 제시된 산식에 일부오류가 있어 모두 맞는 것으로 정답을 수정하였다.
'총부채상환비율(DTI : Debt To Income ratio)'이란 차주의 금융부채 원리금 상환액이 소득에서 차지하는 비율로서 담보대출을 취급하는 하나의 기준이다. 대출채권의 원리금 상환은 1차적으로 차주의 소득에 의해 이루어져야 하므로 금융기관은 주택담보대출 취급시 차주의 소득에 근거한 채무상환능력을 반영하기 위하여 총부채상환비율을 고려한다. 일반적으로 가계 주택담보대출에 대해 총부채상환비율을 다음과 같이 산정하고 있다. DTI = (해당 주택담보대출 연간 원리금상환액 + 기타 부채의 연간 이자상환액) ÷ 연소득

① '담보인정비율(LTV : Loan To Value ratio)'이란 주택가격에 비해 주택담보 대출금액이 어느 정도 차지하는지를 나타내는 비율이다. 은행의 주택담보대출 취급 및 한도를 산정하는 기준의 하나이다. 즉 담보인정비율은 부동산 등을 담보로 대출하는 경우 부동산 감정가액의 일정비율 이내에서 대출하게 하여 리스크를 관리하는 제도이다. 주택담보인정비율을 산정하는 산식은 「(주택담보대출금액 + 선순위채권 + 임차보증금 및 최우선변제 소액임차보증금) ÷ 담보가치」이다. LTV가 낮을수록 주택가격이 하락하는 경우에도 은행의 손실발생 위험이 줄어들게 되므로 은행의 건전성을 제고하는 효과가 있다.

③ '임대업이자상환비율(RTI : Rent To Interest)'이란 부동산 임대업자의 상환 능력을 심사하는 지표이다. 정부가 2017년 11월 26일 내놓은 '금융회사 여신심사 선진화 방안'에 따라 처음 소개한 개념으로 2018년 3월 실시됐다. 즉 부동산임대업 대출 희망자의 연간 임대소득을 연간 이자비용으로 나눈 비율을 가리킨다. 연간 이자비용에는 해당 대출 이자비용, 관련 건물의 기존 대출이자가 포함된다. 이자 산정의 기준이 되는 금리의 상승에 대비한 '스트레스 금리(최저 1%포인트)'도 가산된다. 이 비율은 주택의 경우 1.25배, 비주택의 경우 1.5배가 최소 요건이다. (한경 경제용어사전) RTI = 연간 임대소득 ÷ 대상 임대업 대출의 연간 이자비용(합산) × 100

④ '자산대비부채비율(DTA : Debt To Asset ratio)'이란 기업이 갖고 있는 자산 중 부채가 얼마 정도 차지하고 있는가를 나타내는 비율로, 기업의 재무구조 중 타인자본의존도를 나타내는 대표적인 경영지표이다. 이는 기업의 건전성을 평가하는 중요한 지표가 된다. 예컨대 어느 기업의 부채비율이 200%라면 빚이 기업이 보유한 자본보다 두 배 많다는 것을 뜻한다. 일반적으로 100% 이하를 표준비율로 보고 있는데, 선진국에서는 200% 이하 업체를 재무구조가 우량한 업체로 간주한다. DTA = 타인자본(부채총계) ÷ 자기자본(자본총계) × 100 (시사상식사전)

⑤ '소득대비대출비율(LTI : Loan To Income)'이란 개인사업자의 가계·사업 대출을 영업이익·근로소득으로 나눈 것을 말한다. 개인사업자가 1억원을 초과하는 대출을 요청할 때 심사하는 기준으로 개인사업을 하는 자영업자가 개인 자격으로 하는 대출과 사업자 자격으로 하는 대출을 합산함으로써 이중대출, 과도한 대출을 받지 못하게 하려는 취지이다.

MEMO

2016년 기출

04 **다음 중 주택담보대출의 연간원리금 상환액과 기타 부채의 연간이자 상환액의 합을 연소득으로 나눈 비율을 나타내는 약어로 가장 적절한 것은?**

① BIS ② DTI
③ LTV ④ ABS
⑤ NPL

해설 'DTI(Debt To Income, 총부채상환비율)'이란 주택담보대출의 연간원리금 상환액과 기타 부채의 연간이자 상환액의 합을 연소득으로 나눈 비율, 즉 총소득에서 부채의 연간 원리금 상환액이 차지하는 비율을 말한다. 금융기관들이 대출금액을 산정할 때 대출자의 상환능력을 검증하기 위하여 활용하는 개인신용평가시스템(CSS ; Credit Scoring System)과 비슷한 개념이다. 예를 들면, 연간 소득이 5000만 원이고 DTI를 40%로 설정할 경우에 총부채의 연간 원리금 상환액이 2000만 원을 초과하지 않도록 대출규모를 제한하는 것이다.
한국에서는 부동산 투기 과열에 따라 2007년 은행권에서 투기지역과 투기과열지구에 대하여 주택담보대출에 DTI 규제를 확대하였다. 소득을 적게 신고한 자영업자나 상환능력은 있지만 현재 소득이 없는 은퇴자의 경우에 불리하게 적용될 수 있다. DTI는 연간 소득에서 원리금 상환이 차지하는 비율을 나타내는 것이므로 대출 기간을 장기로 할 경우에는 대출한도의 축소분을 상당부분 보전할 수 있다.
*[네이버 지식백과] [DTI ; Debt To Income] [두산백과]

제7절 조세

2012년 기출

01 **조세는 직접세(납세자와 세금의 실질적 부담자가 동일한 조세)와 간접세(납세자가 조세부담을 다른 사람에게 전가하는 조세)로 나누어 볼 수 있다. 다음 중 간접세에 해당하는 것은?**

① 소득세 ② 법인세
③ 상속세 ④ 증여세
⑤ 부가가치세

해설 부가가치세는 간접세에 해당하며 나머지는 직접세에 해당한다.

04. ② / 01. ⑤

MEMO

제8절 실업

2019년 기출

01 실업(失業)에 대한 다음 설명 중 가장 적절하지 않은 것은?

① 실업률은 실업자가 경제활동인구에서 차지하는 비율이다.
② 실업 급여는 고용 보험에 가입한 근로자가 실직하여 재취업 활동을 하는 경우에 일정 기간 동안 지급되는 소정의 급여를 말한다.
③ 실업자란 15세 이상에 해당하는 인구로 직장을 갖고 있지 않은 사람을 말한다.
④ 실망실업자는 정상적인 상태라면 구직활동을 했을 사람이 경기가 지나치게 위축됨에 따라 일자리가 없을 것 같아 구직활동을 포기하고 비경제활동상태에 있는 사람을 말한다.
⑤ 마찰적 실업은 새로운 직업을 탐색하거나 이직하는 과정에서 일시적으로 생기는 실업으로서 탐색적 실업이라고도 부른다.

해설 통계청은 '실업자란 15세 이상의 인구 중 조사대상기간에 수입이 있는 일을 하지 않았고, 지난 4주간 적극적으로 구직활동을 하였으며, 조사대상기간에 일이 주어지면 즉시 취업이 가능한 사람을 말한다'고 정의하고 있다. 따라서, 일할 마음이 없기 때문에 직장을 갖고 있지 않은 사람은 실업자로 분류되지 않는다.

① 전체인구 중 15세 이상의 인구를 '노동가능인구'라고 하는데, 노동가능인구는 일할 의사를 갖고 있는 '경제활동인구'와 일할 의사가 없는 '비경제활동인구'로 구분된다. '실업률'은 실업자가 경제활동인구에서 차지하는 비율이다.
② 실업 급여는 수급자격을 갖춘 실직자에게 생계유지와 재취업을 돕기 위해 일정액을 지원하는 제도이다. 즉, 고용 보험에 가입한 근로자가 실직하여 재취업 활동을 하는 경우에 일정 기간 동안 지급되는 소정의 급여를 말한다.
④ 실망실업자는 정상적인 상태라면 구직활동을 했을 사람이 경기가 지나치게 위축됨에 따라 일자리가 없을 것 같아 구직활동을 포기하고 비경제활동상태에 있는 사람을 말한다. 산업구조조정이나 경기침체 등으로 일자리가 줄어들어 구직활동을 벌여도 직장을 얻기가 거의 불가능하다는 점을 알고 아예 구직활동을 포기한 경우로 최근 이러한 실망실업자들이 늘고 있다.
⑤ 마찰적 실업은 상업간 또는 지역간 노동력 이동과정에서 일시적 수급불균형으로 인해 생기는 실업이다. 대규모 사업체가 부도났을 경우 이 회사의 근로자들이 새로운 일자리를 찾을 때까지 생기는 한시적 실업이 대표적인 예이다. 마찰적 실업은 새로운 직업을 탐색하거나 이직하는 과정에서 일시적으로 생기는 실업으로서 탐색적 실업이라고도 부른다.

01. ③

MEMO

제9절 주택

2023년 기출

01 다음 설명 중 ( ) 안에 들어갈 용어로 가장 적절한 것은? (단, 순서는 상관없음)

"공동주택"이란 건축물의 벽·복도·계단이나 그 밖의 설비 등의 전부 또는 일부를 공동으로 사용하는 각 세대가 하나의 건축물 안에서 각각 독립된 주거생활을 할 수 있는 구조로 된 주택을 말하며, 그 종류와 범위는 대통령령으로 정한다. 여기서 대통령령으로 정한 공동주택의 종류와 범위는 ( ), ( ), ( )와/과 같다.

① 아파트 연립주택 오피스텔
② 준주택 다중생활시설 다세대주택
③ 아파트 연립주택 다세대주택
④ 단독주택 연립주택 다세대주택
⑤ 국민주택 준주택 임대주택

해설 ③ 주택법과 건축법에 주택에 관한 상세한 설명이 있는바, 구체적인 내용은 아래 내용 참조

Ⅰ. 의 의

1. 주 택
세대의 구성원이 장기간 독립된 주거생활을 할 수 있는 구조로 된 건축물의 전부 또는 일부 및 그 부속토지를 말하며, 단독주택과 공동주택으로 구분한다(주택법 제2조 제1호).

2. 단독주택
1세대가 하나의 건축물 안에서 독립된 주거생활을 할 수 있는 구조로 된 주택을 말하며, 그 종류와 범위는 대통령령으로 정한다(주택법 제2조 제2호). 단독주택의 종류는 단독주택, 다중주택, 다가구주택이 있다(동법 시행령 제2조).

3. 공동주택
건축물의 벽·복도·계단이나 그 밖의 설비 등의 전부 또는 일부를 공동으로 사용하는 각 세대가 하나의 건축물 안에서 각각 독립된 주거생활을 할 수 있는 구조로 된 주택을 말하며, 그 종류와 범위는 대통령령으로 정한다(주택법 제2조 제3호). 공동주택의 종류는 아파트, 연립주택, 다세대주택이 있다(주택법 시행령 제3조 제1항).

Ⅱ. 용도별 건축물의 종류(건축법 시행령 [별표 1])

1. 단독주택[단독주택의 형태를 갖춘 가정어린이집·공동생활가정·지역아동센터 및 노인복지시설(노인복지주택은 제외한다)을 포함한다]
① 단독주택
② 다중주택 : 다음의 요건을 모두 갖춘 주택을 말한다.

01. ③

MEMO

㉠ 학생 또는 직장인 등 여러 사람이 장기간 거주할 수 있는 구조로 되어 있는 것

㉡ 독립된 주거의 형태를 갖추지 아니한 것(각 실별로 욕실은 설치할 수 있으나, 취사시설은 설치하지 아니한 것을 말한다. 이하 같다)

㉢ 1개 동의 주택으로 쓰이는 바닥면적의 합계가 330제곱미터 이하이고 주택으로 쓰는 층수(지하층은 제외한다)가 3개 층 이하일 것

③ 다가구주택 : 다음의 요건을 모두 갖춘 주택으로서 공동주택에 해당하지 아니하는 것을 말한다.

㉠ 주택으로 쓰는 층수(지하층은 제외한다)가 3개 층 이하일 것. 다만, 1층의 전부 또는 일부를 필로티 구조로 하여 주차장으로 사용하고 나머지 부분을 주택 외의 용도로 쓰는 경우에는 해당 층을 주택의 층수에서 제외한다.

㉡ 1개 동의 주택으로 쓰이는 바닥면적(부설 주차장 면적은 제외한다. 이하 같다)의 합계가 660제곱미터 이하일 것

㉢ 19세대(대지 내 동별 세대수를 합한 세대를 말한다) 이하가 거주할 수 있을 것

④ 공관(公館)

2. 공동주택[공동주택의 형태를 갖춘 가정어린이집·공동생활가정·지역아동센터·노인복지시설(노인복지주택은 제외한다) 및 「주택법 시행령」 제3조 제1항에 따른 원룸형 주택을 포함한다]. 다만, ①이나 ②에서 층수를 산정할 때 1층 전부를 필로티 구조로 하여 주차장으로 사용하는 경우에는 필로티 부분을 층수에서 제외하고, ③에서 층수를 산정할 때 1층의 전부 또는 일부를 필로티 구조로 하여 주차장으로 사용하고 나머지 부분을 주택 외의 용도로 쓰는 경우에는 해당 층을 주택의 층수에서 제외하며, ①부터 ④까지의 규정에서 층수를 산정할 때 지하층을 주택의 층수에서 제외한다.

① 아파트 : 주택으로 쓰는 층수가 5개 층 이상인 주택

② 연립주택 : 주택으로 쓰는 1개 동의 바닥면적(2개 이상의 동을 지하주차장으로 연결하는 경우에는 각각의 동으로 본다) 합계가 660제곱미터를 초과하고, 층수가 4개 층 이하인 주택

③ 다세대주택 : 주택으로 쓰는 1개 동의 바닥면적 합계가 660제곱미터 이하이고, 층수가 4개 층 이하인 주택(2개 이상의 동을 지하주차장으로 연결하는 경우에는 각각의 동으로 본다)

④ 기숙사 : 학교 또는 공장 등의 학생 또는 종업원 등을 위하여 쓰는 것으로서 1개 동의 공동취사시설 이용 세대 수가 전체의 50퍼센트 이상인 것(교육기본법 제27조 제2항에 따른 학생복지주택을 포함한다)

3. 기 타

제1종 근린생활시설, 제2종 근린생활시설, 문화 및 집회시설, 종교시설, 판매시설, 운수시설, 의료시설, 교육연구시설, 노유자시설, 수련시설, 운동시설, 업무시설, 숙박시설, 위락시설, 공장, 창고시설, 위험물 저장 및 처리 시설, 자동차 관련 시설, 동물 및 식물 관련 시설, 자원순환 관련 시설, 교정 및 군사시설, 방송통신시설, 발전시설, 묘지 관련 시설, 관광 휴게시설, 장례시설, 야영장시설

MEMO

2022년 기출

02 다음 설명 중 (　　) 안에 들어갈 사업으로 가장 적절한 것은?

> 정비기반시설은 양호하나 노후·불량건축물에 해당하는 공동주택이 밀집한 지역에서 주거환경을 개선하기 위한 사업을 (　　)이라 한다.

① 재개발사업
② 도시생활주택개발사업
③ 재건축사업
④ 주거환경개선사업
⑤ 공공임대사업

해설 '재건축사업'이란 정비기반시설은 양호하나 노후·불량주택을 소유자가 법률에서 정한 절차에 따라 철거하고 새로운 주택을 건설하기 위해 조합을 설립하여 시공권이 있는 등록업자와 공동사업으로 건설하는 사업을 말한다.

① '재개발사업'이란 주거지의 낡고 오래된 밀집주택으로 주거생활이 불편하고 도로, 상하수도 등 공공시설이 취약한 지역에 도로, 상하수도 공공시설을 정비하고 기존주택을 헐고 새로 신축하는 도시계획사업으로 도심재개발사업, 주택재개발사업, 공장재개발사업이 있다.
② '도시형 생활주택'이란 도시에 지을 수 있는 공동주택의 일종으로 전용면적 85제곱미터 이하, 300가구 미만 공동주택이며 일반적인 주택에 비해 주택으로서 갖춰야 할 기준들이 덜 까다로운 것이 특징이다. 주택청약자격이나 재당첨제한 등의 규정을 적용받지 않는다. 원룸형주택, 단지형 연립주택, 단지형 다세대주택이 있다. 오피스텔이 「건축법」의 적용을 받는 것과 달리 도시형 생활주택은 「주택법」의 적용대상이다.
④ '주거환경개선사업'이란 정비기반시설이 극히 열악하고 노후·불량건축물이 과도하게 밀집한 지역의 주거환경을 개선하거나, 단독주택·다세대주택이 밀집한 지역에서 정비기반시설과 공동이용시설 확충을 통해 주거환경을 보전·정비·개량하기 위해 「도시 및 주거환경정비법」에 따라 시행되는 정비사업 유형의 하나이다.
⑤ '공공임대주택'이란 국가 혹은 지방자치단체 재정이나 주택도시기금을 지원받아 건설·매입·임차 후 임대나 분양전환 목적으로 공급하는 주택이다. 임대의무기간(5년, 10년)동안 임대 후 입주자에게 우선 분양전환하는 임대주택을 말한다.

02. ③

MEMO

2021년 기출

03 다음에서 설명하고 있는 사업으로 가장 적절한 것은?

정비기반시설이 열악하고 노후·불량건축물이 밀집한 지역에서 주거환경을 개선하거나 상업지역·공업지역 등에서 도시기능의 회복 및 상권활성화 등을 위하여 도시환경을 개선하기 위한 사업

① 재건축사업
② 재개발사업
③ 소규모재건축사업
④ 도시생활주택개발사업
⑤ 공공임대사업

해설 '재개발사업'이란 주거지의 낡고 오래된 밀집주택으로 주거생활이 불편하고 도로, 상하수도 등 공공시설이 취약한 지역에 도로, 상하수도 공공시설을 정비하고 기존 주택을 헐고 새로 신축하는 도시계획사업으로 도심재개발사업, 주택재개발사업, 공장재개발사업이 있다.

① '재건축사업'이란 정비기반시설은 양호하나 노후, 불량주택을 소유자가 법률에서 정한 절차에 따라 철거하고 새로운 주택을 건설하기 위해 조합을 설립하여 시공권이 있는 등록업자와 공동사업으로 건설하는 사업을 말한다.
③ '소규모재건축사업'이란 정비기반시설이 양호한 지역에서 소규모로 공동주택을 재건축하기 위한 사업이다. 가로주택정비사업, 자율주택정비사업과 함께 「빈집 및 소규모주택 정비에 관한 특례법」에 따른 소규모주택정비사업의 유형 중 하나이다.
④ '도시형 생활주택'이란 도시에 지을 수 있는 공동주택의 일종으로 전용면적 85제곱미터 이하, 300가구 미만 공동주택이며 일반적인 주택에 비해 주택으로서 갖춰야 할 기준들이 덜 까다로운 것이 특징이다. 주택청약자격이나 재당첨 제한 등의 규정을 적용받지 않는다. 원룸형주택, 단지형 연립주택, 단지형 다세대주택이 있다. 오피스텔이 「건축법」의 적용을 받는 것과 달리 도시형 생활주택은 「주택법」의 적용대상이다.
⑤ '공공임대주택'이란 임대의무기간(5년, 10년)동안 임대 후 입주자에게 우선 분양전환하는 임대주택을 말한다.

03. ②

MEMO

2018년 기출

04 다음의 건축물 종류에 관한 설명으로 가장 적절한 것은?

- 주택으로 쓰는 층수(지하층은 제외한다)가 3개 층 이하일 것. 다만, 1층의 전부 또는 일부를 필로티 구조로 하여 주차장으로 사용하고 나머지 부분을 주택 외의 용도로 쓰는 경우에는 해당 층을 주택의 층수에서 제외한다.
- 1개 동의 주택으로 쓰이는 바닥면적(부설 주차장 면적은 제외한다)의 합계가 660제곱미터 이하일 것
- 19세대(대지 내 동별 세대수를 합한 세대를 말한다) 이하가 거주할 수 있을 것

① 다세대주택 ② 다가구주택
③ 연립주택 ④ 다중주택
⑤ 아파트

'주택'이란 세대의 구성원이 장기간 독립된 주거생활을 영위할 수 있는 구조로 된 건축물의 전부 또는 일부 및 그 부속토지를 말하며, 단독주택과 공동주택으로 구분한다(주택법 제2조 제1호). '단독주택'은 1세대가 하나의 건축물 안에서 독립된 주거생활을 할 수 있는 구조로 된 주택을 말하며, 그 종류와 범위는 대통령령으로 정한다(주택법 제2조 제2호). '공동주택'은 건축물의 벽・복도・계단이나 그 밖의 설비 등의 전부 또는 일부를 공동으로 사용하는 각 세대가 하나의 건축물 안에서 각각 독립된 주거생활을 할 수 있는 구조로 된 주택을 말하며, 그 종류와 범위는 대통령령으로 정한다(주택법 제2조 제3호). 공동주택의 종류는 아파트, 연립주택, 다세대주택이 있다(주택법 시행령 제3조 제1항 각 호). 건축법 시행령 [별표1]에는 단독주택과 공동주택 등에 대해 다음과 같이 상세히 규정하고 있다.

1. 단독주택[단독주택의 형태를 갖춘 가정어린이집・공동생활가정・지역아동센터・공동육아나눔터(「아이돌봄 지원법」 제19조에 따른 공동육아나눔터를 말한다. 이하 같다)・작은도서관(「도서관법」 제4조 제2항 제1호 가목에 따른 작은도서관을 말하며, 해당 주택의 1층에 설치한 경우만 해당한다. 이하 같다) 및 노인복지시설(노인복지주택은 제외한다)을 포함한다]
   가. 단독주택
   나. 다중주택 : 다음의 요건을 모두 갖춘 주택을 말한다.
      1) 학생 또는 직장인 등 여러 사람이 장기간 거주할 수 있는 구조로 되어 있는 것
      2) 독립된 주거의 형태를 갖추지 않은 것(각 실별로 욕실은 설치할 수 있으나, 취사시설은 설치하지 않은 것을 말한다)
      3) 1개 동의 주택으로 쓰이는 바닥면적(부설 주차장 면적은 제외한다. 이하 같다)의 합계가 660제곱미터 이하이고 주택으로 쓰는 층수(지하층은 제외한다)가 3개 층 이하일 것. 다만, 1층의 전부 또는 일부를 필로티 구조로 하여 주차장으로 사용하고 나머지 부분을 주택(주거 목적으로 한정한다) 외의 용도로 쓰는 경우에는 해당 층을 주택의 층수에서 제외한다.
      4) 적정한 주거환경을 조성하기 위하여 건축조례로 정하는 실별 최소 면적, 창문의 설치 및 크기 등의 기준에 적합할 것

04. ②

MEMO

다. 다가구주택(②) : 다음의 요건을 모두 갖춘 주택으로서 공동주택에 해당하지 아니하는 것을 말한다.
  1) 주택으로 쓰는 층수(지하층은 제외한다)가 3개 층 이하일 것. 다만, 1층의 전부 또는 일부를 필로티 구조로 하여 주차장으로 사용하고 나머지 부분을 주택(주거 목적으로 한정한다) 외의 용도로 쓰는 경우에는 해당 층을 주택의 층수에서 제외한다.
  2) 1개 동의 주택으로 쓰이는 바닥면적의 합계가 660제곱미터 이하일 것
  3) 19세대(대지 내 동별 세대수를 합한 세대를 말한다) 이하가 거주할 수 있을 것

라. 공관(公館)

2. 공동주택[공동주택의 형태를 갖춘 가정어린이집 · 공동생활가정 · 지역아동센터 · 공동육아나눔터 · 작은도서관 · 노인복지시설(노인복지주택은 제외한다) 및 「주택법 시행령」 제10조 제1항제1호에 따른 소형 주택을 포함한다]. 다만, 가목이나 나목에서 층수를 산정할 때 1층 전부를 필로티 구조로 하여 주차장으로 사용하는 경우에는 필로티 부분을 층수에서 제외하고, 다목에서 층수를 산정할 때 1층의 전부 또는 일부를 필로티 구조로 하여 주차장으로 사용하고 나머지 부분을 주택(주거 목적으로 한정한다) 외의 용도로 쓰는 경우에는 해당 층을 주택의 층수에서 제외하며, 가목부터 라목까지의 규정에서 층수를 산정할 때 지하층을 주택의 층수에서 제외한다.

가. 아파트 : 주택으로 쓰는 층수가 5개 층 이상인 주택(①)

나. 연립주택 : 주택으로 쓰는 1개 동의 바닥면적(2개 이상의 동을 지하주차장으로 연결하는 경우에는 각각의 동으로 본다) 합계가 660제곱미터를 초과하고, 층수가 4개 층 이하인 주택(③)

다. 다세대주택 : 주택으로 쓰는 1개 동의 바닥면적 합계가 660제곱미터 이하이고, 층수가 4개 층 이하인 주택(2개 이상의 동을 지하주차장으로 연결하는 경우에는 각각의 동으로 본다)(④)

라. 기숙사 : 학교 또는 공장 등의 학생 또는 종업원 등을 위하여 쓰는 것으로서 1개 동의 공동취사시설 이용 세대 수가 전체의 50퍼센트 이상인 것(「교육기본법」 제27조 제2항에 따른 학생복지주택 및 「공공주택 특별법」 제2조 제1호의3에 따른 공공매입임대주택 중 독립된 주거의 형태를 갖추지 않은 것을 포함한다)

3. 기타 : 제1종 근린생활시설, 제2종 근린생활시설, 문화 및 집회시설, 종교시설, 판매시설, 운수시설, 의료시설, 교육연구시설, 노유자시설, 수련시설, 운동시설, 업무시설, 숙박시설, 위락시설, 공장, 창고시설, 위험물 저장 및 처리 시설, 자동차관련시설, 동물 및 식물 관련시설, 자원순환 관련시설, 교정 및 군사시설, 방송통신시설, 발전시설, 묘지 관련시설, 관광 휴게시설, 장례시설, 야영장 시설

MEMO

2017년 기출

05 다음은 주택에 관한 설명이다. 가장 적절하지 않은 것은?

① 아파트는 동당 건축연면적이 6백 60㎡를 초과하는 5층 이상의 주택이다.
② 단독주택은 원칙적으로 한 가구가 살림할 수 있도록 건축된 건물이다.
③ 연립주택은 동당 건축연면적이 6백 60㎡를 초과하는 4층 이하의 주택이다.
④ 다세대주택은 동당 건축연면적이 6백 60㎡ 이하인 4층 이하의 주택이다.
⑤ 공동주택은 연립주택, 다세대주택, 아파트 등이 있다.

해설 주택법상 '주택'이란 세대의 구성원이 장기간 독립된 주거생활을 영위할 수 있는 구조로 된 건축물의 전부 또는 일부 및 그 부속토지를 말하며, 단독주택과 공동주택으로 구분한다(주택법 제2조 제1호). '단독주택'이란 1세대가 하나의 건축물 안에서 독립된 주거생활을 할 수 있는 구조로 된 주택을 말하며, 그 종류와 범위는 대통령령으로 정한다(주택법 제2조 제2호). '공동주택'이란 건축물의 벽・복도・계단이나 그 밖의 설비 등의 전부 또는 일부를 공동으로 사용하는 각 세대가 하나의 건축물 안에서 각각 독립된 주거생활을 할 수 있는 구조로 된 주택을 말하며, 그 종류와 범위는 대통령령으로 정한다(주택법 제2조 제3호). 공동주택의 종류는 아파트, 연립주택, 다세대주택이 있다(주택법 시행령 제3조 제1항 각 호). 아울러 '용도별 건축물의 종류'와 관련하여 건축법 시행령 별표1에 상세하게 규정하는 바, 본 문제와 관련된 부분은 앞 문제 해설 참조

2018년 기출

06 다음 설명 중 가장 적절하지 않은 것은?

① 건폐율 : 대지면적에 대한 건축면적의 비율
② 용적률 : 대지면적에 대한 건축물의 연면적의 비율
③ 거소 : 일정하지 아니한 기간 동안 일시적으로 머무는 곳
④ 주소 : 생활의 근거되는 곳으로서 동시에 두 곳 이상의 주소가 있을 수 없음
⑤ 거소 : 주소를 알 수 없으면 거소를 주소로 본다.

해설 생활의 근거가 되는 곳을 주소로 한다(민법 제18조 제1항). 주소는 동시에 두 곳 이상 있을 수 있다(동조 제2항).
③ '거소'란 일정하지 아니한 기간 동안 일시적으로 머무는 곳으로,
⑤ 주소를 알 수 없으면 거소를 주소로 본다(동법 제19조).
① '건폐율'이란 토지 위에 건축할 수 있는 바닥의 면적으로 예컨대 대지면적 1,000m^2이고 건축면적이 400m^2라면 건폐율은 40%이다.
② '용적률'이란 토지 위에 건축물의 연면적, 즉 건물의 높이를 어느 정도까지 지을 수 있는지를 나타낸다. 예컨대 대지면적 1,000m^2이고 총 3층건물의 층별 건축면적이 400m^2라면 연면적은 1,200m^2이므로 용적률은 120%가 된다.

05. ① 06. ④

MEMO

2022년 기출

07 다음 설명 중 ( ) 안에 들어 갈 용어로 가장 적절한 것은? (단, 순서는 상관 없음)

임대차 3법이란 (A), (B), (C) 등을 핵심으로 하는 「주택임대차보호법」과 「부동산 거래신고 등에 관한 법률」을 말한다.

	A	B	C
①	차임이나 보증금의 증액청구 상한 제한	임대인의 계약갱신요구권	상가 임대차 계약의 신고
②	차임이나 보증금의 감액청구 상한 제한	임대인의 계약갱신요구권	상가 임대차 계약의 신고
③	차임이나 보증금의 증액청구 상한 제한」	임대인의 계약갱신요구권	주택 임대차 계약의 신고
④	차임이나 보증금의 증액청구 상한 제한	임대인의 계약갱신요구권	주택 임대차 계약의 신고
⑤	차임이나 보증금의 감액청구 상한 제한	임대인의 계약갱신요구권	주택 임대차 계약의 신고

해설 임대차 3법이란 계약갱신청구권, 전월세상한제, 전월세신고제 도입을 골자로 하는 「주택임대차보호법」 및 「부동산거래신고법」을 말한다. '계약갱신청구권'은 임차기간이 종료되는 시점에 임차인(지문의 임대인은 임차인의 오기로 보임)이 2년의 갱신을 집주인에게 요구할 수 있으며, 임대인은 법으로 정한 특별한 이유를 대지 못하면 이를 거부할 수 없게 규정하였다. 다만, 본 청구권은 단 1회만 사용할 수 있고 기존 계약기간이 만료되는 날짜가 도래하기 6월전에서 2월전까지 임대인에게 정확한 의사를 통지해야 한다. '전월세상한제'는 기존 임대차 기간을 갱신하는 과정에서 차임이나 보증금의 증액을 최대 5%까지 인상할 수 있도록 제한을 둔 것이다. '전월세신고제'는 임대차계약당사자는 주택 임대차 계약의 체결일로부터 30일 이내에 주택 소재지를 관할하는 신고관청에 공동으로 신고하도록 하고, 이를 어길 시 100만원 이하의 과태료를 부과하게 하였다.

07. ④

MEMO

제10절 전자거래

2023년 기출

01 다음 중 ( ) 안에 들어갈 용어로 가장 적절한 것은?

( )은/는 인터넷을 기반으로 하는 전자상거래의 유형 가운데 하나로, '기업간 거래' 또는 '기업간 전자상거래'라고도 한다. 기업과 기업이 거래 주체가 되어 상호간에 전자상거래를 하는 것을 말한다. 기업들이 온라인상에서 상품을 직거래하여 비용을 절감하고, 시간도 절약할 수 있다는 장점이 있다.

① B2G(Business to Government)
② B2B(Business to Business)
③ BIS(Bank for International Settlements)
④ B2C(Business to Consumer)
⑤ Bad Bank

해설 ② B2B(Business to Business)에 대한 설명이다. 전자상거래에 관한 구체적인 내용은 아래참조

1. 개 념
'전자상거래'란 전자거래의 방법으로 상행위를 하는 것을 말한다[전자상거래 등에서의 소비자보호에 관한 법률 제2조(정의) 제1호]. 즉, 온라인 네트워크를 통하여 재화나 서비스를 사고파는 모든 형태의 거래를 말한다.
2. 용어의 유래
(1) 1989년 미국의 로렌스리버모어연구소에서 미국 국방부 프로젝트를 수행하면서 처음 사용하였다.
(2) 초기의 전자상거래는 대부분 특정한 경제주체간의 전용망인 부가가치통신망(VAN ; Value Added Network : 공중전기통신사업자로부터 회선을 빌려 컴퓨터를 이용한 네트워크를 구성, 정보의 축적, 처리, 가공을 하는 통신서비스 또는 그 네트워크를 제공하는 사업)을 이용하여 기업간, 또는 정부와 기업간에 전자적인 자료를 교환하는 전자문서교환에 국한되었으나 1990년대 중반 인터넷이 상용화되면서 전자상거래가 급격하게 확산되었다.
3. 유사개념
(1) 마이데이터(Mydata) : 개인이 자신의 정보를 적극적으로 관리・통제하는 것은 물론 이러한 정보를 신용이나 자산관리 등에 능동적으로 활용하는 일련의 과정을 말한다. 즉, 은행계좌와 신용카드 이용내역 등 금융데이터의 주인을 금융회사가 아니라 개인으로 정의하는 개념이다.
(2) 크라우드펀딩(Crowd Funding) : 자금을 필요로 하는 수요자가 온라인 플랫폼 등을 통해 불특정 다수 대중에게 자금을 모으는 방식이다.

01. ②

MEMO

(3) 전자지급결제대행(PG ; Payment Gateway) : 재화를 구매하거나 용역을 이용할 때 전자적 방법으로 지급 결제 정보를 송수신하거나 그 대가의 정산을 대행하거나 매개하는 일을 말한다.

4. 형태(참여주체별)
(1) 협의의 개념 : B2C(Business to Customer : 기업과 소비자간에 이뤄지는 전자상거래)와 C2C(Customer to Customer : 소비자간에 이뤄지는 전자상거래)가 있다.
(2) 광의의 개념 : 위 협의의 개념에 B2B(Business to Business : 기업과 기업간에 이뤄지는 전자상거래)와 G2B(Government to Business : 정부와 기업간에 이뤄지는 전자상거래)를 포함하는 개념이다.

5. 경제적 효과
(1) 긍정적 효과 : 첫째, 유통채널을 단순하게 한다. 둘째, 시간과 지역의 제한이 없다. 셋째, 고객의 수요에 대한 정보 획득이 용이하다. 넷째, 쌍방향 통신에 의한 1대1 마케팅 활동이 가능하다. 다섯째, 판매활동을 위한 물리적 거점이 필요하지 않다.
(2) 문제점 : 전자상거래가 확산됨에 따라 소비자나 기업정보의 노출, 소비자피해의 증가, 경제적 불평등의 확대 등의 부수적인 부작용이 지적되고 있으므로 정보보안, 소비자보호, 경제적 형평성의 제고를 위한 제도적 보완이 필요하다.

③ 'BIS(Bank for International Settlements)'는 1930년 1월 헤이그협정에 의거 설립된 중앙은행간 협력기구로 현존하는 국제금융기구 중 가장 오래된 기구이다. 국제결제은행(BIS)은 1930년 1월 헤이그협정에 의거 설립된 중앙은행간 협력기구로 현존하는 국제금융기구 중 가장 오래된 기구이다. 제1차 세계대전 이전부터 유럽을 중심으로 중앙은행간 협력증진을 위한 다자간기구 설립 논의가 있었으나 제1차 세계대전의 발발로 진전이 이루어지지는 못하였다. 종전 후 유럽경제 복구 및 독일의 전쟁배상금 지급 문제가 국제경제의 주요 현안과제로 대두되었다. 이 문제의 당사국인 벨기에・프랑스・독일・이탈리아・일본・영국 등 6개국은 거듭된 회의 끝에 1930년 1월 20일 네덜란드의 헤이그에서 독일의 전쟁배상금 문제 해결을 위한 헤이그협정을 체결하고 배상금결제 전담기구로서 국제결제은행(BIS)의 설립을 결정하였다. BIS는 스위스 바젤에 본부를 두고 있다. BIS 정관 제3조는 BIS의 설립목적을 "중앙은행간 협력을 증진하고 국제금융거래의 원활화를 위한 편의를 제공하며 국제결제의무와 관련하여 수탁자(trustee) 및 대리인(agent)으로서의 역할을 수행하는데 있다."고 규정하고 있다. BIS는 독일의 전쟁배상금 지급문제를 계기로 설립된 점을 반영, 초기에는 주로 결제기관으로서의 역할 수행에 중점을 두고 운영되었지만 시대적 상황에 따라 점차 그 기능이 변화하여 갔다. 1988년에는 바젤합의를 통해 은행 시스템의 건전성 확보와 국제적 감독 기준 마련을 목적으로 하는 'BIS 기준'이라는 자기자본규제안을 발표하였다. BIS 자기자본비율은 위험가중자산에 대한 자기자본 비율을 의미하여 BIS 기준은 위험가중자산의 최소 8%를 자기자본으로 보유토록 유도하고 있다. 국제결제은행은 현재 주로 중앙은행간 협력체로서의 기능 수행에 중점을 두고 있으며 국제통화통화협력을 위한 양대기구로서 IMF와 긴밀한 협력관계를 유지하고 있다(시사경제용어사전, 2017. 11., 기획재정부).

MEMO

2021년 기출

02 다음에서 설명하고 있는 사업으로 가장 적절한 것은?

개인인 신용정보주체의 신용관리를 지원하기 위하여 신용정보를 통합하고 그 신용정보주체에게 제공하는 행위를 영업으로 하는 사업

① 본인신용정보관리업(마이데이터산업)
② 신용조사업
③ 기업신용조회업
④ 채권추심업
⑤ 개인사업자신용평가업

해설 '마이데이터(Mydata)'란 개인이 자신의 정보를 적극적으로 관리・통제하는 것은 물론 이러한 정보를 신용이나 자산관리 등에 능동적으로 활용하는 일련의 과정을 말한다. 즉, 은행계좌와 신용카드 이용내역 등 금융데이터의 주인을 금융회사가 아니라 개인으로 정의하는 개념이다. 문제는 본인신용정보관리업(마이데이터산업)에 대한 설명이다. 상세는 아래 「신용정보의 이용 및 보호에 관한 법률」 제2조 해당호 참조.

> 제2조 【정의】 이 법에서 사용하는 용어의 뜻은 다음과 같다.
> 9의2. "본인신용정보관리업"이란 개인인 신용정보주체의 신용관리를 지원하기 위하여 다음 각 목의 전부 또는 일부의 신용정보를 대통령령으로 정하는 방식으로 통합하여 그 신용정보주체에게 제공하는 행위를 영업으로 하는 것을 말한다.
> 가. 제1호의3 가목 1)・2) 및 나목의 신용정보로서 대통령령으로 정하는 정보
> 나. 제1호의3 다목의 신용정보로서 대통령령으로 정하는 정보
> 다. 제1호의3 라목의 신용정보로서 대통령령으로 정하는 정보
> 라. 제1호의3 마목의 신용정보로서 대통령령으로 정하는 정보
> 마. 그 밖에 신용정보주체 본인의 신용관리를 위하여 필요한 정보로서 대통령령으로 정하는 정보
> 9의3. "본인신용정보관리회사"란 본인신용정보관리업에 대하여 금융위원회로부터 허가를 받은 자를 말한다.

② 동법 제2조 제9호 '신용조사업'이란 제3자의 의뢰를 받아 신용정보를 조사하고, 그 신용정보를 그 의뢰인에게 제공하는 행위를 영업으로 하는 것을 말한다
③ 동법 제2조 제8호의3 '기업신용조회업'이란 다음 각 목에 따른 업무를 영업으로 하는 것을 말한다. 다만, 「자본시장과 금융투자업에 관한 법률」 제9조 제26항에 따른 신용평가업은 제외한다.
가. 기업정보조회업무 : 기업 및 법인인 신용정보주체의 거래내용, 신용거래능력 등을 나타내기 위하여 대통령령으로 정하는 정보를 제외한 신용정보를 수집하고, 대통령령으로 정하는 방법으로 통합・분석 또는 가공하여 제공하는 행위

02. ①

MEMO

나. 기업신용등급제공업무 : 기업 및 법인인 신용정보주체의 신용상태를 평가하여 기업신용등급을 생성하고, 해당 신용정보주체 및 그 신용정보주체의 거래상대방 등 이해관계를 가지는 자에게 제공하는 행위
다. 기술신용평가업무 : 기업 및 법인인 신용정보주체의 신용상태 및 기술에 관한 가치를 평가하여 기술신용정보를 생성한 다음 해당 신용정보주체 및 그 신용정보주체의 거래상대방 등 이해관계를 가지는 자에게 제공하는 행위

④ 동법 제2조 제10호 '채권추심업'이란 채권자의 위임을 받아 변제하기로 약정한 날까지 채무를 변제하지 아니한 자에 대한 재산조사, 변제의 촉구 또는 채무자로부터의 변제금 수령을 통하여 채권자를 대신하여 추심채권을 행사하는 행위를 영업으로 하는 것을 말한다.

⑤ 동법 제2조 제8호의2 '개인사업자신용평가업'이란 개인사업자의 신용을 판단하는 데 필요한 정보를 수집하고 개인사업자의 신용상태를 평가하여 그 결과를 제3자에게 제공하는 행위를 영업으로 하는 것을 말한다. 다만, 「자본시장과 금융투자업에 관한 법률」 제9조 제26항에 따른 신용평가업은 제외한다.

2020년 기출

03 다음 설명 중 ( ) 안에 들어갈 가장 적절한 용어는?

( )은(는) 인터넷을 기반으로 하는 전자상거래의 유형 가운데 하나로, '기업간 거래' 또는 '기업간 전자상거래'라고도 한다. 거래 유형은 구매자가 운영하는 전자상거래 사이트에 다수의 판매자가 접속하여 거래가 이루어지는 구매자 중심형, 이와 반대로 판매자가 운영하는 사이트에 다수의 구매자가 접속하여 거래하는 판매자 중심형, 중개용 사이트에 다수의 판매자와 구매자가 접속하여 거래하는 중개자 중심형으로 구분한다. 기업들이 온라인상에서 상품을 직거래하여 비용을 절감하고, 시간도 절약할 수 있다는 장점이 있다.

① B2B(Business to Business)
② 부가가치통신망(VAN ; Value Added Network)
③ 마이데이터(Mydata)
④ 크라우드펀딩(Crowd Funding)
⑤ 전자지급결제대행(PG ; Payment Gateway)

해설 ① B2B(Business to Business)란 기업과 기업간에 이뤄지는 전자상거래를 말한다. 부품조달 회사나 제조회사와 판매회사 간의 상거래가 이에 해당한다.
② 부가가치통신망(VAN ; Value Added Network)이란 공중전기통신사업자로부터 회선을 빌려 컴퓨터를 이용한 네트워크를 구성, 정보의 축적, 처리, 가공을 하는 통신서비스 또는 그 네트워크를 제공하는 사업을 말한다.

03. ①

MEMO

③ 마이데이터(Mydata)란 개인이 자신의 정보를 적극적으로 관리·통제하는 것은 물론 이러한 정보를 신용이나 자산관리 등에 능동적으로 활용하는 일련의 과정을 말한다. 즉, 은행계좌와 신용카드 이용내역 등 금융데이터의 주인을 금융회사가 아니라 개인으로 정의하는 개념이다.
④ 크라우드펀딩(Crowd Funding)이란 자금을 필요로 하는 수요자가 온라인 플랫폼 등을 통해 불특정 다수 대중에게 자금을 모으는 방식이다.
⑤ 전자지급결제대행(PG ; Payment Gateway)이란 재화를 구매하거나 용역을 이용할 때 전자적 방법으로 지급 결제 정보를 송수신하거나 그 대가의 정산을 대행하거나 매개하는 일을 말한다.

2023년 기출

04 다음 설명 중 ( ) 안에 들어갈 용어로 가장 적절한 것은?

「전자금융거래법」상 ( )란/이란 이전 가능한 금전적 가치가 전자적 방법으로 저장되어 발행된 증표 또는 그 증표에 관한 정보를 말한다.

① 가상화폐
② 증권예탁증권
③ 수익증권
④ 전자화폐
⑤ 지분증권

해설 ④ 「전자금융거래법」상 전자화폐에 관한 아래 규정 참조

전자금융거래법 제2조【정의】
15. "전자화폐"라 함은 이전 가능한 금전적 가치가 전자적 방법으로 저장되어 발행된 증표 또는 그 증표에 관한 정보로서 다음 각 목의 요건을 모두 갖춘 것을 말한다.
가. 대통령령이 정하는 기준 이상의 지역 및 가맹점에서 이용될 것
나. 제14호 가목의 요건을 충족할 것
다. 구입할 수 있는 재화 또는 용역의 범위가 5개 이상으로서 대통령령이 정하는 업종 수 이상일 것
라. 현금 또는 예금과 동일한 가치로 교환되어 발행될 것
마. 발행자에 의하여 현금 또는 예금으로 교환이 보장될 것

04. ④

MEMO

제11절 회사

2024년 기출

01 다음 설명 중 (　　)에 들어갈 회사의 종류로 가장 적절한 것은?

(　　)는 1인 이상의 사원으로 구성되고 사원은 회사채권자에게 직접적인 책임을 부담하지 않고 자신이 출자한 금액의 한도에서 간접 책임을 진다(「상법」 제553조). 조직형태는 이사회가 없고 사원총회에서 업무집행 및 회사대표를 위한 이사를 선임한다. 선임된 이사는 정관 또는 사원총회의 결의로 특별한 정함이 없으면 각각 회사의 업무를 집행하고 회사를 대표하는 권한을 가진다(「상법」 제561조, 제562조 및 제547조).

① 주식회사
② 유한회사
③ 유한책임회사
④ 합명회사
⑤ 합자회사

해설 ② 설문은 유한회사에 대한 설명이다. 대한민국 상법에 따라 회사를 분류하면 합명회사, 합자회사, 유한회사, 유한책임회사, 주식회사의 다섯 가지 종류가 있다. 인적회사는 기업의 소유와 경영이 일치하고, 사원의 수가 적으며, 조합의 성격을 띠고 있어서 사원 스스로가 회사의 경영에 참여하여 회사의 채권자에 대해 직접, 연대, 무한 책임을 지는 동시에 각 사원은 원칙적으로 회사의 업무를 집행하고 회사를 대표할 권한을 가진다. 모든 사원은 회사의 소유자임과 동시에 경영자가 되는, 즉 기업과 경영이 분리되지 않은 회사이다. 그렇기 때문에 사원 개인의 신용이 회사 신용의 기초가 되며, 사원의 결합은 자연히 서로 인적 신뢰관계를 근거로 하게 되어 사원의 지위 교체가 자유롭지 않다. 각 사원의 인적 사정의 변화에 따르는 퇴사 및 제명 등의 제도도 인정된다. 출자의 종류도 반드시 제한되는 것은 아니며, 회사의 중요한 의사결정은 전원 동의주의 또는 다수결주의에 의한다. 합명회사와 합자회사가 이에 해당한다. 반면 물적회사는 자본회사라고도 하며 가장 대표적인 형태가 주식회사이고, 유한회사는 물적회사의 색채가 강한 회사로 볼 수 있다. 사원과 회사의 결합정도가 약하고 회사의 단체성이 중요한 의미를 지닌다. 물적회사는 사원의 개성이 아니라 회사의 자본에 기초를 두고 있으며, 따라서 각 사원의 개성은 중요하지 않고, 지분은 원칙적으로 자유로이 양도할 수 있다. 사원의 수도 많고, 소유와 경영이 분리되어 제3자 기관에 의하여 운영된다. 또한 물적회사의 사원은 회사 채권자에 대하여 직접 책임을 부담하지 않고 회사의 재산이 회사 신용의 기초가 된다.

① 주식회사는 주식의 발행을 통하여 여러 사람으로부터 자본을 조달받는 회사. 7인 이상의 주주가 유한책임사원이 되어 설립되는 회사로, 자본과 경영이 분리되는 회사의 대표적인 형태이다.

01. ②

MEMO

③ 유한책임회사는 회사의 한 형태로 대한민국에는 2011년 상법 개정으로 도입되었다. 1인 이상의 유한책임사원으로 조직되는 회사를 말한다. 지분(출자금)에 기반한 유한책임을 제외하면 기본적으로 합명회사와 동일하다. 유한회사와 다르게 임원이 필요하지 않으며, 주식이 존재하지 않는다.
④ 합명회사는 무한책임사원으로만 구성된 회사를 말한다.
⑤ 합자회사는 무한책임사원과 유한책임사원으로 구성되며, 무한책임사원은 사업의 경영을 맡으며, 유한책임사원은 자본을 제공하며 사업에서 발생하는 이익의 분배에 참여하는 형태의 회사이다. 유한책임사원은 회사의 채권자에 대하여 직접 연대하여 무한책임을 지는 무한책임사원과 달리 출자액의 한도 내에서만 연대하여 책임을 진다.

2015년 기출

02 기업의 배당(이익배당)정책 수립 시에 고려하게 되는 요인으로 가장 적절하지 않은 것은?

① 일반적으로 기업의 당기순이익의 크기는 배당수준결정에 중요한 요인이 된다.
② 성장이 빠른 기업은 새로운 투자 등으로 유동성을 확보하고 있지 못하여 배당을 줄이는 경향이 있다.
③ 부채가 많아서 앞으로 부담하여야 할 금융비용이 큰 기업은 배당을 억제하게 된다.
④ 이익이 안정적인 기업은 미래현금흐름을 예측할 수 있으므로 배당성향을 낮추는 경향이 있다.
⑤ 자본구조가 부실한 기업은 배당성향을 낮추고 이익을 유보함으로써 자본구조를 개선할 수 있다.

해설 이익이 안정적인 기업은 미래현금흐름을 예측할 수 있으므로 배당성향을 낮추지 않는 경향이 있다.

2015년 기출

03 다음 중 부채증권(Debt Securities)과 자본증권(Equity Securities)의 성격을 모두 가진 혼합증권(Hybrid Securities)에 해당하는 것은?

① 주권(株券)
② 회사채
③ 양도성예금증서(CD)
④ 전환사채
⑤ 기업어음(CP)

정답 02. ④ 03. ④

MEMO

해설 '혼합증권'이란 주식의 일반적인 특성 중 몇 가지의 요소와 부채의 일반적인 특성 중 몇 가지 요소들을 결합하여 만들어진 증권으로서 자기자본과 타인자본(부채)의 중간적 지위에 있는 형태라고 말할 수 있으며, 이러한 혼합증권의 대표적인 예로는 우선주, 전환사채, 신주인수권부사채, 후순위채, 신종자본증권(하이브리드채권), 교환사채, 이익참가부사채, 조건부자본증권 등을 들 수 있다. 이 중 '전환사채'란 일정한 조건에 따라 채권을 발행한 회사의 주식으로 전환할 수 있는 권리가 부여된 채권으로서 전환 전에는 사채로서의 확정이자를 받을 수 있고, 전환 후에는 주식으로서의 이익을 얻을 수 있는 사채와 주식의 중간 형태를 취한 채권이다.

제12절 금융 · 경제용어

2024년 기출

01 다음 설명 중 ( )에 공통적으로 들어갈 용어로 가장 적절한 것은?

- (   )이란 부동산과 같은 실물자산의 가치와 주식과 같은 금융자산의 가치가 동반 하락하는 현상을 말한다. 일본의 경우 1990년대 초 버블 경제 후 부동산 가격과 주가의 급격한 하락이 금융시스템의 부실로 이어져 이로 인해 실물경제의 침체가 지속되었다.
- 이러한 (   ) 현상은 담보가치의 하락 → 금융경색 → 소비 및 투자 위축 → 경기침체 → 기업도산 증가 → 실업증대 → (   ) 심화 → 장기적 복합불황으로 이어진다.

① 부채 디플레이션(Debt Deflation)
② 애그플레이션(Agflation)
③ 스태그플레이션(Stagflation)
④ 자산 디플레이션(Asset Deflation)
⑤ 스텔스플레이션(Stealthflation)

해설 ④ '자산 디플레이션'에 대한 설명이다.
① '부채 디플레이션(Debt Deflation)'이란 물가 하락으로 실질금리(명목금리−물가상승률)가 상승, 채무상환에 부담을 느낀 사람들이 보유자산을 서둘러 매각하면서 자산가치가 하락하고 경기 침체가 장기화되는 현상이다. 미국 경제학자 어빙 피셔가 1930년대 미국 대공황을 설명하면서 만든 개념이다.
② '애그플레이션(Agflation)'이란 농업(agriculture)과 인플레이션(inflation)의 합성어로, 농산물 가격 급등으로 일반 물가가 상승하는 현상을 뜻하는 신조어이다. 2007년 메릴린치(Merrill Lynch)가 '세계 농업과 애그플레이션'(Global Agriculture & Agflation)이라는 보고서를 발표하면서 용어가 널리 알려졌다.

01. ④

MEMO

③ '스태그플레이션(Stagflation)'이란 "스태그네이션(stagnation)'과 '인플레이션(inflation)'의 합성어로, 거시경제학에서 고물가상승과 실직, 경기 후퇴가 동시에 나타나는 경우를 말한다. 리세션-인플레이션(recession-inflation)이라고도 하며, 정도가 심할 경우 '슬럼프플레이션'이라고도 한다. 또한 경제학에서 스태그플레이션 혹은 경기침체 인플레이션은 인플레이션 지수가 높고, 경제 성장 지수는 낮으며 실업률은 높은 상태가 유지되는 상황을 말한다. 이는 경제 정책에 딜레마를 초래하는데, 낮은 인플레이션을 의도하는 행위는 실업률을 악화시킬 수 있기 때문이다. 경기 침체와 인플레이션의 상징인 이 용어는 일반적으로 1970년 재무장관이 된 영국 보수당 정치인 이언 맥클레오드에 기인한다.

⑤ '스텔스플레이션(Stealthflation)'이란 인플레이션 압력이 명확한 신호나 대중의 인식 없이 마치 스텔스 기술처럼 조용히 구매력을 약화하는 상황을 의미한다. 레이더에 잡히지 않는 스텔스기처럼 소비자·생산자물가지수 등 각종 지표에서 눈에 띄지 않는 방식의 물가 상승이 심해질 것이라는 의미다. 결국 소비자 부담만 늘어나게 될 것이라는 분석이다. 이코노미스트는 호텔·항공사에서 체크인 수수료를 받거나 식당에서 테이크아웃 고객에게 포장 수수료를 청구하는 경우를 사례로 꼽았다. 프랜차이즈 매장에서 공짜로 제공하던 케첩이나 소스 등에 비용을 받는 것도 같은 예다.

2023년 기출

02 다음 중 ( ) 안에 들어갈 용어로 가장 적절한 것은?

( )은/는 도저히 일어나지 않을 것 같은 일이 실제로 일어나는 현상을 이르는 말이다. 경제 영역에서 전 세계의 경제가 예상하지 못한 사건으로 위기를 맞을 수 있다는 의미로 사용된다. 당시 미국의 뉴욕 대학교 교수인 탈레브(Taleb, N. N.)가 월가의 허상을 파헤친 서적을 통해 서브프라임 모기지 사태를 예언하면서 널리 사용되기 시작하였다.

① 블랙먼데이(Black Monday)
② 배드뱅크(Bad Bank)
③ 블랙머니(Black Money)
④ 머니마켓펀드(Money Market Funds)
⑤ 블랙스완(Black Swan)

해설 ⑤ 블랙스완에 대한 설명이다.

① 월요일 증시가 대폭락을 맞이할 경우 흔히 '블랙먼데이(Black Monday)'라고 지칭한다. 역사적으로는 1987년 10월 19일 뉴욕 증시가 개장 초반부터 대량의 팔자 주문이 쏟아지면서 그날 하루 22.6%가 폭락했는데, 당시 월요일이었기 때문에 이를 두고 '블랙먼데이'라는 이름이 붙여졌다. 사실 그 이전인 1929년 10월 28일(월) 대공황기 뉴욕 증시가 12.6% 하락하자 주요 통신사와 신문들이 '블랙 먼데이'라는 용어로 타전하면서 처음 사용됐지만, 1987년 대사건 이후 지수 폭락일을 나타내는 보통명사가 됐다.

02. ⑤

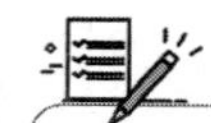

MEMO

이날 하락률은 미국 역사상 최대였고 이 기록은 지금까지도 깨지지 않고 있다(시사경제용어사전, 2017. 11., 기획재정부).

② 은행은 고객에게 필요한 자금을 빌려주고 돈(이자수익)을 번다. 물론 보험이나 펀드 판매, 귀중품 예치 등 다른 서비스도 많지만 은행의 핵심역할은 필요한 사람에게 돈을 공급하는 '자금의 중개'다. 그런데 고객 가운데는 이런저런 사정으로 돈을 갚지 못하는 이들도 있다. 은행입장에선 이런 경우가 많이 생기면 돈을 회수하지 못하는 부실채권(NPL, Non Performing Loan)이 늘어나는 셈이다. 평상시라면 은행은 부실채권을 일정비율로 유지하고 일부는 손실 처리해 문제가 없다. 그런데 경제상황이 좋지 않아져 갑작스럽게 부실채권이 늘어난다면 은행의 손실은 늘고 정상적으로 맡겨둔 고객의 돈도 제때 되돌려줄 수 없을 만큼 상황이 좋지 않아질 수 있다. 이 같은 은행의 위기는 곧바로 해당 국가 전체경제의 위기로 파급된다. 부실자산을 흡수할 수 있는 은행의 자정기능이 한계에 다다를 때 이를 받아주는 정화조, 금융시스템 전체의 위기를 막는 소방수가 바로 '배드뱅크(Bad bank)'다. 배드뱅크는 금융기관의 부실자산이나 채권만 사들여 처리하는 기관이다(금융사전, 김태근, 전정홍).

③ '블랙머니(Black Money)'란 한 사회의 공적인 통로를 통하지 않고 음성적으로 유통되는 돈을 말한다. 특히 대체로 공인된 금융기관을 거치지 않고 대금업자를 중심으로 자금이 공급되고 또한 상환된다. 이러한 돈은 막대한 세금을 회피하고 현행법으로는 불법적인 사업(예를 들면, 마약사업이나 기업의 비자금 등)으로부터 생기는 돈으로서 주로 사채시장에서 유통된다. 자금의 과소공급・과대투자・소비수요로 인해 만성적으로 신음하는 상태에서는 공인된 금융기관에서 저렴한 자금을 공급하기 곤란하기 때문에 기업가・소비자 모두 이러한 사채시장에서 자금액의 다과를 불문하고 자금을 융통받는다. 이처럼 현재의 금융상태에서는 사채시장이 불가결하고 이에 따라 검은 돈이 유통될 수 있는 구조를 만들어준다(두산백과).

④ '머니마켓펀드(Money Market Funds)'란 단기금융상품에 집중투자해 단기 실세금리의 등락이 펀드 수익률에 신속히 반영될수 있도록 한 초단기공사채형 상품이다. 즉 고객의 돈을 모아 주로 금리가 높은 CP(기업어음), CD(양도성예금증서), 콜등 단기금융상품에 집중투자하여 여기서 얻는 수익을 되돌려주는 실적배당상품이다. 고수익상품에 운용하기 때문에 다른 종류보다 돌아오는 수익이 높은게 보통이다. 한편 MMF가 카드사 채권 및 기업어음(CP) 등을 대거 편입해 대규모 환매사태가 벌어지게 되자 2003년 3월부터는 회사채나 기업어음(CP) 등에는 투자하지 않고 안전성이 높은 국공채 등에만 투자하는 '국공채 전용 MMF'가 판매되고 있다. 국공채 위주 MMF펀드 수익률은 다른 MMF펀드에 비해 다소 낮지만 안정성이 강화된 것이 특징이다. MMF는 미국 최대 증권사인 메릴린치가 지난 1971년 개발해 금리자유화가 본격화 됐던 지난 80년대 선풍적인 인기를 끌었던 금융상품으로 우리나라에서는 96년 10월부터 투신사에서 발매하기 시작했다. 미국에서는 투자신탁의 33%, 일본에서는 25%의 점유비율을 차지하고 있다. CD나 CP에는 투자금액에 제한이 있지만 MMF는 가입금액에 아무런 제한이 없어 소액투자자도 손쉽게 투자할 수 있다. 또한 하루뒤에 되찾아도 환매수수료가 붙지 않아 만기가 따로 정해져 있지 않다. 고객은 MMF에 가입한 날의 펀드 기준가와 출금한 날의 펀드 기준가 차액에 따라 이익을 보게 된다. MMF의 최대 장점은 가입 및 환매가 청구 당일에 즉시 이뤄지므로 자금 마련에 불편함이 없고 펀드내에 있는 채권에 대해 시가평가를 적용하지 않으므로 시장금리의 변동과 무관하게 안정적인 수익률을 기대할 수 있다(시사상식사전, pmg 지식엔진연구소).

MEMO

2023년 기출

03 다음 중 ( ) 안에 들어갈 용어로 가장 적절한 것은?

( )은/는 소수의 비공개 투자자의 자금을 모아 주식이나 채권에 투자하는 펀드로 고수익기업투자펀드라고도 한다. 고수익을 추구하지만 그만큼 위험도 크다. 소수 투자자들로부터 단순 투자 목적의 자금을 모아 펀드로 운용하는 주식형과 기관으로부터만 자금을 조달하는 기관전용, 그리고 특정기업의 주식을 대량으로 인수해 기업 경영에 참여하는 방식으로 기업의 가치를 높인 후 주식을 되팔아 수익을 남기는 투자전문회사로 구분한다.

① 증권펀드(Securities Fund)
② 사모펀드(Private Equity Fund)
③ ELS(Equity Linked Securities)펀드
④ 우선주(Preference Shares)
⑤ 환매조건부채권(Repurchase Agreements)

해설 ② 사모펀드(Private Equity Fund)에 대한 설명이다.

① '증권펀드(Securities Fund)'란 펀드 재산의 50%를 초과하여 증권에 투자하는 펀드를 의미하며 전통적인 펀드상품이다. 증권은 채무증권, 지분증권, 수익증권 등과 같이 투자자가 취득과 동시에 지급한 금전 등 외에 추가지급의무를 부담하지 않은 것을 의미한다. 이러한 증권펀드는 다시 주된 투자대상의 편입비율에 따라 주식형, 채권형, 혼합형으로 구분된다. 주식형은 집합투자규약상 자산총액의 60% 이상을 주식으로 운용하는 펀드이며, 채권형은 자산총액의 60% 이상을 채권에 투자하되 주식을 전혀 편입하지 않는 펀드를 말한다. 혼합형은 주식 편입 최고 비율(50%)을 기준으로 혼합주식형과 혼합채권형으로 구분된다(금융감독용어사전, 2011. 2.).

③ 'ELS(Equity Linked Securities)'는 주가연계증권인데, 통상 투자금의 대부분을 채권투자 등으로 원금보장이 가능하도록 설정한 후 나머지 소액으로 코스피 200 같은 주가지수나 개별종목에 투자한다. 'ELS(Equity Linked Securities)펀드'란 개별 ELS를 여러 개 담은 뒤 이들의 일별 평가가격을 평균해 펀드로 만든 상품이다. 삼성ELS인덱스펀드는 홍콩H지수 및 유로스톡스50을 기초로 하는 ELS상품 13개를, 한국투자ELS지수연계솔루션펀드는 홍콩H지수와 유로스톡스50, 코스피200 중 2개 지수를 각각 기초자산으로 삼는 ELS상품 20개를 편입하고 있다(한경 경제용어사전).

④ '우선주(Preference Shares)'란 의결권이 없는 대신에 보통주보다 먼저 배당을 받을 수 있는 권리가 부여된 주식을 말한다. 우선주는 기업이 배당을 하거나 기업이 해산할 경우의 잔여재산을 배분 등에서 다른 주식보다 우선적 지위를 가지는 주식이다. 대개의 경우 의결권이 부여되지 않는다. 곧 의결권을 주지 않는 대신 보통주보다 높은 배당률을 지급하는 주식을 말한다(시사상식사전, pmg 지식엔진연구소).

⑤ '환매조건부채권(Repurchase Agreements)'이란 금융기관이 일정 기간 후 확정금리를 보태어 되사는 조건으로 발행하는 채권을 말한다. 아르피(RP)라고도 한다. 경과 기간에 따른 확정이자를 지급하는 채권이다. 주로 금융기관이 보유한 국공채나 특수채 · 신용우량채권 등을 담보로 발행하므로 환금성이 보장되는 이점이 있다. 또 채권을 실물거래하는 것이 아니라 중앙은행에 맡겨 둔 기준 예치금을 대차거래하는 형태로 이루어지며, 질권 및 담보를 설정할 수 있다(두산백과).

03. ②

MEMO

2022년 기출

04 다음 설명 중 (　　) 안에 들어갈 용어로 가장 적절한 것은?

> (　　　)은/는 Finance(금융)와 Technology(기술)의 합성어로, 금융과 IT의 융합을 통한 금융서비스 및 산업의 변화를 통칭한다. 금융서비스의 변화로는 모바일, SNS, 빅데이터 등 새로운 IT기술 등을 활용하여 기존 금융기법과 차별화된 금융서비스를 제공하는 기술기반 금융서비스 혁신이 대표적이며 최근 사례는 모바일뱅킹과 앱카드 등이 있다.

① 인터넷 뱅킹(Internet Banking)　② 핀테크(FinTech)
③ 디지털 뱅킹(Digital bank)　④ 뱅크런(Bank Run)
⑤ 프로젝트 파이낸싱(Project Financing)

해설 핀테크(FinTech 또는 Financial Technology)는 금융(Finance)과 기술(Technology)의 합성어로, 모바일, 빅데이터, SNS 등의 첨단 정보 기술을 기반으로 한 금융서비스 및 산업의 변화를 통칭한다. 모바일을 통한 결제·송금·자산관리·크라우드 펀딩 등 금융과 IT가 융합된 것이다. 새로운 IT기술을 활용하여 기존 금융기법과 차별화된 금융서비스를 제공하는 기술기반 서비스 혁신이 대표적이며 최근 사례는 모바일뱅킹과 앱카드 등이 있다. 산업의 변화로는 혁신적 비금융기업이 보유 기술을 활용하여 지급결제와 같은 금융서비스를 이용자에게 직접 제공하는 현상이 있는데 애플페이, 알리페이 등을 예로 들 수 있다.

①③ 온라인 뱅킹(online banking)은 전자 금융의 일종으로 인터넷 회선을 이용하여 은행과 사용자 간의 금융 업무를 처리하는 금융 시스템이다. 대한민국에서 자주 쓰이는 낱말인 인터넷 뱅킹(internet banking), 홈 뱅킹(home banking)은 온라인 뱅킹의 유의어다. 참고로, 디지털 뱅킹(digital banking)은 온라인 뱅킹의 일부이자 유의어다.

④ '뱅크런(Bank Run)'은 은행이 기업에 대출해 준 돈을 돌려받지 못한다거나, 주식 등의 투자 행위에서 손실을 입어 부실해지는 경우, 은행에 돈을 맡겨 두었던 예금주들이 한꺼번에 돈을 찾아가는 대규모 예금 인출 사태를 의미한다. 이 같은 현상의 원인은, 파산의 위험이 높은 부실 은행에게서 파산 후에 돈을 받지 못할 위험을 없애기 위해 자신의 돈을 확보하고자 하는 예금주들의 태도에서 비롯된 것이다. 뱅크런은 고객들이 은행에 맡겼던 돈을 한꺼번에 되찾아 가기 때문에, 돈 없이는 운영이 불가능한 은행에게 있어 상당한 타격을 주는 현상이다. 이는 은행으로 하여금 돈을 빌렸던 기업 혹은 개인에게 상환을 촉구하는 효과도 가져와 기업과 개인에게도 부정적 영향을 끼칠 수 있다. 또한 뱅크런은 사회 전체적으로도 국가 경제 상황의 악화, 경제 공황의 발생 등으로 이어질 수 있다. 정부에서는 이러한 뱅크런에 대비하기 위해 '예금자 보호법'을 통해 예금자들의 은행 파산에 의한 손실을 어느 정도 줄이는 한편, 뱅크런의 갑작스런 발생을 방지하고 있다. '예금자 보호법'이란 예금주들에게 은행이 파산해 자신의 돈을 돌려받지 못하더라도 5,000만원 내에서는 보장해 주는 제도이다.

⑤ 프로젝트 파이낸싱(Project Financing) 또는 프로젝트 파이낸스는 신용도나 담보 대신 사업계획, 수익성 등을 보고 자금을 제공하는 금융기법이다. 보통 사업자가 금융권에 자금을 대출받거나 보증을 받을 때 이 개념이 적용된다.

04. ②

MEMO

2015년 기출

05 물가지수(Price Index)와 관련한 설명으로 적절하지 않은 것은?

① 소비자물가지수는 가계생계비의 변동을 측정하는 데 사용되는 물가지수이며 GDP 디플레이터(GDP Deflator)라고도 한다.
② 생산자물가지수는 소비자가 아닌 기업들이 구입하는 재화와 서비스의 가격 변동을 측정하는 물가지수이다.
③ 물가상승률이 영(0)보다 작아서 물가가 떨어지는 현상은 디플레이션(Deflation)이라고 부른다.
④ 물가상승률이 영(0)보다 커서 물가수준이 지속적으로 상승하는 현상을 인플레이션(Inflation)이라고 부른다.
⑤ 물가수준이 지속적으로 높아지고 있으나 그 상승률이 줄어드는 경우는 디스인플레이션(Disinflation)이라고 한다.

해설 'GDP 디플레이터'란 국내에서 생산되는 모든 재화와 서비스 가격을 반영하는 종합적인 물가지수이다. 소비자물가지수는 소비자가 구입하는 재화와 서비스를 기준으로 산출하고, GDP 디플레이터는 일정기간 동안 국내에서 일어난 모든 경제활동(가계 소비, 수출, 투자, 정부 지출 등)을 종합하여 산출한다. 그러므로 소비자가 직접적인 영향을 받는 물가 변동을 측정할 경우에는 소비자물가지수, 국가의 총체적인 물가변동을 측정할 경우에는 GDP 디플레이터를 활용하게 된다.

제13절 형사법관련

2024년 기출

01 다음 설명 중 ( )에 들어갈 법률용어로 가장 적절한 것은?

( )란 일단 유죄를 인정하여 형을 선고하되 일정한 요건 아래 일정한 기간 동안 그 형의 집행을 유예하고 그것이 취소 또는 실효됨이 없이 유예기간을 경과하면 형의 선고의 효력을 상실하게 하는 제도를 말한다.

① 선고유예 ② 기소유예
③ 집행유예 ④ 조건부 기소유예
⑤ 금고

05. ① / 01. ③

MEMO

해설 ③ '집행유예'란 형을 선고함에 있어서 일정한 기간 동안 형의 집행을 유예하고 그 유예기간을 경과 한 때에는 형의 선고의 효력을 잃게 하는 제도를 말한다(형법 제62조(집행유예의 요건) 참조).

① '선고유예'란 범정이 경미한 범인에 대하여 일정한 기간 동안 형의 선고를 유예하고 그 유예기간을 경과한 때에는 면소된 것으로 간주하는 제도를 말한다(형법 제59조(선고유예의 요건) 참조).

② '기소유예'란 피의사건에 관하여 범죄의 혐의가 인정되고 소송조건이 구비되었으나 범인의 연령, 성행, 지능과 환경, 범행의 동기, 수단과 결과, 범행 후의 정황 등을 참작하여 공소를 제기하지 아니하는 경우를 말한다(형사소송법 제247조(기소편의주의) 참조).

④ '조건부 기소유예'란 검사가 피의자에게 일정한 지역에의 출입금지, 피해자배상 또는 수강명령의 이행 등 일정한 의무를 부과하여 이를 준수하는 조건으로 기소유예를 하는 것을 말한다. 소년법 제49조의3(조건부 기소유예)에 조건부 기소유예의 법적 근거를 마련하였는바, 소년범에 대한 선도조건부 기소유예의 허용여부는 입법에 의하여 해결되었다.

⑤ '금고'는 수형자를 교도소 내에 구치하여 자유를 박탈하는 것을 내용으로 하는 형벌이며(형법 제68조(금고와 구류) 참조), 정역에 복무하지 않는 점에서 징역과 구별된다.

제14절 기타

2021년 기출

01 다음 설명 중 (   ) 안에 들어갈 용어로 가장 적절한 것은?

(   )란 아이들이 자유롭게 뛰어노는 모래놀이터처럼 신기술, 신산업 분야에서 새로운 제품, 서비스를 내놓을 때 일정기간 동안 또는 일정지역 내에서 기존의 규제를 면제 또는 유예시켜 주는 제도이다. 이 제도는 핀테크 산업 육성을 위해 2016년 영국에서 처음 도입되었으며, 4차 산업혁명에 따른 기술혁신으로 인해 신기술을 규제제약 없이 사업화할 수 있는 기업환경을 조성하는 것이 중요하고, 기존의 제도와 규제개혁조치로는 신속한 대응이 곤란하여 도입하게 되었다.

① 특허박스(Patent box)
② 그린박스(Green box)
③ 규제샌드박스(Regulatory Sandbox)
④ 셋톱박스(Set-Top box)
⑤ 블랙박스(Black box)

정답 01. ③

MEMO

해설 '규제샌드박스(Regulatory Sandbox)'란 신산업, 신기술 분야에서 새로운 제품, 서비스를 내놓을 때 일정 기간 동안 기존의 규제를 면제 또는 유예시켜주는 제도이다. 이 제도는 영국에서 핀테크 산업 육성을 위해 처음 시작됐는데, 사업자가 새로운 제품, 서비스에 대해 규제 샌드박스 적용을 신청하면 법령을 개정하지 않고도 심사를 거쳐 시범 사업, 임시 허가 등으로 규제를 면제, 유예해 그동안 규제로 인해 출시할 수 없었던 상품을 빠르게 시장에 내놓을 수 있도록 한 후 문제가 있으면 사후 규제하는 방식이다. 어린이들이 자유롭게 뛰노는 모래 놀이터처럼 규제가 없는 환경을 주고 그 속에서 다양한 아이디어를 마음껏 펼칠 수 있도록 한다고 해서 샌드박스라고 부른다.(시사상식사전 참조)

① '특허박스(Patent box)'란 기업이 지식재산권으로 수익을 창출할 경우 해당 부분에 대해 비과세하거나 일반 법인세율보다 낮은 별도의 법인세율을 적용시켜 주는 제도이다. 특히 유럽에서 많이 활용하고 있으며 세율을 0~15%까지 낮춰준다. 기업 전체의 수입 가운데 지식재산권 관련 수익이 차지하는 비중을 측정하는 법, 지식재산권 관련 수입 가운데 통상 활용 수익을 제외하는 법, 특허박스 적용이 가능한 수익 식별법 등을 통하여 세율을 적용한다. 특허박스는 2000년대 중반 이후 중국과 일부 유럽 국가들 중심으로 도입되었고, 2013년에는 영국이 도입하였다.(시사상식사전 참조)

② '그린박스(Green box)제도'는 인터넷 언론에 보도된 당사자나 제3자의 요구에 따라 해당 기사 아래에 이들의 소명문을 6시간 안에 게재하는 것을 의무화하는 제도이다. 이 제도의 도입을 주장하는 취지는 인터넷 언론에 보도된 당사자나 그 보도와 관련된 제3자에게 반론권을 주어 억울한 피해자를 구제하자는 것이다. 구체적으로는 인터넷 언론에 보도된 당사자가 기사 내용에 대한 오류를 정정하거나 경위를 해명하는 내용, 그에 대한 사과 등을 요구하는 내용이 담긴 소명문을 해당 인터넷 언론에 보내면, 해당 인터넷 언론에서는 6시간 안에 의무적으로 이 소명문을 기사 본문과 기사 하단의 네티즌 댓글(리플) 사이에 박스 형태로 게재해야 한다는 것이다. 게재 시간을 6시간으로 정하는 것은 인터넷의 속성, 곧 빠른 확산과 무한한 복제로 인한 피해를 신속하게 막기 위해서이다.(두산백과 참조)

④ '셋톱박스(Set-Top box)'란 디지털 위성방송용 수신장비를 말하는 것으로 TV 위에 설치된 상자라는 뜻에서 붙여진 이름이다. 디지털 셋톱박스는 디지털 TV방송을 아날로그 TV로도 수신할 수 있도록 해주며 쌍방향 TV나 주문형 영상물(VOD : video on demand)을 실현하는데 필수적인 장비로 외장형과 내장형이 있다. 외장형 셋톱박스는 일반 TV에 연결해 인터넷을 접속할 수 있는 제품으로 내장형 인터넷 TV와 달리 현재 사용하고 있는 TV를 그대로 이용해 높은 화질의 디지털 영상을 시청할 수 있다. 최근에는 데이터 통신 서비스를 동시에 이용할 수 있도록 인터페이스를 갖는 다양한 제품이 개발되고 있다.(시사경제용어사전 참조)

⑤ '블랙박스(Black box)'란 비행기나 차량 따위에 비치하는 비행 또는 주행 자료 자동 기록 장치인데, 사고가 났을 때 그 원인을 밝히는 데 중요한 구실을 한다.(표준국어대사전 참조)

MEMO

2019년 기출

02 다음에 해당하는 산업혁명으로 가장 적절한 것은?

> 인공지능 기술을 중심으로 하는 파격적 기술들의 등장으로 상품이나 서비스의 생산, 유통, 소비 전 과정이 서로 연결되고 지능화되면서 업무의 생산성이 비약적으로 향상되어 삶의 편리성이 극대화되는 사회·경제적 현상

① 1차 산업혁명
② 2차 산업혁명
③ 3차 산업혁명
④ 4차 산업혁명
⑤ 5차 산업혁명

해설 지문은 산업통상자원부가 내린 4차 산업혁명의 정의이다. 즉, '4차 산업혁명'이란 인공지능(AI), 사물인터넷(IoT), 로봇기술, 드론, 자율주행차, 가상현실(VR) 등이 주도하는 차세대 산업혁명을 말한다. 이 용어는 2016년 6월 스위스에서 열린 다보스 포럼(Davos Forum)에서 포럼의 의장이었던 클라우스 슈밥(Klaus Schwab)이 처음으로 사용하면서 이슈화됐다. 당시 슈밥 의장은 "이전의 1, 2, 3차 산업혁명이 전 세계적 환경을 혁명적으로 바꿔 놓은 것처럼 4차 산업혁명이 전 세계 질서를 새롭게 만드는 동인이 될 것"이라고 밝힌 바 있다.

4차 산업혁명은 ▷1784년 영국에서 시작된 증기기관과 기계화로 대표되는 1차 산업혁명 ▷1870년 전기를 이용한 대량생산이 본격화된 2차 산업혁명 ▷1969년 인터넷이 이끈 컴퓨터 정보화 및 자동화 생산시스템이 주도한 3차 산업혁명에 이어 ▷로봇이나 인공지능(AI)을 통해 실제와 가상이 통합돼 사물을 자동적·지능적으로 제어할 수 있는 가상 물리 시스템의 구축이 기대되는 산업상의 변화를 일컫는다(시사상식사전, pmg 지식엔진연구소).

2014년 기출

03 국제수지 등에 관한 설명으로 가장 적절하지 않은 것은?

① 국제수지는 한 나라의 거주자와 다른 나라의 거주자 사이에 이루어지는 모든 경제거래를 체계적으로 기록한 것으로서 경상수지와 자본수지로 구분된다.
② 경상수지는 상품수지, 서비스수지, 소득수지 등으로 구분된다.
③ 자본수지는 투자수지와 기타자본수지 등으로 구분된다.
④ 경상수지의 적자가 오랫동안 지속되면 국가신용도가 떨어져 외국으로부터의 자본 유입이 끊길 수도 있다.
⑤ 경상수지의 흑자가 오랫동안 지속되면 국가신용도는 높아지나 통화량의 감소로 인하여 디플레이션이 발생하기도 한다.

정답 02. ④ 03. ⑤

MEMO

해설 경상수지 흑자는 결론적으로 소비증가를 가져와서 물가 상승의 요인이 될 수 있다. 즉, 외화가 외국에서 들어와 국내에 돈이 많아짐에 따라 상품이나 재화의 소비가 증가하여 가격이 상승하는 효과가 수반되게 되는 것이다. 또한 고용과 소비의 측면에서 보면 경상수지 흑자는 고용의 상승과 소비의 증가와 그로 인한 물가의 상승을 낳는다. 화폐의 유통, 즉 통화시장의 측면에서 경상수지의 흑자는 외환시장의 통화량 증가로 인한 환율 하락과 물가 하락 등으로 연결될 수 있는 바, 경상수지의 흑자가 오랫동안 지속되면 통화량의 감소가 아니라 오히려 통화량이 증가되는 것이다.

2014년 기출

04 1년 후 받게 될 100만 원을 현재가치(Present Value)로 환산하는 방법으로서 가장 적절한 산식은? (연이자율이 5%인 경우)

① 1,000,000원 ÷ (1+0.05)
② 1,000,000원 ÷ (1−0.05)
③ 1,000,000원 × (1+0.05)
④ 1,000,000원 × (1−0.05)
⑤ 1,000,000원 × $(1+0.05)^2$

해설 현재가치(現在價値, PV ; Present Value)는 미래에 발생하는 현금흐름을 화폐의 시간가치를 반영하여 적절한 할인율로 현재시점에서의 가치로 환산한 값을 말하며, 미래에 얻게 될 확실한 부(富)의 가치를 현재의 가치로 환산한 값을 뜻한다. 줄여서 현가(現價)라고도 한다. 이에 현재가치는 현재가치와 장래가치로 구분되며, 미래에 얻게 될 부는 명목적인 가치뿐만 아니라 시간의 흐름에 따른 기회비용인 시간가치가 포함되어 있기 때문에 현재 표면상으로 동일한 부를 가지고 있다 하더라도 미래부와 현재부의 가치는 달라진다. 또한 현재가치는 장래가치의 반대개념으로서 특정 이자율로 특정 미래일에 특정액을 이루기 위해 투자하여야 하는 금액이 된다. 이에 현재가치는 '미래가치 ÷ (1+이자율)'의 산식으로 계산되며, 반대로 미래가치는 '현재가치 × (1+이자율)'의 산식이 된다.

04. ①

신용관리사 기출문제집
memo